表現のための
実践ロイヤル英文法

THE ROYAL ENGLISH GRAMMAR
for Practical Expressiveness

綿貫 陽　マーク・ピーターセン：共著

はしがき

　本書は，高校生程度以上の学生，教師および一般社会人の英語学習者を対象として，自分の考えや事実を，**英語で正しく表現**できるようにすることを目的とした学習書である。日本人は話すことが苦手だと言われるが，それ以上に英語で書くことが下手である。これは，いわゆる「英作文」の学習というと，漠然と英文法を復習し，日英対照の公式的な英語の慣用構文を覚え，後は若干の参考文例を暗記するということに終わっているからではないかと思う。さらに，英語で書いたり，話したりすることが苦手な根本的な理由のひとつは，最近，英文法や語法が必要以上に枝葉末節的なことにこだわるようになってきたことと，これだけ騒がれながら，ネイティブ的発想が一向に身につかないということに尽きると思う。

　そこで，本書は，**まず英文法のさまざまな事項の中から，英語で表現するためにぜひ必要なものを徹底的に精選**し，それを根底に置いて，自分の言いたいことを英語で表現できるような足固めをすることにした。こういう場合，信頼できる**ネイティブの協力**が絶対条件となるが，まことに幸いなことに，日本語にも驚くほど造詣の深い英文学者として有名な Mark Petersen 教授との完全な共著という形をとることができることになった。綿密な打ち合わせを経て，仕事を始め出してからは，多い日は1日に数回もの頻繁なメールでのやり取りをしながら，ネイティブ感覚を全面的に打ち出した今までにはない新しい形の，表現のための英文法の本を作るという努力が始まった。用例はコンピューター検索で，雑誌・新聞その他幅広い分野から，これはという英文を抜き出し，必要があればそれを Petersen 教授が，より自然な，現代の標準英語に書き直し，あるいは教授自ら最適と思われる用例文を作成され，文字どおり現代の生きた例文を示しながら，「**教養ある標準英語**」で表現する力が養えるように，随所に詳細な解説をつけることにした。

　「本書の構成」に示されているが，英文法を，複雑な英文を**分析**するために使うのではなく，**基本的で正確な文法力で正しい英文を構築していく**という発想が大切なのである。英文を構築するための英文法と，それを裏づけるネイティブの感覚，これを大きな柱として，本書の構想が始まって3年，Petersen 教授とともに，私には忘れがたい貴重な体験の結実として本書を世に送り出す運びとなった。

　企画に当たられた斎田昭義氏，浅井利和子氏，また，大磯巌部長を始めとする編集部の荒川昌代氏や松﨑悦子氏などのご尽力に厚く感謝の意を表するものである。本書で掲げた理想が，今後広くわが国で受け入れられ，本当に生きた国際語としての英語の習得の途が着実に根付いてくれれば，筆者の喜びはこれに過ぎるものはない。

綿貫　陽

Preface

When I first arrived in Japan, many years ago, people were still likely to explain to me that although Japanese students lacked an ability to *speak* English they were actually quite knowledgeable in matters of *grammar*. In fact, I was told, the most serious problem in Japanese English-language education at the secondary-school level was that *too much time* was being spent on the teaching of *grammar*. I was never quite sure how truly justified that particular complaint might be, but it is clear that there is little chance of its being made today.

In the study of any foreign language, gaining a solid knowledge of its grammar is the first step toward developing an ability to read that language with understanding and to write it so as to be understood. The grammar of a language tells us how sentences hold together logically and how actual meaning is expressed.

Before beginning work on this book, my previous experience with 英文法書 had been limited to the proofreading of English example sentences — checking for accuracy and naturalness of expression. It did *not* extend to work on the Japanese translations of those sentences, nor did it include any participation in the writing of grammatical explanations. This time I have been involved in *every* aspect of the production, and it has been a very rewarding, if exhausting, experience.

In this, I have felt particularly blessed to have been given the opportunity to work with a truly gifted scholar, 綿貫陽先生. In the give-and-take correspondence that we have conducted over the years, I have been constantly amazed at the depth of his knowledge of the English language and sharpness of his insights into its inner workings. I have tried to learn as much from him as possible in this time, and, with respect to this book, I can say with certainty that it was his constant and unerring guidance that kept our project moving on a steady and accurate course.

I would like to join Prof. Watanuki in expressing my gratitude to the editorial staff at Ōbunsha, and in particular to Masayo Arakawa, for all the long hours and hard work that they have devoted to the task of trying to produce a new, reliable, and genuinely useful reference work on the grammar of the difficult (but always fascinating) English language.

Mark Petersen

本書の構成

　本書は一見したところ、これまでの英文法の本と変わらないではないかと思われるかもしれないが、読み進むうちに、すべてが「標準英語」を話し、**書く**という「発信的」な目的に集約されていることに気づかれるはずである。本書は、何よりもまずなるべく英語の**ネイティブ感覚**を身につけて「標準英語」を話し、書くことができるようになることを目標にしている。

　英語で表現する以上は当然日常会話の学習にも繋がるが、昨今のインターネットの普及につれて、**話し言葉でメールを書く**ことも急速に増えている。と同時に、**英語で文書を書く**必要性は学生にも社会人にも痛切な問題である。

(1) 各章の配列と文法的内容

　章の配列は、取りつきやすいように従来の英文法書の項目と同じようにしてあるが、内容的には大きな違いがある。あまりにも細かいことにこだわりすぎてわかりにくいと言われてきたこれまでの英文法書は、主として英文読解のために作られたものである。これに対して、主として標準英語を話し、書くために作られた本書では、綿貫陽先生とマーク・ピーターセン先生お二人に、まず標準英語を作るのに必要な文法項目の精選をお願いし、そして、英語で「発信」したい意味を正確に表現できるように、各項目には英語の基本的な働きについて、できるだけわかりやすい説明を加えていただいた。

　解説の本文は、**青字で示した英文**とともに必ず読んでいただきたい。もし難しくて理解できない部分があったら、一旦**飛ばしてもよい**。チェックしておき、学習が進んだ段階で**もう一度そこに立ち戻って**読めばきっとわかるはずである。絶えず前へ、前へと進んでいくことが大切なのである。

　文法的解説は、「標準英語」で文を書き、話すという見地から、枝葉末節的なことはすべて省き一時的に流行している俗語などは取り上げていない。一方、必要と思われるがやや高度な内容は、最新の英米の文法・語法書や辞書などから、本文の解説をより深く明快にしてくれるのに役立つようなものを、 発展 欄として簡潔にまとめていただいた。ここは、最初は飛ばして読んでもよい。

(2) 用例文と和訳その他

　用例文は、すべて信頼できる新聞・雑誌・ガイドブックその他幅広い分野から綿貫先生がコンピューターで検索して提示し、引用する際にはその出典を確認し、ピーターセン先生に、「標準英語」として自然であるかどうかの検証と、必要に応じてその文に手を加えていただくことをお願いした。

　各見出し項目の解説のための英文はすべて青字で示し、訳文は直訳的な英文解

釈文ではなく，**ネイティブから見ると，この英文はこういう日本文に当たる**という見地から，なるべく自然な日本語の訳文を示した。常に，その訳文を見て元の英文が出てくるように練習すれば効果は倍増する。

訳文下の●は，**その英文に関する注記**である。その英文を訳すとなぜそうなるのか，というようなことを中心にできるだけ丁寧に解説していただいた。

|注意|は，そこの**項目全般**にわたるもので，平素はあまり関心を持たれないが重要なことを，特に取り上げて解説していただいた。

発展は，本文で書いた基本的な解説に加えて，英米の語法書や辞書などから，理解しておくと英文がより正確に書けるというような参考的な記述を加えていただいたものである。今まではっきりしなかったことがよくわかったという，これまでの読者の声を参考に書かれたもので，参考と併せて読んでいただきたい。

参考は，英語表現の広範囲にわたる知識を，そこにある例文に関係づけて書かれている。**最新の英米の辞書や研究書**に見られる語法の変化の解説や，そこに示されている英文表現の実際の場での応用などについて触れていただいた。

（**参照項目**）　本書はクロスレファレンス（◯ p.000）を数多く用いた。ある表現は，他の表現と関係を持つ場合が多いのでその参照先を調べ，本書を有機的に活用していただきたい。見出しは，**16A**のような形にして各ページ下のナンバーでも容易に参照先がわかるようにしたが，さらにそのページも示した。

(3) 文化的背景の知識

◆の欄は，例文の裏にある英米の文化的背景を解説したものである。英米人は，子供のころから「マザー・グース」のようなわらべ歌や物語に親しんできているので，日常の会話やメールにふとそうした言葉が出てくることがある。ことわざや名言もそうであるが，ここではもっと幅広く，1つの用例文を理解するのに役立つように，その実際的な内容についても具体的に解説していただいた。

(4) Helpful Hint

英語と日本語との比較研究を続け，日本人の書いた英文を永年にわたって審査・添削してきた経験をお持ちのピーターセン先生が，当該各所に書かれている文に関連して，ネイティブの立場から日本人の英語のどこがおかしいのかという理由を具体例を交えながら書かれたものである。個々の感想のようであるが，体系的にまとめられているので，大いに参考にしていただきたい。またネイティブ感覚というものがどのようなものであるのかも併せて学んでいただきたい。

(5)「**索引**」は，**文法事項**，**英文語句**，**日本語表現**についても示した。ご覧いただけばわかるように，ページ数の許す限り詳しいものにした。文法用語は，これを覚えるというのではなく，他書に出てくる文法用語が本書ではどのように扱わ

れているかを知るためである。また，同一項目について参照ページが多い場合には，中心となる箇所を太字で示しそこからさらに参照できるようにした。

(6) 章末の演習問題と解答

演習問題は，「確認問題」と「実践問題」とに分けた。**「確認問題」**は，大学入試問題形式による**基礎的問題**で，初学者でもできるようにしてある。ここでつまずいたら必ず本文に立ち返ってマスターしてほしい。

「実践問題」は，TOEICの形式で，大問1は**日常会話の応答**，大問2は本文の例文と同じような**時事英語**，**ビジネス英語**も交えた英文を選んである。一見文法問題に見えるが，内容的に日常会話の慣用表現と，時事問題やビジネス英語で実際に目にすることの多い英文が幅広く学習できるように構成していただいた。答え合わせだけで済まさずに，正しくなった英文をもう一度よく読むことをお勧めする。やや専門的な単語が入っていると思われても，時事問題やビジネス英語に関心のある読者は，このレベルの単語はこの機会にぜひ覚えていただきたい。

「解答・解説」は，まず（解答）を「確認問題」と「実践問題」の順に示し，必要な箇所には＊で注記を添えた。「実践問題」には注だけではなく大問1，2ともに（全文訳）を載せておいたので，英文とともに再三読んでいただきたい。

(7) 句読法

句読点の用い方は比較的簡単に考えられているが，正式な英文を書くときには極めて厳重にチェックされるものであるから，平素から相手が読みやすいように決まりを守る必要がある。コンマ，セミコロン，コロン，ピリオドの順に，区切りが明確になっていくことを知っているだけでも役に立つ。

(8) 「**英文手紙・Eメールの書き方**」は，親しい友人同士の場合はともかく改まったメールを書く場合には，国際的に共通する常識に従って書かないと教養を疑われることになりかねない。例とともに参考にしてほしい注意も書き添えた。

(9) 記号について

かっこ記号には4種類あり，それぞれ次のように使っている。

  （　）── 省略可能   ［　］── 言い換え可能
  〈　〉── 公式的な英文語句・構文 〔　〕── 日本語の解説

［正］［誤］── 基礎的な事項で，正誤のはっきりしているものを示した。

(10) 別冊付録 「**英作文のための暗記用例文300**」

英文を書くためには，いろいろな見地から精選した短文を暗記することが不可欠と言われている。そこで本冊の英文から必須の短文300を選び，和英対照式で覚えやすくして提供した。

編集部

目次

はしがき ... i
本書の構成 ... iii

第1章　文

第1節　文の構成 ... 1
- 1　主部の構成 ... 1
  - 1A　主部の構成と主語 ... 1
  - 1B　複合主語 ... 2
  - 1C　形式主語 ... 2
- 2　述部の構成 ... 2
  - 2A　述部の構成 ... 2
  - 2B　述語動詞の種類 ... 3
  - 2C　目的語 ... 3
  - 2D　補語 ... 4
  - 2E　文の要素と修飾語句 ... 6
  - 2F　文の要素を欠く文 ... 6

第2節　文型 ... 7
- 3　基本5文型 ... 7
  - 3A　第1文型〈S＋V〉 ... 7
  - 3B　第2文型〈S＋V＋C〉 ... 7
  - 3C　第3文型〈S＋V＋O〉 ... 10
  - 3D　第4文型〈S＋V＋O_1＋O_2〉 ... 10
  - 3E　第5文型〈S＋V＋O＋C〉 ... 12
  - 3F　〈There is ...〉構文 ... 13
  - 3G　〈It seems that ...〉構文 ... 14

第3節　品詞・句と節 ... 15
- 4　8品詞 ... 15
  - 4A　8品詞とその機能 ... 15
  - 4B　品詞の転用 ... 17
- 5　句 ... 18
  - 5A　名詞句 ... 18
  - 5B　形容詞句 ... 18
  - 5C　副詞句 ... 19
- 6　節 ... 19
  - 6A　節の種類 ... 19
  - 6B　名詞節 ... 20
  - 6C　形容詞節 ... 21
  - 6D　副詞節 ... 21

第4節　文の種類 ... 22
- 7　構造上の文の分類と，肯定文・否定文 ... 22
  - 7A　単文・重文・複文 ... 22
  - 7B　肯定文・否定文 ... 22
- 8　機能上の文の分類 ... 23
  - 8A　平叙文 ... 23
  - 8B　疑問文［1］ 一般・特殊・選択疑問文 ... 23
  - 8C　疑問文［2］ 間接・付加・修辞疑問 ... 25
  - 8D　命令文 ... 27
  - 8E　感嘆文 ... 28
- 確認問題　1 ... 29
- 実践問題　1 ... 30

第2章　動詞

第1節　動詞の種類 ... 31
- 9　自動詞と他動詞 ... 31
  - 9A　自動詞にも他動詞にも用いられる動詞 ... 31
  - 9B　自動詞と誤りやすい他動詞 ... 32
- 10　動作動詞と状態動詞 ... 34
  - 10A　動作動詞 ... 34
  - 10B　状態動詞 ... 35
- 11　意味と語法の上で注意すべき動詞 ... 36
  - 11A　日本語との関係で誤りやすい動詞 ... 36
  - 11B　再帰動詞 ... 37
  - 11C　同族目的語をとる動詞 ... 38
- 12　使役動詞と知覚動詞 ... 38
  - 12A　使役動詞 ... 38
  - 12B　知覚動詞と不定詞・分詞 ... 40
- 13　be, do, have の本動詞用法 ... 41
  - 13A　本動詞の be ... 41
  - 13B　本動詞の do ... 42
  - 13C　本動詞の have ... 43

第2節　動詞の活用 ... 43
- 14　規則動詞 ... 43

14A	規則動詞の語形変化	44
14B	語尾 -ed の発音	45
15	**不規則動詞**	45
15A	3つの活用形中，2つが同形のもの	45
15B	全部の形が違うもの A－B－C	46
15C	全部の形が同じもの A－A－A	46
16	**注意すべき活用の動詞**	46
16A	接頭辞のついた動詞，複合形の動詞	46
16B	2種類の活用形のあるもの	47
16C	意味によって活用が違うもの	47
16D	活用形を混同しやすいもの	47
17	**～ing 形の作り方**	48

第3節　句動詞　49

18	**〈動詞＋副詞〉**	49
18A	〈動詞＋副詞〉	49
18B	〈動詞＋副詞＋前置詞〉	49
19	**〈動詞＋前置詞〉**	50
19A	同じ自動詞につく前置詞による意味の違い	50
19B	同じ動詞が自動詞にも他動詞にもなるため誤りやすいもの	50
20	**名詞を含む成句動詞**	50
20A	〈他動詞＋名詞〉で1つの自動詞的役割を果たすもの	50
20B	〈他動詞＋名詞＋前置詞〉	50
	確認問題　2	51
	実践問題　2	52

第3章　時制

第1節　基本時制　53

21	**時制**	53
21A	時間と時制	53
21B	英語の時制	53
22	**現在時制**	54
22A	3人称単数現在(3単現)の -s のつけ方	54
22B	現在時制の表す意味	54
23	**過去時制**	57

23A	過去時制の形	57
23B	過去時制の用法	57
24	**未来を表す表現**	59
24A	〈will＋動詞の原形〉	59
24B	be going to	60
24C	その他の未来を表す表現	61

第2節　完了形　61

25	**現在完了**	61
25A	現在完了の形	61
25B	現在完了の用法	61
25C	現在完了の用法上の注意	63
26	**過去完了**	64
26A	過去完了の形	64
26B	過去完了の用法	64
27	**未来完了**	65
27A	未来完了の形	65
27B	未来完了の用法	66

第3節　進行形　66

28	**現在進行形**	67
28A	現在進行形の形	67
28B	現在進行形の用法	67
29	**過去進行形**	68
29A	過去進行形の形	68
29B	過去進行形の用法	68
30	**未来進行形**	68
30A	未来進行形の形	68
30B	未来進行形の用法	69
31	**完了進行形**	70
31A	現在完了進行形	70
31B	過去完了進行形	71
31C	未来完了進行形	71
32	**ふつう進行形にしない動詞**	71
32A	原則として進行形では用いない動詞	71
32B	状態や知覚・心的動詞が進行形になる場合	72
	確認問題　3	73
	実践問題　3	74

第4章　助動詞

第1節　助動詞の種類と特徴　75

33	助動詞の種類と語形変化	75
33A	時制など文法上の形を作るのに用いるもの	75
33B	法助動詞	76
33C	〈助動詞＋not〉の短縮形	77

第2節　助動詞の用法　77

34	can, could	77
34A	can の用法	77
34B	could の用法	79
34C	be able to の用法	80
34D	can を用いた慣用表現	81
35	may, might	82
35A	may の用法	82
35B	might の用法	83
35C	may, might を含む慣用構文	84
36	must	85
36A	must の用法	85
37	have to	87
37A	have to の時制	87
37B	have to の疑問と否定	87
37C	have to の用法	87
38	ought to	88
39	used to	89
40	will	90
40A	意志を表す用法	90
40B	will のその他の用法	91
41	would	92
41A	意味上過去のこと	92
41B	丁寧な表現〔仮定法〕	94
41C	仮定法の条件が言外にある言い方	95
42	shall	95
42A	話し手の意志	95
42B	相手の意志	96
43	should	96
43A	義務や当然	96
43B	主観的判断や感情表現	97
43C	仮定法用法	98
44	need, dare	100
44A	need の用法	100
44B	dare の用法	101
	確認問題　4	102
	実践問題　4	103

第5章　態

第1節　能動態と受動態　104

45	能動態と受動態	104
45A	受動態の一般的な形と時制	104
45B	不定詞・分詞・動名詞の受動態	105
45C	〈have [get]＋目的語＋過去分詞〉	105
46	態の転換の一般的形式	105
46A	態の転換による語順の変化	105
46B	態の転換の一般的注意	106
47	第3文型の受動態	107
47A	目的語が名詞・代名詞の場合	107
47B	目的語が節の場合	107
48	第4文型の受動態	108
48A	目的語が2つある場合の受動態の考え方	108
48B	間接目的語，直接目的語のどちらも受動文の主語になれるもの	108
48C	間接目的語を主語にした受動文が不自然になるもの	109
49	第5文型の受動態	110
50	疑問文の受動態	110
50A	一般疑問文	110
50B	特殊疑問文	111
51	命令文の受動態	111
52	句動詞の受動態	112
52A	〈他動詞＋副詞〉，〈自動詞＋前置詞〉	112
52B	名詞を含んだ句動詞	113
53	従位節の主語を文の主語にした受動態	114
53A	say, think, believe などの場合	114
53B	seem, appear, happen などの場合	114
54	by 以外の前置詞を用いる受動態	114
54A	感情表現	114
54B	その他慣用句的なもの	115

第2節　受動態の用法　116

55	動作の受動態と状態の受動態	116
55A	動作の受動態	116
55B	状態の受動態	116
56	受動態が好まれる場合	116
56A	受動文の主語に重点を置きたい場合	116
56B	談話の流れによる場合	117
57	受動態にならない動詞	117
57A	意志の働かない動作や状態を表す他動詞	117
57B	相互関係を表す動詞	118
57C	不自然な受動態	118
58	日本語からの類推で誤りやすい英語の受動態	118
59	能動態で受動の意味を表す動詞	119
確認問題 5		120
実践問題 5		121

第6章 不定詞

第1節 不定詞の形　122

60	to不定詞と原形不定詞	122
60A	to不定詞	122
60B	原形不定詞	122
60C	to不定詞でも原形不定詞でもよい構文	123
60D	代不定詞	123
60E	不定詞の否定形	123
60F	不定詞を修飾する副詞の位置	124
61	不定詞の完了形	125
61A	不定詞の完了形の形	125
61B	完了不定詞の用法	125
62	不定詞の受動態と進行形	126
62A	不定詞の受動態	126
62B	不定詞の進行形	127
63	不定詞の意味上の主語	127
63A	不定詞の意味上の主語を示さない場合	128
63B	不定詞の意味上の主語の表し方	128
64	不定詞の表す「時」	129
64A	述語動詞の示す「時」と同じか，それより後に起こることを示す場合	129
64B	述語動詞の示す「時」より前に起きたことを示す場合	129

第2節 to不定詞の用法　130

65	to不定詞の名詞用法	130
65A	主語としての用法	130
65B	目的語としての用法	131
65C	補語としての用法	131
65D	名詞と同格の用法	131
66	to不定詞の形容詞用法	132
66A	主語関係	132
66B	目的語関係	132
66C	その他の修飾関係	133
67	to不定詞の副詞用法	133
67A	動詞修飾	133
67B	形容詞・副詞修飾	135

第3節 to不定詞の基本構文　136

68	〈疑問詞＋to不定詞〉	136
68A	〈疑問詞＋to不定詞〉	136
68B	〈疑問詞＋to不定詞〉を目的語にとる動詞	137
69	〈seem to ～〉, 〈be to ～〉	139
69A	〈seem to ～〉	139
69B	〈be to ～〉	140
70	〈It is ～ for [of] A to ...〉	141
70A	〈It is ～ for A to ...〉	141
70B	〈It is ～ of A to ...〉	142
70C	〈It is ～ that ...〉構文だけで，to不定詞構文をとれないもの	143
71	〈S＋V＋to不定詞〉	143
71A	〈S＋V＋to不定詞〉の形を作れる場合	143
71B	to不定詞とthat節	144
72	〈S＋V＋O＋to不定詞〉	145
72A	〈S＋V＋O＋to do〉	145
72B	〈S＋V＋O＋to be＋C〉	147
73	独立不定詞	148

第4節　原形不定詞の用法　**148**
- 74　原形不定詞の用法　148
  - 74A　助動詞の後で　148
  - 74B　使役動詞の後で　149
  - 74C　知覚動詞の後で　149
  - 74D　know や help などの後で　150
- 75　原形不定詞を用いた慣用構文　150
  - 75A　〈had better ～〉　150
  - 75B　〈would rather ～〉　151
  - 75C　〈cannot help but＋原形不定詞〉　152
  - 確認問題　6　153
  - 実践問題　6　154

第7章　分詞

第1節　分詞の形　**155**
- 76　現在分詞と過去分詞　155
  - 76A　現在分詞　155
  - 76B　過去分詞　155
- 77　分詞の完了形・進行形・否定形・受動態　156
  - 77A　分詞の完了形　156
  - 77B　分詞の進行形　156
  - 77C　分詞の否定形　156
  - 77D　分詞の受動態　157

第2節　分詞の用法　**157**
- 78　分詞の動詞的機能　157
  - 78A　進行形と完了形　157
  - 78B　受動態　158
- 79　分詞の形容詞的機能　158
  - 79A　修飾する場合の位置　158
  - 79B　共に用いる他の語句　159
  - 79C　その他の違い　159
- 80　分詞の限定用法と叙述用法　160
  - 80A　分詞の限定用法　160
  - 80B　分詞の叙述用法　162
- 81　〈S＋V＋O＋分詞〉　163
  - 81A　〈S＋V＋O＋現在分詞〉　163
  - 81B　〈S＋V＋O＋過去分詞〉　165
- 82　〈have [get]＋O＋過去分詞〉　166
  - 82A　使役・受動を表す場合　166
  - 82B　完了を表す場合　166

第3節　分詞構文　**167**
- 83　分詞構文の形　167
  - 83A　分詞構文の形　167
  - 83B　分詞構文の意味上の主語　167
  - 83C　分詞構文の時制　168
  - 83D　受動態の分詞構文　168
  - 83E　接続詞を頭につけた分詞構文　168
- 84　分詞構文の表す意味　169
  - 84A　比較的よく使う単独の分詞構文　169
  - 84B　ふつう接続詞を頭につけて使う分詞構文　169
- 85　独立分詞構文　170
  - 85A　独立分詞構文　170
  - 85B　懸垂分詞　170
  - 85C　〈with＋独立分詞構文〉　171
- 86　慣用的独立分詞構文　171
  - 確認問題　7　172
  - 実践問題　7　173

第8章　動名詞

第1節　動名詞の形と機能　**174**
- 87　動名詞の形と機能　174
  - 87A　動名詞の形　174
  - 87B　動名詞の機能　174
- 88　動名詞の意味上の主語　176
  - 88A　意味上の主語を置く場合　176
  - 88B　意味上の主語を特に示さない場合　177
- 89　動名詞の時制　177
  - 89A　単純形の動名詞　177
  - 89B　完了形の動名詞　178
- 90　動名詞を用いた慣用構文　178

第2節　動名詞と現在分詞・不定詞　**181**
- 91　動名詞と現在分詞　181
  - 91A　〈現在分詞＋名詞〉　181
  - 91B　〈動名詞＋名詞〉　181
  - 91C　現在分詞か動名詞かわかりにくい場合　182

92	動名詞とto不定詞	182
92A	to不定詞だけを目的語にとる動詞	182
92B	動名詞だけを目的語にとる動詞	183
92C	動名詞とto不定詞のどちらも目的語にとる動詞	184
	確認問題 8	187
	実践問題 8	188

第9章 法

第1節 法の種類 189

93	直説法と命令法	189
93A	直説法	189
93B	命令法	189
94	直説法と仮定法	190
94A	仮定法	190
94B	仮定法の時制	191

第2節 条件文と法 191

95	条件文の種類	191
95A	単なる条件（開放条件）	192
95B	仮想の条件（却下条件）	193
96	条件節と帰結節の動詞の形	194
96A	条件節の仮定法と呼応する帰結節の一般的な形	194
97	条件文と仮定法過去	195
97A	現在の事実に反する仮定	195
97B	現在または未来についての可能性の乏しい想像	196
98	条件文と仮定法過去完了	196
99	条件節と帰結節の時制	197
99A	条件が過去のことで，帰結が現在のこと	197
99B	条件が現在のことで，帰結が過去のこと	197
100	were to, should を用いた条件文	198
100A	were to を用いた条件文	198
100B	should を用いた条件文	199
101	if の省略と if節の代用	200
101A	if の省略	200
101B	if節の代用	201

102	条件節・帰結節の省略	202
102A	条件節の省略	202
102B	帰結節の省略	202

第3節 仮定法を用いた重要構文 203

103	願望を表す構文	203
103A	〈I wish ...〉	203
103B	〈If only ...〉	203
103C	その他古風な表現	203
104	that節中に仮定法現在を用いる構文	204
104A	要求・提案・命令などの動詞の目的語となる that節で	204
104B	〈It is＋形容詞＋that節〉の中で	205
105	〈It is time ...〉の構文	205
106	〈as if ...〉の構文	205
107	仮定法を含む慣用表現	207
107A	〈If it were not for ～〉,〈If it had not been for ～〉	207
107B	〈as it were〉	207
107C	〈had better＋原形〉,〈would rather＋原形〉,〈lest＋原形〉	207
	確認問題 9	208
	実践問題 9	209

第10章 疑問詞

第1節 疑問詞の種類と用法 210

108	疑問代名詞	210
108A	疑問代名詞の種類	210
108B	疑問詞の一般的用法	210
108C	who の用法	212
108D	which の用法	213
108E	what の用法	213
109	疑問形容詞	214
110	疑問副詞	215
110A	疑問副詞の種類	215
110B	疑問副詞の用法	215

第2節 間接疑問 220

111	間接疑問	220
111A	間接疑問	220

112	注意すべき間接疑問の語順	220
112A	「…をどう思いますか」型	221
112B	「…が何だか知っていますか」型	221
112C	〈I wonder ...〉と疑問詞	221
	確認問題　10	222
	実践問題　10	223

第11章　接続詞

第1節　接続詞の種類　224

113	接続詞の種類	224
113A	等位接続詞と従位接続詞	224
113B	接続副詞	224

第2節　等位接続詞と接続副詞　225

114	等位接続詞の種類と用法	225
114A	連結を示す等位接続詞	225
114B	反意・対立を示す等位接続詞	227
114C	選択を示す等位接続詞	228
114D	理由を示す等位接続詞	229
115	接続副詞	229
115A	接続副詞の種類	229
115B	接続副詞の使い方	231

第3節　従位接続詞　232

116	名詞節を導く接続詞	232
116A	that	232
116B	whether と if	235
116C	lest, but that その他	236
117	時・場所の副詞節を導く接続詞	236
117A	時の副詞節を導く接続詞	236
117B	場所の副詞節を導く接続詞	242
118	原因・理由の副詞節を導く接続詞	242
118A	because, since, as	242
118B	that, now that, seeing that	244
119	目的・結果の副詞節を導く接続詞	245
119A	目的を表す副詞節を導く接続詞	245

119B	程度や結果を表す副詞節を導く接続詞	247
120	条件・譲歩の副詞節を導く接続詞	248
120A	条件の副詞節を導く接続詞	248
120B	譲歩の副詞節を導く接続詞	251
121	副詞節を導くその他の接続詞	254
121A	様態の副詞節を導く接続詞	254
121B	比較の副詞節を導く接続詞	255
121C	比例の副詞節を導く接続詞	255
121D	制限の副詞節を導く接続詞	256
121E	除外・付言などの副詞節を導く接続詞	256
	確認問題　11	257
	実践問題　11	258

第12章　関係詞

第1節　関係代名詞　259

122	関係代名詞の働きと種類	259
122A	関係代名詞と先行詞	259
122B	関係代名詞の種類	259
123	関係代名詞の人称・数・格	260
123A	関係代名詞の人称と数	260
123B	関係代名詞の格	261
124	制限用法と非制限用法	262
124A	制限用法と非制限用法の使い分け	262
125	〈前置詞＋関係代名詞〉	263
125A	関係代名詞につく前置詞の位置	263
126	who の用法	265
126A	who	265
126B	whose	266
126C	whom	266
127	which の用法	267
127A	主格と目的格の which	267
127B	which の所有格	267
127C	which の特別用法	269
127D	関係形容詞の which	269
128	that の用法	270
128A	主格の that	270
128B	目的格の that	270

128C	that が比較的好まれる場合	270
129	**what の用法**	272
129A	what の導く名詞節	272
129B	関係形容詞の what	273
129C	what を含む重要慣用表現	273
130	**関係代名詞の省略**	274
130A	目的格の関係代名詞の省略	274
130B	主格の関係代名詞の省略	274
131	**関係代名詞の二重限定**	276
132	**擬似関係代名詞**	277
132A	as	277
132B	than, but	278

第2節　関係副詞　279

133	**関係副詞の種類と用法**	279
133A	関係副詞の種類	279
133B	関係副詞の用法	279
134	**when の用法**	279
135	**where の用法**	280
136	**why の用法**	281
137	**how の用法**	281
138	**that の用法**	282
139	関係副詞の先行詞の省略	283

第3節　複合関係詞　284

140	**複合関係代名詞**	284
140A	whoever, whomever	284
140B	whichever	285
140C	whatever	286
141	**複合関係副詞**	286
141A	whenever	286
141B	wherever	286
141C	however	287
	確認問題　12	288
	実践問題　12	289

第13章　前置詞

第1節　前置詞の種類と用法　290

142	**前置詞の形**	290
142A	1語の前置詞	290
142B	二重前置詞	290
142C	群前置詞	290
143	**前置詞の目的語**	291
143A	名詞相当語句	291
143B	形容詞・副詞	292
144	**〈前置詞＋名詞〉の用法**	292
144A	形容詞用法	292
144B	副詞用法	293
144C	名詞用法	293
145	**前置詞の位置と省略**	293
145A	前置詞の位置	293
145B	前置詞の省略	294
146	**前置詞と副詞・接続詞**	296
146A	前置詞と副詞	296
146B	前置詞と接続詞	297

第2節　用法別前置詞の使い分け　297

147	**時を示す前置詞**	297
147A	年月・日時などを示す前置詞	297
147B	時の起点を示す前置詞	299
147C	時の終点を示す前置詞	300
147D	期間を示す前置詞	300
147E	時の経過を示す前置詞	301
147F	時を示すその他の前置詞	303
148	**場所を示す前置詞**	303
148A	at, in, on	303
148B	上下を示す前置詞	305
148C	進行・通過を示す前置詞	306
148D	周囲を示す前置詞	307
148E	前後関係を示す前置詞	308
148F	接近・遠隔を示す前置詞	309
148G	方向・到達を示す前置詞	309
148H	内外・間を示す前置詞	310
149	**原因・理由を示す前置詞**	311
149A	原因・理由を示す1語の前置詞	311
149B	原因・理由を示す群前置詞	313
150	**目的・結果を示す前置詞**	314
150A	目的を示す前置詞	314
150B	結果を示す前置詞	314
151	**手段・道具を示す前置詞**	315
152	**材料・出所を示す前置詞**	315

152A	材料・原料	315
152B	出所	316
153	**その他の誤りやすい前置詞**	317
153A	代価・単位など	317
153B	関連・関与など	318
153C	様態・着用	318
153D	その他の意味を示す前置詞	319

第3節　動詞・形容詞と前置詞の結合　320

154	**動詞と前置詞との連結**	320
154A	自動詞と前置詞	320
154B	他動詞＋目的語＋前置詞	322
155	**形容詞と前置詞との連結**	324
確認問題	13	328
実践問題	13	329

第14章　名詞

第1節　名詞の種類　330

156	**名詞の分類**	330
156A	固有名詞と共通名詞	330
156B	可算性と不可算性	330
156C	具象名詞と抽象名詞	331
156D	名詞の体系的分類	331
156E	伝統的な名詞の5分類	331
157	**可算名詞と不可算名詞**	332
157A	可算名詞	332
157B	不可算名詞	332
157C	可算名詞の基本的用法	332
158	**普通名詞**	333
158A	普通名詞の定義	333
158B	普通名詞の性質と用法	334
159	**集合名詞**	334
159A	可算名詞である集合名詞	334
159B	不可算名詞である集合名詞	336
160	**物質名詞**	337
160A	物質名詞の用法	337
160B	物質名詞の量の表し方	337
161	**抽象名詞**	338
161A	抽象名詞の一般的性質	338
161B	単独の抽象名詞の前になんらかの限定詞がつく場合	338
162	**固有名詞**	339
162A	the と固有名詞	340
162B	a [an] と固有名詞	341
163	**名詞の意味合い上の柔軟性**	342
163A	普通名詞⇒固有名詞・抽象名詞	342
163B	不可算名詞⇒可算名詞	342
164	**複合名詞**	343
164A	複合名詞の種類	343
164B	1語の複合名詞	343
164C	2語(以上)の複合名詞	343

第2節　名詞の数　345

165	**単数と複数**	345
165A	日英の数の考え方の違い	345
165B	単数か複数かの使い分け	345
166	**規則複数**	346
166A	規則的な複数形の作り方	346
167	**不規則複数**	347
167A	一般的な -s をつける以外の複数変化	347
167B	外来語の複数形	348
167C	文字や記号の複数形	349
167D	複合名詞の複数形	349
168	**複数形の特別用法**	350
168A	常に複数形の名詞	350
168B	単数形と複数形で異なる意味を持つ名詞	350
168C	相互複数	351
168D	似たようなものや事柄の繰り返しを強める複数形	351

第3節　名詞の格と性　352

169	**所有格**	352
169A	所有格の作り方―〈's〉所有格	352
169B	〈's〉所有格と〈of＋名詞〉	353
169C	所有格の意味	355
169D	二重所有格	356
170	**主格・目的格と同格**	357
170A	主格	357
170B	目的格	357
170C	同格	358
171	**名詞の性**	359
171A	男性と女性のペア	359

第4節 名詞を用いた重要構文　360

- 172　名詞を用いた慣用表現　360
  - 172A　〈前置詞＋抽象名詞〉　360
  - 172B　〈動詞＋抽象名詞〉　360
  - 172C　〈動詞＋名詞〉　361
  - 172D　〈形容詞＋動作主〉　361
  - 172E　〈have the＋抽象名詞＋to do〉　361
  - 172F　〈all＋抽象名詞〉　361
- 173　無生物主語の構文　361
  - 173A　無生物を主語にした構文　361
  - 173B　疑問詞を主語にした構文　363
  - 確認問題　14　364
  - 実践問題　14　365

第15章　冠詞

第1節　冠詞の種類と用法　366

- 174　冠詞の種類と発音　366
  - 174A　不定冠詞　366
  - 174B　定冠詞　367
  - 174C　冠詞相当語　367
- 175　不定冠詞の用法　367
  - 175A　不定冠詞の基本的用法　367
  - 175B　不定冠詞の拡大用法　368
  - 175C　〈不定冠詞＋不可算名詞〉　370
- 176　定冠詞の用法　371
  - 176A　定冠詞の基本的用法　371
  - 176B　定冠詞の拡大用法　373
  - 176C　the を含む慣用表現　373

第2節　冠詞の位置と省略　374

- 177　冠詞の位置　374
  - 177A　冠詞のふつうの位置　374
  - 177B　冠詞が形容詞や副詞の後にくる場合　374
  - 177C　冠詞の反復　375
- 178　無冠詞と冠詞の省略　376
  - 178A　官職・身分などを表す名詞　376
  - 178B　建造物や場所を表す名詞　377
  - 178C　〈by＋交通・通信の手段を表す名詞〉　378
  - 178D　食事を表す名詞　378
  - 178E　特殊な構文や慣用句で　378
  - 178F　冠詞の省略　380

- 確認問題　15　381
- 実践問題　15　382

第16章　代名詞

第1節　人称代名詞　383

- 179　人称と格　383
  - 179A　人称代名詞とその格変化　383
  - 179B　1人称・2人称・3人称　383
  - 179C　人称代名詞の位置　384
  - 179D　総称人称　385
  - 179E　主格・所有格・目的格　386
- 180　it の用法　387
  - 180A　it の一般用法　387
  - 180B　it の特別用法　388
  - 180C　〈It is ～ that ...〉の強調構文　390
- 181　所有代名詞　390
  - 181A　所有代名詞の形　390
  - 181B　所有代名詞の用法　391
- 182　再帰代名詞　392
  - 182A　再帰代名詞の形　392
  - 182B　再帰代名詞の用法　392

第2節　指示代名詞　393

- 183　this [these], that [those] の用法　393
  - 183A　this, that の基本的用法　393
  - 183B　this, that の特殊用法　395
- 184　such の用法　396
  - 184A　代名詞として　396
  - 184B　形容詞として　397
- 185　so の用法　397
  - 185A　代名詞的な so　397
  - 185B　〈So＋V＋S〉と〈So＋S＋V〉　398
- 186　same の用法　398
  - 186A　基本的用法　398
  - 186B　same を含む慣用表現　399

第3節　不定代名詞　399

- 187　one の用法　399
  - 187A　名詞の代用語として　399
  - 187B　the one [＝that]　401
  - 187C　一般の人を表す one　401
  - 187D　one の形容詞用法　402

188	other, another	402
188A	other	402
188B	another	403
188C	each other, one another	404
189	some と any	404
189A	some と any の一般的用法	404
189B	some, any の特別用法	407
189C	several の用法	408
190	all と both	408
190A	both の用法	408
190B	all の用法	409
190C	both, all の位置	412
190D	both, all の否定	412
190E	whole と all	413
191	each と every	413
191A	each	413
191B	every	413
192	either と neither	415
193	somebody, someone などの用法	415
193A	somebody, someone, anybody, anyone, everybody, everyone	415
194	something, anything, everything	417
195	no one, none, nobody, nothing	417
195A	no one と none	417
195B	nothing	419
	確認問題 16	420
	実践問題 16	421

第17章 形容詞

第1節	形容詞の種類と用法	422
196	形容詞の種類と語形	422
196A	形容詞の種類	422
196B	形容詞の語形	423
196C	物質名詞からできた形容詞	425
196D	国名から派生した形容詞	425
197	分詞形容詞	427
197A	現在分詞からの形容詞	428
197B	過去分詞からの形容詞	428
198	形容詞の2用法	430
198A	形容詞の限定用法と叙述用法	430
199	限定用法と叙述用法のどちらか一方のみの形容詞	431
199A	限定用法のみの形容詞	431
199B	叙述用法のみの形容詞	433
199C	限定用法と叙述用法で意味が異なる形容詞	434
200	形容詞の位置	435
200A	形容詞の位置	435
200B	複数の形容詞を名詞の前に置くときの順序	436
201	〈形容詞＋to不定詞〉	437
201A	〈be＋形容詞＋to ...〉	437
202	〈形容詞＋that節〉	439
202A	人を主語にした構文でのthat節	439
202B	〈It is＋形容詞＋that A (should) ...〉構文	440

第2節	数量形容詞	442
203	不定の数量を表す形容詞	442
203A	不定代名詞の形容詞用法	442
203B	その他の不定数量形容詞	443
204	many と much	443
204A	many の用法	443
204B	much の用法	444
204C	many, much を含む慣用表現	446
205	(a) few と (a) little	447
205A	a few と few	447
205B	a little と little	447
205C	few, little を含む慣用表現	448
206	不定の数量を表すその他の形容詞	449
206A	several の用法	449
206B	enough の用法	449
206C	日本語に引きずられて誤りやすい「多・少」の表現	449

第3節	数詞	451
207	基数詞	451
207A	基数詞の形	451
207B	基数詞の用法	452

208	序数詞	454
208A	序数詞の形	454
208B	序数詞の用法	455
209	倍数詞	455
209A	「〜倍」	455
209B	部分	455
210	数字・数式の読み方	456
210A	数字	456
210B	数式の読み方	458
	確認問題 17	459
	実践問題 17	460

第18章　副詞

第1節　副詞の種類と形　461

211	副詞の種類	461
211A	副詞の意味・用法上の分類	461
212	副詞の語形	463
212A	名詞から派生した副詞	463
212B	形容詞と同形の副詞	463
212C	〈形容詞＋-ly〉形の副詞の-lyのつけ方	464
212D	形容詞と同形の副詞と，-lyをつけた副詞の意味	464

第2節　副詞の用法と位置　466

213	動詞を修飾する副詞とその位置	466
213A	様態を表す副詞	466
213B	場所を表す副詞	468
213C	時を表す副詞	468
213D	頻度を表す副詞	469
213E	程度・強調を表す副詞	470
213F	異なる種類の副詞が並ぶとき	470
214	形容詞や副詞などを修飾する副詞の位置	471
214A	形容詞・副詞を修飾する副詞	471
214B	名詞・代名詞などを修飾する副詞	471
215	文修飾の副詞	472
215A	文修飾副詞の種類	472
215B	文修飾副詞の位置	473

第3節　注意すべき副詞　474

216	時・頻度の副詞	474
216A	ago, before, since	474
216B	already, yet, still	474
216C	once, ever	476
216D	just, now, just now	478
217	場所の副詞	479
217A	here, there	479
217B	far	480
218	程度・強調の副詞	481
218A	very, much	481
218B	so, too	482
218C	nearly, almost	483
219	その他	484
219A	Yes / No	484
219B	only	484
219C	too, also, either, neither	485
220	句動詞を作る副詞	486
220A	句動詞を作る副詞	486
220B	動詞と副詞の位置	486
	確認問題 18	487
	実践問題 18	488

第19章　比較

第1節　比較変化　489

221	比較変化の有無	489
221A	比較変化をする形容詞・副詞	489
221B	比較変化をしない形容詞・副詞	489
222	比較の規則変化	490
222A	規則変化［1］-er, -est 型	490
222B	規則変化［2］more 〜, most 〜型	491
223	比較の不規則変化	491
223A	不規則な比較変化をする語	491
223B	比較級・最上級が2つあるもの	492

第2節　比較形式　493

224	原級を用いた比較	493
224A	原級比較の形式	493
224B	原級比較の意味	494
225	比較級による比較の基本形式	495
225A	比較級による比較の形式	495

225B	than の後の省略	496
225C	比較対象のそろえ方	496
225D	差の表し方	497
225E	同一の人や物についての比較	497
226	**比較級の特殊な形式**	498
226A	〈the＋比較級＋of the two〉	498
226B	less を使った比較	498
226C	ラテン比較級	498
226D	絶対比較級	499
227	**比較級の修飾**	499
227A	比較級を修飾する語句	499
227B	〈many [much] more＋名詞〉	499
228	**最上級による比較**	500
228A	最上級を用いた比較の基本形	500
228B	最上級と the	500
228C	最上級の強調	501
229	**絶対最上級**	501
230	**最上級の意味を，原級や比較級で表す形**	501
231	**特殊な比較構文**	502
231A	倍数表現	502

第3節　比較を用いた慣用構文　503

232	原級の慣用構文	503
233	比較級の慣用構文	504
234	最上級の慣用構文	506
	確認問題　19	507
	実践問題　19	508

第20章　時制の一致・話法

第1節　時制の一致　509

235	時制の一致の原則	509
235A	主節の動詞が現在・現在完了・未来のとき	509
235B	主節の動詞が過去・過去完了のとき	509

第2節　時制の一致の例外　512

236	直説法の時制の一致の例外	512
236A	不変の真理などを強調する場合	512
236B	今も当てはまる事実を言う場合	513
236C	比較を表す場合	513
236D	歴史上の事実を示す場合	514
237	**仮定法と時制の一致**	514
237A	従位節内の仮定法	514
237B	主節の動詞が仮定法の場合	514

第3節　話法の種類　515

238	**直接話法と間接話法**	515
238A	直接話法	515
238B	間接話法	516
239	**描出話法**	516

第4節　話法の転換　517

240	**話法の転換の一般的原則**	517
240A	一般的原則	517
240B	伝達動詞の選び方	517
240C	話法の転換による被伝達部の変化	519
241	**平叙文の話法転換**	520
242	**疑問文の話法転換**	520
242A	一般疑問文の転換	521
242B	特殊疑問文の転換	521
243	**命令文の話法転換**	521
243A	ふつうの命令文の話法転換	521
243B	Let's ～ 型の間接話法	522
244	**感嘆文の話法転換**	522
245	**重文の話法転換**	523
245A	ふつうの重文の話法転換	523
245B	〈命令文＋and [or]〉構文の話法転換	523
246	**種類の違う文が混ざっている場合の話法転換**	523
247	**その他注意すべき話法転換**	524
	確認問題　20	525
	実践問題　20	526

第21章　否定

第1節　否定語句　527

248	否定語句の種類	527
248A	強い否定語	527

— xviii —

248B	弱い否定語	528		257D	時間・距離・金額などを表す複数語句と動詞	547
249	**否定語の位置**	529		258	**複合主語**	547
249A	平叙文における not	529		258A	〈A and B〉	547
249B	疑問文における not	529		258B	〈A or B〉	548
249C	命令文における not	530		258C	相関語句	549
249D	hardly, seldom, never などの位置	530		**第2節**	**その他の一致**	**550**
249E	名詞を否定する場合	531		259	**主語と補語の数の一致**	550
249F	否定の副詞語句の位置と語順倒置	531		259A	主語と補語の数が一致しない場合	550
249G	〈I don't think ...〉型	531		259B	主語と補語の数が一致する場合	550
第2節	**否定構文**	**532**		260	**名詞と代名詞の一致**	550
250	**否定の範囲**	532		260A	集合名詞と代名詞	550
251	**文否定と語否定**	534		260B	不定代名詞と代名詞	551
251A	文否定	534		確認問題 22		552
251B	語否定	534		実践問題 22		553
252	**全体否定と部分否定**	534		**第23章**	**倒置・省略・強調・挿入**	
253	**二重否定**	535		**第1節**	**倒置**	**554**
254	**否定の重要慣用構文**	536		261	**文法上必ず倒置する構文**	554
254A	否定語を用いた慣用表現	536		261A	文中の主語と述語動詞の倒置	554
254B	否定語を用いない否定の意味の慣用表現	537		261B	副詞節中の主語と述語動詞の倒置	555
254C	否定を強調する語句	539		262	**強調のための倒置**	555
確認問題 21		540		262A	目的語・補語を文頭に出す場合	555
実践問題 21		541		262B	副詞を文頭に出して強調する場合	556
第22章	**一致**			262C	否定語句を文頭に出す場合	556
第1節	**主語と動詞の一致**	**542**		**第2節**	**省略**	**557**
255	**主語が単一名詞の場合**	542		263	**〈主語＋be動詞〉の省略**	557
255A	集合名詞と動詞	542		263A	従位節中で	557
255B	常に複数形の名詞と動詞	542		263B	日常会話における慣用的省略	557
256	**不定代名詞を受ける動詞**	544		263C	掲示などにおける省略	558
256A	単数扱いの不定代名詞	544		264	**主語（＋動詞）の省略**	558
256B	原則として複数扱いの不定代名詞	544		264A	日常会話における慣用的省略	558
256C	単数にも複数にも扱う不定代名詞	544				
257	**部分・数量を表す語句と動詞**	545				
257A	〈A of B〉型の主語の場合	545				
257B	分数が主語の場合	546				
257C	〈a ～ of A〉型の句が主語の場合	546				

264B	分詞構文の意味上の主語の省略	558
265	**接続詞 that の省略**	559
265A	think などの目的語になる名詞節	559
265B	〈It is ～ that ...〉構文で	559
265C	目的や結果を表す構文で	559
266	**その他の文法上の省略**	559
266A	比較構文における as や than 以下の省略	559
266B	〈関係詞＋be動詞〉の省略	560
267	**共通している語句の重複を避ける省略**	560
267A	質問と応答	560
267B	前に出た語句の反復を避けるための省略	560

第3節 強調　561

268	**強調構文〈It is ～ that ...〉**	561
269	**do を用いた強調**	561
270	**強調語句による強調**	562
270A	形容詞・副詞の強調	562
270B	比較級・最上級の強調	562
270C	疑問詞の強調	562
271	**否定の強調**	562
272	**その他の強調法**	562
272A	oneself の利用	562
272B	反復による強調	562

第4節 挿入　563

273	**挿入語句**	563
273A	慣用句	563
273B	挿入節	563
273C	〈I think〉など	564
273D	独立不定詞	564
274	**同格語句**	564
274A	名詞と並列される場合	564
274B	同格を示す語句	564
	確認問題　23	565
	実践問題　23	566

第24章 文の転換

第1節 文の種類の転換　567

275	**複文⇔単文**	567
275A	名詞節を含む複文	567
275B	副詞節を含む複文	569
275C	形容詞節を含む複文	572
276	**重文⇔単文**	572
277	**重文⇔複文**	573

第2節 主語の転換　574

278	**It を主語にする文**	574
278A	天候・時間・距離などの it	574
278B	〈It is ～ for [of] A to ...〉型	575
278C	〈It is ～ that [wh-] ...〉型	575
279	**無生物・疑問詞主語の構文**	576
280	**実践的文の変換**	576
281	**英文の推敲と仕上げ**	579
	確認問題　24	583
	実践問題　24	584

〈付録〉	Ⅰ．句読法	585
	Ⅱ．英文手紙・Eメールの書き方	593
確認問題・実践問題　解答・解説		599
〈索引〉	1．文法事項索引	619
	2．英文語句索引	656
	3．日本語表現索引	693
Helpful Hint 一覧		704
主要参考文献一覧		706
著者紹介		708

＊　＊　＊

〈別冊〉
英作文のための暗記用例文300

[カバー・本文デザイン]
MORE COLOR　中村尚登

第1章 文
SENTENCES

文を書くときは大文字で始め，終止符か疑問符，感嘆符を打って終わる。読んだり話したりするときには，強勢を置く位置と，上昇調か下降調かに注意する。

第1節 文の構成

1 主部の構成

文を作るときには，主題となる**主部**（「～は，～が」）を先に置き，それについて述べる**述部**（「～である，～する」）を続けるのが自然である。

主部（～は）	述部（～する）	
This **pond**	**freezes** in the winter.	（この池は / 冬には凍る）
Her **horse**	**won** a blue ribbon.	（彼女の馬は / 最高賞を取った）

1 A 主部の構成と主語

主部の中で，**修飾語句**を除いた中心語を**主語**という。主語は多くの場合，**名詞**か**代名詞**であるが，**動名詞・to不定詞を含む句**や，**名詞節**なども主語にすることができる。次の各文では，/ の前の下線部分が**主部**，/ の後の部分が**述部**であり，各主部の中で，太字で示してあるのが**主語**である。

A **bird** in the hand / is worth two in the bush.　　　〔名詞〕
　（手の中の1羽の鳥は，茂みの中の2羽の価値がある）〈ことわざ〉
　● in the hand は名詞 bird を説明している修飾語句。「将来手に入るかもしれないものより，今確実に持っているもののほうが価値がある」の意。

> **参考** 有名なことわざは，たとえば A *book* in the hand is worth two in the *library*. などジョークの種にもなるので，英語を使う場合に知っておくと便利である。

Writing good English / is not so easy.　　　〔動名詞を含む句〕
　（上手な英文を書くことはそう簡単ではない）

To make mistakes / is human.　　　〔to不定詞を含む句〕
　（過ちを犯すのは人の常である）
　● writing good English や to make mistakes は **it** で置き換えられる（🔵 p.389 **180B**(3)）。

That she is a Democrat / means nothing to me.　　　　　〔名詞節〕
（彼女が民主党支持だということなんか私にはどうでもいいことだ）
● 名詞節が文頭で主語になるのは，関係代名詞の what などで始まる場合が多く，that 節や whether 節などの場合は，it で置き換えるほうが多い（⇒ p.389 **180B**(3)）。

1 B　複合主語

A and B のように複数の(代)名詞が結ばれたものを**複合主語**という。

Jack and I / often go fishing together.
（ジャックと私はよく一緒に釣りに行きます）
● この場合は，ジャックと私の 2 人だから複数であるが，ham and eggs （ハムエッグ）のように，1 つのまとまりと考えて単数扱いにするものもある（⇒ p.547 **258A**）。

1 C　形式主語

to 不定詞・動名詞を含む句や名詞節などが主語になると，主語が長くなって文の均衡がとれないので，**形式主語**の **it** を文頭に置いて，本来の主語を後に置くことが多い。本来の主語は**真主語**ともいう。

It is dangerous **to drive while using a cell phone**.　　〔to 不定詞を含む句〕
（携帯電話を使いながら運転するのは危険です）

It is apparent **that the child is lying**.　　　　　　　〔名詞節〕
（その子がうそをついているのは明らかだ）

注意　It is *dangerous* that … . とは言えない。形容詞の用い方に注意（⇒ pp.437-441 **201**〜**202**）。

2　述部の構成

2 A　述部の構成

述部の中心となるのは**述語動詞**であるが，この動詞が目的語をとるか，あるいは補語を必要とするかどうかで，大きく 4 つに分けることができる。

述部には**修飾語句**を含む場合が多い。動詞を修飾する語句は**副詞**の役割をし，目的語や補語を修飾する語句は**形容詞**か**副詞**の役割をしている。

I saw *some* passengers *on the train with mountain bikes*.
（私は列車の中でマウンテンバイクを持った乗客数人を見かけた）
● saw が述語動詞で，(some) passengers が目的語。on the train と with mountain bikes は共に修飾語句であるが，マウンテンバイクを持っていたことが印象的だったので，これを強調するために，with mountain bikes が文末に置かれている。ふつう，英文では文末の語句に強勢が置かれるので，配列の順に特に規則のない**修飾語句**がいくつかあるときには，**強調したいものを文末**に置くとよい。

2B 述語動詞の種類

目的語をとる動詞が**他動詞**であり，とらない動詞が**自動詞**である。また，**補語**を必要とする動詞が**不完全動詞**で，必要としない動詞が**完全動詞**である。

(1) 自動詞と他動詞

What **happened**?（何があったの？） 〔目的語をとらない**自動詞**〕

Politicians **love** *crises*. 〔目的語をとる**他動詞**〕
　　（政治家は危機的な局面が大好きだ）

(2) 完全動詞と不完全動詞

Time **went** by slowly. 〔補語を必要としない**完全自動詞**〕
　　（時はゆっくりと流れて行った）

John Carpenter **became** a *millionaire* by winning on a TV quiz show.
　　　　　　　　　　　　　　　　　　　　　〔補語を必要とする**不完全自動詞**〕
　　（ジョン・カーペンターはテレビのクイズ番組で勝って百万長者になった）

Everybody **enjoyed** the holiday. 〔補語を必要としない**完全他動詞**〕
　　（だれもがその休日を楽しんだ）

You **gave** me courage. 〔目的語を２つとる**完全他動詞**〕
　　（あなたは私に勇気を与えてくれた）

I **thought** his attitude *rude*. 〔補語を必要とする**不完全他動詞**〕
　　（彼の態度は失礼だ，と私は思った）
　　● rude のような補語がないと，その態度をどう思ったのかわからず，文が不完全。

2C 目的語

(1) 目的語になる語句

他動詞の動作や行為の対象となる語句を**目的語**という。目的語となるのは，主語と同様，名詞，代名詞または名詞に相当する語句である（⊙ p.1 **1A**）。

Emily Brontë **wrote** only one *novel*.
　　（エミリー・ブロンテは長編小説を１つしか書かなかった）
　　◆ Emily Brontë は名作 *Wuthering Heights*（嵐が丘）１つだけで有名になった。

(2) 直接目的語と間接目的語（⊙ p.10 **3D**）

「〜に」に当たる**間接目的語**と，「〜を」に当たる**直接目的語**がある。（間接目的語と直接目的語の２つを併せて，二重目的語ということもある。）

A man in a baseball cap **handed** me a thick *envelope*.
　　（野球帽をかぶった男が私に分厚い封筒を手渡した）

　注意　me が**間接目的語**で envelope が**直接目的語**だが，handed *a thick envelope* だけでは文は不完全。handed *a thick envelope* to me ならよい（⊙ p.10 **3D**(1)）。

(3) 形式目的語

目的語が to 不定詞・動名詞や that 節などで長くなる場合は，それをひとまず形式上の目的語 **it** で受けて，真の目的語を後に置くのがよい。

I found **it** difficult *to sleep in the hut.*
　（その小屋で眠るのは難しかった）

I think **it** highly unlikely *that he would ever betray us.*
　（彼が我々を裏切ることなど，およそありそうもないと私は思う）

Helpful Hint 1　find の使い方

前掲の用例 "I **found** it difficult to sleep in the hut." の「find＋O＋C」は，日常会話のごくふつうの言い方なのだが，こうした find の使い方がピンとこない，という日本人の知り合いや大学生の声をたびたび耳にする。確かに，どの英和辞典にも定義として，「〔経験を踏まえて〕わかる，気づく，知る，悟る」などのような日本語が載せられてはいるが，実際の使い方から受け止められる**意味**としては，むしろ，単に「思う，感じる，印象を受ける」という定義をつけたほうが正確なケースが圧倒的に多い。

また，たとえば「そのことについて話すのは難しかった」であれば，もちろん，"It was difficult to talk about that." という言い方もあるのだが，英会話としては，こんな言い方は味わいの乏しい表現に感じられかねない。これに比べたら，"I **found** it difficult to talk about that." と言ったほうがよほど "英語らしい" 表現になる。

このように使われる *find* は，基本的に「やってみれば～と思う［感じる］」という意味に過ぎないので，英和辞典で "I found it difficult to talk about that." のような用例の対訳としてつけられる「そのことについて話すのは難しいと**悟った**」などのような日本語に出会うと，ビックリさせられてしまう。「悟った」というような話であれば，"I found it difficult ... ." と言わず，"I *realized* (that) it was difficult to talk about that." などのように別の動詞を使うはずである。

2D 補語

(1) 補語とその種類

〈主語＋動詞〉，〈主語＋動詞＋目的語〉だけでは意味が不完全な場合に，これを補って意味の通る文にする語句を**補語**という。修飾語句は取り去っても意味が通じるが，補語は取り去ると文意が成り立たなくなる。主語を説明するものを**主格補語**，目的語を修飾するものを**目的格補語**という。

The bald eagle *is* **the US national bird**.　　　　　　　　　〔主格補語〕
　（白頭ワシは米国の国鳥です）

●この場合は，the bald eagle＝the US national bird の関係になる。

◆白頭ワシは，米国とカナダにしかいない大きな猛禽で，bald には「〔動物の〕頭に白い部分がある」という意味もある。1782年に国会で米国の国鳥に決定。米国の力の象徴として，合衆国大紋章になり，切手や貨幣などにもその姿が見られる。

The first immigrants *called* the big bird **a bald eagle**.　　〔目的格補語〕
　　（最初の移住者たちはその大きな鳥を白頭ワシと呼んだ）
　　●この場合は，the big bird＝a bald eagle の関係になる。

(2) 補語になる語句

When did you *become* **a detective**?　　〔名詞〕
　　（いつ探偵になったのですか）

This password *is* not **mine**.　　〔代名詞〕
　　（このパスワードは私のものではない）

The two children *look* **alike**.　　〔形容詞〕
　　（その2人の子は似た顔をしている）

The news *made* Ann **happy**.　　〔形容詞〕
　　（その知らせを聞いてアンは幸せな気分になった）
　　●この場合は make が他動詞で，happy は Ann を説明している目的格補語。

School *is* **over** at 3:00 p.m.　　〔副詞〕
　　（授業は午後3時に終わります）
　　●こういう場合は，over は形容詞と考えてもよい。

To love *is* **to be happy**.　　〔to不定詞〕
　　（人を愛すると幸せな気分になる）

My hobby *is* **collecting** stickers.　　〔動名詞〕
　　（私の趣味はステッカーを集めることです）

The new hotel *is* **under construction**.　　〔句〕
　　（その新しいホテルは建築中です）

The problem *is* **that he hates school**.　　〔節〕
　　（問題は彼が学校が大嫌いなことである）

(3) 補語に相当する語句

　完全動詞だから，本来補語は必要ないのだが，補語と同じように働いて，主語や目的語の状態を説明している場合がある。

① 主格補語に相当する場合

Schubert *died* **young**. （シューベルトは若くして死んだ）
　　●Schubert was young when he died. （死んだとき若かった）ということ。

> **参考**　「佳人薄命」の英訳は Beautiful women die young. ではなく The good die young. がふつう。

A little girl *came* **running**. （小さな女の子が走ってやってきた）
　　●「やってきた」ときの女の子の状態を説明している。A little girl came. と, (She was) running (when she came). とを一緒に言っているのである。

② 目的格補語に相当する場合

I like my coffee **strong**.
（コーヒーは濃いほうが好きだ）
● 私が好むコーヒーの状態は strong（濃い）なのである。

注意　「薄い」場合は，weak と言う。

2 E　文の要素と修飾語句

主語，述語動詞，目的語，補語を**文の要素**といい，これらを説明したり限定したりする語句を**修飾語句**という。主語，目的語，名詞補語を修飾するのは形容詞的修飾語句で，述語動詞，形容詞補語を修飾するのは副詞的修飾語句である。

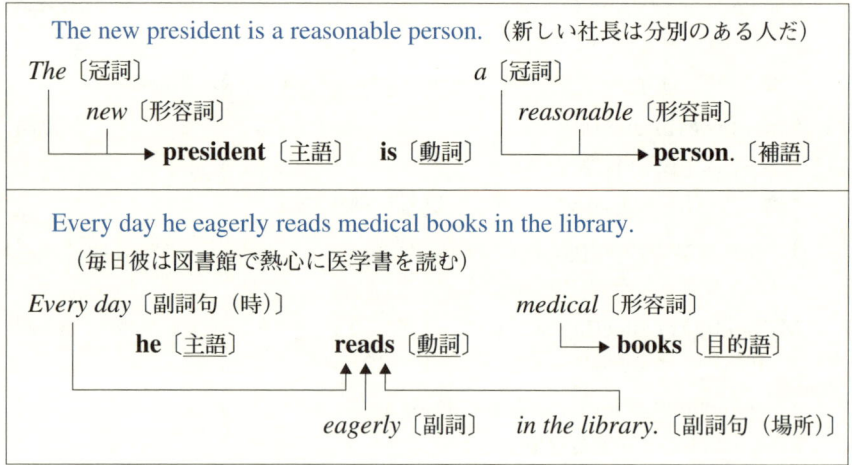

2 F　文の要素を欠く文

文によっては，主語や述語動詞を欠くものがあるが，これらは一定のルールや，はっきりした慣用による省略であって，勝手に省略してよいわけではない。

(1) **命令文** ── 主語の you を欠く（● p.27 **8D**）。

Pass me the salt, please.（塩を回してください）

(2) **会話文**（● p.557 **263B**）

Nice to meet you.（お目にかかれてうれしいです）
● これは文頭の It is が省略されたもので，会話では文頭の〈主語＋be動詞〉が省略されることが多い。

(3) **慣用表現**

The sooner, the better.（早ければ早いほどよい）
● The sooner (you do it), the better (it will be). の省略形。

第2節 文 型

3 基本5文型

述語動詞が，述部の中でどのような文の要素（目的語・補語）をとるかということから，英文は基本的には次の5つの文型に分けられる。斜体の語は補語。

	主語 S	動詞 V	目的語 O_1（～に）	目的語 O_2（～を）	補語 C
① 第1文型	The war	**ended**.			
② 第2文型	My brother	**is**			*an artist*.
③ 第3文型	Children	**like**		sweets.	
④ 第4文型	I	**gave**	her	a ring.	
⑤ 第5文型	They	**think**		Bob	*honest*.

① (戦争は終わった) 〔完全自動詞〕
② (私の兄は画家です) 〔不完全自動詞〕
③ (子供たちはお菓子が好きです) 〔完全他動詞〕
④ (私は彼女に指輪をあげた) 〔目的語を2つとる他動詞〕
⑤ (彼らはボブのことを正直だと思っている) 〔不完全他動詞〕

3 A 第1文型〈S + V〉

自動詞の多くはこの文型で用いられる。主語と動詞だけが文の主要素で，これにいろいろな修飾語句をつけることができる。

All the people **laughed** *loudly*. （みんな大声で笑った）
　●people が主語で，laughed が動詞。あとは冠詞と修飾語。

Many insects **live** *in water*. （たくさんの虫が水中に住んでいる）
　●insects が主語で live が動詞。in water は場所を示す副詞句。

> **発展** live は**完全自動詞**であるが，「住んでいる」という意味を表すには**修飾語句**として必ず「場所」や「時」などを示す**副詞(句)**が必要である。このように，完全自動詞でありながら，「場所」や「時」などを表す副詞(句)が必ず必要な場合もあるので注意。
> The match **is** *tomorrow* [*on Tuesday*]. （その試合は明日［火曜日に］あります）

3 B 第2文型〈S + V + C〉

be動詞などの自動詞を用いた文には，主語と動詞だけでは意味が完結せず，その欠けた部分を補う**補語**が必要なものがある。補語になるのは，主語と同様に名

詞，代名詞または名詞に相当する語句，および形容詞である（⊙ p.1 **1A**）。意味上，**主語＝補語**の関係になる。

His home **is** a luxurious *mansion*. （彼の家は豪華な邸宅だ）
- ● a luxurious mansion がないと，His home is は，まるで「彼の家はである」という日本語と同じように文が完結しない。「～である」という意味の be動詞は補語を必要とし，ここでは (a luxurious) mansion が補語である。

第2文型の形で**補語**をとることのできる動詞には，次の(1)～(4)のようなものがある。ただし，ここに**示された意味**を表すのに用いる場合である。

(1) 状態を表す動詞

It **was** *dark* that night. （その夜は暗かった）
- ●「～である」は **be** を適切に変化させて用いる。

> **発展** ①「～の状態である［いる］」の意味に **lie, sit, stand** などを用いることができる。
> The shop **stood** *empty* between 1997 and the end of 1998.
> （その店は1997年から1998年末までの間空いたままだった）
> ②「～のままでいる［ある］」の意に **continue, hold, keep, remain, stay** などが使える。
> The press **remained** *silent*. （報道関係は沈黙したままだった）

(2) 状態の変化を表す動詞

become：書き言葉でよく用いられる。
Blair **became** *Prime Minister* in 1997. （ブレアは1997年に首相になった）
get：話し言葉でよく用いられる。
It is **getting** *warmer* day by day. （日ごとに暖かくなっている）
go：望ましくない状態への変化を示す。
The milk had **gone** *sour*. （ミルクは酸っぱくなっていた）
come：「結果的に～になる」という意味を表すことがある。
His dream **came** *true*. （彼の夢は実現した）
- ● 必ずしも望ましい状態への変化ばかりとは限らない。
  His worst nightmare **came** *true*.
  （彼の最も恐れていたことが現実のものとなってしまった）

grow：徐々に起こる変化を表す。
The sky **grew** *darker* and *darker*. （空はしだいに暗くなってきた）
fall：急にある状態になる場合で，慣用句になっているものが多い。
The baby **fell** *asleep*. （赤ん坊は寝入ってしまった）
turn：性質や外見の変化を表すことが多い。
Leaves **turn** *red* in autumn. （秋になると木の葉は赤くなる）
- ● 以上の動詞のうち，**become, fall, turn** は，形容詞のほか**名詞**を補語にとることもできる。（例）**fall** *victim*（犠牲になる），**turn** *traitor*（裏切り者になる）

(3) 印象を漠然と表す動詞

「〜のようである」：**seem**, **appear**, **look**

seem が主観的印象を漠然と示すのに対し，同じく「〜のようである」といっても，**appear** と **look** は seem よりも視覚的である。また，appear は seem に比べると，改まった書き言葉に向いている。

He **seems** *angry* about something.
（彼は何かに腹を立てているようだ）

The university's future **appears** [**looks**] *hopeless*.
（その大学の未来には望みがないようだ）

|注意| It *seems* [*appears*] that he is angry. とは言えるが，It *looks* that he is angry. とは言えない。

(4) 感覚を表す動詞

「〜と感じる」：**look**, **feel**, **smell**, **sound**, **taste**

He **looks** *depressed* this morning.
（今朝の彼は落ち込んでいる感じだ）

This blanket **feels** *soft*. （この毛布は柔らかい感じだ）

This flower **smells** *wonderful*.
（この花はすばらしい香りがする）

His voice **sounds** *different* from usual.
（彼の声はいつもと違う感じだ）

This milk **tastes** *spoiled*.
（この牛乳は腐っている味がする）

●これらの動詞は，どれも be 動詞に置き換えても，文としては成立する。

Helpful Hint 2　sound の使い方

"Something smells funny." （なんだか怪しいな）の smell（文字どおり「〜の匂いがする」という意味を持つ自動詞）のように，どの知覚動詞でも，文字どおりだけではなく，比喩的にも使われることがある。たとえば，"This feels strange." という表現は，文字どおり「妙な感触」を示すほかに，比喩的に，漠然と「変な感じがする」という意味を表すこともある。

中でも，文字どおり「〜の音がする」という意味を持つ **sound** には，おもしろい特徴がある。具体的に言えば，「言葉から受けた印象であれば，何でも **sound** で表現してよい」ということである。

たとえば，友人が予定しているトレッキングの話を電話で聞いて "That **sounds** dangerous." （危険そうだな）と言うのと同じように，たとえそのトレッキングのことをパンフレットなどの文章で読んだとしても，「危険そう」な印象を "... **sounds** dangerous." と表現するのがふつうである。つまり，聞いて受けた印象でも，読んで受けた印象でも，いずれも **sound** で表現されるわけである。

3C 第3文型 〈S＋V＋O〉

主語と完全他動詞の次に**目的語**がつく文型。**目的語**にすることのできる語句は次のような種類のものである。

　　Mr. Robinson **teaches** *English*. （ロビンソン先生は英語を教えている）　〔名詞〕
　　I don't **get** *you*. （私には君の言うことがわからない）　　　　　　　　　〔代名詞〕
　　I **want** *to go* to Italy. （私はイタリアに行きたい）　　　　　　　　　　〔to不定詞〕
　　You should **avoid** *eating* too much. （君は過食を避けるべきだ）　　　　〔動名詞〕
　　I don't **know** *what to do*. （私はどうしたらよいのかわからない）　　　　〔句〕
　　I **know** *what the answer is*. （私は答えが何なのかわかっている）　　　　〔節〕

3D 第4文型 〈S＋V＋O_1＋O_2〉

「AにBを〜する」という意味を表すには，たとえば，I **explained** it *to him*.（私は彼にそれを説明した）のように，第3文型に **to A** をつければよいが，ある種の動詞は，O_1（〜に）と O_2（〜を）という2つの目的語をこの順に並べて表すことができる。これが〈S＋V＋O_1＋O_2〉の第4文型である（**◯** p.3 **2C**(2)）。

「〜に」という意味は，**to** のほかに，**for** でも表す場合があるから，第4文型をとれる動詞を，これに従って2つのタイプに分けることができる。

(1) to をとる形に書き換えられるもの

to は「着点」を意味するから，たとえば，次の文では，フロッピーディスクが彼の手に入ったということがわかる。

　　I **handed** *him* a floppy disk.
　↔ I **handed** a floppy disk *to him*.
　　（私は彼にフロッピーディスクを手渡した）
　　　● 直接目的語が it のときは it を前に出して，I **handed** it *to him*. とするのがふつう。

◎目的語の順を入れ替えるとき to をとる主な動詞

*allot（割り当てる）	*award（与える）	fax（ファックスで送る）
*give（与える）	*grant（かなえてやる）	*hand（手渡す）
lend（貸す）	offer（申し出る）	pass（回す）
pay（払う）	promise（約束する）	send（送る）
show（見せる）	teach（教える）	tell（話す）
throw（投げ与える）	write（書き送る）	

　注意　＊の動詞はこの意味では原則としてO_1は省略できない。
　　　　〔誤〕He **gave** a book.
　　　　〔正〕He **gave** *me* a book.　　〔正〕He **gave** a book *to me*.

(2) for をとる形に書き換えられるもの

for は、「～のために」という意味で、相手にとって何か**利益**や**恩恵**を生じるような場合に用いられる。

He **cooked** *me* breakfast.（彼は私に朝食を作ってくれた）
↔ He **cooked** breakfast *for me*.
- 上の文では文末にくる breakfast、下の文では文末にくる me が強調される。

注意 このグループの動詞は、相手を表す O₁ がなくてもほとんどは文として成立する。たとえば、He **cooked** breakfast. だけでも文として成立する。

◎目的語の順を入れ替えるとき for をとる主な動詞

buy（買ってあげる）	**call**（呼んであげる）
cook（料理してあげる）	**find**（見つけてあげる）
get（手に入れてあげる）	**make**（作ってあげる）
prepare（こしらえてあげる）	**save**（とっておいてあげる）

発展 ① **着点**にも**利益**にも用いられる場合には、両者の意味の違いに注意。
　(a) **Bring** the chair *to* me.（そのいすを私のいる所まで持ってきなさい）
　(b) **Bring** the chair *for* me.（そのいすを私のために持ってきてください）
　＊(a)が単に場所を示すのに対し、(b)は「私が座りたいから」の意味がある。
② **leave**（残す）は、leave A *for* B では、「BにAを残しておく」の意味だが、leave A *to* B だと、「AをBに残して死ぬ」の意味になる。
　I **left** a letter *for* her on the desk.
　　（私は机の上に彼女あてに手紙を残しておいた）
　He **left** a great amount of money *to* his family.
　　（彼は家族に巨額の金を残して死んだ）
③ **cost**（〔金額が〕かかる）、**envy**（うらやむ）、**save**（省く）などのように、常に〈S V O O〉の形で用いる動詞もあるので、辞書で確認してから使うのがよい。

(3) 直接目的語が to 不定詞や名詞節の場合

① to 不定詞の場合 ──〈疑問詞＋to 不定詞〉

I **asked** her *how to send* an e-mail.
　（私は彼女にEメールの送り方を聞いた）
- 〈S＋V＋O＋wh- to 不定詞〉の形については別途参照（⊃ p.137 **68B**）。

② 名詞節の場合 ── that [wh-, whether, if] 節

He **told** me *that he'd be home early tonight*.
　（彼は私に今夜は早く帰ると言った）
This book **taught** me *why he was such a great player*.
　（この本は、どうして彼がそんなに偉大な選手だったのかを教えてくれた）

3E 第5文型〈S＋V＋O＋C〉

〈主語＋動詞＋目的語〉に，さらに**目的語を説明する語句**（目的格補語）を補う文型。

目的格補語になるのは，名詞・形容詞，および分詞・不定詞，句・節である。

① Our club   **made** Jane   *captain*.   〔名詞〕
② The news   **made** stockholders *happy*.   〔形容詞〕
③ The judge   **made** the man   *leave the room*.   〔不定詞〕
④ The decision **made** him   *what he is today*.   〔節〕

① 私たちのクラブはジェーンをキャプテンにした。
② その知らせを聞いて株主たちは喜んだ。
③ 裁判官はその男を退室させた。
④ その決心のお陰で彼は今日の彼になったのです。

(1) 名詞・形容詞や句を目的格補語にとる例

① 名詞を目的格補語にとる例

The bank **appointed** him *manager*.（銀行は彼を支店長に任命した）
They **called** the baby *Mary*.（彼らは赤ん坊をメアリーと呼んだ）
We **elected** Sam *president*.（私たちはサムを会長に選んだ）
I **name** this ship *Queen Elizabeth the Second*.
　（私はこの船をクイーン・エリザベス2世号と命名する）
I **consider** her *a good teacher*.（私は彼女はよい先生だと思う）
　　● I consider her (to be) a good teacher. の to be の省略（◯ p.147 **72B**）。

② 形容詞を目的格補語にとる例

The noise **drives** me *crazy*.（騒音で頭がどうかなりそうだ）
They **set** the captives *free*.（彼らは捕虜たちを釈放した）
Children will **get** their hands *dirty*.（子供は手を汚すものだ）
The hot weather **turned** the milk *sour*.（暑さで牛乳が酸っぱくなった）
形容詞の補語を取り去っても，動詞本来の意味は変わらない場合もある。
Boil the eggs *hard*.（卵は固くゆでなさい）
　　● hard がなくても，*Boil* the eggs.（卵を<u>ゆでなさい</u>）という意味では文は成り立つ。
He **painted** the fence *white*.（彼はその塀を白く塗った）
He **pushed** the door *open*.（彼はドアを押し開けた）

③ 句を目的格補語にとる例

His anger **left** me *at a loss*.（私は彼の怒りに戸惑っていた）
His jokes **kept** me *at ease*.（彼のジョークのお陰で私は気楽でいられた）

(2) 不定詞・分詞を目的格補語にとる例

この場合は，目的語と補語との間に，〈主部＋述部〉の関係がある。

① 不定詞を目的格補語にとる場合

I could not **get** my car *to move forward*. 〔to不定詞〕
（私は車を前に移動させられなかった）

The pepper **made** me *sneeze*. 〔原形不定詞〕
（コショウのせいでクシャミが出た）

● My car *would not move forward*. と I *sneezed*. という〈主部＋述部〉の関係。

② 分詞を目的格補語にとる場合 （→ p.163 **81A**）

She **kept** me *waiting* for an hour. 〔現在分詞〕
（彼女は私を1時間も待たせた）

I **heard** my name *called*. 〔過去分詞〕
（私は自分の名前が呼ばれるのが聞こえた）

● I *waited for an hour*. と My name *was called*. という〈主部＋述部〉の関係。

3 F 〈There is …〉構文

「どこそこにAがある［いる］」という意味を，英語では〈There＋be動詞＋A＋場所を表す語句〉という形で表す。場所を表す語句は，〈in [on, by, *etc*.] the 〜〉という形をとることが多い。基本5文型に当てはめれば第1文型になる。文頭の There は形式的に置かれているもので，特に意味はない。

この構文には次の特徴がある。

① 主語は**不特定**の人・もので，a や some などがつくことが多い。

There is *a* restaurant around the corner.
（角を曲がった所にレストランがある）

● There is *the* restaurant … . のような特定の主語には使われない。特定の場合は *The* restaurant is around the corner. と言う。逆に *A* restaurant is around the corner. とは言わない。

> 発展 〈There is …〉では，文頭の there には「そこに」という意味はないから，there（そこに）や here（ここに）などの副詞を文中に用いてよい。
> There is a book *here*. （ここに本があります）
> ＊この疑問文は，Is there a book *here*? であって，Is here a book? とはならない。

② be動詞の**数**や**人称**は主語のAの数や人称に**一致**する。

There were several *shops* in the village. ── 主語は shops で複数。
（その村には店が何軒もあった）

③ there は主語ではないが，主語の位置にあるため**疑問文では倒置**する。

Is there anyone outside? （外にだれかいますか）

> **発展** 〈There is A ...〉構文は，「Aがある［いる］」という，新しい情報を相手に提供するのが目的であるから，それが**新しい情報**であれば，文法的に the がつく必要のある場合（最上級の形容詞がついたり，of 句や関係詞節で特定のものに限定される場合など）には，〈the＋名詞〉が主語になることもあるし，あるいは固有名詞などもAの位置に置くことができる。
>
> Near Times Square in Manhattan, **there is** *the* largest Internet cafe in the world.
> 　（マンハッタンのタイムズスクエアの近くに，世界最大のインターネットカフェがある）
> ＊「世界最大のインターネットカフェがある」というのは，初めて出てきた新しい情報であるが，largest という**最上級**があるために，a ではなく，the がついている。

〈There is ...〉構文は，be 動詞のほかにも，**存在**や**生起**を表す動詞を使える場合がある。

There lived a tiger in the cave.
　（その洞窟には1頭のトラが住んでいた）

◎There is ... 構文に使える be動詞以外の頻出動詞

arise（起こる）	**come**（来る）	**exist**（存在する）
happen（起こる）	**live**（住んでいる）	**follow**（後に起こる）
remain（残っている）	**stand**（ある）	**lie**（ある）

> Helpful Hint 3　〈There is ...〉構文
>
> 　「どこそこにAがある［いる］」という意味を表す〈There is ...〉構文のルーツは，おそらく「あそこ（＝there）には，〜がある」というような意味にあるだろう。現在，この構文中の there は，場所を示す役割がなくなっているのだが，構文全体は「〜がある」と，あるものの存在を知らせる役割は，依然として変わっていない。また，前述の「① 主語は**不特定の人・もの**で，a や some などがつくことが多い」という説明だが，これは言い換えれば，「〈There is ...〉構文を使って，あるものの**存在そのものを初めて知らせる**ケースが多い」ということになる。逆に言うと，「あるものの**存在そのものを初めて知らせる**」場合であれば，当然，「例の」という意味を表す定冠詞の *the* がつくのではなく，「**不特定のもの**」を示す *a* や *some* がつくわけである。

3 G 〈It seems that ...〉構文

「…のようである」という意味は，〈It seems that ...〉という構文を使って表す。この〈It seems that ...〉という形は頻繁に使われるので，これを第何文型などと無理に分類してしまうよりも，このまま1つの慣用表現として覚えておくほうがよい。

It seems that this theory is widely accepted.
　（この理論は広く受け入れられているようだ）

> **発展** ① 「…のようである」の〈It **seems** that ...〉と同じ意味を〈It **appears** that ...〉で表すこともできる。しかし，形容詞の apparent を使った〈It **is apparent** that ...〉という表現は，「…であるのは明らかである」という意味しか表さない。
> ② It seems *that he is tired.*（彼は疲れているようだ）は，**He** seems *to be tired.* という形に書き換えられる（ ◯ p.139 **69A**）。*He seems that ... .* という英語はない。

〈It seems that ...〉の**否定形**には，〈It *seems* that ～ **not** ...〉と，〈It *doesn't* seem that ...〉の2つの形がある。後者のほうが多いとされているが，前者も使われる。

　　It **seems** *that* this theory is **not** widely accepted.
　　It **doesn't seem** *that* this theory is widely accepted.
　　（この理論は広く受け入れられてはいないようだ）

第3節 品詞・句と節

4　8品詞

単語をその**形態**や**機能**から分類したものを**品詞**という。「品」は品種などの品と同じ用法で，要するに，品詞とは**単語の区分け**という意味である。英語ではふつう次の8つに分ける。

4A　8品詞とその機能

(1) **名詞**（略語 n.）（◯ p.330 第14章）

人や事物の名前や概念を表す語。名詞は，文の中で主語，目的語，補語などになり，数と格の変化がある。

　　That is my **uncle's house**.　（あれは私のおじの家です）
　　　●uncle's は名詞 uncle の所有格。house は「家」の意の名詞で，is の補語になっている。

(2) **代名詞**（略語 pron.）（◯ p.383 第16章）

名詞の代用をする語。主語，目的語，補語などになり，数・格・性・人称による変化をする。

　　Each of the girls brought **her** boyfriend.
　　（少女たちはそれぞれボーイフレンドを連れてきた）
　　　●each は代名詞で主語。her は each of the girls を受けている代名詞で所有格。

　　Which is **yours**?　（どちらがあなたのものですか）
　　　●which のような wh- 形の語で疑問文に使われる語は，疑問詞とも言われる。ここでは**疑問代名詞**（◯ p.210 **108**）。
　　yours は「あなたのもの」の意の**所有代名詞**で，補語になっている。

(3) 形容詞（略語 adj.）(**○** p.422 第17章)

名詞・代名詞を修飾する語。名詞などに直接ついて修飾するほか，補語の形でも修飾する。比較変化をするものとしないものがある。

His shoes are **dirty** and **worn**.
（彼の靴は汚れており，履き古されてもいる）
● dirty は「汚れている」の意の形容詞。worn は wear の過去分詞からきた形容詞。ここでは，dirty も worn も動詞 are の補語になっている。

冠詞 (a, an, the) も形容詞である (**○** p.366 第15章)。

There was **a** kind of sourness in **the** flavor.
（その味にはある種の酸っぱさがあった）

(4) 動詞（略語 v.）(**○** p.31 第2章)

主語の動作や状態などを表す語。数・人称・時制・法の変化を持つ。「本動詞」と組み合わせて時制・法・態などの形態を作るものを**助動詞** (**○** p.75 第4章) といい，動詞の中に含める。

I *will* come soon. （すぐに参ります）
● come が本動詞。will は未来を表す助動詞。

(5) 副詞（略語 adv.）(**○** p.461 第18章)

動詞，形容詞，副詞を修飾する語。文全体を修飾することもある。比較変化をするものとしないものがある。

Light travels **very** fast. （光は非常に速く進む）
● 副詞の fast は動詞 travels を修飾しており，副詞の very は，副詞の fast を修飾している。

(6) 前置詞（略語 prep.）(**○** p.290 第13章)

名詞，代名詞などの前に置いて，その語と文中の他の語句との関係を示す語。これによって形容詞句や副詞句ができる。

I haven't seen her **in** [**for**] five years.
（彼女とは5年もの間会っていない）
● in [for] five years で期間を表す副詞句である。

(7) 接続詞（略語 conj.）(**○** p.224 第11章)

語と語，句と句，節と節とを結びつける語。

We sang **and** danced.
（我々は歌ったり踊ったりした）

Do the work **as** *you were told*.
（その仕事は，言われたとおりにしなさい）
● 2番目の文では，as は「～のように」の意味で，節と節を結んでいる。

(8) 間投詞（略語 interj.）

喜びや悲しみなどの感情を表す語。鳴き声や擬音なども含める。間投詞は，本書では改めて解説しないので，ここに概略を示しておく。

Ouch, that really hurts!（あ，痛っ，本当に痛いんだよ） 〔感情〕
- ah（ああ），eh（えっ），er（えー），oh（おお），wow（わぁっ）など。

Hi. How are you?（やあ，元気？） 〔呼びかけ〕
- hello（やあ），hey（おい），hi（やあ），hush（しーっ）など。

Bang bang! You're dead.（バンバン。お前は死んだ） 〔擬音〕
- ◆昔，アメリカの子供たちが西部劇ごっこをしたときによく使ったセリフである。
- crack（ばちゃん），jingle（りんりん），pop（ポン），puff（プカプカ）など。

Meow, meow, meow, then they began to sigh. 〔鳴き声〕
（にゃご，にゃご，にゃーご，そこでため息つき出した）〈マザー・グース〉
- baa（メー），bow-wow（ワンワン），buzz（ぶーん），moo（モー）など。

Come, tell me all.（さあ，全部話しなさい） 〔動詞や名詞の転用〕
- my（おや，まあ），say（あのね），thanks（ありがとう）など。

> **発展** thanks も単独で言うときは間投詞として働くので，Thanks *a lot*. などと言う。

4 B　品詞の転用

辞書では，同じ語に2つ以上の品詞と意味が示されているものも多い。そうした単語の場合は，文中で用いられて，初めてその語の品詞が決まるのである。

(1) 名詞と動詞

He brought me a glass of **water**. 〔名詞〕
（彼は私に水を1杯持ってきた）

They **water** the garden every day. 〔動詞〕
（彼らは毎日庭に水をまく）
- 英語は基本的には主語に動詞が続くということを考えれば，2番目の文では，water は動詞だと見分けがつく。

(2) 形容詞と副詞

This bread is too **hard** to eat.（このパンは固くて食べられない） 〔形容詞〕

He worked very **hard** every day.（彼は毎日せっせと働いた） 〔副詞〕

(3) その他

I have lived here **since** *childhood*. 〔前置詞〕
（私は子供のころからここに住んでいます）

I have lived here **since** *I was a child*.（同上） 〔接続詞〕
- since の次が名詞なら前置詞，節なら接続詞であることがわかる。

She wore a **pretty** dress. 〔形容詞〕
（彼女はきれいな服を着ていた）

It is **pretty** cold today. （今日は結構寒い） 〔副詞〕

5 句

句は，2個以上の語が続いて1個の品詞と同じような働きをし，それ自身の中には〈主語＋述語〉を持たないものをいう。

> **参考** たとえば，at full speed（全速力で）という句では，中心語は speed という**名詞**であるが，句全体としては副詞の役を果たしている。このように，句の中で，その中心となる語とは違う品詞（名詞か形容詞か副詞）の働きをするものを，文法上，特に**名詞句，形容詞句，副詞句**と呼ぶことが多い。

5 A 名詞句

to不定詞と動名詞が名詞句を作る。名詞句は名詞と同じように，文の主語，目的語，補語になる。

(1) to不定詞を用いる名詞句

To die is **to sleep**. 〔主語〕〔補語〕
（死ぬことは眠ることである）

It is easy **to write a letter on a computer**. 〔主語〕
（コンピューターで手紙を書くのは簡単なことです）

Do you know **how to ride a camel**? 〔目的語〕
（ラクダの乗り方，わかりますか）

(2) 動名詞を用いる名詞句

They stopped **talking to each other**. 〔目的語〕
（彼らはお互いに話をするのをやめた）

His hobby is **repairing antiques**. 〔補語〕
（彼の趣味は骨董品を修理することです）

5 B 形容詞句

to不定詞・分詞のほかに，〈前置詞＋名詞〉の形で，名詞や代名詞を修飾したり，補語になったりする。

(1) to不定詞を用いる形容詞句（●p.132 66）

Lend me something **to write with**.
（何か書くものを貸してください）
　　● to 不定詞の形容詞用法になる。with は，ボールペンなど，道具や手段を表す前置詞。

(2) 分詞を用いる形容詞句（→p.158 **79**）

Who's the girl **sitting in the corner**?
（隅で腰かけている少女はだれですか）
　● the girl (who is) sitting in the corner ということ。

This is a paper **taken from the Internet**.
（これはインターネットからとった論文です）
　● a paper (which was) taken from the Internet ということ。

(3) 〈前置詞＋名詞〉の形の形容詞句

The picture **on the wall** was painted by my father.　　〔名詞を修飾〕
（壁にかかっている絵は父が描いたものです）

My father is **in good health**. （父は健在です）　　　　〔補語〕

5 C　副詞句

　副詞句も，to不定詞・分詞や〈前置詞＋名詞〉の形で，動詞や形容詞，副詞などを修飾する。

(1) to不定詞を用いる副詞句（→p.133 **67**）

I was surprised **to get his letter**.
（私は彼から手紙をもらって驚いた）

(2) 分詞を用いる副詞句――いわゆる分詞構文になる（→p.167 **83**）。

Being ill, she had to stay in bed.
（病気なので，彼女は寝ていなければならなかった）

(3) 〈前置詞＋名詞〉の形の副詞句

I'd like to live **in the country**. （田舎に住みたい）
　● The people **in the village** helped one another. （その村の人たちは互いに助け合った）のような場合は，in the village は people を修飾する形容詞句である。

[注意]　都会と区別して「田園地方」の意のときは，country に必ず the をつける。

6　節

　いくつかの語が集まって**文の一部**を構成するとともに，それ自体の中に〈主語＋述語〉を備えているものを**節**という。〈主語＋述語〉の形になっている点が句と違う。

6 A　節の種類

(1) 等位節

and, but, or などで，Tom is reading *and* Jane is singing. （トムは本を読んでお

り，ジェーンは歌を歌っている）のように，文法的に**対等**な関係で2つの節が結びついているとき，それぞれを**等位節**という。

| It was hot, | but | he kept working. | （暑かったが，彼は働き続けた） |
| 等位節 | 接続詞 | 等位節 | |

(2) 従位節

if や that などの従位接続詞や，which などの関係詞を頭につけて，これを独立した他の節に結びつけたり，他の節の中の動詞の目的語などに組み込んで文を作るとき，接続詞や関係詞が頭についているほうを**従位節**（または**従属節**），これを結びつけられたほうの節を**主節**という。

従位節には，文の中で果たす役割によって，**名詞節**，**形容詞節**，**副詞節**の3つがある。

I believe	that he is innocent.	（私は彼は無罪だと思う）	
主節	接続詞　従位節		〔名詞節〕
I saw the man	who stole the bicycle.	（私は自転車を盗んだ男を見た）	
主節	関係詞　従位節		〔形容詞節〕
I get sick	when I ride in a car.	（私は車に乗ると酔う）	
主節	接続詞　従位節		〔副詞節〕

6 B　名詞節

名詞節は，接続詞（that, whether, if），疑問詞（who, which など），関係詞（what, whatever など）に導かれ，文の主語，目的語，補語になり，またある種の名詞について同格節となる。

(1) 主語，目的語，補語になる名詞節（◎ p.232 **116**）

What is important is **that** you are honest.
（大切なのは君が正直であることだ）
　　●What is important が主語で，that you are honest が補語。

(2) 同格節になる名詞節（◎ p.234 **116A**(5), p.235 **116B**(5)）

名詞や代名詞の後について，その内容を説明する節。接続詞の that か，wh- のついた語（whether, why など）に導かれる。

***The fact* that** the bridge collapsed is important.
（橋が崩れたということは重大なことだ）
　　●the fact＝that the bridge collapsed という関係にある。

I can't answer ***the question* (of) whether** he wrote it or not.
(彼がそれを書いたかどうかという問題には答えられません)

● Whether he wrote it or not is a question that I cannot answer. ということ。なお，この形の場合は，実際には of を入れるほうが多い。

6 C　形容詞節

　形容詞節は，関係代名詞または関係副詞によって導かれ，文中の名詞・代名詞を修飾する。関係詞のところで詳しく扱う。

(1) 関係代名詞が導く形容詞節

Do you know the people **who** live there?
(そこに住んでいる人たちを知っていますか)

● who live there という節で修飾限定されているから，people に the がつく。

(2) 関係副詞が導く形容詞節

This is the town **where** I was born.
(ここが私の生まれた町です)

● 関係副詞でも先行詞は名詞だから，従位節は形容詞節になる。

Do you know the reason (**why**) he is so angry?
(彼があんなに怒っている理由を知っていますか)

● 関係副詞はよく省略される。

6 D　副詞節

　文の中で副詞として働くもので，時，場所，原因・理由，目的，結果，条件，譲歩，制限，対照，様態，比較などの意味を表す。
　これらの意味は，副詞節を導く従位接続詞によって決まるので，接続詞のところで詳しく扱う。

He was very poor **when** he was young.
(彼は若いころはすごく貧乏だった)

If both T-shirts cost the same, I'll take the green one.
(もし両方のTシャツが同じ値段なら，緑色のほうにします)

● 従位節のほうを前に出すときには，従位節の最後にコンマを置くのがふつう。

We couldn't play soccer **because** it was raining.
(雨が降っていたので，私たちはサッカーができなかった)

It was *so* hot **that** he took off his shirt.
(彼がシャツを脱ぐほど暑かった)

● 〈so ～ that ...〉が相関的になっているが，結果や程度を表す副詞節は that 以下。

第4節 文の種類

7 構造上の文の分類と，肯定文・否定文

構造上，文は**単文・重文・複文**の3つに分けられる。実際にはこれらが混じった**混文**となっていることもあるが，基本的にはこの3つである。重文か複文かというのは，等位節か従位節かという分類と同じである。

また，文には**肯定文**と**否定文**とがある。

7A 単文・重文・複文

(1) 単文

1つの主部と1つの述部から成る文。

The parents **hurried** their children to the bus stop.
（親たちはバス停へと子供たちをせき立てた）

(2) 重文

2つまたはそれ以上の**等位節**から成る文。

The film was interesting, **and** we all enjoyed it.
（その映画はおもしろかった。それで私たちはみんな楽しんだ）

- 等位接続詞で結ばれている。接続詞を省いて，セミコロン(;)を置くこともある。
- We sang *and* danced.（私たちは歌ったり，踊ったりした）のような文は，2つの動詞が結びついている単文である。We sang *and* we danced. というように分けると重文になるが，主語が同じ場合には，最初の文のほうが自然である。

(3) 複文

従位接続詞や関係詞によって，**従位節**が**主節**に結びつけられた文。

I'll call you **when** I get there.　　　　　　　　　〔従位接続詞〕
（そこに着いたら電話します）

The village store sells everything **that** you need.　〔関係詞〕
（その村の店は必要なものは何でも売っている）

7B 肯定文・否定文

「～である，～する」という肯定形に対して，「～ではない，～しない」という否定形がある。否定形の典型は not などの否定語を用いて，主語と述語の結びつきを否定するものである。詳しくは否定（→p.527 第21章）を参照。

I **knew** that fact.　（私はその事実を知っていた）　　　　〔肯定文〕
I **didn't** *know* that fact.　（私はその事実を知らなかった）　〔否定文〕

8 機能上の文の分類

機能上，文は**平叙文・疑問文・命令文・感嘆文**の4つに分けられる。

8A 平叙文

話し手が事実や自分の考えを述べて，情報を伝達する文。
ふつうは〈S＋V〉の語順になり，文章では**終止符**(**.**)で終わる。

　The sun will rise again. （日はまた昇る）
　We haven't forgotten you. （あなたのことは忘れていませんよ）

8B 疑問文　[1] 一般・特殊・選択疑問文

相手にものを尋ねたり，疑問を表す文。疑問のほか，要求・懇願・勧誘の意味を含むこともある。文章では**疑問符**(**?**)で終わる。一般には主語と動詞は倒置されて〈V＋S〉の語順になるが，ならない場合もある（●p.24 H.H. 4）。

(1) Yes / No で答えられる疑問文（一般疑問文）

疑問詞を伴わずに，原則として〈V＋S〉の倒置形となり，Yes / No で答えられる疑問文を一般疑問文ともいう。会話では，ふつう**上昇調**で終わる。
　一般疑問文の作り方は次のとおりである。

① **be動詞の場合**──〈be動詞＋主語〉の順になる。

　That *is* a spaceship. （あれが宇宙船です）

　→ **Is** that a spaceship?　　　　　　　　── Yes, it is. などで答える。
　　　● **be動詞**は助動詞としても用いられ，また主語と常に密接に結びついて I'm などの形をとる性質があるので，疑問文でも離れずに主語の直前にくる。

② **助動詞の場合**──〈助動詞＋主語＋本動詞〉の順になる。

　He *must* go by himself. （彼は1人で行かなければいけません）

　→ **Must** he go by himself?　　　　　　　── Yes, he must. などで答える。

③ **一般動詞の場合**──文頭に Do [Does, Did] を置く。

　The company *makes* computers.
　　（その会社はコンピューターを作っている）

　→ **Does** the company *make* computers?　── Yes, it does. などで答える。
　　　●人称・時制などの変化はすべて do の変化で示す。

④ **否定形の疑問文**　be動詞，助動詞，do に not がつく（●p.529 **249B**）。

　Don't you know her name? （彼女の名前を知らないのですか）

> 発展　否定形の疑問文は，驚きや確認を表すことがある。上の文もその1つ。

(2) "wh-" タイプの疑問文（特殊疑問文）

疑問詞を用いる疑問文を特殊疑問文ともいう。疑問詞は文頭に置かれ，会話では**下降調**になる。意味上，Yes / No では答えられない。語順はふつう〈V＋S〉という倒置形になるが，疑問詞または疑問詞が修飾する名詞などが**主語**になっている場合は語順は倒置しない。詳しくは（⊙p.210 **108B**）

Where did you get that book?
　（君はどこでその本を手に入れたのですか）

Who told you such a thing?
　（だれが君にそんなことを言ったのだ）
　　●疑問代名詞の who が主語になっているから，語順は〈S＋V〉である。

(3) 選択疑問文

2つ以上の中から，「どちら」「どれ」であるかを尋ねる疑問文を選択疑問文といい，Yes, No では答えられない。「AかBか」と聞くときには，ふつうはAの後では**上昇調**，最後のBの後では**下降調**になる。

Do you like tea (↗) **or** coffee?(↘)
　（お茶とコーヒーとどちらが好きですか）

　もし，Would you like *tea or coffee*?(↗)（お茶かコーヒーをいかがですか）と最後を**上昇調**で聞くと，tea or coffee のような飲み物はいかがですかという一般疑問文になる。また，最後が上昇調だということは，これで終わったのではなく，お茶やコーヒー以外にもまだほかの飲み物もあることを示唆しているから，I would like *hot milk*.（熱いミルクをいただきたいですね）などのように別の飲み物を答えることもできる。

Helpful Hint 4　〈S＋V〉で表す倒置をしない疑問文

　これは，アメリカやイギリスの映画のシナリオに目立つ現象の話なのだが，たとえば，"He was alive?" などのように，「?」がつけられているのに主語と動詞が倒置されず，〈S＋V〉のままで表現されている「疑問セリフ」が実に多い。もし，単に「彼は生きていましたか」という**純粋な疑問**であれば，当然 "Was he alive?" と，〈V＋S〉に倒置された形で尋ねられるはずなのだが，"He was alive?" という表現は，そうではなく，言わば「えっ!?!　彼，生きていたのですか」といった感じの**確認のための疑問表現**である。

　英会話では，このように語順を変えず，そして「?」に示されているように，クエスチョンであることを上昇調のイントネーションで表す「疑問文」が，極めて重要な役割を果たしている。逆に言えば，英語には，たとえば，「"Will you do it?"＝やってくれますか」〔依頼〕と「"You'll do it?"＝やってくれるのですか」〔確認〕という2つの尋ね方があるのだが，もし前者のほうしかなければ，英語表現の可能性がずいぶん限られてしまうわけである。

8 C 疑問文 [2] 間接・付加・修辞疑問

(1) 間接疑問 (p.220 111)

疑問文が独立しないで，文の中の**従位節**になるものを間接疑問という。接続詞に if か whether を用い，従位節中では〈S＋V〉の語順になる。

　　Is the museum open? ＋ We should find **that** out.
　→ We should find out **whether** the museum is open.
　　（博物館が開いているかどうか調べなくては）

疑問詞で始まる間接疑問を含む文全体が疑問文になる場合に注意。答えに Yes / No がつかない疑問文になる場合は，疑問詞が文頭に出る。

　　Do you *know* **who** that lady is?　　　　　　　　〔一般疑問文〕
　　（あのご婦人がどなたかご存じですか）　　── 意味上 Yes / No で答える。

　　Who do you *think* that lady is?　　　　　　　〔特殊疑問文〕
　　（あのご婦人はどなただと思いますか）　　── 意味上 Yes / No で答えない。

(2) 付加疑問

平叙文や命令文の後につけ加える簡単な疑問の形を付加疑問という。口語特有の形で，ふつうは**肯定文には否定**の，**否定文には肯定**の付加疑問をつける。自分の言っていることに自信がなく，相手にそれを確かめたいという気持ちの場合は**上昇調**で言う。逆に自分の言っていることに確信があって，相手にそれに対する同意を求める気持ちが強ければ**下降調**になる。

① 肯定文に続く付加疑問

　　You *love* Susie, **don't you**?
　　　（↗）上昇調（あなたはスージーを愛しているのでしょう？）
　　　（↘）下降調（あなたはスージーを愛しているのね）

② 否定文に続く付加疑問

　　He *cannot* dance, **can he**?
　　　（↗）上昇調（彼は踊れないのでしょう？）
　　　（↘）下降調（彼は踊れませんよね）
　　　● not でなく，hardly, scarcely, seldom その他の弱い否定語の場合も同じ。

肯定文の後に**肯定形の付加疑問**がついて，確認を求めることもある。

　　His father *is* ill, **is he**?　（彼のお父さん，病気だってね）

③ 命令文に続く付加疑問

命令文に **will you?** をつけて上昇調で言うと，穏やかな感じになる。

肯定の命令文に **won't you?** をつけるとさらに丁寧になる。このほかにも，would you?, can you?, can't you?, could you? などもつけられる。

Come in and take a seat, **will you**?　　　　　　　　　　〔依頼〕
　（中に入って席についてくださいませんか）
　　●一般に will you? などを下降調で言うと横柄な感じになる。

Take a seat, **won't you**?　（お座りになりませんか）　　〔勧誘〕
否定の命令文には **will you**? を使うことが多い。
Don't make so much noise, **will you**?　（そんなに音を立てないでくださいね）
次のような言い方は話し手がじれったく感じていることを表す。
Be quiet, **can't you**?　（静かにできないの？）

④ **Let's ～ に続く付加疑問**

Let's＋動詞(原形) という勧誘表現には，**shall we**? がつけられる。
Let's *watch* a soccer game on television, **shall we**?
　（テレビでサッカーの試合を見ましょう）

(3) 修辞疑問

　何かを尋ねるのではなく，話し手が言いたいことを聞き手に納得させるために，反語的に疑問文で言う言い方を修辞疑問という。「(果たして) ～でしょうか」というのが，実際には「～ではないでしょう」の意味になるように，**肯定形の修辞疑問は否定の平叙文に相当し，否定形の修辞疑問は肯定の平叙文に相当する。**

① **Yes / No で答えられる疑問文による修辞疑問**

Could anyone oppose such a plan?
　（だれがこのような計画に反対できようか）
　（＝No one could oppose such a plan.）
Don't I need money?　（私が金を必要としていない〔と言う〕のか）
　（＝I surely do need money.）

② **wh- タイプの疑問文による修辞疑問** ── この形のほうが多い。

Who *knows* better than you?
　（君よりもっとよく知っている人がいるだろうか）
　（＝No one knows better than you.）
Who *wouldn't* want to travel in Italy?
　（イタリア旅行をしたくない人がいるだろうか）
　（＝No one would not want to travel in Italy.）
　　●Anyone would want to travel in Italy. としてもほぼ同じ意味を表せる。

Helpful Hint 5　「修辞疑問」内の else

　「修辞疑問」には，**else** という単語が特に頻繁に使われる，という特性もある。たとえば，"Are you going to hold the meeting on campus?"（その会議は大学で開く予定です

> か）と聞かれて，「当り前じゃないか，開く場所はほかにあるか，大学しかないじゃないか」といったイライラした気持ちを簡潔に表す言い回しとして，"**Where else?**"（ほかにどこがある〔と言う〕のか）という2語だけで，完璧な表現になる。この else は，同じ役割で，どの疑問詞とも頻繁に組み合わせられている。たとえば，"**Who else?**"（ほかにだれがいる〔と言う〕のか），"**Why else?**"（ほかに何の理由がある〔と言う〕のか），"**When else?**"（ほかにいつがある〔と言う〕のか），"**What else?**"（ほかに何がある〔と言う〕のか），"**How else?**"（ほかにどんな方法がある〔と言う〕のか）なども同様，簡潔かつ効果的な修辞疑問になる。

8D 命令文

命令を表す文。主語は本来は you であるが，ふつう省略され，文末には終止符(.)を打つ。感情を込めるときには感嘆符(!)を打つ。

動詞は**原形**を用いる（● p.189 **93B**）。否定の命令文では，動詞の前に Don't や Never を置く（● p.530 **249C**）。

> 発展 依頼や要望を表すときは **please** をつけたり，付加疑問をつけて調子を柔らげる。「ぜひ」という気持ちを強調するときには原形の前に **do** をつける。

(1) 2人称に対するもので，主語の you が表現されない命令文

Wash your hands before eating.（食べる前に手を洗いなさい）
Be careful not to catch cold.（風邪を引かないようにご注意）
Don't touch that wire.（その電線に触れないように）
Never mind the price.（値段なんか気にするな）

(2) 2人称に対するもので，主語の you が表現される命令文

何人かの中から特定の人を指名して命令したり，相手に対して促したり，いらだちを表したりする場合などに，命令文に you がつくことがある。

Dick, *you* **wash** the plates, and Paul, *you* **clean** the table.
　（ディック，君は皿を洗って。ポール，君はテーブルをきれいにふきなさい）
You **be** quiet.（さあ，静かにするんだ）

you 以外の主語をつけることもある。

Someone **open** the window.（だれか窓を開けなさい）

(3) let を用いた命令文

1，3人称に対する命令には let を用いる。
Let's ～については別途参照（● p.39 **12A**(2)）。

① 1人称の行動に対する命令

Let *me* help you.（お手伝いをさせてください）

② 3人称の行動に対する命令

Let *each boy* decide for himself.（少年たち各自に自分で決めさせなさい）

8 E 感嘆文

喜びや悲しみ，驚きなどの感情を表す文。疑問詞の **What** や **How** で始まり，感嘆符（！）で終わる。会話では下降調になる。感嘆文は否定形になることがない。How はやや形式ばった感じを与える。

(1) How を用いた感嘆文

〈How＋形容詞［副詞］＋ S ＋ V ...!〉の形をとる。

> **How** *happy* we are to see you!
> （お会いできて，なんてうれしいのでしょう）

> **How** *loudly* they are talking!
> （彼らはなんて大きな声で話しているのだろう）

> **How** it blows!　（ひどい風ですね）
> ●これは，**How** *hard* it blows! の hard を省略した形。

(2) What を用いた感嘆文

〈What (a [an])＋形容詞＋名詞＋ S ＋ V ...!〉の形をとる。

> **What** a good photo this is!　（これはなんていい写真だろう）
> ●**How** を用いると，How *good a photo* this is! になるが，堅い言い方。

> [注意] how の場合，複数名詞や不可算名詞には用いられない。what の場合，単数可算名詞なら必ず a [an] をつける。

> **What** nice weather we are having!
> （なんていい天気だろう）
> ●what に続く名詞が不可算語や複数形であれば a [an] はつかない。

> **What** a disaster it was!　（なんという災難だったことか）
> ●形容詞なしでもこれで意味は通じる。

(3) 省略形の感嘆文

(1)(2)のような完全な形の感嘆文は会話ではむしろ少ない。多くの場合，次のような**省略形**で用いられる。

> **How** kind!　（なんてご親切な）

> **What** a talker!　（なんてよくしゃべる人だろう）

(4) 祈願文

〈May＋ S ＋ V ...!〉の形で表すが，極めて**文語調**で，決まり文句かその応用に限られると言ってもよい。

> **May** you have a very happy married life!
> （幸多きご結婚生活を）
> ●現代の口語調なら，I very much hope that you will have a happy married life. のように言う。

REVIEW TEST 1

A 確認問題 1 (→ 解答 p.599)

1. 次の各英文はそれぞれどの文型になりますか。数字で答えなさい。
   1. S＋V　　　　2. S＋V＋C　　　　3. S＋V＋O
   4. S＋V＋O＋O　　5. S＋V＋O＋C

   (1) I will do my best.
   (2) We arrived here yesterday afternoon.
   (3) Will you lend me your ballpoint pen?
   (4) His hair was already turning gray.
   (5) The company appointed Robinson chief financial officer.

2. 次の各英文の下線部の句や節の種類を,「形容詞句」などのように答えなさい。
   (1) It is not my job to do the washing-up.
   (2) Were there any phone calls while I was out?
   (3) Many important civilizations developed in the Mediterranean area.
   (4) Who is the woman in that photograph?
   (5) The hotel where I stayed was very small.

3. 次の各日本文の意味を表すように,（　）内に適切な1語を入れなさい。
   (1) 我々はとてもよくやっていたよね。〔付加疑問〕
      We were doing very well, (　) (　)?
   (2) このスープはあまりおいしくない。
      This soup (　) not (　) very good.
   (3) これまでに風を見た人なんていない。〔修辞疑問〕
      (　) (　) ever seen the wind?

4. 次の各英文の誤っている部分を正しく書き直しなさい。
   (1) He became to be a doctor.
   (2) This picture suggests me lots of things.
   (3) Be not afraid of that dog.
   (4) There are much water in the bottle.
   (5) Where you found the purse?
   (6) How a beautiful flower this is!
   (7) Is here a microphone?
   (8) Call him first of all, don't you?

REVIEW TEST 1

B 実践問題 1 (→ 解答 p.599)

1. 次の各英文を完成させるのに最も適切な語(句)を選び，記号で答えなさい．
   (1) Your early _____ will be appreciated.
      (A) write　　(B) send　　(C) reply　　(D) submit
   (2) We are enclosing _____ for $1,200.
      (A) a check　　(B) in this letter　　(C) certainly　　(D) with this
   (3) The noise in the factory makes conversation _____.
      (A) at all　　(B) heard　　(C) difficult　　(D) hardly
   (4) This person _____ perfect for the job.
      (A) does　　(B) gives　　(C) comes　　(D) sounds
   (5) It _____ that the global trend is to be environmentally friendly.
      (A) looks　　(B) is　　(C) becomes　　(D) seems
   (6) How much would it _____ me for a taxi?
      (A) pay　　(B) take　　(C) be　　(D) cost
   (7) This is _____ the reservation of a seat.
      (A) to confirm　　(B) confirmed　　(C) for confirm　　(D) confirmation
   (8) There is a lot of _____ about computer viruses.
      (A) things　　(B) news　　(C) arguments　　(D) opinions

2. 次の各英文の下線部から，誤っているものを1つ選び，記号で答えなさい．
   (1) (A)It is no (B)possibility of (C)getting a job (D)here.
   (2) (A)Will you (B)please (C)send (D)till us your price lists?
   (3) We (A)all heard (B)the news (C)for the World Trade Center towers had (D)collapsed.
   (4) Please (A)forward (B)this (C)for the appropriate (D)person.
   (5) If (A)there is (B)anything (C)we can do, please tell us, and (D)will do our best to help.
   (6) (A)Selecting an investment adviser (B)it is one of (C)the most important financial decisions (D)you can make.
   (7) I hope you might take a look at (A)me paper as soon as possible and tell (B)me (C)what you think (D)of it.
   (8) The content (A)on these (B)two web sites (C)are intended (D)only for residents of the US.

第2章 動詞
VERBS

動詞は文中で**述語動詞**として働く。時制や法・態を作って動詞の働きを助けるものを**助動詞**といい，本来の動詞を**本動詞**という。また，不定詞・分詞・動名詞など，主語の人称や数によって語形変化しないものをまとめて**準動詞**という。

第1節 動詞の種類

9 自動詞と他動詞

目的語をとらない動詞を**自動詞**，とる動詞を**他動詞**といい，補語を必要としない動詞を**完全動詞**，補語を必要とする動詞を**不完全動詞**という（→p.7 3 ）。

9 A 自動詞にも他動詞にも用いられる動詞

辞書を見てもわかるように，多くの動詞は自動詞にも他動詞にも用いられる。

(1)「～する」の意の自動詞が，「～させる」の意の他動詞にも使われる場合

　　Oranges **grow** in warm countries.（オレンジは温暖な国で育つ）　〔自動詞〕
　　Florists **grow** *flowers* in greenhouses.　　　　　　　　　　　〔他動詞〕
　　（花の栽培者は温室で花を育てる）
　　● **fly**（飛ぶ→飛ばす），**stop**（止まる→止める）などこの種の例は極めて多い。

> **発展** 次の **sleep**（眠る）の他動詞用法も，要は「眠れるようにする」ということ。
> 　　I **sleep** for seven hours every night.（私は毎夜7時間眠る）　〔自動詞〕
> 　　This cabin **sleeps** *four*.（このロッジには4人泊まれる）〔他動詞〕
> ほかに，He **smiled** *his agreement*.（彼はほほえんで同意した）というように，「ほほえんで〔気持ち〕を示す」という他動詞になって，**結果**を示す方法もある。

(2) 特定の目的語が省略されて，他動詞が自動詞になる場合（擬似自動詞）

たとえば，次の文は(1)と同じ形であるが，使い方に多少違いがある。

　　This oven sometimes **smokes**.　　　　　　　　　　〔純然たる自動詞〕
　　（このオーブンは時々煙を出すことがある）
　　He sometimes **smokes** (*cigarettes*).　　　　　　　〔他動詞の目的語省略〕
　　（彼は時々たばこを吸うことがある）

「煙を出す」は純然たる**自動詞**だから，a *smoking* chimney（煙を出している煙突）のように，名詞の前において「～している」の意味で形容詞として使える。

「たばこを吸う」は本来**他動詞**で，tobacco や cigars, a pipe, cigarettes などの目的語をとっていたが，頻繁に使われているうちに目的語が略され，smoke だけで「喫煙する」という意味の**自動詞**になったものである。しかし，目的語が略されている形なので，名詞の直前につけて a *smoking* man（たばこを吸っている男）とはふつう言わない。（○ p.160 80A）。

同類の動詞に，**drink** (liquor)（酒を飲む），**eat** (food)（食事をする），**read** (books)（本を読む），**wave** (one's hand)（手を振る）などがある。

Because of health reasons, Henry doesn't **drink**.
（ヘンリーは健康上の理由で酒を飲まない）（＝drink *liquor*）

● a *drinking* man は「飲酒癖のある男」の意味で，「何かを飲んでいる男」ではない。

> 発展 ① run（走る；～を経営する）のように，違う意味で用いるものは別扱いにする。
> ② 次のように**受身**の意味で自動詞になるものは態のところで解説する（○ p.119 59）。
> This sentence **reads** smoothly.（この文はすらすら読める）　〔自動詞〕
> Have you **read** this essay?（このエッセイを読んだことがありますか）〔他動詞〕

9 B 自動詞と誤りやすい他動詞

英語では，"Please **telephone** *her*."（彼女に電話してください）のように，telephone（～に電話する）は**他動詞**であるが，日本語の「電話する」という表現は自動詞的で，「彼女を電話する」などとは言わない。そこで「彼女に電話する」と英語で言うときに，「～に」にとらわれ，"Please telephone *to* her." と to を入れてしまいがちなのである。この現象は「～に」だけでなく，「～と」や「～から」など，その他の日本語の場合にも見られる。次の動詞はすべて他動詞であるから，前置詞はいらない。

accompany（と一緒に行く）	**answer**（に答える）	**approach**（に近づく）
contact（と連絡を取る）	**discuss**（について論議する）	
follow（について行く）	**inform**（に知らせる）	**leave**（から去る）
marry（と結婚する）	**obey**（に従う）	**oppose**（に反対する）
reach（に到着する）	**resemble**（に似ている）	**touch**（に触る）

〔誤〕We **discussed** *about* the new plan.
〔正〕We **discussed** the new plan.（我々は新しい計画について論じ合った）
〔誤〕She **married** *with* him in Hawaii.
〔正〕She **married** him in Hawaii.（彼女はハワイで彼と結婚した）

[誤] I **asked** *to* her.
[正] I **asked** her. （私は彼女に尋ねた）
[誤] She **informed** *to* me about it.
[正] She **informed** me about it. （彼女はそれについて私に知らせてくれた）

また，同じ日本語を表すのに，英語では，異なる他動詞と自動詞を使って2通りで言うことができる。

We finally **reached** the campground. 〔他動詞〕
We finally **arrived** *at* the campground. 〔自動詞〕
　　（やっとキャンプ場に着いた）
I **answered** his question. 〔他動詞〕
I **replied** *to* his question. 〔自動詞〕
　　（私は彼の質問に答えた）

さらに複雑なことに，英語の動詞の多くは，他動詞として使うときもあれば，自動詞として使うときもある（◯p.31 **9A**）。

Let's **start** *the lesson*. 〔他動詞〕
　　（授業を始めよう）
The class will **start** at 13:00. 〔自動詞〕
　　（その授業は午後1時に始まる）

使おうとする動詞が他動詞なのか，それとも前置詞をつける自動詞なのかに迷った場合には，必ず辞書を参照すること。

> **参考** 日本語の「～を」に引かれて，自動詞として使うべき動詞を他動詞として誤って使ってしまうこともある。たとえば apologize は自動詞だが，日本語の「わびる」は「～をわびる」のように他動詞として使うことが多い。これに引かれてしまい，apologize に必要な前置詞 for を忘れたりすることもあり得る。
> [誤] I **apologized** my mistake.
> [正] I **apologized** *for* my mistake. （私は自分の過ちをわびた）

Helpful Hint 6　ありがたくない状況を表すときの on

　助動詞の「れる」「られる」を使って受身を表す日本語と違って，英語の自動詞は受動態にはならない。日本語なら，たとえば，「行く」→「行かれる」（例：「彼女は恋人に置いて行かれちゃったのよ」）や，「来る」→「来られる」（「お父さんに学校に来られたらいやだ」），「泣く」→「泣かれる」（「子供たちに泣かれてしまった」）などのように，自動詞は受身の形で大事な役割を果たしているのだが，英語の come, go, cry などは，そもそもこうした受身という便利な形にはならないので，いささか不自由に感じられてもおかしくない。ただ，たとえば「子供たちに泣かれてしまった」のような受動態の場合，前置詞の **on** を使って，"The children cried **on** me." と言えば，cry が能動態であっても，同じように「～されてしまった」という気持ちを表現することができる。

第2章　動詞　　第1節　動詞の種類

10　動作動詞と状態動詞

英語には，具体的な「行為」を表現する**動作動詞**と，「ありさま」を表す**状態動詞**がある。ここで特に注意する必要があるのは，状態動詞は原則として進行形にはならないことである。

　　　He **caught** the ball.（彼はその球を捕らえた）　　　　　　　〔動作〕
　　　The book **belongs** to the library.（その本は図書館のものだ）　〔状態〕

10 A　動作動詞

(1) 自分の意思で左右できるもの
　① 一般動作動詞 —— drink（飲む），eat（食べる），fight（戦う），make（作る），read（読む），say（言う），work（働く）など —— ふつう進行形になる。
　He **ate** 5 hot dogs in 3 minutes.
　　（彼は3分でホットドッグを5本食べてしまった）
　　　◆hot dog は，ソーセージの形が胴長のダックスフントと似ているのに由来。
　② 知覚を表す動作動詞 —— listen (to)（耳を傾ける），look (at)（眺める），smell（においをかぐ）など —— ふつう進行形になる。
　Smell these roses.（これらのバラをかいでごらんなさい）
　　　● **10B** (p.35) の状態動詞の(1)と違って，積極的な動作を表す。
　③ ある状態への移行を表す動作動詞 —— arrive（到着する），leave（去る），lose（失う），stop（止まる，止める）など
　He **stopped** his car by putting on the brakes.
　　（彼はブレーキをかけて車を止めた）
　　　● 進行形にすると，「〜しかかっている」という意味になる。次の文は「止まっている」という意味ではない。The bus **is stopping**.（そのバスは止まりかけている）
　④ 瞬間動詞 —— jump（跳ぶ），knock（たたく），nod（うなずく）など
　Please don't **kick** the box.（その箱をけらないでください）
　　　● kick（ける）も瞬間動詞である。この類の動詞は進行形にすると反復を表す。
　　　The boy **is kicking** a ball.（その男の子はボールを何べんもけっている）

(2) 自分の意思では左右できないもの
　① 偶発的な出来事を表す動作動詞 —— encounter（出くわす），fall（転ぶ）など
　I **encountered** a friend of mine on the plane.
　　（私はたまたま，機内で友人に出会った）
　　　● この種の動作動詞はごく限られている。自分の意思では左右できないことを表しているので，通常命令形にはならない。

② ある状態への移行を表す動詞 —— die（死ぬ），drown（おぼれる）など

Many animals **drowned** in the flood.
（洪水でたくさんの動物がおぼれ死んだ）
● He is dying. は「彼は死にかけている」の意味。

10 B 状態動詞

ずっと継続している状態を表すのがふつうだから，通常，進行形にならない。

(1) 知覚や認識を表す状態動詞 —— hear（聞こえる），know（知っている），see（見える），smell（においがする）など。

You can **see** the Empire State Building from here.
（ここからエンパイア・ステート・ビルが見えます）
● see の場合，自然に目に入るのであって，意識的に眺めるのではない。

(2) 存在や関係を表す状態動詞 —— be（～である），belong (*to*)（(～に) 属している），contain（入れている），have（持っている），include（含んでいる），own（所有している），resemble（似ている），stand（立っている）など。

She **owns** the house jointly with her husband.
（彼女はその家を夫と共有名義で所有している）

> 発展 ①「**状態**」を表す動詞とされていても，実際には**動作の性質**も含んでいる **wear**（身につけている），**live**（住んでいる）などは，状態の**継続性**を強調するときは，She always **wears** black clothes.（彼女はいつも黒い服を着ている）のように単純形にするが，「たまたま今着ている」という「**一時的な状態**」を表すときには She **is wearing** a yellow T-shirt this morning.（彼女は今朝は黄色のTシャツを着ている）のように進行形にする。なお，「身につける」という**動作**は **put on** で表す。
> ② 動作動詞も，「**現在時制**」では「**習慣という状態**」を意味する。たとえば，He **walks** to school.（彼は徒歩通学です）というような場合，通学には「歩く」という動作が決まって繰り返されることから，習慣という1つの**状態**になっているのである（⊃ p.56 H.H.12）。

Helpful Hint 7 「知る」と「知っている」

know という動詞は，「知る」という意味ではない。「知っている」という状態を表している言葉である。「彼女の名前を知った」というように，「知る」は「知らない状態」から「知っている状態」へ，という過程を表し，英語で言うなら，動作動詞 *learn*（または *find out* など）を使って，"I *learned*（または *found out* など）her name." と言えばよい。

同じように，状態動詞 *love* は，「愛している」状態を表す。もし，たとえば，「それは，知っているよ」や，「彼女を愛している」などと言うつもりで，日本語の「～ている」につられて，こうした状態動詞を現在進行形にして，"I *am* knowing that." や，"I *am* loving her." と言ったら，まるで「それは，知っ<u>ていている</u>よ」や，「彼女を愛し<u>ている</u>」といったように，おかしな表現になってしまう。

11 意味と語法の上で注意すべき動詞

11 A 日本語との関係で誤りやすい動詞

(1) 日本語では同じ表現をするもの

①「かく」　write と draw

「文字を書く」は **write**,「線や絵や図を描く」は **draw**,「絵の具などで絵や図を描く」は **paint** のように使い分ける。

Please **write** your name and address on the back of your check.
（お名前とご住所を小切手の裏に書いてください）

Draw a circle here. （ここに円を描きなさい）

②「忘れる」　forget と leave

「(持ってくるのを) 忘れる」なら **forget** でよいが，置き忘れた場所を示す語句があるときは，**leave** を使うのがふつう。

I **forgot** my umbrella. （傘を持ってくるのを忘れた）

I **left** my umbrella *in the taxi*. （傘をタクシーに置き忘れた）

③「盗む」　rob と steal

「AからBを盗む」は，**rob** A *of* B か，**steal** B *from* A となる。

They **robbed** him *of* his wallet. （彼らは彼から財布を奪い取った）

My wallet was **stolen** while I was sleeping.
（私は眠っている間に財布を盗まれた）

④「登る」　climb と go up

climb は本来手足を使って登ることを意味するが，**go up** はただ登りさえすれば方法は問わない。

We **went up** the mountain on the cable car.
（我々はケーブルカーでその山を登った）

(2) 日本語と発想が違うために誤りやすいもの

① come と go

話し手の所に来るだけでなく，相手の所へ行くのにも **come** を使う。話し手や相手が，2人のいる所以外の場所に行くのは **go**。

I'll **come** to see you tomorrow. （明日お会いしに行きます）

② drink と eat

drink はカップから直接飲むときに用いる。スープなどは，スプーンを使って飲む場合には **eat** を用いる。

I **ate** soup at lunch. （私は昼食にスープを飲んだ）

③ **tell** と **show** と **teach**

道案内などでは，**tell** は主として口で教える場合に使い，**show** は地図を描いたり，同行して教える場合に使う。**teach** は「知識や技能」などを教える意味なので，こういう場合には使えない。

④ **borrow** と **use**

持ち運びできるものを借りるのには **borrow** を使うが，移動できないものを借りるのには **use** を使う。telephone（電話）にも最近は borrow も用いる。

Can I **use** your bathroom?（お手洗いをお借りできますか）

Helpful Hint 8　borrow の使い方

「移動できないものには use を使い，borrow は使わない」という「規則」は，原則としては間違っていないが，実際問題，くだけた言い方では borrow はもっと幅広く使われている。また，ネイティブスピーカーの間でも，「きちんとした言葉の使い方」に対する各人の感性によって，その「幅広さ」は大分異なる。たとえば，平気で "May I **borrow** your *telephone* for a moment?" と言う人もいるのだが，そうした言い方に対しては抵抗感を覚える人も少なくない。あるいは，友だち同士の会話なら "Can I **borrow** your *phone* for a sec?"（「ちょっとだけ電話借りていい？」）というようなくだけた言い方をする人でも，格調の高い言い方が適切な場では，絶対に borrow を使わず，無意識のうちに "I wonder if I might **use** your *telephone* for a moment." などのように，その場に似合う言い方にする人も珍しくない。

---

11 B　再帰動詞

主語のする動作が主語自身に向けられることを表す動詞で，oneself がついていても，日本語では，「自分自身を～する」とは言わない（⇒p.392 **182B**）。

(1) 常に目的語として **oneself** を必要とするもの〔成句的な文語表現〕

absent oneself from（～に欠席する）　　**avail** oneself of（～を利用する）
pride oneself on（～を自慢する）

I have **availed myself of** every opportunity to learn English.
（私は英語を学ぶあらゆる機会を利用してきた）

(2) 本来は再帰動詞だが，**oneself** を省略できるもの

adjust (oneself) to（～に適応する）　　**behave** (oneself)（行儀よくする）
hide (oneself)（隠れる）　　**identify** (oneself) with（～と共鳴する）

If you **behave** (yourself), I'll let you stay up to watch the movie.
（行儀よくしているなら，遅くまで起きて映画を見ていていいよ）

(3) 自動詞用法がないために，自動詞的な意味を表すのに **oneself** を目的語にとるもの

content oneself（満足する）　　　　　**enjoy** oneself（楽しく過ごす）

excuse oneself（一言断って中座する）　　**flatter** oneself（得意に思う）
occupy oneself（従事する）　　　　　　　**present** oneself（出頭する）

I **enjoyed** *myself* playing in the ball game.
（私は野球の試合に参加して楽しんだ）

◆ball game は「球技」だが，《米》では「野球」を指すことが圧倒的に多い。

● 使役的意味を持った動詞に oneself がついて自動詞として働くものに seat, raise, lay, worry などがあるが，自動詞のほうがふつう。

> **参考** wash oneself や **dress** oneself, **shave** oneself などは，最近は「自分でする能力」について言う場合に用いることが多い。「身体を洗う」は，wash または have a wash でよい。
> Can you **wash yourself** in the bath if someone helps you in and out?
> （だれかが出入りを手伝えば，風呂で自分で身体を洗うことができますか）

11 C　同族目的語をとる動詞

本来は**自動詞**だが，その動詞と意味上関連のある名詞を目的語にとる動詞がある。目的語をとるので，一般に〈他動詞＋(形容詞＋)目的語〉の形になる。この場合の目的語を**同族目的語**という。

(1) 目的語が動詞と同じ形か，同じ語源の名詞であるもの

　　She **smiled** a friendly *smile*.（彼女は親しげにほほえんだ）
　　（＝She smiled in a friendly way.）

統計によると，最近の英文では，**smile** a ～ smile, **live** a ～ life が最も多く，**die** a ～ death, **sing** a ～ song, **laugh** a ～ laugh などがその次に多い。
ほかに，**fight** a ～ fight [battle], **sleep** a ～ sleep, **breathe** a ～ breath なども見られる。

● die a happy death＝die happily のように，副詞に書き換えられるものが多いが，書き換えられない場合もある。

(2) 目的語が一見動詞と違うが，意味上関連あるもの

　　He **ran** an exciting *race*.（彼は競走でわくわくさせる走り方をした）
　　◆「競走」の意味の race は，14世紀から名詞として使われ始めている。

12　使役動詞と知覚動詞

「Oに～させる」という意味を表す動詞を**使役動詞**といい，「Oが～する[している]のを見る[聞く]」などの意味を表す動詞を**知覚動詞**という。

12 A　使役動詞

「Oに～させる」という意味を表す動詞なら，allow や cause などたくさんあ

るが，これらはふつう〈S＋V＋目的語(O)＋to do〉の形をとるので，**不定詞構文**のところで解説する（○ p.145 **72A**）。ふつう使役動詞といっているのは，狭い意味で，**make, let, have, get** の４つを指すことが多い。

(1) make

make は「(無理にでも強制的に) ～させる」という意味である。目的語の次に動詞の原形をとる。

〈**make**＋目的語＋原形不定詞〉

They **made** me *repeat* the whole story.
　(彼らは私にその話を全部繰り返させた)
　● 受動態では I was made **to repeat** the whole story. となる（○ p.110 **49**(3)）。

(2) let

let は「(相手がしたがっていることを) ～させてやる」という**許可**を表す。

① 〈**let**＋目的語＋原形不定詞〉

Her parents won't **let** her *go* out with her boyfriend.
　(彼女の両親は彼女にボーイフレンドとデートをさせてくれない)

② Let us ～と Let's ～

Let us ～ は「我々に～させてくれ」という使役動詞で，[létǽs] と発音するが，Let's ～ は「～しよう」という勧誘を表し，[lets] と発音する。

Let us *know* what he said. (彼が何と言ったのか我々に教えてくれ)

Let's *go* to the movies tonight. (今夜映画を見に行こう)

(3) have

当然してもらえることを「～してもらうようにもっていく」ことを表す。

① 〈**have**＋目的語＋原形不定詞〉

I **had** my son *clean* up his room. (私は息子の部屋を本人に片づけさせた)

② 〈**have**＋目的語＋現在分詞〉

Within minutes he **had** the whole audience *laughing*.
　(数分もたたないうちに彼は聴衆全体を笑わせていた)
　● 使役の意味は薄くなるが，「～させる，させ始める」のほかに，「～している状態にする」という意味ではこの形はよく用いられる（○ p.163 **81A**(2)）。

I won't **have** my son *going* out at night. 〔否定文で〕
　(私は息子が夜外出するのを許しておくつもりはない)
　●「～させるわけにはいかない」は，I won't ..., I can't ..., I wouldn't ... に続ける。

③ 〈**have**＋目的語＋過去分詞〉

I **had** my laptop *repaired*. (私はノートパソコンを直してもらった)
　● この構文は過去分詞と受動態でも扱う（○ p.166 **82**, p.105 **45C**）。

― 39 ―

12 A

(4) get

get は〈**get＋O＋to do**〉の形で，「（説得などをして，なんとか）Oに～させる」という意味を表す。

　　How can I **get** him *to quit* smoking?
　　　（どうしたら彼に喫煙をやめさせることができるだろうか）

> **Helpful Hint 9　否定文中の〈have＋O＋doing〉**
>
> 　この形が**否定文**に使われるとき，批判的なニュアンスが強い。具体的に言えば，たとえば，"I'd hardly **have** my daughter **marrying** an American, would I?"（娘がアメリカ人と結婚するなんて，許すわけないだろう？），あるいは，前掲の用例 "I won't **have** my son **going** out at night."（私は息子が夜外出なんかするのを許しておくつもりはない）というように，否定文の場合，その「～ing」という「～すること」に対して，日本語の「なんて」や「なんか」と同じように，事態が基準を逸脱していて，好ましくないという批判的な評価がはっきり表されるのである。

12 B　知覚動詞と不定詞・分詞

　知覚動詞は，「Oが～するのを見る［聞く，感じる］」などの意味を表すために使われるケースが多い。このようなとき，目的語Oの次にくる語が，**原形不定詞**（● p.122 **60B**）か，**現在分詞**（● p.163 **81A**(1)）か，**過去分詞**（● p.165 **81B**(1)）かによって意味が違ってくる。詳しい解説は上記の各該当箇所を参照。

◎主な知覚動詞（＊の語は目的語の次に原形不定詞でなく，現在分詞だけをとる。）

feel（感じる）	**hear**（聞こえる）	**listen to**（聞く）
look at（眺める）	**notice**（気がつく）	**observe**（観察する）
overhear（漏れ聞く）	**perceive***（気づく）	**see**（見える）
smell*（においがする）	**watch**（見守る）	

知覚別に大きく3つに分けて用例を示す。

(1)「**見る**」タイプ ── look at, observe, see, watch など

　　I **saw** Jane *crossing* the road.
　　　（私はジェーンが道を渡っているところを見た）

　　I **saw** Jane *cross* the road and *disappear* into the bank.
　　　（私はジェーンが道を渡って銀行の中に消えて行ったのを見た）
　　　●上は「横断しているところ」を見たのであり，下は「横断し終えるまで全部」を見たことを意味する。

(2)「**聞く**」タイプ ── hear, listen to, overhear など

　　I **heard** Jim *talking* with Mary. （ジムがメアリーと話しているのが聞こえた）

Did you **hear** your name *called*?
（名前を呼ばれたのが聞こえましたか）

● 過去分詞を使うと，「～されるのが聞こえる」という受動の意味になる。

(3)「感じる，気づく」タイプ —— feel, notice, perceive, smell など

I **felt** the house *shaking*. （家が揺れているのを感じた）

Don't you **smell** something *burning*?
（何かが焦げているにおいがしませんか）

● **smell** は常に〈smell ＋ O ＋ ～ing〉の形をとり，原形不定詞はとらない。

Helpful Hint 10　「呼ばれるのを聞く」を表す表現

"Did you **hear** your name **called**?"（名前を呼ばれたのが聞こえましたか）という言い方は，1度呼ばれたのが聞こえたかどうかを問題にしている。もし，何回も続けて呼ばれていたのが聞こえたかどうかというのであれば，"Did you hear your name **being called**?" と表現される。また，もし動詞が「瞬間的に耳にする」という意味を持つ hear ではなく，「時間をかけて意識的に聞く」という意味を持つ listen to であれば，それに次ぐ言葉として "... being called?" しか考えられない。なぜなら，being called は，何回も続けて呼ばれている状態で，「瞬間」ではなく，「ある一定の時間」がかかっているからである。つまり，"Did you **listen to** your name **being called**?"（名前を呼ばれているのを聞いていましたか）という言い方ならあり得るのだが，"Did you *listen to* your name *called*?" という言い方はあり得ないのである。

13　be, do, have の本動詞用法

be, do, have の**助動詞**としての用法については別途参照（● p.75 **33A**）。

13 A　本動詞の be

(1) **be** の語形変化

［現在形］	単数		複数	
1人称	I	am	We	are
2人称	You	are	You	are
3人称	He [She, It]	is	They	are

［過去形］	単数		複数	
1人称	I	was	We	were
2人称	You	were	You	were
3人称	He [She, It]	was	They	were

[短縮形] I'm, you're, he [she, it]'s / we're, you're, they're

> 注意 これらの短縮形は**現在形**のみ。したがって，たとえば **it's** が **it was** の短縮形になることはない。なお，**'s** は is と has のどちらの短縮形でもある。

否定語との短縮形 isn't などについては別途参照 (⊙ p.77 **33C**)。

[現在分詞] being　　[過去分詞] been

(2) be の用法と意味

① **不完全自動詞としての用法** ──「～である」

第2文型（S＋V＋C）に用いられ，**主格補語**（C）をとる。

Grass **is** green. （草は緑色である）

> 発展　「(将来)～になる」と未来のことについて言うには，統計的には will *become* よりも，will **be** のほうが口語的な言い方ではふつう。しかし，書き言葉では，will become がよく見られる。

② **完全自動詞としての用法**

(a)「存在する」

God **is**. （神は存在する）

(b)「～にある，～にいる」　場所や時を表す語句を伴う (⊙ p.7 **3A** 発展)。

The book **is** *on the table*. （その本は机の上にある）

　● 主語が不定の場合には〈There is ...〉構文を用いる (⊙ p.13 **3F**)。

The Ribbon Cutting Ceremony **is** *on July 4*.
（テープカットの儀式は7月4日に行われる）

Put the book back *where* it **was**. （その本を元の場所に戻しておきなさい）

13 B　本動詞の do

(1) do の語形変化

[現在形] 主語が3人称単数の場合のみ do は **does** になる。

[過去形] 人称や数に関係なくすべて **did**。

[現在分詞] doing　　[過去分詞] done

(2) do の用法と意味

① **他動詞としての用法**

さまざまな目的語をとって，ある行為をすることを表す。

Do your *homework*. （宿題をやりなさい）

I cook and my husband **does** the *dishes*.
　（私が料理をし，夫は食器を洗います）

② **自動詞としての主な用法**

(a)「活動する，やっていく」などの意味を表す。

How are you **doing** lately?（このごろ調子はどうですか）
　(b)「間に合う」の意味で will [would] と共に使うことが多い。
　Twenty dollars *will* **do**.（20ドルで足ります）
　　　● **should** do とすると，「きっと間に合うでしょう」の意味になる。

13 C　本動詞の have

(1) have の語形変化
　[現在形] 主語が3人称単数の場合のみ have は **has** になる。
　[過去形] 人称や数に関係なくすべて **had**。
　　　● I'd は I had, I would のどちらの短縮形でもある。
　[現在分詞] **having**　　[過去分詞] **had**

(2) have の用法と意味
　① 所有の意味を表す。この場合は進行形にならない。
　　I **have** no money with me now.（今お金の持ち合わせがないのです）
　②「飲食する」などの意味を表す。
　　Won't you **have** some more wine?（ワインをもう少しいかがですか）
　③ 使役動詞として（⇒p.39 **12A**(3)）
　　Have him come in, please.（彼に入ってもらってください）
　④〈**have a**＋名詞〉で1語の動詞の代わりに用いる。口語的用法。
　　Meg and I **had** a long *talk* about the problem.
　　（メグと私はその問題について長いこと話した）
　　I **had** a nice *dream* last night.（昨夜はいい夢を見た）
　　　●「夢を見る」は see a dream とは言わない。

第2節　動詞の活用

　英語の動詞の語形変化には，原形を元にして，3人称単数現在形の場合の **-(e)s**（3単現の **-s**）と，現在分詞や動名詞の場合の **-ing** という単純な語尾をつける形と，複雑な変化をする過去形・過去分詞形がある。そこで，**原形**，**過去形**，**過去分詞形**の3つの主要形を狭い意味で**動詞の活用**という。
　動詞の活用にも，規則的なものと，不規則なものがある。

14　規則動詞

　規則動詞とは，原形に **-ed** をつけて**過去形**と**過去分詞形**を作るものをいう。

14 A　規則動詞の語形変化

(1) 一般原則：原形の語尾に **-ed** をつける。

〈原形〉	〈過去形〉	〈過去分詞形〉
open（開ける）	open*ed*	open*ed*

(2) 語尾が -e で終わる語：原形の語尾に **-d** だけをつける。

love（愛する）　　　　　lov*ed*　　　　　　　lov*ed*

(3) 語尾が -y で終わる語

① 語尾が〈子音字＋y〉の場合：**y** を **i** に変えて **-ed** をつける。

study（勉強する）　　　stud*ied*　　　　　　stud*ied*

② 語尾が〈母音字＋y〉の場合：そのまま **-ed** をつける。

enjoy（楽しむ）　　　　enjoy*ed*　　　　　　enjoy*ed*

(4) 〈1つの短母音字＋1つの子音字〉で終わる単音節の語：語尾の**子音字を重ねて -ed** をつける。

stop（止める）　　　　　stop*ped*　　　　　　stop*ped*

●look は母音字が2つ（o と o）あり，jump は子音字が2つ（m と p）あるから，そのまま -ed をつける。mix は x が [ks] として子音字2つに相当するから mixed になる。

(5) 〈1つの母音字＋1つの r〉で終わる語：語尾の **r** を重ねて **-ed** をつける。

stir（かきまぜる）　　　stir*red*　　　　　　stir*red*

(6) 2音節以上の語で，最後の音節が〈強勢のある短母音字＋1つの子音字〉で終わる語：語尾の**子音字を重ねて -ed** をつける。

omít（省略する）　　　　omít*ted*　　　　　　omít*ted*

●最後の音節に強勢がなければ，vísit*ed* のように，そのまま -ed をつける。

ここで，2音節以上の語で，最後の音節が r で終わる語が問題になる。原則は上の一般の場合と同じであるが，よく出てくるだけに間違えやすい。

◎最後の r を重ねて -ed をつける動詞と，重ねないで -ed をつける動詞

① **r を重ねる頻出動詞** ── 強勢が最後にある

concur（同意する）	**confer**（授ける）	**defer**（延期する）
infer（推測する）	**occur**（生じる）	**prefer**（より好む）
refer（参照する）	**transfer**（移す）	

② **r を重ねない頻出動詞** ── 強勢が前にある

differ（異なる）	**enter**（入る）	**offer**（提供する）
suffer（苦しむ）	**utter**（口に出す）	**wither**（枯れる）

(7) **-c [k] で終わる動詞**：**k** を加えて **-ed** をつける。
　　mimic（まねをする）　　　　mimic*ked*　　　　　　　mimic*ked*
　　　　● これは，-ed が母音字で始まるので，k を入れないと，その c は [k] の発音でなく，diced（さいころ遊びをする）などのように，[s] と発音されてしまうためである。

14 B　語尾 -ed の発音

(1) **[d] と発音する場合**：原形が **[d]** 以外の**有声音**で終わる語
　　robb*ed*, begg*ed*, buzz*ed*, liv*ed*, kill*ed*, pull*ed*, flow*ed*, *etc*.
　　　　● 有声音とは声帯が振動する [b] [g] [z] [v] [ð] [ʒ] [dʒ] と [l] [m] [n] および母音をいう。

(2) **[t] と発音する場合**：原形が **[t]** 以外の**無声音**で終わる語
　　stopp*ed*, kick*ed*, pass*ed*, laugh*ed*, wash*ed*, watch*ed*, *etc*.
　　　　● 無声音とは声帯が振動しない [p] [k] [s] [f] [θ] [ʃ] [tʃ] をいう。

(3) **[ɪd] と発音する場合**：原形が **[t]** または **[d]** で終わる語
　　want*ed*, mend*ed*, *etc*.

15　不規則動詞

　不規則動詞は，古い英語の活用が何らかの形で現代英語に残ったもので，その数は200ぐらいである。それもしだいに規則動詞化していく傾向がある。

15 A　3つの活用形中，2つが同形のもの

(1) **過去形と過去分詞形が同形　A－B－B**
　① 過去・過去分詞形の語尾が **-ought, -aught [ɔːt]** になるもの
　buy（買う）　　　　　　　b*ought*　　　　　　　　b*ought*
　② 母音が [iː]－[e]－[e] となるもの
　(a) k*ee*p（保つ）　　　　　k*e*pt　　　　　　　　　k*e*pt　（語尾が t で終わる）
　(b) f*ee*d（えさを与える）　f*e*d　　　　　　　　　　f*e*d　（語尾が d で終わる）
　③ 語尾の **-d** が **-t** になるもの
　(a) gil*d*（金めっきする）　gil*t*　　　　　　　　　　gil*t*
　(b) sen*d*（送る）　　　　　sen*t*　　　　　　　　　sen*t*
　　　　　　　　　　　　　　　　　　　　（語尾が -end, -ent, -ent となるもの）
　④ 母音が [aɪ]－[aʊ]－[aʊ] と変化するもの
　b*i*nd（縛る）　　　　　　　b*ou*nd　　　　　　　　b*ou*nd
　⑤ 母音が [ɪ]－[ʌ]－[ʌ] と変化するもの
　(a) cl*i*ng（くっつく）　　　cl*u*ng　　　　　　　　cl*u*ng
　　　　　　　　　　　　　　　　　　　　（語尾が -ing, -ung, -ung となるもの）

(b) w*i*n（勝つ）　　　　　　w*o*n　　　　　　　　　w*o*n
　　　　　　　　　　　　　　　　　　　　　　　　（語尾が -ing 以外のもの）
⑥ その他
(a) 母音が変化するもの
say [seɪ]（言う）　　　　　said [sed]　　　　　　said [sed]
tell [tel]（話す）　　　　　told [toʊld]　　　　　told [toʊld]
(b) 母音が変化しないもの
make [meɪk]（作る）　　　　made [meɪd]　　　　　made [meɪd]
(2) 原形と過去分詞形が同形　A－B－A
come（来る）　　　　　　　came　　　　　　　　come
(3) 原形と過去形が同形　A－A－B
beat（殴る）　　　　　　　beat　　　　　　　　　beaten
　　●この型はこれ 1 つしかない。

15 B　全部の形が違うもの　A－B－C

(1) **begin－began－begun** 型（母音が [ɪ]－[æ]－[ʌ] と変化する）
swim [swɪm]（泳ぐ）　　　swam [swæm]　　　　　swum [swʌm]
(2) 母音が変化し，過去分詞形が -n で終わるもの
① **break－broke－broken** 型（過去形と過去分詞形の母音が同じ）
hide [haɪd]（隠す）　　　　hid [hɪd]　　　　　　hidden [hídən]
② **fall－fell－fallen** 型（原形と過去分詞形の母音が同じ）
know [noʊ]（知る）　　　　knew [njuː]　　　　　known [noʊn]
③ **do－did－done** 型（母音がすべて違う）
rise [raɪz]（上がる）　　　rose [roʊz]　　　　　risen [rízən]

15 C　全部の形が同じもの　A－A－A

cut－cut－cut 型（-t または -d で終わる）
spread（広げる）　　　　　spread　　　　　　　　spread

16　注意すべき活用の動詞

16 A　接頭辞のついた動詞，複合形の動詞

(1) 原則として主要部分の活用のまま
　⎰ stand（立つ）　　　　　　stood　　　　　　　　　stood
　⎱ under*stand*（理解する）　under*stood*　　　　　under*stood*

(2) 同形でありながら一方は規則変化するもの

come（来る）	came	come
welcome（歓迎する）	welcomed	welcomed

- come は不規則変化だが，welcome は規則変化。
- You are welcome.（どういたしまして）の welcome は形容詞。

16 B　2種類の活用形のあるもの

awake（目を覚ます）	awaked	awaked
	awoke	awoken
get（得る）	got	got, gotten

16 C　意味によって活用が違うもの

fly（飛ぶ）	flew	flown
（フライを打つ）	flied	flied
hang（つるす）	hung	hung
（絞首刑にする）	hanged	hanged
lie（横たわる）	lay	lain
（うそをつく）	lied	lied

16 D　活用形を混同しやすいもの

fall（倒れる）	fell	fallen
fell（倒す）	felled	felled

Some trees need to be **felled** in order to maintain the forest's vitality.
（森の生気を保つために数本の木は切り倒されなければならない）

find（見つける）	found	found
found（設立する）	founded	founded

The Romans **founded** a great city on the banks of this river.
（ローマ人たちはこの川の岸に大都市を築き上げた）

fly（飛ぶ，逃げる）	flew	flown
flow（流れる）	flowed	flowed

Blood **flowed** from a cut on his hand.
（彼の手の傷口から血が流れた）

lie（横たわる）	lay	lain
lay（横たえる）	laid	laid

They are now **laying** carpet in the new office building.

（彼らは今新しいオフィスビルでカーペットを敷いている）

{ **see**（見る） saw seen
{ **saw**（のこぎりで切る） sawed sawn
{ **wind** [waɪnd]（巻く） wound wound [waʊnd]
{ **wound** [wuːnd]（傷つける） wounded wounded [wuːndɪd]

> **Helpful Hint 11　活用はどのようにして覚える？**
> 　ネイティブ・スピーカーはどのようにして動詞の活用を覚えるのかを聞かれたことがある。英語圏の小学校では最近どのような "母語教育" が流行っているのかわからないのだが，数十年前に自分が受けた小学校の授業では，皆が一斉に "Sw*i*m, sw*a*m, sw*u*m! S*i*ng, s*a*ng, s*u*ng! Beg*i*n, beg*a*n, beg*u*n! ...." などと，不規則の動詞を暗唱している光景だけが記憶に残っている。もちろん，すべての不規則動詞をそのようにいちいち「声に出して覚えた」はずはなく，おそらく主な「類型」を代表するものだけだっただろう。しかし，それより「活用を覚える」のに効果的だったと思われるのは，"環境" そのものだ。日本人が日本語の動詞の活用（例：「変える」→「変えた」;「帰る」→「帰った」）を，周囲から耳にした使い方を無意識のうちに覚えるのと同じように，我々も基本的に英語の動詞の活用を自然に周囲から覚えるわけである。

17　～ing 形の作り方

　原形にそのまま -ing をつけさえすればよいというものではなく，一定のルールがある。

(1) 発音しない -e で終わる語：-e を除いて -ing をつける。
　　come（来る）　　　　　　　→　　com*ing*

(2) ie で終わる語：ie を y に変えて -ing をつける。
　　die（死ぬ）　　　　　　　　→　　d*ying*

(3) 発音する -e で終わる語：そのまま -ing をつける。
　　see（見る）　　　　　　　　→　　see*ing*

(4) 〈短母音字＋子音字1つ〉で終わる単音節語：子音字を重ねて -ing をつける。
　　stop（止まる）　　　　　　　→　　stop*ping*
　　cut（切る）　　　　　　　　→　　cut*ting*

(5) 最後の音節が〈強勢のある短母音字＋子音字1つ〉の語：子音字を重ねて -ing をつける。これは -ed の場合と同じ（⊙ p.44 **14A**(6)）。
　　begín（始める）　　　　　　→　　begín*ning*
　　occúr（起こる）　　　　　　→　　occúr*ring*

(6) 〈母音字1つ＋-l〉で終わる語：《英》では l を重ねる。
　　travel（旅行する）　　　　　→　　travel*ing*, travell*ing*《英》

(7) **-c [k] で終わる語**：k を加えて -ing をつける。
   picnic（ピクニックをする）　→　picnic*king*
   ●k を加えるのは，[-sɪŋ] と発音されないよう，[k] の発音を残すためである。

第3節 句動詞

　句動詞は群動詞とか動詞句ともいわれるが，make や take のような**基本的な動詞**に，in や up のような**短い前置詞や副詞**を組み合わせて，全体で 1 つの動詞の働きをするものである。

18 〈動詞＋副詞〉

18 A 〈動詞＋副詞〉

(1) **自動詞の働きをするもの**

〈**自動詞＋副詞**〉は，副詞がついても本来の**自動詞**の働きをする。

　　The roses will **come out** next week.
　　　（バラの花は来週咲きます）

(2) **他動詞の働きをするもの**

〈**他動詞＋副詞**〉は，本来の**他動詞**の働きをする。

　　Could you **turn on** the light?
　　Could you **turn** the light **on**?
　　　（明かりをつけてくださいませんか）

　本来他動詞であるから，〈他動詞＋目的語＋副詞〉のように，目的語を他動詞に直接つけて言うこともできるし，〈他動詞＋副詞＋目的語〉のようにしてもよい。どちらにするかは，文体やセンテンス全体のリズムの問題である。しかし，目的語が**代名詞**の場合には，turn *it* on のように間に挟むのが原則。

　　●**call on**（訪ねる）などの場合は，call が「ちょっと訪ねる」の意味の**自動詞**であるから，call *him* on のような形はとれない（◯ p.50 19 ）。

18 B 〈動詞＋副詞＋前置詞〉

動詞に副詞と前置詞がついて 1 つの他動詞の働きをするものがある。

　　I can't **put up with** this noise.
　　　（私はこの騒音に我慢できない）
　　They all **look up to** him as a pioneer.
　　　（彼らは皆彼を先駆者として尊敬している）

19 〈動詞＋前置詞〉

〈自動詞＋前置詞〉で他動詞の働きをする句動詞。自動詞だけでは目的語をとれないが，前置詞がつけばその後に目的語をとることができる。

この類の句動詞の本体である自動詞の直後に，目的語として名詞をつけることはできない。〈自動詞＋前置詞〉（たとえば laugh at）全体でまとまって目的語をとるので，前置詞をつけたまま be laughed at のような受動態になる。

19 A 同じ自動詞につく前置詞による意味の違い

同じ look という自動詞に，前置詞の for がついて，look for になると「～を探す」という意味になり，after がつくと「～の世話をする」という意味になる。

The United States **consists of** fifty states. （合衆国は50の州から成る）
　◆50番目の州はハワイで，1959年に61年間の「領土」から「州」に昇格。

It is said that happiness **consists in** contentment.
　（幸福は満足にあるといわれている）

19 B 同じ動詞が自動詞にも他動詞にもなるため誤りやすいもの

同じ動詞が自動詞にも他動詞にも使われるので，〈自動詞＋前置詞〉か〈他動詞＋副詞〉かわかりにくい場合がある。

I **got off** the bus at the next stop. （私は次の停留所でバスを降りた）
　● この get は「～へ動く」という意味の自動詞。in, on, into などいろいろな前置詞と共に「移動」を表す。自動詞だから get *the bus* off とはいえない。

You will never **get back** the money.
　（そのお金を返してもらうことは無理だよ）
　● この get は，他動詞なので，get *the money* back ということもできる。

20 名詞を含む成句動詞

20 A 〈他動詞＋名詞〉で１つの自動詞的役割を果たすもの

When is the wedding going to **take place**?
　（結婚式はいつ行われるのですか）

The bridge **gave way** because of the flood. （洪水のため橋が壊れた）

20 B 〈他動詞＋名詞＋前置詞〉

Buy now and **take advantage of** these special prices!
　（今お買い求めになると，この特別価格がご利用いただけます）

REVIEW TEST 2

A 確認問題 2 (→ 解答 p.600)

1. 次の各英文の誤っている部分を正しく書き直しなさい。
   (1) Please discuss about the problem with the other employees.
   (2) He hasn't replied my e-mail yet.
   (3) She married with a doctor.
   (4) Two people approached to me and asked for money.

2. 次の各英文の(　)内の語(句)のうち，適切なほうを選びなさい。
   (1) The artist likes to (write, draw) pictures of cats.
   (2) They knocked him down and (stole, robbed) him of his watch.
   (3) I have (forgotten, left) my wallet in the hotel room.
   (4) We can (climb, go up) to the summit area by ropeway.

3. 次の各日本文の意味を表すように，(　)内に適切な1語を入れなさい。
   (1) 今晩あなたに会いに行ってもいいですか。
       Can I (　) and see you (　) evening?
   (2) 「お金を貸してくれませんか」「いいですよ。50ドルで足りますか」
       "Can you (　) me some money?" "Sure. Will $50 (　)?"
   (3) ジェーンは多くの点で母親に似ている。
       Jane (　) her mother (　) many ways.
   (4) 来週あなたの車庫をお借りしていいですか。
       Can I (　) your garage (　) week?

4. 次の各英文の(　)内の語のうち，適切なほうを選びなさい。
   (1) I won't (have, make) him saying such things about me.
   (2) This cold medicine (makes, lets) me feel sleepy.
   (3) I didn't hear my name (call, called).
   (4) The book (lay, laid) open on his desk.

5. 次の各英文の誤っている部分を正しく書き直しなさい。
   (1) The river flew smoothly.
   (2) She left her boyfriend, and it wound him.
   (3) I got the train off at the next station.
   (4) We called at Mr. Robinson yesterday.

— 51 —

REVIEW TEST 2

B 実践問題 2 (→ 解答 p.600)

1. 次の各英文を完成させるのに，最も適切な語(句)を選び，記号で答えなさい。

(1) "May I (　) a favor of you?" "Yes, I'll be glad to be of any help."
　(A) tell　　(B) help　　(C) be　　(D) ask

(2) "Could you (　) me the way to Madison Square Garden?" "Certainly."
　(A) teach　　(B) get　　(C) tell　　(D) say

(3) "Would you kindly (　) me the salt?" "Yes, certainly."
　(A) reach　　(B) pass　　(C) do　　(D) call

(4) "Thank you very much indeed." "You're (　)."
　(A) welcomed　　(B) welcome　　(C) well come　　(D) not welcome

(5) "I must (　) for interrupting you." "That's quite all right."
　(A) pardon　　(B) sorry　　(C) excuse　　(D) apologize

(6) "I'd like to (　) you to my house for dinner this Sunday."
"Thank you. I'll be happy to come."
　(A) visit　　(B) call　　(C) see　　(D) invite

(7) Please (　) the following form and the confirmation will be e-mailed to you.
　(A) filled out　　(B) full in　　(C) filled in　　(D) fill out

(8) Please keep your seat belts fastened until the captain has (　) the seat belt sign.
　(A) turned off　　(B) turned on　　(C) turned out　　(D) turned in

2. 次の各英文の下線部から，誤っているものを1つ選び，記号で答えなさい。

(1) I (A)would like to (B)take a reservation (C)for a single room (D)for next week, from the 12th to the 15th.

(2) (A)We enclose our order sheet. Please let us (B)to know when (C)the goods will be ready (D)for shipment.

(3) If you agree (A)this proposal, we will (B)draw up a contract (C)based on those (D)points.

(4) Your (A)order is now (B)complete. We (C)are waiting your (D)shipping instructions.

(5) We (A)wish to (B)apologize for the delay in (C)responding your letter on the (D)above subject.

第3章 時制
TENSE

動詞がその動作や状態の「時」を示すためにとる語形変化を**時制**という。時制には，**現在・過去・未来**の3つの**基本時制**のほかに，それぞれに**完了形**と**進行形**，それに**完了進行形**がある。

第1節 基本時制

21 時制

21 A 時間と時制

英語では，**文法上の時制**と**現実の時間**とは必ずしも一致しない。たとえば，
　　We're leaving for Paris next week. （私たちは来週パリにたちます）
という文の文法上の時制は**現在進行形**であるが，実際には「来週たつ」のだから**未来**のことを示している。英語ではこういう言い方で，「来週パリにたつことになっている」という，現在予定していることを表す。「時」を表す場合，文脈に応じて，英語ではどう表現するかということが，時制の問題のポイントである。

21 B 英語の時制

英語の時制には，**基本時制**として現在時制・過去時制・未来時制があるが，さらに**完了形**と**進行形**との組み合わせで，現在完了，過去進行形などといった形ができる。
次に write（書く）という動詞を例にとってみる。
write(s) という**現在時制**と，**wrote** という**過去時制**の2つ以外は，助動詞の will や分詞の writing, written などを使って，計12の時制が考えられる。

	基本時制	進行形
現在	He **writes** books.	He **is writing** a book.
過去	He **wrote** a book.	He **was writing** a book.
未来	He **will write** a book.	He **will be writing** a book.

	完了形	完了進行形
現在	He **has written** a book.	He **has been writing** a book.
過去	He **had written** a book.	He **had been writing** a book.
未来	He **will have written** a book.	He **will have been writing** a book.

22 現在時制

現在時制には**動詞の原形**を使う。be 動詞と助動詞以外の**一般動詞**は，主語が 3 人称単数のときには，原形に -(e)s をつける。**be** については別途参照（⊃ p.41 **13A**）。

22 A　3 人称単数現在（3 単現）の -s のつけ方

(1) 語尾に -s をつける場合

原形にそのまま **-s** をつける。無声音の後は [s]，有声音の後は [z] と発音する。

She **works** [wəːrks] for an oil company. （彼女は石油会社に勤めている）
　● **for** は雇用関係を表す。**in** だと，働いている場所（職場）を表す感じになる。

Jane still **lives** [lɪvz] at home. （ジェーンはまだ親元で暮らしている）
　● at home の次に with her parents を補って考えると意味がわかりやすい。

(2) 語尾に -es をつける場合

① [s], [z], [ʃ], [tʃ], [dʒ] で終わる語には **-es** をつける。発音は [ɪz]。
　He always **washes** [wɑ́(ː)ʃɪz] the dishes after dinner.
　（彼はいつも夕食後に食器を洗う）

②〈子音字＋y〉で終わる語は，**y** を **i** に変えて **-es** をつける。発音は [z]。
　The best thing to do when a baby **cries** [kraɪz] is to go to him.
　（赤ん坊が泣いたらその子の所に行ってやるのが一番いい）

22 B　現在時制の表す意味

英語の現在時制は，日常生活の「今」だけでなく，今を含んだ，**時間を超越した事実**を示すのに用いられる。

(1) 現在の性質・状態

現在を中心とした持続的な性質や状態を表す。主に be動詞や have，継続的な性質・状態を表す動詞，感情・知覚などを表す動詞が用いられる。

　He **has** a bad cold. （彼はひどい風邪を引いている）
　She **likes** to watch television. （彼女はテレビを見るのが好きだ）

(2) 現在の習慣的な動作・反復的な出来事

今も含めて**習慣的に行っていること**を表す。動作動詞でも日常習慣的に行っている場合には，現在時制で一種の状態化していることを表す（⊙ p.56 H.H.12）。

Meg usually **wears** jeans to work.
（メグはたいていジーンズをはいて仕事に行く）

◆jeans は中世イタリアで目の詰まった丈夫な布地を産出していた都市ジェノバの名に由来。これが米国で幌馬車の幌から青染めの労働用ズボンへと発展した。

|注意| Birds **fly**.（鳥は飛ぶ）は一般的に「鳥は飛ぶ生き物だ」という意味。「鳥が飛んでいる」という具体的な事実を描写するなら，A bird **is flying**. となることに注意。

(3) 真理や社会通念

ことわざなどにも見られるように，時間を超越して，今はもちろん，**いつの時代にも当てはまる真理や社会通念**は，たいてい現在時制で表す。

Sea water **freezes** at minus 1.8 degrees C.
（海水はセ氏氷点下1.8度で凍る）

Every dog **has** its day.（どんな人にも1度は得意な時がある）〈ことわざ〉

(4) 現在行われている動作

現在行われている**動作**を表すには，現在進行形を使うのがふつうだが，次のような場合に現在時制を使うことができる。

① スポーツの実況放送で

Johnson **swings**. A hard line drive down the left field line! Ferraro **runs** over to get the ball as Johnson **rounds** first and **goes** toward second!
（ジョンソン打ちました。レフト線への痛烈なライナー。フェラーロが懸命に球を追っています。ジョンソンは1塁を回って2塁へ）

② 料理や手品などの実演で

Now I **mix** 2 teaspoonfuls of dry yeast with a cup of soy flour.
（さて，乾燥イースト2さじを1カップのきな粉と混ぜます）

● ①②では，動詞が多いとき，and を連発して，動詞を次々と続けて言うことが多い。

③ 慣用的表現

Here **comes** our train.（ほら，私たちの乗る列車が来た）

● Here comes A. There goes A. などの構文で用いる（⊙ p.479 **217A**）。

I **swear** to tell the truth.
（私は真実を話すことを誓います）

● promise, swear, agree, deny など，約束・誓言・同意を表す言葉で。

I **hear** you are getting married.（結婚されるそうですね）

● I hear ..., They say ..., It says in the newspaper ..., I see ... などの構文で。

> **Helpful Hint 12　英語での「状態」という語感**
>
> 　動詞の現在形は，"*want*" のような「状態動詞」だけでなく，たとえ "*watch*" などのような「動作動詞」であっても，根本的なレベルでは，**現在の状態**を表している。この点は，"I *want* to go a movie." なら，「私は映画を見に行きたい**状態にいる**」と受け止められるのでわかりやすいが，一方の，行動を表している "I *watch* movies." がどういうふうに**状態**を表しているのかは，少しわかりにくいかもしれない。かぎは，行動・動作の場合，現在形は**習慣的行動**を表す，という点にある。つまり，"I *watch* movies." は基本的に「私には，映画を見る**習慣がある**」という意味を表し，極端に言えば，「私は，映画を見たりする状態にいる」というふうに考えてもよい。

(5) 未来の代用

① 確定的な未来・予定

一般に未来のことは不確定なものだが，確定していれば現在時制でよい。

(a) **時刻表やカレンダー**など

Christmas **falls** on Monday this year.　（今年はクリスマスは月曜に当たる）
　　● 現在もう決まっていることだから。

(b) **変更がないと思われる予定**

We **start** for Venice tomorrow morning.
　　（私たちは明朝ベニスへ出発することになっています）
　　● 既定の行動計画などに基づいて行動する場合などに多い。

② 時・条件を表す副詞節の中で

I'll call you *as soon as* I **get** to Paris.　（パリに着きしだいお電話します）

I will help you *if* you **come** early.　（早めに来たら手伝ってあげます）
　　● **主節**を見れば**未来**に関することだとわかるから，従位節中の動詞は，それとの関連で，形は現在形でも，主節と同じ未来のことだとわかる。

> **注意**　when や if でも，**名詞節**の場合は未来のことは**未来時制**で表す。次の文では，現在知りたがっている内容が未来のことであるから，名詞節の中の動詞には未来時制を使う。
>
> Betty *wants* to know *if* $500 *will be* enough.
> 　（ベティーは500ドルで間に合うかどうか知りたがっている）

(6) 過去の代用

① 歴史的現在

過去の話を生き生きとしたものにするため，目の前で起こっているかのように描写するのに現在時制が用いられることがある。

I'm walking along the street *last night*, when this strange man **comes** up and **threatens** me with a knife.
　　（昨夜私が通りを歩いていましたら，この見知らぬ男が私の方にやってきてナイフで脅すのです）

● くだけた言い方で，立て続けに話をするときにも，現在時制を次々に並べることがある。この文でも and ..., and ... というように現在時制を続けることができる。

② 新聞の見出し

Hijacked Jets **Destroy** Twin Towers and **Hit** Pentagon.
(乗っ取られたジェット機がツインタワーを破壊し，国防総省を攻撃)

◆2001年9月11日に起きたニューヨークの世界貿易センタービル破壊を含む一連の**同時多発テロ事件**は，米国のみならず世界中を震撼させた。**September 11** よりは短くて覚えやすい **9/11** や **9-11**（nine-eleven）という語が連日のように報道されたので，アメリカ方言学会は，この語は次世代までも末永く使われるだろうとして，正式に2001年の新語と決めた。ネット上では新語や俗語は記載も削除も自由だが，新版の刊行を待つ辞書となるとそう簡単にはいかない。しかし，規範主義で有名な *The American Heritage College Dictionary* がこの決定を知るや，刷り直しを厭わず**辞書としては真っ先にこれを見出し語としたこと**は，辞書作成の熾烈な実態を示すものとして注目される。

＊9-11 と似ている米国の緊急電話番号の **911** は，níne-òne-óne と発音する（◯**数字の読み方** p.457 **210A**(7)）。

③ 年代記的現在

時を超越した事実を述べるために現在時制を使うことがある。年表などの記述にも見られる。

Beethoven **is** the father of Romanticism.
(ベートーベンはロマンチシズムの父［元祖］である)

| 注意 | 具体的行為の場合は過去形で表す。Beethoven **composed** his first work in 1782.
(ベートーベンは最初の作品を1782年に作曲した)

23 過去時制

23 A 過去時制の形

過去時制は動詞の**過去形**で表す。過去形は，**規則動詞**の場合は原形に語尾の **-ed** をつけ，**不規則動詞**の場合は，それぞれ活用形に従って語形変化をする（◯ pp.43-48 **14**, **15**, **16**）。**be, do, have** の変化については別途参照（◯ p.41 **13**）。

23 B 過去時制の用法

(1) 過去における動作・出来事・状態など

過去時制は，過去のある時の**状態**や，**動作・出来事**などを示す。過去の状態・動作や出来事といっても，その起き方や，続く期間その他いろいろな形があるが，これらはすべて過去時制で表す。次にいくつかの具体例で示す。

Shakespeare's wife and children **lived** in Stratford-on-Avon while Shakespeare **worked** in London.　〔状態・行動〕

（シェークスピアがロンドンで仕事をしている間，その妻子は，ストラットフォード・オン・エーボンで暮らしていた）

After the war I **moved** to California, **lived** in Los Angeles for two years, and then **spent** a few years in San Diego.　〔行動・状態〕
（戦後私はカリフォルニアに移り，ロスに2年住み，それからサンディエゴで数年を過ごしていた）

We **traveled** from Cairo to Aswan by bus.　〔行動〕
（私たちはカイロからアスワンまでバスで旅行した）

The Gulf War **was fought** in 1990.　（湾岸戦争は1990年にあった）　〔出来事〕

We *often* **visited** that farm when we lived in West Newbury.　〔習慣的行動〕
（ウェスト・ニューベリーに住んでいたころ，よくその農園を訪ねた）

● 過去の習慣を示すには，**used to** や **would** をよく用いる（◎ p.89 **39**, p.92 **41A**）。

In its natural condition, the Mississippi *regularly* **overflowed** its banks.
（その自然の状況から，ミシシッピ川は周期的に氾濫した）　〔反復的な出来事〕

◆ 約3780キロメートルのミシシッピ川は大雨の後でよく氾濫したので，19世紀末までに数千の堤防や人工の水路が作られた。それでも，1993年に近代史上最大の洪水に見舞われた。このことが人工的河川管理の問題によく引き合いに出される。

This area **was** once covered by a glacier.　〔長期間の状態〕
（この地域はかつては氷河で覆われていた）

(2) 現在完了の代用（◎ p.62 **25B**(1)②）

ever, never を伴って，過去から現在までの経験を表すこともある。

Did you *ever* have a dream like this?　（こんな夢を見たことがありますか）
● これは，通常 Have you ever had ...? と，現在完了形で表現する質問だが，くだけた言い方として，とりわけ子供の間には，このように過去形で表現するケースもある。

(3) 過去形をいくつか並べて使うとき

① 出来事の順に並べるとき

過去のある時期にいくつかのことが連続して起こった場合には，**起こった時間の順に並べていくなら，すべて過去時制にする**。

I **got** up, **made** coffee, and **went** to the garage.　〔過去形の連続〕
（私は起きるとコーヒーを入れ，それからガレージに行きました）

② **after** や **before** などがあって，時の前後関係がわかるとき

時の関係は文脈から判断できる場合が多いが，単文でも，時を示す副詞（句）をつけてわかりやすくするのがふつうである。複文でも after や before などで前後関係がわかれば，先に起こったほうも**過去時制のままでかまわない**。

The train **pulled** out *before* I **arrived**.　〔共に過去形〕
（列車は私が着く前に発車した）

● 2つとも動詞が過去形のままでも，**before** によって，列車が出たほうが先であることははっきりしていて，順序がわかるから，結果的には①と同じことである（●p.64 **26B**(1))。

The train **pulled** out **when** I **arrived**. (私が着いたときに，その列車は発車した) では，**when** は同時を表すから，「私が着いた」と「列車が出た」という2つの出来事が単に同時に起きたことを述べていることになる。The train **had** *already* **pulled** out when I **arrived**. (私が着いたときには，その列車はもう出てしまっていた) という場合は，「列車が出た」のは，「私が着いたとき」よりさらに**過去**のことであることを表している（● p.510 **235B**(2)) (わずかの差で乗り遅れたのなら had just pulled out を使えばよい)。

24 未来を表す表現

「行く」は go であり，「行った」は went である。このように，英語の動詞は，**現在時制**と**過去時制**はそれぞれ独自の形を持っているが，「(これから) 行く」のように**未来を表す1語の変化形はない**。そこで，動詞の原形の前に，**未来を表す助動詞**の **will** をつけた〈*will go*〉の形で未来のことを表すことが多い。ただし，このほかにも未来のことを表す表現はいくつかある。

24 A 〈will＋動詞の原形〉

本書では，一般に**単純未来**（無意志未来ともいう）と呼ばれているものだけを「時」を表す**未来時制**として扱う。形は〈**will＋動詞の原形**〉である。

未来のことは，本質的には未定であり，不確実なものである。この時制の助動詞 **will** は，要するにこれからのことを言う「未来を示す記号」と考えてよい。

I **will be** 20 next Sunday. (私は今度の日曜日で20歳になります)
　● 1人称で shall を使うのは，《英》でも古風な，堅い言い方。

Susan **will be** in her office tomorrow morning.
　(スーザンは明日の朝は事務所にいます)

I'm sorry but my mother **won't be** home tomorrow.
　(申し訳ありませんが，母は明日は家におりません)
　● won't は will not の短縮形。

> **発展** 参考書によっては，**Will you** come here, please?（ここに来てくれませんか）などという**依頼**の機能を表す形なども，**意志未来**と称して，「時」を表す未来時制の中で取り扱っている。依頼や勧誘なども，確かに今後のこと，つまり未来に関することである。しかし，これらを「時」を表す純粋な他の時制と一緒に扱うと，意味が混乱しやすい。これらは実際には，**話し手の気持ち**を示したり，**相手の意志を聞く**などの機能を果たすからである。日常の会話で依頼や提案その他に大いに役立つこういう will は，（話す人の心的態度を示す）**法助動詞**として，似た用法を持つ can, may, must などと一緒に扱うほうが合理的なので，本書ではそのように扱う。第4章『助動詞』の **40** (p.90) で，「時」以外の will の用法をまとめてあるのもそのためである。

24 B be going to

未来を表すために，**be going to** を用いることもあるが，will を用いるときより，「以前からそうする[なる]ように決まっている」というニュアンスが強い。

(1) 主語の意図を表す場合 「～する(つもりである)」

be going to は，前もって考えられていた意図を表す。

I'm going to visit two or more different cities in Italy.
（私はイタリアでは2つ以上の都市を訪ねてみます）

> **発展** この例文に will を用いることもできるが，そうした場合は，前から「訪ねる」予定があったわけではなく，その場で決めた，といった感じの表現になる。
> 逆に "Someone is knocking." "All right. **I'll** go and see who it is."
> （「だれかノックしているよ」「よし，僕がだれだか見に行くよ」）
> のように，明らかにその場で決めたことであれば，be going to でなく will を使う。

Are you **going to** send money to somebody you met on the Internet?
（あなたはインターネットで出会った人にお金を送るのですか）
● Will you ～? だと「依頼」を表すととられかねない。

> **発展** 次のように，just とか when などの語句と用いて，「(ちょうど)～しようとしているときに…」などという意味を表すこともできる。
> I **was** just **going to** cross the road *when* somebody shouted "Stop!"
> （私がちょうど道路を渡ろうとしていたら，だれかが「止まれ」と叫んだ）

(2) 事実として述べる場合 「～になる，～をする」

自信を持って予測を述べる場合，**be going to** を頻繁に使う。
主語は1，2，3人称でも，生物でも無生物でもよい。

He **is going to** get better.（彼は調子がよくなりますよ）

The way things are sold **is going to** change now because of the Internet.
（物品の販売法は，これからインターネットの影響で変わります）

Susan **is going to** have another baby in a few weeks.
（2，3週間すれば，スーザンにはもう1人赤ちゃんが生まれるよ）
● 兆候や理由があって，近い将来にあることが起こりそうだという場合にもよく使う。

> **発展** 〈**be going to do**〉・〈**be about to do**〉と過去形
> 〈**be about to do**〉は〈be going to do *very soon*〉の意味で，より接近した未来を表し，差し迫った感じを出すためにさらに just などで強調する。〈be going to〉を**過去形**にすると，I **was going to** leave you a message.（君に伝言を入れる予定だったが）のように，実現しなかったことを暗示することが多く，was を had been にすると，さらに非実現の意味が強まる。一方，I **was** just **about to** leave you a message.（ちょうど君に伝言を入れるところだった）も似た意味で，やはり差し迫った未来を表す。

> **Helpful Hint 13　will と be going to の違い**
>
> "will ～" と "be going to ～" は，いずれも「これからの話」を示し，極めて似ているように見えるかもしれないが，話し手［書き手］の意識によって使い分けられているものである。たとえば，次の2つの質問の仕方がある：
>   1) Will you call her tonight?（今夜，彼女に電話しますか）
>   2) Are you going to call her tonight?（今夜，彼女に電話する予定ですか）
>
> ここでは，1) "Will you call ～?" は「彼女に電話するかどうかはまだ決めていないでしょうけれど，どうしますか」といった感じの質問だが，2) "Are you going to call ～?" は「彼女に電話するかどうかもう決まっているでしょうけど，どうする予定ですか」といった感じになる。要するに，「これからの話」に対して，"be going to" のほうには，「話はもう決まっている」という意識があるわけだ。

24 C　その他の未来を表す表現

(1) 現在時制で（→p.56 22B(5)①）

　　Mr. Robinson **retires** at the end of the year.　　　　〔確定的な未来・予定〕
　　　（ロビンソン氏は今年末で退職します）

(2) 現在進行形で（→p.67 28B(2)）

　　We **are visiting** Paris next summer.　　　　〔確定的な未来・予定〕
　　　（私たちは来年の夏にパリを訪れます）

第2節　完了形

25　現在完了

25 A　現在完了の形

現在完了は，〈**have [has]＋過去分詞**〉の形で表す。

　　The plane **has** already **taken** off.
　　　（飛行機はもう離陸した）

> 発展　"He **is** gone." が，"He is *not here*." の意味で用いられることがある。この場合の gone は形容詞と考えてよい。He **is** gone. は，たとえば，He **has** already **gone** out.（彼はもう出かけてしまった）という現在完了より，「今いない」というニュアンスが強い。

25 B　現在完了の用法

現在完了は，過去のある時点から今までの間に，何かがあったとか，なかったとかを表すものである。**時を表す副詞（句）**などでその具体的な意味がはっきりする場合が多い。日本語にすると，ふつう，単に「～した」というようになるの

で，過去の出来事が「今」と結びつくというのは，具体的にどのような場合を指すのかわかりやすいように，現在完了を使う場合を一応次のように分類しておく。

(1) 過去のある時から今までの間にあったこと

① 出来事が最近起こり，その動作が完了したことや，その結果の現在の状態。
already や **yet** などを伴うことが多い。**just** や **now** を使って，つい最近何かが起こった[完了した]ことも表す。

Somebody **has stolen** my credit card. I can't buy anything. 〔結果の今の**状態**〕
（だれかが私のクレジットカードを盗んだ。何も買えない）

Your order **has** *just* **arrived** at our website. 〔今**完了**したこと〕
（ご注文はちょうど私どものウェブサイトに届いたところです）

The government **has** *already* **done** a lot to improve public services.
〔今までやってきたこと〕
（政府は公共事業を改善するために，もうすでにいろいろなことをしてきた）

② 現在までの経験 ── 現在までに，そのようなことがあったかどうか。
ever, never, before, often, once, ~ times などを伴うことが多い。

Have you *ever* **been** to a wildlife park? 〔経験の有無を聞く〕
（野生動物公園に行ったことがありますか）

I **have** *never* **gone** to war. 〔未経験〕
（私は戦地に行ったことがない）

> 発展 ①〈**been to ~**〉の代わりに〈**gone to ~**〉でもよい。特に《米》では，こうした〈gone to ~〉の使い方は，比較的広く許容されている。
> I **have gone to** India several times.（私はインドに何回も行ったことがある）
> He **has** already **gone** home.（彼はもう帰宅しています）
> ②〈**have been to ~**〉は「~へ行ってきたところだ」[完了]の意味にも使う。
> I **have** just **been to** the bank.（銀行に行ってきたところです）

This is the first time I **have** *ever* **used** this mailing list. 〔ただ1回の経験〕
（このメーリングリストを利用するのはこれが初めてです）

Have you *ever* **met** her yourself? 〔経験の有無を聞く〕
（君は直接彼女に会ったことがありますか）

● 一般的には **Did** you **ever** ...? も「過去の経験」を聞くことができるが（○ p.58 **23B**(2)），この文の場合は，**Did** you *ever* meet her? とすると，彼女が亡くなったか，とにかく，彼女に会う機会はもうなくなっている，という前提があるかのような印象を与えかねない。

③ 現在までの習慣的行為や状態の継続。
for ~, since ~ など「期間」を表す語句を伴うことが多い。「継続」は**状態**がふつうであるが，「習慣的行為」の場合もある。

She **'s played** at Wimbledon *since she was twenty*. 〔毎年続いている行為〕

(彼女は20歳のときからずっとウィンブルドンに出場している)

George and I **have known** each other *for 30 years*. 〔状態の継続〕
(ジョージと私は知り合ってから30年になります)

● 動作の継続は**現在完了進行形**を使うのがふつう。
　I **have been working** *for eight hours*. (8時間ずっと働いている) 〔継続の強調〕
ただし，動詞によっては，進行形にしなくても同じ意味を表すことができるものがある
(◯ p.70 **31A**(2))。

(2) 未来完了の代用

時や条件を表す副詞節の中では，未来のことが現在形で表されるように，未来完了も現在完了で表されることがある (◯ p.236 **117A**)。

Your order will be shipped *as soon as* payment **has been received**.
(ご注文の品はお支払い代金を受領しだい出荷いたします)

25 C　現在完了の用法上の注意

現在完了は過去の動作や状態をあくまで**現在**と結びつけて言う形であるから，現在と切り離された，明らかに過去のこととして示す場合には使えない。

(1) 明らかに**過去**であることを示す語句があるときは現在完了は使えない。

It **didn't** rain *last week*. (先週は雨が降らなかった)

● **just now** は，a moment ago (ちょっと前に) の意味で**文末**に置く場合にはふつう過去時制と用いる。
　He **telephoned** me *just now*. (彼はちょっと前に電話してきました)
しかし，助動詞と動詞の間に置いて，現在完了と用いることもある (◯ p.478 **216D**(3))。

過去のある期間内の経験には現在完了は使えない。

Did you ever share a room *while you **were** in high school*?
(高校時代に友人とルームシェアをしたことがありますか)

● while you **were** in high school で，**過去のことについての話**であることがわかる。

(2) **When** で始まる疑問文が，**特定の時**を尋ねる場合は現在完了は使えない。

When **did** you see him last?
(最後に君が彼に会ったのはいつですか)

> 発展　**経験**を聞く場合は，When で始まる疑問文に現在完了も使うことがある。
> 　*When* **have** you **found** it necessary to ask for police protection?
> 　(これまでどんな時に君は警察の保護を求める必要を感じたことがあるのですか)
> 次の文は修辞疑問にもとれるし，「いつあったかね」と聞いている形にもなる。
> 　*When* **have** I **been** arrogant in the past?
> 　(私がこれまで横柄だったことがあったかね)
> was を使って，When **was** I ever arrogant in the past? だと1回しかなかったことを暗示するが，現在完了にすると何回かあったことを示唆することにもなる。

第3章 時制　第2節 完了形

> **Helpful Hint 14　現在完了とは？**
>
> 　現在完了の基本的な働きは「過去のある時点から現在までの間の話」を表すことなので，その「ある時点」はどの時点であるかも，文中にはっきり表されている。
> 　前掲の "George and I **have known** each other *for 30 years*." (ジョージと私は知り合ってから30年になります) であれば，それは**現在から30年前**という時点になる。
> 　あるいは，"**Have** you *ever* **been** to a wildlife park?" (野生動物公園に行ったことがありますか) であれば，時間的表現は，*ever* [＝at any time；どんな時でも；生まれてから1度でも] という語しか登場しないが，その「過去のある時点」は常識的に「本人が生まれた時点」となる。
> 　厳密に言えば，"The government **has already done** a lot to improve public services." (政府は公共事業を改善するために，もうすでにいろいろなことをしている) という文も，「ある時点」は「生まれた時点」，つまり「政府が樹立された時点」となる。
> 　また，たとえば，"Your order **has arrived** at our website." (ご注文は私どものウェブサイトに届いております) のように時間的表現が1つもない場合であっても，たいてい常識的に判断できるはずである。"Your order **has arrived** ...." の場合の「過去のある時点」は，当然「注文が届いた時点」となる (つまり，ここでの現在完了形は，「ご注文が届き，そして現在に至るまで私どものウェブサイトにあります」ということを表しているのである)。

26　過去完了

26 A　過去完了の形

過去完了は，〈had＋過去分詞〉の形で表す。

　I realized what **had happened**. (私は何が起こったかわかった)

26 B　過去完了の用法

(1) 現在完了が過去に移行した用法

　基本的には，過去完了は，**現在完了の「時」の基点を，過去のある時点に移した**ものであるから，**過去のある時よりもさらに前からのことについて**，現在完了に準じて同じように，3つの基本用法 (完了と結果の状態・経験・継続) を考えればよい。

　When I got home last night, I found that somebody **had broken** into my house. (昨夜帰宅したら，だれかが家に侵入したことがわかった) 〔**完了・結果**〕
　●帰宅した時点を今に移せば，「帰宅前にだれかが侵入していた様子がある」という状態になる。この帰宅した時点を昨夜の話にした形である。

　I **had** *never* **used** that DVD player *before*, so I decided to test it out. 〔**経験**〕
　(私はその DVD プレーヤーをそれまで使ったことがなかったので，試してみることにした)

He **had lived** in Iraq for ten years *before* moving to Marlboro in 1987.〔継続〕
(彼は1987年にマールバロに移るまで10年間イラクに住んでいた)
- for ten years は，マールバロに移るまでの10年間という期間の継続を表している。

I *realized* that this **had** *never before* **been attempted**.　〔経験〕
(私はこれはそれまでに試みられたことがなかったことに気づいた)
- realized が過去形だから，現在完了が**時制の一致**で過去完了になったと見てよい。

(2) 過去のある時より前の動作・出来事（大過去）

　これは，過去のある時（副詞語句や文脈でわかる）よりもさらに前に起こった出来事を示す用法であるが，文脈から2つの出来事の前後関係がわかる場合には過去形で代用することが多い。この形については，『過去時制』のところで，具体例を挙げて説明してあるので，そちらも参照されたい（⇒p.58 **23B**(3)）。

After the soldiers (**had**) **left**, I *returned* to the village.　〔過去の出来事の順〕
(兵隊たちが立ち去ってから，私は村へ戻った)
- after で前後関係がわかるので，過去形で代用してもよい（⇒p.58 **23B**(3)②）。

I **had seen** the man *an hour before* the police officer *arrived*.　〔過去の過去〕
(私は警官が着く1時間前にその男を見かけていた)
- 「警官が着く1時間前」というのは，当然警官が着いた時を含んでいない。したがって，これは現在完了に対応するものではなく，**過去形**に対応する形である。

> 発展　過去に実現しなかった**願望や期待**は，〈**had intended to ～**〉の形で表すことができる。〈intended to have ＋ 過去分詞〉という形もあるが，今ではほとんど使われない。
> Actually I **had intended to** answer sometime ago.（実はだいぶ前にお返事するつもりだったのですが）これは，I **intended to** answer sometime ago, **but** was unable to [forgot to, just didn't, *etc*]. と言ってもよい。

(3) 時制の一致による過去完了

　時制の一致では，従位節中の過去形の動詞は過去完了になる（⇒p.510 **235B**(2)）。

Jim *said* he **had got** a driver's license the Wednesday before.
(ジムはその前の週の水曜日に運転免許を取ったと言った)
- Jim said, "I *got* a driver's license last Wednesday." の間接話法。

27　未来完了

27 A　未来完了の形

　未来完了は，〈**will ＋ have ＋ 過去分詞**〉の形で表す。

I think most of the seabirds **will have finished** nest-building by the time you visit the area.
(ほとんどの海鳥はあなたがそこを訪れるまでに巣作りを終えているでしょう)

27 B　未来完了の用法

未来完了の場合も，現在完了の「時」の基点を，未来のある時点に移して考えればよい。

　　Do you think the book **will have arrived** by tomorrow?　　　〔完了〕
　　　（明日になったらその本はもう届いているでしょうか）

　　This lake **will probably have frozen** by Christmas.　　　〔結果の状態〕
　　　（この湖はクリスマスまでには，たぶん，もう凍ってしまっているでしょう）

　　If I visit Paris again, **I'll have been** there five times.　　　〔経験〕
　　　（私は，もう一度パリに行けば，5回訪れたことになります）

　　My parents **will have been married** for 45 years on November 29th. 〔継続〕
　　　（私の両親は11月29日で結婚して45年になります）

> **Helpful Hint 15**　過去形と現在完了の比較
>
> **過去形**と**現在完了**との"比較時制"がおもしろい。簡単に言えば，過去形は単純に「過去の話」を表すだけで，現在完了の「過去のある時点から現在まで」の「**現在まで**」の部分がまったくない，という違いしかないのだが，この違いは結構大きい。
> 具体的に言えば，"Of course I know her — after all, I **dated** her for five whole years."（彼女のこと，知ってるとも。だって，まる5年も付き合ったのさ）と，"Of course I know her — after all, I**'ve dated** her for five whole years."（彼女のこと，知ってるとも。だって，まる5年も付き合ってるのさ）との違いである。
> 同じように，たとえば，ある2人の「問題の多い結婚」についての話を**現在完了**で，"They **have** had many problems in their marriage."と表現すれば，2人の結婚は依然として続いていることになるのだが，**過去形**で，"They **had** many problems in their marriage."と言うと，その「問題の多い結婚」はあくまでも過去のものだ，ということになる。つまり，離婚などのために結婚そのものがなくなったのか，まだ結婚しているが問題がなくなったのかははっきりしないが，とにかく，その「問題の多い結婚」は，現在は存在しないものだ，とはっきり表されているわけである。

第3節　進行形

進行形の基本的用法は，**限られた期間内の動作の継続**を示すことにあるが，動詞の性質や，共に用いる「時を表す副詞語句」によって，さまざまな意味を表す。また，現在形と現在進行形との違いは，次のような例によって明らかである。

　　May usually **drinks** coffee at breakfast, but this morning she **is drinking** tea.
　　　（メイはふだんは朝食にコーヒーを飲みますが，今朝は紅茶を飲んでいます）

この文で，**drinks** はいつもそうしているという「習慣的動作」を表すが，**is drinking** は今はそうしているという「限られた期間内の動作」を表している。

28 現在進行形

28 A 現在進行形の形

現在進行形は，〈**am [are, is]**＋**〜ing**〉で表す。

He **is writing** a letter. （彼は手紙を書いています）

動詞の原形に 〜ing をつけるときのつけ方については，**17** (p.48) を参照。

28 B 現在進行形の用法

(1) 現在進行中の動作・出来事を表す。

"May I help you?" "No, thank you. **I'm** just **looking**."
（「何にいたしましょうか」「結構です。ただ見ているだけです」）

Someone **is kicking** the door! Someone is inside! 〔反復〕
（だれかがドアをけっているぞ。だれかが中にいるのだ）

- kick のような**瞬間的な**動作を示す動詞では，進行形はその動作の反復を表す。
この種の動詞には **hit, jump, kick, knock, tap, wink** などがある。

We **are working** one full month longer per year than we did 20 years ago.
〔比較的長期間〕

（私たちは20年前に比べると，年にまる１月長く働いている）

- 「昔と比べると最近は〜している」という限られた期間内の習慣的な行動。

The bus **is stopping** for two people to cross the street. 〔動から静への移行〕
（バスは２人の人に道路を横断させようとして止まりかけている）

- 動から静へというような**ある時点での**終止か達成への移行の意を表す動詞の進行形は，その時点への接近を表し，「〜しかけている」という意味を表す。
この種の動詞には **arrive, become, die, fall, get, go, land, lose, stop** などがある。

He **is** always **getting** angry and **showing** a lot of irritation.
（彼はいつも腹を立てては，ひどいいらだちを表してばかりいる）

- **always** や **constantly** などを伴って，「いつも〜している」という**反復的な**動作を表す進行形で，非難などの感情が込められることが多い。

(2) 確定的な未来・予定を表す (○ p.61 **24C**(2))。

I'm going to Korea next Monday.
（私は次の月曜日に韓国に行くことになっています）

- あらかじめ立てられた計画に従っている。現在すでに準備が進んでいるという印象を与えることもある。
未来を表す〈be going to〉を使って，**I'm going to go** to Korea ... . ということもでき

るが，単なる現在進行形にしたほうが「はっきり決まっている予定だ」というニュアンスが強調される。

29 過去進行形

29 A 過去進行形の形

過去進行形は，〈was [were] ＋ ～ing〉で表す。

While I **was having** dinner, the phone rang.
（私が食事をしている最中に電話が鳴った）

29 B 過去進行形の用法

(1) 過去のある時に進行中の動作・出来事を表す。

When you **were taking** a bath, what happened?
（あなたが入浴中に，何が起こったのですか）

I awoke as the train **was stopping** at a large station.
（列車が大きな駅に止まりかけていたときに目が覚めた）
● 「停車」という**瞬間への接近**を表す（→ p.67 **28B**(1)）。

He **was** always **making** some excuse to talk to me.
（彼は私に話しかけるのにいつも口実を設けていた）
● 「いつも～ばかりしていた」という**動作の繰り返し**を表す。

Summer vacation **was drawing** to a close. （夏休みは終わりに近づいていた）
● 夏休みが終わる日は決まっている。過去のある時から見て**確定している未来**を表す。

(2) **丁寧な依頼**を表す。

I **was hoping** you could contact me.
（ご連絡をいただければありがたく存じますが）
● 相手に対する**丁寧さ**は，現在形よりも**過去形**，単純形よりも**進行形**のほうが強くなる。進行形はためらいの態度を示し，「私は以前そう思ってはいたのですが，（いかがでしょうか）」といった感じになる。

30 未来進行形

30 A 未来進行形の形

未来進行形は，〈will be ＋ ～ing〉で表す。

I'll **be waiting** for you at four p.m. tomorrow.
（明日午後4時にお待ちしております）
● **I'm going to be studying** in London in October. （10月にはロンドンで勉強してい

ます）のような形もある。

30 B 未来進行形の用法

(1) **未来のある時に進行中の動作・出来事**を表す。

At this time tomorrow **I'll be driving** through Kabul.
（明日の今ごろはカブールを車で通り抜けているところだ）

Don't call him at about seven — they **will be having** supper then.
（7時ごろに彼に電話しないように。そのころ彼らは夕食中だ）

(2) **確定的な予定**を表す。

この**未来進行形**の用法は，関係者の意志や意図とは関係なく起こる当然の未来を示す場合にもよく使われる。

At about 9 a.m. tomorrow, the typhoon **will** probably **be hitting** Shikoku.
（明日午前9時ごろ，その台風はおそらく四国に上陸するでしょう）

Early next year I **will be presenting** my research at an academic conference in Seattle.
（来年早々私はシアトルの学会で研究発表をすることになっています）

● I will present には感じられない「すでに決まっている予定だ」という強いニュアンスがある。

"**Will** you **be coming** to the party?" "No, I won't be."
（「パーティーにはおいでになりますか」「いえ，参りません」）

● Will you come to the party? と聞くと，来ることを要求していることになる。相手の予定を知りたいだけであれば，上のように，"**Will** you **be coming** ...?" と聞けばよい。

Will you **be using** your laptop this afternoon?
（今日の午後あなたのノートパソコンをお使いでしょうか）

● これも相手の予定を聞く形で，実質的には「貸してほしいのですが」ということをほのめかす**丁寧な依頼**にすることもできる。

Helpful Hint 16　過去進行形と未来進行形

過去進行形・未来進行形は，いずれも，基本的に，**現在進行形**と同じ原理である。たとえば，"I'm sorry, I can't talk now — I'm having dinner."（悪いけど，今話せない。食事をしているところだから）のように，**現在進行形**が現在の時点で何かをやっている途中だ，ということを表すのに対して，**過去進行形**は，"I was having dinner when she called."（彼女が電話をくれたとき，食事をしているところだった）のように，過去のある時点で何かをやっている途中だった，ということを表す。同じように，**未来進行形**は，"Maybe I'll be having dinner when she calls tomorrow, too."（明日も彼女が電話をくれるときは，食事をしているところかもしれない）のように，未来のある時点で何かをやっている途中だ，ということを表すのが主な役割なのである。

31 完了進行形

現在完了進行形・過去完了進行形・未来完了進行形の3つがある。

31 A 現在完了進行形

(1) 現在完了進行形の用法

現在完了進行形は，〈have [has] been＋〜ing〉で表し，過去のある時から現在まで続いてきた動作・出来事を表す。今後も続くことを暗示する場合もあり，直前に終了したことを表す場合もある。

The media **has been talking** about George Mason.
（マスコミは最近ジョージ・メイソンのことを話題にし続けている）
● これだけでは今後も続きそうだが，そこまでははっきり言っていない。

I **have been waiting** to receive this letter for a long time.
（私はこの手紙を受け取るのを長いこと待っていました）
●「待つ」という行為はこの時点で終了することになる。

Obviously somebody **has been burning** trash here.
（明らかにだれかがここでごみを燃やしていたのだ）

We are in the rainy season now. It **has been raining** for more than two weeks. （今は雨期です。もう2週間以上雨が降り続いています）
● It has been raining for more than two weeks. だけでは，そろそろ終わるだろうと思って言っているのか，それとも，当分続くだろうと思って言っているのかはわからない。

> 参考　日本の梅雨は the rainy season。この語は熱帯の「雨季」も意味するが，「雨季」には the rains という語がある。
> 　　In Southern Africa cholera usually comes along when the **rains** have started.
> 　　（南アフリカでは，ふつう雨季が始まるとコレラが発生してくる）

(2) 現在完了とほとんど同じ場合

原則として，**動作性の強い動詞**が現在までの動作の継続を表すためには，**現在完了進行形**にする必要がある。しかし，動詞によっては，現在完了でも現在完了進行形でもほとんど変わらない場合がある（⊃ p.62 **25B**(1)③, p.72 H.H.17）。

The Robinsons **have lived** [**have been living**] here *since 1900.*
（ロビンソン家の人たちは1900年以来ここに住んでいる）

I **have studied** [**have been studying**] rainforests *for many years.*
（私は熱帯雨林を長年研究してきました）
● この種の動詞は，learn, live, rain, sleep, stay, study, wait, work など。

注意　現在完了で動作の継続を表すには for many years のような期間を表す語句が必要。

31 B 過去完了進行形

過去完了進行形は，〈had been＋〜ing〉で表し，現在完了進行形の「時の基点」を過去のある時点に移した意味に用いる。

    Henry **had been working** at that company for five years when it went out of business.
        （ヘンリーはその会社が廃業するまで5年間働いていた）

31 C 未来完了進行形

未来完了進行形は，〈will have been＋〜ing〉で表し，現在完了進行形の「時の基点」を未来のある時点においた意味を表す。

    By age 65, he **will have been making** payments for 20 years and will have deposited $40,000.
        （65歳までに彼は20年間払い続けて4万ドル預金したことになる）

32 ふつう進行形にしない動詞

32 A 原則として進行形では用いない動詞

(1) 事物の状態や構成を表す動詞

    This cat **belongs** to the Smiths, but comes to my house to beg for food.
        （この猫はスミスさんの家のものですが，私の家にえさをせびりに来ます）

この種の動詞には次のようなものがある。（意味に注意）

be（〜である；ある，いる）	**belong** (to)（〜に属している）
consist (of)（〜から成る）	**contain**（含んでいる）
depend (on)（〜しだいである）	**deserve**（〜に値する）
differ（異なっている）	**equal**（〜に等しい）
exist（存在する）	**have**（持っている）
involve（〔必然的に〕含む）	**own**（所有している）
possess（持っている）	**remain**（〜のままである）

    ● **resemble**（（〜に）似ている）などは，「だんだん似てくる」のように進行形もとる。

(2) 知覚動詞や心的動詞

    I **hear** the baby crying. Give him some milk.
        （赤ん坊が泣いているのが聞こえるよ。ミルクをやりなさい）

    I **know** his password — that's how I got this information.
        （私は彼のパスワードを知っているの。それでこの情報を手に入れたのよ）

知覚動詞		
hear（聞こえる） **see**（見える） **smell**（においがする） **taste**（味がする）		
心的動詞		
believe（信じている）	**dislike**（嫌いである）	**doubt**（疑問に思う）
hate（嫌いである）	**imagine**（〜と思う）	**know**（知っている）
like（好きである）	**love**（愛している）	**prefer**（好きである）
remember（覚えている）	**suppose**（〜と思う）	**think**（〜と思う）
understand（理解している）	**want**（欲する）	**wish**（〜したいと思う）

32 B　状態や知覚・心的動詞が進行形になる場合

(1) **一時的な状態を表す場合**（⊙ p.35 **10B** 発展）

　　My husband **is being** difficult lately. （夫はこのごろ気難しい）

　　　●どちらかと言うと非難したり，からかって言う場合が多い。

(2) 知覚動詞や心的動詞が**意志のある動作**を表す場合

　　The Russian children **are seeing** the sights around Seattle.

　　（そのロシアの子供たちはシアトル付近の観光見物をしている）

(3) その他

　　He **is** always **doubting** my ability to do the work.

　　（彼は私がその仕事ができるかいつも疑ってばかりいるのです）

　　　●話し手の感情を込めた強意表現や，いらだちを表す場合によく用いられる。

　　I **have been wanting** to open my own business online for a long time.

　　（私は自分でオンラインでの事業を始めたいとずっと思っています）

　　　● want は完了進行形ではよく用いられる。また，表現を和らげるために What might you be wanting?（何がお望みでしょうか）のように現在進行形で用いることもある。

Helpful Hint 17　現在完了形と現在完了進行形との違い

　現在完了形と現在完了進行形とは具体的にどう違うのかよくわからない，という学習者が少なくないようである。

　たとえば「大学に入ってからこの1か月，彼女はけっこう真面目に勉強している」ということを英語では "Since starting college a month ago, she has studied quite seriously." と言っても，"Since starting college a month ago, she has been studying quite seriously." と言っても，いずれもよさそうなのだが，この2つの意味はいったいどう違うのか，という問題だ。たしかに意味自体は基本的に変わらない。違うのはフィーリングだけだ。どちらかと言えば，後者の進行形のほうが生き生きしているような感じがする，といった程度の違いしかなく，言わば"臨場感"がやや強いわけだ。

REVIEW TEST 3

A 確認問題 3 (→ 解答 p.600)

1. 次の各英文の( )内の動詞を適切な形にしなさい。
   (1) Water (boil) at 100 degrees centigrade.
   (2) It (rain) almost every weekend last winter.
   (3) In those days I (look) handsome.
   (4) When the light (turn) green, you may proceed.

2. 次の各英文の( )内の語(句)のうち，適切なほうを選びなさい。
   (1) Jane (becomes, is becoming) more and more like her mother.
   (2) Tom and Jill (have known, have been knowing) each other since they were in high school.
   (3) Phone me as soon as you (hear, will hear) some news.
   (4) "We need some bread." "OK, I (will, am going to) get it."
   (5) Somebody (uses, is using) this vacuum cleaner. You can't use it now.

3. 次の各日本文の意味を表すように，( )内に適切な語(句)を入れなさい。
   (1)「やあ，ジョン。メアリーはどこ？」「スーパーに行っているよ」
   "Hi, John. (　　　　) Mary?"
   "She (　　　　) to the supermarket."
   (2) あなたのウェブページを拝見したのはこれが初めてです。
   This is (　　　　) time I (　　　　) seen your Web page.
   (3) 財布をなくしてしまって，今捜しているのです。
   I (　　　　) my wallet. I am now (　　　　) it.
   (4)「どのくらい英語を勉強しているの？」「3年くらいです」
   "(　　　　) have you (　　　　) English?"
   "About three years."

4. 次の各英文が正しければ〇をつけ，正しくなければ×をつけて，誤っている部分を正しく書き直しなさい。
   (1) Near the equator, the sun evaporates greater quantities of water.
   (2) Come and see us next week if you're passing through New York.
   (3) I have seen the Rosetta Stone while I was staying in London.
   (4) Will you be going to Rome this summer after all?
   (5) Has Albert Einstein ever gone to Japan?
   (6) After you called the police, what did you do?

REVIEW TEST 3

B 実践問題 3 (→ 解答 p.601)

1. 次の各英文を完成させるのに，最も適切な語(句)を選び，記号で答えなさい。

   (1) "It (　) nice talking to you." "Thanks for dropping in."
   　(A) is 　　　(B) have been 　　(C) was 　　　(D) will be

   (2) "I must go now. I (　) realize how late it was."
   　(A) am 　　　(B) was 　　　(C) don't 　　　(D) didn't

   (3) "Are you ready to order now?" "Yes, (　) have roast chicken."
   　(A) I 　　　(B) I'll 　　　(C) I'd like 　　　(D) I'm ready

   (4) "Have you ever been to Nara?" "Yes, (　)."
   　(A) I have 　　　　　　　　(B) I ever have
   　(C) I do 　　　　　　　　　(D) I've ever been

   (5) "I passed the entrance examination for graduate school." "(　)!"
   　(A) You did it 　(B) You got it 　(C) You have it 　(D) You get it

   (6) "Hello. May I speak to Henry, please?" "Just a moment. I (　) him."
   　(A) am going to get 　　　　(B) will get
   　(C) can get 　　　　　　　　(D) help you get

   (7) "(　) you be coming to the party this evening?" "Yes."
   　(A) Are 　　　(B) How 　　　(C) Will 　　　(D) Can

2. 次の各英文の下線部から，誤っているものを１つ選び，記号で答えなさい。

   (1) New (A)price lists are (B)being prepared, and they (C)will be sent to you as soon as (D)they will be ready.

   (2) I am (A)thankful for the advances that (B)achieved medically (C)in recent years in regard (D)to this disease.

   (3) In 1999, C Corp. and D Corp. (A)announced they (B)are going to merge. It (C)would be the biggest merger in the computer industry (D)up to that point.

   (4) (A)From 1891 to 1957, the brick company (B)produces about (C)10 million bricks (D)a year.

   (5) The company (A)lost more than (B)$6 billion since the Sept. 11 terror attacks, (C)including $2 billion in (D)the second quarter of this year.

   (6) Unless (A)a forest fire (B)will be properly analyzed (C)at the first approach, proper suppression cannot (D)take place.

   (7) ELT is (A)become increasingly (B)varied. ELT (C)requires specialized materials, including books, videos and (D)computer software.

第4章 助動詞
AUXILIARY VERBS

助動詞は本動詞と結びついて，時制や態などを表すのにも用いるが，さらに大事なのは，可能・必然・義務や許可・依頼などの意味を表す用法で，会話や文書で自分の考えや気持ちを伝えるのに欠かせないものである。

第1節 助動詞の種類と特徴

33 助動詞の種類と語形変化

33 A 時制など文法上の形を作るのに用いるもの

時制や態などの文法上の形を作るために用いる助動詞は，**be, have, do** の3つと，未来を表す **will** である。will は **40**（●p.90）で扱う用法も多いので，ここでは本動詞としても使う **be, have, do** の3つについて解説する。これらは本動詞と同じ活用をするが，have と do は助動詞では分詞の一部を欠く（●p.41 **13**）。

原形	現在形	過去形	過去分詞	現在分詞
have	have, has	had	———	having
be	am, are, is	was, were	been	being
do	do, does	did	———	———

(1) be

動詞の現在分詞（～ing 形）と結びついて**進行形**を作り（●pp.67-71 **28**～**31**），また過去分詞と結びついて**受動態**を作る（●p.104 **45A**）。

> I **am** *studying* history at the University of London. 〔進行形〕
> （私はロンドン大学で歴史を学んでいます）
>
> Christmas Island **was** *named* by Captain James Cook in 1777. 〔受動態〕
> （クリスマス島は1777年にジェイムズ・クック船長に名づけられた）
>   ◆クリスマス島は世界最大の環状サンゴ島で，赤道直下の日付変更線が入り組んでいる所にあるので，世界で一番早く21世紀の夜明けを迎えた島として有名。

(2) have

動詞の過去分詞と結びついて**完了形**を作る。

When you **have** *finished* reading this page, press the "back" button.
（このページを読み終えたら，「戻る」ボタンを押しなさい）

(3) do

① 疑問文・否定文を作るのに用いる（● p.23 **8B**, p.529 **249**）。

Do you have an appointment?（お約束はしてありますか）

Don't worry about it. Leave it to me.
（心配しなさんな。私に任せておきなさい）

② 強調に用いる（● p.561 **269**）。

Please **do** *come* and see me.（ぜひ遊びにおいでください）

③ 倒置構文に用いる。

Little **did** *I* know how serious the problems were.
（その問題がどんなに深刻なのか，私にはまったくわからなかった）

④ 代動詞

本動詞とも考えられる。前に出た動詞を受けるだけでなく，目的語や補語なども含めて do で受けることができる。

She likes dogs and so **do** I.（彼女は犬が好きだが，私も好きだ）

（＝She likes dogs and I *like dogs*, too.）

● do は like だけでなく，like dogs の代わりをしている。

33 B 法助動詞

話し手の確信の度合いや，主語の意志・能力・義務などを表すために本動詞につける助動詞を**法助動詞**という。3人称単数現在でも -(e)s はつかず，否定文や疑問文に do を使わない点が本動詞と違う。以下，これらを単に**助動詞**と呼ぶ。

現在形		過去形	
can	[＝am [are, is] able to]	**could**	[＝was [were] able to]
may		**might**	
must	[＝have [has] to]	なし	had to
will		**would**	〔仮定法的意味が多い〕
shall		**should**	〔仮定法的意味が多い〕
ought to		なし	
(used to)	なし	**used to**	
need		なし	
dare		**dared**	

33 C 〈助動詞＋not〉の短縮形

口語では，助動詞は **not** と用いる場合には短縮形にすることが多い。

cannot	→	can't [kænt, kɑːnt]	could not	→	couldn't
must not	→	mustn't [mʌsnt]	might not	→	mightn't
will not	→	won't [wount]	would not	→	wouldn't
should not	→	shouldn't	ought not	→	oughtn't
dare not	→	daren't	need not	→	needn't

注意 ▎may not はふつう mayn't としない。might not は mightn't にしてよい。
● shan't (shall not) は《英》のくだけた言い方だが，あまり用いられない。
usedn't to (used not to) という形はほとんど使わない。

なお，**be, do, have** は次のようになる。

is not	→	isn't	was not	→	wasn't
are not	→	aren't	were not	→	weren't
do not	→	don't	did not	→	didn't
does not	→	doesn't			
have not	→	haven't	had not	→	hadn't
has not	→	hasn't			

● I am not はふつう **I'm** not とする。am not → **aren't** は疑問文に用いる。
　I am still young, **aren't** I?（私，まだ若いわよね）
● be 動詞と have は，He's not と He isn't，I've not と I haven't のどちらも可能。

注意 ▎**ain't** という形が，am [are, is, have, has] not の短縮形としてくだけた言い方で用いられることもあるが，標準的ではない。

第2節 助動詞の用法

34 can, could

34 A can の用法

can の用法は，一応次のように，「能力」・「可能性」・「許可」の3つに分類できるが，「可能性」の示す範囲は広く，またこれら3つには重複する部分も多いので，can を使う場合には，要するにこういうことを言えばよいのだなと考えて，特にこうした文法上の分類そのものにはこだわらないほうがよい。

第4章 助動詞　　第2節 助動詞の用法

(1) 能力・可能　「～できる」

Robots **can** explore areas that we cannot safely visit.　〔能力〕
　　（ロボットは，我々には安全に訪れることができない場所を探検することができる）

　　●can はあることをする**能力**があれば，人だけでなく事物でも主語にできる。

You **can** ski here. There are something like 3 meters of snow.　〔可能〕
　　（ここならスキーができる。3メートルほどの雪があるから）

　　●この can は，**周囲の事情で**，あることができる（可能である）という意味。どんなにスキーの名手でも雪がなければ滑れない。3メートルも積雪があればスキーをすることは**可能**である。

> 発展　can は，see や hear などの**知覚動詞**の前に置いて，「見える」「聞こえる」のような受身的な感覚を表す動詞を，**進行形的**に使うことがある（特に《英》に多い）。
> I hear a knock at the door. （ドアをノックする音が聞こえる）
> I *can hear* a knock at the door. （ドアをノックする音が聞こえている）

(2) 可能性　「～することがあり得る」

　(1)と(3)の中間的な意味で，適応範囲は広い。否定文では，「そんなことはあり得ない」から，「あるはずがない」という強い意味も表せる。

Even the best doctors **can** make a mistake.　〔可能性〕
　　（どんなに名医でもミスを犯すことはあり得る）

Can two opposing statements be true at the same time?　〔反語〕
　　（2つの正反対の陳述が同時に真実だなんてことがあり得るだろうか）

　　●単なる疑問文なら，「そういうこともあり得ますか」となるが，内容的にこのように「あり得ない」場合は，**反語的**な言い方で，「そんなことがあるわけがない」という意味になる。

"Someone is knocking at the door. It might be Susan?" "No, it **can't** be Susan. She is in Paris now."
　　（「だれかがドアをノックしているよ。スーザンかもしれない」「いや，スーザンのはずがない。彼女は今パリにいるのだから」）

　　●can't は **must**（きっと～だろう）の反対の強い打消しの**推量**にもよく用いられる。

> 発展　〈**cannot have**＋過去分詞〉
> 「～したはずがない」と過去のことについて言うには，cannot の次に**完了形**を用いる。
> He **can't have seen** the jewel. It has always been hidden and locked away.
> 　　（彼がその宝石を見たはずがない。ずっと隠され鍵をかけてしまい込まれていたのだから）

(3) 許可　「～してもよい」

　can が許可を表すときは，may よりも口語的であり，否定形の can't は「不許可」（＝禁止）を表すときは，may not [mustn't] よりも口語的である。

34 A

"**Can** we sit down here?" "Yes, you **can**."　〔許可〕
（「ここに座ってもいいですか」「ええ，いいですよ」）
● *May* we ...? / Yes, you *may*. (No, you *may* not.) は丁寧な会話になる（● p.82 **35A** (1)）。

In soccer, you **can't** touch the ball with your hands.　〔禁止〕
（サッカーでは手でボールに触ってはいけない）

"**Can** I carry your books for you?" "Thank you."　〔申し出〕
（「本をお持ちいたしましょうか」「ありがとう」）

次のように，can にはさらにいろいろな言い方がある。

Can you give me the overview of online procedures?　〔依頼〕
（オンライン手続きの概要を教えてもらえますか）
● Could you ...? にすれば丁寧になる。

I **can** help contact him for you.　〔申し出〕
（彼と連絡が取れるようにしてあげましょうか）
● could を使うと，もっと控えめな感じになる。

34 B　could の用法

can は時制の一致（● p.509 **235B**）の場合に過去形の could になる。

They *said* nothing **could** be done.
（彼らは何も打つ手がないと言った）

could には，can と同じように次のような用法がある。

(1) 能力・可能

When I was young, I **could** walk forty miles in a day.　〔能力〕
（若いころは，私は1日に40マイルは歩くことができた）

Until a few years ago, anyone **could** enter the museum for free.　〔可能〕
（数年前までは，だれもがその博物館に無料で入れた）
● 肯定文で「～できた」というときには，上の2例のように過去のことであるということがわかる文脈でなければ，was able to を使うのがふつう。ただし，否定文の場合は couldn't でかまわない。
　　I **couldn't** see anything. （私は何も見えなかった）
● 肯定文だと，たとえば I **could** write it better myself. は「私ならもっと上手に書けるよ」のように仮定法の条件節の省略ととられるのがふつう。

(2) 可能性

A regional conflict **could** break out.
（地域紛争が起こる可能性もある）
●「ひょっとしたら」の意を含む場合にも使える。

How **could** he know where we're going?
(我々がどこに行くのかどうして彼が知っているんだ？)
- 修辞疑問として反語的にも使える。

It's 90 degrees outside. It **couldn't** snow tonight.
(外は90度だ。今夜は雪になるはずがない)
◆ 温度表示は，～°だけなら《米》ではカ氏，《英》ではセ氏が多い。degrees の次に Fahrenheit（カ氏）か Celsius（セ氏）をつければよくわかるが，科学論文などでは30℃のようにするのがふつう。

> 発展 〈**could have ＋過去分詞**〉は過去のことについての**推量**を表す。
> Who **could have foreseen** such a dreadful thing?
> (だれがこんな恐ろしいことを予知できただろうか)

(3) 丁寧な許可・依頼

"**Could** I ask you a question?" "Of course you *can*."　　〔許可・要請〕
(「質問してもよろしいでしょうか」「もちろん，どうぞ」)
- Can I ...? より丁寧な言い方。こういう場合，応答には can を用い，you *could* とは言わない。

"I wonder if I **could** leave a message for her." "Yes, certainly."
(「彼女への伝言をお願いしてよろしいですか」「ええ，どうぞ」)
- 〈I wonder if〉をつけると，さらに丁寧になる。wonder を**進行形**にした〈*I'm wondering* if ...〉や，**過去**の〈*I was wondering* if ...〉とすると，少し柔らかくなる。

Could you give me the address of the author of this article?　　〔依頼〕
(この記事を書いた人の住所を教えていただけませんか)

Could I see a wine list, please?　　〔依頼〕
(ワインリストを見せていただけるでしょうか)

> **Helpful Hint 18　Can I ...? と Could I ...?**
>
> "Can I see a wine list, please?" の *can* より，"Could I see a wine list, please?" の *could* を使ったほうが丁寧な表現になるのは，なぜだろう？簡単に言えば，"Could I ...?" は，条件の if 節が省略された仮定法だからである。ニュアンスとして，省略されているのは「もし差し支えなければ，…」や，「もし迷惑でなければ，…」，「もしよろしかったら」などのように，控えめな態度を示す言葉である。"Could I ...?" は，"Can I ...?" ほど直接的な依頼ではないだけに，比較的柔らかく，丁寧な言い方に感じられるわけである。

34 C　be able to の用法

can, could 共に(1)の**能力・可能**の意味の場合，**未来**や**完了**を表すためには，代わりに〈**be able to**〉を使う。現在時制の場合は，be able to はなんらかの努力

を伴う意を含む場合に使われることが多いが，一般には can よりもやや堅い言い方になるので，can のほうがふつうである。

(1) be able to を必ず使う場合

can の未来形や不定詞形・分詞形として

Scientists *will* finally **be able to** determine Mars' shape more accurately.
（やがて科学者は火星の形をもっと正確に突き止められるようになる）

I *haven't* **been able to** decide which dress would be appropriate.
（どっちのドレスが適当か決められないでいます）

(2) can と be able to の違い

一般に **can** が「身に備わった継続的能力」を表すのに対し，**be able to** は「一時的な能力・可能」を表す。特に過去形で，これがはっきりする場合が多い。

These ostrich-like dinosaurs **could** run as fast as 60 miles an hour.
（ダチョウに似たこの恐竜は時速60マイルもの速さで走れた）

After a week, the pain began to ease slightly and Lisa **was able to** get up.
（1週間後には，痛みが少し和らぎ始めたので，リーサは起き上がることができた）

Kay **was able to** visit us for a Thanksgiving weekend.
（ケイは感謝祭の週末に私たちを訪ねることができた）

●次のように過去の一定時を明示する語句があれば，否定文では，できなかったことが明白だから，一時的なことでも couldn't も使える（仮定法と間違えられる恐れがない）。
Kay *couldn't* visit us for Thanksgiving *last year*.
（ケイは去年は，感謝祭に私たちを訪ねることができなかった）

34 D　can を用いた慣用表現

(1) ⟨cannot help 〜ing⟩⟨cannot help but 〜⟩「〜せざるを得ない」

I **cannot help** laugh**ing** whenever I think of his joke.
（＝I **cannot help but** *laugh* whenever I think of his joke.)
（彼の冗談のことを思い出すたびに笑わざるを得ない）

●〜ing の形のほうが多い。

(2) ⟨cannot 〜 enough⟩⟨cannot 〜 too ...⟩「いくら〜してもし足りない」

I **cannot** praise this dictionary **enough**.
（＝I **cannot** praise this dictionary **too** much.)
（この辞書はいくら褒めても褒めすぎにはならない）

●too much のほうの文は，「褒めることはさほどできない」という意味にもとられるあいまいな言い方ではあるが，ふつうはその前後の文脈でどちらの意味で使われているのかわかるので，このあいまいさが問題になる心配は特にない。

第4章 助動詞　第2節 助動詞の用法

> **Helpful Hint 19　could と仮定法**
>
> 　肯定文で，何かが過去に可能であったことを示すとき，たとえば，「全部読めたよ」などと言うときには，could を使わず，"I was able to read it all." と言う。その理由は，"I could read it all." と言うと，「〔読もうと思えば〕全部読めるよ」という，条件の if 節が省略された仮定法になってしまうからだ。could は，仮定法で使うために取っておき，過去に可能であったことを示すには was [were] able to を使うのが英語の習慣である。

35　may, might

35 A　may の用法

(1) 許可　「〜してもよい」

　can より形式ばった言い方。許可を求める場合には can よりも丁寧であるが，相手に許可を与える場合には横柄な印象を与えることもある。

　　"**May** I copy this article for my class?" "Sure."
　　　（「私の授業用にこの記事をコピーしてもよろしいですか」「どうぞ」）
　　　● 不許可の場合は No, you may not. または No, you can't.

　You **may** park here if the driver remains in the vehicle.
　　　（運転する人が中に乗っているのであればここに駐車してよろしい）

(2) 推量　「〜かもしれない」

　可能性を表す。現在のことにも未来のことにも用いられる。

　　The opposite **may** be true.
　　　（その反対が真実かもしれない）

　　注意　疑問文の場合，**Might [Could]** the opposite be true? と言い，この意味では may を疑問文に使わない。

　What I have planned **may** or **may not** actually happen.
　　　（私が計画していることは実現するかもしれないし，しないかもしれない）

　It **may** be expensive, *but* it's worth buying.
　　　（それは高いかもしれないが，買う価値がある）
　　　● これは〈may 〜 but ...〉で，「〜かもしれないが…」という譲歩を表す構文。

　Too much coffee **may** weaken bones.
　　　（コーヒーの飲みすぎは骨を弱くする可能性がある）
　　　◆ この文は米国の医学雑誌からのもので，平均年齢71歳の女性100人を対象に3年がかりで研究した結果の報告である。
　　　● 最新の統計によれば，このように，ある事例を基にした学術論文などで，**可能性**を示すには **may** が最も多く用いられる。可能性だけではなく能力も表す can とは違って，may は能力を表すのには用いない。

> 発展 〈**may have**＋過去分詞〉は，「～したのかもしれない」の意味で，**過去のことに対する推量を表す。**
> You **may have received** an e-mail recently from the webmaster.
> （あなたは最近ウェブマスターからＥメールを受け取ったかもしれない）

(3) 容認　「～しても差し支えない」

First-class passengers **may** carry two pieces of baggage.　　〔規則〕
（ファーストクラスのお客様は，お荷物は２個お持ち込みできます）

It **may** be safely said that Japan's agricultural policy is unique.
（日本の農業政策は独特のものだと言ってよかろう）

(4) 祈願

形式ばった言い方で，may が希望・祈願の意味に用いられることがある。

May the new year be filled with peace and health for you.
（新しい年があなたにとって平和と健康に満ちたものでありますように）

(5) 目的・譲歩など

目的（ p.245 **119A**）や譲歩（ p.251 **120B**）を表す副詞節中に **may** を用いると文語的になる。

So that children **may** find it easier to read, I have simplified the writing a little.
（子供にとってもっと読みやすくなるように，私はその文章を少し簡単にした）

Whatever task you **may** choose to do, doing it differently often helps to do it more effectively.
（どんな仕事を選ぼうと，その仕事をこれまでとは違ったふうにやってみると，もっと効率的にできるようになることが多い）

Helpful Hint 20　　maybe と「たぶん」

副詞の **maybe** は，〈可能性を表す助動詞 *may*＋*be* 動詞〉なので，意味もそのとおり，「～の可能性がある」ということにすぎない。それでも，なぜか，「**maybe**＝たぶん」と暗記している日本人の英語学習者が多いようである。これは英語の現実とはかけ離れた誤解である。たとえば，来年あたり富士山が爆発する可能性はまったくないわけでもないので，"Maybe Mt. Fuji will erupt next year." （富士山は来年爆発する**かもしれない**）と言えるが，この英文は「富士山はたぶん来年爆発するだろう」などのような意味には決してならないのである。

---

35 B　might の用法

might は時制の一致で may の過去になる（ p.509 **235B**）。

The clerk *asked* me if he **might** help me.

(＝The clerk said to me, "May I help you?")
(店員は私に「何にいたしましょうか」と聞いた)

● その他，may の推量・容認・譲歩などの構文の過去形に用いる（● p.82 **35A**）。

might には，これ以外に仮定法の用法もある（● p.194 **96A**, p.198 **100A**）。

(1) 相手の許可を求める 「〜していただけますか」

Might I have a few moments of your time? 〔許可・依頼〕

(お時間を少し割いていただけますでしょうか)

● こうした言い方は極めて丁寧である。また，I wonder if I might have ... . という，もう少し"遠慮深い"ような印象を与える言い方も頻繁に使われる。

> 発展 「依頼」から「軽い命令」の意にもなり，さらに，逆に当然すべきだと思うことをしていないことなどに対して，いらいらしているときなどにも使う。
> You **might** at least let me have a brief answer to my e-mail.
> (私のEメールに簡単な返事くらいしてくれてもいいでしょう)

(2) 推量 「（ひょっとしたら）〜かもしれない」

現在もしくは未来のことの推量

Be careful. This medicine **might** make you drowsy.
(注意しなさい。この薬は眠気を催させるかもしれない)

I **might** be spending several weeks in Edinburgh this summer.
(私はこの夏エジンバラで数週間を過ごすことになるかもしれない)

● 推量の might は may よりも見込みが少ないときに用いられるとも言われるが，実際には，大した違いのない場合も多い。見込みを表すときには may より might を使うことが多い。

> 発展 〈**might have ＋ 過去分詞**〉は，「〜したかもしれない」と，**過去のことの推量**を表す。
> I **might have said** this before, but I can't emphasize it enough.
> (前にもこの事は言ったかもしれないが，幾ら強調してもしすぎることはないのだ)

35 C　may, might を含む慣用構文

(1) 〈**may [might] well 〜**〉 ①「〜の可能性は十分ある」 ②「〜してもおかしくない」

① They **may [might] well** be working on nuclear inspections.
(彼らが核兵器の査察に取り組んでいる可能性は十分ある)

● 「〜かもしれない」の may を well で強めたもの。might のほうが控えめになると言われるが，さほどの差はない。might の代わりに could を使ってもよい。

② You **may [might] well** have various questions about BSE.
(狂牛病についてさまざまな疑問を持たれるのも無理はない)

● ①をさらに強めるために，well の代わりに，with good reason (もっともな理由で)

をつけてもよい。

◆BSE（牛海綿状脳症 bovine spongiform encephalopathy の略）は，英国においては1986年に発生拡大し，1992年がピークで，1996年までに計16万頭を超えて終息に向かった。「狂牛病」(mad cow disease) は英マスコミのつけた俗称。

(2) 〈**may [might] as well ～**〉 「どうせ～しなくても特に利点もないのだから～しよう」の意で，「しようがない」という気持ちを示す慣用表現 (●H.H. 21)。

We **may as well** go downtown — there's nothing interesting here.
（どうせここにはおもしろいことなど何もないから，繁華街へ行ってもいいじゃないか）

●「〔ここにいても仕方ないから〕他へ行っても損はしない」という理屈で，あきらめた気持ちを含む言い方である。might as well go downtown *as not* と考えてもよい。

The world will very soon be an all-digital one, and we **might as well** get used to it.
（どうせ世の中はそのうち完全にデジタル化されるから，それに慣れるしかないだろう）

●この構文に使われる may と might には大した違いはない。

(3) 〈**may [might] as well ～ as ...**〉 「…するのは～するのと同じだ」

You **might as well** expect the river to flow backward **as** expect to change my opinion.
（私に意見を変えさせようとするのは，川の水が逆流するのを期待するようなものだ）

●この構文は実際にはそれほど多くない。may と might は基本的には同じだが，前半にあり得ないことを言う場合には might がよい。

Helpful Hint 21　might as well ～ の正しい意味

"might as well ～" を「～したほうがいい」と教わって誤解させられている日本人が少なくないようだが，この英語の意味は，本当はだいぶ違う。たとえば，人を2時間待っても来ないときに，「もうこれ以上待っていても，しょうがないだろう。あいつ，どうせ来ないから，帰ろうか」といったあきらめの気持ちを表すには，"We **might as well** go back home." がぴったりの表現である。だが，これは「帰ったほうがいい」という意味ではなく，"We **might as well** go back home *as not* go back home." つまり，「帰るほう」と「帰らないほう」とを比べて，どちらにしても相手が来ないという結果は同じだから，「帰っても特に損はしないだろう」という意味になるのである。

36　must

36 A　must の用法

(1) 義務・必要　「～しなければならない」

To be admitted to the exams, you **must** have a student identification card.
(試験場に入れてもらうためには，学生証を持って来なければならない)

You **must** arrive on time, or you won't be seated.
(時間どおりに着かなければならない。さもないと席まで入れてもらえないよ)

You **must** be careful when purchasing items on the Internet.
(インターネットで買い物をする際には気をつけないといけない)

(2) **禁止**　「〜してはならない」

You **mustn't** believe anything my aunt tells you.
(おばの言うことは何ひとつ信じてはいけない)

(3) **勧誘**　「ぜひ〜しなさい」

You **must** come and see us when you come to San Francisco.
(サンフランシスコに来られたら，ぜひ家にもいらしてください)
- 招待する場合などに多い。

(4) **推量**　「きっと〜だろう，きっと〜のはずだ」

① 主として**状態動詞**と用いて，「きっと〜だろう，きっと〜のはずだ」の意を表す。

You are right. This **must** be a joke.
(君の言うとおりだ。これはきっと冗談だろうな)
- この意味の否定「〜のはずがないだろう」は cannot になる。
  This **cannot** be a joke. (これは冗談のはずがないだろうな)
- This must *not* be a joke.「(だったら，じゃあ) これは冗談じゃないってことだな」は《米》。not は must ではなく，be a joke を否定している。

② ⟨**must have ＋ 過去分詞**⟩　「きっと〜だったろう」

There's an ambulance! Something **must have happened** to my neighbor!
(救急車が来ている。きっと隣の人に何かあったのだろう)

否定の「〜だったはずがないだろう」は ⟨**can't have ＋ 過去分詞**⟩ で表す。

It **can't have been** that important.
(それはそんなに重要だったはずがないだろう)
- 否定だから ⟨couldn't have ＋ 過去分詞⟩ でもよい (● p.78 **34A**(2) 発展)。
  "We **couldn't have been** seen, could we?"(「私たち，見られたはずなどないよね」)

(5) **必然**　「〜するしかない」

Every creature **must** get old.
(すべての生き物は老いていかなければならない)

(6) **遺憾の気持ち**

Why **must** you lie to me?
(どうして君は私にうそをつかなければならないんだ)

37 have to

must には過去形がなく，また他の助動詞の次にも置けないので，未来や完了を表すときには，〈have to〉を代わりに用いる。現在形も，会話では must と have to の使用頻度は，約1：7で，have to が圧倒的に多いという英国の統計がある。

時制の一致の場合には，**must** をそのまま過去形の代用として用いる。

He *said* that I **must** complete the forms properly.
（彼は私が申し込み用紙にすべてきちんと記入しなければいけないと言った）
◆ form は公的な申し込みなど，主として自分に関することを記入する用紙のこと。「記入する」はふつう fill out《米》，fill in《英》と言う。

〈**have got to**〉は〈have to〉のややくだけた言い方である。

37 A　have to の時制

現在　have to　[hǽftə]　　has to　[hǽstə]
過去　had to
未来　will have to

● 次のように進行形の〈be having to〉になることもある。
In some ways everyone **is having to** become an analyst.
（ある意味では，だれもが分析者にならなければいけなくなってきている）

> **Helpful Hint 22**　義務の must と have to の意味は？
>
> 「しなければいけない」という意味を表す **must** と **have to** との違いは，**must** のほうがはるかに改まった，堅い感じの表現になる，というだけである。たとえば，"I must go." と "I have to go." とは，いずれも同じ「私は行かなければなりません」という意味になるので，どちらを使ってもいいはずだが，よほど改まった場合でない限り，だれも "I **must** go." とは言わない。実際の日常生活では，**must** ほど堅い言葉を使うシチュエーションが極端に少なく，**have to** の使用頻度が圧倒的に高い。

37 B　have to の疑問と否定

have to の疑問と否定には **do** を用いるのが一般的である。

Do I **have to** give up cookies in order to lose weight?
（減量するためにはクッキーを食べるのをやめなければいけませんか）

注意　have to の have は，このように文法上は本動詞扱いになる。

37 C　have to の用法

(1) **義務・必要**　「～しなければならない」

Since I didn't have a car, I **had to** walk to the hospital.

（車を持っていなかったので，病院まで歩いて行かなければならなかった）

> **発展** 《英》では，一般に must が「話し手の意志や命令」などを表すのに対し，have to はそれとは関係ない事情でそうしなければならないという感じになるとも言われている。

don't have to は「〜する必要はない」という意味になる。

You **don't have to** wear helmets. （ヘルメットをかぶる必要はありません）

● must （〜しなければならない）の意味上の否定である「〜する必要はない」は must not でなく don't have to である。must not は「〜してはいけない」ことを表す。

(2) 推量 「きっと〜だろう」

後にくる動詞は be 動詞の場合が多い。

She **has to** be stuck in traffic — she wouldn't be late otherwise.
（彼女はきっと交通渋滞で立ち往生しているのだろう。そうでなかったら遅れたりしないはずだ）

(3) 遺憾の気持ち

Just when I think life is okay, something bad **has to** happen.
（私の人生もまずまずと思うときに限って何か悪いことが起きるのです）

38 ought to

ought は to 不定詞を伴った ought to [ɔ́ːtə] の形で，義務や推量などを表す。現在形だけで，過去形はない。時制の一致で過去になるときは，ought to のまま使う。

(1) 義務 「〜すべきである」

① ought to

should よりはやや意味が強いと言われるが，《米》では should とほとんど変わらず，should のほうがよく使われる。義務としては must よりは弱いので，命令よりは忠告の場合に使うのがよい。

You **ought to** be ashamed of yourself.
（君は自らを恥じるべきだ）

I *don't think* you **ought to** talk to us like that.
（君は私たちにそんなふうに話すべきではないと思うよ）

● ought to の否定形は ought not to か，oughtn't to だが，実際にはこの例文のように don't think を用いた形で使うことが多い。

Do you think we **ought to** stop using this term?
（この用語を使うのはやめるべきでしょうか）

● 疑問文でも，Ought we to ...? の形を避けて，Do you think we ought to ...? のように think を使った形にするほうがふつう。

② 〈**ought to have ＋過去分詞**〉 [1]　「～すべきだったのに」

You **ought to have e-mailed** or **called** me earlier.
(君はもっと早く私にＥメールを送るか電話すべきだったのに)

(2) 推量・当然　「当然～のはずである」

①「～のはずだ」

話し手の可能性に対する確信度が相当高い場合に用いる。

I dialed 911 just now. An ambulance **ought to** be here soon.
(ちょっと前に緊急電話したんだ。救急車はじき来るはずだ)
◆911 は《米》の消防・警察への緊急電話番号で，nine-one-one と読む（ p.57 **22B** (6)②)。《英》では 999 (nine-nine-nine) である。

② 〈**ought to have ＋過去分詞**〉 [2]

事実に反する結果　「～したはずなのに」

Why is she late? She **ought to have arrived** by now!
(なんで彼女は遅れているんだ。今ごろはもう着いているはずなのに)

Helpful Hint 23　推量の must

must と have to とは，「しなければいけない」という絶対的な必要性を表す言葉であるだけに，「推量」に使われるとき，たとえば，"She **must** [*has to*] be stuck in traffic."（彼女はきっと交通渋滞で立ち往生しているのだろう）というときでも，この言葉は絶対的な確信を表しているかのように思えるかもしれないが，実際こうした表現にはそれほど「絶対さ」がない。単なる推量にすぎないのである。だから，たとえば，「お疲れでしょう」という場合であれば，"You **must** be tired." がぴったりの表現になる。逆に，"You **must** be tired." を「あなたは疲れているに違いない」などのように和訳すると，かなり「直訳しすぎ」という感じで，英語のニュアンスとは違ってしまう。

39　used to

否定文と疑問文では did と共に用いるのがふつうである。過去の習慣的動作を表す点では would に似ているが，**現在との対比を強調する点が違う。**

> **参考**　used には形容詞用法もあり，〈be used to ～〉で，「～に慣れている」という意味を表すので，これと混同しないこと。I am used to *working* late at night.（私は夜遅くまで働くのには慣れている）（ p.180 **90** (10)②）。

(1) 過去の習慣的行動や行為，動作など　「～したものだった」

I **used to** smoke two packs a day, but now I've quit.
(私はタバコを１日に２箱は吸ったものだが，今は禁煙している)

Did you **use to** play gangsters when you were a child?
(子供のころギャングごっこをして遊びましたか)

● 疑問文の Used you to ...? の形は《英》の堅い感じの言い方で書き言葉に見られる。

We **didn't use to** see so many hummingbirds in our garden.
（うちの庭でこんなにたくさんのハチドリを見かけることはなかった）

● used not to や短縮形の usedn't to は《英》だが，疑問文の場合と同じく堅い感じの言い方で，ときには古風に聞こえる。

[注意] used to は，「現在はそうではない」という意味を示す。**期間や回数を示す語句とは用いないこと。**
[誤] I *used to live* in California *for two years*.
[正] I **lived** in California *for two years*. （私はカリフォルニアに2年間住んでいた）

(2) 過去の継続的状態　「以前は～だった」

There **used to** be volcanoes all over the face of the earth, and they were always erupting.
（かつて地球上の至る所には火山があって，いつも噴火していた）

40　will

「時制」のところで，will は，単に「これから起こる」ことを示す**記号化して**いることを説明した（● p.59 24）。しかし，単なる「時」だけでなく，will を用いた文はさまざまな意味で，**談話の慣用表現**にもよく使われる。

will という語は，もともと「意図・意欲」を示す法助動詞であったが，意図や意欲というものは結局はすべて**未来**に対する考えや気持ちなので，実際問題，そうした「法助動詞」の will と「時制の助動詞」の will とは，判然と区別しにくいものがある。

「単純未来」の will と「意志未来」の will などのように，厳密に分類して説明する参考書も多いが，むしろ，かなり幅広く使われている will は「具体的にどのようなことを表すために使えるのか」ということが大事で，「意志」か「無意志」かというような区別にこだわる必要はない。ここでは，意志もかかわっていると思える will と，単なる記号として「これからの話」であるということを示す will の用例を便宜的にまとめておく。

40 A　意志を表す用法

(1) 話し手の意志・意図
① その場で生じた話し手の意志・意図を表す（● p.59 **24A**）。
あらかじめ考えたものではなく，話しているその場で生じた意志を表す。

"Did you call Tom?" "Oh, no, I forgot. I'll call him now."
（「トムに電話した？」「あ，いけない，忘れていた。今かけるよ」）

●「今かけるよ」は，話しているその場で生じた意志を表している。

② 依頼や勧誘の応諾や，申し出などに用いる。

"Would you help me this morning?" "Yes, I will."
（「今朝手伝っていただけますか」「ええ，いいですよ」）
- こういう場合に，"Yes, I *would*." とは言わない。

(2) 2，3人称の意志

① **Will you ～?** の形

Will you help with the packing?（荷造りを手伝ってくれますか） 〔依頼〕
- 相手の意志を聞く形で依頼をしているが，丁寧な言い方ではない。please をつけるとやや丁寧にはなるが，いずれにせよ軽い命令口調である。

Will you be quiet?（静かにしていてくれ） 〔命令〕
- 強い口調で言うと命令に感じられる。

Won't you have a cup of tea?（お茶を1杯いかが？） 〔勧誘〕
- 勧誘では Will you ...? よりも Won't you ...? にすることが多い。

② **否定文**で拒絶や固執を表す。「どうしても～しようとしない」

The baby **won't** eat anything.（その赤ん坊は何も食べようとしない）
- この形では**無生物**を主語にすることもできる。
  For some reason my car **will** not move.（どういうわけか，私の車は動こうとしない）

③ **条件を表す副詞節**で

(a) **法助動詞として**── **条件節の主語の意志**を表す。

If you **will** wait in the next room, I'll be with you shortly.
（隣の部屋で待っていてくださるなら，すぐにご一緒します）
- 「あなたにその意志がおありなら」という意味。

(b) **時制の助動詞として**── **未来の結果**を示す。

I will be happy to draw you a map *if* that **will** help.
（お役に立つならば，地図を描いてあげてもいいですよ）
- このように，何かが「**未来の結果**」になることを条件にする場合には，その時制を表すために **will** を使うのがふつうである。これは法助動詞ではなく，「**時制の will**」の用法である。

40 B　will のその他の用法

(1) **現在の傾向・習性・性質**　「～するものだ」

People **will** talk.（人はうわさをするものだ） 〔習慣的行為〕
Most woods **will** float on water.（ほとんどの種類の木は水面に浮く） 〔性質〕

(2) **予測・予期・指図**

① 現在での予測・予期

主語は2，3人称が多い。

Don't call him. He **will** be having supper. 〔予測〕

(彼に電話するな。今は夕食中のはずだ)

● If you call him now, he *will* be having supper when the call arrives. という予測。

That **will** be the mail carrier ringing. 〔予期〕

(あれは郵便配達人がベルを鳴らしているのだ)

● When you answer the door, it *will* be the mail carrier who you see has been ringing it. という推量。

② 指図を表す You will

You **will** clean the house and put it in order.

(あなたは家を掃除し整頓もするのよ)

●「あなたは～することになるのだ」という形から，有無を言わせない強い指示になることがある。時制の will の，強い，断定的な形と考えてもよい。

> 発展　条件節などを伴って「～すれば…する」の形の場合は，**単なる未来のことを表す形になる。**
> *If* you click here, you **will** be taken to a Web page that has 100 questions and their answers. (ここをクリックすれば，質問とその答えが100あるウェブページが表示されます)

> Helpful Hint 24　will の果たす役割
>
> 　英和辞典を見ると，たいてい **will** は，まず「1《単純未来》(1)～だろう，～でしょう／例：I *will* [＝I'*ll*] arrive tomorrow. 私は明日着きます。／Kathy *will* leave for Athens this afternoon. キャシーは今日の午後アテネにたちます」などのように説明されている。つまり，「～だろう，～でしょう」と言いながらも，英文用例の対訳には「～だろう」も「～でしょう」も現れてこないケースが多い。それはそのはずである。たとえそれが《単純未来》とされていようが，《意志未来》とされていようが，**will** は「～だろう，～でしょう」という推量とは関係のない助動詞である。will の役割は，ただただ「これはこれからの話だよ」と伝えることだけである。

41　would

　would は，時制の一致で will の過去形となるほかに，次のような独自の用法を持つ。多くは仮定法の用法である。

41 A　意味上過去のこと

(1) 過去の習慣　「よく～したものだ」

　used to と似ているが，would は過去のことを表しているとは限らず，仮定法の場合もある。そこで，文脈上過去の話であることが明白でない場合には，**過去の時を示す副詞語句を添えるほうがよい。**また，used to と違って，**would** には特に現在と対比するニュアンスはない。**be動詞**と一緒に使われるとき以外には，「状態」を示す場合が限られている (◎ p.93 H.H. 25)。

[誤] I **would** *belong* to the Rotary Club.
[正] I **used to** *belong* to the Rotary Club.
（私はロータリークラブに入っていました）

- belong（〜に所属している）は**状態動詞**で，このように使われる場合に used to は使えるが，would は使えない。
- ◆ロータリークラブは，各地にある社会奉仕団体。

We **would** often *consult* with each other *when we were stuck*.
（私たちは行き詰まるとよく相談し合ったものだ）

We **used to** *live* in the same boarding house and **would** often *sneak* into each other's rooms at night.
（私たちは同じ寄宿舎で暮らし，夜にはよくお互いの部屋に忍び込んだものだ）

- would と used to を併用するときは，先に **used to** を使って，過去の話であることを明示する。

People **would** *come out* after dinner on summer evenings, and the town square **would** *be alive* with the sounds of laughter and music.
（夏の夕べともなると，人々はよく夕食後外に出てきて，町の広場は笑い声や音楽で生き生きとしていたものだった）

- この would be alive のように，would は be動詞と一緒に使われることが多い。

(2) 過去の強い意志・拒絶

意志を表す will の過去形である。否定形で「拒絶」を表す場合が多い。

Being obstinate in the extreme, he **would not** admit his mistake.
（極端に頑固なので，彼はどうしても自分の誤りを認めようとしなかった）

主語に**物**を持ってくることもできる。

The baggage just **wouldn't** fit in the car trunk.
（その手荷物はどうやっても車のトランクに収まらなかった）

- wouldn't と短縮形にすることが多い。

Helpful Hint 25　would と used to

　日本では，過去の習慣を表す **would** と **used to** との大きな違いとして，「used to とは違って，would は〔状態〕を示すことはできない」などのように教えられているようであるが，こうした大ざっぱな片づけ方は深い誤解を招きかねない。確かに最も単純な場合，たとえば，「前は，町の南部に住んでいた」というような場合であれば，I **used to** live on the south side of town. がちょうどよいのに対して，I *would* live on the south side of town. とは言わない。ところが，これほど単純でない場合，とりわけ過去の中の「当該時期」がはっきり限定されている場合，たとえば「あの頃は，白人はたいてい町の南部に，黒人はたいてい北部に住んだりしていた」というようなことであれば，*Back then*, the whites **would** generally live on the south side of town, and the blacks **would** generally live on the north side. というように，**would** を使って表現することはごくふつうである。この現象は believe や know，hate など「通常は進行形にならない状態動詞」にもよく見られる。たとえば，「昔は椎茸(しいたけ)が大嫌いだった」という単純な場合なら，I **used to** hate shiitake. と言い，I *would* hate shiitake. とは言わないが，これに対して，「私が子供のころ，母はよく椎茸を食事に出したりしていたが，私は大嫌いだった」というような場合であれば，**When I was a child**, my mother **would** often *give* me shiitake, and I **would** *hate* it. のように，**would** を使って表現するのもふつうである。言うまでもなく，以上の2例は，the whites generally *lived* [*used to live*] ... や，... *gave* [*used to give*] me ...., ... I *hated* [*used to hate*] it. などのように表現してもまったく差し支えないが，**would** を使うと，ただ単に「〜していた」ではなく，前述の日本語対訳の「住んだりしていた」や「出したりしていた」のように，「〜したりしていた」といった感じの文になるので，そうした感じを表したい場合に使うことは珍しくない。

41 B 丁寧な表現〔仮定法〕

(1) 依頼

Would you please listen to the tape I've sent you?
(お送りしたテープを聞いていただけませんか)

I would appreciate it if you **would** answer my question.
(私の質問にお答えいただけるとありがたいのですが)

● 手紙やメールなどで丁寧に頼むときによく使う言い方。

(2) 勧誘

Would you like to be a guest on a TV chat show in the UK?
(英国のテレビのインタビュー番組のゲストになりませんか)

● Would you like to 〜? に対する承諾は，(Thank you.) I'd like to. などがふつう。

(3) 慣用表現

①〈**would like to 〜**〉「〜したいものだ」

I **would like to** know more about this hardware.
(このハードウェアについてもっと知りたいのですが)

● would like to は want to の丁寧な表現。会話ではふつう I'd like to 〜 の形で用いる。

I **would like to** have visited the museum, but didn't have enough time.
(博物館を訪ねたかったのですが，時間が十分ありませんでした)

●〈**would like to have ＋過去分詞**〉は，過去に実現しなかった希望を表すことが多い。

② その他

Would you mind taking that back to the library? (◉ p.179 **90** (8))
(それを図書館に返していただけますか)

I **would rather** you didn't do that sort of thing. (◉ p.152 **75B**(4))
(できればそのようなことはしていただきたくないのですが)

41 C 仮定法の条件が言外にある言い方

He might leave this office. That **would** be regrettable.
(彼はこの職場を辞めるかもしれない。そうなると残念なことだ)
● If he left this office, という意味が言外にある。

That bridge **would** be too far away from here. 〔推量〕
(その橋ならここからは遠すぎます)

Any restaurant **would** be fine with me. 〔控えめな表現〕
(私はどのレストランでもかまいません)

Helpful Hint 26　遠慮がちな気持ちを表す would

would は，**could** と同じように，条件の if 節が省略された**仮定法**に使われることが極めて多い。日本の学校英語で必ず早いうちに紹介される **would** like (to)（＝want (to) をやや丁寧にしたもの）もその1つである。if 節の省略された **would** like (to) は，ニュアンスとして，「もし差し支えなければ」や，「もしできましたら」などといったいささか**遠慮がちな感じ**のものなので，全体として，柔らかく，丁寧な印象を与える表現になるのだ。

42　shall

shall は《米》ではあまり使われず，《英》でもくだけた言い方ではしだいに使われなくなっている。未来時制で，1人称に使われるのも，最近は堅い言い方になっている。

42 A　話し手の意志

(1)　主語が1人称の場合

We **shall** never forget the September Eleventh victims.
(我々は9月11日の犠牲者たちのことをいつまでたっても忘れはしない)
◆ 9月11日はニューヨークの世界貿易センタービルなどがテロで破壊された日で，(the) 9/11 victims という言い方も正用法である（● p.57 **22B**(6)②◆）。このような場合は shall のほうが will よりも強い決意を表す堅い言い方。第2次大戦中，英国の首相 Winston Churchill が言った "We *shall* never surrender!"（我々は絶対に降伏しない！）という演説も有名。

(2)　主語が2，3人称の場合

After that you **shall** have lots of time to drive.
(その後で君に運転する時間をたっぷりあげよう)

|注意| 2，3人称にこのような shall を使うことは現在ではあまりなく，You shall have ... . などは失礼な感じになりかねない。

42 B 相手の意志

(1) 申し出・提案

Shall I make some coffee? （コーヒーを入れましょうか）

Shall we have another game? （もうひとゲームしようか）

● What shall I [we] do?（何をしましょうか）というような言い方が多い。

(2) 命令・禁止

You **shall** not use the OBN logo without permission from the OBN Corporation.

（OBN のシンボルマークを OBN 社の許可なくして使ってはならない）

● shall のこの用法は聖書などに見られるほかは，契約書などで使われる。

(3) 法律・規則

All of the people **shall** be respected as individuals.

（すべて国民は，個人として尊重される）〈日本国憲法第13条〉

(4) 反語

Who **shall** be able to live without moral support?

（精神的支えがなくてだれが生きられよう）

43 should

現在の英語では shall はあまり使われず，時制の一致による過去形の should の使用頻度も多くはないが，特別な意味では may や must と同じくらい使われる。

43 A 義務や当然

(1) 義務・必要

① **should** と **ought to** 「～すべきだ」

should は ought to よりもやや意味が弱いが，**話し手の主観的要素が入る場合が多い**。いずれにせよ，この意味では話し言葉でも書き言葉でも，should のほうがはるかによく使われる。

If you see anything unusual, you **should** call the police at once.
（何か異常なことを見たらすぐ警察に電話すべきだ）

You **shouldn't** believe everything you read in the newspapers.
（新聞で読んだからといって何でも信じてはいけない）

② 〈**should have ＋過去分詞**〉[1]　「～すべきだったのに」

過去の出来事を指して，「～すべきだったのに（しなかった）」の意味。

You **should have submitted** your application by the end of January.

(願書は，1月の末までに提出すべきだったのです)

(2) 推量・当然 —— 仮定法的用法
① 現在での推量 「当然〜のはずだ」

We **should** arrive at the airport in half an hour unless the traffic becomes worse.
(交通状態がもっと悪くならなければ，あと30分で空港に着くはずです)

② 〈**should have**＋過去分詞〉[2]
(a) 完了の予想 「〜してしまったはずである」

Two hours have passed, so they **should have finished** dinner by now.
(2時間たったから，彼らは今ごろは晩餐を済ませたはずだ)

(b) 当然予想できた結果に反すること 「〜するはずだったのに」

The patient **should have recovered**, but he didn't.
(その患者は回復するはずだったのに，しなかった)

|注意| 〈**should have**＋過去分詞〉は，意味が明確になるように文脈を明示して使うこと。

43 B　主観的判断や感情表現

(1) 話者の判断

話し手が頭の中で判断して考えを述べる場合に用いるやや改まった言い方。事実をそのまま述べるのであれば should は必要なく，**直説法**で言えばよい。形容詞は necessary, important, good などが多く使われる（◉ p.205 **104B**, p.440 **202B**）。

It is a good thing that Congress **should** have a chance to discuss the approaching war.
(近づきつつある戦争について国会で議論する機会を持つのはよいことだ)

● 事実そういう機会を持つことが明確なのであれば，should をつけずに has でよい。上の文では If Congress should have, (もし持つならば), という感じもある。

(2) 感情の表現

It is a pity that he **should** have contempt for the homeless.
(彼がホームレスの人たちを軽蔑しているとは残念なことだ)

● 特に感情を込めないならば，should をつける必要はなく，he has ... でよい。

(3) why, how などで始まる疑問文で

why, who, how などで始まる疑問文に用いて，**驚き**や**反語的**な意味を表す。

On getting back to the hut, *who* **should** I meet but the captain himself?　〔驚き〕
(小屋に戻るや，だれに会ったかと言うと，意外にも船長その人だった)

Why **should** I go to the police station?　〔反語〕
(どうして私が警察に出頭しなければならないのだ)

43 C 仮定法用法

(1) 控えめな表現

I **should** think she would be eager to attend.
（彼女は喜んで出席するはずだと，私は思いますが…）
● これは主に《英》で用いられる。

(2) 要求・提案・命令などの表現 ── should または仮定法現在

① require, suggest, insist, order, demand など「…すべきだと要求［提案・命令など］する」という意味の動詞の目的語となる that 節で用いる。主として《英》用法。《米》では**仮定法現在**（ p.204 **104A**）を用いるが，《英》でも最近はこの傾向にある。

They *demanded* that Japan **should** increase motor vehicle imports from the United States. 〔《米》では Japan *increase* ... となる〕
（彼らは日本が米国からの自動車の輸入を増やすよう要求した）

It was *suggested* that there **should** be a full discussion at the next meeting.
（次の会合では十分な討論がされるべきだという提案がなされた）

> **発展**　《英》のくだけた言い方では**直説法**を使うこともある。すなわち，上の最後の例文では，that 節内は，(that) there **be** a ...《米》《英》/ (that) there **should be** a ...《英》/ (that) there **was** a ...《英口語》の3つの形が可能である。

> **注意**　次の例文のように，**insist** は直説法の場合は単に「～だと言い張る」という意味になることも多く，**suggest** は「ほのめかす」という意味にもなる。
> The company **insisted** that the accident *was* due to his reckless driving.
> 　（会社はその事故は彼の無謀運転のせいだと言い張った）
> The rumbling in my stomach **suggested** that it *was* time for lunch.
> 　（おなかがぐうぐう鳴ったので昼食の時間だなと感じた）

◎that 節中に should（または仮定法現在）を用いる動詞

advise（忠告する）	**agree**（同意する）	**arrange**（取り決める）
ask（頼む）	**command**（命令する）	**decide**（決定する）
demand（要求する）	**desire**（頼む）	**determine**（決定する）
insist（強く要求する）	**move**（動議を出す）	**order**（命令する）
propose（提案する）	**recommend**（勧める）	**request**（頼む）
require（要求する）	**suggest**（提案する）	**urge**（強く迫る）

② ⟨**It is ＋形容詞＋that ...**⟩ の構文で

たとえば「…するのは重要である」の意味で，**間接的に話し手の要求や願望を表す場合**には，①と同じように **should** や仮定法現在をとることがある。仮

定法現在は主に《米》で，《英》では should か直説法を用いる。

　　It was *necessary* that I **should** attend every meeting.
　　　（私はすべての会議に出席する必要があった）
　　　　●〈It is natural that 〜 should ...〉などもこの形をとることが多いが，全体としてこの種の形容詞はそう多くはない。具体例については別途参照（⊙ p.440 **202B**）。

(3) lest, for fear などで始まる節の中で

「〜するといけないから」「〜しないように」という意味で lest などで始まる節の中に should を使うのは堅い古風な言い方。もし使う場合は**仮定法現在**を用いる（⊙ p.246 **119A**(3)）。

　　Margaret glanced away **lest** he *see* the accusation in her eyes.
　　　（マーガレットは，自分の目に非難の色があるのを彼に気づかれないように，目をそらした）
　　　　● lest he **should** see でもよいが，堅くて今はあまり使わない表現。

　　He was worried *lest* she **should** tell someone what had happened.
　→ He was worried *lest* she **tell** someone what had happened.
　　　（彼は彼女がその出来事をだれかに話しはしないかと心配していた）
　　　　●〈lest 〜 (should) ...〉の形がまったく使われていないわけではないが，〈so that 〜 not ...〉や〈in case ...〉などを使うほうがよい（⊙ p.245 **119A**）。

(4) 仮定法の条件節で

仮定法の If 節に should を用いて，「万一〜したら」という意味を表す言い方で，これも仮定法の解説を参照（⊙ p.199 **100B**）。

　　If you **should** run into difficulties, please tell us as soon as possible.
　　　（もし万一難儀に出くわしたら，できるだけ早く私たちに知らせてください）
　　　　● I wonder if 〜 should ... は「…すべきなのかしら」の意味で，相手に尋ねる気持ちがあるときに用いる。「万一…したら」という意味ではないので区別すること。
　　　　　I *wonder if* I **should** talk to him about it?
　　　　　　（そのことについて彼に話そうかと思っているのですが(どうでしょう)）

Helpful Hint 27　常に仮定の意味が含まれる should

　厳密に言えば，*shall* の過去形である should の用法はすべて，条件の if 節が省略された**仮定法**である。
　たとえば，「推量」の意味を表す "They *should* arrive soon."（彼らはそろそろ着くはずだ）という文で省略された if 節は，ニュアンスとして，「ことがふつうどおりに進めば」などのような感じの条件になる。あるいは，通常「〜すべきだ」と訳される「義務・必要」の should，たとえば "You *should* have been a little more careful."（君はもうちょっと気をつけるべきだったよ）の should の場合，省略された if 節は，「道理に従えば」のようなニュアンスの条件になる。

44 need, dare

44 A　need の用法

need「〜する必要がある」は本動詞としても助動詞としても用いるが，助動詞として用いるのはふつう**否定文**と**疑問文**。それも主として《英》用法で，《米》では本動詞として用いるほうが多い。助動詞の need には現在形しかない。

(1) 現在のこと

need not は改まった書き言葉に用い，くだけた言い方や話し言葉では **don't have to** がふつう。

> If you make it with cream, you **need** not put in any eggs.
>> （それをクリームで作るのでしたら，卵を入れる必要はありません）
>> ● You *don't have to* put in any eggs. のほうがくだけた言い方で，《米》ではこのほうがふつう。本動詞として使えば You *don't need to* put in any eggs. となる。
>
> **Need** I go into details?　（詳しく述べる必要がありますか）
>> ● この形は「それはまったく必要ないだろう」の意味を含む場合が多い。

(2) 過去のこと

時制の一致で過去になるときは need のままで用いる。

過去のことについて言う場合，次の①と②は意味が違うので注意。

① 〈**didn't need to ...**〉〈**didn't have to ...**〉「〜する必要がなかった」
　実際にしたかどうかは文脈しだい。

> I **didn't need to** invest in the CD player right away after all.
>> （結局，私はすぐに CD プレイヤーにお金をつぎ込む必要はなかった）
>> ● didn't have to invest としても同じ。

② 〈**need not have＋過去分詞**〉「〜する必要がなかったのに（…した）」

> Later, he realized he **need not have asked** the question, and he wished he hadn't.
>> （後になって，彼はその質問をする必要はなかったことがわかって，それを尋ねなければよかったのにと思った）
>> ● これは，彼が質問してしまったことを表す。もし，He **did not need** to ask the question. （彼はその質問をする必要がなかった）なら，たとえば He had already found the desired information on the Internet.（求めていた情報は，もうすでにインターネットで見つけていたのだ）というように，なぜ「質問をする必要がなかった」のかを説明する文がつけられる場合が多い。
>
> She **need not have mentioned** that.
>> （彼女はそのことに言及する必要はなかったのに）

44 B dare の用法

(1) dare の形と用法

dare は「あえて～する」という意味であり，過去形は dared になる。本動詞にも助動詞にも使うが，全体として**本動詞**として用いるほうが多く，助動詞としては主に《英》で**否定文**か**疑問文**に使う。本動詞の場合は to 不定詞が続いて dare to の形になるが，否定文・疑問文ではこの to は省略できる。

また，否定文などでは dare not なら助動詞，don't dare なら本動詞ということになる。

Robots lead the way where rescue workers **dare** *not* go.
　（ロボットは，救急隊には行く勇気が出ない所へも先に立って行く）
　● do not dare (to) go とすれば本動詞。

For new initiates, the most daunting time is the first club meeting. **Dare** you go through the door?
　（新入りにとって最も勇気がいるのは，最初のクラブの会合だ。あえてドアを通って入ってみるか）
　● Do you dare (to) go ...? とすれば本動詞。
　● 過去の場合は Did you dare (to) go ...? がふつう。

(2) dare を用いた慣用表現

① **How dare you ～!**　「よくもずうずうしく～できるな」

dare の疑問文ではこの形が一番多く使われる。口語。

How dare you accuse me of lying!
　（よくもまあ私がうそをついたなんて責められるね）

② **dare say ～**　「たぶん～だろう」《主に英》

I **dare say** she'll marry one of them some day soon.
　（どうせ彼女はそのうち彼らの中の1人と結婚するだろう）
　● I dare say は《米》では古風とされる。

Helpful Hint 28　助動詞と本動詞の need

need を助動詞として使った場合，そこで表される「必要性」は，必ず外から強いられる必要性である。たとえば，「次の会合にはわざわざ出る必要はないよ」ということなら，"You **need**n't go to the trouble of attending the next meeting." と need を助動詞として使えばいい。これとは違って，もし「僕は，そんなことを言われる必要などない」ということであれば，問題とされる必要性の有無は，主語となる「僕」自身の問題であり，外から強いられる必要性の話ではないので，"I don't **need** *to* be told such a thing" と，**need** を本動詞として使えばいい。

REVIEW TEST 4

A 確認問題 4 (→ 解答 p.601)

1. 次の各英文の(　)内の語のうち，適切なほうを選びなさい。
   (1) "May I use this story on my site?" "Yes, you (may, must)."
   (2) I'm sorry but you (can't, won't) use a cell phone in the hospital.
   (3) Hello! I (mayn't, mightn't) have recognized you with those new glasses!
   (4) He has been working all day, so he (must, can't) be tired.
   (5) Many plants (can, ought) be grown easily in the greenhouse.

2. 次の各英文の(　)内の語のうち，適切なほうを選びなさい。
   (1) (Shall, Will) we cancel your order?
   (2) In ancient Egypt, the Nile (could, would) overflow its banks each year.
   (3) I wonder if you (must, would) put me on your mailing list.
   (4) You (oughtn't, mustn't) to smoke during meals.
   (5) I (should, must) have phoned Mary this morning, but I forgot to.

3. 次の各英文の(　)内の語(句)のうち，適切なほうを選びなさい。
   (1) (Would, Should) you like to lay the table for us?
   (2) Jane is late. She (can, must) have overslept.
   (3) She was so far away that she (couldn't, shouldn't) have seen you.
   (4) There (would, used to) be a dance hall here before the war.
   (5) I mailed the book two days ago, so you (should, need) get it soon.

4. 次の各英文が正しければ○をつけ，正しくなければ×をつけて，誤っている部分を正しく書き直しなさい。
   (1) I'd like to can play the violin.
   (2) Could you open the window, please?
   (3) I wonder if we should take this to school tomorrow.
   (4) I guess you don't have to wear glasses.
   (5) To me it is curious that people shall think in such a way.
   (6) Some suggested that there be no change to the policy of common ownership of land.
   (7) I used to go to New York five times last year.
   (8) You ought have invited them both.
   (9) They have made the decision by next week.
   (10) You really ought to come to see us sometime.

B 実践問題 4 (→ 解答 p.601)

1. 次の各英文を完成させるのに，最も適切な語を選び，記号で答えなさい。

   (1) "Could I use your CD player?" "Yes, of course you (　　)."
       (A) can　　(B) could　　(C) must　　(D) will

   (2) "Sandy is very late." "She (　　) have missed the train."
       (A) will　　(B) can　　(C) may　　(D) ought

   (3) "May I visit you at your home on Saturday?" "That (　　) be nice."
       (A) can　　(B) may　　(C) must　　(D) would

   (4) "Would you help me with my Spanish lessons?"
       "I'm afraid I (　　). I don't speak Spanish."
       (A) don't　　(B) wouldn't　　(C) mustn't　　(D) can't

   (5) "(　　) you be kind enough to let me see your notes of Professor Smith's lecture?"
       "Certainly. Here they are."
       (A) Should　　(B) May　　(C) Do　　(D) Would

   (6) "Please give our regards to your parents." "Yes, certainly I (　　)."
       (A) am　　(B) can　　(C) may　　(D) will

   (7) "(　　) you use our company for your overseas advertising campaign?"
       "Well, let us think about it."
       (A) Do　　(B) May　　(C) Why　　(D) Will

2. 次の各英文の下線部から，誤っているものを1つ選び，記号で答えなさい。

   (1) Diana (A)need have brought her coat; (B)it was (C)much warmer than she (D)had expected.

   (2) Some Health Council members felt (A)that all (B)elderly persons ought to (C)vaccinated (D)against influenza.

   (3) (A)Since we couldn't start a fire (B)or use our camp stove inside the tent, we decided we (C)might well to go (D)to sleep.

   (4) Tell children that (A)anyone who asks for their phone number, or their (B)address, or the location (C)of their school (D)should not to be trusted.

   (5) The company cannot (A)give any assurance (B)that it (C)must successfully (D)complete these negotiations.

   (6) A brief description of the product (A)should not be given to enable users (B)to quickly discern whether it (C)is suited to their (D)needs.

第5章 態 VOICE

他動詞を用いて,「AがBを〜する」という言い方を**能動態**といい,その動作を受けるBの立場に立って,「BはAに〜される」といういい方を**受動態**という。

第1節 能動態と受動態

45 能動態と受動態

能動態は,「〜する」という能動的・積極的な行為・動作を表し,受動態は「〜される」という受身や被害を表す。

45 A 受動態の一般的な形と時制

受動態の一般的な形は〈**be＋他動詞の過去分詞**〉で,時制は be動詞を変化させて表す。They clean the room.（彼らは部屋を掃除する）を例にして,各時制での形を示すが, they に特別に意味がない場合, 受動態では by them は省略する。

	能動態	受動態
現在形	They clean the room.	The room *is cleaned*.
過去形	They cleaned the room.	The room *was cleaned*.
未来形	They will clean the room.	The room *will be cleaned*.
現在完了	They have cleaned the room.	The room *has been cleaned*.
過去完了	They had cleaned the room.	The room *had been cleaned*.
未来完了	They will have cleaned the room.	The room *will have been cleaned*.
現在進行形	They are cleaning the room.	The room *is being cleaned*.
過去進行形	They were cleaning the room.	The room *was being cleaned*.
未来進行形	They will be cleaning the room.	The room *will be being cleaned*.
現在完了進行形	They have been cleaning the room.	The room *has been being cleaned*.
過去完了進行形	They had been cleaning the room.	The room *had been being cleaned*.
未来完了進行形	They will have been cleaning the room.	The room *will have been being cleaned*.

45 B 不定詞・分詞・動名詞の受動態

不定詞 to clean の受動態は to *be cleaned* であり，to have cleaned の受動態は to *have been cleaned* である。同じように，**分詞・動名詞**の cleaning にも *being cleaned* と *having been cleaned* という受動態がある。

Much remains **to be studied**. （まだ研究されていないものが多い） 〔不定詞〕
 ◆〈～ remain to be ...〉という形は便利。論文では，〈～ remain to be studied [examined, investigated, *etc*.]〉というような表現が頻繁に使われる。

A new subway line is **being built**. 〔現在分詞〕
（新しい地下鉄が建設工事中である）
 ● The house **is building**. の形で「建築中」の意味を表したのは古い形で，非標準。

What should I do to avoid **being hacked**? 〔動名詞〕
（コンピューターに不正侵入されるのを避けるにはどうしたらよいのか）

45 C 〈have [get] ＋目的語＋過去分詞〉

「～を…される」という意味を〈have [get]＋目的語＋過去分詞〉で表すことがある。詳しくは分詞のところで扱う（●p.166 **82A**(2)）。

I **had** my bike **stolen** last night.
（私は昨夜自転車を盗まれた）

盗んだ相手がわかっていれば，by ～ をつけることができる。

He **had** his passport **stolen** *by a monkey* in India.
（彼はインドでパスポートを猿に盗まれた）
 ● 受動の意味では get よりも have のほうが多い。

46 態の転換の一般的形式

46 A 態の転換による語順の変化

能動文の目的語が受動文の主語になり，動詞は〈be＋過去分詞〉の形になる。能動文の主語は必要に応じて〈by＋動作主〉の形で最後に置く。

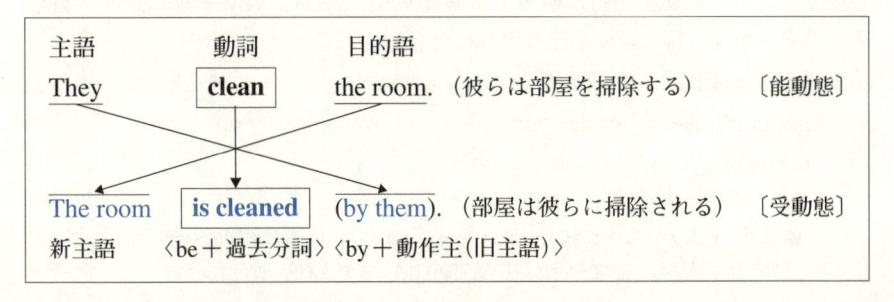

主語	動詞	目的語		
They	clean	the room.	（彼らは部屋を掃除する）	〔能動態〕
The room	is cleaned	(by them).	（部屋は彼らに掃除される）	〔受動態〕
新主語	〈be＋過去分詞〉	〈by＋動作主(旧主語)〉		

46 B　態の転換の一般的注意

(1) **be**動詞の人称・数・時制

　① **be**動詞の人称と数は，受動文の主語に一致させる。

　　Careless driving **causes** lots of accidents.

　　→ Lots of *accidents* **are caused** by careless driving.
　　　（運転者の不注意で引き起こされる事故が多い）
　　　　● lots of accidents は3人称複数だから are で受ける。

　② 時制は元の能動文の時制と同じにする。

　　Somebody **has asked** us to be quiet.　　　　　　　　　　〔現在完了〕

　　→ We **have been asked** to be quiet.
　　　（私たちは静かにしてくれと言われているのです）

　　What **were** they **discussing**?　　　　　　　　　　　　〔過去進行形〕

　　→ What **was being discussed**?
　　　（何が議論されていたのですか）

　③ 助動詞がついている場合には，**be** の前にその助動詞をつける。

　　I **can't explain** most of my problems.

　　→ Most of my problems **can't be explained** (by me).
　　　（私の悩み事のほとんどは説明できない）

> **Helpful Hint 29**　能動態と受動態の意味の違い
>
> 　能動態の I **can't explain** my problems. と受動態の My problems **can't be explained**. という2つのセンテンスは，いずれも同じ「私の悩み事は説明できない」と和訳されることがあるが，それぞれの意味はだいぶ違う。前者では**自分にできないこと**が述べられているのに対して，後者では**だれにもできないこと**が述べられているのである。言い換えれば，My problems **can't be explained**. のように動作主を示さない受動文は，その動作主が自分だけだとは，通常受け止められない。

(2) 〈**by**＋動作主〉の扱い

　受動態では，動作主を特に明示する必要がない場合は〈**by**＋動作主〉は省略するのがふつう。特に次のような場合には省略される。

　① 動作主が漠然と人を指す場合

　　They don't **use** this bridge very often.

　　→ This bridge **is** not **used** very often.
　　　（この橋はあまり利用されていない）
　　　　● 漠然とした人でなくても，by him [me, her] などの**人称代名詞**の場合でも，動作主がだれだかが特に強い意味を持たない話であれば，省略されるのがふつう。

② 動作主がだれだかわからない場合

This castle **was built** in the 3rd century.
（この城は3世紀に造られた）

③ 文脈から動作主が自明で言う必要がない場合

Various kinds of teddy bears **are sold** at this store.
（この店ではさまざまな種類のテディベアが売られている）

● 能動態は They sell ... at this store. か，This store sells ... . になる。

This **will be examined** from four points of view.
（このことは4つの観点から調べられる）

> **参考** 学術論文，特に科学論文には，その性質上受動態が多く見られるという統計的研究がある。一方，特に使う必要性のないときに受動態を使うことに対しては批判的な声が多い。

47　第3文型の受動態

47 A　目的語が名詞・代名詞の場合

目的語がふつうの名詞・代名詞の場合については，すでに例示してきた。ただし，目的語が**再帰代名詞**や **each other** の場合には受動態が作れないことに注意。

[誤]　*Herself* was enjoyed by her.
[正]　She enjoyed *herself*.
　　　（彼女は楽しく過ごした）
[誤]　*Each other* was helped.
[正]　They helped *each other*.
　　　（彼らはお互いに助け合った）

47 B　目的語が節の場合

that 節を主語にすると，文の均衡が崩れてしまうケースが多い。これを避けるために，It を主語にする。

People **say** that Japan is a safe country.
→ *It* **is said** that Japan is a safe country.
（日本は治安のいい国だと言われている）

● Japan is said to be a safe country. などのように，that 節内の主語を文の主語にした受動文もある（◎ p.114 **53A**）。

● They **thought** that he was a swindler. を受動態にした *It* **was thought** that he was a swindler.（彼は詐欺師だと思われていた）は正しいが，Nobody thought that he was a swindler. のような場合は能動態のままが自然でよい。

48 第4文型の受動態

48 A 目的語が2つある場合の受動態の考え方

　第4文型には**間接目的語**と**直接目的語**の2つの目的語があるので，理論上は，そのどちらを受動態の主語にするかで，2通りの受動態の文を作ることができる。どちらの目的語を主語にするのかは，**伝えたい要点が何であるのか**という問題にもよる。たとえば，次の能動態の文を，2通りの受動態の文に直してみる。

　The builder *gave* the **mayor** a **bribe**.（その建築業者は市長に賄賂を贈った）
→ ① *A* **bribe** *was given* the mayor by the builder.
→ ② *The* **mayor** *was given* a bribe by the builder.

①の要点は「**賄賂があった**」，②の要点は「**市長は賄賂を贈られた**」ということになる。もし，この文の前が，Corruption has become a problem lately.（最近，**不正行為**が問題になっている）などであれば，その不正の1例になる a **bribe** を主語とする①が続いても差し支えない。あるいは，There have been a lot of problems in city hall lately.（最近，**市役所**には問題がいろいろ起こっている）のような文が前にあれば，市役所の最高責任者である市長を主語とする②を使ってもまったくおかしくない。ただし，以上のどの文脈であっても，元の**能動態のまま**でもよく，わざわざ受動態に変える必要はない。

> **発展** 文脈や状況から聞き手がすでに知っているものを**旧情報**といい，聞き手が初めて知るものを**新情報**という。実際の英文の流れでは，**旧情報は新情報よりも前**に出ているのが自然である。新情報でも強調したいから文頭に出すということはあるにしても，特に操作しない自然な文の流れでは，**旧情報は新情報よりも前**という一般的な**談話の構造**を頭に入れておくと，基本的な文の構造がわかりやすい。本文の The builder gave the mayor a bribe. という文で，the builder と the mayor は聞き手にもわかっている旧情報だが，a bribe はこの話で初めて出てくる新情報だから後に置かれている。これが最も自然な形である。この文を受動態にするときにも旧情報の the mayor を前に置いて主語にする②のほうが，**新情報**の a bribe を前に出して主語にする①よりも自然な感じがする。第4文型の受動態の場合も，理論上は〈S＋V＋O_1＋O_2〉構文の受動態では，間接目的語O_1（一般には人）を主語にするほうがふつうだということになる。ただ，文脈上強調したいほうを主語にすることもある。

48 B 間接目的語，直接目的語のどちらも受動文の主語になれるもの

(1) 2つの目的語の順を入れ替えたとき **to** を伴う動詞（◎p.10 **3D**(1)）の受動態では，一般に**間接目的語**O_1（人）を主語にするほうがふつうである。

　NASA **provided** him a new budget.（NASA は彼に新しい予算を提供した）
→ *He* **was provided** a new budget by NASA.

(2) 直接目的語O₂が主語になる場合というのは，次のようなことである。
　He gave me this ring.（彼は私にこの指輪をくれた）の受動態はふつうは，
　　He **gave** *me* this ring.(i)　　→　*I* **was given** this ring.(ii)
　この場合(i)の文を最初から目的語の順を入れ替えて次の(iii)の形にすると，これは第3文型だから，ふだんは(iv)の受動文しか作れない。
　　He **gave** this ring *to me*.(iii)　→　This ring **was given** *to me*.(iv)
　しかし，to を伴うこの種の動詞は，一般的に動詞と間接目的語の結びつき（この場合は〈give me〉）のつながりが強いので，(iv)の文をさらに(v)のようにしても違和感がない。
　　This ring **was given** *to me*.(iv) → This ring **was given** *me*.(v)

48 C　間接目的語を主語にした受動文が不自然になるもの

(1) 「～のために…してあげる」という意味で，2つの目的語の順を入れ替えたときに for を伴う動詞（○ p.11 **3D**(2)）の場合は，一般に**間接目的語を主語にした受動文は不自然**になる。

(2) また，直接目的語を主語にした場合も，最初から目的語の順を入れ替えて **for** を用いた第3文型の文にしてから受動態にした形のほうだけを標準的とする場合が多い。

　　They **made** me *this green costume*.　　　　　　　　　　〔第4文型〕
　　（彼らは私のためにこの緑色の衣装を作ってくれた）
　→　They **made** this green costume *for me*.　　　　　　　　〔第3文型〕
　→　This green costume **was made** *for me*.　　　　　　　　〔受動化〕

　この形が自然だとされ，*I* was made this green costume. のように，間接目的語を主語にした受動態は不自然とされる。

> ● *I* **was bought** my first computer last year. のように，for をとる動詞でも間接目的語（I）を主語にした受動態が見られるが，これは **buy** が「買って与える」という意味で give の意味が含まれているからである。直接目的語を主語にした場合には，My first computer **was bought** *for me* last year. のように，for が必要である。

Helpful Hint 30　受動文中の前置詞

　受動文では，使われる前置詞によって，意味が変わってくるケースが多い。たとえば，Maximum velocity was determined **with** an anemometer.（最高速度は風速計で測定された）と言うと，人間が風速計を使って最高速度を測定した，ということになるのだが，もしこれを ... *by* an anemometer. に換えると，まるで風速計自体が人間であるかのように，自分から進んで最高速度を測定した，というような表現になってしまう。
　同じように，「この写真はデジカメで撮られた」ということであれば，通常はこれをThis photo was taken **with** a digital camera. と言い，... taken *by* a digital camera. とは言わない。

49 第5文型の受動態

第5文型〈S＋V＋O＋C〉を受動態にすると，〈S＋V＋O〉の部分が第3文型の場合と同じように受動態になり，**補語のCはそのまま残る**。

(1) 補語が名詞・形容詞の場合

They **elected** Harold *mayor*.

→ Harold **was elected** *mayor*. （ハロルドは市長に選ばれた）

I **dyed** my hair *green*.

→ My hair **was dyed** *green*. （私の髪は緑色に染められた）

(2) 補語が不定詞・分詞の場合

The doctor **advised** Jim *to lose weight*.

→ Jim **was advised** by the doctor *to lose weight*.
（ジムは医者に体重を減らすように忠告された）

She always **keeps** me *waiting*.

→ I **am** always **kept** *waiting* (by her). （私はいつも（彼女に）待たされる）

(3) 知覚動詞・使役動詞の場合

能動態では原形不定詞の目的格補語が，受動態では **to不定詞**になる。

I **saw** them *enter* the hotel.　　　　　　　　　　〔知覚動詞 ● p.40 **12B**〕

→ They **were seen** *to enter* the hotel.
（彼らはホテルに入るのを見られた）

They **made** me *leave* the room.　　　　　　　　　〔使役動詞 ● p.38 **12A**〕

→ I **was made** *to leave* the room.
（私は部屋を立ち退かされた）

50 疑問文の受動態

50 A 一般疑問文

be動詞もしくは助動詞が文頭に置かれる。

Was the Statue of Liberty first **created** as a black woman?
（自由の女神像は最初は黒人女性の形に作られていたのですか）

◆右手にトーチ，左手に独立宣言書を象徴する銘板を持った自由の女神像は，新天地に来た移民にとって自由のシンボルであるが，原型の1つに，壊れた鎖が見える黒人女性像があることから，奴隷解放の象徴だったのではと言う人もいる。

Even though Japan is a major economic power, can it **be considered** a future world leader?
（たとえ経済大国でも，日本は未来の世界の指導者と見なされ得るだろうか）

50 B 特殊疑問文

疑問詞が文頭にくることは受動態でも変わりはないが，その疑問詞が主語か，目的語か，補語かによって，文としての自然さが，多少異なる場合がある。以下の用例を参照のこと。

(1) 疑問詞が主語の場合

次の文では，会話では(a)と(b)より(c)のほうが自然で，ふつうである。

Who **founded** the American Red Cross?

→ *By whom* **was** the American Red Cross **founded**?　　　(a)

→ *Whom* **was** the American Red Cross **founded** *by*?　　　(b)

→ *Who* **was** the American Red Cross **founded** *by*?　　　(c)

（アメリカ赤十字社はだれによって創立されたのですか）

● 書き言葉で **When and by whom** ...? と組んで言うこともある。

◆ 1870～71年の独仏戦争で，国際赤十字にボランティアで参加した Clara Barton がその活動の意義に感銘して1881年にアメリカ赤十字社を創立した。ちなみに，国際赤十字は1863年にスイスのジュネーブで発足したもの。

(2) 疑問詞が目的語の場合

Who did they **bury** in this tomb?

→ *Who* **was buried** in this tomb?

（この墓にはだれが埋葬されたのですか）

● 上の能動文は本来 Whom になるべきだが，最近では Who ...? とするのが多い。

(3) 疑問詞が目的格補語の場合

What do you **call** this animal in English?

→ *What* **is** this animal **called** in English?

（この動物は英語で何と呼ばれていますか）

● 下の受動文の主語は what ではなく this animal である。

51　命令文の受動態

命令文の受動態とされている次のような形は文語的で，実例はあまり多くない。特殊な形として覚えておく程度でよい。

(1) ふつうの命令文　〈let＋目的語＋be＋過去分詞〉

たとえば，**Do** this. という文を **Let** this **be done**. とすると，意味上は一応受動態のようになるが，表面に出ていない主語の You はそのままだから，let を用いたこの形は，本当の意味の受動態ではない。

"**Abolish** the IMF," said one economist.

→ "**Let the IMF be abolished**," said one economist.

(「国際通貨基金を廃止せよ」とある経済学者は言った)

(2) Let 〜 の形の命令文

Let the investigating commission **discuss** the matter.

→ **Let** the matter **be discussed** by the investigating commission.
(その件を調査委員会に議論させなさい)

● 〈let ＋ O ＋ 原形〉という使役動詞の構文の，原形不定詞 discuss の意味上の目的語である matter を主語にして，be discussed という受動態にしたもの。

> Helpful Hint 31　受動文中の〈by ＋ 動作主〉の省略
>
> 〈by ＋ 動作主〉を省略した受動文は，人の反感を買うことがある。たとえば，世によくある話だが，大問題を引き起こした政治家が記者会見で，I made a mistake in judgment.（私は，誤まった判断をしてしまいました）と能動態で正直に責任を認めればいいのに，A mistake in judgment **was made**.（誤まった判断がなされました）と，〈by ＋ 動作主〉を省略した受動態で責任を逃れようとすると，市民はたいてい怒る。
> つまり，英語の受動態には，動作主を明示する必要がないという「便利さ」も確かにあるが，この特徴を単に自分の都合のいいように利用しようとすると，逆効果になりかねないのだ。

52　句動詞の受動態

52 A　〈他動詞 ＋ 副詞〉，〈自動詞 ＋ 前置詞〉

これらは句動詞としてまとまって他動詞の働きをするから，このまま1つの他動詞と考えて受動態を作ることができる。

(1) 〈他動詞 ＋ 副詞〉

They will **put off** the launch of the space shuttle at least several months.

→ The launch of the space shuttle will **be put off** at least several months.
(スペースシャトルの打ち上げは少なくとも数か月は延期されます)

Those birds have **picked off** all the flower buds.

→ All the flower buds have **been picked off** by those birds.
(花のつぼみは全部その鳥たちについて取られてしまった)

(2) 〈自動詞 ＋ 前置詞〉

The police are **looking into** the cause of the fire.

→ The cause of the fire is **being looked into** by the police.
(火事の原因は警察で調査中である)

Two officials **went through** every document in this manner.

→ Every document **was gone through** in this manner by two officials.
(どの書類も2人の係官によってこんなふうに検査された)

52 B 名詞を含んだ句動詞

〈他動詞＋名詞＋前置詞〉が，全体として1つの他動詞の意味を表す成句がある（○ p.50 **20B**）。この場合，その**句動詞全体の目的語**が主語になる受動文のほかに，その**句動詞中の名詞**が主語になる場合もある。

(1) **句動詞全体の目的語**（前置詞の目的語）が受動文の主語になる場合

The survivors **caught sight of** the lifeboat.

→ *The lifeboat* **was caught sight of** by the survivors.
（救命艇が生存者たちの目に入った）

この場合，〈**catch sight of**〉（見つける）はまとまりが強いイディオムなので，この中の名詞 sight を取り出して主語にした Sight *was caught of* the lifeboat by the survivors. という受動態は不自然である。

● 〈**lose sight of**〉（見失う）や〈**make a fool of**〉（ばかにする）などもこの型。ただし，〈**make fun of**〉（～を笑いものにする）などは，fun を主語にした受動態も見られる。

(2) **句動詞中の名詞**（他動詞の目的語）が受動文の主語になる場合

You should **make** *allowance* **for** its exceptional size.

→ *Allowance* should **be made for** its exceptional size.
（その例外的な大きさを考慮に入れるべきだ）

〈**make allowance for**〉（斟酌する）などは，話すときには for の前に短いポーズを入れることがあることからもわかるように，for の前で区切って，make の目的語 allowance を主語にした受動文を作るのがふつうである。allowance に，any や no その他の修飾語をつけることもできる。

● 〈**keep an eye on**〉（見張る），〈**take pride in**〉（自慢する）などもこの型。

(3) **句動詞全体の目的語**と，**句動詞中の名詞**のどちらも受動文の主語になる場合

We must **pay attention to** the safety of the environment.

→ **The safety of the environment must be paid attention to.** (a)

→ **Attention must be paid** *to* the safety of the environment. (b)
（環境の安全に注意が払われなければならない）

● (a)のような受動文は，文体上なんとなくぎこちなく，(b)の Attention must be paid ... . などのほうが自然。
〈**take advantage of**〉（利用する），〈**take care of**〉（世話をする），〈**take notice of**〉（注意する）などもこの型である。

実例を見ると，〈make *much* fun of → *much* fun is made of〉，〈take *great* care of → *great* care is taken of〉などのように，名詞の前に，なんらかの修飾語がつく場合が多い。

> **Helpful Hint 32　let を使った命令文**
>
> 〈let＋目的語＋be＋過去分詞〉の命令文は，「命令的」な感じがわりあい弱い表現である。たとえば，**Let the IMF be abolished.**（国際通貨基金を廃止せよ）は，確かに文法上命令形ではあるが，Abolish the IMF. より間接的な表現であり，ニュアンスとしては「国際通貨基金を廃止させよう」に近い。
>
> また，もし，ある仕事に対して，Do it!（しろ！）と言われた人がその命令に従うなら，その仕事を自分でしなければならないが，**Let it be done!** と言われたら，その仕事は自分でやっても，他人にさせても，どちらでもよい，ということなのである。

53　従位節の主語を文の主語にした受動態

従位節の主語を主節の主語にして受動態を作ることがある。

53 A　say, think, believe などの場合

Many people **believe** that green tea is high in vitamins and minerals.

→ *It* **is believed** *that* green tea is high in vitamins and minerals.
→ *Green tea* **is believed** *to be* high in vitamins and minerals.
（緑茶はビタミンとミネラルの含有度が高いと考えられている）

● 原文と It を主語にした受動文では，受動文のほうが堅い感じがある。Green tea を主語にした受動文は，この２つの言い方の間くらいの堅さになる。

53 B　seem, appear, happen などの場合

It **seems** *that* his computer *has been stolen*.

→ *His computer* **seems** *to have been stolen*.
（彼のコンピューターは盗まれたらしい）

● 下の His computer *seems to have been* stolen. のほうが，やや口語的である（● p.139 **69A**）。

54　by 以外の前置詞を用いる受動態

動作主の前に by 以外の前置詞 at, with, in などをつけるのは，be 動詞の次の過去分詞が形容詞化していて，状態を表す場合である。また，過去分詞がこのように使われても，動作主の存在が大きく感じられたときには，by も使われる。

54 A　感情表現

英語では「驚いた」などという**感情表現**は受動態で表すのがふつうである。

Sara **was surprised** *at* the small size of the place.
（サラはその場所の狭さに驚いた）

The editor **was surprised** *by* the writer's ambiguous reply.
(その編集者は，作家のあいまいな返事に驚いた)

● 上の2文は，at でも by でも，どちらを使っても差し支えはない。意味合いの上では，これといった差はないが，しいて言えば，ニュアンスとしては by を使ったほうが，動作主の存在がいくぶん大きく感じられる。

54 B　その他慣用句的なもの

"Cloudy" means that more than 90% of the sky **is covered** *with* clouds.
(「曇り」というのは空の90%以上が雲で覆われている状態を意味します)

●「人が道具で～する」という場合には，人には by, 道具には with を使う。
　The teacher **drew** a large circle with a red marker.
　→ A large circle **was drawn** *with* a red marker *by* the teacher.
　(赤いマーカーで，大きな円が先生の手で描かれた)

The Port of Rotterdam **is known** *to* people all over the world.
(ロッテルダム港は世界中に知られている)

◆ ロッテルダム港は世界最大の港として，特に貿易関係で有名。

〈**be known** *by*〉の形もある。意図的に知ろうとして知った場合が多い。

This language **is known** *by* linguists as proto-Indo European.
(この言語は，印欧祖語として言語学者に知られている)

◆ 英語を始めドイツ・フランス・イタリア・ロシア・スペインその他の西欧語を古代にさかのぼりながら，インドの古典のサンスクリット語などと比較することによって，言語学者は西欧語とインド語の共通点を通じて，これらは1つの語族であることを見出し，その祖語の復元に成功し，広く印欧語族と呼ばれるようになった。

|注意| A tree **is known** *by* its fruit. (木の善しあしはその実によってわかる) などの *by* は「判断の基準」を表している。

The ship **was caught** *in* a terrible storm while sailing off the western coast of Africa.
(その船はアフリカの西海岸沖を航行中にひどい嵐に襲われた)

その他次のような表現がよく使われている。形容詞化しているとも言える。

After the war, he **was engaged** *in* farming.
(戦後，彼は農業に従事していた)

Rosenbaum **was absorbed** *in* music from his earliest years.
(ローゼンバウムは幼いときから音楽に熱中していた)

The man **was dressed** *in* a dark business suit.
(その男は黒っぽい背広を着ていた)

I **am satisfied** *with* the quality of education here.
(私はここでの教育の質に満足している)

第2節 受動態の用法

55 動作の受動態と状態の受動態

受動態には，「～される」という**動作**を表すものと，「～されている」という**結果としての状態**を表すものがある。同じ動詞が両方に使われる場合も多いが，どちらのほうであるかは，実際には文脈でわかるのがふつうである。

55 A 動作の受動態

In January of 1988, the bank **was closed** because of financial problems.
（1988年の1月に，その銀行は財政上の問題のために閉鎖された）

> **発展** 〈**get＋過去分詞**〉という形は，**動作の受動態**しか表さず，予期しない，好ましくないことに用いられることが多い。くだけた言い方なので，改まった文には使わないほうがよい。
> I **got fired** from my last job in March. （私は3月に最後の仕事から解雇された）
> He **got killed** by the hijackers. （彼はそのハイジャッカーたちに殺された）

55 B 状態の受動態

The bank **was closed** all day yesterday.
（その銀行は昨日は終日閉まっていた）

文脈のない文では，〈**be＋過去分詞**〉が「～されている」という**状態**なのか，「～される」という**動作**なのかはっきりしないが，この文は，**all day**（1日中）という副詞句から，**状態が継続していた**ということがわかる。状態を表す〈be＋過去分詞〉の場合，過去分詞は形容詞的に働いている。

56 受動態が好まれる場合

56 A 受動文の主語に重点を置きたい場合

(1) 一般のニュースなどで，受動文の主語や事件の被害者などに重点を置く場合
　　More than 38,000 Sri Lankans **were killed** in the December 26 earthquake and tsunami.
　　　（12月26日の地震と津波で，38,000人以上のスリランカ人が死んだ）
　　　◆the 2004 Indian Ocean earthquake というが，被災地域ごとにいろいろな呼び方がある。

　　The Titanic **was wrecked** in the northern Atlantic on 14 April, 1912, when it struck an iceberg.
　　　（タイタニック号は1912年4月14日に，北大西洋で氷山に衝突して難破した）

(2) 科学実験などで，過程・被験物・結果などに重点を置く場合

The solution **was heated** at 100°C for 5 hours.
（その溶液は100℃で5時間熱せられた）
● 実験者よりも，実験でその溶液が，どういうプロセスを経たのかが問題。

56 B 談話の流れによる場合

(1) 動作主が不明か，また文脈でわかるので，あえて示す必要のないとき

The next morning the body **was found** in the closet.
（翌朝，死体は物置で発見された）

A theater is a building with a stage on which plays **are performed**.
（劇場とは劇が演じられる舞台のある建物のことである）
● 役者たちが劇を演じることはわかりきったことである。

(2) 主語を変えないで文を続けようとする場合

The victim said he fled to a bathroom and **was shot** in the left leg.
（その被害者は，浴室へ逃げて左足を撃たれたと言った）

The argument went on for a long time and **was recorded** on tape.
（その議論は長時間続き，テープに録音された）
● 科学論文，特に実験の過程などを述べる場合，受動態を使うことが多い。

57 受動態にならない動詞

他動詞であればすべて受動態になるというわけではない。次のような動詞は受動態にならない。

57 A 意志の働かない動作や状態を表す他動詞

(1) 所有・非所有を表す語

About two billion of the world's people **lack** food security.
（全世界で約20億の人間が食料の安定性を欠いている）

● Food security *is lacked* .... とは言えない。

◆ 21世紀初頭の世界の総人口は60億強であるが，そのほぼ3分の1が食料不足に悩んでいるという報告がなされている。

(2) 数量を表す語などを目的語にとる計量などの語

The Vietnam War **cost** the United States 360,000 casualties.
（ベトナム戦争は合衆国に36万人の死傷者という犠牲を払わせた）

● **cost** は〈cost＋O_1＋O_2〉（O_1にO_2を払わせる）という二重目的語をとる構文だが，受動態にならないので，The United States *was cost* .... とは言えない。

57 B 相互関係を表す動詞

Human beings **resemble** busy little ants.
（人間は忙しくしている小さなアリに似ている）

● Busy little ants *are resembled* .... とは言えない。

◎受動態にならない動詞

become（似合う）	**cost**（〔費用が〕かかる）	**fit**（〔寸法が〕合う）
have（持つ）	**lack**（欠ける）	**resemble**（似ている）
suit（ふさわしい）		

57 C 不自然な受動態

一般に目的語に場所的な意味の名詞をとる動詞, たとえば **reach**（到着する）, **enter**（入る）, **round**（曲がる）などの受動態は, 可能ではあるが, あまり使わない。

The house *was entered* by me. などというよりも, I **entered** the house. というほうがはるかに自然である。

● たとえば, **enter** でも, 次のように「侵入する」の意味で使われ, その場所が被害に遭ったという意味を強調する場合には, 受動態は不自然ではない。
The town's Post Office **was entered** by burglars sometime Sunday night.
（その町の郵便局が日曜の夜のある時間に泥棒に入られた）

58 日本語からの類推で誤りやすい英語の受動態

日本語では, たとえば「驚いた」のような感情表現はふつう能動態で表すが, 英語では受動態を用いる。次のような場合, 英語では受動態がふつうである。

(1) 誕生・結婚など ── 過去分詞は形容詞とも考えられる。

Who else **was born** on your birthday?
（あなたの誕生日にほかにどんな人が生まれましたか）

Marilyn Monroe **was married** and **divorced** three times.
（マリリン・モンローは3回結婚し, 離婚した）

(2) 事故・病気など

My father **was killed** in World War II.
（私の父は第2次世界大戦で死にました）

● 戦死などの場合, 被害を受けたという意識や感情が強いときは **be killed** がふつうだが, 客観的な記述では **die** を使うこともある。
Some 750 Argentinean troops and 255 British troops **died** in the war.
（約750人のアルゼンチンの兵士と255人の英国の兵士が戦死した）

The express **was derailed** by the impact and then collided with a freight train traveling in the opposite direction.
（その急行列車は衝撃で脱線し，反対方向に行く貨物列車と衝突した）

● be derailed（脱線する），be wrecked（難破する）などは受動態で表す。collide（衝突する）はふつう自動詞で用いる。この文は英国での列車事故の報道で，四輪駆動車が線路に落ちたのに急行列車がぶつかったことが原因なので，by the impact はそれを示す。

(3) 混雑その他慣用句（⊃ p.430 **197B**(3)）

The train **was crowded** with people heading home for a long holiday weekend.
（列車は週末の連休に故郷へ向かう人々で混んでいた）

Helpful Hint 33　論文中の受動態

英語圏では，「論文の書き方」や，「作文の技術」などといったマニュアルには，必ず「受身はなるべく避けるものだ」という注意が書かれている。受動文は読みにくい，という理由以外にも，場合によって動作主があいまいで事実がきちんと伝えられないから，という理由も挙げられる。いずれにしても，英語論文で受動態をなるべく避けるのは現代の常識である。具体的に言うと，たとえば，The optimum speed *was calculated*.（最適速度が計算された）のように書くのをやめ，We **calculated** the optimum speed.（最適速度を計算した）のように書くべきだ，というものである。

59　能動態で受動の意味を表す動詞

形は能動態でも意味は受動態という場合がある。**能動受動態**ともいう。
次の例文のように，何か副詞を伴うのがふつうである。

Cold products like juice and ice cream **sell** well in hot weather.
（ジュースやアイスクリームのような冷たい製品は暑い気候によく売れる）

The translation itself is excellent and **reads** *easily*.
（その翻訳自体が優れていて，読みやすい）

This kind of meat **cooks** *in just a few minutes* over hot coals.
（この種類の肉は，炭火の上でほんの数分で料理できます）

◎能動受動態をとる動詞

bake（焼ける）	**cook**（料理される）	**cut**（切れる）
eat（食べられる）	**feel**（手触りが〜だ）	**keep**（もつ）
lock（かぎがかかる）	**read**（〜と書いてある）	**rent**（借りられる）
ride（乗れる）	**sell**（売れる）	**show**（上演される）
tear（破れる）	**wash**（洗濯がきく）	**wear**（もつ）

REVIEW TEST 5

A 確認問題 5 (→ 解答 p.602)

1. 次の各英文の(　)内の語(句)のうち，適切なほうを選びなさい。
   (1) I was (born, borne) in Australia.
   (2) His black bag was filled (by, with) medicines.
   (3) The man was found in the street and (took, taken) to the hospital.
   (4) My husband and I have (married, been married) for 25 years.
   (5) The Michigan Central train (was caught, caught) in a blizzard.

2. 次の各英文を受動態に書き換えなさい。
   (1) Somebody is following us.
   (2) They will look after the children for a short period of time.
   (3) People say that the new restaurant is very expensive.
   (4) The bears paid no attention to us.
   　　(no attention を主語にして)
   (5) No one has ever treated me like that before.

3. 次の各英文を能動態に書き換えなさい。
   (1) What language is spoken by most people in Germany?
   (2) The novel was made into a popular movie by a Hollywood studio.
   (3) His father was elected speaker of the first session.
   (4) Hatch covers must not be opened or closed while workers are below.
   (5) Work on the building of the Berlin Wall was started on the night of August 12-13, 1961, by East German workers.

4. 次の各英文が正しければ○をつけ，正しくなければ×をつけて，誤っている部分を正しく書き直しなさい。
   (1) I was brought up by Tokyo.
   (2) It is said that everything is created with a purpose.
   (3) Herself was made healthier by a good diet.
   (4) Sara was envied by some of the older children.
   (5) This meat cuts well.
   (6) Bathrooms are still lacked in some houses here.
   (7) My house is surrounded by a green lawn.
   (8) We were explained the problem.
   (9) This must be talked over by all family members.

REVIEW TEST 5

B 実践問題 5 (→ 解答 p.602)

1. 次の各英文を完成させるのに，最も適切な語(句)を選び，記号で答えなさい。

   (1) "I'm happy to meet you." "I'm very (　) to meet you, too."
      (A) please　　(B) pleasing　　(C) pleased　　(D) pleasant

   (2) "Can we use this room?" "Sorry. This room is (　) right now."
      (A) cleaning　　　　　　　　(B) cleaned
      (C) being cleaned　　　　　(D) been cleaned

   (3) "Have you bought wine for the party?" "Yes. This wine must (　) cool."
      (A) kept　　　　　　　　　　(B) to be kept
      (C) have been kept　　　　(D) be kept

   (4) "What's the matter with you?" "I (　) by a snake."
      (A) bitten　　　　　　　　　(B) was bite
      (C) have been bite　　　　(D) have been bitten

   (5) "This building looks very old." "Yes, it (　) in 1800."
      (A) build　　　　　　　　　(B) is build
      (C) has been built　　　　(D) was built

   (6) "Are you (　)?" "Thanks. I'm just browsing."
      (A) buying　　(B) being helped　　(C) waiting for　　(D) being paid

   (7) "Please be (　) in the lobby while you wait for the doctor to arrive!"
      (A) lie　　(B) seat　　(C) sit　　(D) seated

2. 次の各英文の下線部から，誤っているものを１つ選び，記号で答えなさい。

   (1) The retort (A)was heated for 24 hours; then the charcoal (B)removed into another chamber, where (C)it was cooled for (D)a further 24 hours.

   (2) The economics are clear. If a job (A)can be done equally well (B)somewhere else (C)for less money, then it (D)should send to that place.

   (3) (A)As in the case of (B)the SARS virus in 2003, a (C)well coordinated international effort (D)will require to combat avian influenza.

   (4) (A)To open a file that (B)attach to an e-mail message, simply (C)double-click on the icon that (D)indicates the file.

   (5) (A)Some special processing (B)applied to make both the Earth and (C)the much darker Moon (D)visible in the same picture.

   (6) Israeli police (A)are investigating how a bomb (B)placed on the truck, which (C)caught fire after the device (D)exploded.

第6章 不定詞
INFINITIVES

動詞のほかに名詞や形容詞などの働きもし，主語の人称や数によって変化しないものを**準動詞**といい，不定詞・分詞・動名詞の3つがある。**不定詞**には to 不定詞と原形不定詞とがある。

第1節 不定詞の形

60 to 不定詞と原形不定詞

60 A to 不定詞

〈**to＋動詞の原形**〉の形をとる。文中で**名詞・形容詞・副詞**の役割を果たす。

It is your job **to feed** the cats daily.
（猫たちに毎日えさをやるのは君の役目だよ）
● to feed（えさをやること）で**名詞用法**。この job は，「役目，責務」の意味。

New York has something **to suit** everyone's taste.
（ニューヨークには何かしらだれの好みにも合うものがある）
● to suit は前の something を修飾しているから**形容詞用法**。

Japan must reform its economy **to enjoy** continuous growth.
（日本は絶えず成長し続けるためには経済を改善しなければならない）
●「〜するために」という目的を表すから**副詞用法**。

60 B 原形不定詞

動詞の原形をそのまま用いるものを**原形不定詞**という。**助動詞**の後の原形も原形不定詞であるが，主な用法は**使役動詞**（● p.149 **74B**）や**知覚動詞**（● p.149 **74C**）の後で補語に使うことである。原形不定詞を用いた慣用表現もある。

There *can* **be** problems with this design. 〔助動詞の後〕
（このデザインには，問題が起こり得る）

The theory of "nuclear winter" *made* people **worry** more about the dangers of a nuclear war. 〔使役動詞の後〕

(「核の冬」という理論は，核戦争による危険に対する人々の心配をさらに深刻なものにした)

◆「核の冬」とは，大規模な核戦争が起きると，核爆発に伴う大火災のすすやちりなどが地球を覆うため，太陽熱が不足して冬のような寒さになるという予測論。

60 C　to不定詞でも原形不定詞でもよい構文

構文によっては，to不定詞を用いても，原形不定詞を用いてもよいものがある。

(1) be動詞の補語になるとき

be動詞の後に to不定詞が置かれることは多いが，be動詞の主部に **do** が含まれている場合には to を省くことができる。

All the user has to *do* is (to) **push** the video button on the phone.
(利用者は，ただ電話機についているビデオボタンを押しさえすればよいのです)

● こういう場合，to の省略の是非には，リズムの関係もある。

(2) 〈**help [know]**＋目的語＋**(to) do**〉の構文で（● p.150 **74D**）

The UN *helps* refugees (**to**) **find** homes in which they will be safe.
(国連は難民が安全でいられる住みかを見つける手助けをする)

● 目的語が長いと to を入れることが多い。比べてみると，to を省いたほうがいささか口語的な感じの表現になり，会話では80％が原形を使っているという統計がある。

60 D　代不定詞

前に出てきたのと同じ動詞（＋目的語）の繰り返しを避けるために，口語などで to不定詞の **to** だけを残しておく場合，この **to** を**代不定詞**という。

"Don't forget *to call* me this evening." "I'll remember **to**."
(「今晩私に電話するのを忘れないでね」「覚えておくよ」)

● I'll remember *to call you this evening*. の to 以下を to だけで表したもの。

60 E　不定詞の否定形

(1) 不定詞の否定の仕方

不定詞を否定するには，**not** を不定詞の直前につけて，〈**not (to) do**〉という形にする。

I will try **not to miss** the point. (要点を見逃さないように気をつけます)

このような to不定詞の単なる否定形と，次の**(2)**に示される**目的**を表す to不定詞の否定形とを区別すること。

原形不定詞の場合も原形の直前に **not** を置く。

I guess I had better **not express** my opinion.
　　（どうも私の意見は言わないほうがよさそうだ）
　　　　● had better の次には原形不定詞が続く（◐ p.150 **75A**）。

(2) 否定の目的「〜しないように」の表現

「〜するために」を〈to 〜〉で表すのに対し，「〜しないように」はふつう〈not to 〜〉としないで，〈**so as not to 〜**〉や〈**in order not to 〜**〉などを用いる（◐ p.134 **67A**(1)②)。

He wore gloves **so as not to leave** fingerprints.
　　（彼は指紋を残さないように，手袋をはめていた）

ただし，**be careful, take care** などの後では慣用的に〈**not to 〜**〉を用いる。
Be careful **not to fall**.　（転ばないように気をつけてね）

60 F　不定詞を修飾する副詞の位置

(1) ふつうの位置

不定詞を修飾する副詞は，**不定詞の前か後**に置くのが原則である。

His fears began *slowly* **to be mixed** with anger.
　　（彼の恐怖には徐々に怒りが混じり始めた）
　　　　● ここでは，副詞 slowly は不定詞 to be mixed の直後に置いてもよいが，to be *slowly* mixed のように to 不定詞の間に入れると，極めてぎこちない文になってしまう。

(2) 〈to ＋副詞＋原形〉の形になる場合

副詞が **to** と原形の間に入る形は，**分離不定詞**と呼ばれ，なるべく避けるように言われてきたが，最近では文脈次第で容認されてきている。

When you begin **to** *really* **understand** what death means, you feel a pain inside.
　　（死の意味を本当に理解し始めると，心の中に苦悩を感じる）
　　　　● ここでは really を understand の次に，あるいは to understand の前に置くと，どの語句を強めているのかがあいまいになる。

Helpful Hint 34　代不定詞の to で終わる表現

　What did you ask *for*?（何を頼んだのですか）などのように，前置詞で終わるセンテンスを苦手とする日本人が多いようなので，同じように It seems I hurt him, but I didn't mean to.（彼を傷つけたようだけど，そうするつもりはなかった）などのような代不定詞の **to** で終わる言い方を苦手とする人も多いだろう。だが，これは自然な英語であり，必要のない繰り返しを避ける言い方である。It seems I **hurt him**, but I didn't mean to *hurt him*. では，この hurt him は必要のない繰り返しなので幼稚な印象を与えてしまう。不要な繰り返しのない言い方ができるようになるには，このような文の形を多く見聞きして慣れるしかないだろう。

61 不定詞の完了形

61 A 不定詞の完了形の形

不定詞の完了形は，⟨**(to) have**＋過去分詞⟩で表す。**完了不定詞**ともいう。

The expression "a New York minute" appears **to have originated** in Texas around 1967.

（「ニューヨーク・ミニット」という表現は，1967年ごろにテキサス州で生まれたようだ）

◆a New York minute というのは「瞬間」の意の俗語。in a New York minute で「あっという間に」ということ。大忙しのニューヨーク人の生活を見たテキサス人が作った表現と言われ，ニューヨーク人にとって失礼になることもある。

She should **have brought** a jacket.

（彼女はジャケットを持ってくるべきだったのに）

● 助動詞 may, might, must, cannot, should, ought to などに続く⟨have＋過去分詞⟩は原形不定詞の完了形である。

61 B 完了不定詞の用法

(1) 述語動詞に示されている「時」よりも前の「時」を示す。

(It's) Nice **to have met** you. （お会いできてよかったです）

● 初対面だった人と別れるときの挨拶。初対面のときの Nice *to meet* you.（はじめまして）と比較。

The Columbia *seems* **to have burnt** upon re-entry into the Earth's upper atmosphere.

（＝It *seems* that the Columbia **burnt** upon re-entry into the Earth's upper atmosphere.）

（コロンビア号は地球の大気圏への再突入のときに燃焼したらしい）

● seems が現在時制なのに対して，burnt は過去時制である。

◆真空状態の宇宙飛行から超高層大気圏に再突入する際の摩擦熱はセ氏1,650度にもなる。

(2) 助動詞と共に

① 過去のことに対する推量

You *must* **have seen** a lot of Jackie Chan films.

（君はきっとジャッキー・チェン主演の映画をたくさん見ているんだろう）

● この形については，次の助動詞の各項を参照。
may（◯ p.82 **35A**） might（◯ p.83 **35B**） must（◯ p.85 **36A**） cannot（◯ p.77 **34A**） could（◯ p.79 **34B**） should（◯ p.96 **43**） ought to（◯ p.88 **38**）

② 実現しなかったことに対する遺憾

should, **ought to** と共に用いると，遺憾の意味にもなる。

You *should* **have been** here yesterday!
（君は昨日ここにいればよかったのに）

(3) 実現されなかった予定

〈**was [were] to ＋ have ＋ 過去分詞**〉で，実現しなかった予定を表す。

I **was to have visited** Douglas at his home. Instead, I went home to Tampa.
（私はダグラスを自宅に訪ねる予定だったのだが，そうせずにタンパの家に帰った）

● 実現しなかった過去の予定を〈**intended to have ＋ 過去分詞**〉などで表すのは古い用法。〈**had intended to ～**〉という形は使う（● p.65 **26B**(2) 発展）。

62 不定詞の受動態と進行形

62 A 不定詞の受動態

(1) 不定詞の受動態の形（● p.105 **45B**）

〈**to be ＋ 過去分詞**〉，〈**to have been ＋ 過去分詞**〉で表す。

He was glad **to have been informed** about the situation before it was too late.
（彼は，手遅れにならないうちに情勢を知らせてもらってよかったと思った）

(2) 能動不定詞と受動不定詞の意味

① 意味が違う場合

I have another e-mail message **to answer**.
（私には返事をしなければならないEメールがもう1つある）
● to answer の意味上の主語が，文の主語の I であることは文脈から明らか。

I want this document **to be sent** by fax.
（私はこの文書をファックスで送ってもらいたい）
● to be sent の意味上の主語はその直前の this document だから，this document は「送られる」立場にある。

② 意味が変わらない場合

(a)〈**There is ...**〉構文で

There is nothing **to do** today.
（今日はすることが何もない）
● nothing は to do の意味上の目的語になっている。

There is nothing **to be done** today.（同上）
● nothing は to be done の意味上の主語になっている。

(b) 不定詞の前に一般の人を表す主語を置いて考えれば能動の意味になる場合

Greek is too difficult **to master** in a short time.
（ギリシャ語は短期間でマスターするには難しすぎる）

● for people to master のように，for people を補うとわかりやすい。

Greek is too difficult **to be mastered** in a short time.
（同上 ― 主語は Greek）

③ 慣用的な受動不定詞

Who is **to blame** for making us feel disgusted by politics?
（私たちを政治にうんざりさせている責任はだれにあるのか）

● blame は「責める」という他動詞だから，本来は is to *be blamed* となるべきだが，慣用的に is to blame という形で使う。同様の受動不定詞で，《英》に to let ［＝to be let］（賃貸しの）という言い方があるが，ほかにはこういう形は今はない。《米》では「賃貸しの」は for rent と言う）

62 B 不定詞の進行形

不定詞の進行形は，⟨**(to) be＋～ing**⟩ で表す。

The influence of the IPI seems **to be growing**.
（IPI の影響力は大きくなりつつあるようだ）

◆IPI は International Press Institute（国際新聞編集者協会）の略称。1950年に設立され，本部はチューリッヒに，事務局はロンドンにある。

完了形の不定詞の場合は，⟨**(to) have been＋～ing**⟩ で表す。

They seem **to have been working** overtime lately.
（彼らは最近残業をしていたようだ）

Helpful Hint 35　should を使ったレトリック

should を使って，「実現しなかったこと」を示す言い回しが極めて多く，レトリックとして使われる表現も目立つ。たとえば How **should** I have known that!?!（どうして私がそれを知っているべきだった〔というの〕か＝そんなこと，知ってたわけないだろう）という言い方がある。あるいは，「だれがそんなことを言ったのか」と尋ねて，「高橋君だ」という答えに対して，I **should** have known.（知っているべきだった）と答えた場合，（まぁ，考えてみれば，聞く必要はなかった。あんなことを言う奴は，あいつ（高橋）くらいしかいないだろう＝やっぱり，あいつか）ということを意味している。このようなレトリックは，頻繁に耳にする。

---

63 不定詞の意味上の主語

不定詞は述語動詞ではないから，文法上直接その主語になるものはない。しかし，動詞を含んでいる以上，その**意味上の主語**はある。

63 A　不定詞の意味上の主語を示さない場合

(1) 漠然とした「人間」や，明らかにそれとわかるものが主語の場合

It is easy **to hate** people, but it is difficult **to love** them.
（人を憎むのは容易だが，愛するのは難しい）

His intention is **to expand** his current business.
（彼の意図は現在の事業を拡大することである）
● 拡大したがっているのは「彼」であることは明らか。

(2) 不定詞の意味上の主語が文の主語と同じ場合

I would like **to change** my e-mail address. 〔名詞用法〕
（私はメールアドレスを変えたい）

I have nobody **to go** shopping with. 〔形容詞用法〕
（私には一緒に買い物に行く人がだれもいない）
● I have nobody *with whom to go shopping* → I have nobody *with whom I might go shopping*. ということ。

He saved money **to buy** a car and **return** home to Arkansas. 〔副詞用法〕
（彼は車を買ってアーカンソーの故郷に帰るためにお金をためた）
●「買うために」だけでなく，「買って〜に帰るために」もなっている。

63 B　不定詞の意味上の主語の表し方

(1) 意味上の主語が文中の他動詞の目的語の場合

My high school guidance counselor *advised* me **to attend** college.
（＝... *advised* me that I should *attend* college.）
（私の高校の進路指導相談員は，私に大学に進学するように勧めた）

We *believe* this news **to be** true.
（＝We *believe* that this news *is* true.）
（私たちはこのニュースは本当だと思っている）

(2) 意味上の主語を〈for＋目的格〉で表す場合

It is impossible *for* robots **to feel** emotions.
（ロボットが感情を覚えることは不可能である）

Here is a forum *for* you **to post** questions.
（ここに質問を投稿するフォーラム〔情報交換の場〕があります）

The ostrich stood there *for* us **to take** pictures.
（そのダチョウは私たちが写真を撮れるようにそこに立っていてくれた）
● in order to には意味上の主語をつけて，〈in order *for A* to do〉とすることができる。〈so as *for A* to do〉は非標準。

> **Helpful Hint 36　That's easy to say. という表現**
>
> 「言うのは簡単だ」は，英語ではふつう **That's easy to say.** と言う。この英語は，日本語と同じく，「だが，するのは難しい」という含みがある。言うまでもなく，ここでは具体的に示されていない say の主語は漠然とした「人間」である。もしこの表現に，たとえば，That's easy *for you* to say. と，主語を具体的に示せば，含む意味合いはだいぶ変わる。すなわち，「〔お前には言えることかもしれないけど〕こっちは立場が違う」という含みになる。

64　不定詞の表す「時」

不定詞は本来時制を持っていないが，文脈でその「時」が決まることが多く，また完了形の不定詞には，文の述語動詞の示す「時」よりも前のことだということを示す役割もある。

64 A　述語動詞の示す「時」と同じか，それより後に起こることを示す場合

(1) 述語動詞と同じとき

　America *is* said **to be** a place of dreams.

　　(＝It *is* said that America *is* a place of dreams.)
　　　(アメリカは夢の国だと言われている)

(2) 述語動詞の表す「時」より後に起こること

　to不定詞を目的語にとる動詞は，これから先のことを言うものが多い。

　I *promise* **to do** my best.

　　(＝I *promise* that I *will do* my best.)
　　　(私はベストを尽くすことを約束します)

　We *expect* Japan **to make** contributions to the Asian economy.
　　　(我々は日本が当然アジアの経済に貢献してくれるものと見ている)

　　●We *expect* that Japan *will* **make** contributions to the Asian economy. だと，「日本はアジアの経済に貢献するだろう，と我々は予期している」という意味になり，to不定詞に感じられる命令的ニュアンスがなくなる。

64 B　述語動詞の示す「時」より前に起きたことを示す場合

この場合は，完了形の不定詞を使う (●p.125 **61**)。

　England *is* said **to have** exported salt more cheaply than other countries in the 14th century.

　　(＝It *is* said that England **exported** salt more cheaply than other countries in the 14th century.)
　　　(イングランドは14世紀には，他国よりも塩を安く輸出していたと言われる)

It is better **to have loved** and **lost** than never **to have loved** at all.
　（愛して死なれたということは，まったく愛さなかったことよりも幸せなのだ）
　◆英国の詩人アルフレッド・テニスンの *In Memoriam* という有名な詩の1節。友を失った悲しみから再び希望を取り戻し，平和を得て歓喜に至る魂の道程を歌い上げた，英国ヴィクトリア朝の文学を代表する叙情詩。原詩は It is が 'Tis という形に短縮され，lost と than の間で改行してある。
　原詩の形に戻して音読すれば，内容だけでなく英詩の音律の魅力も感じられよう。

第2節 to不定詞の用法

　to不定詞は，動詞の機能の他に，文中で名詞・形容詞・副詞などの働きをするので，文を引き締めたり，簡潔に表すときなどに便利である。
　しかし，すべての用法を単純にこれら3つの用法に分類することはあまり意味がないし，不可能な場合もある。長年使われてきている間に，慣用句として定着してしまっているものもあるからである。
　ここでは，主として英語で表現するという立場から，これらの用法に慣れるようにする。

65 to不定詞の名詞用法

65 A 主語としての用法

「～すること」という意味で用いる比較的わかりやすい用法である。

(1) 〈It is ... to ～〉の形で
　文の均衡をとるために，主語である文頭の to不定詞を**形式主語**の **it** で受けて，to不定詞は後に回し，〈**It is ... to ～**〉の形にするのがふつうである。

　　It is not easy **to find** happiness in ourselves, and *it* is not possible **to find** it elsewhere.
　　　（自分の中に幸せを見い出すことは容易ではなく，ほかの場所に幸せを見い出すことは不可能である）

(2) 〈To ～ is ...〉の形をとる場合
　to不定詞を主題とするときや，2つの to不定詞が対比的に用いられるときなどには，to不定詞を文頭に置くことがある。

　　To live is difficult; **to die** is more difficult.
　　　（生きていくのは難しいが，死ぬのはさらに難しい）
　　●このセミコロン(;)は，but の代わりに用いられている。

65 B 目的語としての用法

(1) 他動詞の目的語

　他動詞の目的語に to 不定詞を用いることは非常に多いが，動名詞も目的語になり，その使い分けが重要になる。もともと歴史的には to 不定詞は名詞の前に方向を示す前置詞の to がついたものであるから，何らかの意味で方向性を表すときに動詞の目的語になって，「～したい，～しよう」という場合に好んで使われる（⊃ p.143 **71A**）。

　　We *want* **to live** as human beings.（我々は人間らしく生きたい）

(2) 前置詞の目的語

　but, except（～を除いて）の場合のみで，それ以外の前置詞に to 不定詞を続けることはない（⊃ p.291 **143A**(2)②）。

　　The company had no choice *but* **to increase** the workforce overseas.
　　　（その会社は労働力を海外で増やすより仕方がなかった）

　●to 不定詞が続くのは，but の前に **no alternative** [**choice, option**] などがある場合。

65 C 補語としての用法

(1) 主格補語

　　My desire *is* **to spend** more time with young people.
　　　（私の希望は若い人と過ごす時間を増やすことだ）

(2) 目的格補語

　〈S＋V＋O＋**to be**〉の形をとるが，使える動詞に制限がある。これについては別途参照（⊃ p.147 **72B**）。

　　I believe *war* **to be** fundamentally bad.
　　　（私は戦争は本来悪であると思う）

　●I believe ***that*** war is fundamentally bad. というほうが口語的でふつう。

65 D 名詞と同格の用法

　名詞と同格といえば，たとえば *The fact* that I am younger than you makes no difference at all.（私があなたより若いということはまったく関係ないことだ）というような文で，that 以下の名詞節は前の the fact という名詞と同格で，その内容を説明しているというようなときに用いる。

　to 不定詞が前の名詞と同格になるのは，たとえば次のような場合である。

　　My daughter had just announced her *intention* **to be** a nurse.
　　　（娘が，看護師になるつもりであることを打ち明けたところだった）

　前の名詞を説明しているなら形容詞用法ではないかとも言われるが，前に書

たようにこういうことにあまりこだわる必要はない。むしろ，to不定詞の根本的性質から，to不定詞の前に置かれて同格となる名詞は，例文の **intention** とか，**desire**（願望），**effort**（努力），**decision**（決心），**reluctance**（不本意）などのように，to不定詞を目的語にとる積極的な**未来志向の動詞**と関係があるものが多いことに注意するほうがよい。

66　to不定詞の形容詞用法

to不定詞を名詞の後につけて，その名詞を修飾することができるが，その名詞が不定詞の意味上の主語になる場合と，目的語になる場合とがある。

66 A　主語関係

We need our families **to support** us.
（私たちは家族に支えてもらう必要がある）

● familiesが私たちを支えてくれるという関係である。
We need families that will support us. は，「私たちには，支えてくれる家族が必要だ」という意味である。

Jeannette Rankin, of Montana, was the first woman **to be elected** to the U.S. House of Representatives.
（モンタナ州出身のジャネット・ランキンは合衆国下院議員に選ばれた最初の女性だった）

● to be elected＝who was elected という受動態になっているのは，woman が主語になっているから。first などがつくこの形は，「**選出された**という点で最初の」という意味で，**副詞用法**とする人もいるが，こだわる必要はない。

◆ジャネット・ランキンは，反戦の主張を生涯にわたって貫いた平和主義者として有名。

66 B　目的語関係

(1) 他動詞の目的語

Dickens had a large family **to support**.
（ディケンズには養わなければならない大家族があった）

● family は support の目的語になっている。

(2)〈自動詞＋前置詞〉の目的語

I cannot find a house **to live in**. （私は住む家が見つけられないのです）

● a house **in which to live** という形もあるがやや堅い言い方。

注意　名詞が **place** の場合は前置詞はなくてもよい。
Seattle is a wonderful *place* **to live**.（シアトルは住むのにすてきな所です）

66 C　その他の修飾関係

to不定詞以下が**関係副詞節**に相当する場合がある（ ● p.205 **105**, p.282 **138**）。

It is *time* **to end** the suffering of the refugees.
　（難民の苦難を終わらせるべきころだ）

It is *time* **to take** a critical look at mass media.
　（マスコミを批評眼で見るべき時だ）

What is the best *way* **to buy** roses on line?
　（オンラインでバラを買う一番よい方法は何でしょう）

67　to不定詞の副詞用法

　一番わかりにくいのが副詞用法であろう。名詞用法と形容詞用法以外はみな副詞用法だとする文法書もあるが、本書では一定の基準で副詞用法を取り上げる。

67 A　動詞修飾

　文中で**意味的に述語動詞について説明を加えるもの**を、動詞修飾という点から副詞用法とする。つまり、「〜するために…する」「…した結果〜する」「〜するので…する」「〜するとは［〜するという点で］…である」「〜するなら…する」などの意味を表す場合に、この〜に当たる to不定詞は副詞用法だと見る。…に当たる部分は述語動詞である。

(1) 目的　「〜するために」

　最もわかりやすい形で、「〜する［しない］ために…する」という形である。

①「〜するために」〈to 〜〉, 〈so as to 〜〉, 〈in order to 〜〉

　　I went downtown **to look for** a job.（私は仕事を探しにビジネス街へ行きました）
　　　● downtown はこの場合は「ビジネス街へ」という副詞。
　　　◆ 米では地図上 up は北を、down は南を指す。ニューヨークのマンハッタンの南端から14丁目辺りまでがウォールストリートなどを含む繁華街でこの辺りを downtown といい、それより北59丁目までが midtown、それより北が uptown である。

　目的をもっと明確にするには、〈so as to〉か〈in order to〉を用いる。目的を明確にして**文頭**に出す場合は〈**in order to**〉を用いることが多いが、〈in order to〉は文末のほうにも置ける。一方、〈so as to〉は、文末のほうに置くことが多い。

　　In order to succeed, your desire for success must be greater than your fear of failure.
　　　（成功するためには、成功への望みが失敗への不安よりも大きくなければならない）

I moved to a new apartment **so as to be** nearer to my work.
（私は職場にもっと近くなるように新しいアパートに引っ越した）

● 単なる〈to ～〉よりも〈so as to ～〉だと，「その結果職場にもっと近くなるように」という意味が感じられる。

② 「～しないように」〈**so as not to ～**〉，〈**in order not to ～**〉（● p.124 **60E**(2)）

In the absence of earphones, turn down the volume **so as not to disturb** others.
（イヤホンがない場合は，他人に迷惑をかけないように音量を下げなさい）

● in order not to でも同じ。

(2) 結果 「～した結果…」

目的と**結果**は言わばある面の表裏のようなもので，主語の意図があれば**目的**として示されるが，過去のことに関して，主語の考えていなかったことが起きたような場合は**結果**として示される。

One day I came home **to find** that my house had been broken into.
（ある日私が帰宅すると，家が泥棒に入られたことがわかった）

● この文は，I came home and found that … . ということで，分詞構文の接続用法（付帯状況）（● p.169 **84A**(3), (4)）に似ている。

I went all the way to see my doctor, **only to find** him absent.
（私はわざわざ医者に診てもらいに行ったのに，不在だった）

●〈**only to ～**〉は，**意外や残念な結果**を表すのに用いられることが多い。しかし，文字どおりに「ただ～するためだけに」の意味で**目的**を表す場合にも用いる。

At that time, his passion was not for food but for motorcycling. He worked in restaurants **only to earn** money for a motorcycle.
（当時彼の強い興味は料理ではなくオートバイを乗り回すことにあった。レストランで働いていたのは，オートバイを買うお金を稼ぐためだけだった）

The couple left in separate cars, **never to see** each other again.
（2人は別々の車で出かけ，二度と会うことはなかった）

●〈**never to ～**〉も only to と共に，結果を表す独立性の強い句である。そこで，この2つはその前にコンマを置くことが多い。

(3) 感情の原因 「～して」

I am very glad **to see** that so many of you have joined us here today.
（本日はこれほど多くの方々にここにお集まりいただいてとてもうれしく思います）

> 発展 I was glad **to meet** her. （私は喜んで彼女に会った）のように to 不定詞を使うと，会う前の気持ちを表すことになるのに対して，I was glad **that** I met her. （会ってよかったと思った）とすると，会った結果として感じたことを表すことになる。

67 A

(4) 判断の根拠　「～するとは」

　　He must be a genius **to be able to do** all those things.

　　　（あれだけたくさんのことができるとは，彼はきっと天才だろう）

(5) 条件　「もし～すれば」

　　To hear her talk, you would think that they had been working together for a long time.

　　　（彼女の話からすると，まるで彼らが長い間一緒に仕事をしてきたかのような印象を受けてしまう）

　　　●if 節に代わるこのような to 不定詞の用法については（ p.201 **101B**(1)）。

> Helpful Hint 37　〈To ～ is ...〉の形をとる構文
>
> 「〈To ～ is ...〉の形をとる」構文は，**To** err **is** human; **to** forgive, divine.（過ちは人の常，許すは神のわざ）などのように，文学的なものが多いが，日常会話でも頻繁に耳にする言い方でもある。おそらく中でも **To** know him **is** to love him. というのが最も有名な例になるだろう。歌謡曲のタイトルでもあるこの表現は，文字どおり訳せば，「彼を知っていることは，彼に恋していることだ」ということになるのだが，実際には，「彼は，知りさえすればどうしようもなく恋してしまうほど魅力的な人だ」という意味で使われている。

67 B　形容詞・副詞修飾

(1) 形容詞修飾

　① **easy, difficult** などと

　　「～するという点で…である」という意味で，さまざまな形容詞と使う。

　　I want a book that is *easy* **to read**.　（私は読みやすい本が欲しい）

　②〈**be＋形容詞＋to ～**〉

　　The world *is determined* **to turn back** the AIDS epidemic.

　　　（世界はエイズの流行を阻止すると決意している）

(2) 程度

　①〈**enough to ～**〉,〈**too ... to ～**〉

　　If you are old *enough* **to work**, there are a lot of things you can do.

　　　（働けるぐらいの年なら，できることはたくさんあるよ）

　　　●〈enough to ～〉は「～するのに十分な」という意味に使うことが多く，こういう場合の old には「年老いた」という意味はない。How old are you? などというときの old と同じである。

　　I am hungry *enough* **to eat** a horse.

　　　（おなかがすいて馬1頭でも食べられそうだ）

　　　◆フランス起源の句だと言われる〈hungry enough to eat a horse〉は，多くの常套

句と同じく使い古された陳腐な感じがする表現である。

Life is *too* valuable to waste.
（＝Life is *so* valuable that we must not waste *it*.）
（人生はあまりにも貴重で，無駄に費やしてはいけない）
- 〈for us〉がない，〈too ... to ～〉構文では，〈so ... that ～〉構文の文末の it は必ず省く。〈for us〉があっても，意味上の目的語の it は省くことが多い。

② 〈**so ... as to ～**〉

Would you be *so* kind *as* to advise me on this matter?
（この件について私に助言していただけませんか）
- 堅い言い方で，〈kind enough to〉のほうがふつう。

第3節 to不定詞の基本構文

68 〈疑問詞＋to不定詞〉

68 A 〈疑問詞＋to不定詞〉

疑問詞の what, which, when, where, how などが to不定詞の前について名詞句を作る形がある。

(1) **主語**になる場合

Where to live is not as important as how to live.
（どこに住むかということは，いかに生きるかということほど重要ではない）

(2) **補語**になる場合

The question is which to buy.
（問題はどちらを買うかということです）

(3) **目的語**になる場合

① 他動詞の目的語

Do you *know* what to do in case of fire?
（火事の際にどうしたらよいかわかりますか）

② 前置詞の目的語

前置詞としては，on, of, about, in, as to などが多い。

I was utterly at a loss *as to* how to answer.
（どう答えたらよいのか私はまったく途方にくれてしまった）

> 注意　〈**why to ～**〉という形は，how and why to のように組んで使う以外はふつう使わない。
> These stories tell you *how and why to* avoid drugs.
> （これらの物語はどうやって，またなぜ麻薬を避けるべきかということを教えてくれる）

68 B 〈疑問詞＋to不定詞〉を目的語にとる動詞

〈疑問詞＋to不定詞〉が他動詞の目的語になる場合を，疑問詞で始まる節（◐ p.220 **111**）が目的語になる場合と比べてみよう。

Do you *know* **how I can contact** her?　　①
(私がどうすれば彼女に連絡が取れるかわかりますか)

Do you *know* **how to contact** her?　　②
(彼女に連絡する方法を知っていますか)

①の下線部は，動詞 know の目的語になっている**疑問詞で始まる節**であるが，②の下線部は，〈**疑問詞＋to不定詞**〉(〈**wh- to do**〉) の形の句である。

なお，英語のそれぞれの動詞の意味を考えればわかることであるが，to不定詞を目的語にとる他動詞が，すべて〈wh- to do〉も目的語にとれるわけではない。

(1) 〈wh- to do〉を目的語にとる頻出動詞の分類

①　S＋V＋〈wh- to do〉── 間接目的語Oを挟まない第3文型で

(a) **show 型**　「どうしたらよいか」などを教える。

I'll *describe* **how to create** a homepage.
(ホームページの作り方を説明します)

advise（助言する），**demonstrate**（証明する），**explain**（説明する），
reveal（明らかにする），**show**（明らかにする），**suggest**（案を述べる）

(b) **ask 型**　「どうすればよいのか」を見い出す［知る］。

I want to *learn* **how to use** this software.
(このソフトウェアの使い方を知りたい)
　●**learn** *to use* だと，「使えるようになる」か，「使うべきだと学ぶ」の意味になる。

ask（～を問う），**discover**（～かを知る），**guess**（推測する），**think**（考える）

(c) **decide 型**　「どうするか」などを決める。

The committee *discussed* **when to hold** the next meeting.
(委員たちは次回の会合をいつ開くか論じ合った)

consider（よく考える），**debate**（議論する），**decide**（決める）

(d) **remember 型**　「何をやるべきか」がわかる，思い出す。

He seems to *have forgotten* **what to say**.
(彼は何を言うべきかを忘れてしまったようだ)

know（わかる），**remember**（覚えている），**see**（わかる），**think**（考える）

②　S＋V＋O＋〈wh- to do〉── 間接目的語Oを挟む第4文型で

〈wh- to do〉の前に，述語動詞の目的語（O）が入る場合である。①の **ask**，**advise** はこの型でも用いる。この種の動詞はそう多くはない。

She *asked* me **where to put** the graphics on her website.
　　（彼女は，自分のウェブサイトのどこに画像を載せればいいのか私に尋ねた）
advise（助言する），**ask**（尋ねる），**inform**（知らせる），**instruct**（教える），
remind（思い出させる），**teach**（教える），**tell**（教える）

(2) 〈wh- to do〉と〈to不定詞〉のどちらも目的語にとる他動詞についての注意
　① 述語動詞の意味が基本的には同じもの（◎ p.138 H.H. 38）
　　He *taught* me **how to ride** a camel.（彼は私にラクダの乗り方を教えてくれた）
　　He *taught* me **to ride** a camel.（彼は私がラクダに乗れるように教えてくれた）
　　　●〈decide *to do*〉（～しようと決める），〈decide *what to do*〉（何を～するか決める）
　　　などもこの型。

　② 述語動詞の意味が明らかに違うもの
　　I *asked* **when to expect** delivery.（私はいつ配達してもらえるかを尋ねた）
　　I *asked* **to contact** a lawyer.（私は弁護士と連絡を取らせてほしいと頼んだ）

(3) 〈wh- to do〉は目的語にとるが，〈to不定詞〉はとらない要注意の動詞
　　explain（説明する），**find (out)**（調べて知る），**show**（教える），
　　suggest（提案する），**wonder**（～かしらと思う）
　　［誤］She *explained* **to use** the DVD recorder.
　　［正］She *explained* **how to use** the DVD recorder.
　　　　（彼女は DVD レコーダーの使い方を説明した）
　　［誤］Please *show* me **to get** the tickets.
　　［正］Please *show* me **where to get** the tickets.
　　　　（どこでチケットを手に入れたらよいのか教えてください）

> **発展** **know**（知っている）も，know how to ～（～の仕方を知っている）の意味で，〈**wh- to do**〉を目的語にとる頻出語であるが，慣用的に「～をすべきであることがわかっている」という意味で **to不定詞**を目的語にとる用法もある。
> 　　She **knows to call** 119 in case of an emergency.
> 　　（彼女は緊急の際には119番に電話すべきだということがわかっている）
> なお，否定形の〈**know not to do ～**〉は，「～をすべきではないことがわかっている」の意味でふつうに使われる。

Helpful Hint 38　teach の目的語 ──〈疑問詞＋to不定詞〉と〈to不定詞〉
　英語の意味の決め手は，結局ルールではなく，文脈である。上述の〈疑問詞＋to不定詞〉と〈to不定詞〉のどちらを目的語にとっても意味が基本的に変わらない動詞として紹介された **teach** にしても，意味が変わるケースもある。たとえば My father **taught** me *how to* speak politely. と言うと，「父は私に礼儀正しい話し方を教えてくれた」という意味になるが，My father **taught** me *to* speak politely. は，通常「父は私に礼儀正しい話し方をするように注意した」と受け止められる表現である。

69 〈seem to ～〉, 〈be to ～〉

69 A 〈seem to ～〉

〈**seem to ～**〉は,「～のようだ」という意味で1つのまとまった句のように考えるほうがよい。同じ形の句に,〈**appear to ～**〉その他いくつかあり,どれも〈**It seems [appears] that ...**〉の構文に書き換えることができる。

● look はこの型には属さない（● p.9 **3B**(3) 注意）。

(1)〈seem to ～〉構文の形

① 単純形の to不定詞が続く場合

Nobody **seems to** *know* how to solve this problem.
（＝*It seems that* nobody *knows* how to solve this problem.）
（この問題を解決する方法はだれもわからないようだ）

He **seems to** *take* very good care of his car.
（彼は自分の車を実によく手入れしているようだ）

② 進行形または完了形の不定詞が続く場合

He **seems to** *be trying* to find an argument against the defendant's testimony.
（＝*It seems that* he *is trying* to find an argument against the defendant's testimony.）
（彼は被告人の証言に対する反論を見つけようとしているようだ）

The Hungarian economy **seems to** *have caught* up with that of Western Europe.
（ハンガリーの経済は西欧に追いついたようだ）

③ 過去時制の場合

At that point, everything **seemed to** *move* in slow motion.
（その時点ではすべてがゆっくりと動いているようだった）

● 未来時制は,〈**will seem to ～**〉の形になる。

④ 否定文の場合

否定文では seem not to ～ よりも〈**don't seem to ～**〉のほうがふつうであり, It 主語構文でも〈**It doesn't seem that ...**〉のほうがふつうである。

Humans **do not seem to** *learn* much from history.
（＝*It does not seem that* humans *learn* much from history.）
（人間は歴史から多くは学んでいないようである）

(2)〈seem to ～〉構文の特徴

①〈**It seems that ...**〉の構文に書き換えられる。

They **seem to** have gone to India. （彼らはインドに行っているらしい）

（＝*It seems that* they have gone to India.）

● They seem to ... . の形のほうが口語的であり，使用頻度も高い。

② 〈**There ...**〉構文に用いられる。

There seem to *be* some errors in the manual.

（＝*It seems that there are* some errors in the manual.）
（手引書にいくつかの間違いがあるようだ）

(3) 〈seem to ～〉と同じ構文をとる動詞

〈**appear to ～**〉，〈**be (un)likely to ～**〉，〈**happen to ～**〉，〈**turn out to ～**〉などはみな〈seem to ～〉と同じ構文をとる。

The mysterious illness **appears to** *be caused* by a new type of virus.
（そのなぞの病気は新型のウイルスによって引き起こされているようだ）

● 話し言葉では appear よりも seem を用いるほうが多い。

They are **likely to** be late. （彼らはおそらく遅れるだろう）

I **happened to** *meet* a very good teacher when I was a college student.

（＝*It happened that* I met a very good teacher when I was a college student.）
（私は，大学生のころ，たまたまとてもいい先生にめぐり会った）

69 B 〈be to ～〉

〈be to〉は1つの助動詞と考えることもできる。やや改まった感じの言い方であり，次のような用法がある。

(1) 予定

The President **is to** *meet* with the Speaker of the House of Representatives.
（大統領は下院の議長と面談することになっている）

◆米国議会 (Congress) では，上院は the Senate で，下院を the House of Representatives [the House] と言う。英国では上院が the House of Lords，下院が the House of Commons である。the Speaker は米英共に下院の議長を指す。

> 発展　条件節中で用いられる場合，人が主語だと，意図を含む「予定」を表す。
> If you **are to** *get* there by lunchtime, you had better start now.
> （昼食時までにそこに着く<u>つもりなら</u>，もう出発したほうがよい）

(2) 義務・命令

You **are to** *finish* this homework by tomorrow morning.
（この宿題を明日の朝までに仕上げるんだよ）

● 「～すべき」を表す助動詞の should とは違って，「絶対にすること」という命令的な感じが強い。

(3) 既定の事実・実現

He died there and **was** never **to** *see* his home again.
(彼はそこで死に，二度と故郷を見ることはなかった)

The rock in question **was** not **to** *be found* anywhere in the surrounding region.
(問題の岩は周りの地域のどこにも見当たらなかった)

70 〈It is ～ for [of] A to ...〉

不定詞の**意味上の主語**を〈for A to ...〉の形で表すことはすでに述べた(◯ p.128 **63B**(2))。

そこで，「Aが…することは～である」の意味は，〈It is ～ for A to ...〉の構文で表す。これと似た「…するとはAは～だ」の意味では，**for** でなく **of** が用いられる。この2つを使い分けることが大切であるが，これは～に当たる**形容詞**によって決まる。

70 A 〈It is ～ for A to ...〉

文字どおり「Aが…することは～である」という意味であるが，〈It is ～ that ...〉構文に書き換えられるものと，書き換えられないものとがある。

(1) 〈It is ～ for A to ...〉構文で用い，that 構文には使わない場合

It is *easy* for bacteria to *grow* between 4°C and 60°C.
(4°Cから60°Cの間ではバクテリアが繁殖するのは容易である)

この場合は，「バクテリアにとって**容易**である」の意味で，**形容詞 easy** と **for A** の結びつきが強い。つまり，この文は It is *easy* for bacteria / to *grow* between 4°C and 60°C. というように区切ることができ，to grow は「繁殖するという点において」という感じになる。この種の形容詞は〈It is ～ that ...〉構文にはふつう使わない。

この種の形容詞には難易を表すものが多い (◯ p.437 **201A**(1))。

◎〈It is ～ for A to ...〉構文に用い，that 構文には使わない主な形容詞

dangerous (危険な)	difficult (難しい)	easy (易しい)
hard (難しい)	(im)possible ((不)可能な)	safe (安全な)
tough (困難な)	useless (無駄な)	usual (ふつうである)

● possible が，「～ということがあり得る」の意味のときは，that 節構文 (◯ p.143 **70C**)。

(2) 〈It is ～ for A to ...〉構文と that 構文のどちらを使ってもよい場合

for が to不定詞の意味上の主語を示す記号化している場合である。

第6章　不定詞　　第3節　to不定詞の基本構文

　　　It is *necessary* **for** you **to** *obey* the rules.（君はルールを守る必要がある）
　この場合は「君がルールを守ること」という **for you to obey the rules** の結びつきが強いから，区切るとすれば **It is** *necessary* / **for** you **to** *obey* the rules. ということになり，for you to obey the rules という部分が１つの文のようなまとまりになっている。このような文は〈It is ～ that ...〉構文に書き換えることができる。
　→ **It is** necessary **that** you (should) obey the rules.
　この that を用いる構文に用いる形容詞は，形容詞の章を参照（● p.440 **202B**）。
　(1)と(2)は基本的にはこのように使い分けるのが原則であるが，for を使う以上，「～にとって」の意味は多くの場合存在するし，特に **crucial** や **important** のようにどちらにも属するものがあることに注意。

70 B 〈It is ～ of A to ...〉

　of を用いる構文は，for の構文とは異質のものである。〈It is ～ of A to ...〉は，「...するとはAは～だ」という意味で，ある行為を通して，その行為をする**人物についての話し手の主観的な評価**を述べるものである。
　　　It was brave **of** the fire fighters **to** *dash* into the burning building.
　　　（その消防士たちが燃えているビルの中に突入していったのは勇敢だった）
of の次の人を主語にした文で表す形もある。ただ，上の文と次の２つの文とでは，意味が違うことを，訳文から読み取っていただきたい。
　　　The fire fighters were brave **enough to** dash into the burning building.
　　　The fire fighters were **so** brave **as to** dash into the burning building.
　　　（その消防士たちは勇敢にも燃えているビルの中に突入していった）
　この構文は〈It is ～ that ...〉構文に書き換えることはできない。

◎〈It is ～ of A to ...〉型に用いることのできる主な形容詞

bad（ひどい）	**bold**（大胆な）	**brave**（勇敢な）
careless（不注意な）	**clever**（賢明な）	**crazy**（無分別な）
cruel（残酷な）	**decent**（寛大な）	**foolish**（愚かな）
good(親切な)	**honest**（正直な）	**kind**（親切な）
naughty(腕白な)	**nice**（親切な）	**noble**（高潔な）
polite（礼儀正しい）	**right**（正しい）	**rude**（無作法な）
selfish（利己的な）	**sensible**（良識のある）	**silly**（愚かな）
stupid（愚かな）	**sweet**（優しい）	**thoughtful**（思いやりのある）
wicked（意地の悪い）	**wise**（賢明な）	**wrong**（悪い）

wise や foolish あるいは wrong, right など，事柄の評言にも人物評価にも使える形容詞は，多くの場合，その意味次第で for も of もとることができる。

70 C 〈It is ～ that ...〉構文だけで，to不定詞構文をとれないもの

客観的に事柄の真偽を述べ，to不定詞構文をとれないものがある。

It is *certain* that the world has changed.
（世界が変わったのは確かだ）

It is *impossible* that he would commit suicide.
（彼が自殺するなんてあり得ない）

注意 possible, impossible は，「可能な」，「不可能な」という意味の場合は to不定詞構文で用いるので，意味による使い分けに注意（● p.141 **70A**(1)）。

◎〈It is ～ that ...〉構文だけで，to不定詞構文をとれない形容詞

apparent（明らかな）	**certain**（確かな）	**clear**（明らかな）
evident（明らかな）	**impossible**（あり得ない）	**likely**（ありそうな）
obvious（明らかな）	**plain**（明らかな）	**possible**（あり得る）
probable（ありそうな）	**true**（本当の）	**well-known**（周知の）

71 〈S＋V＋to不定詞〉

71 A 〈S＋V＋to不定詞〉の形を作れる場合

(1) これから先のことに関する考えや気持ちを表す場合

He *expects* **to receive** a new video game for his birthday.
（彼は誕生日に新しいビデオゲームをもらえるだろうと思っている）

She *hopes* **to go** to college next year.
（彼女は来年大学に進学したいと思っている）

(2) 懇請・約束・申し出・拒否などを表す場合

We *offered* **to raise** funds for the building of a natural sea pool in which the two dolphins could live.
（私たちはその2匹のイルカが住める天然の海水プールを造る資金を調達しようと申し出ました）

(3) 好みを表す場合

Children *like* **to run** and **laugh** and **be loud**.
（子供は走ったり，笑ったり，大声を出したがるものだ）

(4) 始まりや終わりを示す場合

In 1997, the factory ***began* to export** glass.
（1997年に，その工場はガラスの輸出を始めた）

(5) その他 —— 慣用句的

〈**fail to ~**〉「～しない」

OPEC ***failed* to come** to an agreement regarding control of the production of crude oil.
（OPEC は原油の生産調整についての協定を結ぶには至らなかった）

◆ **OPEC** [óupek] (Organization of Petroleum Exporting Countries)「石油輸出国機構」は，イラン，イラク，クウェート，サウジアラビア，ベネズエラなどによって，1960年9月に設立された。その後加盟国は11カ国になったが，脱退その他により，この数は一定していない。

〈**manage to ~**〉「なんとかやり遂げる」

By using a variety of technologies, our ancestors ***managed* to survive** on this planet for millions of years.
（さまざまな技術を用いることによって，我々の祖先はこの地球上で数百万年もの間なんとか生き延びてきた）

〈**can afford to ~**〉「～する余裕がある」

I ***can't afford to*** hire a lawyer. （私は弁護士を雇う余裕がない）

71 B　to不定詞と that節

〈S＋V＋to不定詞〉の形を〈S＋V＋that節〉でも表すことができるものがあるが，完全に同じ意味にならない場合や，どちらかの形で言うほうがふつうという場合もあることに注意。

(1)〈S＋V＋to不定詞〉でも〈S＋V＋that節〉でも意味の差がない場合

I *hope* **to be able to study** abroad while in college.
（＝I *hope* **that** I will be able to study abroad while in college.）
（私は大学在学中に海外留学できればと思っている）

● hope の次の that節中の動詞は，ややくだけた言い方では，現在形（am able to）を使うことが多い。

(2)〈S＋V＋to不定詞〉と〈S＋V＋that節〉では意味が違う場合

I *wish* **to sleep** 8 hours tonight.
（私は今夜，8時間は眠りたいと思っている）　〔want より改まった言い方〕

I *wish* I **could sleep** 8 hours tonight.
（今夜8時間も眠れたらいいのになあ）　〔実現できそうもないこと〕

● wish の次の that節では，that を省くことが多く，節内の動詞は仮定法にする（○ p.203 **103A**(1)）。

(3) 両者の使い分け

① **to不定詞の意味上の主語と本文の主語が同じ場合はどちらでもよい。**

They *decided* **to** have their own elections.

(＝They *decided* **that** *they* would have their own elections.)

（彼らはそれぞれ独自の選挙をしようと決めた）

② **主語が違う場合は that節にしかならないケースが多い。**

The UN *decided* **that** *each side of Korea* would have its own election.

（国連は，朝鮮半島の南北両サイドはそれぞれ自分たちの選挙をするようにと決定した）

◆第2次世界大戦後，Koreaは38度線で南北2つに分けられたが，この国連の決定に従って，1948年1月に最初の選挙が行われた。

Helpful Hint 39 〈be to＋不定詞〉の意味

どの〈be to＋不定詞〉であっても，「～することになっている」という意味が基本である。中でも，We **are to** *meet* tomorrow.（明日会うことになっている）などのように「予定」を表すものが一番わかりやすいだろうが，"You **are to** *leave* here at once!"（君はさっさと出て行くんだ！）というような「命令」にしても，「出て行くこと」がはっきり決まっていることとして表現されており，「出て行くことになっている」という論理に基づいた表現である。同様に，たとえば，The key **was not to** *be* found anywhere.（そのかぎは結局どこにも見当たらなかった）という言い方も，「どうせかぎはその辺になかったので，最初から見当たらないことになっていた」といったような論理に基づいているのである。

72 〈S＋V＋O＋to不定詞〉

〈S＋V＋O＋to不定詞〉の形は広く使うことができるが，to不定詞が一般動詞 to do の場合と，to be に限られる場合を分けて考えたほうがよい。

一般動詞の場合には，that節に書き換えるときに目的語（O）を落とすものと，そのまま残す形のものとがある。また，Oを落とすと多少意味が変わるものと，that節に書き換えられないものもある。

72 A 〈S＋V＋O＋to do〉

(1) **to不定詞を that節に書き換えられるもの**

① **目的語（O）を伴った〈S＋V＋O＋that節〉に書き換えられるもの**

My doctor here in Alaska strongly **advised** me **to move** to Arizona.

→ My doctor here in Alaska strongly **advised** me *that* I should move to Arizona.

（ここアラスカの私の医者は私にアリゾナに移るように強く勧めた）

◎〈S＋V＋O＋that節〉に書き換えられる動詞

advise（忠告する）	**remind**（思い出させる）
teach（教える）	**tell**（命ずる）

● tell は「～だと言う」の意味のときには that節だけで，to不定詞構文は使えない。
He told me that he would go alone.（彼は私に1人で行くと言った）

注意　promise は，不定詞の意味上の主語が文の主語と一致する。promise の目的語は省略されても明確な場合，省略するのがふつう。

② 〈S＋V＋that節〉に書き換えられるもの
　このタイプの動詞は多いが，**that節の前に目的語を置かない**ことに注意。
　I **expect** him **to be** back soon.
→ I **expect** *that* he *will be* back soon.
　（彼はじきに戻って来ると思います）

◎目的語を伴わない〈S＋V＋that節〉に書き換えられる動詞

ask（頼む）	**beg**（頼む）
command（命ずる）	**desire**（～してほしいと思う）
direct（指図する）	**expect**（～するものと思う）
intend（意図する）	**mean**（～するつもりである）
order（命ずる）	**recommend**（勧める）
request（頼む）	**require**（命ずる）
urge（しきりに勧める）	

(2) to不定詞を that節に書き換えられないもの

　The acts of terror have **compelled** us **to upgrade** our safety measures.
　（テロ行為によって我々は安全政策を改善せざるを得なくなっている）

　この compel などの動詞は〈S＋V＋O＋to不定詞〉の形で用い，that節の形はとらない。

◎to不定詞を that節に書き換えられない動詞（*は受動態にならない）

allow（許す）	**assist**（助ける）
challenge（要求する）	**compel**（強いる）
defy（挑む）	**drive**（駆り立てて～させる）
enable（～できるようにする）	**encourage**（励ます）
forbid（禁止する）	**hate***（～してほしくない）
induce（説いて～させる）	**invite**（請う）
lead（～する気にさせる）	**leave**（～させておく）

oblige（余儀なくさせる）	**permit**（許す）
prefer*（〔できれば〕～してもらいたい）	**press**（強要する）
tempt（～する気にさせようとする）	**want***（望む）

72 B 〈S＋V＋O＋to be＋C〉

この形は，**that**節を用いて書くことができる。
受動態以外では that節のほうが口語調でふつうである。

　　We **believe** her **to be** the previous owner of the house.
　　（＝We believe *that* she is the previous owner of the house.）
　　　（私たちは彼女をその家の前の持ち主だと思っている）

なお，「自分のことを～だと思う」という場合には，必ず再帰代名詞 oneself
（● p.392 **182**）を目的語に入れること。

　　He **believes** *himself* **to be** a genius.
　　　（彼は自分のことを天才だと思っている）

一般に〈S＋V＋O＋to be〉構文はOを主語にした**受動態**の文を作れる。ただし，2人称を主語にした文の受動態は「要請」を表すこともある。

特に〈**be supposed to**〉という形は〈ought to〉と同じような助動詞的用法を持つので，よく使う言い方であるだけに注意が必要である。

　　You **are supposed to** *be* in bed.　（寝ていなくちゃだめじゃないか）
　　　●本来は「～することになっている」だが，実際にはこのようにほとんど命令に近い意味で使われる。

〈S＋V＋O＋to be＋C〉の形で，**to be** を省略できる動詞とできない動詞とある。できる場合，実際省略するかどうかはあくまで口調の問題であって，はっきりしたルールによるものではない。下の動詞のリストで，to be を省略できないか，あるいは省略しないことが多いものに＊をつけておく。

◎〈S＋V＋O＋to be〉と that節をとる動詞

assert*（断言する）	**assume**（～と考える）	**believe**（～と思う）
conclude*（断定する）	**consider**（～と考える）	**declare**（言明する）
deny*（否定する）	**discover***（気づく）	**fancy**（～と思う）
find（～だとわかる）	**guess**（推測する）	**hold**（～と思う）
know*（知っている）	**presume**（推定する）	**prove**（立証する）
recognize*（認める）	**report**（報告する）	**show***（明らかにする）
suppose（～と思う）	**suspect***（思う）	**think**（～と思う）

know などは，ほとんど〈be known to be〉という形で用いられる。

　Shakespeare **is known to** *be* one of the greatest tragic playwrights of all time.
　　（シェークスピアは，古今を通じて最も偉大な悲劇作家の1人であると認められている）

73 独立不定詞

to不定詞を用いた句で，**文から独立して文全体を修飾**する「独立不定詞」というものがある。慣用句として日常使われるものが多い。

　To tell the truth, his acting is extremely poor.
　　（実を言うと，彼の演技はまったくお粗末なのです）

　Needless to say, the English language contains many idioms.
　　（言うまでもなく，英語にはたくさんの慣用句がある）

　It is difficult, **to be sure**, but not impossible.
　　（それは確かに難しいことだが，不可能ではない）
　　●to be sure は「確かに」という意味のやや堅い言い方。この文のように後に but が続いて「なるほど～だが」という形でよく用いる。

　Suddenly, a black cloud covered the sky and the weather turned cold. **To make matters worse**, it started snowing.
　　（突然黒い雲が空を覆い，寒くなった。さらに困ったことには，雪が降り出した）
　　●to make the matter [things] worse とも言うが，上の形が一番多く使われる。

以上のほかに，**to begin with**（まず第一に），**to say the least**（控えめに言っても），**strange to say**（奇妙なことに），**to be frank (with you)**（率直に言って）などがある。

第4節 原形不定詞の用法

74 原形不定詞の用法

74 A 助動詞の後で

(1) 原形不定詞が続く助動詞

　will, shall, would, should, can, could, may, might, must, need, dare

　I think you *should* **stop** lying to your friends.
　　（友達にうそをつくのをやめたほうがいいと思うよ）

(2) to不定詞が続く助動詞

ought, used

Such things *ought* not **to be** allowed. （そんなことは許されるべきではない）

74 B 使役動詞の後で

(1) 〈make [let, have] ＋目的語＋原形不定詞〉

「…に〜させる」という意味を表す。詳しくは別途参照（● p.38 **12A**）。

His conscience *made* him **tell** the truth. （彼の良心が彼に真実を語らせた）

● **make** は受動態になると He was made **to tell** …．のように **to不定詞**になる。
have は受動態にならない。**let** もふつう受動態にしない。

注意　〈have＋O＋原形不定詞〉は「〜させる」の意味で自分が上位に立つ感じになる。

(2) 〈let＋原形不定詞＋目的語〉

let が go などの単音節の動詞と結びついて，let go（放す）などの慣用句を作り，句動詞として働く形がある。

Let go the rope and I will catch you — you won't get hurt.
（綱を放しなさい。そしたら受け止めてあげる。けがはしないから）

● 目的語が代名詞なら let *it* go の語順になる。また，let go は自動詞として，〈**let go of** 〜〉の形もとり，使用例はこちらのほうが多い。

この種の動詞には次のようなものがある。

let drop（落とす）	**let fall**（落とす）	**let fly**（発射する）
let pass（見逃す）	**let slip**（うっかり口外する）	

> Helpful Hint 40　句動詞〈let＋原形不定詞〉の持つ雰囲気
>
> let pass（見逃す）のように「句動詞として働く〈let＋原形不定詞〉」には，なんとなく「文学的」に感じられる雰囲気がある。たとえば，「彼女は愛の告白をする機会を見逃した」ということを，She **let** the opportunity to confess her love *pass*. と表現すると，「極ふつう」という感じだが，同じことを She **let** *pass* the opportunity to confess her love. と表現すると，なんとなくエレガントな感じになる。

74 C 知覚動詞の後で

(1) 〈see [hear, feel, *etc.*]＋目的語＋原形不定詞〉

「Aが〜するのを見る［聞く，感じる，など］」の意味を表す（● p.40 **12B**）。現在分詞を用いる形との違いについては別途参照（● p.163 **81A**(1)）。

I *saw* her **enter** the lobby from outside.
（私は彼女が外からロビーに入るのを見た）

(2) 知覚動詞構文と受動態
① 受動態にすると to 不定詞になるもの
see, hear, observe

She *was seen* **to enter** the lobby from outside.
（彼女は外からロビーに入るのを見られた）

② 注意を要する受動態
(a) **feel** は**身体的**に感じるときにはふつう**受動態にしない**。「…が～だと思う」の意味では〈**be felt to be ～**〉という形にしてもよい。

She *felt* the floor **move** and saw the walls shake.　〔身体的知覚〕
（彼女は床が動くのを感じ，壁が揺れるのを見た）

Ukrainian *is felt* **to be** independent of Russian.　〔心的知覚〕
（ウクライナ語はロシア語とは別個のもののように思われる）

(b) **notice** も「～だということがわかる」の意味のときには受動態を使う。

This morning a tire *was noticed* **to be** flat.
（今朝タイヤが１つパンクしていることがわかった）

③ 受動態にしないもの
watch は受動態にできない。

The crowd *watched* the police **open** the doors.
（その群衆は警察がドアを開けるのを見守っていた）
● The police were watched to open ... . ということはできない。

74 D　know や help などの後で

know と **help** は，目的語の次に原形不定詞も to 不定詞も用いる。
① **know** は「Aが～した［～である］のを見聞きしたことがある」という意で，過去の経験を振り返って言うので，現在完了か過去で用いることが多い。

Have you ever *known* him (**to**) **make** a mistake?
（彼が今までに間違えたことがありますか）

② **help**（⊃ p.123 **60C**(2)）〈**help ＋ O ＋ 原形不定詞**〉は《米》に特に多い。

He *helped* her (**to**) **cook**.　（彼は彼女が料理をするのを手伝ってやった）

75　原形不定詞を用いた慣用構文

75 A　〈had better ～〉

「～したほうがよい」（⊃ p.207 **107C**(1)）
(1) 主語が１人称以外では，**忠告・命令**の意味を表す。〈You had better ～〉は

押しつけがましい言い方で失礼に当たることがあるので注意。前に I think をつけてもよいが，⟨It would be better for you to ～⟩ と言えばより丁寧になる。

If we want to arrive on time, we**'d better leave** now.
(時間どおりに着きたいなら，今出かけたほうがよい)

You **had better believe** it because it is the truth.
(それは真実なのだから信じたほうがよいのだ)

(2) 否定形は ⟨had better not do⟩ になる。

You **had better not say** these things. (こうしたことは言わないほうがいい)

(3) 疑問文は意味により2つある。

① 「～したほうがよいのではないですか」は ⟨**Hadn't A better** ～?⟩ とするのがふつうで，提案を表す。

Hadn't we **better ask** for directions to the post office?
(＝Don't you think we **had better** ask for directions to the post office?)
(郵便局への道を尋ねたほうがいいのではないですか)

● Had we not better ～? と言うこともできる。

② 「～しないほうがよいのですか」は，⟨**Had A better not** ～?⟩ になる。

What are you trying to do? Or **had** I **better not ask** that?
(何をしようとしているんだね。それともそんなことは聞かないほうがいいのかな？)

③ 付加疑問は ⟨hadn't I [we]?⟩ でよい。

We **had better** be careful, **hadn't we**?
(注意深くしたほうがいいですよね)

(4) had best

had best は「～したほうが（一番）よい」ということだが，実質的には had better とあまり変わりはない。使う頻度は had better のほうが多い。

You **had best talk** to him directly.
(君は彼に直接話したほうがよい)

75 B ⟨would rather ～⟩

⟨would rather⟩ は，「むしろ～したい」の意味に使う (▶p.207 **107C**(1))。

(1) ⟨would rather ＋ 原形不定詞 ～ (than ...)⟩

I **would rather start** my own business.
(私はむしろ自分で事業を起こしたい)

I **would rather be** able to appreciate things I cannot have **than** to have things I cannot appreciate.

(その価値を鑑賞できないようなものを持つよりも，むしろ持てないものの価値がわかるほうがよい)

I **would rather go** hungry **than** associate with con artists.
　(詐欺師と付き合うくらいなら，むしろひもじい思いをするほうがましだ)

　● 〈**would sooner ～ than ...**〉という形もある。意味は同じだが，**I'd rather ～** よりもやや改まった感じの表現である。

(2) 疑問文は 〈**Would you rather＋原形不定詞 ...?**〉

Which **would you rather have** — meat or fish?
　(君はどっちが食べたい ── 肉か魚か)

(3) 否定形は 〈**would rather not＋原形不定詞**〉

If you **would rather not receive** this information, please uncheck the box.
　(この情報を受け取りたくない場合，ボックスのチェックを外してください)

　● uncheck the box とはコンピュータ画面の ☑ の ✓ を消すこと。

(4) 〈**would rather＋節**〉

節内の動詞は**仮定法で過去形**になる。

I **would rather** you *came* tomorrow.
　(むしろ明日来ていただきたい)

Thank you, but I **would rather** you *did* not mention the subject to her.
　(ありがとう。でも，そのことについてはむしろ彼女には言わないでほしい)

Helpful Hint 41　had better do ～ のニュアンス

ふつう，便宜上「～したほうがいい」というように紹介される **had better do ～** は，この和訳にはない「さもないとマズいことになるぜ」というニュアンスが強い。It's already 9 o'clock! You **had better** *leave*! のような場合なら，その「さもないとマズいこと」は，おそらく何かに「間に合わないこと」だろうと想像できる。が，もしこのように「マズいこと」がはっきりしていない場合，たとえば，人がいきなり相手に You **had better** *leave*! と言ったら，この表現は脅威的に感じられかねない。つまり「さもないとぶつぞ」などのように，「こっちからマズいことをしてやるぞ」というように響いてくるわけである。

---

75 C　〈**cannot help but＋原形不定詞**〉

「～せざるを得ない」の意味は，〈**can't help ～ing**〉か 〈**cannot help but＋原形**〉で表すが，やや古い形として，〈**cannot but＋原形**〉もある (● p.81 **34D**(1))。

When I recall my years as a juvenile delinquent, I **cannot but feel** grateful to my parents for their understanding.
　(自分が不良少年だったころを思い出すと，いろいろ理解してくれた両親に感謝せざるを得ない)

REVIEW TEST 6

A 確認問題 6 (→ 解答 p.603)

1. 次の各英文の（　）内の語（句）のうち，適切なほうを選びなさい。
   (1) It was kind (for, of) you to lend me an umbrella.
   (2) He tried (to not, not to) think about the fight.
   (3) The bicycle was not (to find, to be found).
   (4) She kindly showed me (to, how to) use the computer.
   (5) He is (enough old, old enough) to read this article.
   (6) They were made (work, to work) all day.
   (7) It is likely (that he'll, for him to) win the prize.
   (8) He suggested to me that I buy a car, but I didn't (want, want to).
   (9) I would rather sit on a pumpkin and have it all to myself (than, as) be crowded on a velvet cushion.
   (10) You cannot help but (wonder, to wonder) about his past.

2. 次の各英文を与えられた指示に従って書き換えなさい。
   (1) I thought him to be an actor. （that節を用いて）
   (2) I expect you to follow my rules. （that節を用いて）
   (3) It seems that he has a lot of money. （to不定詞を用いて）
   (4) He promised to come to see me this afternoon. （that節を用いて）
   (5) She was the first woman ever elected mayor of this city.
       （to不定詞を用いて）
   (6) It's already so late that we cannot do it. （to不定詞を用いて）
   (7) There are a lot of books here that you might read. （to不定詞を用いて）

3. 次の各英文が正しければ○をつけ，正しくなければ×をつけて，誤っている部分を正しく書き直しなさい。
   (1) All you have to do is press this button.
   (2) I was to have finished this work.
   (3) I believe to be a musician.
   (4) I had nobody to talk at the party.
   (5) I will help you carry these books upstairs.
   (6) Take care not to catch cold.
   (7) He is impossible to climb that tree.
   (8) I didn't know where to start solving this problem.

REVIEW TEST 6

B 実践問題 6 (→ 解答 p.603)

1. 次の各英文を完成させるのに，最も適切な語句を選び，記号で答えなさい。

   (1) "Would you like something (　　)?"
   　　"Yes, please. I'd like a sandwich."
   　　(A) to be drink　(B) to drink　(C) to want　(D) to eat

   (2) "Stay a little longer." "(　　), but I have another appointment."
   　　(A) I'd like　(B) I'd so　(C) I'd like to　(D) I'd love

   (3) "Our team won six of the ten events." "I'm very glad (　　)."
   　　(A) to hear that　(B) to do so　(C) to see you　(D) to win

   (4) "Why has this wheelchair been left outside?"
   　　"Because it is (　　) carry upstairs."
   　　(A) too small to　　　　　　(B) so heavy to
   　　(C) too heavy for me　　　　(D) too heavy to

   (5) "You are an amazing artist. I love your work."
   　　"Thank you. It is very (　　) to say so."
   　　(A) kind for you　(B) kind of you　(C) easy of you　(D) easy for you

   (6) "Have a seat." "Thank you, but I would (　　); I won't be staying long."
   　　(A) rather stand　　　　　　(B) rather standing
   　　(C) rather not stand　　　　(D) like standing

2. 次の各英文の下線部から，誤っているものを1つ選び，記号で答えなさい。

   (1) Two horse barns were (A)reported (B)to be destroyed, and (C)as many as six (D)horses were apparently killed.

   (2) This company was (A)first (B)discover the (C)use of sealed tin cases (D)in shipping flour.

   (3) (A)In order to not delay publication, proofs (B)sent to authors must be returned (C)within the time stated. If proofs are (D)not received within this time, publication may be cancelled.

   (4) On October 28th the volcano was seen (A)be covered (B)with white ash, and it was still active, with a light plume of ash (C)blowing away (D)to the northwest.

   (5) I was (A)told by a nurse that I (B)should refrain from drinking alcohol for at least 8 hours after (C)taking the medicine, and that I (D)had not better drive a car, either.

第7章 分詞
PARTICIPLES

　形容詞と動詞の性質を兼ねている準動詞を分詞という。現在分詞と過去分詞の2つがあるが，時制の現在形や過去形とは直接の関係はない。副詞節の代わりに使う分詞構文は文語的表現である。

第1節 分詞の形

76　現在分詞と過去分詞

76 A　現在分詞

　現在分詞は〈動詞の原形＋ing〉という形をとる。進行形などに見られるいわゆる「ing形」である。～ing形の作り方については別途参照（● p.48 **17**）。

　　A **rolling** stone gathers no moss.〈ことわざ〉
　　　（転がる石にコケはつかない）
　　　● **rolling** は「転がっている」という意味で，「石」という名詞を修飾している。
　　　◆ このことわざの由来は古く1300年代にさかのぼるが，《英》ではコケは貴重なものという考えから，「職業を転々と変えるような人は金持ちになれない」という解釈が主体であった。しかし，《米》では1700年代から，A rolling stone gathers no moss, but still water becomes stagnant.（転がる石にコケは生えないが，動かない水はよどむ）というような形からもわかるように，「絶えず活動している人は常に生き生きとしている」というように解釈もされるようになっている。これはコケに対する感覚の違いである。

76 B　過去分詞

　過去分詞には，〈動詞の原形＋ed〉の形をとる**規則動詞**の過去分詞と，write → written のように不規則な変化をする**不規則動詞**の過去分詞と2種類ある。これらについては，別途参照（● p.44-48 **14A～16D**）。

　　Do you remember the poem **recited** by the students?
　　　（生徒たちが朗誦した詩を覚えていますか）
　　　● **recited** は規則動詞 recite の過去分詞。前の poem を修飾している。
　　　poem の次に which [that] was を補ってみるとわかりやすい。

Written language is often more formal than **spoken** language.
（書き言葉は，話し言葉よりも改まった感じのケースが多い）
　● written と spoken はそれぞれ不規則動詞 write と speak の過去分詞で，どちらも続く名詞の language を修飾している。

77　分詞の完了形・進行形・否定形・受動態

77 A　分詞の完了形

分詞の完了形は，〈having＋過去分詞〉で表す。

　Having received my license a year ago, I've already worked with a variety of clients.
　（1年前に免許を得て，私はもうさまざまな依頼人との仕事をしてきた）

77 B　分詞の進行形

分詞の進行形は〈being＋～ing〉となる理屈だが，-ing が2つ続くのでふつう使わない。完了進行形は〈having been＋～ing〉の形をとるが，この形も実際にはそれほど多くは使われない。

　Having been spending time in the city and at the cabin, I've come to realize the difference in sound levels between the two.
　（都会と山小屋で時を過ごしてきて，私は両者での音の大きさの違いがわかってきた）

77 C　分詞の否定形

分詞の否定形は〈not＋～ing〉，〈not having＋過去分詞〉などのように not を分詞の前に置く。
　not が後の語と結びつくためなどで，〈having not＋過去分詞〉となることもあるが，これは特殊な場合である。

　Not knowing when the Dawn will come, I open every door.
　（夜明けはいつ来るのかわからなくて，私はすべてのドアを開けておく）
　◆Emily Dickinson の "Dawn" という詩の1節。

never と完了分詞の場合は，〈having never＋過去分詞〉と〈never having＋過去分詞〉のどちらでもよい。

　Having never experienced an atomic bombing, the vast majority of people can only vaguely imagine such horror.
　（ほとんどの人間は，原子爆弾の爆撃を経験したことがないため，そうした惨事は漠然と想像するしかない）

Never **having met** her before, I wondered what she would be like.
（彼女にはこれまで会ったことがなくて，どんな人だろうと思っていた）

77 D　分詞の受動態

分詞の受動態は，単純形は〈**being**＋過去分詞〉で表し，完了形は〈**having been**＋過去分詞〉で表す。

The same question kept **being asked**. （同じ質問がずっとなされた）
Having been completed around 1080, the Norman Chapel is the oldest part of Durham Castle.
　（ノルマン礼拝堂は1080年ごろ建てられて，ダラム城の中でも一番古い部分である）

　◆Durham Castle（ダラム城）は，1066年のノルマン公ウィリアムによるイングランド征服後，北方スコットランドとの対抗のために造られた。ダラム大聖堂と共に，英国の誇る古いノルマン様式の傑作として世界遺産になっている。

Helpful Hint 42　現在分詞・過去分詞と「時」

現在分詞・過去分詞と呼ぶよりも，**未完了分詞・完了分詞**と呼んだほうが正確かもしれない。現在形や過去形などの英語の時制は，「時」，つまり「いつの話か」を示すものだが，これに対して，現在分詞と過去分詞には，「時」を示す役割がない。
　champagne **chilling** in an ice-bucket（アイスペールで冷えつつあるシャンパン）と言うと，シャンパンはまだ十分には冷えておらず，「冷却過程」そのものはまだ続いているので，**未完了**の状態が表される。逆に，champagne **chilled** in an ice-bucket（アイスペールで冷やされたシャンパン）と言うと，シャンパンはもう十分冷えており，「冷却過程」は**完了**した，という状態が表される。いずれの例にしても，「未完了・完了」の状態が，過去の話か，現在の話か，未来の話かは，文の本動詞の時制によって決まる，まったく別の問題である。

第2節　分詞の用法

78　分詞の動詞的機能

分詞は動詞に形容詞の機能を持たせたものであり，形容詞的機能のほかに，本来の動詞としての機能も持っている。動詞時制では**進行形**と**完了形**を作ることと，態では**受動態**を作ることができる。

78 A　進行形と完了形

(1) **現在分詞**は**進行形**を作るのに用いる。
　〈**be**＋現在分詞〉で進行形を作る（○ pp.67-71 **28** ～ **31**）。

The White House proclaimed that the regime of Saddam Hussein **is collapsing.**
（ホワイトハウスはサダム・フセインの体制は崩壊しつつあると宣言した）
◆2003年の対イラク戦争の最中のニューヨーク・タイムズの記事。

(2) **過去分詞**は**完了形**を作るのに用いる。
〈**have＋過去分詞**〉で完了形を作る（● pp.61-66 25 ～ 27 ）。
I **have found** your site, and I find it very good.
（あなたのサイトを見つけたのですが、とてもよいものだと思います）

> 発展 All the weapons **are gone**.（その武器はすべてなくなった）のような〈**be＋自動詞の過去分詞**〉は、今では、〈be **gone**〉などの慣用的な表現に残っているだけで、「結果としての状態」を示す文語体。Are you **finished**?（もう終わりましたか）の finished も今では形容詞化している。finished の次に eating などがつくことがあるのは昔の完了形の名残で、今は補語的に用いられている特殊の慣用形として、現在分詞とみるのがふつう。

78 B 受動態

〈**be＋過去分詞**〉で受動態を作る（● p.104 **45A**）。
The last pyramid **was built** in Nubia in the 4th century AD.
（最後のピラミッドは4世紀にヌビアで造られた）

79 分詞の形容詞的機能

現在分詞も過去分詞も共に形容詞的に働くが、中には動詞的性質を失って**完全に形容詞化**してしまったものもある。これは形容詞として扱う（● p.427 **197**）。完全な形容詞と分詞の使い方には次のような違いがある。

79 A 修飾する場合の位置

(1) 完全に形容詞化したものは、原則として**名詞の前**に置く。
What a **charming** little cottage!（なんて魅力的な小さな家なのでしょう）
(2) 形容詞化していない分詞は、単独なら**名詞の前**、目的語や修飾語句を伴う場合は**名詞の後**に置く。
A **drowning** man will catch at a straw.〈ことわざ〉
（おぼれる者はわらをもつかむ）
He was like a person **drowning** at sea, in a fierce storm, **clinging** to a raft with one hand.
（彼は、まるで荒れ狂う嵐の海で、救命いかだに片手でしがみついているおぼれかかった人間のようであった）

●drowning と clinging はどちらも a person を修飾している。

79 B　共に用いる他の語句

(1) 形容詞化したものは副詞だけが修飾する。

　　I received a very **interesting** e-mail message today.
　　（今日とてもおもしろいメールを受け取った）
　　　●a *most* interesting e-mail message としてもよいが，やや堅い感じになる。

(2) 分詞は副詞で修飾されるほかに，動詞の性質も持っているので，必要に応じて目的語や補語をとることができる。

　　An old statue of a man **beating** *a drum* was sold for $80.
　　（ドラムをたたいている男の古い像が80ドルで売られていた）
　　　●a drum は beat の目的語。

79 C　その他の違い

自動詞が完全に形容詞化したものは，時を超えた内在的・永続的意味を持つが，形容詞化していない自動詞の現在分詞は，その時だけの一時的意味を表す。

　　In Turkey, nearly 40% of the **working** population is still employed in agriculture.
　　（トルコでは，労働人口の40％近くがいまだに農業に従事している）
　　　●the **working** population は「労働人口」の意味で，この working は完全な**形容詞**である。the **consuming** population（消費人口），the **English-speaking** population（英語を話す住民），the **motoring** population（自動車利用人口）などのように，こうした形容詞化した分詞を名詞の前につけて，いろいろな表現ができる。これらの現在分詞は，**永続的意味**で，**次にくる名詞**（人口）をいろいろな種類に**分類**して示すことができる。

　　At one time there were thousands of windmills in the Netherlands. Today, in Leiden there remain only two actual **working** windmills.
　　（ひところはオランダに風車が何千台もあった。現在，ライデンには現役の風車は2台しか残っていない）
　　　●この2台は，過去の遺物として残っている風車と区別して，今でも仕事に使われている風車であるということを示すと共に，working 自体が，今動いているという一時的状態も示している。

Helpful Hint 43　分詞を使った簡潔な言い方

　英語を母語とする人間の多くは，"What is a participle?"（分詞って何ですか）と質問されたら，困る（一般の日本人がいきなり「未然形って何ですか」と質問されても，同じ気持ちになるだろう）。また，ネイティブ・スピーカーが分詞で名詞を修飾するとき，たとえば，a **lost** wallet（落とされた財布），あるいは a wallet **lost** on the train（電車の

中で落とされた財布）と言うとき，これはただ，a wallet **which was lost** [on the train] のように関係詞節で修飾するよりも簡潔な言い方を無意識のうちに選んでいるだけである。このように分詞は簡潔に表現したいときに使うのに便利である。

80 分詞の限定用法と叙述用法

80 A 分詞の限定用法

(1) 名詞の前または後に置かれる場合

① 現在分詞

(a) 自動詞の現在分詞

自動詞の現在分詞はふつう**名詞の前**に置かれる。

In the teapot, pour **boiling** *water* over the tea bags; cover and brew 5 minutes; remove the bags.

（ポットの中でティーバッグの上に沸騰しているお湯を注ぎ，ふたをして 5 分間浸しておいてからバッグを取り出す）

● boiling は煮立っている状態であり，沸騰させた後に火から下ろした湯は boiled water.

(b) 自動詞化した他動詞（擬似自動詞）の現在分詞

他動詞は，本来次に目的語となる名詞がつくから，この目的語をつけたまま現在分詞にして，さらに他の名詞の前に置いてその名詞を修飾することはできない。しかし，ある種の他動詞では，**頻繁に使われる目的語が慣習的に省略されて自動詞としても使われているものがある**（⊙ p.31 **9A**(2)）。

これらの動詞の現在分詞は，「～している…」の意味では**名詞の後に置くほうがふつう**である。たとえば，eat は他動詞で，eat *food*（食物を食べる）のように言うが，この food が省略されて，eat だけで「食事をする」という自動詞としても使われる。この場合，「食事をしている…」という現在分詞にして名詞を修飾する場合には，eating は名詞の後に置くのがふつうである。

It was dinner time, so there were many *people* **eating**.

（食事時間だったので，食事をしている人が大勢いた）

> 発展　drink *liquor*（酒を飲む）という言い方はよく使われるので，目的語の liquor が省略されて，drink だけで「飲酒する」という自動詞としても使われ，a **drinking** man は慣習的に「飲んべえの男」を指す。「水を飲んでいる象」という絵などの題名の場合は，実物を見れば「水を飲んでいる」ということがわかるから，a *drinking* elephant とも言うが，an elephant *drinking* (water). とも言える。一般的には **9A**（p.31）に示した「他動詞の目的語が省略されて自動詞的に使われているもの」の現在分詞は，a man *smoking*（たばこを吸っている男）のように名詞の後に置くことが多い。

② **過去分詞** ── 単独では**名詞の前**に置かれる。
(a) **他動詞の過去分詞**

他動詞の過去分詞は**受動的意味**を持つのがふつうである。

In 1913, the **stolen** Mona Lisa was discovered at a hotel in Florence.
(1913年に，盗まれた「モナリザ」がフィレンツェのホテルで発見された)

● the Mona Lisa, *which had been stolen* の意味。

◆ルーブル美術館から盗まれた名画，ダ・ビンチの「モナリザ」が，2年後にフィレンツェのホテルで発見された。このホテルは有名になり，名前まで Hotel La Gioconda に変えられた（モナリザは，別称「ジョコンダ婦人の肖像」だから）。

(b) **自動詞の過去分詞**

自動詞の過去分詞は**能動的意味**を持つのがふつうである。

The adventure begins with a special tour of the Kennedy Space Center led by a **retired** astronaut.
（その冒険旅行は退役した宇宙飛行士の案内で，ケネディ宇宙センターの特別ツアーから始まる）

●〈have＋過去分詞〉的な**完了**の意味もあり，an astronaut *who has retired* の意味。

(2) 名詞の後に置かれる場合

分詞の後になんらかの語がついて，句の形になっている場合が多い。

① **現在分詞**

In some European countries, such as Portugal, you still can come across people **carrying** things on their heads.
（ポルトガルなどヨーロッパの国では，今でも物を頭に載せて運んでいる人に出会うことがあります）

② **過去分詞**
(a) **他動詞の過去分詞**

Health officials announced here tonight that a man **infected** with SARS, a new respiratory disease, had flown out of Hong Kong for Munich.
（衛生当局は今夜当地で，SARS という新型肺炎に感染した1人の男性が香港からミュンヘンに向かって飛び立ったと公表した）

◆SARS は *severe acute respiratory syndrome*（重症急性呼吸器症候群）の略語で，感染力の強い新型肺炎として恐れられている。

(b) **自動詞の過去分詞**

自動詞の過去分詞は名詞の前に置くのがふつうである。たとえば，「落ち葉」は *fallen* leaves のように，fallen を leaves の前に置くほうがふつうである。

●文語調では，angels *fallen* from grace（神の恩寵を失った天使）のような言い方も見られる。

> [注意] one of the books *newly* **come** from Copenhagen（コペンハーゲンからの新着本の1冊）は which **have** newly **come** ... ということであるが，このように newly とか just などがついて，一時性を示すから，名詞の後に置くことができるとされる。

(3) 形容詞の前に置かれる場合 —— 副詞用法

特殊な用法で，分詞が very の意味で**形容詞の強調**のために用いられる場合がある。口語的な用法で，ほとんどが**現在分詞**である。

> Because liquid caramel is **burning** *hot*, it must be combined with other liquids when it is used to flavor a sauce.
> 　（液状のカラメルはすごく熱いから，ソースに風味をつけるために使うときにはほかの液と混ぜ合わせなければならない）
>
> I took off my **sopping** *wet* socks.（私は，びしょぬれの靴下を脱いだ）

（類例）**boiling**（うだるように），**perishing**（ひどく），
　　　　sweltering（うだるように）

> [注意] 過去分詞では，くだけた言い方で damned（とても）という強意語もあるが，シチュエーションによっては，下品な印象を与えかねない言い方である。

80 B　分詞の叙述用法

(1) 〈S＋V＋分詞〉

① 現在分詞の場合

come や walk のような**完全自動詞**でありながら，A little girl *came* **running**.（小さな女の子が走ってやってきた）のような形では，running という現在分詞は補語と同じように，主語の状態を説明している。この形については別途参照（● p.5 **2D**(3)①）。

> As they *marched* **singing** through the night, their candles were burning.
> 　（彼らが夜，歌いながら行進していたとき，手にしたろうそくが燃えていた）
> 　　● 後半の their candles *were burning*. というように，**be動詞**の場合は**進行形**になる。

② 過去分詞の場合

> When the glass suddenly shattered to the floor, they *looked* **amazed**.
> 　（突然そのグラスが床に粉々に砕けると，彼らはびっくりした顔をした）
> 　　● **be動詞**に他動詞の過去分詞が続くと**受動態**になるが，それ以外の自動詞の場合，補語をとると，〈S＋V＋C〉の文型で，Cになる過去分詞は主格補語になる。ただし，**look, appear, seem** などのような自動詞の次に過去分詞がくる場合は，その過去分詞が**形容詞化**したものに限られるのが原則であり，これは受動態にならない。

> Women and children *stood* **frightened** next to a small house.
> 　（女性や子供が小さな家のすぐそばでおびえて立っていた）
> 　　● この場合は stand は完全自動詞だから，構文の働きは①の場合と同じである。

(2)〈S + V + O + 分詞〉

この形をとるのは，**知覚動詞，使役動詞**その他であり，次の 81 で項を改めて解説する。

> **Helpful Hint 44　強調表現の分詞**
>
> The sidewalk was **burning** hot.（歩道は焼けつくように熱かった）や，The wind was **freezing** cold.（風は，凍えるように冷たかった）などのように，「分詞が very の意味で，形容詞を強調するために用いられる特殊な用法」は，言うまでもなく，「程度」を大げさに表す誇張表現である。こうした英語の簡潔な言い方をその日本語訳での**文字どおり**の意味にとると，The sidewalk was *so hot that it would burn*.（歩道は焼けついてしまうほど熱かった），The wind was *so cold that it would freeze*.（風は，凍ってしまうほど冷たかった）ということになる。日常的な英語表現としては，簡潔な言い方のほうがふつうである。

81 〈S + V + O + 分詞〉

81 A 〈S + V + O + 現在分詞〉

(1) 知覚動詞など

see や **hear** などの**知覚動詞**（⊙ p.40 **12B**）を用いた構文では，**現在分詞**を用いると，「O が~しているところを見る［聞く］」というように，何かをしている**動作の途中の一部**を示すのが原則。

　　I *saw* a dolphin **chasing** a boat at the river mouth.
　　　（私は河口でイルカがボートを追跡しているところを見ました）
　　　●この文は，I saw a dolphin which was chasing a boat ... . と同じく，chasing 以下は，そのときの dolphin の様子を描写した補語になっている。

これに対して，〈S + V + O + 原形不定詞〉は，「O が~するのを見る［聞く］」のように，O の行為を**初めから終わりまで**見たり聞いたりすることを表す点が，現在分詞とは違う。

　　I *heard* a dolphin **speak**. The word it said was like a squeak.
　　　（私はイルカが話すのを聞いた。その言葉はキーキー言うようなものだった）

知覚動詞と似たもので，**catch** と **find** は共に「O が~しているところを見つける」という意味でこの構文をとるが，どちらも原形不定詞を補語にとることはない。

　　Sara *caught* her son **drinking** beer.
　　　（サラは息子がビールを飲んでいるところを見つけた）

(2) 使役動詞など

「O に~させる」という意味を表す使役動詞の **make, let, have, get** については，

12A (p.38) で解説した。また，これらが原形不定詞をとる構文については，**74B** (p.149) で解説した。

これらの使役動詞のほかに，「Oを〜の状態にさせておく」という意味で，〈S＋V＋O＋現在分詞〉の形をとるものがいくつかある。have と get も含めてこれらについて例示しておく。

① **have**　状態の持続を示唆する（◎ p.40 H.H.9）。

　As she was worried about her son's grades, she *had* him **studying** around the clock.

　　（彼女は息子の成績が心配だったので，彼に昼夜ぶっ通しで勉強をさせていた）

「〜させておく」という意味では，can や will などと共に使うことが多い。

　I won't *have* you **insulting** my father.

　　（父を侮辱したりすることなどさせません）

② **get**　期待される**状態の開始段階**の成立を示唆する。

　He helped me *get* my computer **going** for the first time.

　　（彼は私が初めて私のコンピューターを起動させるのを手伝ってくれた）

③ **set**　「〜し始めさせる」の意味で，主語は意図を持った人間でも，原因となるもの（無生物）でもよい。

　A good newspaper should *set* you **thinking** about environmental problems.

　　（よい新聞なら環境問題について考え込ませてくれるはずだ）

④ **start**　「〜を引き起こす」の意味で，原因となるもの（無生物）を主語にできる。

　This *started* me **wondering** how a software company goes about pricing its product.

　　（このために私はソフトウェアの会社がどうやってその製品の値段を決めていくのかしらと考え始めた）

⑤ **keep**　「〜をさせ続ける」の意味で。

　They were only able to receive a little education because their employers *kept* them **working** all day and night!

　　（雇い主が彼らを昼夜を問わず働かせ続けたので，彼らはほんのわずかな教育しか受けられなかった）

⑥ **leave**　「〜のままにしておく［しまう］」という放任の意味。

　Who *left* the water **running** in the upstairs bathtub?

　　（2階の浴槽でお湯を流しっ放しにしておいてしまったのはだれだ）

(3) **like, want** など

これらは，とりわけ**否定文**で用いることが多い。

I don't *like* people **telling** me what to do.
　（私は人に何をしろと命令されたりするのが好きじゃない）
　　●〈like＋O＋done〉という過去分詞の場合（ p.165 **81B**(3)）と違って，〈like＋O＋doing〉の doing は動名詞と見てもよい。むしろ大切なことは，現在進行中のことや，反復される行為に対する気持ちを表しているということである。

I don't *want* you **talking** to her when she's driving.
　（運転中の彼女には話したりしてほしくない）

> **Helpful Hint 45**　使役動詞 have と leave の意味
> 　前述の使役動詞の使い方の特徴として，とりわけ目立つものが2点ほどある。まず，I **won't have** people talking in class.（授業中におしゃべりなどさせません）のように，「S＋**not have**＋O＋現在分詞」という言い方は，「(Sが) 何も言わずに我慢してOに～させているつもりはない」といったニュアンスが強い，という点である。もう1つは，He **left** water running.（彼は水を流しっ放しにしておいてしまった）のように，「**leave**＋O＋現在分詞」という言い方は，何かを「わざわざそのままにしておく」話なのか，それとも「うっかりしてついそのままにしてしまう」話なのかは，表現上はあいまいであり，本当はどちらの意味なのかは文脈が決めるものだ，という点である。

81 B 〈S＋V＋O＋過去分詞〉

(1) 知覚動詞など（ p.40 **12B**）

I've *heard* this song **sung** a thousand times, but I've never *heard* it **sung** like this before!
　（私はこの歌を何度も聞いたことがあるが，このように歌われているのは初めてだ）

(2) 使役動詞など（ p.38 **12A**）

make

How can I *make* my voice **heard** in Washington, D.C.?
　（どうしたら私の声を米国政府に聞いてもらえるだろうか）

leave

Somehow I always *leave* something **unsaid**.
　（どういうわけか，私はいつも何かを言わないままにしてしまうのだ）

keep

At home I like to *keep* the air simply **dried** out, not **cooled**.
　（家では私は空気を冷やさないで，ただ乾燥させておくのが習慣だ）

(3) like, want など

I *like* my eggs **fried**.　（卵は焼いたのが好きです）
　　●I *like* my coffee *strong*.（私はコーヒーは濃いのが好きだ）と同じ構文。

I *want* the war **ended** as soon as possible.
（私は戦争をできるだけ早く終わらせてほしい）

82 〈have [get] ＋ O ＋ 過去分詞〉

この構文については 12A(3)③ (p.39) と 45C (p.105) で一応紹介したが，ここで具体的に解説する。

82 A 使役・受動を表す場合

〈have [get] ＋ O ＋ 過去分詞〉という構文は，主語の意志の有無しだいで使役か受動かが決まってくる。

(1) 使役

主語の意志で「～させる，～してもらう」という場合には使役になる。

I must *have* my car **repaired** by Saturday.
（私は土曜日までに車を修理してもらわなければならない）

It is time to *get* the office **cleaned**. （事務所を掃除してもらってよいころだ）

(2) 受動

主語の意志ではなく「～される」という場合には，受動を表すことになる。

get は所有物や身体の一部が「～される」という意味の場合が多く，偶発的な事故による被害などによく見られる。

My friend and I *had* our horses **stolen** from our barn.
（友人と私は納屋から馬を盗まれた）

He *got* his leg **blown** off by a landmine while looking for Vietcong tunnels.
（彼はベトコンの地下壕を捜索していたところ，地雷で片足を吹っ飛ばされた）

◆ Vietcong とは，ベトナム戦争の時の「南ベトナム民族解放戦線」の俗称。

82 B 完了を表す場合

〈have ＋ O ＋ 過去分詞〉が「完了」を表す場合がある。ある行動の完了による「結果の状態」に重点を置く言い方。

I *have* my password **written** down, so it won't matter if I forget it.
（パスワードを書き留めてあるので，忘れてもかまわない）

Helpful Hint 46 〈get ＋ O ＋ 過去分詞〉と「迷惑の受身」

前掲の用例の He *got* his leg blown off … .（彼は…片足を吹っ飛ばされた）という文が能動態なのに受身の形に和訳されているのは，主語の He にとって「ありがたくないことになってしまった」からである。ただし，もしこの日本語が「片足を…」ではなく，

「片足が…」となっていたら、和訳が受身の形であってもこうした迷惑の意味を表す **got** の文の雰囲気は出ない。

　日本語を外国語として学習するとき、この「〜を＋（動詞の）受身」や、あるいは「〜に＋（動詞の）受身」という形は、「そんなことを書かれては困る」、「妻に死なれた」などのような用例を通して、「迷惑の受身」という用語で紹介される。

第3節　分詞構文

83　分詞構文の形

　分詞を使って副詞節を句の形に圧縮したものを分詞構文という。「時」や「理由」を表すものが多いが、等位接続詞的に「継起」を表す場合も少なくない。

　文を簡潔にする効果があるので、**書き言葉**では比較的よく用いられるが、統計から見ると、日常の会話で用いることは少ない。

83 A　分詞構文の形

(1) 現在分詞

　Driving on the highway, I saw a large sign that said "Think! Don't drink!"
　　（ハイウェイで車を走らせていると、私は「頭を使え！（乗るなら）飲むな」と書いてある大きな掲示板を見た）

(2) 過去分詞

　過去分詞は他動詞がふつうで、前に Being や Having been を補えばわかるように、多くの場合受動の意味である。

　Persuaded by my advisor, I attended the conference.
　　（指導教官に説得されて、私はその会議に出席した）

83 B　分詞構文の意味上の主語

　分詞構文の意味上の主語は**主格**のまま分詞の前に置くのが原則であるが、文の主語と同じときや、漠然と一般の人を表すときには主語は省かれる。

(1) 意味上の主語を省く場合

　① 意味上の主語が文の主語と同じ場合

　Singing merrily, they started towards town.
　　（陽気に歌いながら、彼らは町の方に出かけた）

　The Iraqi children greeted us, **waving** little flags.
　　（イラクの子供たちは、小さな旗を振りながら私たちを迎えた）

　② 意味上の主語が、**漠然と一般の人々を指す場合**（◯ p.171 **86**）

Strictly speaking, Great Britain consists of Scotland, Wales and England.
　　(厳密に言うと，大ブリテン島は，スコットランド，ウェールズとイングランドから成っている)

(2) 意味上の主語を表現に入れる場合（● p.170 **85**）
　分詞の意味上の主語が文の主語と違うときには，主格の形で分詞の直前につけるが，やや堅い，書き言葉的な感じの表現である。
　　It **being** Sunday, *we* were invited to church at six.
　　　(日曜日だったので，私たちは6時に教会に招かれました)

83 C　分詞構文の時制

(1) **単純形**の分詞は，文の**述語動詞と同じ「時」**を表す。
　　Feeling tired, I went to bed early.　(私は疲れていて，早めに床に就いた)
　　(＝Because I *felt* tired, I *went* to bed early.)
(2) **完了形**の分詞は，文の**述語動詞の表す「時」より前の時**を表す。
　　Having already **seen** the film, I knew the story.
　　(＝Because I *had* already *seen* the film, I *knew* the story.)
　　　(私は前にその映画を見たことがあったので，その物語を知っていた)

83 D　受動態の分詞構文

　〈**being**＋過去分詞〉や〈**having been**＋過去分詞〉を用いることになるが，文頭の **being** や **having been** は省略することが多い。この場合，過去分詞の分詞構文 (● p.167 **83A**(2)) の形になる。

　　Written in plain English, this book will help you to understand the laws of motion and gravitation.
　　　(わかりやすい英語で書かれているこの本は運動と重力に関する法則を理解する手助けになってくれます)

83 E　接続詞を頭につけた分詞構文

　分詞構文は簡潔な表現であるだけに，その表す意味があいまいになる場合もある。明確な意味を強調するために，**接続詞**を分詞の前に置くことも多い。

　　While **waiting** for the train, I noticed a strange man standing on the opposite side of the platform.
　　(＝While I was waiting for the train, I noticed a strange man standing on the opposite side of the platform.)
　　　(電車を待っている間，私はホームの反対側に立っている妙な男に気がついた)

● While *I was* waiting … . の I was の省略とも考えられる。

84 分詞構文の表す意味

84 A 比較的よく使う単独の分詞構文

(1) 時

Driving along the highway, I saw a sign that said "Watch for Falling Rocks."
(=*While I was driving* along the highway, I saw a sign that said "Watch for Falling Rocks.")
（ハイウェイを車で走っているとき,「落石注意」と書いてある掲示を見かけた）

Reading through the book, I found that it contained a large number of factual mistakes.
（読み通してみたところ, その本には多くの事実誤認があることがわかった）

(2) 原因・理由

理由を述べるために使う場合, 文頭に置くことが多いが, 文中に挿入したり, 最後に置く場合もある（● p.170 H.H.47）。
なお, Being [Having been] で始まる分詞構文はふつう原因・理由を表す。

Being young, he hadn't had a great deal of experience in life.
(=*As he was* young, he hadn't had a great deal of experience in life.)
（彼は若くて, 人生の経験があまりなかった）

(3) 付帯状況

「同時生起」とも言う。分詞構文は前に置いても後に続けてもよいが, 後に置くほうがふつう。この用法と次の**(4)**は, 話し言葉でもよく用いる。

I was lying in bed, **watching** TV.
（私はベッドに横になっており, テレビを見ていた）

(4) 動作や出来事の継起

「～して, そして…」という接続になるので, 先に起きる動作や出来事が前にくるのが多い。

Opening the box, he laid the paper inside and shut the lid.
（箱を開けると, 彼は内側に紙を敷き, ふたを閉じた）

● He *opened* the box, *laid* the paper inside and *shut* the lid. と同じ意味である。

84 B ふつう接続詞を頭につけて使う分詞構文

(1) 条件

At intersections, *when* [*if*] **going** straight, cyclists should use a through lane.

（交差点で，もし真っ直ぐに進むのであれば，自転車に乗っている人は直進車線を使うべきです）

(2) 譲歩

While **admitting** that he had "acquaintances" in the party, he stressed he was not a member of the party.

（彼はその政党に「知人」がいることは認めたものの，自分はその党員ではないと強調した）

● 譲歩の場合は慣用句以外では while をつけるのがふつう。

Helpful Hint 47 原因・理由を表す分詞構文

原因や理由を表す分詞構文，たとえば，**Realizing** *she had lost her purse*, she called her sister.（彼女は，ハンドバッグを落としてしまったことに気づいて，妹に電話した）では，ある種の「因果関係」が表されているが，この「因果関係」は，Because ..., や Since ..., などの接続詞で表されるものほど強くない。日本語なら「～なので，…」や「～だから，…」などと表現するまでもなく，上の例のように「～て，…」や「～で，…」で原因や理由が十分表現されるときこそ，こうした分詞構文の出番である。

---

85 独立分詞構文

85 A 独立分詞構文

分詞構文の主語が本文の主語と違う場合には，分詞の前に主語を主格のまま置く。これを**独立分詞構文**というが，さらに文語的になる。

Holly swung her head around, *her hair* **flying** through the air.

（ホリーは髪をなびかせながら頭をくるりと回した）

● Holly と her hair のように，**主語の身体の一部**とか**持ち物**が分詞の主語になることが多い。

Early planting has its benefits, **weather permitting**.

（天候が許せば，早めに植えるということはそれなりの利点があります）

● **weather permitting** は成句になっている。文末に置くことが多いが，文中に挿入したり，文頭に置くことも決して少なくない。

85 B 懸垂分詞

分詞の主語が本文の主語と違うのに，同じであるかのように省略する言い方を**懸垂分詞**というが，非標準である。

Coming into the room, *her telephone* rang.

（彼女が部屋に入ってきたら，電話が鳴った）

この形は，「彼女の電話は，部屋に入ってきて鳴った」というようなものなの

で，本来許されない形である。

85 C 〈with＋独立分詞構文〉

「Oを～しながら」という付帯状況を表すには，〈with＋O＋分詞〉という形を用いることが多い。

The drummer used to play **with** his arms **waving** about in the air.
（そのドラマーはよく両腕を空中に振り回しながら演奏していた）

You can even tell the difference **with** your eyes **closed**!
（目を閉じたままで違いを見分けることさえできます）

The statue of the Amida Buddha is seated **with** his legs **crossed**.
（阿弥陀仏像は足を組んで座っている）

86 慣用的独立分詞構文

分詞の意味上の主語が一般の人々を表すために表面に出て来ないで，まとまった慣用句として用いられているものがある。

Speaking of music, I like various genres.
（音楽と言えば，私はさまざまなジャンルが好きなのです）
● Talking of .... としても同じで，「～と言えば」という意味だが，Speaking of のほうがふつう。

Judging from the look of satisfaction on her face, that wine must have tasted awfully good.
（彼女の顔の満足げな表情からすると，あのワインは相当おいしかったのでしょうね）
●「～から判断すると」という意味。

Considering his age, his health has been remarkable.
（年齢を考えると，彼の健康状態はすばらしいものだ）
●「～を考慮すれば」という意味。

Frankly speaking, I don't want to see my name on that list.
（率直に言って，私はそのリストに自分の名前を見たくない）
● 類例として，Generally [Strictly, Roughly] speaking, ... （一般的に［厳密に，大ざっぱに］言えば…）などがある。

Taking everything **into consideration**, are you satisfied with your marriage?
（あれこれすべて考え合わせると，あなたは自分の結婚に満足ですか）
●「～を考慮に入れれば」という意味。

REVIEW TEST 7

A 確認問題 7 (→ 解答 p.604)

1. 次の各英文の( )内の語(句)のうち，適切なほうを選びなさい。
   (1) Just a minute. I smell something (burn, burning) in the oven.
   (2) All this information made us (confusing, confused).
   (3) I have to get the car (repairing, repaired) by next Sunday.
   (4) This course will have you (speaking, spoken) English in six months.
   (5) She has enough language ability to make herself (understand, understood).
   (6) I caught a man (stealing, steal) something in the store.
   (7) I was trying to speak with my mouth (close, closed).
   (8) We all want the program (fill, filled) with songs.
   (9) The gate (having been, having) locked, no one could leave.
   (10) We offered a fair reward for recovery of the (stealing, stolen) picture.

2. 次の各英文を( )内の指示に従って書き換えなさい。
   (1) He opened the drawer and took out a revolver.
      （分詞構文を用いて）
   (2) While he was watching TV, he fell asleep.
      （分詞構文を用いて）
   (3) Since he is a friend of the President's, he has considerable influence in the White House.
      （分詞構文を用いて）
   (4) Any book belonging to the library should be returned within a week.
      （下線部を関係代名詞を用いた節に）
   (5) Someone stole my wallet in the middle of the city.
      （I を主語にして）

3. 次の各英文が正しければ○をつけ，正しくなければ×をつけて，誤っている部分を正しく書き直しなさい。
   (1) Being not able to understand English, I didn't know what he said.
   (2) The same word kept being said over and over again.
   (3) Knowing not where else to go, the group headed to St. Vincent's Hospital.
   (4) I can relax now that I have my homework completed.
   (5) We see few smoking chimneys these days.

REVIEW TEST 7

B 実践問題 7 (→別冊解答 p.604)

1. 次の各英文を完成させるのに，最も適切な語(句)を選び，記号で答えなさい。

   (1) "How was the TV show?" "It was (　　)."
      (A) very bored　(B) very boring　(C) much bored　(D) much boring

   (2) "I had my card (　　)."
      "You should contact the issuing bank immediately."
      (A) stole　(B) being stolen　(C) steal　(D) stolen

   (3) When (　　) in the Middle East, you will meet many kind people.
      (A) travel　(B) a travel　(C) traveled　(D) traveling

   (4) "(　　) desks, what do you think of the new office furniture?"
      "It's nice, but I would rather get paid for my overtime hours than have new furniture."
      (A) Judging from　　　　(B) Considering
      (C) Speaking of　　　　(D) Frankly speaking

   (5) "Excuse me for being so late, Jane. Have I kept you (　　) long?"
      "No, not too long."
      (A) wait　(B) to wait　(C) waited　(D) waiting

2. 次の各英文の下線部から，誤っているものを1つ選び，記号で答えなさい。

   (1) I'd like (A)a nonstop flight from Narita to New York (B)leave June 24th. (C)Can you tell me (D)what's available?

   (2) Put the new battery in and replace the cover. If the watch (A)still does not run properly (B)or at all, you will (C)have to have the watch (D)fixing.

   (3) The balance (A)of payments is the difference (B)between the money (C)come into a country and (D)that going out.

   (4) The Web, or WWW, is that (A)part of the Internet (B)consisted of documents (C)stored on computers (D)around the world.

   (5) You have (A)an increased risk of lung cancer and heart disease if you (B)are exposed to other (C)smoking people for (D)long periods of time.

   (6) While (A)admitted the body's need (B)for a full complement of vitamins and minerals, (C)the majority of health professionals have traditionally minimized the importance of (D)taking supplements.

   (7) (A)See from the outside, the building appears to (B)consist of four distinct sections: a lobby (C)and auditorium, an exhibition wing, archives, and a library (D)with offices above it.

第8章 動名詞
GERUNDS

　動名詞は動詞と名詞の機能を兼ねたもので，形は現在分詞と同じ〈～ing 形〉である。to 不定詞が未来性や意図を示すのに対して，動名詞は既成の事実や一般的なことを述べ，静的である。

第1節 動名詞の形と機能

87 動名詞の形と機能

87 A 動名詞の形

動名詞は〈**～ing 形**〉なので，形は現在分詞と同じである（● p.48 **17**, p.155 **76A**）。

	能動態	受動態
単純形	writing	*being* written
完了形	*having* written	*having been* written

87 B 動名詞の機能

(1) 動名詞の動詞的機能

① 目的語や補語をとる。

　In helping the poor, we must *avoid* simply **scattering** *our funds* around.
　　（貧民救済に当たっては，資金をただばらまくことは避けなければならない）
　　● scattering around「（無計画に）ばらまくこと」の**目的語**が funds（資金）。

　There are many ways to say "no" *without* **being** *rude*.
　　（無礼にならずに断る言い方は，たくさんある）
　　● rude は being の**補語**になって「無礼であること」という形になっている。

② 完了形と受動態がある。

　I'm proud of **having been** part of this team.
　　（＝I'm proud that I *have been* [*was*] part of this team.）
　　（私はこのチームの一員だったことを誇りに思う）

I'm used to **being attacked** by critics.
（私は評論家から攻撃されるのには慣れている）

● be used to ～は「～に慣れている」という成句。being attacked が**受動態**。

注意　次の動詞の後にくる動名詞は，能動態のまま受動の意味を表す。**want, need, require**（～が必要である），**deserve**（～に値する）（● p.185 **92C**(2)②）

③ **副詞（句）で修飾**される。

What are the advantages of **listening** *carefully*?
（注意深く聞くことの利点は何でしょう）

Do you oppose **working** *on Sundays*?
（あなたは日曜日に働くことに反対ですか）

(2) 動名詞の名詞的機能

① 主語・目的語・補語になる。

Discussing things in English *is* quite difficult for Japanese students.　〔主語〕
（英語で論じ合うことは日本人の学生にとってはかなり難しい）

It was great **talking** to you.　　　　　　〔形式主語の It を前に出した真主語〕
（お話しできて楽しかったです）

I always *enjoy* **cooking**.　　　　　　　　　　　　　　　　〔動詞の目的語〕
（私は料理をするたびに楽しくやっています）

I'm looking forward *to* **receiving** your e-mail message.　〔前置詞の目的語〕
（あなたからの E メールを受け取るのを楽しみにしています）

My hobby *is* **playing** computer games.　　　　　　　　　　〔補語〕
（私の趣味はコンピューターゲームをすることです）

② 数や格の変化がある。

People became so accustomed to the frequent **comings** and **goings** of space shuttles that they no longer thought of the fearsome dangers.
（人はスペースシャトルが頻繁に行き来するのに慣れてきたので，もはやその恐ろしい危険のことを考えなくなっていた）

You shouldn't just talk for **talking's** sake; you should instead think about what you and others in the class are saying.
（ただ話すために話すべきではない。そうではなく，自分とクラスメートが何を言っているかを考えるべきだ）

● reading for reading's sake（読書のための読書）などという慣用的な言い方もある。複数になったり，所有格になるものは，もはや名詞と考えてよい。

③ **冠詞や形容詞**がつく。

I have *a* strong **liking** for classical music. （私は古典音楽が大好きです）

His *quick* **walking** made him tired. （彼は早足で歩いていて，疲れてきた）

● このように副詞でなく形容詞に修飾され，不定冠詞 a がついている **liking**（好み）や，所有格の代名詞 his がついている **walking**（歩き方）はもはや名詞と考えてよい。

注意 動名詞の名詞化が進むと，動詞的性質が失われて，目的語を **of** などの前置詞を用いて示すようになり，〈～ing〉の前に **the** がつくこともある。*The* **smoking** *of* cigarettes is illegal on the streets of California.（カリフォルニアでは路上の喫煙は違法です）逆に，**Smoking** cigarettes is illegal ... . のように，この例文から the と of をとると，動名詞の動詞的性質が強く感じられる言い方になる。

Helpful Hint 48　動名詞の持つ２つのニュアンス

　動名詞には，「動詞的」なニュアンスが強いのか，「名詞的」なニュアンスが強いのか，微妙なケースがわずかにあるが，たいていその前後の言葉を見れば，どちらなのかわかる。

　たとえば，「よく見ることの重要性」を，"the importance of *careful* **watching**" と表現することも，"the importance of **watching** *carefully*" と表現することもあるが，前者は，**watching** を修飾しているのは形容詞の *careful* なので，「名詞的」なニュアンスが強くなる。逆に，後者は，副詞の *carefully* が **watching** を修飾しているので，「動詞的」なニュアンスが強くなるのである。どちらの表現も意味はまったく同じであり，ネイティブは無意識に使い分けている。

88　動名詞の意味上の主語

88 A　意味上の主語を置く場合

　動名詞の意味上の主語は**所有格**にするのが正式な言い方であるが，動名詞自身が述語動詞の主語であるときなどいくつかの場合を除けば，くだけた言い方では**目的格**にすることもある。

(1) 人称代名詞

① 動名詞が文の主語のときは**所有格**がふつう。

His **watching** movies every night is part of his job.
　（彼が毎夜映画を見ているのは，仕事の一部だ）

② 動名詞が他動詞や前置詞の目的語のときは，所有格がよいが，くだけた言い方では**目的格**のほうが多い。

He insisted on *my* [*me*] **studying** abroad.
　（彼は私が留学するようにと言ってきかなかった）

(2) 人や動物を表す名詞

① 動名詞が文の主語のときは**所有格**がふつう。

John's **complaining** about this was a form of self-justification.
　（ジョンがこのことで不平を言っていたのは一種の自己弁護だった）

② 動名詞が他動詞や前置詞の目的語の場合は〈's〉はつけないことが多い。

I don't at all mind *your children*('s) **playing** in my yard at any time.
（どんな時でもお子さんたちが私の家の庭で遊んでいてもいっこうにかまいません）

He insisted on *his father*('s) **returning** with him.
（彼は父親に一緒に帰ってほしいと言い張った）

(3) 無生物の名詞
無生物の名詞や抽象名詞は〈's〉をつけずに動名詞の前に置くことが多い。

I am looking forward to *the truth*('s) **coming** out.
（私は真実が知られるのを心待ちにしている）

88 B 意味上の主語を特に示さない場合

(1)「人」を一般に示す場合

Watching television can be a good thing if it is not overdone.
（テレビを見るのも，見すぎなければ，よいこともある）

(2) 文の主語と同じ場合

You cannot make an omelet without **breaking** eggs. 〈ことわざ〉
（卵を割らなければオムレツは作れない）
● ここでは，「卵を割る」のも「オムレツを作る」のも総称人称の you である。
◆ 多少の犠牲を払わなければ物事は成就しない，という意味。

(3) 直前の他動詞の目的語と同じ場合

Thank you *for* **visiting** my website.
（私のウェブサイトを見てくださってありがとうございます）

89 動名詞の時制

89 A 単純形の動名詞

(1) 述語動詞よりも後のことを示す場合

I *oppose* your **going** out with that girl again.
（私は君があの子とまたデートするのには反対だ）
●「(今後) また君があの子とデートすること」に対して反対している。

(2) 述語動詞の時制と同じ時を表す場合

I *am* sorry for **being** unable to explain the problem precisely.
（問題を正確に説明できなくて申し訳ありません）
● 説明できないでいる時点とおわびしている時点が同じ。

(3) 述語動詞の時制よりも前のときを示す場合

I *remember* **staying** at that hotel when I was a child.
（私は子供のころそのホテルに泊まったことを覚えている）

● regret などの場合については，次の **89B** を参照。

(4) 一般論の場合

いつでもそうであるという，一般的な事実を言う場合と考えてよい。

Smoking too much is bad for your health.
（タバコの吸いすぎは健康によくない）

● Seeing is believing.（百聞は一見にしかず）なども同じであり，述語動詞が be の場合が多い。

89 B 完了形の動名詞

述語動詞の時制よりも前の「時」を示す。

I *regret* **having told** him my secret.
（私は彼に秘密をしゃべってしまったことを後悔している）

● regret telling としてもよいが，ここでは regret having told のほうが正確な言い方になる。もし，「しゃべった」のが，たとえば20年も前のことで，また，その「彼」もとっくに亡くなっている，というような場合，つまり，「しゃべった」ことによって悪い結果があったが，今はもうその結果が続いているわけではないというのであれば，regret having told とは言わず，regret telling と言う。

He *denied* **having received** any bribe money from the defendant.
（彼は被告人から賄賂の金をもらったことはないと言った）

> **Helpful Hint 49   動名詞の単純形と完了形**
>
> 　動名詞そのものには時制がないが，「未完了・完了」の感覚は，時制の使い方に見られる感覚と同じである。たとえば，人を待たせている途中，「待たせていてすみませんね」という場合であれば，「待たせている」状態は「未完了」なので，I'm sorry for **keeping** you waiting. と言う。これに対して，待たせた後，「待たせてしまってすみませんでした」という場合であれば，「待たせている」状態は「完了」したので，I'm sorry for **having kept** you waiting. と言う。ちなみに，不定詞も同様に，I'm sorry **to keep** you waiting. と，I'm sorry **to have kept** you waiting. という形の使い分けになる。

90 動名詞を用いた慣用構文

(1) 〈It is (of) no use ～ing〉「～しても無駄である」

It is **no use** gett**ing** angry and shout**ing**.（怒って叫んでも無駄だよ）

● no use の代わりに **no good** としてもよい。good の場合は of はつけない。なお，〈It is **no use [good]** ～〉の構文では，このように～ing を用いるほうがふつうで，to不定詞はその1割ぐらいしか用いられていない。

(2) ⟨**There is no ～ing**⟩ 「～することは不可能である」

There is no solv**ing** this problem by political means.

(＝*It is impossible to* solve this problem by political means.)
（政治的手段でこの問題を解決することは不可能である）

(3) ⟨**on ～ing**⟩ 「～するとすぐに」

On enter**ing** the room, I noticed that there was no place to sit down.

(＝*As soon as* I entered the room, I noticed that ... .)
（その部屋に入るとすぐに，腰かける所がないことに気づいた）

(4) ⟨**feel like ～ing**⟩ 「～したい（ような気がする）」

I don't **feel like** go**ing** to the dentist.

（歯医者に行く気はしない）

(5) ⟨**It goes without saying that ...**⟩ 「…は言うまでもない」

It goes without saying that love is one of the most important themes in literature.

（愛が文学でかなり重要なテーマであることは言うまでもない）

(6) ⟨**never ... without ～ing**⟩ 「…すれば必ず～する」

He **never** leaves home **without** wear**ing** sunglasses.

(＝*Whenever* he leaves home, he wears sunglasses.)
（彼は家から出るときは必ずサングラスをかけている）

(7) ⟨**worth ～ing**⟩ 「～する価値がある」

Don't be afraid to talk about food. Food which is **worth** eat**ing** is **worth** discuss**ing**.

（食べ物のことについて話すのを遠慮しないでください。食べる価値のある食べ物は論じ合う価値もある）

> 発展 ⟨**worth ～ing**⟩ の構文では，～ing の位置にくる他動詞（または「自動詞＋前置詞」）の目的語が文の主語になる。
> *This food* is **worth** *eating*.（この食品は食べる価値がある）
> という場合，eat の目的語は文の主語の this food である。したがってこの eating は文字どおりには，「食べられる(価値がある)」という受動の意味になっている。

　　●This food is worth eating. は次のような形でも表せるが，頻度数はぐっと少なくなる。
　　It is worthwhile *eating* [*to eat*] this food.（この It は形式主語）
　　It is worth *eating* this food.
　　＊A is *worth your while*. は（Aはそれだけの〔時間をかける〕価値はある）の意味。

(8) ⟨**Would [Do] you mind ～ing?**⟩ 「～していただけますか」

Would you mind turn**ing** down the air conditioner just a little bit?

（エアコンをほんの少し弱くしていただけますか）

● 丁寧な依頼によく使う言い方で，この mind は「嫌に思う」という意味だから，承諾する場合には Yes. ではなく，Not at all. や Of course not. Certainly not. などと答えるが，逆に了承しないときは，I'd rather you didn't. などと言い，理由を述べることも多い。

Would [Do] you mind *my* [*me*] smok**ing** here?
（ここでタバコを吸ってもかまいませんか）

● このように動名詞の前に my をつけると，「〜してもかまいませんか」という許可を求める形になる。この場合は **Would** you mind ...? と would を使うことが多い。一方，**Do** you mind ...? はもうすでに吸い始めたときに使うことが多い。まだ吸い始めていないときに使う場合には **Do** you mind if I smoke here? と if を使って表現するほうが自然である。許可は同じく Of course not. などだが，Go right ahead.（どうぞ）などと言うことも多い。

注意 上例のように Would [Do] you mind の次に動名詞ではなく，**if節**を置くことがある。この場合 if節内の動詞は，would の場合は過去形が正式で，do の場合は現在形である。

発展 許可を求めるこの表現は，短縮した形でもよく用いられる。特によく用いられるのが **Mind if ...?** という形である。
"**Mind if** I join you?" "Not at all."（「仲間入りしてもいいですか」「どうぞ」）

(9) 〈**cannot help 〜ing**〉「〜しないわけにいかない」(● p.81 **34D**(1))

I **cannot help** worry**ing** about the fate of these precious relics.
（これらの貴重な遺跡がどうなるのか心配せずにはいられない）

(10) **前置詞の to** に続く形 —— 不定詞と間違えないこと。

① 〈**be accustomed to 〜ing**〉「〜するのに慣れている」

I'm not **accustomed to** see**ing** such poverty.
（私はこんな貧困を見ることには慣れていない）

● 〈be accustomed **to do**〉という言い方もある。「〜するのが習慣になっている」という意味だが，厳密なルールではなく，《米》では動名詞を使うほうがふつう。

② 〈**be used to 〜ing**〉「〜するのに慣れている」

I'm **used to** driv**ing** on the left because I've lived in Britain a long time.
（私は，英国に長く住んでいるので左側通行には慣れています）

注意 〈be used to〉の場合は原形不定詞を続けない。

③ 〈**look forward to 〜ing**〉「〜するのを楽しみにしている」

I'm look**ing forward to** hear**ing** from you.
（そちらからお便りをいただけるのを楽しみにしています）

④ 〈**What do you say to 〜ing?**〉「〜したらどうだろう」

What do you say to go**ing** back? I've had enough of this place.
（戻ったらどうだろう。ここはもう十分だ）

● この to も前置詞で，What would you say to *a meal* out?（食事に出ようか）などとも言う。

> **Helpful Hint 50** 〈couldn't help ~ing〉の果たす社交的役割
>
> 　前掲の慣用構文(9)の〈cannot help ~ing〉の過去形,〈couldn't help ~ing〉には,社交的役割もある。たとえば,相手の「何かに困っている」様子に気づいたとする。時や相手によっては,いきなり "Do you have some kind of problem?"（何か問題があるのですか）と尋ねると,ぶしつけな,あるいは,唐突な感じになりかねない。そんなときには, "I **couldn't help** wonder**ing** if you might have some kind of problem." や "I **couldn't help** notic**ing** ... . Do you have some kind of problem?" という言い方にすれば,人当たりがだいぶ柔らかくなる。こうした〈**couldn't help** ~**ing**〉は,「注意して見ているわけではなく,一緒にいるだけで自然にそのような印象を受けてしまう」というような含みがある。

第2節　動名詞と現在分詞・不定詞

91　動名詞と現在分詞

　英米の学習文法書では,動名詞と現在分詞を一緒にして,**~ing 形**として扱っているものもある。その場合は,同じ〈~ing〉の中で,**名詞**として働くものが**動名詞**で,**形容詞**として働くものが**現在分詞**ということである。

　〈**名詞＋名詞**〉の形では,**前の名詞が後の名詞を修飾する役割**を果たすことが多い (● p.343 **164C**)。そこで,〈**動名詞＋名詞**〉と〈**現在分詞＋名詞**〉の区別を見てみよう。

91 A　〈現在分詞＋名詞〉

　　　Let **sleeping** *dogs* lie.（眠っている犬は寝かせておけ）〈ことわざ〉

sleeping dogs＝dogs *that are* sleeping で,sleeping は「眠っている」という**現在分詞**で,名詞 dogs の**状態**を表している。発音は強勢を dogs のほうに置く。

> ◆ことわざとしてはこの形は19世紀ごろからよく見られるが,同じ発想は中世からあり,またシェークスピアにも Wake not a sleeping wolf.（眠っているオオカミを起こすな）などがある。

　　　Thirty years ago the **smoking** *chimney* was a sign of prosperity.
　　　　（30年前には,煙を出している煙突は繁栄のしるしであった）

91 B　〈動名詞＋名詞〉

　　　Sleeping *bags* are a crucial part of any camping trip.
　　　　（寝袋はどんなキャンプ旅行にも必要不可欠なものである）

　この場合は,sleeping bags＝bags *for* sleeping, つまり「睡眠用の袋」ということであり,「眠っている袋」ではない。sleeping という**動名詞**は名詞 bag の「**目的・用途**」を表しているのである。発音は sleeping のほうに強勢を置く。

● bird *watching*（野鳥観察）や，window *shopping*（ショーウィンドーをのぞいて歩いて楽しむこと）など，〈名詞＋動名詞〉という型もある。

◎〈動名詞＋名詞〉の類例

dining room（食堂）	*hearing* aid（補聴器）
reading glass（読書用拡大鏡）	*sewing* machine（ミシン）
visiting card（名刺）	*waiting* room（待合室）
walking stick（つえ）	*writing* desk（書き物机）

91 C 現在分詞か動名詞かわかりにくい場合

〈**busy ～ing**〉（～で忙しい）や **go ～ing**（～をしに行く）は，歴史的にはそれぞれ〈busy in ～ing〉，〈go [somewhere] for ～ing〉のように，in や for などの前置詞があった形の名残で，かつては動名詞だったのだが，前置詞が省かれている今は，慣用句に使われている**現在分詞**と見なされる。

　　The Chinese National Space Administration says the country is *busy* **preparing** for a voyage to the moon.
　　　（中国国家航天局は中国は月への旅行の準備で忙しいと言っている）
　　Let's *go* **fishing** in the Florida Keys!（フロリダキーズに釣りに行こう）

92 動名詞と to 不定詞

動名詞と to 不定詞の違いは，両者の基本的性質の違いに影響されている。

to 不定詞の to は，もともと**方向**を示す前置詞だったので，今でも to 不定詞は，これからある行動をとろう，ある状態になろうという，未来志向の**積極的意図を示す動詞**につく傾向が強い。

動名詞は，現在またはこれまでに事実となっていることにどう対処するかということを示す動詞につく傾向がある。

92 A to 不定詞だけを目的語にとる動詞

上に述べたように，to 不定詞はこれから何かをしようという，積極的な意欲や意図を表すような場合に好まれる。

　　I *hope* **to play** in one of the European Leagues.
　　　（私は欧州のリーグのどれかで試合をしたい）
　　I have *decided* **to study** in Australia.
　　　（＝I have decided that *I will study* in Australia.）
　　　（私はオーストラリアに留学しようと決めている）

I *mean* **to finish** this job by the end of the month.
　（私はこの仕事を今月末までに終えるつもりです）

We *demand* **to be** shown the proof.
　（我々は証拠を見せてもらうことを要求する）

He *promised* **to improve** living conditions within two years.
　（彼は生活状態を 2 年以内に改善すると約束した）

She *expects* **to receive** an Associate Degree in Liberal Arts in May.
　（彼女は 5 月に人文科学の準学士号を取るつもりでいる）
　　◆米国の教育制度は，戦後我が国に導入された現行の 6・3・3・4 制と似ている。日本の短期大学に相当するものが Junior College で，一般に college の最初の 2 年間に相当するが，これを卒業すると準学士（Associate Degree）の学位が授与される。

They *agreed* **to meet** again on the following Friday.
　（彼らは次の金曜日にまた会おうと約束した）

I *wish* **to state** an opinion about administrative reform.
　（私は行政改革について意見を述べたい）

◎to不定詞だけを目的語にとる頻出動詞

claim（言い張る）	**decide**（決める）	**decline**（断る）
demand（要求する）	**desire**（望む）	**determine**（決心する）
expect（予期する）	**hope**（望む）	**learn**（〜できるようになる）
manage（何とかやる）	**mean**（つもりである）	**offer**（申し出る）
pretend（ふりをする）	**promise**（約束する）	**refuse**（拒否する）
resolve（決心する）	**seek**（しようと努める）	**wish**（したいと思う）

92 B　動名詞だけを目的語にとる動詞

　動名詞の本来の性質からも，動名詞は to不定詞よりずっと静的で，これからのことよりも，**すでに起こったことや当面の事柄**にどう対処するかという意味合いが強く，どちらかと言うと，**消極的，回避的**なことを言うのに好まれる。

He *denied* **having made** a call to the police.
　（彼は警察に電話しなかったと言った）

At the end of every month he had to *put off* **paying** his rent.
　（毎月末に彼は家賃を支払うのを延期しなければならなかった）

Let us *stop* just **talking** about global warming and start doing something about it.
　（地球の温暖化についてただ話し合うのはやめて，なんらかの手を打とう）

Imagine **working** 100 hours a week and **earning** only $2 an hour for it!
(毎週100時間働いてその時給がたった2ドルだなんて)

It is very difficult to *avoid* **getting** involved in her problems.
(彼女が抱えている問題に巻き込まれるのを避けることは非常に難しい)

◎動名詞だけを目的語にとる頻出動詞

admit（認める）	**avoid**（避ける）	**consider**（よく考える）
deny（否定する）	**enjoy**（楽しむ）	**escape**（免れる）
excuse（許す）	**finish**（終える）	**give up**（やめる）
imagine（想像する）	**involve**（伴う）	**mind**（嫌がる）
postpone（延期する）	**put off**（延期する）	**stop**（やめる）

92 C　動名詞と to 不定詞のどちらも目的語にとる動詞

(1) 意味にあまり差のないもの

① 開始・継続・終止

begin（始める）, **cease**（やめる）, **continue**（続ける）, **start**（始める）

これらの動詞は後が to 不定詞でも動名詞でも意味に変わりはない。ただし，begin と start については次の傾向がある。

(a) 進行形の場合は -ing が重なるのを避けて **to 不定詞**にする。

　Hawaii's Mauna Loa volcano is *beginning* **to stir.**
　（ハワイのマウナロア火山が活動し始めている）

(b) 無生物主語の場合は **to 不定詞**のほうがやや多い。

　The screen *began* **to darken.**
　（その画面は暗くなり始めた）

> 発展　(i) The screen **began** *to darken*. と，(ii) The screen **began** *darkening*. を比べると，(ii) の動名詞を使った文のほうが，「暗くなり始めた」という，**変化の最中**であることをより強く表現している感じがすると言われる。

② 好き嫌いなどの気持ち

like（好む）, **love**（愛する）, **prefer**（より好む）, **hate**（憎む）

(a) **like** などが，「～するのが好きである」という意味のときはどちらでもよいが動名詞のほうが多い。習慣の意味の場合は **to 不定詞**のほうが多い。

　For some reason, she *likes* **to get** up early in the morning.
　（なぜか，彼女は朝早く起きるのが好きだ）

(b) **like** の前に **would** や **should** がつく場合は **to 不定詞**になる。ただし，これは「～をするのが好きだ」という意味ではなく，「～がしたい」という意味を

表す場合のみのことである。

I *would like* **to increase** the horsepower of my car's engine.
(私の車のエンジンの馬力を上げたいのだが)

(c) **dislike**（嫌う）は**動名詞**のほうがふつう。

I *dislike* **eating** tomatoes and green beans.
(私はトマトとサヤインゲンを食べるのが嫌いだ)

(d) **prefer A to B**（BよりAのほうを好む）という形では，A，B共に**動名詞**にする。不定詞は，動名詞と違って，前置詞（ここでは to）の目的語にはならない。

I *prefer* **swimming** to just **floating**.
(私はただ浮かんでいるだけよりも泳ぐほうが好きだ)

(2) 意味上差のあるもの

① **to不定詞**はこれからすること（する予定だったこと）を表し，**動名詞**はすでにしたことを表す。

remember（覚えている），**forget**（忘れる），**regret**（後悔する）

The best way to *remember* **to take** your medicine is to make it part of your regular daily routine.
(薬を飲むのを忘れないようにする最もよい方法は，それを規則的な日課の一部にしてしまうことです)

● remember to ～ は「忘れずに～する」という意味に適している。

I *remember* **being** loved very much by my parents.
(私は両親にとても可愛がられたことを覚えています)

● remember ～ing は「～したことを覚えている」の意味に適している。

Don't *forget* **to e-mail** me. （忘れずにEメールをくださいね）

● これは，*Remember to* e-mail me. とほとんど同じことを表している。「忘れないでね」といった感じの Don't forget to ... . に対して，Remember to ... . は，「ちゃんと思い出してね」といった感じである。

I will never *forget* **listening** to that song with you.
(私はあの歌を君と一緒に聞いていたときを決して忘れない)

② **to不定詞は能動，動名詞は受動**の意味を表す（◯ p.175 **87B**(1)② 注意 ）。

need, want（必要がある），**deserve**（価値がある）

You *need* **to clean** that rug.

That rug *needs* **cleaning**.
(その敷物はきれいにする必要がある)

● この例からもわかるように，need cleaning＝need to be cleaned である。

| 注意 | The rug wants cleaning. も同じ意味を表すが，The rug *wants* to be cleaned. と言うと，その「敷物」そのものが，自分から進んで，「きれいにしてもらいたがっている」という意味になってしまう。つまり，**want** cleaning は，*want* to be cleaned ではなく，**need** to be cleaned という意味である。|

Every article in this magazine *deserves* **reading**.
　（この雑誌のどの記事も読む価値がある）

③ その他

〈**try doing**〉と〈**try to do**〉

〈**try doing**〉は「試しに〜してみる」，〈**try to do**〉は「〜しようと試みる」の意味を表す。

過去のことに関しては，試みた結果は文脈によってわかる。

I *tried* **to register**, but I didn't manage to complete the process.
　（私は登録しようとしたが，手続きを完成できなかった）
　　●register という行為そのものが終わらなかったことを示す。

I *tried* **registering**, but nothing happened when I clicked the New Members link.
　（登録してはみたのだが，新会員リンクをクリックしても何の反応もなかった）
　　●register という行為は実際にやったのだが，結果がうまくいかなかったことを示す。

I *tried* **registering** again, and this time I was successful.
　（私はもう一度登録してみた。すると，今度はうまくいった）
　　●register という行為をやり，それがうまくいったことを示す。

未来のことに関しても，同じ使い分けがある。

I will *try* **talking** to him tomorrow, but I don't think that he will listen.
　（私は明日話してみますが，彼は聞こうとしないだろうと思います）

I will *try* **to talk** to him tomorrow, but he may not give me a chance to speak.
　（明日彼に話そうと努力はしますが，彼は私に話す機会をくれないかもしれない）

Helpful Hint 51　〈try doing〉と〈try to do〉の違いに働く論理

　〈try doing〉と〈try to do〉のそれぞれには，明らかに違う論理が働いている。たとえば，I'll **try opening** the window.（その窓を開けてみる）と，I'll **try to open** the window.（その窓を開けようとする）という2つの例を考えよう。前者の場合，「**opening**（開けてある状態）**を試す**」と言っているので，「その窓は当然開く」ことが前提で，「開けてみる」という意味になる。これに対して，後者のほうは「**to open**（開けるという行動）**を試す**」と言っているので，「その窓は開くかどうかわからない」ことが前提で，「開けようとする」という意味になるのだ。

REVIEW TEST 8

A 確認問題 8 (→ 解答 p.605)

1. 次の各英文の( )内の語(句)のうち，適切なほうを選びなさい。

(1) My neighbor offered (to help, helping) me when I was sick.
(2) I think I had better give up (to sing, singing).
(3) He denied (to commit, committing) the offense.
(4) He expects (graduating, to graduate) next spring.
(5) Don't forget (to take, taking) your medicine!
(6) This TV show is worth (to watch, watching).
(7) I prefer (to ski, skiing) to skating.
(8) I don't feel like (to eat, eating) this morning.
(9) I am not used to (drive, driving) this size of vehicle.
(10) What do you say to (make, making) your life more enjoyable?

2. 次の各組の2つの英文がほぼ同じ意味を表すように，( )内に適切な1語を入れなさい。入れる語の1つは動名詞です。

(1) We cannot tell what color it is.
　　( ) is no ( ) what color it is.
(2) As soon as he entered the living room, he found a strange picture.
　　( ) ( ) the living room, he found a strange picture.
(3) It is necessary to fix this computer.
　　This computer ( ) ( ).
(4) Would you mind if I took this chair?
　　Would you mind ( ) ( ) this chair?
(5) Whenever I see something beautiful, I think of you.
　　I never see something beautiful ( ) ( ) of you.

3. 次の各英文が正しければ〇をつけ，正しくなければ×をつけて，誤っている部分を正しく書き直しなさい。

(1) I am looking forward to meet your family.
(2) The doctor insisted to change the dosage.
(3) I cannot understand him behaving like that.
(4) He gave me a visiting card.
(5) On Monday, it began to rain along the coast.
(6) I had just finished to type my thesis.

REVIEW TEST 8

B 実践問題 8 (→解答 p.605)

1. 次の各英文を完成させるのに，最も適切な語(句)を選び，記号で答えなさい。

   (1) "What would you think (　) into space?" "I'd rather not."
   　(A) on going　　(B) about going　　(C) to go　　(D) going

   (2) "Have you become used (　) on the right side?" "No, not yet."
   　(A) to drive　　(B) in driving　　(C) driving　　(D) to driving

   (3) "Pardon me (　) you, Mr. Smith, but you're wanted on the phone."
   　"Thank you."
   　(A) interrupting　　　　　　(B) to interrupt
   　(C) of interrupting　　　　　(D) for interrupting

   (4) "How (　) downtown for dinner?" "That's a good idea."
   　(A) do you go　　(B) about going　　(C) is going　　(D) about to go

   (5) "Would you mind (　) the door?" "Certainly not."
   　(A) if open　　(B) open　　(C) to open　　(D) opening

   (6) "Don't forget (　) the lights when you leave." "No, I won't."
   　(A) turn out　　(B) to turn out　　(C) turning out　　(D) turned out

   (7) "Thank you (　) to help me." "You're welcome."
   　(A) of trying　　(B) for you to try　　(C) of your trying　　(D) for trying

2. 次の各英文の下線部から，誤っているものを1つ選び，記号で答えなさい。

   (1) We are (A)delighted to join forces (B)with such a solid group of investors and are looking forward (C)to support the company (D)as it advances its programs.

   (2) (A)Few would (B)disagree that 'simplicity' is more desirable than 'complexity,' and (C)there is no doubt the tax system (D)needs to reform.

   (3) Handle the disc (A)by the edges, avoid (B)to touch its shiny surface, and when it (C)is not in use, store it (D)in its case.

   (4) This book is (A)a serious compilation of research that (B)deserves to read by anyone (C)interested in how (D)humans have reacted to the information age.

   (5) This database was worth (A)using because it gave me (B)every bit of (C)information I (D)needed knowing.

   (6) It is (A)no use your (B)complain about multiple postings (C)on the same subject (D)in these forums.

第9章
法
MOOD

あることをそのまま事実として述べるか，話し手の要求として述べるか，あるいは仮想のこととして述べるかを表す動詞の形を法といい，**直説法・命令法・仮定法**の3つがある。

第1節 法の種類

93 直説法と命令法

93 A 直説法

話し手が自分の述べる文の内容を，そのまま**事実**として述べる場合に使う動詞の形が**直説法**である。

これは，肯定・否定とは関係なく，また事柄が実際に真実であるかどうかも関係ない。それを言うときの話し手の心的態度［意識］が問題なのである。

　　My mother **is** quiet, kind, and seldom **loses** her temper.
　　　（私の母は穏やかで，親切で，めったに怒らない人だ）
　　　● 直説法で述べているこの場合は，主語が3人称単数だから be 動詞は **is** になり，lose は3単現の -s をつけて **loses** としてある。

93 B 命令法

話し手の**命令**や**要求**を述べる場合の動詞の形が**命令法**で，この場合は動詞の**原形**が使われる。

命令法は**命令文**として現れるので，すでに第1章（⦿ p.27 **8D**）で解説した。

基本的には，たとえば，You *are* quiet. という直説法の動詞 are を，命令法ということで原形の be に変えると，You **be** quiet.（さあ，静かにするんだ）という命令文になる。ところが，命令する相手はふつう2人称であるから，たいていの命令文では，主語の you は省かれて，**Be** quiet. という形にする。

　　Be quiet so I can talk.（私が話ができるように静かにしなさい）
　　　● 1，3人称に対する命令文とされる **Let** them **be** quiet.（彼らを静かにさせなさい）なども，命令している相手は2人称である（⦿ p.27 **8D**(3)）。

命令を穏やかにするためには，**please** をつけたり，付加疑問の **will you?** や **won't you?** をつけたりすることができる（◐ p.25 **8C(2)③**）。

| 注意 | 否定形は，**don't** か **never** を用いる。**be** の場合も *Don't* be .... になるので注意。
Don't be so proud and vain.（そんなに威張ってうぬぼれるんじゃないよ）

94 直説法と仮定法

94 A 仮定法

話し手が事実をそのまま述べるのではなく，自分の頭の中の**仮想の世界**のこととして，ありそうもないことを**仮想**したり，自分の**願望**や**要求**を表すような場合に用いる。わかりやすい例として，If節を使った文で比較してみる。

If he **is** not feeling better tomorrow, *I will* call my family doctor.
　　（明日になっても彼の気分がよくなっていなければ，かかりつけの医者に電話します）

これは特にあり得ないようなことを仮想して言っているのではない。彼の気分はよくなるかも知れないし，ならないかも知れないという話である。こういう仮定は，ふつうの**直説法**で言うから，If節内の動詞は **is** でよい。

これに対して，たとえば，

If I **were** stronger, I *would* fight back.
　　（もし私がもっと強かったら，抵抗するんだが）

この文は，私は弱くて抵抗できないという現実をそのまま述べているのではなく，その**現実に反する**ことを仮想して述べているのである。こういう場合には，主語が I でも直説法の am の代わりに，**仮定法**の **were** を使うのである。この使い方については別途参照（◐ p.194 **96**）。

仮定法はこのように，現実には起こり得ないことや，ありそうもないことを仮定する条件節に用いるだけでなく，**話し手の想念，願望，要求**その他を表すのに広く用いられる。わかりやすいように，条件文を例にとって解説することが多いため，If節と結びつく傾向が強いが，仮定法は条件節にだけ用いるものと早合点しないことが大切である。これについては**第3節**で述べるが，たとえば次のような構文がよく用いられる。

I wish I **were** a butterfly.（◐ p.203 **103A**）
　　（チョウだったらなあ）
　　　● この文は話し手の実現できるはずがない**願望**を表すので，be動詞が仮定法の **were** になっている。

He *demanded* that his lawyer **be** called.（◐ p.204 **104A**）
　　（彼は弁護士を呼ぶように要求した）

●《米》ではこの構文のように，仮定法（ここでは be）を用いるのがふつうである。

> 参考　話し手の想念を述べるということから，仮定法を叙想法と呼ぶこともある。

94 B　仮定法の時制

仮定法には，仮定法過去・仮定法過去完了・仮定法現在の3つの形があるが，意味を別とすれば，動詞の形そのものは，実際には直説法とほとんど同じといってよい。以下，用例は各参照ページを見られたい。

(1) 仮定法過去
① **be**動詞は人称に関係なく **were** となるが，最近は口語では1，3人称単数には **was** を用いることも多い。ただし，改まった書き言葉では **was** は非標準とされ，ときには無教養の印象を与える場合もあるので，避けたほうがよい（⊃ p.195 **97A**）。
② **be** 以外の一般動詞は，直説法の動詞の**過去形**と同じ（⊃ p.194 **96A**(2)）。

(2) 仮定法過去完了
〈**had**＋過去分詞〉で，これも直説法の**過去完了**と同じ形になる（⊃ p.196 **98**）。

(3) 仮定法現在
仮定法現在は動詞の**原形**を用いる。
この形を条件文で用いることは今はまれであるが，**要求・提案**などを示す動詞の目的語となる **that**節の中では，特に《米》でよく用いられている（⊃ p.204 **104**）。

> **Helpful Hint 52**　願望を表す hope と wish
>
> 「願望」を表すのに使われる **wish** と **hope** とは，使い方がずいぶん違うが，いずれも社交に役立つ動詞である。たとえば，"Can you come to the party tonight?"（今夜のパーティーに来られますか）と誘われた場合を考えてみよう。柔らかい断り方としては wish を使って，"I wish I *could*."（行ければいいのですが〔残念ながら行けません〕）がちょうどよい。あるいは，行くかどうか迷っている場合であれば，"I hope I *can*."（〔行けるかどうかはまだわからないのですが〕行ければいいと思っています）というあいまいな言い方で返事をすればよい。

第2節　条件文と法

95　条件文の種類

「もし～ならば…である」という条件文の「もし～ならば」という部分を**条件節**といい，「…である」という部分を**帰結節**という。また，条件自体も以下の2種類ある。

95 A　単なる条件（開放条件）

「もし～ならば」といっても，そういうことは十分あり得る場合，話し手は条件を挙げてその事実を言っているので，これはすべて**直説法**になる。こういう場合，両節の時制は意味に応じて自由である。

(1) 〈If S′ ＋ 現在(進行・完了)形 ..., S ＋ 現在形 ...〉

「時」に関係なく通用する一般的なことや習慣的なことを述べる場合で，If＝When としてよい場合が多い。帰結の動詞はすべて現在形でよい。

If you **mix** red and yellow, you *get* orange.
　　（＝*When* you mix red and yellow, you get orange.）
　　　　（赤と黄色を混ぜれば，オレンジ色が得られる）

If a red flag **is being** waved, it means there *is* danger in front of you.
　　（もし赤い旗が振られていれば，前方に危険があることを意味します）

If you **have finished** eating, *place* your knife and fork in parallel diagonally across your plate.
　　（食べ終えたのであれば，ナイフとフォークを並べて皿に斜めに置きなさい）
　　●帰結は命令文になっているが，you should place などでも表せる。

(2) 〈If S′ ＋ 現在形 ..., S ＋ will ...〉

ある条件が満たされればこういうことになる，という意味を表すときに使う。最もふつうの言い方。If節の中は，意味的には未来のことでも，動詞は**現在形**を用いる（⊙ p.56 **22B**(5)②）。

If you **send** me a picture of your favorite cat by e-mail, I *will make* a nice print of it for you.
　　（一番可愛がっている猫の写真を E メールで送ってくれれば，いいプリントを作ってあげますよ）

(3) 〈If S′ ＋ will [won't] ..., S ＋ will ...〉

条件節中に **will** や **won't** を用いると，主語の意志が示され，話し手や書き手の「依頼」，「約束」や「脅し」などを表すこともある。この will / won't は，言い換えれば，are willing to / aren't willing to のことを言っており，現在の状態を表していると受け止めたほうが正確である。

If you **will go**, I'*ll give* you everything you need.
　　（もし行ってくださるのでしたら，必要なものは何でも差し上げます）
　　●依頼の場合は，If you would go, ... と仮定法にすれば，柔らかくてさらに丁寧になる。

If you **won't be** quiet, I'*ll have* to ask you to leave.
　　（どうしても静かにしないなら，退場してもらわなければなりません）

(4) ⟨If S′＋過去形 ..., S＋過去形 ...⟩

(1)を過去形にしたようなもの。過去のあるときの事実について、「もし本当にそうだとすれば～だったのだ」というような場合と、If＝When と考えてもよいような場合とある。後者の場合は習慣を表すことが多い。

If he **went** there, he no doubt **had** some sound reason.
（もし彼がそこに行ったのだとすれば，何かしっかりした理由があったはずだ）

If I **wanted** anything, *I had to work* for it.
（何か欲しいと思ったとき，それを手に入れるためには働くしかなかった）

(5) その他の形

① ⟨If S′＋過去形 ..., S＋現在形 ...⟩

過去のある時点のことを条件として，「そうだったなら～ということになる」というような事実を示す場合にはこの形をとれる。

If he **was** born in 1957, it *is* most likely that he was the son of James C. and Elizabeth Hambrick.
（1957年に生まれたのだとすれば，彼はジェームズ・C とエリザベス・ハムブリックの息子だという可能性が極めて高い）

◆これは David Hambrick という人物について，その家系をいろいろな資料で調べてある事実を解明しようとしている文書である。このように過去の資料を調べて，そこから1つの事実を見つけようとする場合には，こういう形で示すことになる。

② ⟨If S′＋現在形 ..., 命令文⟩

未来のことを仮定して，「そうなったら～しなさい」などという命令文を続けることができる。

If you **have** any trouble, *don't hesitate* to contact us.
（もし困ったことがあったら，遠慮せずに私たちに連絡をください）

●「万一～したら」の意味の If you **should have** any trouble, ... という形（◯ p.199 **100B**）と比較。

以上の場合は，すべて仮定や条件には**可能性がある**ので，もしそうならばということを単に仮定する条件節には，事柄を事実として述べる**直説法**を用いる。

95 B　仮想の条件（却下条件）

95A (p.192) のようにあり得ることを仮定して述べるのではなく，自分の心の中の仮想の世界で，現実には**あり得ない**こと，**起こりそうもない**ことなどを仮想する条件節がある。このような**仮想**を述べる条件節には**仮定法**を用いる。

If I **were** a poet, *I would write* a sonnet; it *would say* "I love you."
（私が詩人なら，ソネットを書く。そこで「あなたを愛しています」と言う）

> **参考** sonnetとは14行詩。元来イタリアの詩人ダンテなどが用いた詩形で、楽器の伴奏に合わせて歌う恋愛を主題にしたものだったが、これが英国に入ってから、形が自由になり、シェークスピアがこれを不朽のものにした。

96 条件節と帰結節の動詞の形

96 A 条件節の仮定法と呼応する帰結節の一般的な形

条件節に仮定法を用いる文は多いが、今実際に使われているのは、**仮定法過去**と**仮定法過去完了**である。条件節に**仮定法現在**を使う形は古い文語で、今はその代わりに**直説法**を用いるのがふつうである。

(1) 仮定法現在

⟨**If S′＋動詞の原形 ..., S＋助動詞の現在形＋原形不定詞 ...**⟩

この用法は、今は次の**慣用句**で用いられるくらいのものである。

If need **be**, we *will seek* further information and evidence from the company.
(必要なら、その会社からもっと情報や証拠を求めます)

● ⟨if need be⟩ は、「もし必要なら（＝if necessary）」の意味のいささか堅い**慣用句**。統計によると、if need be の使用頻度は、if necessary の約１割である。

◆ 法律の極めて堅苦しい言い方に、たとえば、If any person **be** found guilty, he *shall* have the right of appeal.（何人も有罪と評決されたる場合には上訴する権利を有する）などというのがあるが、ふつうに使う言い方ではないので、用例にはあってもこのような形は日常の文には用いないこと。

(2) 仮定法過去（⊃ p.195　97）

⟨**If S′＋ { 動詞の過去形 / were / was } ..., S＋ { would, could / should, might } ＋原形不定詞 ...**⟩

● were / was については **94B**(1)① (p.191) を参照。

If there **were** no water, the trees *would* not *be* green.
(もし水がなければ、木は緑ではないだろう)

If you **won** the lottery, *would* you *quit* your job?
(もし宝くじが当たったら、仕事を辞めますか)

● 第１の例文は**現在**の事実に反する仮定であるが、第２の例文は、あまり起こりそうもない**未来**のことについて仮定していることに注意。

(3) 仮定法過去完了（⊃ p.196　98）

⟨**If S′＋動詞の過去完了形 ..., S＋ { would, could / should, might } ＋完了不定詞 ...**⟩

If the injury **had** not **occurred**, he *would* probably *have continued* to work until the age of 65.
　（もし傷害が起きなかったら，彼は65歳まで働き続けただろう）

> **Helpful Hint 53**　仮定法過去完了の使い方
>
> 　前述の「仮定法過去完了」は，人が何かを残念がっているときに頻繁に使われる。たとえば，「お前があいつに俺たちのことを話さなければよかったのに」というような気持ちを，柔らかい英語で表現したい場合，"I *would have been* happier if you hadn't told him about us." がぴったりの言い方になる（ここでは happier という比較級によって「どちらかと言えば，話さないほうがよかった」と，表現がさらに間接的で柔らかくなる）。何かを「残念がっている」ときは，過去に実際あったことがなかったなら，と「過去の事実に反すること」を仮定しているところがあるので，まさに「仮定法過去完了」の出番なのである。

97　条件文と仮定法過去

97 A　現在の事実に反する仮定

If my computer **worked**, I *could play* video games every day.
　（もし私のコンピューターが動くなら，毎日テレビゲームができるのに）
　●ということは，私のコンピューターは実際には作動しないことを示している。

Strangely enough, if humans **lived** in salt water, they *would* soon *have* the moisture sucked out of their bodies.
　（不思議なことに，もし人間が塩水の中に住んでいたら，そのうち体の水分を吸い取られてしまう）

How much trouble there *would be* if human beings **could** actually control the weather!
　（人間が本当に天気を制御できたら，どんな厄介なことが起きているだろう）
　●人間が天気を自分たちにだけ都合のよいように勝手に制御できたら，世界は混乱する。

be動詞の仮定法過去は，人称に関係なく **were** を用いるのが標準語法。くだけた言い方に見られる **was** については**94B**(1)（p.191）を参照。

If I **weren't [wasn't]** at work now, I'*d go* to Miami Beach with you.
　（もし今仕事中でなければ，君とマイアミビーチに行くんだが）

改まった，正式な文の場合は **were** を用いる。

If SARS **were** bacterial, it *would be* much easier to treat.
　（もし新型肺炎が細菌性のものであれば，はるかに治療しやすいだろうに）
　● SARS（●p.161 **80A**(2)②(a)）は細菌性ではなく virus（ウイルス）性なので，感染の予防や治療が難しいという事実がこの文の背後にある。なお，SARS は単数扱いをする。

If I **were** you, I *would be* honest and *say* that I was not interested in moving to Florida.
　（もし私が君だったら，正直に，自分はフロリダに引っ越したいとは思っていないと言うね）
　●〈If I were you〉は慣用句として，親しい人に助言するときに使う言葉。

97 B　現在または未来についての可能性の乏しい想像

　仮定法過去は現実に反する仮定を表すことが多いが，要するに話し手の想像の世界で考えていることを表現するわけだから，**現在や未来のことについて「もし～するならば」という可能性の乏しい仮定**を表すことも多いので注意。

If they **weren't** satisfied, they *would have complained* by now.
　（もし彼らが満足していないならば，もうすでに文句を言っているはずだけど）

If you **got** a million dollars, what is the first thing you *would do*?
　（もし百万ドル手に入ったら，最初に何をしますか）
　●話し手は，そういうことが実際に起こる可能性はほとんどないと思っている。

If the Sun **became** a black hole, *would* Earth *get* pulled inside?
　（もし太陽がブラックホールになったら，地球はその中に引き込まれてしまうだろうか）
　●これも未来についての仮定だが，実現性は乏しいという気持ちで言っている。

98　条件文と仮定法過去完了

　条件節に**仮定法過去完了**（動詞の過去完了と同じ形）を使うと，**過去の事実に反する仮定**を表す。

If his father **had** not **died** before he was fourteen, he *would* probably *have studied* medicine.
　（もし父親が，彼が14歳になる前に死ななかったら，彼は恐らく医学を勉強したことだろう）

If Cleopatra's nose **had been** shorter, the whole face of the world *would have been* changed.
　（もしもクレオパトラの鼻が実際より低かったら，世界の情勢全体は変わっていたであろう）
　◆Pascalの有名な言葉。原文がフランス語であり，英訳によって多少の違いがある。たとえば have changed としているものも多い。face は nose に対しては顔だが，ここでは全世界の情勢の意味。クレオパトラの美貌（びぼう）はジュリアス・シーザーの心をとらえ，弟と並んでエジプトの王位につくが，シーザーが暗殺された後，アントニーを恋の虜（とりこ）にし，アントニーの死後は捕虜としてローマに連れて行かれて自殺した。

If I **had been** born a boy, my life at home *would* surely *have been* more peaceful.
　（もしも私が男の子に生まれていたら，私の家での生活はきっともっと平穏なものとなっていたことでしょう）

99　条件節と帰結節の時制

　条件節の時制と帰結節の動詞の形は，一般には **96** (p.194) で述べたようになるが，意味との関係で両節の時制が変わる場合がある。

99 A　条件が過去のことで，帰結が現在のこと

　「あの時〜だったら」と過去の事実に反することを仮定して，「そうしたら今は〜だろう」と現在の事実に反することについて述べる場合には，**条件節**には〔過去の事実に反するから〕**仮定法過去完了**を用い，**帰結節**には〔現在の事実に反することだから〕**〈過去形の助動詞＋原形不定詞〉**を用いる。

　If I **had studied** English harder, I *would have* an easier time of it now.
　　（もし英語をもっと一生懸命に勉強していたら，今はもっと苦労しないでいられるでしょうに）
　If I **had seen** a miracle, I *would be* a believer.
　　（もし私が奇跡を見たのなら，私は信者になっているでしょうが）
　If the war **had** not **ended**, the younger generation *would be* fighting just as I did.
　　（もし戦争が終わらなかったならば，今の若い世代の人たちも，私がやったと同じように戦っていることだろう）

99 B　条件が現在のことで，帰結が過去のこと

　「過去もそうだったが今も変わらずそうである」という「変わらない事実」に反することを，「もし〜なら」と条件にし，「過去の帰結」を仮定して述べる場合，**条件節**には**仮定法過去**を使い，**帰結節**には**〈過去形の助動詞＋完了不定詞〉**を使うことになる。

　If I **were** a man, I *would have fallen* in love with her, too.
　　（もし私が男なら，私もまた彼女に恋してしまったことでしょう）
　　● 「私が男でない」という事実は**過去も現在も変わっていない**ことであり，このような事実に反することを条件とする場合，習慣として，**条件節**には If I had been a man などのような過去完了ではなく，**仮定法過去**を使うのがふつうである。
　If I **knew** any German, I *would have known* that the museum closed at three.

(もし少しでもドイツ語ができれば，博物館が3時には閉まるということがわかっただろうに)

● 私はあの時だけでなく，今でもドイツ語がわからないのである。こういう文を書くときには，現在はどうなんだということを考えることが大切である。

> **Helpful Hint 54　仮定法と直説法の使い分け**
>
> 　仮定法と直説法の使い分けは，微妙なときもある。たとえば，「彼女も来てくれればうれしい」ということを表現するのに，仮定法で "I *would be* happy if she came too." と言っても，直説法で "I *will be* happy if she comes too." と言っても，かまわない。いずれも「彼女が来てくれるかどうかわからないが」という前提がある。ただ，比べてみると，前者の仮定法のほうが，その「来てくれるかどうかわからないが」という意識が幾分か強く感じられる。そこで，ぜひ彼女も来てほしい気持ちを示すのは控える，という場合なら，無意識のうちにネイティブは仮定法を選ぶ可能性が高い。というのも，直説法だと，「彼女が実際来てくれるのを期待している」という印象が微妙に強くなるのだ。その程度の違いでしかない。

100　were to, should を用いた条件文

100 A　were to を用いた条件文

条件節に〈be to〉の仮定法過去を用いた構文で，次の形をとる。

〈If＋S′＋were to＋原形不定詞 ..., S＋{ would, could / should, might }＋原形不定詞 ...〉

(1) まったく実現不可能な仮定から，実現の可能性のある仮定まで，いろいろな仮定を表す。主語が1，3人称単数の場合に，口語で〈was to〉を使うこともあることについては別途参照（● p.191 **94B**）。

実現の可能性に関係なく，自由奔放な発想ができる点が便利である。

　If a person **were to** jump off the edge of the Grand Canyon, how long *would* it *take* to get to the bottom?
　　(もし人がグランドキャニオンの縁から飛び降りたとすると，谷底まで落ちるのにどのくらいかかるか)
　　◆ある学者の試算によると，グランドキャニオンが真空状態だとすれば，同渓谷の深さを5,000フィート，すなわち1,500メートルとして，17秒かかることになるが，実際には空気抵抗があるので，これよりは遅くなるという。

　If the sun **were to** disappear, it *would take* some 8 minutes before the Earth's orbit would be affected by the loss.
　　(もし太陽が消滅したら，地球の軌道がその消滅の影響を受けるまでに約8分かかる)

If your bird **were to** get away, what *would happen*?
（お宅の鳥が逃げ出したらどうなるでしょう）

If the Internet **were to** suddenly stop functioning, the result *could be* catastrophic.
（インターネットが突然機能しなくなったら，惨憺たる結果になるかもしれない）

If the pound **were to** weaken against the euro, it *would make* British exports to the Eurozone cheaper.
（もしポンドがユーロに対して下落したら，ユーロ圏への英国の輸出品はもっと安くなる）

(2) 〈**if you were to ...**〉という形は，**丁寧な提案や依頼**に用いることができる。

If you **were to** come with us, I'm sure she *would be* very happy.
（もしご同行願えれば，彼女はきっと大喜びでしょう）

If you **were to** take your seat, we *could begin* negotiations.
（おかけいただければ，交渉が始められますが）

If each of you **were to** donate only R100, we *could* probably *build* the clubhouse quite soon.
（もしお１人当たりほんの100ランドを寄付していただければ，恐らくクラブハウスはすぐにでも建てられるでしょう）

◆R100は 100 rand のこと。rand（ランド）は南アフリカ共和国の貨幣単位で，変動はあるが，１ランド＝12円弱くらいのことが多い。

We *would be* very pleased if your association **were to** become a sponsor.
（もしそちら様の協会が後援者になってくだされば，大変うれしいのですが）

Helpful Hint 55 〈if you were to ...〉はなぜ「丁寧な提案や依頼」を表す？

仮定法の〈if you were to ...〉という形がなぜ「丁寧な提案や依頼」の表現になるのか。確かに，前掲の用例 If you were to take your seat, we ***could begin*** negotiations. を，直説法の If you ***will*** take your seat, we ***will be able to begin*** negotiations. に言い換えたとしても，「おかけいただければ，交渉が始められますが」という意味自体は，少しも変わらない。ただ，仮定法のほうが，「これはあくまでも『もしも』の話ですが，もしもおかけいただければ」といったような「遠慮がち」なニュアンスが幾分か強いので，間接的で丁寧に感じられるわけである。

---

100 B　**should** を用いた条件文

if節にただ推定の意味を持つ**助動詞の** should（○ p.99 **43C**(4)）を入れたものなので，仮定法の場合もあれば直説法の場合もある。

「万一〜ならば」という意味で、そういうことが起きるか起きないかはわからないが、話し手は可能性が少ないと思っている場合に用いる。**絶対に起こり得ないことの仮定には使わない。**

帰結節には、過去形の助動詞ばかりでなく、意味内容によっては、現在形の助動詞や命令形を用いることもある。

If I **should lose** you, the stars *would fall* from the sky.
（もしもあなたに死なれたら、星が空から落ちてくる）
　◆なお参考までに、聖書では、〈*the stars* shall fall from heaven〉は、この世が終わるときの前兆とされている。
　● 帰結節が**過去形の助動詞**（would）で、仮定法になっている例である。

If your check **should bounce**, you *will be* charged a $10 fee.
（万一あなたの小切手が不渡りになったら、10ドルの手数料を取られますよ）
　● 帰結節が**現在形の助動詞**（will）で、直説法になっている例。

If you **should wish** to look inside the packet before sending it, *feel* free to do so.
（もし送る前に包装の内部を見たいと思うなら、遠慮なくどうぞそうしてください）
　● 帰結節が**命令法**になっている例。このような形で、**助言や提案**を示すこともできる。

If costs *rise*, I *will increase* the price, but if costs **should fall**, I *will lower* the price of the magazine accordingly.
（もし諸経費が上昇したら私は値段を上げますが、もし万一諸経費が下落したら、私はそれに応じて雑誌の値段を下げます）
　● 前半はふつうの仮定の形。後半に should を使っているのは、話し手の「諸経費が下がる可能性が極めて少ないつもり」だからであり、will は直説法のまま。

101 if の省略と if 節の代用

101 A　if の省略

仮定法の条件文で、文頭の if を省いて、主語と(助)動詞の語順を逆にした形にすることができる。この形は**文語調**である。語順を倒置できるのは、**were, had, should** の場合である。

Were I a parent, I *would feel* differently.
（＝*If* I **were** a parent, I *would feel* differently.）
　（私が親だったら、違ったふうに感じるだろう）
　● くだけた口語に見られる If I **was** a parent, ... の If を省いて、was を前に出して *Was* I a parent, ... とする言い方はない。

This is a test message. **Had** it **been** an actual message, it *would have made* sense.

(=.... *If* it **had been** an actual message, it would have made sense.)

　（これはテストメッセージなのです。もし本物のメッセージだったら，意味が通じるはずです）

It *would have been* a far more terrible day for America **had** this attack **been** made with a nuclear weapon.

(=... *if* this attack **had been made** with a nuclear weapon.)

　（もしこの攻撃が核兵器によるものだったとしたら，それはアメリカにとってはるかに恐ろしい日となっていたことだろう）

I will be in the office. **Should** anything **happen**, call me.

(=.... *If* anything **should happen**, call me.)

　（私は事務所にいます。何かあったら電話をください）

　● should を用いた条件文だから，主節は命令形でもよい。

Life insurance guarantees that your children will be financially protected **should** anything **happen** to you.

(=... will be financially protected *if* anything **should happen** to you.)

　（生命保険は，万一あなたの身の上に何かが起きた場合に，お子さんたちが金銭的に守られることを保証します）

101 B　if節の代用

if で始まる副詞節の代わりに，仮定や条件の意味を不定詞や分詞などに含ませることができる。

(1) 不定詞　（◯ p.135 **67A**(5)）

To hear him talk, you *would think* this guy is a Republican.

　（彼の話を聞くと，この男はまるで共和党員ではないかと思ってしまう）

　●一般論によく見られる総称用法（「人々」を一般的に示す you（◯ p.385 **179D**(2)））を使っているこの文の〈To hear him talk ...〉の節は，**If you were** to hear him talk や，**Were you** to hear him talk などのような条件節から，太字の部分が省略されたものだと考えればよい。

It *would be* my great pleasure **to be** able to work with you.

　（ご一緒に仕事ができればすごくうれしいです）

　●形式主語の〈It will be ～ to ...〉の形だが，will be が *would* be になっているところから，真主語の to ... の部分は，「もし…ならば」という仮定の意味にとれる。

(2) 分詞構文　（◯ p.169 **84B**(1)）

文語的表現に見られる。過去分詞のほうが多い。

Taken as directed the medicine *would have caused* no side effects.
(＝*If* it had been taken as directed, the medicine … .)
（指示どおりに服用すれば，その薬は，副作用は起こさなかったはずです）

(3) 副詞（句）

With a little more care, this *could be* one of the finest restaurants in the state.
（あと一息気を配れば，この店は州内でも一流のレストランになれる）

(4) 主語となる名詞

A brave journalist *would* not automatically *agree* with the government as you have done.
（勇気のあるジャーナリストだったら，君がしたように政府の言うことに頭から同意したりはしないだろう）

102 条件節・帰結節の省略

102 A 条件節の省略

「～しようと思えば」とか「ひょっとしたら～」などの意の条件節が裏に隠れて省略されている場合がある。**丁寧な，控えめな日常会話の言い方**もこの用法からきたものである。

I'll meet you here at three thirty. Or **would** four **be** better?
（ここで3時半にお会いしましょう。それとも4時のほうがよろしいでしょうか）

You **could meet** her when you go to England.
（イギリスに行かれるときに，彼女に〔会いたいなら〕会えますよ）

What **could be** better!　（最高だね）
　● It couldn't be better. と言うことが多い。

102 B 帰結節の省略

実現不可能な願望を表す表現などで，条件節だけで意味を伝えられるものがある。

If only it were just a story!
（それがただの作り話ならなあ）
　●〈if only〉は，「～でさえあればいいのに」の意味（● p.203 **103B**）。

O, **had** he **lived**!　（ああ，死なないでくれたらなあ）
　● had he lived は，if he had lived の if を省略したもの。このような文は古い形で，例文はテニソンの有名な詩からの引用。

第3節 仮定法を用いた重要構文

103 願望を表す構文

103 A 〈I wish …〉

(1) **仮定法過去**を用いて，**現在の実現困難な願望**や，**実現不可能な願望**を表す。
wish の次の that はふつう省略する。希望を表す hope と区別すること。

　　I wish it **were** Christmas all the time.
　　　（1年中クリスマスだったらなあ）
　　　● **were** が正式。くだけた言い方での **was** については別途参照（◯ p.191 **94B**(1)①）。

　　I wish I **could go** with you.
　　　（ご一緒に行けなくて残念です）
　　　● I'm sorry I can't go with you. の意味で，婉曲な断り方として使われることもある。

　　I wish you **wouldn't do** that.
　　　（それをしないでくだされればいいのですが）
　　　● この **would** も婉曲な言い方で，Please don't do that. ということ。

(2) **仮定法過去完了**を用いて，**過去の実現しなかったことに対する気持ち**を表す。

　　I wish I **had** never **been** born.
　　　（生まれてこなければよかったのに）

　　I wish you **had let** me sleep in another room.
　　　（私をほかの部屋で寝かせてくれればよかったのに）

103 B 〈If only …〉

〈**if only**〉は〈**I wish**〉と同じ意味で，用法も同じであるが，〈**I wish**〉よりもやや強く，感嘆符をつけることが多い。

　　If only I **were** healthy!　（健康だったらいいのになあ）
　　　● この場合も **were** が正式（◯ p.191 **94B**(1)①）。

　　If only it **would stop** snowing!　（雪が降りやんでくれればいいのに）
　　If only he **hadn't told** her about Julia.
　　　（彼が彼女にジュリアのことを話さなかったらよかったのに）

103 C　その他古風な表現

　表現のために覚えておく必要はないが，文書を読んだりするときに一応知識として頭の中に入れておくと役に立つ言い方がある。

God **save** the King [Queen]. 〈英国国歌〉

(神よ，われらが(女)王を救いたまえ)

● 主語が3人称単数なのに，**save** が原形になっているのは仮定法だから。直訳すれば上のようになるが，実際には「国王［女王］陛下万歳」の意。

◆ この国歌が最初にロンドンで公に演奏されたのは1745年である。

Would that I might be with her at such a time.

(こんな時に彼女と一緒にいられればなあ)

● Would that＝I wish と考えてよい。

Helpful Hint 56　want と would like の丁寧度は？

日本の中学では，たとえば「お茶が飲みたい」と言うのには，"I want some tea." と "I would like some tea." とがあり，would like のほうが丁寧だ，と教わるが，*would like* が前述の「条件節の省略」の仮定法だからこそ丁寧に感じられる，とまで理解している人は少ないようである。こうした「would like 表現」は，「省略された条件節」が「もしよろしかったら」や「もし差し支えなければ」，「もし面倒でなければ」，あるいは，単に「もしあれば」といった感じのものなので，「want 表現」よりも，間接的で柔らかくて丁寧に感じられるのである。

104　that節中に仮定法現在を用いる構文

要求や提案を表す動詞の目的語となる that節や，間接的に要求などを伝える〈It is＋形容詞＋that ...〉の that節の中に，特に《米》で**仮定法現在**を使う用法があり，今でもこの形は多い。

《英》ではこの形は形式ばった用法とされ，代わりに **should** を用いるのがふつうである。

104 A　要求・提案・命令などの動詞の目的語となる that節で

require（要求する），**suggest**（提案する），**order**（命じる）などの動詞の目的語となる that節の中では，《英》では should を用いることが多いが，《米》では仮定法現在を用いることはすでに解説し，そのような動詞の類例リストを示したので，詳しくはそちらを参照（● p.98 **43C**(2)）。

He *demanded* that the agreement **be** made in writing.

(彼は契約は文書で取り交わすよう要求した)

● 《英》では **should** be made がふつう。くだけた言い方では **was** made ということもあるが，書くときは避けたほうが無難。

● **suggest** が「暗示する」の意味のときは，ふつうの直説法構文なので注意。

His expression *suggested* that he *did* not believe me.

(彼の表情は，私を信用していないようだった)

104 B 〈It is＋形容詞＋that節〉の中で

間接的に要求や願望を伝える形容詞 **necessary**（必要である），**desirable**（望ましい）などが〈It is ～ that ...〉の形をとるときには，**104A**（p.204）と同様《米》では that節中に仮定法現在を用いる。《英》では should がふつうだが，直説法も見られる。

> In order to use this website, *it is necessary that* a user first **complete** a registration form.
> （このウェブサイトを利用するためには，利用者はまず登録書式に記入し終えなければならない）
> ● 主語が a user だから，直説法なら completes になるところを原形にしてある。

こういう構文をとる形容詞については**202B**（p.440）を参照。なお，類似の意味の構文として，He *was anxious* that the paintings **be** properly stored.（彼はそれらの絵が適切に保管されることを切望していた）なども同じである。

105 〈It is time ...〉の構文

「もうそろそろ…してもよいころだ」という意味のときに，〈It is time ...〉の構文で**仮定法過去**が使われるが，be動詞は今は１，３人称単数のときには **was** を用いることが多い。また，that は省略することが多い。

> *It is time* (*that*) you **proved** that you really could do the job.
> （もうそろそろ君が本当にその仕事ができることを立証してもよいころだ）

> *It is* (*high*) *time* something **was** done about it.
> （もうそのことになんらかの手が打たれてもよいころだ）

> ● *It is time* people **should rise** and **defeat** the dictator.（国民が立ち上がって独裁者を打ち倒すべきときだ）〔イラク戦争に関しての米国の放送〕のように should を使うこともある。

〈It is time for A to ～〉が「まさにその時だ」という意味を表すのに対し，〈It is time A was ～〉は「もうその時なのにまだしていない」という意味を含むので仮定法過去が使われている。ただ現在の事実に反することを述べるだけでなく，そうすべきだという意味を含む場合が多い（◯ p.133 **66C**）。

106 〈as if ...〉の構文

as if や **as though** で始まる節は，話し手が事実ではない，あるいは疑わしいと感じていれば**仮定法過去**［過去完了］を使い，そうした意味がなく単に「…らしい」という意味の場合には**直説法**を使う。

〈as though ...〉よりも〈as if ...〉のほうがよく使われる。

第9章 法　第3節　仮定法を用いた重要構文

(1) 仮定法を使う場合

① **仮定法過去**を使うと，**その時点で**「まるで…であるかのように」という意味を表す。

His lecture style is ridiculous. He talks *as if* he **were** reading from an encyclopedia.
　（彼の講義の仕方は滑稽だ。まるで百科事典を読み上げているように話すのだ）
　●as if 構文でも，**were / was** の使い方については他の場合と同じ。

② **仮定法過去完了**を使うと，**その時点よりも以前**に「まるで…したかのように」という意味を表す。

He was certainly a stranger, yet she felt *as if* she **had seen** him before.
　（彼は確かに見知らぬ人物だった。しかし，彼女は彼に以前会ったことがあるような気がした）

> **発展**
> ①の文で He *talks* as if he **were** reading ... . の主節の動詞 talks を過去の talked にしても，「その時点で~であるかのように」という意味である限り，仮定法過去の were のままでよい。時制の一致で as if he were が as if he had been になることはない。
> ②の文では，彼女は，過去のその時点よりも「さらに以前に会ったことがあるような」気がしたというのだから，仮定法を過去完了の had seen にしたのである。
> 要するに，主節の動詞の「時」を基準にして，その時点でのことを言うのか，それより前のことを言うのかで，仮定法を過去にするか，過去完了にするかを決めるのである。

(2) 直説法を使う場合

非現実のことを仮定してではなく，ただ「…のようだ」という意味で，ある様子を述べる場合には直説法を使う。〈It looks [seems] as if ...〉などという場合などに多い。直説法は，現在形も未来形も用いられる。

It looks *as if* it **is going to be** a fantastic weekend.
　（どうやら最高の週末になりそうだ）

After 10 to 15 minutes of nursing, my baby cries *as though* he **is** still hungry. Is he getting enough?
　（10分から15分お乳を飲んだ後で，私の赤ん坊はまるでまだおなかがすいているかのように泣くのです。十分に飲んでいるのでしょうか）
　●後の文からもわかるように，この母親は赤ん坊が満腹しているという確信はない。as though he *were* なら「満腹しているはずなのに」という感じになる。

(3) like

《米》のくだけた形では，as if [though] の代わりに **like** を用いる。

He acted *like* he **owned** the entire world.
　（彼はまるで全世界が自分のものだというように振る舞った）

(4) 〈as if to ～〉の形

as if の次に to 不定詞がくる形がある。

> We stretched our arms over our head *as if to* **dive** into a swimming pool.
> (私たちはまるでプールに飛び込むように両腕を頭の上に伸ばした)

107 仮定法を含む慣用表現

107 A 〈If it were not for ～〉, 〈If it had not been for ～〉

「もし～がなかったら」という意味を表すのに，現在の事実に反するものであれば〈If it were not for ～〉を，過去の事実に反するものであれば〈If it had not been for ～〉を使う。やや文語的な言い方である。このどちらにも使えるのが〈**but for ～**〉と〈**without ～**〉であるが，〈but for〉のほうが堅い言い方になる。

> **If it were not for** [**But for, Without**] hopes, the heart *would break*.
> (もし希望がなければ，胸も張り裂けよう)
> ◆英国の牧師 Thomas Fuller (1608-1661) の言葉。

> **If it had not been for** [**But for, Without**] my mother's help, I *would* not *have been* able to do this.
> (もし母の助けがなかったら，私はこれをすることはできなかったはずです)

107 B 〈as it were〉

「言わば」の意味に〈as it were〉という慣用句がある。文の途中か，文末に置く。〈so to speak [say]〉などのほうが今はふつうである。

> Her career is, **as it were**, a kind of Cinderella story.
> (彼女の経歴は，言わば，ある種のシンデレラストーリーだ)

107 C 〈had better ＋ 原形〉, 〈would rather ＋ 原形〉, 〈lest ＋ 原形〉

これらの言い方については，示されている○の各ページを参照。

(1) 〈**had better ～**〉(～したほうがよい), 〈**would rather ～**〉(むしろ～したい)

> We *had better* **start** again somewhere else. (○ p.150 **75A**)
> (私たちはどこかほかの所で出直したほうがいい)

> I *would rather* **have** no help at all than have his help. (○ p.151 **75B**)
> (彼に手伝ってもらうくらいなら，だれにも手伝ってもらわないほうがましだ)

(2) 〈**lest ...**〉(…しないように)

> I didn't turn on a light *lest* someone **see** me. (○ p.246 **119A**(3)②)
> (私はだれにも見られないように，明かりをつけなかった)

REVIEW TEST 9

A 確認問題 9 (→ 解答 p.606)

1. 次の各英文の(　)内の語(句)のうち，適切なほうを選びなさい。
   (1) I wish my father (is, were) here now.
   (2) If I (were, had been) richer, I would buy the house.
   (3) If you (needed, should need) any help, push this button.
   (4) It is time he (repaints, repainted) the house.
   (5) If he had taken a more friendly attitude, he might (be, have been) alive now.
   (6) If I had a calculator, I could (work, have worked) this out a lot quicker.
   (7) She went on speaking as if Mr. Fry (isn't, weren't) there.
   (8) If you (are to see, were to see) her, what would you say?
   (9) A true friend (were, would) not ask you to do that.
   (10) If only there (are, were) more holidays!

2. 次の各英文を(　)内の指示に従って書き換えなさい。
   (1) The bag was so expensive that I didn't buy it.
       (この状況を If で始まる仮定法の文にして)
   (2) Without the scholarship, I wouldn't have been able to complete my studies.
       (If it で始まる仮定法の文に)
   (3) I regret that I don't know anything about computers.
       (I wish で始まる仮定法の文に)
   (4) If you should have any problems, please feel free to contact me.
       (If を省略した形に)
   (5) She talks as if she were my mother.
       (talks を talked に変えて)

3. 次の各英文が正しければ○をつけ，正しくなければ×をつけて，誤っている部分を正しく書き直しなさい。
   (1) If SARS were to spread unchecked, we would see a significant impact on our economy and health care system.
   (2) They demanded that the park remain open.
   (3) Was I rich, I would travel all year round.
   (4) If you won't help us, all our plans will be ruined.
   (5) I wish you pass your driving test tomorrow.

B 実践問題 9 (→解答 p.606)

1. 次の各英文を完成させるのに，最も適切な語(句)を選び，記号で答えなさい。

   (1) If ( ) you, I wouldn't upset a regular customer.
   　　(A) I were　　(B) I am　　(C) it was　　(D) it were
   (2) If ( ) to choose a director, I would be very grateful.
   　　(A) I were　　(B) you were　　(C) it was　　(D) it were
   (3) "How was your weekend?" "( ) have been better."
   　　(A) Wouldn't　　(B) Shouldn't　　(C) Mustn't　　(D) Couldn't
   (4) If you haven't joined the club as yet, it's time ( ).
   　　(A) you did　　(B) you didn't　　(C) you were　　(D) you haven't
   (5) I ( ) this moment could last forever.
   　　(A) think　　(B) want　　(C) hope　　(D) wish
   (6) If it ( ) for the terrorists, we would never have built this security fence.
   　　(A) were　　(B) had been　　(C) were not　　(D) had not been

2. 次の各英文の下線部から，誤っているものを1つ選び，記号で答えなさい。

   (1) We suggest (A)your password (B)will be changed at least (C)once a month (D)to avoid unauthorized entries.
   (2) Even if the computer (A)should happen to fail while it (B)is being used, (C)what has been saved on the hard disk (D)was safe.
   (3) If (A)any of these parts (B)would fail, our monitoring service will notify (C)you immediately (D)via e-mail.
   (4) If the company (A)moved to California, it (B)would have lost (C)approximately 85-90% (D)of its workforce.
   (5) If BSE had not been (A)linked to (B)eating beef, it (C)did not receive (D)the same media interest.
   (6) I (A)would want to (B)make a reservation for (C)a double room (D)for May 10th.
   (7) We require that (A)your listing (B)submitted either via our web form (C)or via e-mail (D)in plain text format.
   (8) Many (A)would already (B)have made use of the material if (C)the contents (D)would have been more complete.

第10章 疑問詞
INTERROGATIVES

　疑問詞とは，who（だれ），which（どれ），where（どこ）など，ものを尋ねるときに用いる語で，疑問代名詞と疑問副詞がある。疑問代名詞が名詞の前に置かれると形容詞用法になる。

第1節　疑問詞の種類と用法

108　疑問代名詞

108 A　疑問代名詞の種類

意味	指す対象	主格	所有格	目的格
だれ	人	who	whose	whom
どれ・どちら	人・もの	which	——	which
何・どの	もの	what	——	what

　● **which** と **what** は名詞の前に置いて形容詞として使うことができる。whose も名詞の前に置いて，代名詞の所有格に相当する働きもする。

108 B　疑問詞の一般的用法

(1) 疑問詞の位置

　疑問詞を用いる疑問文（特殊疑問文◯ p.24 **8B**(2)）では，原則として疑問詞は**文頭**に置く。

　　Who really discovered America?
　　（アメリカを本当に発見したのはだれでしょうか）
　　　◆1492年にコロンブスが上陸したのは中米のサンサルバドル島で，その後同じイタリアのアメリゴ・ベスプッチが南米を探検し，自らこれを広く知らせたため，新大陸にアメリカという名がついた。しかし，米国では，西欧にとって新大陸と大きな交流が始まったきっかけがコロンブスだったことが重視され，彼の名にちなんで，Columbia という名が広く使われている。

　　What is digital television?（デジタルテレビジョンというのは何ですか）

ただし，日常会話で，相手の話がよく聞き取れなかったり，不十分だったりするときに，聞き返したり，さらに説明を求めるために，疑問詞を文中や文尾に置くこともできる。

"He had a heart attack." "He had a **what**?"
（「彼は心臓発作を起こした」「何を起こしたって？」）
● こういう場合，語順は元のままで聞く。

話したことなどに対する相手の理解を確かめるのにも使うことがある。

Now this story is about **what**?
（さて，この話は何についてかね？）

(2) 疑問詞と前置詞

口語では，〈前置詞＋疑問詞〉は堅い言い方に感じられ，**前置詞を文中や文末に回すのが一般的である。**

What are you aiming *for* this year?
← *For* **what** are you aiming this year?
（今年は何を目指しているんだね？）
● *For* what ...? は堅い言い方。*for* を文中や文末に回して What で始めるのが口語調。

(3) 疑問代名詞を受ける動詞の数

疑問代名詞が**主語**になるとき，その主語が複数のものであることを強く意識している場合であれば，複数動詞を使うが，それ以外の場合は，ふつう単数動詞を使う。

"Knock, knock!" "**Who**'***s*** there?"
（「トン，トン」「どなた？」）
◆ knock, knock joke という有名な種類のジョーク。たとえば，"Knock, knock!" "Who's there?" "Harry." "Harry who?" "Harry up and open this door." でもわかるように，Harry と答えたのに対して「ハリー，どなた」と姓を聞き，それに対して Harry と Hurry をかけて「早くこのドアを開けて」というようなのが典型的な例。

> 注意　何人来るかわからなくても，**Who's** coming today?（今日はだれが来るの？）と聞いてよい。また，明らかに数人来ることがわかっていて，その名前を聞きたいときには，**Who are** coming today? と聞いてもよい。

(4) ever のついた疑問詞

強調のために **ever** を使うことがある。たとえば，Whoever のように1語で言うこともあれば，Who ever と離して言うこともある。

How ever did you get here?
（＝**How** did you **ever** get here?）
（一体どうやってここに来られたんだ）

このように，ever は疑問詞からさらに離れた所に置かれることもある。

Who ever said it would be sunny today?
（今日は晴れるだなんて一体だれが言ったのだ）

(5) 修辞疑問 （⊃ p.26 **8C**(3)）

反語的に使う疑問文の用法があり，疑問詞で始まる場合も多い。

Who knows what he really wants?
（＝*No one* knows what he really wants.）
（彼が本当は何を欲しがっているのか，だれにもわからない）

● 実際に「だれが知っているのか」と聞く場合にも形は同じになる。たとえば，上の例文も，純粋な質問なのか，それとも修辞疑問なのか，形だけではわからない。が，実際問題，どちらなのかは，ふつう文脈や口調でわかるはずである。

(6) 強調のために使われる語句〈on earth〉など

疑問の表現を強調するのに，〈**on earth**〉や〈**in the world**〉などを使うことがある。

What *on earth* has happened here?（一体ここで何があったんですか）
Who *in the world* would buy a $20,000 watch on the Web?
（一体だれが2万ドルもする時計をネット上で買おうとするか）

(7) 〈疑問詞＋to不定詞〉（⊃ p.136 **68**）

Tell me **what to** buy in Thailand.（タイで何を買ったらいいか教えてください）

108 C　who の用法

(1) 主格の who は名前や地位・素性などを尋ねる。

Who ordered this pizza?（このピザを注文した人はだれ？）
"**Who** are you?" "I am the manager of this building."
（「どなた？」「このビルの管理人ですが」）

> 注意　相手の**名前を聞く**のに "Who are you?" は尋問口調なので，日常の会話では避ける。What is your name? も，相手が子供のときはよいが，ふつうの会話ではやや失礼になる。その代わりに，**"May I have your name, please?"** などがよく使われる。

(2) 所有格の whose は「だれの」という意味と，「だれのもの」という意味の両方を表すのに使える。

Whose shoes are these?（これはだれの靴ですか）
Whose are these shoes?（この靴はだれのものですか）
● They are **mine**. などと答える。

(3) 目的格の whom は改まった言い方に感じられるので，who で代用することもよくある（⊃ p.266 **126C**）。

Whom did you give the money *to*?　　　　〔改まった感じの言い方〕
（どなたにそのお金を渡したのでしょうか）

Who did you give the money *to*? 〔ふつうの言い方〕
(だれにその金を渡したのですか)

Who do you work *for*?
(どちらにお勤めですか)

● *For whom* do you work? → *Who* do you work *for*? というように，前置詞の for を後ろに回したので，文頭に Whom がくるため，堅苦しい感じを避けて Who にしたもの。なお，この場合の who は会社などの団体を指している。相手の職業を聞くときには What is your occupation? が明確。

> **Helpful Hint 57   疑問詞と一緒に用いる ever**
>
> 疑問詞と一緒に使われる **ever** は，実に便利な言葉である。前掲の用例 Who **ever** said ...? (…なんて，**一体**だれが言ったのだ) のように，まず，「一体」という日本語の副詞と同じく，疑問の気持ち自体を強調する言葉である。また，それと同時に，「なんて」と同じように，問題になっている内容が常識を逸脱しているという評価も表す。この2つの機能を持つからこそ，ever は修辞疑問に使われることが多い。たとえば，「彼女のこと嫌いだなんて，僕が言うわけないだろう」という気持ちを表現するには，"**Why** would I **ever** say that I disliked her?" がぴったりの言い方になる。

108 D   which の用法

「どちら」，「どれ」の意味では，人もものも which でよい。2人，2個の場合でも，3人，3個以上の場合でもかまわない。what と違う点は，**what** の場合は**漠然としたものから「何」を特定する**のだが，**which** の場合は，はっきりと**決まったものの中から「どちら」，「どれ」を選ぶ**かということである。

I have three kinds of cookies. **Which** would you prefer?
(3種類のクッキーがあります。どれがいいですか)

Which is your uncle and **which** is your father?
(どちらがおじさんで，どちらがお父さんですか)

108 E   what の用法

(1) what の一般的用法

「何？」と聞くときには what を用いる。

What happened in this room?
(この部屋で何が起こったのでしょうか)

●「だれに何が起きたのか」と聞くときに，**What** happened to **whom**? などと言うこともできる。

"John!" "**What**?" "Dinner's ready!"
(「ジョン」「何？」「食事ができたよ」)

What are you having for lunch?
（お昼には何を食べる予定ですか）

(2) 人に what を用いる場合

第三者の職業や地位を聞くときには what を用いることがよくあるが，What are you? とか What is your father? などと言うのは失礼に当たるので避ける。

"If Wald is not a scientist, **what** is he?" "He is an existentialist."
（「ウォールドが科学者でないとすれば，彼は何者か」「彼は実存主義者なのだ」）

● 「お父さんの**お仕事は何ですか**」と聞くには **What** does your father do? や，What is your father's **occupation**? などのように聞けばよい。

(3) what を含む慣用表現

次のような表現はよく使われる。

What about taking a test-preparation class?　(⊃ p.218 **110B**(4)③)
（受験準備クラスを受講したらどうでしょうか）

What do you say to going out for dinner tonight?
（今夜外食しませんか）
● この to は前置詞（⊃ p.180 **90**(10)④）。

So what if we don't own a single piece of land?
（私たちが一片の敷地も持っていないからって，それが何だ）

"**What's up?**" "I'd like some help."
（「どうしたの？」「ちょっと手伝ってほしいんだけど」）

What did I tell you? It's not so easy as you think.
（私が言ったとおりだろう。君が考えているほど易しくはないんだよ）

109 疑問形容詞

疑問代名詞の中で，**what** と **which** は名詞の前に置いて，**形容詞**として使うことができる。要するに疑問代名詞の形容詞用法である。

What *languages* are spoken in South Africa?
（南アフリカでは何語が話されているのですか）
● 返事は複数が予想されるので，languages と複数形で聞く。
◆南アフリカ共和国では，公用語のアフリカーンス語と英語を始めとして，ンデベレ語，ペディ語，ソト語，スワジ語などの地域語を含め，計11の言語が話されている。

Which *show* do you want to watch tonight?
（今夜はどの番組を見たいですか）
● この場合，番組はもう決まっているものの中から選ぶのだから which になる。

110 疑問副詞

110 A 疑問副詞の種類

時	いつ	**when**	[＝at what time]
場所	どこで	**where**	[＝at [in, to] what place]
理由	なぜ	**why**	[＝for what reason]
様態	どのように	**how**	[＝in what way, by what means]

110 B 疑問副詞の用法

(1) when

① 「いつ？」と時を尋ねるときに when を用いる。「時刻」を聞くときには What time ...? のほうがはっきりする。

　When did you start taking your child to the movies?
　　（お子さんを映画に連れて行き始めたのはいつですか）

② when の代名詞用法

(a) 「いつが都合よいですか」などと聞くときに，when を what time の意味で **be 動詞の主語**にすることができる。

　When *would be* a good time to call you back?
　　（折り返しお電話するのは何時ごろがよろしいでしょうか）

(b) 代名詞用法の when の前に前置詞を置くことができる。

　Since **when** have you been a resident of this country?
　　（いつからこの国の住民になっているのですか）

|注意| この場合は前置詞を文末に置くことはできない。

　●Till [Until] when ...?（いつまで…か）などもよく使われる。

(2) where

① 「どこ？」と場所を聞くときには where を用いる。

　Where did you intend to stay?
　　（君はどこに泊まるつもりだったのですか）

|注意| 「日本の首都はどこですか」は **What** is the capital of Japan? と表現するが，「ここはどこですか」は **Where** are we? / **Where** am I? などと表現する。

② where の代名詞用法

(a) when と同じように，「どこが都合がよいか」などと聞くときに，where を what place の意味で **be動詞の主語**にすることができる。

Where *would be* a good place to hang clothes to dry?
(服を乾かすためにつるすにはどこがいいでしょうか)

(b) 代名詞用法の where に**前置詞**をつけることができる。この場合は when と違って前置詞は**文末**に置くほうがふつう。

Where are you *from*?
(どちらのご出身ですか)

● **Where** *do* you *come* from? よりも **Where** *are* you from? のほうがふつう。「今までどこにいたの？」の意味のときは **Where** *have* you *been*? と言う。

注意　「どこへ行くのですか」と言うときは **Where** are you going (*to*)? で，この場合は to は省略できる（come の場合は from は省略できない）。「どこへ行く？」ということをくだけて Where to? と尋ねることもあるが，この場合，当然 to は省略できない。

> **Helpful Hint 58　Where ...? 内で用いる前置詞 in, on, under**
> 単に「どこ？」ではなく，「〔ある特定の場所〕のどこ？」を尋ねるときには，**in** が最も頻繁に使われる前置詞だろう。具体的に言えば，「アメリカのどちらのご出身ですか」なら，Where **in** the U.S. are you from? と尋ねるわけだ。ただし，たとえば，They landed **on** the moon.（月面に着陸しました）のように，その位置関係を表す前置詞が **on** であれば，Where **on** the moon did they land?（月面のどこに着陸したのですか），あるいは「橋の下のどこ？」であれば，Where **under** the bridge? という尋ね方になる。

(3) why

① 「なぜ？」と理由を聞くには why を用いる。

Why did you become a vegetarian?
(どうして菜食主義者になったのですか)

注意　Why ...? の疑問文に should [would] を入れると，反語的な言い方になる場合がある。
"Tell me what Anne said." "Why should I?"
(「アンが言ったことを話しなさい」「なんで話す必要なんかあるのさ」)

② 〈**Why don't you [we] ...?**〉

Why ...? の疑問文に not をつける形は，ふつうの「どうして〜しないのか」という意味のほかに，次のような場合にも用いることができる。ただし，くだけた感じなので，改まった場では用いない。

(a) 「…したらどうですか」という**助言**や**提案**には，〈**Why don't you ...?**〉を用いる。

"**Why don't you** have some more wine?" "Thank you."
(「ワインをもう少しいかがですか」「ありがとうございます」)

● 「どうして〜しないのか」と言うとき，縮約形を用いないなら Why do you not ...? になる。

(b)「…しましょう」という**提案**には〈**Why don't we ...?**〉を用いる。

　　Why don't we take a little break?（ちょっと休憩しましょう）

③〈**Why not?**〉

　　Why not? は日常会話で，次のような場合に用いる。

(a) **否定文に対して理由を聞く場合**

　　"You mustn't tear the wrapping." "**Why not**?"

　　　（「その包み紙を破いちゃだめ」「どうして？」）

(b) **提案を承諾する場合**

　　"More coffee?" "**Why not**?"

　　　（「コーヒーをもっといかがですか」「いいですね」）

(4) how

① 「どのように？」と，**方法**，**手段**，**状態**を尋ねるのに how を用いる。

　　How do I start up this computer?　　　　　　　　　　〔方法〕

　　　（このコンピューターはどうやって起動させるのですか）

　　"**How** did you come here?" "By bus."　　　　　　　　〔手段〕

　　　（「ここへはどうやって来ましたか」「バスで来ました」）

　　How is your work coming along?　　　　　　　　　　〔状態〕

　　　（仕事の進み具合はいかがですか）

②「どのくらい？」と程度を尋ねるのに〈**How＋形容詞［副詞］...?**〉を用いることがよくある。形容詞によって，基準値に対して「プラスの方向」を示すものであるが，**どの程度**であるかを示すだけで，その**形容詞自体の持つ意味を強調するものではない場合もある**。たとえば，年齢を聞くときの How *old* are you? では，old は「年老いた」という意味ではなく，ただ年齢についての程度を聞いているに過ぎない。

　　How *far* is it from Miami to Houston?

　　　（マイアミからヒューストンまでどのくらいありますか）

　　How *soon* will the project begin?

　　　（その企画はあとどのくらいで始まるのですか）

　　このような形で程度を聞くときに用いることのできる主な形容詞は次のようなものである。

◎〈**How＋形容詞［副詞］...?**〉の形で程度を聞くことのできる主な形容詞

deep（深さ）	**far**（距離）	**fast**（速さ）	**high**（高さ）
large（大きさ）	**long**（長さ）	**many**（数）	**much**（量）
old（年齢）	**tall**（高さ）	**thick**（厚さ）	**wide**（幅）

| 注意 | これに対して，old の反対の young とか，tall の反対の short のように，**マイナスの方向を意味する語にはこのような使い方はない**。つまり，"He is quite short." "*How short* is he?" という場合は，*How short* is he? は「どのくらい背が低いですか」という意味になる。 |

| 発展 | 「**重さ，体重**」を聞く場合にはこの形は使えない。How much ...? は副詞句だから，"How much do you weigh?"（君の体重はどのくらいですか）と言う。また，weight という名詞を使うなら，"What is your weight?" と言うこともできる。
「**値段**」を聞く "How much is this?" は，"How much does this cost?" の慣用的な言い方である。ある物の値段を聞くのに，"What is the price?" という言い方もある。 |

③ how を用いた慣用表現

次のような表現を覚えておくと便利である。

How do you do, Mr. Andersen?
　（アンダーソンさん，はじめまして）
　　● How do you do? は堅苦しく，やや古風。《米》ではくだけた形では初対面の挨拶に **How are you?** も使う。

How come the sky is blue?　（空はなぜ青いのか）
　　●「なぜ」の意味だが，How come ...? を使うと，主語と動詞は倒置しない。

Helpful Hint 59　Why ...? と How come ...? と What ... for? の違い

日本語の「なぜ」，「どうして」，「なんで」と同じように，原因や理由などを尋ねるときに用いる英語の **Why ...?** と **How come ...?** と **What ... for?** も，それぞれのニュアンスが違う。たとえば，"I wonder **why** she said that." と言うと，純粋に「**なぜ彼女がそんなことを言ったのだろう**」という感じの表現になるが，"I wonder **how come** she said that." だと，「**どういういきさつがあって彼女がそんなことを言ったのだろう**」といったニュアンスが強い。また，この 2 つの言い方に対して，"I wonder **what** she said that **for**." なら，「**何のために彼女がそんなことを言ったのだろう**」のように，彼女がわざわざそんなことを言った**目的**が疑問だ，ということになるのである。

How can you say you don't like this job?
　（この仕事が嫌いだなんてよく言えるね）

How do you like it in Seattle?
　（シアトルでの生活はどうですか）

How about a little golf?
　（ちょっとゴルフでもいかが）
　　● What about ...? も同じ（⊙ p.214 **108E**(3)）。

How is it (that) the company came to make toys, too?
　（その会社は，どうやって玩具メーカーにもなったのですか）
　　● いきさつを尋ねるときに頻繁に使われる言い方。

④「どう…?」の訳し分け

日本語で「どう…?」と聞くとき，動詞や文構造から，what を使うか，how を使うかに注意。

(a)「～をどう思いますか」

What do you think of our new site design?
(私たちの新しいウェブサイトのデザインをどう思いますか)

● (*I think that*) It is better than the old one. (前のよりいいと思います) などと答えることになるので，that 節に相当する部分を what で聞く形。

注意 ▌ **feel**（感じる）は **How** do you *feel* about our new site design? と How を用いる。

How do you *feel* about our service?
(私たちのサービスについてどうお思いですか)

(b)「～をどう言いますか」

What do you call "French dressing" in French?
(「フレンチドレッシング」をフランス語ではどう言いますか)

注意 ▌ **spell**（つづる）や **pronounce**（発音する）は How で聞く。

◆〈what-do-you-call jokes〉という型のジョークがある。"What do you call a sleeping bull?" "A bulldozer."（「眠っている雄牛を何と言いますか」「ブルドーザー」）など。これは doze（居眠りをする）に引っかけたもの。

(c)「～をどういたしましょうか」（飲食物の調理や好みなど）

"**How** would you like your coffee?" "Strong and black."
(「コーヒーはどういたしましょうか」「濃く，ミルクや砂糖なしで」)

● How would you like your *eggs*? に対する答えは (I'd like them) Sunny-side up [Scrambled, Boiled]. (目玉焼き[いり卵，ゆで卵]で) など。

(d)「天気はどうですか」

How is the weather in New York today?
(今日のニューヨークの天気はどうですか)

● 答えは簡単に Hot. (暑いです) とか，Cold and cloudy. (寒くて曇っています) などでもよい。また，こうした質問は today とか in May とか限定して尋ねるのが当然多い。何もつけられていないときは，「今」のことを尋ねられているのか，「一般的に」尋ねられているのかは，ふつう文脈でわかるはずである。「一般的に」尋ねられた場合の答えには，in (the) summer とかそれぞれ限定して正確に答えればよい。

What is the weather *like* in Montreal in the spring?
(春のモントリオールの天気はどんなものですか)

注意 ▌ **like** は前置詞なので，これは what にしかつけない。

◆ weather は日々の「天気」の意味。ある地域の年間を通じての気候を聞くときには **What** is the climate *like* in Miami?（マイアミの気候はどんなものですか）のように **climate** を使う。

第2節 間接疑問

111 間接疑問

111 A 間接疑問

疑問文をほかの文の中に組み込んだとき，その疑問文は名詞節になる。これを**間接疑問**（文）という。**従属疑問**ともいう。

疑問文を一般疑問文の場合と，疑問詞で始まる特殊疑問文の場合とに分けて考えるほうが便利である（→ p.23 **8B**）。

(1)「〜かどうか」の場合

「〜かどうか」という意味を表すには，接続詞の **if** か **whether** を用いる。間接疑問の中では語順は〈**主語＋述語動詞**〉のままで，倒置はしない。

この形は**間接話法**の中でよく現れる（→ p.521 **242A**）。

たとえば，次の一般疑問文を Please ask him ... . の中に組み込んでみる。

　　Does this bus *go* downtown?　　　　　　　　　　〔直接疑問〕
　　　（このバスは繁華街へ行きますか）

　　Please ask him **if** [**whether**] this bus *goes* downtown.　　〔間接疑問〕
　　　（このバスが繁華街に行くかどうか彼に聞いてください）

この if [whether] 以下が間接疑問である。語順が this bus *goes* downtown という〈S＋V〉の形になっていることに注意。

If と whether の使い分けについては**接続詞**（→ p.235 **116B**）を参照。

(2)「何が〜」「いつ〜」などの場合

「何が（What）〜」「いつ（When）〜」などという疑問詞で始まる特殊疑問文を他の文に組み込む場合には，**疑問詞をそのまま接続詞として使う**。

　　What time *does* this bus *leave*?　　　　　　　　〔直接疑問〕
　　　（このバスは何時に出発しますか）

　　Please ask him **what** time this bus *leaves*.　　　　〔間接疑問〕
　　　（このバスは何時発か彼に聞いてください）

この場合も，*does* this bus *leave* の語順は this bus *leaves* になる。

112 注意すべき間接疑問の語順

間接疑問を組み込む文自体が**疑問文**である場合，それが一般疑問文か特殊疑問文かで語順が違ってくる。文全体が疑問文になるため，答えるのに Yes / No が必要かどうか，という違いである。

112 A 「…をどう思いますか」型

これは Yes / No で答える質問ではないので，疑問詞が文頭に出る。

What do you *think* I saw in the park yesterday?
（私が昨日公園で見たものは何だと思いますか）

● これに対しては，たとえば I think you saw a flower show.（花の展示会を見たのでしょう）や，I don't know. などと答えることになる。

◎疑問詞が文頭にくる〈What do you think ...?〉型をとる頻出動詞

believe（信じる）	**consider**（考える）	**expect**（予期する）
fear（恐れる）	**guess**（思う）	**hope**（望む）
imagine（想像する）	**say**（言う）	**suggest**（提案する）
suppose（思う）	**think**（思う）	**tell**（言う）

112 B 「…が何だか知っていますか」型

これは Yes / No で答える質問なので，疑問詞は文中にくる。

Do you *know* **what** I am going to do next Saturday?
（今度の土曜日に私が何をするか知っていますか）

◎疑問詞が文中にくる〈Do you know what ...?〉型をとる頻出動詞

explain（説明する）	**know**（知っている）	**remember**（覚えている）
understand（理解できる）		

112 C 〈I wonder ...〉と疑問詞

「…かしら」という気持ちは，疑問文を I wonder ... . という文に組み込めばよい。I wonder ... . という形は平叙文であり，文全体は間接疑問になるので，正式には疑問符(?)をつける必要はない。ただ，気持ちとしてつけたほうが自然に感じる場合もあり，そうしたときはあえてつける。

また，疑問文に I wonder を文末に添える形で，疑問符をつけることもある。

I wonder **which** of these is your favorite picture.
　（このうちどちらが君の一番好きな絵なのかしら）

I wonder **where** he got that book.[?]
　（彼はどこであの本を手に入れたのかしら）
　● この場合は，正式には文末に疑問符(?)はつける必要はない。

What are they going to do now, *I wonder*?　（彼らは今何をしているのかな）

REVIEW TEST 10

A 確認問題 10 (→ 解答 p.607)

1．次の各英文の（　）内の語のうち，適切なほうを選びなさい。
　⑴ (What, How) do you pronounce the name Zhu Xiong?
　⑵ (What, How) do you feel about your job?
　⑶ (What, How) is the weather like in Hawaii?
　⑷ (What, Which) happened to the New Economy?
　⑸ (What, Who) did you buy them from?
　⑹ (How, Why) don't you put them down?
　⑺ (What, How) has become of American society?
　⑻ (Which, How) is it that the country imports so much of its food?
　⑼ (Which, What) of you really knows what is going on?
　⑽ How (early, soon) will I get well?

2．次の各英文が正しければ○をつけ，正しくなければ×をつけて，全文を正しく書き直しなさい。
　⑴ How come we never hear of tornadoes in Europe?
　⑵ Do you know what is this flower?
　⑶ Who did you meet at the party?
　⑷ Whose are these pencils?
　⑸ What do you like your eggs?
　⑹ Can you guess he is who?

3．次の各日本文の意味を表すように，（　）内に適切な1語を入れなさい。
　⑴ どうしましたか。
　　　（　　）is（　　）matter（　　）you?
　⑵ だれを探しているのですか。
　　　（　　）（　　）you looking（　　）?
　⑶ だれが最初に来ると思いますか。
　　　（　　）（　　）（　　）（　　）will come first?
　⑷ ご出身はどちらですか。
　　　Where（　　）（　　）from?
　⑸ 私のメガネはどこにあるのかしら。
　　　I wonder（　　）（　　）glasses（　　）.
　⑹ ここはどこですか。
　　　（　　）（　　）（　　）now?

— 222 —

REVIEW TEST 10

B 実践問題 10 (→ 解答 p.607)

1. 次の各英文を完成させるのに，最も適切な語を選び，記号で答えなさい。

   (1) "(　) can I reach you?"
       "You can send an e-mail to me at vowel@robinson.co.jp."
       (A) Where　　(B) What　　(C) When　　(D) Why

   (2) "(　) can I do for you?"
       "I want a yard of lace that would go well with this."
       (A) How　　(B) Where　　(C) What　　(D) Which

   (3) "(　) don't you call him?"　"Yes, I think I will."
       (A) What　　(B) Which　　(C) How　　(D) Why

   (4) "(　) am I on this map?"　"You're right here."
       (A) Who　　(B) Which　　(C) What　　(D) Where

   (5) "(　) do you work for?"
       "I work for Sally Design Architects."
       (A) Who　　(B) Where　　(C) Which　　(D) Why

   (6) "(　) up?"　"Nothing special."
       (A) Where's　　(B) What's　　(C) Which's　　(D) Who's

   (7) "May I join you?"　"(　) not?"
       (A) Who　　(B) What　　(C) Why　　(D) How

   (8) "(　) should we meet?"
       "At the lobby of Green Plaza Hotel."
       (A) When　　(B) Where　　(C) What　　(D) Who

2. 次の各英文の下線部から，誤っているものを1つ選び，記号で答えなさい。

   (1) (A)When applying for (B)a job, (C)why do you expect (D)from a potential employer?

   (2) (A)Do you remember (B)what was like when you (C)first (D)fell in love?

   (3) (A)How do you think of our site?　(B)If you'd like to e-mail us (C)with questions about our products, please (D)use our e-mail form.

   (4) "(A)How will the conference be like?"　"The program is (B)a careful mix of (C)main speaker presentations and (D)a menu of group sessions."

   (5) The last C (A)represents the basic (B)measuring unit of diamonds. Carat weight is (C)how much your diamond weight. Diamonds (D)are weighed to a thousandth of a carat.

— 223 —

第11章 接続詞
CONJUNCTIONS

語と語，句と句や節と節などを結びつける語を接続詞といい，等位接続詞と従位接続詞とがある。また，本来副詞だが，接続詞的機能を果たすものを接続副詞といい，この章で取り扱う。日本語と対比しながら理解していくのがよい。

第1節 接続詞の種類

113 接続詞の種類

113 A 等位接続詞と従位接続詞

(1) 等位接続詞

文法上対等の関係にある語と語，句と句，節と節を結びつけるものが等位接続詞で，「～と…」に当たる **and**，「～だが…」の **but**，「～か…か」の **or** と，文語的な「～というのは」に当たる **for** などがある。

> The weather forecast said it would be rainy, **but** it was fine.
> （天気予報は雨だろうと言っていたが，晴れだった）

(2) 従位接続詞

「～だから…」，「～したときに…」，「もし～したら…」のように，…の部分（主節）に，～の部分（従位節）を結びつけるのが従位接続詞である。
従位節には**名詞節**と**副詞節**がある（形容詞節には関係詞を用いる）。

> The doctor asked him **if** he smoked cigarettes.
> （医者は彼にタバコを吸っているかと聞いた）
> ● if 以下は ask の目的語になっている**名詞節**。

> **Though** it was raining, she left the balcony door open.
> （雨が降っていたが，彼女はバルコニーのドアを開けたままにしていた）
> ● Though 以下の下線部は，譲歩を表す**副詞節**。

113 B 接続副詞

「しかしながら」に当たる **however** とか，「それゆえ，したがって，だから」

に当たる so などは本来副詞であるが，意味の上では明らかに接続詞的に機能している言葉でもあるので，この種のものを**接続副詞**という。

　so などのように節の先頭にくる接続詞と同じ位置に置くものと，however などのように，文中や文尾にも置けるものとある（◯p.229 **115**）。

　　There weren't enough seats, **so** I had to stand all the way to London.
　　　（席が十分にはなかったので，ロンドンまでずっと立っていなければならなかった）

第2節　等位接続詞と接続副詞

114　等位接続詞の種類と用法

114 A　連結を示す等位接続詞

(1) and

「AとB」「A, そしてB」だけでなく，さまざまな使い方がある。

①「AとB」「A, そしてB」

　　You should *eat less* **and** *exercise more*.
　　　（食べる量を減らし，運動量を増やすべきです）

②「～してそれから…する」〔動作順〕，「～すると…する」〔因果関係〕

　　She started up the machine, **and** it began to move.
　　　（彼女がその機械を始動させると，機械は動き出した）

> **発展**　「～したが，…」という日本語を見ると，これを反射的に，逆接につながる but を使って英訳してしまう学習者がいるが，たとえば，「私はその本を読んでみた**が**，とてもユーモラスだった」という例のように，日本語の「～が，…」が必ずしも逆接につながるわけではない。この例は，英語で言えば，I read the book **and** found it very humorous. であって，but を使う場合ではない。

③「～すれば…」〈命令文＋and〉，〈名詞＋and〉

　　Scratch my back **and** I'll scratch yours.　〈ことわざ〉
　　　（僕の背中をかいてくれれば，君の背中をかいてあげる）

　　● 文頭に You がつく形もよく見られる。
　　◆ 英米で古くから使われている言葉。手が届かない背中のかゆい所をかいてもらうと気持ちがいいので，君がそうしてくれれば，僕もしてあげるという意味。日本語の「魚心あれば水心」の英語相当句。

　　One more click, **and** you'll get the details.
　　　（＝*If you click one more time*, you'll get the details.）

(もう一度クリックすれば詳細が表示されます)

④ **A と B が合体**して 1 つのものや概念を表すときに用いる。

This very old cup **and** *saucer* was made in England by Stanley & Co.
（この非常に古い受け皿つきの茶わんはイングランドのスタンレー社製です）

● cup and saucer を単数の was で受けていることに注意（ p.547 **258**）。

⑤ **連続や多様さ**を表し，意味を強めるのに，同じ語を and で重ねて表現することができる。

The noise grew *louder* **and** *louder*.
（その音はだんだん大きくなってきた）

Every inch of the small shop was filled with *bottles* **and** *bottles* **and** *bottles* of wine.
（その小さな店の隅から隅までワインの瓶また瓶でぎっしりだった）

⑥ **特殊な用法**

(a) くだけた言い方で，「〜しに来る」など to 不定詞の代わりに用いる。

Come **and** see me soon. I miss you.
（＝Come *to* see me soon. I miss you.）
（じきに遊びにきてね。あなたがいないと寂しいの）

● **come**, **go**, **stay**, **stop** などがこの形をとる。come と go の次では and を略してもよい。come *to* see → come **and** see → come **see**〔to も and も省略〕の順でくだけた形になる。

(b) くだけて「**とても〜**」というときに，〈nice [good] and 〜〉ということがある。こういう場合の〈nice and 〜〉は [náɪsn̩] と発音される。

This jacket is *nice* **and** *warm*. （このジャケットはとても暖かい）

(2) nor

「A も B も〜ない」と否定にさらに否定を続けるときには **nor** を用いる。

He *doesn't* like **nor** trust anyone.
（彼はだれをも好きにならないし，信用もしない）

● このような場合には，He *neither* likes **nor** trusts anyone. と **neither** を用いるほうがふつう（ p.227 (5)）。前に **not** があるときには，**nor** は **or** にしてもよいケースが多く，上の英文はその 1 例である。つまり，**doesn't** like **or** trust anyone の場合，否定の **not** が like と trust の両方にかかっていると見るとわかりやすい。

I *haven't* proposed to her yet, **nor** will I until I've met her father.
（私はまだ彼女に結婚を申し込んでいないし，彼女の父親に会うまでは申し込むつもりもない）

● nor の次に節を続けるときは，主語と動詞は倒置する。この文では will があるから，will I の語順になっている。助動詞がないときには，do, does, did などを用いればよい。

> **Helpful Hint 60　因果関係をほのめかす and「～すると…する」**
>
> 　**and** を用いて「～すると…する」と因果関係をほのめかす表現は便利である。たとえば，He tried the medicine, **and** the next day his stomach felt much better.（彼がその薬を飲んでみると，翌日には腹の具合はずっとよくなった）という例を考えよう。これは **because** や **since** などを使って，「飲んでみたので，よくなった」とまでは言い切れないが，「薬を飲んでみた」ことと「腹の具合がよくなった」ことには因果関係があるだろうと十分に思われる話ではある。こういうときこそ，**and** の出番だ。
>
> 　こうしたレトリックは，さまざまな場面で使われる。たとえば，I prayed for rain **and** immediately heard a peal of thunder.（雨が降るよう祈ったらすぐに雷鳴が聞こえてきた）のように，因果関係などまったくないかもしれないが，あると思いたい気持ちで2つの節を **and** で結びつけることまであるのだ。

(3) 〈**both A and B**〉「AもBも」（→p.548 **258A**③）

〈A and B〉の「両方とも」という意味を強めて〈**both A and B**〉という。both をこのように使えるのは，AとBが文法上対等なもの同士の場合のみである。

　　Salmon can live in **both** *fresh* **and** *salt* water.
　　　（サケは淡水でも海水でも生きられる）
　　　　●in fresh **and** salt water alike とも言えるが，〈both A and B〉のほうがふつう。

(4) 〈**not only A but (also) B**〉「AばかりでなくBも」（→p.549 **258C**(1)）

　　Not only *soldiers* **but also** *civilians* are now treated as enemies by the terrorists.
　　　（兵士たちだけでなく，一般市民までもが今やテロリストによって敵として扱われている）

(5) 〈**neither A nor B**〉「AもBも～ない」（→p.548 **258B**(2)）

〈both A and B〉を全面否定するには〈**neither A nor B**〉を用いる。

　　Neither *praise* **nor** *blame* moves the wise man.
　　　（賞賛も非難も賢人を動揺させることはない）
　　　　●neither を用いたら or ではなく，nor を使うのがふつう。

114 B　反意・対立を示す等位接続詞

「A，だが［でも，しかし］B」の意味は **but** を用いて表す。文頭に But を置くのは避ける傾向があるが，会話なら，"But ..." で始まる発言も多い。いずれにしても，文章を書くときには，日本語の用法に引きずられないこと（→p.225 **114A**(1) 発展）。

(1)「でも，しかし」

　　Gone with the Wind is a great movie. **But** it is a little long.
　　　（『風と共に去りぬ』はすばらしい映画だ。でもちょっと長いね）

(2) 「～ですが…」日常会話で，軽く添える場合に使う。

I'm sorry, **but** I can't come to the luncheon tomorrow.
（申し訳ありませんが，明日の昼食会には出られません）

(3) 「AではなくてB」〈not A but B〉

The most important thing in life is *not* the triumph **but** the struggle.
（人生で最も大切なことは，勝利ではなく，それを求める苦闘である）
● 順を逆にするときには，"... is the struggle, **(and)** **not** the triumph." とする。

(4) 「なるほど～だが…」〈It is true ～, but ...〉

It is true that love is blind, **but** marriage is definitely an eye-opener.
（なるほど恋は盲目だが，結婚は明らかに目を覚まさせてくれるものだ）
● Love is blind, *to be sure*, **but** ... . や，Love is *indeed* blind, **but** ... . などのように，It is true の代わりに，**to be sure** や **indeed** も使える。

114 C 選択を示す等位接続詞

「～かそれとも…か」という選択には **or** を用いる。

Would you like to sit *here* **or** *next to the window*?
（ここにお座りになりますか，それとも窓のそばの席になさいますか）
◆ ファーストフードの店に行くと，「ここで召し上がりますか，それともお持ち帰りになりますか」という意味で，**(For) here or to go?** と聞かれることがよくある。これに答えるときには，店で食べるときには，Here. だけでもよいし，For here. でもよい。持ち帰りの場合は To go. と to をつけて言う。

否定語の後では nor の代わりに or を用いることができる（◎ p.226 **114A**(2)）。

He *never* forgot a name **or** a face.
（彼は決して名前も顔も忘れることはなかった）

or にはこの本来の意味以外に，次のような使い方もある。

(1) 「すなわち」

SARS, **or** severe acute respiratory syndrome, is a severe form of pneumonia.
（SARS，すなわち，重症急性呼吸器症候群は肺炎の重症の形である）

(2) 「さもないと」〈命令文＋or〉，〈名詞＋or〉

Buy it, **or** you'll be sorry!
（＝*If* you *don't* buy it, you'll be sorry!）
（買いなさい，さもないと後悔しますよ）

(3) 「AかBかのどちらか」〈either A or B〉

You must know **either** *English* **or** *French* to become a Canadian citizen.
（カナダ国民になるためには，英語かフランス語かどちらかできなければならない）

> **Helpful Hint 61**　文を読みやすくする both の使い方
>
> **both** A and B の **both** は「両方とも」という意味を強調するのが最も基本的な役割だが，単に文を読みやすくするために使われることもある。たとえば，In Turkey, I visited Istanbul and Ankara. (トルコでは，イスタンブールとアンカラを訪ねた) という，特に「両方とも」を強調したいわけではない場合を考えよう。もしこれがもっと長い文で，In Turkey, I visited *Istanbul*, which used to be called Constantinople and is Turkey's largest city, **and** *Ankara*, its capital. のように，Istanbul と Ankara がだいぶ離れている場合であれば，これを "In Turkey, I visited **both** *Istanbul*, which used to be ..., **and** *Ankara*, ..." と **both** を使って，*Istanbul* の後にもう1つの地名がくるぞ，と前もって読者に知らせておいたほうが読みやすい文になるのである。

114 D　理由を示す等位接続詞

「というのは…」というように理由を示すのに **for** を用いることは，書き言葉でも最近は使用頻度がわりあい低い。話し言葉としては，演説や講義に使われることはあっても，改まった感じが強いので，会話にはめったに用いられない。

　　The door must be very thin, **for** I can hear them laughing.
　　　　（ドアはかなり薄いでしょう。というのも，彼らの笑い声が聞こえるのです）

115　接続副詞

接続副詞は，副詞としての機能を持ちながら，**意味上**，または**論理的**にその前の要素や文の意味を受けて，2つの要素を結びつけるものである。結びつける要素の論理的関係を示すのが唯一の役割である接続詞とは違って，接続副詞は文の中で自立しており，それ自体の意味をも表す。

115 A　接続副詞の種類

(1) 連結

「その上」**besides, also, moreover** —— この順に堅い言い方になる。
「それから」**then**

　　I don't feel like doing this; **besides**, I am very tired.
　　　　（私はこれをやる気はないし，それにとても疲れている）
　　　　● besides の前に and をつけることもできる。
　　　　● -s のつかない beside（～のそばに）という前置詞と混同しないこと。

　　My monitor is small. **Also**, it is rather out of date.
　　　　（私のモニターは小さい。その上，時代遅れの代物だ）

　　Mix the salt and water; **then** heat it for a few minutes.
　　　　（塩と水を混ぜなさい。それから数分間熱しなさい）

(2) 反意・対立
「しかしながら」**however**　「それにもかかわらず」**nevertheless**
「それでもなお」**still, yet**

It was raining. **However**, the cat did not seem to mind at all — it sat under the outside table for over an hour.
（雨が降っていた。しかし，その猫はいっこうに平気のようで，1時間以上屋外テーブルの下に座っていた）

● however はやや堅い言い方。文頭にも文中にも置ける。文末に置くこともできるが，口語的である。文中に入れるときには，前後にコンマを置く（⊃ p.231 H.H.62）。

(3) 選択
「さもないと」**else, otherwise**

You'd better quit smoking; **otherwise**, you might get cancer.
（喫煙をやめたほうがいい。さもないと，癌になるかもしれないよ）

● else は，ふつう **or else** の形で用いる（⊃ p.231 **115B**(3)）。

(4) 原因・結果
「それゆえ，したがって，だから，〜ので」などのように，**因果関係を表す**。
so よりも，**therefore, consequently, hence** のほうがだいぶ堅い言い方になる。

Dorothy was very tired, **so** she had supper and went right to bed.
（ドロシーはとても疲れていたので，夕食をとってすぐに寝た）

therefore は，論理的帰結を示すので，論理学や数学などにも用いるが，日常の言葉で用いてもかまわない。ただし，とても改まった感じの言い方になる。

I don't have a key; **therefore**, I'll have to ring the bell.
（私はかぎを持っていません。ゆえに，ベルを鳴らさなければなりません）

(5) 付加説明
「すなわち」**that is (to say)**〔話し言葉・書き言葉〕**, namely**〔書き言葉〕
「たとえば」**for instance, for example**

In 1996, the Canadian population was 28.8 million, 5.7% greater, **that is to say**, than that of the census of 1991.
（1996年にはカナダの人口は2,880万人だった。すなわち，1991年の人口調査から5.7％の増であった）

> 発展　「すなわち」の意味は，namely のほかに，that is (to say) が気軽に用いられる。**i.e.** というのは，この that is のラテン語 id est の略語であるが，やや堅い感じで，文書に用いられるのがふつうで，会話に用いると，いささかふざけた感じになる。
> The hotel is closed during the off season, **i.e.**, from November to March.
> （そのホテルは，オフシーズン，すなわち11月から3月までは，閉館です）

115 B 接続副詞の使い方

(1) 接続副詞の位置

接続副詞は，文や後続する節の**先頭**や**中間**，あるいは**末尾**に置ける。ただし，**so** や **yet** などのように，先頭の位置に限られるものもある。この場合は，文全体は重文のように感じられ，接続詞と区別しにくいこともある。

His warning seems strange, **yet** I think he may be right.
（彼の忠告は奇妙なようだが，私は彼は正しいかもしれないと思う）

前の文に続く**独立した文**にも使うことができるものがある。

This document attempts to give a brief outline of the process.　It is likely, **however**, that we will need additional documents.
（この文書はその過程の簡潔な概略を述べようとしている。しかし，我々はさらなる補足文書が必要となりそうである）

(2) 句読点の注意

and, but, or などの等位接続詞とは違って，**接続副詞だけで2つの等位節を結びつける場合には，節と節との間にはセミコロンを置くのが正式**である。

I don't want to play; **besides**, I don't know the rules anyway.　〔等位接続〕
I don't want to play.　**Besides**, I don't know the rules anyway.　〔文頭〕
I don't want to play, **and besides**, I don't know the rules anyway.　(● (3))
（私はやりたくないね。おまけに，とにかくルールも知らないのだから）

● 続く節の中に，..., therefore, ...（それゆえ）のように，前後をコンマで切って挿入する場合もある。

(3)〈接続詞＋接続副詞〉

接続副詞は副詞でもあるから，その前にさらに接続詞を置くことがある。

and also（そしてまた）**, and so**（だから）**, and then**（それから）**,**
and yet（それにもかかわらず）**, but still**（それでも）**, or else**（さもないと）

It was, indeed, a well written book, **and yet**, it wasn't really enjoyable.
（確かにうまく書かれた本ではあったのだが，それでも，そんなに楽しめるようなものではなかった）

Helpful Hint 62　however はどこに置く？

日本人の書いた英文に見られる **however** は，ほとんど**文頭**に置かれている。確かに，**However,** this is not necessarily a difficult problem to solve.（しかし，これは必ずしも解決しにくい問題ではない）のような書き方は決して間違いではないが，むしろ，This is not necessarily, **however,** a difficult problem to solve. のように，文中に置いたほうが英語らしく，効果的な文になるケースが極めて多い。具体的に文中のどこに置けばいいのかは，質のいい英文をたくさん読めば，その感覚がしだいに身につくはずである。

第3節 従位接続詞

116 名詞節を導く接続詞

116 A　that

「～が…する[である]ということ」という意味の名詞節を導く最もふつうの接続詞が that である。

(1) that節が主語の場合

that節を文頭に置くと長すぎて文の均衡を破ることが多く，そのときは形式主語の **it** を代わりに文頭に置くのがふつう（⊃ p.2 **1C**, p.389 **180B**(3)③）。

That he is Japanese *doesn't* matter.
→ *It* doesn't matter **that** he is Japanese.
（彼が日本人であるということは問題ではない）

It was evident **that** the old system didn't work anymore.
（古いシステムではうまくいかなくなったことは明らかだった）

● この形と「文修飾副詞」との関係については次の項を参照されたい（⊃ p.472 **215A**）。
● It を用いる形では，口語では that を省くことが多い。

(2) that節が補語の場合

I don't plan to add a chat room to the site. The only reason *is* **that** I don't have time to monitor one.
（このサイトにチャットルームをつけ加えるつもりはありません。唯一の理由は，それをチェックする暇がないからということです）

● 口語では，The reason is *because* …. という形が見受けられるが，is の補語には名詞節が来るべきなので，that が正しい。

補語になる場合，一般には that は省略しないが，The truth is, …. や The fact is, …. の形では that はよく省略され，コンマが置かれる。

Critics will tell you the film is uninteresting, but **the fact is**, it's not.
（批評家はその映画はつまらないと言うでしょう。でも実は，つまらなくなどないのです）

(3) that節が目的語の場合

① **that節を目的語にとる動詞**

「思う」，「知っている」のように**思考・認識**を表す動詞や，「言う」，「要求する」のように**伝達**や**要求**を表す動詞の多くは，that節を目的語にとる。

日常よく使われる **think, hope, say** などの動詞の場合，口語では that を省略することが多いが，特にルールはない。

I *think* (**that**) this limitation is too restrictive.
(私はこの制限は厳しすぎると思う)

I *think it* great **that** she's making such an effort to help out other people.
(私は，彼女が他人を助けるのにあんなに努力しているのはすばらしいと思う)
　●これは〈S＋V＋O＋C〉のOが that節になるので，it を形式目的語として置いたもの。

|注意| **want**（～を望む），**offer**（～を申し出る），**refuse**（～を断る）のように **that節を目的語にとらない動詞**もあるので，辞書で確認するとよい。

② **that節内の動詞の形**

　that節内の動詞は，原則としてその意味に応じた時制をとればよいが，注意を要する場合もある。

(a) 次の場合は，that節内の動詞は原則として**仮定法現在**だけで表すか，または **should** を伴って表す（● p.98 **43C**(2), p.204 **104**）。

(ⅰ) **要求・提案・命令**などを表す動詞の目的語となる that節で

We *requested* **that** it (*should*) *be* easy to use.
(私たちは，それが使いやすいものになるように要求した)

(ⅱ) 要求や願望などを表す〈**It is＋形容詞＋that節**〉構文で

It is necessary **that** he (*should*) *take* care not to speak too much.
(彼はあまりしゃべりすぎないように注意しなければいけない)

(b) **hope** に続く that節内の動詞は現在形でもよく，口語ではその傾向が強い。

I *hope* **that** you *find* the enclosed information to be useful.
(同封のお知らせがお役に立つとよいのですが)
　●that を省略することがかなり多い。

③〈**(前置詞＋it)＋that節**〉── 本来自動詞である語に that節をつける場合，that節の前に〈前置詞＋it〉を置くものと，省略するものとがある。

(a) **insist**（強く要求する；言い張る）は，以前は自動詞で，〈insist *on it* that〉という形でよく使われていたが，今ではこの on it を省略した〈insist that〉という形のほうが定着して，**insist** は **that節**を従える場合には**他動詞**とされる。

She *insisted* **that** she hadn't ever met him.
(彼女は，彼には会ったことがないと言い張った)

(b)〈**see (to it) that ...**〉「…する［になる］ように取り計らう」は，〈**to it**〉を置いても省略してもよい。

I'll *see* (*to it*) **that** they don't do it again.
(彼らが二度とそれをしないように取り計らいます)

(c)〈**depend on it that ...**〉「…ということを当てにする」

この形では〈on it〉は**省略できない**。最近はこの形より，〈depend on A to ~ [on A's ~ing]〉とするほうが多い。

We are **depending on** her **to** work [**on** her work**ing**] for us in Washington.
（我々は，彼女がワシントンで働いてくれることを当てにしています）

(4) that節が前置詞の目的語になる場合

that節は原則として前置詞の目的語にならない。例外は次の2つである。

① 〈**except that ~**〉「~ということを除けば」（● p.256 **121E**, H.H.69）

I don't know anything about her **except that** she's from Wales.
（ウェールズ出身だということを除けば，私は彼女のことなど何も知らない）

② 〈**in that ~**〉「~という点で（は）」

This new timetable is better **in that** it gives more detailed information, but it is a little hard to read.
（この新しい時刻表は，より詳しい情報を表しているという点では，前のものよりよいですが，ちょっと読みにくいです）

(5) that節が同格節を導く場合

「~ということ」のように，① **fact**（事実，こと），② **news**（知らせ），③ **remark**（一言，発言），④ **idea**（考え），⑤ **order**（命令），⑥ **feeling**（気持ち）などという名詞は，「~という」とその**内容を示す that節**が続けられる。

The fact **that** he won the Nobel Prize had nothing to do with the fact of his being Japanese.
（ノーベル賞を受賞したということは，彼が日本人であるということとは何の関係もなかった）

同格の that節を伴う名詞で特によく使うものを上の分類に従って例示する。

① advantage（利点）　　chance（見込み）　　conclusion（結論）
　 condition（条件）　　difference（相違）　　evidence（証拠）
　 exception（例外）　　possibility（可能性）　truth（真実）
② notice（通知）　　　　report（報告）　　　rumor（うわさ）
③ claim（主張，断言）　comment（一言，発言）explanation（説明）
　 promise（約束）　　　statement（声明）　　theory（説）
④ belief（信念）　　　　hope（希望）　　　　idea（考え）
　 opinion（意見）　　　point（主張点）　　　thought（考え）
⑤ command（命令）　　demand（要求）　　　desire（願望）
　 request（要望）　　　suggestion（提言）
⑥ anxiety（心配）　　　conviction（確信）　　fear（不安）
　 recognition（認識）　supposition（仮定）

Helpful Hint 63　insist の実際の意味は？

　日本の大学受験生の多くは「**insist**＝主張する」と，1対1で insist を「主張する」と対応させて暗記するようだが，実際には，「自分の説を強く言い張る」という意味よりも，「強く要求する」という意味で使われる insist のほうが，使用頻度はだんぜん高い。中でも，"I **insist** *that* you stay for dinner." "Well, if you **insist** ... ." 「ぜひ夕食までいてください」「じゃあ，どうしてもと言うなら」というように「社交的会話」に使われるケースが特に多い。

116 B　whether と if

「～かどうか」という意味は **whether** か **if** で表す（⊃ p.220 **111A**(1)）。whether と if はどちらを使ってもよい場合と，whether は使えるが if は使えない場合があるので，whether の用法を中心にして，if と書き換えが可能かどうかを説明する。

(1) **他動詞の目的語となる節**で──どちらも使える。

　　I asked him **whether** [**if**] he could give me a satisfactory reply to my letter.
　　（私は彼に，私の手紙に納得のいくような返事をよこせるかどうか聞いた）
　　　●くだけた言い方では whether よりも if のほうが好まれる。**ask, know, wonder** などの場合は if のほうが多い（ask では，whether 1に対して if 9くらいである）。

(2) **主語となる節**を導く場合──文頭に if は使えない。

　　Whether the two incidents are related *is* unknown.
　　（2つの出来事が関係あるのかどうかはわからない）
　　［誤］*If* the two incidents are related is unknown.
　　ただし，形式主語の it を文頭に出す形ならどちらも可。
　　It is unknown **whether** [**if**] the two incidents are related.

(3) **補語になる節**を導く場合──if は使えない。

　　A good test of sincerity *is* **whether** we are willing to listen to others.
　　（相手の言うことを聞こうとするかどうかで誠実さがよくわかる）
　　［誤］A good test of sincerity is *if* we are willing to listen to others.

(4) **前置詞に続く節**の場合──if は使えない。

　　A reporter's success depends *on* **whether** he or she works well under pressure.
　　（報道記者としての成功は，時間にせかされてよい仕事をするかどうかにかかっている）
　　［誤］A reporter's success depends *on if* he or she works well ... .

(5) **同格節**を導く場合──if は使えない。

　　There is a *question* as to **whether** their research approach is the correct one.
　　（彼らの研究方法が正しいものかどうかには疑問がある）

[誤] There is a *question if* their research approach is the correct one.

(6) ⟨**whether or not**⟩ の形で

if には or not を直接つけられない。離して使うことはできる。

It is unclear **whether or not** this is the right answer.

It is unclear **whether** [**if**] this is the right answer **or not**.

（これが正しい答えかどうかははっきりしない）

● if or not という英語はない。**or not** を文末に置いて，⟨**if ... or not**⟩ という形を使うことが多い。

116 C lest, but that その他

(1)「～しはしないかと」という意味で，心配や懸念を表すのに **lest** を用いるのは文語。**that** のほうがふつう。

He *worried* **lest** she (should) tell someone what had happened.

(＝He worried *that* she might tell someone what had happened.)

（彼は，彼女がだれかに何が起きたかを話しはしないかと心配していた）

● should を使った形は改まった言い方で，《米》では should を使わない仮定法現在のほうがふつう。

(2)「～ではないということ」の意味で，動詞 (know, say, think, be sure, believe, expect など) の**否定形**に ⟨**but that**⟩ を続けることがある。

Who can say **but that** [*what*] they are still alive?

（彼らはもう生きていない，と言える人がいるか）

● **but what** のほうが，but that よりやや口語的である。主節は疑問または否定の構文になる。

(3) 確実であることを強調する ⟨**There is no doubt but that ...**⟩ の形の **but that** は堅い言い方だが，頻繁に使われる。

There is *no doubt* **but that** the illness was transmitted through the air.

（その病気が空気伝染だったことは疑いない）

⟨**I doubt that ...**⟩ というときは，doubt＝don't think [believe] の意味。

I **doubt that** we'll arrive on time.

(＝*I don't think* that we'll arrive on time.)

（時間どおりに着きそうもないな）

117 時・場所の副詞節を導く接続詞

117 A 時の副詞節を導く接続詞

時を表す副詞節に共通した重要な点は，節の中の動詞は未来のことも現在形で，

未来完了のことも現在完了で表すということである。

(1) when

① 「～するときに」の意味は when で表す。when は文頭に置いてもよいし，主節の後に置いてもよい。

When I was a little boy, my mummy kept me in.
(僕がまだちっちゃかったころは，ママが僕をおうちに閉じ込めた)
　◆「マザーグース」の中の１節。18世紀のロンドンで生まれたこのわらべ歌集からは，英文にもよく引用されるので，文化的背景として知っておくのがよい。

② 「～したらその時…」という場合は，when節を**主節の後**に置く。

I *was about to* leave **when** they started to argue again.
(私が立ち去ろうとしたとき，彼らはまた議論をし始めた)

I *had not gone* far **when** the moon disappeared behind the clouds.
(遠くまで行かないうちに月が雲の陰に隠れた)

③ 「～するたびに」は whenever で表す。

Whenever it rains, this lowland fills up with water.
(雨が降るたびに，この低地は水浸しになる)
　●関係副詞ととる見方もある（◎ p.286 **141A**(2)）。

(2) while

「～している間に[は]」の意味は while で表す。

while はある長さの期間を表すので，while で始まる節内の動詞は**状態動詞**か，動作動詞の**進行形**が多い。

The accident happened **while** I *was working* in the factory.　〔進行形〕
(その事故は私が工場で働いている間に起こった)

The couple contacted one another every other day by telephone **while** Diana *was* in Australia.　〔状態動詞〕
(２人はダイアナがオーストラリアにいる間，１日おきに電話で連絡を取り合っていた)

(3) as

「～しながら」，「～するとき」など，**同時を表すには as** を用いる。

Everyone stood up **as** the judge entered the courtroom.
(裁判官が入廷するときだれもが立ち上がった)
　●同じ「～するとき」でも，when よりも as のほうが，「～する」ことが行われている間に，という感じが強い。したがって，逆に上の文の as を when にすると，入廷することが一瞬にして終わってしまったという感じになる。
　◆裁判官が入廷するときに全員が起立するのは，裁きをする者の地位に対する敬意の印で，その精神は古くは旧約聖書の詩篇50に求められるという。

117A

She sang **as** she walked down the hall.
（廊下を歩いて行きながら彼女は歌を歌っていた）

As he was eating, he recalled what his father had said.
（食事をしながら，彼は父が言ったことを思い出した）

As a child he often read comic books.
（子供のころ，彼は漫画の本をよく読んでいた）

　●これは **When** he was a child, ... と同じ意味である。**As** he was a child, ... と言うと，「子供だったので」の意味になる。

(4) before, after

「～する前に」は **before**，「～した後で」は **after** で表す。before や after を用いると，主節と従位節の動作や出来事の**前後関係**がはっきりするので，過去の出来事を述べる場合，先に起こった出来事を表す動詞も**過去形**でよい。

We *got* there **before** it *started* raining.
（私たちは雨が降り出す前にそこに着いた）

　●**When** we *got* there, the movie *had* already *started*.（私たちがそこに着いたときには映画はもう始まっていた）という場合は，when は「同時」を表しており，already という語があることから，その時には，もう始まっていたという意味が明確になっている。

Think carefully **before** you enter telephone numbers or any other private information.
（電話番号やその他の個人情報を記入する前に慎重に考えなさい）

Order now **before** you forget!
（忘れないうちに今注文しなさい）

　●日本語の「忘れないうちに」に引きずられて while you *don't* forget としないこと。

After you *left,* someone called but wouldn't say anything.
（あなたが出かけた後で，だれかから電話がかかってきましたが，何も言おうとしませんでした）

(5) till, until,〈by the time (that)〉

①「～するまで」の意味は **till** か **until** で表す。どちらを使うかは，主に好みの問題であり，厳密なルールはないが，until のほうがやや改まった感じで，書き言葉によく現れる。特に文頭では until が多いという傾向もある。
　一方，主節の動詞のほうは，「～するまで…」というのだから，ふつうなんらかの意味で**継続**の意を含む**動詞**か，**進行形**になることが多い。

Hadn't we better *wait* here **until** he comes? 〔継続〕
（彼が来るまでここで待っているほうがよいのでは？）

The computer *was working* **till** [**until**] I removed the hard disk. 〔進行形〕
（コンピューターは私がハードディスクを取り去るまで作動していた）

次の文のように**否定形**だと,「そうしない」状態が続くのだから,その意味では**継続**を表しているという場合もある。

The car crashed through the glass and *didn't stop* **till [until]** it hit the back wall.
(車はガラスを破って突き抜け,奥の壁にぶつかるまで止まらなかった)

Players may *not kick* the ball **until** it has touched the ground.
(選手は,ボールが地面に着くまではボールをけってはいけない)

② 「～するまでに」の意味は,前置詞の by に目的語をつけた〈**by the time (that) ～**〉という形で表すのがふつうである。ただし,この that は省略することが多い。

By the time (**that**) he reached the sea, several thousand had joined his march.
(彼が海辺に着くまでには,数千人が彼のデモ行進に加わっていた)
◆1930年に,ガンジー(Gandhi)がイギリスの植民地税法に抗議して自分たちで海から塩を取ろうと,彼に続く人たちと24日間で240マイルを行進した有名な話。

> Helpful Hint 64　位置によって異なる while 節の意味
> while節が使われるセンテンスは,意味があいまいなケースも十分あり得る。具体的に言うと,たとえば,**While** you slept this morning, I worked as hard as I could. という文の場合,単に「今朝,君が眠っている間に,僕は一生懸命に働いていたよ」〔時〕という意味だけではなく,「君は今朝眠っていたが,僕は一生懸命に働いていたよ」〔対照〕という意味でも受け止められる。が,このようなあいまいさが生じ得るのは,**while節**が先に置かれるときだけである。主節が先に置かれるときは,コンマの有無によって意味がはっきりする。I worked as hard as I could this morning **while** you slept. と,コンマのない場合,この **while** は前者の「～間に」を表すが,"... this morning, **while** you slept." の **while** は,後者の「～が」を表す。

(6) since

「～して以来」という意味は **since** で表す。since の節には**過去形**,主節には**現在完了**か**過去完了**を使うのがふつうである。

He *has been living* in Bangkok **since** he *left* school.
(彼は学校を出て以来ずっとバンコクに住んでいる)

He *had been singing* in choirs **since** he *was* in the sixth grade.
(彼は6年生の時からずっと聖歌隊で歌っていた)

Ten years *have passed* since he *won* the Nobel Peace Prize.
(＝*It has been* ten years **since** he *won* the Nobel Peace Prize.)
(彼がノーベル平和賞を受賞してから10年になる)
●It **has been** ten years **since** he won the Nobel Peace Prize. を,It **is** ten years **since** ... に変えてもよいが,完了形のほうがふつう。

(7) ⟨as soon as⟩, ⟨no sooner ～ than⟩, ⟨hardly [scarcely] ～ when [before]⟩
「～するとすぐに」という場合には，これらの語句を用いる。

① ⟨as soon as ...⟩
過去・現在・未来すべてについて使える最も口語的な言い方。

As soon as I get home, I'll send it to you.
(家に着いたらすぐにそれをお送りします)

Be sure to send me the paper as soon as you have finished reading it.
(その論文を読み終わったらすぐにこちらに送ってください)

The machine is ready for use as soon as it is switched on.
(その機械は電源を入れたらすぐに使えます)

As soon as children got to a certain age, they would leave for America.
(子供たちはある程度の年齢になるとすぐにアメリカへたっていった)

② ⟨no sooner ～ than ...⟩
過去のことについていう場合が多いが，現在のことについてもいえる。

No sooner had the explosions ended than I saw flames coming from the hotel.
(爆発が終わるとすぐホテルから炎が出てくるのが見えた)
● The explosions had **no sooner** ended **than** I saw .... としてもよい。

③ ⟨hardly [scarcely] ～ when [before] ...⟩

hardly と scarcely はどちらでもよい。before はあまり使われず，when がふつうである。⟨no sooner ～ than ...⟩ との混交で，when や before の代わりに than を用いるのは標準的ではないから避けたほうがよい。

この構文も過去のことについていう場合が多く，2つの出来事は特に関連したものではないことが多い。

The curtain had hardly dropped when the box-door opened, and in came Mr. Lovel.
(幕が下りるとすぐにボックス席の扉が開いて，ラベル氏が入ってきた)
● 否定語の hardly を文頭に出すと，主語と動詞が倒置されて，**Hardly** had the curtain dropped when .... となるが，文語調。

◆ 劇場内の座席の名称は英米や劇場の構造によっても異なる。基本的には，舞台前の一段と低い pit にオーケストラがいるので，《米》では1階前部の席を orchestra (正面のよい席を parquet)，後部の席を parterre という。《英》では1階席は stalls で，特に前方のよい席を front stalls ともいう。Box はます席で特別席である。2階席は《米》では balcony だが，そのよい席を first balcony である。《英》では2階席は upper circle で，正面桟敷を dress-circle という。これは昔 evening dress を着て入ったことに由来する。いわゆる天井桟敷が gallery である。

117 A

(8) directly, immediately, ⟨the instant⟩, ⟨the moment⟩

「～するとすぐに」の意味で，副詞や名詞を接続詞として使うことがある。

① directly, immediately

どちらも《英》で，directly のほうがくだけた言い方。

I'll phone you **immediately** I hear any news.
(何か知らせを聞いたらすぐにお電話します)

② ⟨the instant⟩, ⟨the moment⟩

⟨the instant⟩ は，「～と同じ瞬間に」のように，誇張の感じが幾分か強い。いずれも，that が省略されていると考えてよい。《英》《米》のどちらでも使われる。

The moment (that) he learned of the disaster, he rushed to the site.
(彼は災害のことを聞くとすぐに現場へ駆けつけた)

(9) 「時」を表すその他の接続詞

① if

「～すれば」が「～するときはいつも」の意味で，**when** と書き換えられる場合がある（● p.192 **95A**(1)）。

従位節には現在形の場合が多い。

If you *heat* a solid to a high enough temperature, it will melt and become a liquid.
(＝**When** you *heat* a solid to a high enough temperature, it melts and becomes a liquid.)
(固体をある温度まで熱すると，その固体は溶けて液体になる)

② once

「一度～すれば」という意味は once で表すことができる。

Once you know what it is, you see it everywhere.
(一度それがどんなものかがわかれば，それを至る所に見かけたりする)

③ ⟨every time⟩, ⟨each time⟩

「～するたびに」という意味を whenever だけではなく，⟨every [each] time⟩ でも表すことができる。

Every time I visit the museum, I am able to discover something new!
(その博物館を訪れるたびに，新しい発見ができる)

Each time he quit dieting, he ended up gaining more weight than he had lost.
(彼はダイエットをやめるたびに，〔ダイエットの時にせっかく〕減らした分よりも体重がさらに増えることになってしまった)

117 B　場所の副詞節を導く接続詞

場所を表す副詞節を導く接続詞は **where** だけである。これを関係副詞とする見方もあるが，いずれにせよ，「～する所に［へ，で］」という意味は **where** で表す。

> His tombstone still stands **where** it was placed in 1761.
> （彼の墓碑は1761年に設置された所にまだ立っている）

Helpful Hint 65　従位節に **if** と **when** が使われた場合の主節の「時」は？

if が「～するときはいつも」の意味で使われる場合，たとえば，If you heat silver to 962℃, it *will melt*.（962℃まで熱すると，銀は溶ける）というような場合には，主動詞を未来形にしたほうが自然な言い方に感じられる。これを **when** と書き換える場合は，When you heat silver to 962℃, it *melts*. のように，主動詞には現在形のほうが自然である。これはルールではないが，**when** と違って，**if** には，「これからすること」を仮定しているような感じが微妙にあるのだ。

118　原因・理由の副詞節を導く接続詞

118 A　because, since, as

理由を新たに最も明確に示すのは **because** であり，聞き手［読み手］にすでにわかっているだろうと思われることを理由として持ち出すのが **since** である。**as** は「～と同時に」など，まったく別の意味に用いられることが多いので，意味があいまいになりかねない。

(1) because

原因や理由を新たな情報として明確に述べるための接続詞。原因や理由を述べることが主な目的であれば，because 以下は新しい情報だから，**because節を主節の後**に置き，逆に，その結果を述べるのが主な目的であれば，because節を主節の前に置くというパターンがある。

> Her line was busy **because** she was downloading documents for her distance learning course.
> 　（彼女が通信教育講座のための文書をコンピュータに取り込んでいるところだったので，その電話はふさがっていた）
> 　　◆distance learning はテレビやインターネットなどを利用した通信教育。

否定文に **because** を用いるときには次のことに注意（⊙ p.533 **250**）。
① ふつうの「～だから…ない」という場合

> *I don't* like these jeans **because** they are too tight.
> （このジーンズはきつすぎるので好きではない）

② 「～だから…というわけではない」という場合

 I don't like to wear jeans just [only] **because** they are in fashion.
  (私はただはやっているからジーンズをはきたいというわけではない)

この用例のように、「それだけの理由や原因ではない」ことを強調するために、because の前に **only**, **just** などをつけることが多い。また、because は、〈**It is ～ that ...**〉構文で理由や原因を強調することもよくある。

 It is **because** he doesn't try *that* he always loses.　　〔下線部の強調〕
  (彼が負けてばかりいるのは、頑張らないからだ)
 ●同じく原因・理由を表す等位接続詞の **for** は、こうした使い方はできない。

 When a dog barks aggressively, *it is* **because** it feels threatened.
  (犬が食ってかかるようなほえ方をする場合は、その犬が恐怖心を抱いているからだ)

(2) since「～なので」

聞き手［読み手］もすでにわかっているだろうと思われることを理由として持ち出すときには、since がふつう。主節の前に置くことが多い。

 Since he is so busy, he doesn't have time to eat breakfast most mornings.
  (彼はすごく忙しくて、朝はほとんど食事をする暇がないのです)

(3) as「～なので」

原因や理由を表す **as** は、because と since より改まった感じがやや強い。**as** の導く節の位置は主節の前でも後でもよい。
主節の後の場合は、as の前に**コンマ**を打ったほうがよい。というのも、

 I didn't take any pictures, **as** it was getting dark.

と書けば、「暗くなってきたので、私は1枚も写真を撮らなかった」〔理由〕という意味であることがはっきりする。

 逆に**コンマなし**で、

 I didn't take any pictures **as** it was getting dark.

と書くと、as はむしろ「暗くなりつつあったその間には、私は1枚も写真を撮らなかった」という意味で、**when** it was getting dark と同じように〔時〕を表すために使われている印象が強い。

また、**主節の前に置く場合**、どちらの意味で使われているにしても、

 As it was getting dark, I didn't take any pictures.

のように、コンマを打つのがふつう。単独のこの文を見ると、内容からは、ふつう「暗くなってきたので…」のほうだろうと受け止められるが、厳密に言えば、意味はあいまいなのである。

118 A

118 B　that, now that, seeing that

(1) that

① 「〜してうれしい [悲しい，残念だ]」などの意味を表すときに用いる。

　　I *am glad* **that** you enjoyed my poem.
　　　（私の詩を楽しんでいただいてうれしいです）

　●「感情の原因」を表す that だとされるが，I am afraid that ... .（…ではないかと心配する）などと一緒に名詞節だとする見方もある。

② 〈**Not that ...**〉という慣用形で，前に述べたことを受けて，「…というわけではない」という意味を表すことがある。〈**It is not that ...**〉と，独立して言うこともできる。

　　It's not possible to interview Peter today.　**Not that** he wouldn't want to answer your questions — he's just too busy.
　　　（今日は，ピーターにインタビューするのは無理です。質問に答えたくないというわけではなくて，ただ忙しすぎるのです）

③ 「〜するとは」の意味で，意外だという気持ちを表すときに that を使う。多くの場合，should を一緒に使う。

　　Who are you **that** you *should* sit in this place?
　　　（この場所に座っているなんて君は一体何様だ？）

(2) 〈now that〉

「今はもう〜なので」という感じのときには，〈now that〉が使える。この that を省略して **now** だけでもよい。

　　Now (that) it has stopped raining, perhaps we should be going.
　　　（もう雨がやんでいるので，そろそろ出かけましょう）

(3) 〈seeing that〉

「〜なので」を seeing that で表すこともできる。that は省略してもよい。また，〈seeing as〉にすると，もっとくだけた感じになる。

　　Seeing that it is my birthday, let me tell you a bit about how I came to be me.
　　　（私の誕生日なので，どんなふうにして今の私になったのかについてちょっと話させてください）

Helpful Hint 66　"Now that ....," の意味は？

"Now that ....," は，確かに「今はもう…なので」という感じの表現ではあるが，そこまで固い因果関係を表す日本語としてとらえないほうがよい。たとえば，"**Now that** he's married, he often plays tennis." という英語は，「結婚した今の彼は，〔結婚する前と

> 違って〕よくテニスをする」ということを言っているだけであり，決して「彼は結婚したので，よくテニスをする」ということまでは言っていないのである。

119 目的・結果の副詞節を導く接続詞

119 A 目的を表す副詞節を導く接続詞

(1) 〈so that〉，〈in order that〉

① 〈so that S can [will, could, might, would] ~〉「Sが~するように」

くだけた文では，②の〈in order that〉よりもふつう。また，くだけた言い方では，that を省略し，〈so S can ~〉という形もある。

This software is made **so that** different children **can** log in under their own names.
（このソフトウェアは，子供たちが自分の名前でログイン〔オンライン・サービスなどに接続〕することができるように作られています）

I'll give you my e-mail address **so** you **can** easily contact me.
（容易に連絡が取れるように，私のEメールアドレスを教えておきましょう）

They should lower the price of their product **so that** more people **will** buy it.
（彼らは，もっと多くの人がその製品を買うように価格を下げるべきだ）

Please send us the following information, **so** we **might** better respond to your needs.
（ご要求によりよく応答できるように，次の情報を送ってください）

● 「~しないように」という意味は，この①を否定形にして，〈so that S can [will など] not ~〉を用いればよい。

There are only 5 or 6 questions on the homework, **so that** students **will not** have to spend too much time doing it.
（それをするのに，学生たちがあまり時間をかけなくてすむように，宿題には5，6問しかない）

② 〈in order that S may ~〉「Sが~できるために」

堅い感じの表現である。

He moved to London **in order that** he *might* see her whenever he liked.
（彼女に会いたいときにいつでも会えるように，彼はロンドンに引っ越した）

> 注意　so も in order もつけないで，ただ〈that S may ~〉という形は，今は古めかしいので，使わないほうがよい。

(2) 〈in case〉

「~するかもしれないので」の意味で〈in case〉を用いるのはやや堅い形ではあるが，基本的論理は，「~する場合（＝case）もあるので，その場合に備えて」

である。

I'll take an umbrella **in case** it rains.
(雨が降るかもしれないので,傘を持って行きます)

この文の場合は,「雨が降る可能性もある。雨が降り出してきた場合,傘が必要となるので,その場合に備えて,傘を持って行く」ということになる。

● in case it rains をもっと説明的な表現に言い換えれば, in order to be able to respond to the case in which it has begun to rain となる。

● in case の節内に should を用いると文が堅い感じになる。in case it will rain にしないこと。

Buy the tickets today **in case** there aren't any tomorrow.
(明日になると1枚もないかもしれないので,今日券を買いなさい)

(3) 〈for fear (that)〉, lest

① 〈for fear (that)〉

「〜しないように」,「〜するといけないから」の意味を表したいときには,「〜することを恐れて」といういささか堅い表現だが, **for fear that** を用いる。that は省略してもよい。節内には should, may, might などを使う。

We spoke quietly **for fear** (**that**) we *might* wake the baby.
(赤ん坊を起こしてしまってはいけないと思って,静かに話をした)

She watched the man carefully **for fear** she *should* have her bag stolen.
(自分のバッグを盗まれるといけないと思って,彼女はその男を注意深く見ていた)

He decided to stay home last night **for fear** he *might* happen to run into her.
(彼は,偶然にも彼女にばったり出会ってはいけないと思って,昨夜は家にいることにした)

② lest

lest は,「〜しないように」の意味で昔から使われてきた堅い言い回しである。今は文語調でやや古風に感じられる。会話にはふつう使わない。lest節には should もしくは仮定法現在を用いる。仮定法はどちらかというと《米》に多い(● p.236 **116C**(1))。

Let us emphasize, **lest** he *should* forget, that this is a very important thing.
(彼が忘れるといけないから,これはとても重要なことだということを強調しよう)

He read the letter again and again, **lest** he *misunderstand* her actual feelings.
(彼は彼女の本当の気持ちを誤解しないように,その手紙を何回も何回も読み返した)

◆⟨lest we forget⟩は「追悼して，記念に」の意の慣用句であるが，人に何かとても重要なことを思い出させるユーモラスな感じを伴った言い方にも用いる。

He missed an easy grounder to lose the sixth game of the 1986 World Series, which, **lest we forget**, was won by the New York Mets!（彼が易しいゴロを捕り損ねた結果，1986年のワールドシリーズの第6試合に負けましたよね。そして，あのシリーズはニューヨーク・メッツが勝ち取りましたよね。よもやお忘れでは）

119 B　程度や結果を表す副詞節を導く接続詞

(1) ⟨so ～ that ...⟩

「…するほど～である」と「程度」を表したり，「非常に～なので…」と「結果」を表したりするときに，⟨so ～ that ...⟩を使う。that は省略してもよい。

⟨so ～ that ...⟩の場合は，～の部分に**形容詞**か**副詞**を置く。

　　He spoke so *loudly* that you could hear him in the next building.
　　　（彼のしゃべる声は，隣の建物でも聞こえるほど大きかった）

これは，程度とも結果ともとれるが，そのこと自体は大した問題ではない。

> 発展　He spoke **so** loudly **that** he could be heard by passengers on passing airliners.
> 　　（彼のしゃべる声は，通り過ぎて行った大型機の乗客にも聞こえるほど大きかった）
> などのようになると，実際にあり得ないことを「例え」として使う誇張表現であり，使用頻度が高い。

次の2つの文は，文脈から，結果か程度かは自然にわかるので問題はない。

　　The explosion was **so** small **that** no one even noticed it.　　〔結果〕
　　　（爆発はあまりにも小さくて，だれ一人気づきもしなかった）
　　It was **so** hot (**that**) you could fry an egg on the sidewalk.　　〔程度〕
　　　（歩道で卵焼きが作れそうなほど暑かった）

(2) ⟨such ～ that ...⟩

「あまりに(も)～なので，…である」と「…するほど～である」と「結果」や「程度」を表す言い回し。⟨such ～ that ...⟩の場合は，～の部分に⟨**形容詞＋名詞**⟩を置く。

　　Arizona is **such** *a nice place* **that** I'd love to stay here forever.
　　　（＝Arizona is **so** *nice a place* **that** I'd love to stay here forever.）
　　　（アリゾナはずっと住んでみたいくらいとてもすてきな所だ）

⟨such that ...⟩の形で，形容詞なしで使うこともある。

　　His pronunciation in Japanese was **such that** it was practically impossible to understand him.
　　　（彼の日本語の発音は，なかなか聞き取れないものだった）

この例の場合，その「発音」が具体的にどんなものだったのかを，形容詞で表

第11章 接続詞　　第3節 従位接続詞

現するのではなく，聞き手[読み手]の想像に任せ，結果（「聞き取れない」こと）を述べるだけである。次の例もそうである。

The force of the explosion was **such that** it was heard throughout the town.
（その爆発は，爆音が町中に聞こえるくらい力のあるものだった）

● 〈such ～ that ...〉構文を〈so ～ that ...〉構文に書き換えられることもある。たとえば，〈such a small explosion〉は，〈so small an explosion〉に書き換えてもよい。語順がこのように変わるのは，so は how と同じように副詞だからである。ただし，名詞が**複数**のときは so を用いた書き換えはできず，**such** だけが可能。

(3) 〈..., so that ～〉

ある文に続けて，「…その結果～」というときに，コンマを打って〈so that〉と続ける。この that を省略したものが，**接続副詞**の **so** である（◯ p.230 **115A**(4)）。

They had me rewrite it several times, **so that** it began to look much different.
（彼らは私に数回書き直させた。それで，それはずっと違ったものに見えてきた）

> **Helpful Hint 67**　so の意味と使い方
>
> 程度を表す **so** は，たとえば It was **so** hot **that** the asphalt melted.（アスファルトが溶けてしまうほど暑かった）のように，〈so ～ that ...〉＝「…するほど～である」という用法が基本である。**that** を用いない場合，たとえば，It was **so** hot yesterday!（昨日，暑かった！）のようなものは，あくまでも感嘆符と共に表される，「それ以上は言葉が出てこないほど」といった感じの感嘆表現だ。が，日本人の書いた英文では，なぜか，**so** がただの *very* の代わりに使われている文に出会うことがしばしばある。つまり，単に「昨日は，とても暑かった」のつもりで，It was **so** hot yesterday. というふうに書かれているのである。こうした不自然な文に出会うと，英語圏の添削者はたいてい機械的に **so** を *very* に書き直す。

120 条件・譲歩の副詞節を導く接続詞

120 A 条件の副詞節を導く接続詞

「もし～ならば」という意味の代表的接続詞の **if** については，第9章『法』のところで詳しく述べたので，それと併せて見ていただきたい。

ここでは，if を引き合いに出しながら，条件を表す他の接続詞について解説する。

(1) **unless**

① **unless** と〈if ～ not〉

unless には，〈if ～ not〉が表す「もし～でなければ」という意味も部分的に入ってはいるが，機械的に〈if ～ not〉と書き換えていいわけではない。

(a) **unless ≒ 〈if ～ not〉の場合**

たとえば，次のような文であれば，〈if ～ not〉で書き換えることができる。ただ，unless には，「そうしない限り（only if ～ not）」という感じが強い。

Unless you check this box, you will not be allowed to proceed.
（＝**If** you do**n't** check this box, you will not be allowed to proceed.）
　　（このボックス（□）をチェック（☑）しなければ，先へ進めません）

(b) **unless ≠ 〈if ～ not〉の場合**

unless は，「〜しない限り」という意味を含まない場合には使えない。たとえば，次の文の〈if ～ not〉を unless に置き換えることはできない。

I'll be surprised **if** he does**n't** pass the driving test.
　　（もし彼が運転実技試験に受からなかったら，そりゃ驚くよ）
　　●私が驚く理由になるものは，このほかにもいくらでも考えられ，この if 以下では，私がびっくりする唯一の理由が条件にされているわけではないので，unless は使わない。

② unless と仮定法

unless は，「Sが〜でない場合に限り…」あるいは，「〜という条件でのみ…」を意味するので，現実の可能性を考える文で使われるのがふつうである。

しかし，**仮定法構文**で，ある条件が非現実，ないしは実現の可能性の極めて乏しいこととして示されている場合でも，話者や聞き手の頭の中で，その条件の中に多少なりとも実現の可能性があると意識されれば，unless を使うことができる。その反対に，完全な**却下条件**（◯ p.193 **95B**），つまり，「まったくあり得ないと思われること」が条件になっている場合は，unless は使えない。

(a) **unless が，条件節内で仮定法と用いられている場合**

You needn't bother to write, **unless** you *should* just happen to want to.
　　（わざわざ手紙を書かなくてもいいですよ，たまたま書きたくなったら別ですけど）
　　●〈If S should ...〉の仮定法構文と比較（◯ p.199 **100B**）。

Unless you*'d* prefer tea, I'll make us some coffee.
　　（お茶のほうがいいというのでなければ，コーヒーを入れておきます）

(b) **仮定法の構文で，〈if ～ not〉の代わりに unless が使えない場合**

unless は，「まったくあり得ないこと」が条件になっている場合は使えない。

I would go to the party **if** I did **not** have *this* cold.
　　（この風邪を引いていなければパーティーに行くのだが）

［誤］I would go to the party **unless** I had *this* cold.
　　●this cold（この風邪）ということから，今実際に風邪を引いていることは明らかで，「引いていない」という可能性はあり得ないので，unless は使えない。

次の場合は，unless が使える。

Unless I had a cold or something, I would go to the party.

（＝**If** I did **not** have a cold or something, I would go to the party.）

（風邪かなんかにかかっていなければ［いない限り］，パーティーには行きます）

(c) unless と〈if ～ not〉のどちらでも仮定法構文に使える場合

He could never have found the house **unless** he had been given that special map.

（＝He could never have found the house **if** he had **not** been given that special map.）

（その特別な地図をもらっていなかったら，彼はその家を見つけられなかったはずだ）

● 英文としては，... if ～ not ... . の形のほうが流れがよい。

Personally, I wouldn't buy that house **unless** I were prepared to spend a lot of money on upkeep.

（＝... **if** I were **not** prepared to spend a lot of money on upkeep.）

（自分としては，維持費にどっさりお金をかける用意ができているのでなければ，その家は買わないね）

● 上の **unless** の文は，その家を買おうかと思案中の人に，さりげなく警告している感じがするが，〈**if ～ not ...**〉のほうは，その家を買おうと思いはしたが，維持費をどっさり払う気持ちがないことをすでに白状した人に対する忠告のように聞こえる。

発展 仮定法での unless と〈if ～ not〉では，意味が違う場合

次のように，仮定法構文に unless を〈if ～ not〉の代わりに用いると，意味が違ってしまう場合がある。

(a) He couldn't possibly have solved the problem **if** he had**n't** had a supercomputer.

（スーパーコンピューターを持っていなければ，彼はとうていその問題を解決できなかったはずだ）

● この文は，ふつうの仮定法過去完了の文であるから，「過去の事実に反する仮定」，つまり，彼は実際にはスーパーコンピューターを持っていたので，その問題を解決できたということを表している。

(b) He couldn't possibly have solved the problem **unless** he'd had a supercomputer.

（スーパーコンピューターを持っていない限り〔スーパーコンピューターを持っていたのなら別だが〕，彼はその問題を解決できるはずがそもそもなかったのだ）

● つまり，彼はスーパーコンピューターを持っていなかったので，その問題を解決できなかったということを述べている。

---

(2) 〈in case ～〉

〈**in case**〉は，**119A**(2) (● p.245) で示したように，「～する場合に備えて」の意味に使うことが多いが，「もしも～の場合には」という意味もあり，特に《米》

ではこの if の意味にもよく使われる。
  In case [=**If**] you cannot come, give me a call. 《米》
   （もし来られない場合は電話をください）
   ● Take an umbrella, **in case** it should rain.（雨が降る場合に備えて，傘を持って行きなさい）と比較。

(3) 〈but that ～〉「～でないならば」

〈**but that**〉を **if not** や **unless** の意味で，条件を表すのに使うのは文語調である。〈**but what**〉とすると，くだけた感じになる。
  Why else would he sing, **but that** he wished to express his joy?
   （喜びを表現するためでなければ，彼は何のために歌うというのか）

言い換えれば，〈except that〉という意味を表す言い回しである（● p.234 **116A**(4)①, p.256 **121E**(1)）。〈except if〉もあるが，あまり使われない。

(4) suppose, supposing, provided, providing その他

 ① **suppose, supposing**「仮に～としたら」
 仮定法と用いることができる。that はふつう省略する。
  Suppose you were my neighbor, what would you do?
   （あなたが私の隣人だったらどうしますか）

 ②〈**provided (that) ～**〉,〈**providing (that) ～**〉「～である限り」（＝only if）
 if よりも文語的で条件を強く指定する。provided のほうがふつう。
  You can sell that part of my invention **provided** you pay me a royalty.
   （著作権使用料を払うなら私の発明のその一部を売ってよろしい）

 ③〈**granted (that) ～**〉,〈**granting (that) ～**〉「～ということは認めるとしても，～だとしても」
 仮定法とは用いない。granted のほうがふつう。譲歩にも用いる。
  Granted that he may be sincere, he still seems to lack sufficient judgment.
   （誠実だろうということは認めるとしても，彼は判断力が足りないようだ）

 ④〈**as long as**〉,〈**so long as**〉「～しさえすれば」
 「～しさえすれば（＝only if）」という意味では，一種の条件を表すと言える。他の意味にも使うので，**121D**(2) (p.256) で解説する。
  Any question will do **as long as** it relates to gardening. 〔条件〕
   （造園に関することでありさえすれば，どんな質問でも結構です）

120 B　譲歩の副詞節を導く接続詞

「～だけれども」という意味を表す代表的な接続詞には，**though**, **although** と **as** がある。

第11章 接続詞　　第3節　従位接続詞

(1) although, though

この2つは同じ意味であるが，though のほうが話し言葉では好まれる。

Although he did not know any sign language, I gradually learned how to communicate with him through hand signs and facial expressions.

（彼は手話法を全然知らなかったが，私は手の仕草や顔の表情で彼に伝えたいことを伝える方法がしだいにわかってきた）

Though my car is old, it is better than a horse.

（私の車は古いが，馬よりはましだ）

● My car is old, but it is better than a horse. と同じ。

(2) as 「～ではあるが」

譲歩の意味に **as** を用いるときには，〈形容詞［副詞］＋as＋S＋V〉の語順にする。書き言葉に用いる。

Young **as** he is, he is already running a company that designs airplanes.

（＝*Though* he is young, he is ... .）

（若いけれども，彼はもう飛行機を設計する会社を経営している）

● **As young as** he is, ... のように形容詞の前に as をつけるのは古い形であるが，《米》では今でも使われている。*Being* as young as he is, ... の being の省略である。

|注意| Young **though** he is, ... という形もあるが，これは **Though** he is young ... . の young を強めるために文頭に出した倒置形である。これとは違って，as の場合，たとえば **As** young as he is, ... は倒置して作った形ではない。また，**As** he is young, ... とすると，「彼は若いので…」という意味になるので注意。

Strange **as** it may sound, if you want to understand the second half of this book, you should forget what was written in the first half.

（奇妙に聞こえるかもしれないが，この本の後半を理解したいなら，前半に書かれていることを忘れたほうがいい）

動詞を as の前に置くこともあるが，ある程度決まった構文で用いる。

Try **as** we *may*, we cannot stop the flow of time.

（＝However hard we may try, we cannot stop the flow of time.）

（いくらやってみても，時間の流れを止めることはできない）

冠詞をつけない名詞を文頭に出すのは一般に古い形で，今ではほとんど使わない。ただ，coward（臆病者）などのように，**程度の差のある名詞**は形容詞のような感じがするので，この構文に使うこともある。しかし，使用頻度は低く，無理に使う必要はない。

Coward **as** he was, Rodrigo tried to defend himself with the bottle.

（ロドリゴは臆病者ではあったが，瓶で身を守ろうとした）

●「臆病な」という形容詞は，cowardly である。

> 注意　形容詞や副詞の後に as がつくこの構文で，as が譲歩でなく，**理由**を表すことがあるので，英文を読む際には文脈に注意が必要である。
> Young **as** he is, he doesn't understand what that means.（彼は，若くて，それが何を意味するかわからないのだ）というように，文脈から判断しやすい例もわずかにあるが，この意味の文を英文で書くときは，Since [As, Because] he is **so** young, he doesn't understand what that means. のように，理由であることを明確にするか，あるいは，同じことを，たとえば，Being **so** young, he doesn't understand what that means. などのように，別の言い方にしたほうが無難であろう。

(3) if, 〈even if〉, 〈even though〉

「たとえ～であっても」という意味にはこれらを用いる。

単独の if の譲歩は，**even if** の「たとえ～であっても」というほど強くはない。

It is a useful guide, **even if** it is somewhat out of date.
　（多少時代遅れだとしても，それは役に立つ案内書だ）
　　● even if は，仮定の if を強めたもので，「**仮に**多少時代遅れだとしても」の感じがある。

Even if you'd prefer to stay one more night, you still have no choice but to leave today.
　（たとえもう1泊したいと思ってはいても，君は今日中に出るしかない）
　　● このように Even if を文頭に出すときには，Even は省略できない。

though は本来譲歩を示す接続詞であるが，even はそれを強めたものである。

Even though he has been eating a bit too much lately, he's been exercising well enough, hasn't he?
　（たとえ最近少し食べすぎてはいても，彼は十分運動してきたのではないか）
　　● even though の場合は，仮定の if と違って，**事実**を表している。

(4) when, while, whereas

「～なのに」という意味でこれらを使うことができるが，堅さに違いがある。

① when

He claims to be 18, **when** I know he is only 15.
　（まだ15歳だということを私は知っているのに，彼は18歳だと言い張るのだ）

② while, whereas

「～ではあるが」という譲歩のほかに，「～の一方で」という対比の意味にも使う。やや改まった言い方。whereas はさらに堅い言い方になる。

While I agree with you, I'm not sure this is the best action to take.　〔譲歩〕
　（君の意見に賛成はするが，これが最良の行動だという確信はない）

Libya is rich in oil, **while** Zimbabwe is poor.　〔対比〕
　（リビアは石油が豊かだが，ジンバブエは貧しい）
　　● どちらも whereas を使うこともできるが，while のほうが頻度が高い。

(5) 〈whether ～ or ...〉

「～であろうと…であろうと」

Whether you agree with the plan **or** not, we have to carry it out.
（君がこの計画に賛成しようとしなかろうと，私たちはこれを実施しなければいけません）

● 〈whether or not〉の形については別途参照（ p.236 **116B**(6)）。

(6) 〈no matter ＋ 疑問詞〉

「たとえ～であろうとも」の意味。

No matter where you live, you can communicate with other university students online.
（どこに住んでいようと，オンラインで他の大学生と通信できる）

whoever よりも no matter who を使うほうが口語的である。

no matter の節内に may を用いると改まった感じになるが，might を使えば，さほど改まった感じにはならない。might は，ふつうの会話でも頻繁に用いられる。

Helpful Hint 68　No matter ... . の基本的な意味

what, where, why, when, who, how —— どの疑問詞とも組み合わせられる **No matter ...** は，**It doesn't matter ...** の省略形と考えてよい。**It doesn't matter** [what, how など] と同じく，「…だろうとも，そんなのは関係ない」というのが基本的意味である。また，同じ意味をもう少し堅い言葉で表現したい場合，**Regardless of** [what, how など] に言い換えればよい。

121　副詞節を導くその他の接続詞

121 A　様態の副詞節を導く接続詞

(1) **as**「～のように」

「～のように」という意味を表すには **as** が最もふつうである。

I changed the code **as** you suggested, and now I don't receive the error messages.
（お勧めくださったようにコードを変えました。それで，今ではエラーメッセージを受け取りません）

(2) **like**「～のように」

as の代わりに接続詞として **like** を使うのは《米》のくだけた言い方であり，話し言葉では使うが，書き言葉では as を用いる。

● 次に名詞や代名詞を伴う「～のような」の意味の前置詞と混同しないこと。

> He did act **like** he was sad about something, but since he was a dog, I couldn't tell for sure if he was really sad or not.
> （確かに何か悲しんでいるような様子だったのだが，何しろあいつは犬なんだから，本当に悲しんでいるかどうかわからなかった）

(3) 〈the way ～〉「～のように」

like と同じように，《米》のくだけた言い方では **the way** を接続詞として使う。これは in the way から in が省略された言い回しで，間違いとされることはない。

> She smiled and danced, **the way** she always did.
> （彼女はいつもやっているようにほほえんで踊った）

(4) 〈as if ～〉, 〈as though ～〉「まるで～かのように」

この形については『法』のところを参照のこと（⊙ p.205 **106**）。

> I remember it all **as if** it were yesterday.
> （そのことはすべてまるで昨日のことのように覚えている）

121 B 比較の副詞節を導く接続詞

(1) than

「～よりも」の意味で**比較構文**に用いる（⊙ p.496 **225B**）。
前置詞としても用いるので，次の2つの形が可能になる。

> No one is more surprised **than** *I*.　　〔接続詞〕
> No one is more surprised **than** *me*.　　〔前置詞〕　　〔くだけた言い方〕
> （私より驚いた者はいない）

(2) 〈as ～ as ...〉, 〈not as [so] ～ as ...〉

「…と同じくらい～」は〈as ～ as ...〉,「…ほど～ではない」は〈not as ～ as ...〉。比較構文のところで詳しく述べてあるので，そちらを参照のこと（⊙ p.493 **224**）。

121 C 比例の副詞節を導く接続詞

(1) as

「～につれて」の意味は as で表す。

> **As** time passed, a new discovery was made.
> （時がたつにつれて新しい発見がなされた）
> ●このように,「事態の経過」を示す場合が多い。

(2) 〈according as ～〉「～に応じて」

聖書などによく見られる古い感じの句だが，《英》の改まった文では今も使う。

> We can make the goods **according as** you order.
> （ご注文に応じて商品を作ることができます）

121 D 制限の副詞節を導く接続詞

(1) ⟨as [so] far as ～⟩

「～の限りでは」と制限や範囲を示すのに用いる。

　　As far as I know, the company will pay your travel expenses.
　　　　（私が知る限りでは，会社が旅費を支払ってくれます）

(2) ⟨as long as ～⟩, ⟨so long as ～⟩

「～する限り」，「～しさえすれば」という意味で使う（🔵 p.251 **120A**(4)④）。

　　Any paper will do **as [so] long as** it is acid free.　　〔条件〕
　　　　（中性紙でさえあれば，どんな紙でも結構です）

　　As long as I live I will love you. I promise you that.　　〔時〕
　　　　（命のある限りあなたを愛しています。このことをあなたに誓います）

121 E 除外・付言などの副詞節を導く接続詞

(1) ⟨except (that)⟩「～ということ以外には」

　　Up until about 125 years ago, scientists knew almost nothing **except that** there were many different species on the deep ocean floor.　　〔除外〕
　　　　（約125年前までは，科学者は深海の海底にはたくさんの種がいるということ以外にはほとんど何も知らなかった）

(2) as 〔付言〕

前の名詞を限定的に修飾して「私たちが知っているような～」というときがあるが，こういう場合には as を用いる。

擬似関係代名詞の as（🔵 p.277 **132A**）と似ているが，たとえば次の ⟨as we know it⟩ のように **it** が入るところが関係詞とは違う。

　　The world's first printed daily appeared in 1650. Journalism, **as** we know it, was being invented.
　　　　（世界で最初の印刷された日刊新聞は1650年に現れた。私たちが知っているジャーナリズムなるものが生み出されつつあったのだ）

Helpful Hint 69　「～ということ以外には」を表す except (that) と other than (that)

「～ということ以外には」を表す **except (that)** の代わりに，**other than (that)** も使える。たとえば，
　　She didn't say anything, **except that [other than that]** she was innocent.
　　　　（彼女は，自分は無罪だということ以外には，何もしゃべらなかった）
のように，どちらの表現にしても意味がまったく変わらない。語感としては，しいて言えば **other than that** のほうがいささか上品な感じかもしれないが，そうした微妙な違い以外には，これといった変わりのない表現である。

REVIEW TEST 11

A 確認問題 11 (→ 解答 p.608)

1. 次の各英文の( )内の語のうち，適切なほうを選びなさい。
   (1) They couldn't play ball (so, because) the dog took the ball away.
   (2) He wanted to avoid the rush hour, (so, nevertheless) he took the early train.
   (3) I don't want anything to eat (and, or) drink.
   (4) She has a feeling (whether, that) interest rates will rise soon.
   (5) (As, Although) the traffic was bad, we arrived there on time.
   (6) You can stay as (far, long) as you like.
   (7) The noise was (so, such) that the hairs stood up on the back of his neck.
   (8) Strange (as, if) it may sound, learning these skills can be a lot of fun.
   (9) He ought to, (and, but) probably won't, make a public apology.

2. 次の各英文が正しければ○をつけ，正しくなければ×をつけて，誤っている部分を正しく書き直しなさい。
   (1) The villagers stayed indoors until the soldiers left.
   (2) What shall I do unless they reply to my e-mail?
   (3) He had to have the operation and he would die.
   (4) I doubt that he will come to our party today.
   (5) The rain is falling so hard we cannot see many of the ships in our group.
   (6) How will I know if or not the installation is open?
   (7) In case you missed the last program, here is a summary of the story.
   (8) It is too late; beside you are tired.

3. 次の各日本文の意味を表すように，( )内に適切な1語を入れなさい。
   (1) そろそろおいとましなければなりません。
       I'm afraid ( ) ( ) be going now.
   (2) 急がないと遅れるぞ。
       Hurry up, ( ) ( ) ( ) be late.
   (3) なにとぞご返事をくださいますよう。
       I would much appreciate ( ) ( ) you would reply to me.
   (4) 一日中働いている人が日用品を買えるように，その店は遅くまで開いている。
       The store stays open late ( ) people who work all day ( ) buy groceries.

REVIEW TEST 11

B 実践問題 11 (→ 解答 p.608)

1. 次の各英文を完成させるのに，最も適切な語(句)を選び，記号で答えなさい。

   (1) "It was great talking to you." "I'm glad (　) could come."
       (A) if you　　　(B) that you　　　(C) when you　　　(D) though you

   (2) "Say (　)!" "Thank you. That's enough."
       (A) what　　　(B) why　　　(C) where　　　(D) when

   (3) "Excuse me, (　) do you have the time?" "It's ten to three."
       (A) and　　　(B) but　　　(C) for　　　(D) so

   (4) "Would you promise to wait here (　) I return, please?" "All right."
       (A) before　　　(B) until　　　(C) if　　　(D) while

   (5) "(　) you see Jane, say hello to her." "All right. I will."
       (A) Unless　　　(B) Though　　　(C) If　　　(D) Since

   (6) "Are you (　) it's too expensive?" "That's right."
       (A) saying that　　　　　　(B) thinking of
       (C) talking about　　　　　(D) asking for

2. 次の各英文の下線部から，誤っているものを1つ選び，記号で答えなさい。

   (1) Don't (A)give out personal information (B)or credit card numbers to anyone (C)over the phone (D)if you know with whom you are speaking.

   (2) All cars must stop and wait (A)until the traffic light is red, (B)and may go (C)when the light (D)turns green.

   (3) Please limit your message (A)to 100 characters; (B)punctuation marks count (C)as one character each. Check the checkbox below (D)and your account will not be updated as you have requested.

   (4) You (A)need to institute automatic ways (B)of backing up information elsewhere (C)though the system (D)fails or is destroyed.

   (5) (A)Don't think there (B)are no crocodiles just (C)for (D)the water is calm.

   (6) The Supreme Court (A)insisted on that the government must take its case (B)to a court of law and (C)present evidence to show why publication (D)should be forbidden.

   (7) One of the reasons (A)why this company is (B)so successful is the fact (C)if they really listen to their clients' needs and (D)promptly act accordingly*.

   　(*accordingly：それに従って)

第12章 関係詞
RELATIVES

文中の名詞を**形容詞節**で修飾するには，その名詞に代わる**代名詞と接続詞**の働きを兼ねる関係代名詞か，**副詞と接続詞**の働きを兼ねる関係副詞を用いる。

第1節 関係代名詞

122 関係代名詞の働きと種類

122 A 関係代名詞と先行詞

「男の人が私たちの方へやって来ます」と「彼を知っていますか」という2つの文を1つの英文にまとめるのに，関係代名詞(who)を次のように使うことができる。

A *man* is coming toward us. Do you know *him*?
→ Do you know *the man* **who** is coming toward us?
（私たちの方へやって来るあの男の人を知っていますか）

この場合，**who** は下線部の**節の主語**であると同時に，この**節を前の名詞 man に結びつけて**修飾している。つまり who は man という**名詞の代わり**をしながら，2つの節を結びつける**接続詞**の役割も果たしている。これが**関係代名詞**である。そして，修飾されている名詞 man を，この関係代名詞の**先行詞**というのである。

● *the* man と，定冠詞になっているのは，「やって来るあの男」と限定されているから。

122 B 関係代名詞の種類

(1) **who, which, that, what**

先行詞の種類と，格変化を示すと次のようになる。

先行詞の基本	主格	所有格	目的格
人	who	whose	whom [who]
もの・動物	which	of which / whose	which
もの・動物・人	that	——	that
先行詞が含まれる	what	——	what

(2) 複合関係代名詞

「～する人［もの］はだれ［何］でも」という意味は，who [whose, whom], which, what に **-ever** をつけた複合関係代名詞で表す（● p.284 **140**）。

> **Whoever** sees this movie will probably want to buy the DVD.
> 　（この映画を見れば，だれでもその DVD を買いたくなるだろう）
> 　　● Anyone who sees … . ということで，whoever は anyone という先行詞を含んでいる。

(3) 擬似関係代名詞

as, but, than は本来接続詞であるが，これらが導く節の主語・目的語・補語といった主要素になる場合は，事実上関係代名詞と同じ働きをすることができるので，擬似関係代名詞と呼ぶことがある（● p.277 **132**）。

> The website is very frequently visited, **as** is evident from the statistics.
> 　（そのウェブサイトは頻繁に訪れられている。これは統計から明らかなことだ）
> 　　● as はそれ以下の節の主語になっている。非制限用法の which と似ている（● p.269 **127C**(1)）。

123 関係代名詞の人称・数・格

123 A 関係代名詞の人称と数

(1) 関係代名詞が主格の場合

① 関係代名詞の人称と数は，もともと先行詞と同じはずであるから，**先行詞の人称と数に一致する**。

> Any *student* **who** *wants* to attend is welcome.
> 　（出席したい学生はだれでも歓迎します）
> 　　● 先行詞の any student は単数だから，who の次の動詞も wants になっている。

② 〈**one of the＋複数名詞**〉に続く関係代名詞の数は，①と同じように**先行詞の数に一致して複数になるのが原則**だが，意味上「～の１つ［１人］」ということから，one に引かれて**単数で受けることもある**（● p.546 **257A**(2)）。

> This photograph is one of several pictures **that** *were* taken on that day.
> 　（この写真は，その日に撮られた数枚の写真の１つです）

> Our store was one of the buildings **that** *was* destroyed in the hurricane.
> 　（私たちの店は，そのハリケーンで破壊された建物の１つでした）

one が **the only one** になると，「～のうちただ１つ［１人］」ということから，the only one に引かれて**単数で受けることが多い**。

> The largest island of the Westman Islands is called Heimaey and is the only one of the islands **that** *is* inhabited.

（ウェストマン諸島の中で最大の島はヘイマエイ島と呼ばれており，人が住んでいるただ1つの島です）

◆ヘイマエイ島は「家のある島」とも呼ばれ，1973年に，この島にあるエルドフェル山という火山が大爆発した。アイスランド南西部にあり，アイスランド最大の漁獲量を誇る天然港がある。人口は約5,000人。

123 B 関係代名詞の格

関係代名詞には，**主格・所有格・目的格**の3つの格がある（●p.259 **122B**）。

関係代名詞の格は，先行詞とは関係なく，その**導く節の中で関係代名詞が果たしている役割**によって決まる。

Paul is the guy **who** invited me to the party on Saturday.
（ポールは私を土曜日のパーティーに招待してくれた男です）
●この who は，invited という動詞の事実上主語に当たる先行詞 guy の代わりになっているものなので，**主格**。

Marie is a woman **whom** I respect.
（マリーは私の尊敬する女性です）
●この whom は，respect という動詞の事実上の目的語に当たる先行詞 woman の代わりになっているものなので，**目的格**。

Steve fell in love with a girl **whose** father is a police officer.
（スティーブは父親が警官である女性と恋に落ちた）
●「その女性の父親」だから**所有格**。

This morning I read *a* poem (**which**) Louise wrote last night.
（私は今朝，ルイーズが昨夜書いた詩を1つ読んだ）
● poem は wrote の目的語なので，which も**目的格**。

> 発展 ここでの **a** poem の **a** は，単に「ある詩を1つ読んだ」ということを示しているだけで，実際にルイーズが昨夜いくつも詩を書いたのか，1つしか書かなかったのかは，特に示されていない。もしいくつも書いたことが暗黙の前提なら，**one** of the poems (which) Louise wrote last night と表現され，1つしか書かなかったことが暗黙の前提であれば，**the** poem (which) Louise wrote last night と表現される。

The company (**which**) I worked *for* went bankrupt, and I have no job at the moment.
（私の勤めていた会社が倒産し，私は今のところ無職です）
● worked for the company の関係だから，which は前置詞 for の目的語で**目的格**。

Helpful Hint 70　a と the の使い分け

「まだゼミに入っていない留学生，知っていますか」ということを関係詞節を使って表現する場合，Do you know **a [the]** foreign student who has not yet joined a seminar? の

ように，先行詞の foreign student（留学生）につく冠詞としては，定冠詞／不定冠詞のどちらも考えられるが，どちらにするかで，意味はだいぶ変わる。簡単に言えば，

　Do you know **a** foreign student who has not yet joined a seminar?

と言うと，「まだゼミに入っていない留学生がいるかもしれません。そうした留学生を知っていますか」という意味になるが，

　Do you know **the** foreign student who has not yet joined a seminar?

と言うと，「まだゼミに入っていない留学生が1人いるようですが，その留学生を知っていますか」という意味になるのである。

124 制限用法と非制限用法

124 A 制限用法と非制限用法の使い分け

(1) 制限用法

　文中の名詞・代名詞を説明するために，その直後に関係代名詞を置いて節を作り，後ろから限定修飾する用法を**制限用法**という（**限定用法**ともいう）。2つの節は密接に結びつくので，コンマで切らないこと。

　制限用法の**先行詞**は本来**不特定の人や事物**で，関係代名詞の導く節に修飾限定されて初めて，特定の人や事物を指すのがふつうである。

　　The doctor **who** saw me said that there was nothing wrong.
　　　　（私を診てくれた医者はどこも悪い所はないと言った）
　　　　●こういう場合に，doctor につく冠詞については，H.H.70 (p.261) を参照のこと。「私を診てくれた」ある特定の医者を指しているのである。

　固有名詞でも，同じ名前の人やものが複数いる場合は制限用法も可。

　　That player is Matsui ... not *the Matsui* **who** plays for the Mets, but *the Matsui* **who** plays for the Yankees.
　　　　（あの選手が松井——メッツの松井ではなく，ヤンキースの松井です）

　　The Russia of today is quite different from *the Russia* **that** I visited 5 years ago.
　　　　（今日のロシアは，私が5年前に訪ねたロシアとはだいぶ違います）

(2) 非制限用法

　文中の名詞について，関係代名詞を使って何か説明をつけ加える用法を**非制限用法**という（**継続用法**ともいう）。この場合の**先行詞**となる名詞は**特定の人やも**のである場合が多い。

　非制限的用法では，**コンマ**で切ること。文中に挿入してもよいし，文末につけ足してもよいが，文の意味があいまいにならないように，先行詞のすぐ後に置くのが理想的である。

The second statement is by *Tony Blair*, **who** takes a personal interest in health policy.
（２番目の声明はトニー・ブレアによるものだが，彼は保健政策に個人的関心を抱いている）

●**Tony Blair** は英国首相。日本語では「保健政策に個人的関心を抱いているトニー・ブレア」とまとめて表現もするが，英訳では非制限用法になるように，コンマで切る。

たとえば，Mars（火星）や his mother（彼の母親）などは，固有名詞・共通［普通］名詞を問わず，１つ［１人］しか存在しないものなので，それについて限定をつける必要のない場合が多い。こうした名詞に関係詞節を使って説明をつけ加えるときは，Mars**, which** is the 4th planet from the sun（太陽から４番目の惑星である火星）や his mother**, who** lives in Chicago（シカゴに住んでいる彼の母親）のように，必ずコンマを打って非制限用法にする。

The sun's outer atmosphere, **which** we cannot see with our eyes, is extremely hot.
（太陽の外層大気は，私たちの目では見えないが，極めて高温である）

●「太陽の外層大気」という意味の The sun's outer atmosphere は固有名詞ではないが，本来１つしかないものなので，それ以上１つに特定する必要はない。

The clocks, **which** are linked to satellites, were reset.
（それらの時計は，人工衛星とつながっているものだが，リセットされた）

●コンマで切らないと制限用法となり，文の意味も変わる。具体的に言うと，コンマがないと「人工衛星とつながっている時計と，つながっていない時計があるが，リセットされたのはつながっているほうだけだ」ということになってしまうのである。それらの時計はみな人工衛星とつながっている場合であれば，上のようにコンマを打って，非制限用法にすればよい。

要するに，**本来特定のものを表す固有名詞が先行詞になっている場合にせよ，先行詞は普通名詞だが文脈上特定化される場合にせよ，もし関係代名詞の節によってその先行詞の意味合いが限定されないケースであれば，コンマを打って非制限用法にすればよいのである。**

125 〈前置詞＋関係代名詞〉

125 A　関係代名詞につく前置詞の位置

(1) 関係代名詞につく前置詞の一般的位置

　前置詞は本来名詞や代名詞の前に置くものだが，関係代名詞の場合には，改まった言い方では〈前置詞＋関係代名詞〉とする。しかし，特に改まっていない言い方では，**関係詞節の末尾に回すのがふつうである**。これは制限用法にも非制限用法にも当てはまる。

① 制限用法の場合

He is the man *for* **whom** I have been searching.
(彼は私が探してきた男だ)

● この文を，... the man **who** I've been searching *for*. と，for を後に回し，whom を who にし，I have を I've にすれば，改まった感じがまったくなくなる。

The man *to* **whom** I owed so much was Howard Stanton.
→ The man **who** I owed so much *to* was Howard Stanton.
→ The man I owed so much *to* was Howard Stanton.
(私がそんなにも恩恵を受けていた人はハワード・スタントン氏だった)

● 関係代名詞が目的格になるときには省略することが多い (◎ p.274 **130A**)。

② 非制限用法の場合

He sent me a copy of his new book, *in* **which** I am mentioned three times.
→ He sent me a copy of his new book, **which** I am mentioned *in* three times.
(彼は新著を1部送ってくれたが，その本には私のことが3回登場している)

● 非制限用法の場合は，コンマの次の関係代名詞は省略できない。

(2) 原則として関係代名詞の前に置く前置詞

① 文尾に置くと不自然になる前置詞

次の前置詞は原則として常に**関係代名詞の前**に置く。

beside, beyond, during, except, near, opposite, outside, round, since, up

After three years at Cambridge, *during* **which** I specialized in European history, I wrote a thesis.
(ケンブリッジで3年間ヨーロッパ史を専攻していましたが，その後，私は論文を書きました)

② of が「部分」や「一部」を表すとき

The police arrested three people, *one of* **whom** was identified as the kidnapper.
(警察は3人を逮捕したが，その中の1人は誘拐者だと確認された)

● このように関係詞が前置詞のすぐ後に置かれた場合，whom は who に取り替えることはできない。

③ 〈前置詞＋関係代名詞〉が副詞句になって，時や様態を表すとき

People were amazed at the fluency *with* **which** I could speak three languages.
(人々は私が3か国語を流暢に話せるのに驚嘆していた)

● with which＝with fluency であるが，with fluency＝fluently と，副詞に置き換えられる。I could speak three languages *fluently* [with fluency].

(3) 原則として関係詞節の末尾に回す場合

関係代名詞が go through, laugh at, do without のような「自動詞＋前置詞」の

形の**句動詞**の目的語になっているときは，句動詞はふつう分解されない。つまり，以下の文のように，前置詞はふつう文尾に置かれることになる。

　　Most of the books I have are books **which** I cannot *do without*.
　　　（私が持っている本のほとんどは私には欠かせないものだ）
　　　●〈do without ～〉で，「～なしですませる」という意味の句動詞。

> **Helpful Hint 71　制限用法と非制限用法(1)**
> 　　日本では，「制限用法」は次のような形で説明されることがあるようだ。〈She likes soft drinks. ＋ Soft drinks taste sweet. → She likes *soft drinks* **which** taste sweet.〉（彼女はソフトドリンクが好きだ＋ソフトドリンクは甘い味がする→彼女は，甘い味がするソフトドリンクが好きだ）
> 　　ところが，このような説明は正しくない。She likes soft drinks. ＋ Soft drinks taste sweet. は，She likes soft drinks**,** which taste sweet. という「**非制限用法**」の意味を表すのだ。
> 　　もし「制限用法」を，これと同じ形で正確に紹介するなら，Some soft drinks taste sweet.（甘い味がするソフトドリンクがある）＋ She likes soft drinks of that kind.（彼女はそうしたソフトドリンクが好きだ）→ She likes *soft drinks* **which** taste sweet. となる。
> 　　つまり，「ソフトドリンクは甘いものと甘くないものがあるが，彼女が好きなのは，その甘いほうだ」と限定されているのである。逆に，もし「ソフトドリンクはみな甘い味がするものだ」［＝Soft drinks taste sweet.］というのが事実であれば，「彼女の好み」に対して何の限定もする必要はないので，「**非制限用法**」で表すべき話になるのだ。

126 who の用法

who は **who**〔主格〕，**whose**〔所有格〕，**whom**〔目的格〕と変化する。

126 A　who

who は先行詞が人の場合に用いるが，ペットや擬人化したものの場合にも用いる。3人称の場合，人称代名詞の he や she で受ける場合と同じである。

(1) 制限用法

　　People **who** already have tickets can go directly into the theater.
　　　（もうすでに券をお持ちの方は，直接劇場に入っていただいてもいいです）

(2) 非制限用法

　　My uncle, **who** is a lawyer, gave me some good legal advice.
　　　（私のおじは，弁護士ですが，私によい法律上の助言をしてくれました）
　　　●挿入的な感じで，my uncle に説明を加えている。

　　Our pet cat Jenny, **who** is an American Shorthair, is already 15 years old.
　　　（私たちが飼っている猫のジェニーは，アメリカン・ショートヘアですが，もう15歳になっています）

126 B　whose

who のほかに，which の所有格として用いることも多い（○ p.267 **127B**）。

(1) 制限用法

London is full of people **whose** families live elsewhere.
（ロンドンには，家族が別の所に住んでいる人たちがいっぱいいる）

(2) 非制限用法

Children believe in Santa Claus, **whose** name is derived from a mispronunciation of Saint Nicholas.
（子供たちはサンタクロースがいるものと信じている。その名前はセイントニコラスの発音違いからきているのだが）

126 C　whom

動詞や**前置詞**の**目的語**になるときに用いるが，制限用法の場合は，くだけた言い方では**省略するのがふつう**である。

なお，前置詞の直後に whom を置いた場合には省略できない。

(1) 制限用法

Somebody (**whom**) I have only recently got to know criticized me.
（ごく最近知り合ったばかりのある人が私を非難した）
● know の目的語。この whom は省略できる。

He is a man (**whom**) I have had contact *with* over ten years.
（彼は私が10年以上も接触してきた男です）
● 前置詞 with の目的語になっている。with をこのように後へ回せば，whom は省略できる。

This seminar is designed to improve the spoken language skills of people *for* **whom** English is a second language.
（このセミナーは英語を第二言語とする人の話す力を伸ばすために設計されています）
● 改まった言い方。前置詞（for）の直後に置くと，この位置で whom を省略することはできない。

(2) 非制限用法

Her second husband was Conrad Hilton, **whom** she married in 1942.
（彼女の2番目の夫はコンラッド・ヒルトンであり，彼とは1942年に結婚した）
● married の目的語。非制限用法なので，whom は省略できない。..., **who** she married in 1942. にすると，ややくだけた言い方になる。また，She married him in 1942. として2つの文にしても差し支えない。

I contacted James Barlow, *with* **whom** I had worked in 2002.
（私が2002年に一緒に仕事をしたことのあるジェームズ・バーロウさんに連絡しました）
● with を文尾に回しても whom は省略できないが、くだけた言い方では、**who** I had worked *with* in 2002 のように **who** に替えることができる。

127 which の用法

127 A 主格と目的格の which

(1) 主格の which

先行詞が人やその他 he, she と呼ばれるもの以外の場合には **which** を用いる。主格も目的格も **which** で、**who** と同じく制限用法と非制限用法がある。制限用法では **which** の代わりに **that** を用いることもあるが、**which** のほうが改まった言い方になる。

① 制限用法

By public transport, take the train **which** starts from Liverpool Street Station.
（公共の交通機関なら、リバプール・ストリート駅発の列車に乗ってください）
● 旅行のガイドブックなどに見られる。

② 非制限用法

The British Museum, **which** celebrates its 250th anniversary next year, is one of the world's most famous public institutions.
（大英博物館は来年創立250周年記念の祝典を挙げるが、世界的にもかなり有名な公共機関である）

(2) 目的格の which

目的格の **which** は **whom** と同じように、制限用法の場合は、くだけた言い方では省略するのがふつうである。

① 制限用法

As an example, this is the system (**which**) I use.
（一例として、これが私の利用しているシステムです）

② 非制限用法

He is doing tremendous job in Paris, **which** I visited not so long ago.
（彼はパリですばらしい仕事をしている。パリには私も少し前に行ったが）
● 前にコンマを打った非制限用法だから、省略できない。

127 B which の所有格

which は人間ではなく、事物を先行詞にするので、その所有格は本来 of which

第12章 関係詞　第1節 関係代名詞

だが，改まった感じの言い方なので，論文や演説，プレゼンテーション，公式的発言など，改まったときにしか使われない。

　of which を whose と取り替えることも多いが，会話では which の所有格の使用そのものを避ける傾向がある。また，実際使う場合，whose にするか，より改まった感じの of which にするかは，あくまでも言葉のセンスの問題である。

(1) 制限用法

They created a strategy *the defects* **of which** must have been obvious from the beginning.

（＝They created a strategy **whose** *defects* must have been obvious from the beginning.）

（彼らはその欠点が最初から明白だったはずの戦略を立てた）

In all, there were only six experiments **whose** *results* were reliable.

（＝In all, there were only six experiments *the results* **of which** were reliable.）

（その結果が信用できる実験は，全部で6つしかなかった）

(2) 非制限用法

Three triangles share a common base, *the length of* **which** is one-third of the full length of the flag.

（3つの三角形は底辺を共有し，その底辺の長さは旗の全長の3分の1に当たる）

> **参考**　西インド諸島東部にある島から成る独立国セントルシアの国旗の説明。青地の真ん中に，白と黒の三角形が重なり，その底部に金色の三角形があってその先端が旗の中心になる。三角形の底辺は共有で，その長さが旗の全長の3分の1なのである。

This phrase is quoted from his book, **whose** *cover* is shown on the left.

（この句は彼の本から引用しているが，その本の表紙は左に示されている）

Helpful Hint 72　制限用法と非制限用法(2)

関係詞を使うとき，所有格も含め，「制限用法」と「非制限用法」の使い分けは極めて重要である。たとえば，「その会社は勤勉であることが十分に確認されている日本人しか雇わない」ということを That company hires only Japanese **whose** *diligence has been well-established*. と制限用法で表現すると，関係詞節は「勤勉であることが十分に確認されている日本人のみ」という限定になり，「そうでない日本人は雇われないぞ」という意味になる。これに対して，That company hires only Japanese**, whose** *diligence has been well-established*. と非制限用法で表現すると，関係詞節は，日本人は日本人でも，どんな日本人か限定することにはならず，単なる補足説明にすぎない。つまり，「その会社は日本人しか雇わない。ちなみに，日本人という国民は，勤勉であることが十分に確認されているものだ」ということになるのだ。

127 C　which の特別用法

(1) 前の節やその一部を先行詞とする場合

　非制限用法の which は，前の節全体またはその一部を先行詞とすることができる。

　　He was telling his friends *that he was married*, **which** was a lie.
　　（彼は友人たちに結婚していると言っていたが，それはうそであった）
　　　● 前の文全体を先行詞とする形もあるが，特殊な文体効果をねらった非標準的なもので，ふつうは使わない。

(2) 職業や性格などを先行詞として補語になる場合

　　All the while, he represented himself as *a medical doctor*, **which** he was not.
　　(＝he was not a medical doctor)　　　　　　　　　　　　　　　〔職業〕
　　（ずっと彼は自分が医者だというふりをしたが，事実ではなかった）
　　　● ここでは doctor は職業名を示し，人間そのものを示しているのではないので，who ではなく，which になる。

　　If the lawyer had been *honest*, **which** he was not, I don't think he would have said such a thing.　　　　　　　　　　　　　　　　〔性格〕
　　（その弁護士が正直だったら，そうではなかったのだが，彼はそんなことは言わなかっただろう）

127 D　関係形容詞の which

　非制限用法の which を名詞の直前に置くと，which がその名詞を修飾して形容詞の働きをすることになる。こういう用法の関係代名詞を**関係形容詞**ということもある。実際には〈前置詞＋which＋名詞〉の形をとることが多い。

　　He spoke to me in *Spanish*, **which** *language* I have never studied.
　　（彼は私にスペイン語で話しかけましたが，その言語を私は習ったことがありません）
　　　● , which language 以下は，but I have never studied *that* language というところを，*but that* language I have never studied と語順を変え，but と that を関係形容詞の which に代えたもの。ただし，例文の場合，which だけでも先行詞が Spanish だということはわかるから，language を省いた形のほうがすっきりしていてよい。

　　If you do not agree, select "DO NOT AGREE," **in which case** you will not be able to register.
　　（同意しないなら，「不同意」を選びなさい。その場合には登録することはできません）

　　この in *which* case は，but in *this* [*that*] case に当たる。これに対して，whose

は所有格であるから，his [her, its, their] に当たる。

次の which name と whose name を比較。

> Robert Zimmerman was born on May 24, 1941. He is now known as Bob Dylan, **which** *name* he took at the age of nineteen.
>
> （ロバート・ティマーマンは1941年5月24日に生まれた。今はボブ・ディランとして知られているが，この名前は19歳の時に自分でつけたものである）

> He said he represented a buyer, **whose** *name* he would not disclose.
>
> （彼はある買い手の代行をしていると言ったが，その人の名は明かそうとはしなかった）

● *which* name は (and / but) *that* name，*whose* name は (and / but) *his / her* name，と考えればよい。

128 that の用法

that は便利な関係代名詞である。先行詞が**事物**の場合に用いることが多いが，人にも用いることができる。主格と目的格は that のままの形で，所有格はない。また，**非制限用法**はなく，原則として**前置詞の直後**には用いられない。

that よりも，which / who を使ったほうが，いささか改まった感じになる。

128 A 主格の that

> The goal of the 2001 contest was to build a robot **that** could find and extinguish a fire in a house.
>
> （2001年のコンテストの目標は，家の中の火事を見つけてそれを消すことができるロボットを作ることでした）

128 B 目的格の that

くだけた言い方では省略するのがふつう。

> This is a sketch (**that**) she *made*.　　　　　　　　　　　　　　〔他動詞〕
> （これは彼女が描いたスケッチです）

> Here are the files (**that**) you are looking *for*.　　　　　　　〔前置詞〕
> （ここに君が探しているファイルがあるよ）

128 C that が比較的好まれる場合

次のような場合には that がよく用いられるが，that でなくてもよい。

① **先行詞に最上級，first, only, best** などがついているとき

> I recently discovered the *most* beautiful music **that** I have ever heard.

（私は最近，それまでに聞いたことがないほど美しい音楽を見つけた）
● この that は省略できる。

② 先行詞が all, anything, everything, nothing, little, much などのとき

There is *much* in this book **that** will interest those who are studying popular culture.
　（この本には，大衆文化を研究している人に興味を起こさせるようなことがたくさん書かれている）

I'll tell you *anything* **that** you want to know.
　（君が知りたいことなら何でも話すよ）

③ 人の職業や性格が補語になるとき (⊙ p.269 **127C**(2))

Back then, Murray was not *the skilled actor* **that** he is today.
　（あの頃，マレーは今日の彼のような芸達者な役者ではなかった）
● 実際にはこういう that は省略することが多い。

④ 先行詞が〈人＋事物〉のとき

Emphasis will be placed on various countries and on *the peoples and customs* **that** make each unique.
　（いろいろな国と，それぞれを独特のものにしているその国民や風習に重点が置かれる）
● 米オクラホマ州の某高校の「地理」コースの内容紹介。

⑤ 先行詞が wh-疑問詞のときその直後で

wh-疑問文で，疑問詞の直後に who や which を置くと文体上の体裁が悪いために that にすることが多い。

Who **that** saw a house on fire would not alert its inhabitants to the danger?
　（ある家が火事になっているのを見て，その中に住んでいる人に危険を知らせない人がいるだろうか）

Helpful Hint 73　動物と who

ルールではないが，動物を代名詞で示すとき，その性をいくらか意識していれば，通常，it を使わず，人称代名詞の he か she を使って指し示す。たとえば，「その雄鹿はライバルを追い払った」であれば，The stag chased off *its* rival. と述べても間違いではないが，The stag chased off **his** rival. と述べたほうが自然な感じになる。が，関係詞節の場合には，先行詞が同じ動物であっても，人称の関係代名詞 who は通常使わない。たとえば，「探していた雄鹿をやっと見つけた」を，I finally found the stag who I was looking for. とはふつう言わない。who は，he, she より，「人間のみ」という感じがそれだけ強いのだ。が，しかし，「性をいくらか意識している」以上，ここで使う関係代名詞としては，which は「中性的すぎる」感じになるので，結局，関係代名詞を省略するか，**that** を使うか，ということになる。

129 what の用法

「〜するところのもの」(the thing(s) that [which]) という意味を表すのに，それ自身の中に先行詞を含んだ関係代名詞 what がある。

what が導く節は**名詞節**になり，文中では，**主語・目的語・補語**になる。

129 A　what の導く名詞節

(1) 文の主語として

　　What makes me happy *is* good music.
　　（私を幸せな気分にしてくれるものは，いい音楽です）

　　What really matters *is* the compassion we show to the weak.
　　（本当に大切なのは，弱者に対して示す同情です）

　　●下線部の中では what は matters の主語で，下線部の名詞節はこの文全体の主語になっている。

(2) 目的語として

　　If you do not *believe* **what** he wrote, why do you *believe* **what** he said?　〔他動詞の目的語〕

　　（彼が書いたことを信じないなら，どうして彼が言ったことを信じるというのでしょうか）

　　This is a rough outline *of* **what** I plan to discuss tonight.　〔前置詞の目的語〕
　　（これは今夜私が論じるつもりの話の概要です）

(3) 述語動詞の補語として

　　This *is* **what** he wrote about you.　〔主格補語〕
　　（これが彼が君について書いたものだ）

　　She wasn't born a great pianist. Practice has made her **what** she is.
　　　　　　　　　　　　　　　　　　　　　　　　　　　　　　　〔目的格補語〕
　　（彼女は生まれながらのすぐれたピアニストだったわけではない。練習が彼女を今の姿にしてくれたのだ）

(4)「〜するだけの量[数]，〜しようと，〜であろうと」の意味で

　　We all should do **what** we can.
　　（私たちは皆できるだけのことをすべきです）

　　Say **what** you will, I'm going to stay here.
　　（君が何を言おうと，僕はここに残るんだ）

　　●このように使われる **what** は，**whatever** [＝anything which [that]] の意味に極めて近いが，**whatever** のほうが幾分か強調的な表現になる。
　　whatever については **140C** (p.286) を参照のこと。

129 B 関係形容詞の what

what が「…するだけの~ (all the ~ that ...)」の意味のとき，what の次に名詞が続いて形容詞的用法になることがある。what と名詞の間に few や little が入って，「わずかではあるが」という意味を加えることもある。

In those days, I saved **what** *money* I had for videogames.
(そのころ，私は持っているお金をすべてテレビゲームのために蓄えていた)

Taking **what** *little cash* he had, he bought his plane ticket.
(彼は，手持ちのなけなしの現金を出して，航空券を買った)

129 C what を含む重要慣用表現

次の慣用表現は応用が利くので，覚えておくと便利である。

(1) 〈what is called〉, 〈what we [you] call〉 「いわゆる」

The region is **what is called** a black hole. Nothing that falls into it can escape.
(その地帯が，いわゆるブラック・ホールなのだ。その中に落ち込んだらもう逃げ出すことができない)

(2) 〈what is ＋比較級〉「その上~なことには」

It was quite cold that night, and **what was worse**, a drizzle began to fall.
(その夜はかなり寒かった。さらに困ったことには霧雨が降り出した)

(3) 〈A is to B what C is to D〉
「AのBに対する関係はCのDに対する関係と同じである」

Friendship **is to** people **what** sunshine **is to** flowers.
(友情の人間に対する関係は，日光の花に対する関係と同じである)

(4) 〈what with A and (what with) B〉「AやらBやらで」

What with his ignorance **and** (**what with**) (his) carelessness, he caused a number of different problems.
(彼は，無知やら不注意やらで，いろいろ問題を起こしていた)

実際にはこのように完全な形でいうことは少なく，後の what with は省略することが多い。また，〈what with A and all〉や〈what with A and everything〉などともいう。この２つでは all を使うほうが多い。

I don't have time for music, **what with** studies **and all**.
(勉強やら何やらで音楽のための時間がない)

What with exams **and everything**, my life has been really stressful.
(このごろ，試験やら何やらで，私の生活はストレスだらけになっている)

第12章 関係詞　第1節 関係代名詞

> **Helpful Hint 74**　A：B＝C：D
>
> 　前掲の Friendship **is to** people **what** sunshine **is to** flowers.（友情の人間に対する関係は，日光の花に対する関係と同じである）の **what** の代わりに，**as** を使うことも多い。たとえば，Hydrocarbons **are to** Titan **as** water **is to** Earth.（炭化水素の〔土星の第6衛星〕タイタンに対する関係は，水の地球に対する関係と同じである）という言い方もふつうであり，英語圏のテストでは，むしろ **as** のほうが多い。また，語学試験の場合は，たとえば，
> 　　starving：food＝penniless：（　　　　）　　**Ans.** money
> 　　doe：stag＝cow：（　　　　）　　**Ans.** bull
> のように，方程式の形で比例関係を簡潔に表すケースが多い。

130 関係代名詞の省略

　制限用法の関係代名詞は省略できる場合がある。特に目的格の関係代名詞は，くだけた言い方では省略するほうがふつう。主格の関係代名詞を省略できるのは，いくつかの特別な場合に限られる。以下の例文で，∧は関係代名詞を省略した箇所を示す。

130 A　目的格の関係代名詞の省略

他動詞の目的語になっている関係代名詞は，口語ではふつう省略する。

　The house ∧ I rent has a large, white linoleum floor.
　　（私が借りている家には，広くて白いリノリウムの床がついています）
　　　● The house *which* [*that*] I rent ... . の *which* [*that*] の省略。

前置詞の目的語になっている関係代名詞は，その前置詞を後置した場合には省略できる（⊙ p.293 **145A**(2)）。

　The devotion and resolve of *the people* ∧ Jennifer worked *with* impressed her.
　　（ジェニファーが一緒に働いた人たちの献身と決意は彼女に感銘を与えた）
　　　● the people *with* **whom** Jennifer *worked* とすれば，改まった堅い言い方になり，このように前置詞の直後に置く **whom** は省略できない。

130 B　主格の関係代名詞の省略

　主格の関係代名詞を省略できるのは次のような場合であるが，文脈が混乱しないように考える必要がある。
　関係代名詞が導く節の主語が人称代名詞のときには，その前に関係代名詞がなくても，〈he [she, it, they, I, you, we]＋動詞〉という形がすぐに続くので，特に会話などでは，そのために意味が混乱することが少ない。

(1) 関係代名詞が be動詞の補語 の場合 (⊃ p.271 **128C** ③, p.272 **129A**(3))

　　After decades of strife and invasion, Afghanistan is not the country ∧ <u>it used to be</u>.

　　　（何十年もの紛争や侵略を経て，アフガニスタンはかつてのような国ではなくなっている）

　　　● the country *that* it used to *be* の that の省略。that は be の補語になっているが，なくても，直後に it used to be という別の〈S＋V〉の形が続いているので，その直前に関係代名詞の省略があることがわかる。

(2) 〈**There is ...**〉, 〈**Here is ...**〉 構文で

　① **There [Here] is に続く場合**

　　<u>There is</u> a man ∧ wants to speak to you.

　　　（あなたとお話ししたいという男の人がいます）

　　　● There is a man *who* wants to speak to you. の who を省略したもの。もともと there is 構文の there には意味が特にないので，特に会話の場合などでは，There is と who のような軽い感じの部分を省いても，A man wants to speak to you. となり，全体の意味は変わらない。

　② 関係詞節に **there is** がある場合

　　This is not a passenger ship. We have limited free space, and this is the largest room ∧ <u>there is</u>.

　　　（これは旅客船ではありません。空いている場所が限られ，ここがこの船で一番広い部屋なのです）

　　　● この文でも，〈there is〉が〈S＋V〉と同じように感じられるため，その前で切れることがわかる。there is そのものには大した意味はないので，これを取っても同じような訳になるから，that は省略してもよいとされている。ただ，例文でも，there is は「この船にある部屋の中では」という意味を強調している役割を果たしている（⊃ p.276 H.H. 75）。

(3) 〈**It is ...**〉 構文で

　　Of course, <u>*it isn't*</u> everybody ∧ can do that!

　　　（もちろん，だれでもそれができるわけではない）

　　　● これは強調構文の〈It is ～ that ...〉の that の省略とも考えられる（⊃ p.390 **180C**）。

(4) 関係代名詞の直後に〈**I [he, she, you, they, we, it] think [thinks]**〉などを挿入する場合

　関係代名詞の次に〈I think〉などを挿入する場合，**制限用法**ならその関係代名詞を省略することができる。

　このような think に類する動詞には，**believe**（～だと思う），**fancy**（なんとなく～だと思う），**fear**（～ではないかと気遣う），**find**（～だとわかる），**hear**（～だそうだ），**know**（～だと知っている）などがある。

　こうした I think [believe] などがあると，文の流れでは，I の前で切れている

— 275 —

130 B

ことが推察できる。つまり，関係代名詞が省略されていることがわかる。

The only person ∧ *I think* is stupid is the author of this passage.
（私が愚かだと思う人はこの１節を書いた人だけだ）

● The only person **who** *I think* is stupid ... . の who を省略したもの。この I think を除くと，who is stupid ... となるから，who は**主格**であることがわかる。

> **発展** This is a problem ∧ *I believe* I can solve. （これは私が解けると思っている問題だ）
> この文は This is a problem **which** *I believe* I can solve. の which を省略したもの。この which は solve の目的語だから，同じ〈I believe〉が挿入されていても，**目的格**の関係代名詞の省略である。

131 関係代名詞の二重限定

「～の中で…するところの」というように，まず大きく限定してから，さらに細かく限定する仕方を二重限定という。２番目の関係代名詞の前に and を入れると，単に限定を２つ並べるだけになるので注意。

(1) 二重限定

The only job (**that**) *I know* **which** *involves mountain climbing* is working as a guide.
（私が知っている仕事の中で，登山を伴うのは，ガイドの仕事だけです）

● 初めの関係代名詞は省略することが多い。

(2) 単なる並列

This is the model **that** I follow, **and which** I generally recommend.
（これが私がまねをし，一般にお勧めしている手本です）

> **参考** (1)の二重限定では，もし２つ目の関係詞節を省いたら，「私が知っている仕事はガイドだけです」という意味になってしまう。また，which の前に and を入れたら，意味は同じようにおかしくなる。
> これに対して(2)のほうは，後の and which 以下がなくても意味は成り立つし，２つの関係詞節の順序を入れ替えても全体の意味は変わらない。

Helpful Hint 75 関係代名詞と there is

前掲の *this is* the largest room **there is** のように関係詞節に **there is** がある場合は，確かに日本語の観点からは "there is" には訳すほどの意味がないし，"there is" を省略しても意味自体は変わらないのだが，残したほうが幾分か強調的な表現になる。
具体的に言うと，この文の "∧there is" は，"*that exists here*"（ここに存在するすべての部屋の中で）という意味を持ち，言い換えれば，「ここには，これ以上広い部屋は**存在しないのです**」といった感じの強調になるのである。これに対して，"there is" 抜きの，単なる this is the largest room なら，ただ「これが一番広い部屋です」と言っているだけで，これといった強調がないのである。

132 擬似関係代名詞

接続詞の **as, but, than** を関係代名詞的に使うことができる場合がある。
　関係詞節の中で，これらの語が文の主要素になっていれば関係代名詞として扱うほうがわかりやすい。

132 A　as

(1) 前に **such** や **as**, **the same** などがあって，それと関連して用いる場合
　①〈**such A as ...**〉「(…する) ようなA」
　　In building in this part of South Africa, it is always necessary to use **such** material **as** *cannot be destroyed by the white ant*.
　　（南アフリカのこの地方で建てるときには，シロアリで破壊されないような材料を用いることが常に必要です）

　②〈**as A as ...**〉「(…する) のと同じくらいのA」
　　We have undertaken to provide higher education for **as** many people **as** *want it*.
　　（我々は，高等教育を受けたいと思っているできるだけ多くの人に，それを提供するようにしている）
　　　● as want it の as は want の主語という形になっている。

　③〈**the same A as ...**〉「(…する) のと同じA」
　　Did you see **the same** film **as** *I did*?
　　（君は私が見たのと同じ映画を見たのかね）
　　　● ... as I? としてもよい。または Did you see **the same** film **as** *me*? というくだけた言い方もある。

　　Are you thinking **the same** thing **as** I (*am thinking*)?
　　（君は，僕と同じことを考えているのかな）

　　注意　〈the **same** A **that** ...〉としても同じである。また，この場合は先行詞に当たるものが thing だから，**which** も使える。人の場合なら **who** でもよい。ただ，that や which, who などを使うときは，その後の動詞を省略することはできない。

(2) 主節やその一部を先行詞とする場合
　as は非制限用法の **which** のように，先行する文や節の全体もしくは一部を先行詞として受けることができる (◯p.269 **127C**(1))。
　as は which と違って，主節の前に出したり，文中に挿入することもできる。
　　He was also a member of a tennis team, **as** is evident from this picture.
　　（彼はテニスチームの一員でもあった。それはこの写真を見ればわかることだが）

— 277 —

132 A

On this occasion *his words were few but*, **as** is usual with him, *they were weighty*.

（この場合も彼の言葉数は少なかったが，彼にはよくあるように，それらには重みがあった）

● as は英米の辞典では，接続詞として扱っている場合が多い。

As is well known, dolphins communicate through the sounds they emit.

（よく知られているように，イルカは自分の出す音で情報を伝達する）

● as が節の主語になるときは，be動詞か seem などが続くことが多い。

132 B than, but

(1) than

比較構文の従節の主語が欠けるとき，than が関係代名詞的に働く。

There is more food **than** is needed, which is why the price of food has been falling.

（食品の値段が下がりつつあるが，それは食べ物が必要以上あるからだ）

You have more cholesterol in your blood **than** is needed.

（あなたの血液には必要以上のコレステロールがあります）

● どちらも than が is の主語になっていると見ると，関係代名詞になる。

(2) but

先行詞が否定の意味のときに，〈**that ～ not**〉の意味で **but** を用いることがあるが，文語調で古風なので避けたほうがよい。

There is *no* person or thing **but** has its bad side.

（＝There is *no* person or thing *that* does*n't* have its bad side.）

（どんな人やものにも悪い面はあるものだ）

◆日本では There is no rule **but** has some exception.（例外のない規則はない）という例文がよく示されるが，この古くからあることわざは，There is no (general) rule *without* some exception. のほうがふつうであり，「何らかの例外」という意味で exception は単数形である。

Helpful Hint 76   than は関係代名詞？

「**than** が関係代名詞的に働く」構文は，一種の省略と考えればよい。具体的に言えば，たとえば，In Rome, the streets are much safer **than** might be expected.（ローマでは，街の治安は予想されるよりはるかによい）という文は，In Rome, the streets are much safer **than** *the streets* that might be expected in such a large city. などのように，**接続詞**として使われる **than** の文を簡潔にしたものである。同じように，たとえば，The weather was better **than** had been expected.（天気が予想されたよりよかった）なら，これは，... better **than** (*the weather* that) had been expected. のように（ ）内の略と考えればよい。

第2節 関係副詞

133 関係副詞の種類と用法

133 A 関係副詞の種類

「シェークスピアはある町で生まれました」と「あなたはその町を知っていますか」という2つの文を1つにまとめようとするとき，関係代名詞を使えば，

　　Shakespeare was born *in a town*. Do you know *that town*?
　→ Do you know the town **in which** Shakespeare was born?

となる。この **in which** を **where** で置き換えることができる。

　→ Do you know *the town* **where** Shakespeare was born?

ここでの **where** は，たとえば Shakespeare was born there. の there と同じように，場所を表す副詞として使われている。これが**関係副詞**である。

関係代名詞と同じく，the town を**先行詞**といい，where 以下の節は the town を修飾している形容詞節になっている。関係副詞には次のようなものがある。

先行詞の表す意味	関係副詞	先行詞の表す意味	関係副詞
時	**when**	場所	**where**
理由	**why**	方法	**how**
上のすべての代用		**that**	

133 B 関係副詞の用法

関係副詞には，関係代名詞と同じように制限用法と非制限用法がある。

(1) 制限用法

　　Please click on the name of *the country* **where** you live.
　　（あなたが住んでいる国名をクリックしてください）

(2) 非制限用法

　　He started for Baghdad on *March 20*, **when** the Iraq War was still raging.
　　（彼は3月20日にバグダッドに向けて出発したが，そのときイラク戦争はまだ激しく続いていた）

134 when の用法

時を表す語が先行詞のときには，**when** を用いる。

(1) 制限用法

関係副詞の when を実際に使うのは，The time will come when ... .（…するときが来る）などのような形の場合が最も多い。

> I hope *the time* will soon come **when** we can meet again.
> （私たちが再び会えるときがじきに来るといいのですが）

このように先行詞と離れた when は省略することはできないが，先行詞の直後にある関係副詞は省略されることが多い。

> 2003 was the year (**that / when**) fishing became a camp activity.
> （2003年は魚釣りがキャンプ活動になった年である）
>> ◆米国では夏休み中のキャンプ活動は実に盛んである。特に Sports Camp は人気がある。sports は水泳・登山・カヌーなどを始め多種多様であるが，この文は中学生対象のあるキャンプ活動で，釣りがその中に加えられたことを示している。

(2) 非制限用法

> He said he last saw Anne in *April*, **when** she asked for his advice about her marriage.
> （彼は，最後にアンに会ったのは4月であり，その時彼女は自分の結婚について助言を求めたと言った）

(3) 関係副詞 when の省略

制限用法で先行詞が **time** のときは when は省略することが多い。ただし，(1)の用例のように，先行詞（time）と when が離れている場合には when を省略することはできない。

その他，先行詞が **day**, **week**, **year** などの場合も，直後の制限用法の when は省略することも多い。

135 where の用法

場所を表す語が先行詞のときには，at which や in which などの代わりに，where を用いることが多い。

(1) 制限用法

> She was staying at *the hotel* **where** my father works.
> （彼女は私の父が働いているホテルに泊まっていた）

> There are some *cases* **where** landowners will buy the equipment and lease it to the tenant.
> （地主が設備を購入してそれを土地の賃借人に貸すという場合がある）
>> ●この例のように，くだけた言い方では，点（point），場合（case），状況（situation）など，「場所」ではないのに，where を関係副詞として用いているのを目にすることがあ

るが，表現としては正確さが欠けており，勧められる言い方ではない。
また，たとえば，There are some *cases* **when** we do need your personal information.
（あなたの個人情報がぜひ必要な場合があります）のように，先行詞が「時」を表す言葉
ではないのに，when が関係副詞として用いられることもあるが，これも同様である。

(2) 非制限用法

During the day we went to *Naples*, **where** we took pictures.
（日中，私たちはナポリに行き，そこで写真を撮りました）

(3) 関係副詞 where の省略

制限用法の where は，先行詞が **place** のときには省略できる。それ以外の場合はふつう省略しない。

The place ∧ I live is close to the ocean.
（私が住んでいる所は海に近い）

136 why の用法

(1) 関係副詞 why の用法

先行詞が **reason**（理由）のときに **why** を用いることがある。
why は制限用法のみで，非制限用法はない。

The *reason* **why** I came early was that I wanted to help with the preparations.
（私が早めに来たのは，準備を手伝いたかったからです）
　●that の代わりにくだけた口語では because を用いることがある。

(2) 関係副詞 why の省略

先行詞の **reason** があるときには，why は省略するのがふつうである。

The *reason* (**why**) I like this book is that it is an algebra text in the form of a fantasy novel.
　（私がこの本を好きな理由は，それが空想小説の形をとった代数のテキストだからなのです）

ただし，why を省略した That is the reason ... . よりも，先行詞の reason を省略した That is why ... . の形のほうが多い（ p.283 **139** (3)）。

That is **why** I like Japan.（そういうわけで私は日本が好きなのです）

137 how の用法

「どのようにして」という意味で**方法**や**様態**を表す場合には **how** を用いるが，使い方に注意が必要である。

方法や様態だから，先行詞は **the way** になる。ただし the way in which ... や，the way that ... という言い方はあっても，the way how という言い方はない。つ

まり，**the way** には **how** の意味が含まれ，**how** にもまた **way** の意味が含まれているので，一緒に使うことはない，ということである（⊙ p.283 139 (4)）。

This is **how** the war began and **how** the nation won its independence.
（このようにして戦争が始まり，その国は独立を勝ち得た）

This is **how** the war in Iraq is portrayed in Chinese newspapers.
（このようにイラクでの戦争が中国の新聞で書かれているのです）

This is **the way** you should cut the meat.
（このようにして肉を切ればよい）

138 that の用法

that は関係代名詞だけでなく，関係副詞として when, where, why, how の代わりに用いることができる。

全体として関係副詞の **that** は省略することが多い。

(1) 時

During **the year** (**that**) I was Miss Universe, I was rarely able to see my friends.
（私がミスユニバースだった1年間，友達にはあまり会えなかった）

(2) 場所

anywhere, somewhere, nowhere および **place** などが先行詞の場合に用いられる that も省略することが多い。

There was *nowhere* (**that**) he could be truly safe.
（彼が本当に安全でいられるという場所はなかった）

Looking back, I think he had a very unfortunate life, having *nowhere* he could relax.
（振り返ってみると，彼はくつろげる場所がどこにもなくて，とても不幸な人生を送ったと思う）

　●nowhere の次に that が省略されている。

(3) 理由

先行詞が **the reason** のときに用いられる that も省略することが多い。

The effects of vaccines vary. Some last for just a few months. This is *the reason* (**that**) repeated vaccinations are sometimes needed.
（ワクチンの効果はさまざまである。ほんの2，3か月しかもたないものもある。こういうわけで，場合によっては繰り返しワクチンを注射する必要がある）

(4) 方法・様態

先行詞が **the way** のときには，in which か that が用いられる。

This is *the way* (**that** [in which]) I usually wash dishes.
（私はふだん，このようにして皿洗いをしています）

This is *the way* (**that** [in which]) wild animals die in times of hardship.
（苦難の時に野生動物はこのようにして死んでしまうのです）

139 関係副詞の先行詞の省略

関係副詞の先行詞が **the time, the place, the reason** などのときには，関係副詞の **when, where, why** だけを用いて，これらの先行詞を**省略**することがある。ただし，あくまでも先行詞を省略しても意味が明確である場合のみである。

(1) when
先行詞がなくても，「～するとき」の意味を表すことができる。
次の文の∧は先行詞 the time [the month] を省略したことを示す。

August is ∧ **when** the atomic bombs were dropped on Hiroshima and Nagasaki.
（8月は広島と長崎に原爆が投下された月です）

(2) where
先行詞の the place を省略して where だけで「～する所」の意味を表すことができる。
次の文も∧のところに the place が省かれている。

New York is ∧ **where** he grew up.
（ニューヨークは彼が育った所です）

This page is ∧ **where** you can find all the information needed to apply.
（このページには，申し込むときに必要となる情報がすべてそろっている）

(3) why
先行詞の the reason は省略するのがふつう。the reason を残したかったら，the reason **that** とするか，that を省いてただ the reason にする（ p.282 **138** (3)）。

Some experiments simply can't be done on Earth. That's ∧ **why** NASA decided to build the International Space Station.
（地球上ではどうしてもできない実験もある。そういうわけで，NASA は国際宇宙ステーションを作ることにした）

(4) how
how はすでに述べたように，the way how とはせず，**the way** だけか，**how** だけを用いる。次の∧のところに the way を入れてはいけない（ p.281 **137**）。

That is ∧ **how** Japan became a world class manufacturer.
（そういうふうにして日本は世界で一流の製造国になったのです）

第3節 複合関係詞

関係代名詞や関係副詞に -ever をつけたものを**複合関係代名詞**，**複合関係副詞**という。ただし，that には -ever のついた形はない。

140 複合関係代名詞

複合関係代名詞には **whoever**・**whichever**・**whatever** の3つがあるが，どれも「～する人［もの］はだれ［どれ，何］でも」という**名詞節**を導く用法と，「だれ［どれ，何］が～しようとも」という**譲歩**の**副詞節**を導く用法と2つの使い方がある。譲歩の副詞節を導くほうは，関係代名詞ではなく**接続詞**だと考えてもよい（⊙ p.260 **122B**(2)）。

また，〈**no matter who [which, what]**〉という形で同じ譲歩の意味を表すことができるが，no matter を使うほうが口語的である。

140 A　whoever, whomever

(1)「～する人はだれでも」の意味で名詞節を導く。

Whoever *reads* this will surely be surprised.
（＝*Anyone who* reads this will surely be surprised.）
（これを読む人はだれでもきっとびっくりするだろう）

[注意] whoever は anyone who の意味だから，これを受ける動詞は単数。

Whoever は関係代名詞であるから，**格**について注意する必要がある。

関係代名詞の格は，それが導く節の中での役割によって決まるから，次の文では，wants の主語になっている whoever は，たとえ主節の invite という他動詞の目的語であっても，whom にはならない。

We have decided to put our project on the web and invite **whoever** *wants* to join.
（私たちは計画をウェブに載せて，参加したい人はだれでも招待することに決めました）

次の文では，whoever はそれが導いている節の中で invite の目的語になっているから，whomever になるはずである。しかし，whom の場合と同じように，最近はくだけた形では，whomever とせずに whoever で代用するほうがふつう。

Invite **who(m)ever** you think you should *invite*.
（あなたが招待すべきだと思う人を招待しなさい）

(2)「だれが～しようとも」の意味で譲歩の副詞節を導く。

Whoever *wins*, the audience is sure to be pleased.
（だれが勝とうと，観客はきっと喜ぶだろう）
　　● Whoever *may win*, ... のように whoever の導く節に may を用いるのは文語的。

That would be a lie **whoever** said it.
（そんなことはだれが言ったとしても，うそになるよ）
　　● That would be a lie **no matter who** said it. のほうが口語的で，実例もはるかに多い。

They are bound to succeed **who(m)ever** they follow.
（彼らは，だれについていこうが，成功するに決まっている）
　　● whomever は whoever で代用するほうがふつう。

140 B　whichever

whoever と同じく，名詞節と副詞節を導く。

(1)「～するものはどれ［どちら］でも」の意味で名詞節を導く。

There are a variety of methods by which to order. Please choose **whichever** you like.
（さまざまな注文方法があります。お好きなのをどれでもお選びください）

(2)「どちらが［を］～しようとも」の意味で譲歩の副詞節を導く。

Whichever is chosen, a lot of experiments will need to be conducted.
（どちらが選ばれようと，多くの実験がなされる必要がある）

Come to relax, to play, or just to enjoy the scenery. **Whichever** you choose, you will have a truly memorable experience.
（くつろぎに，お遊びに，あるいはただ風景を楽しむためにおいでください。どれを選ばれようと，本当にすばらしい経験をなさるでしょう）

(3) 複合関係形容詞の whichever

① whichever の次に名詞がついて，「どちらの～でも」の意味の**名詞節**を導く。

Use **whichever** *dictionary* you prefer.
（どちらでも好きなほうの辞書を使いなさい）

②「どちらの～が［を］…しようとも」の意味で**譲歩の副詞節**を導く。
実際には〈**no matter which** ～〉のほうが多く使われている。

Whichever *party* comes to power, they should put peace on the top of their agenda.
（＝**No matter which** *party* comes to power, ...）
（どちらの党が政権の座に就いても，その政策の第一に平和を掲げるべきだ）

Whichever *path* you choose, I'll always be on your side.
（どちらの道を選んでも，私はいつまでもあなたの味方です）

140 C　whatever

whatever も whoever, whichever と同じく，名詞節と副詞節を導く。

(1) 「～するものは何でも」の意味で名詞節を導く。

Whatever happens tomorrow won't change my feelings for you.
（明日何が起こっても，君に対する僕の気持ちは変わらないよ）

Whatever you say will be recorded on this disk.
（言うことはすべてこのディスクに録音されます）

(2) 「何が～しようとも」の意味で譲歩の副詞節を導く。

Whatever happens, I will be ready.
（何が起ころうと用意はできている）

(3) 複合関係形容詞の whatever

① 「どんな～でも」の意味で名詞節を導く。

I'll be grateful for **whatever** *help* you give me.
（私にしてくださるどんなご助力にも感謝いたします）

② 「どんな～が…しようとも」の意味で譲歩の副詞節を導く。

Whatever *difficulties* you have here, I'm sure you'll be able to overcome them.
（ここでどんな困難に遭おうと，君はきっとそれを克服できるだろう）

141　複合関係副詞

複合関係副詞には，**whenever**・**wherever**・**however** と **whyever**（◯ p.287 H.H. 77）がある。

141 A　whenever

(1) 「いつ～しようとも」の意味で譲歩を表す副詞節を導く。（＝no matter when）

Whenever you join, you'll be able to get all the issues of the past year.
（いつ加入されても，過去1年の刊行物が入手できます）

(2) 「～するときはいつでも」の意味で，「時」を表す接続詞の役割を果たす。

Whenever you do something, you should do it as well as you can.
（何かをするときはいつでもベストを尽くしてするべきだ）

141 B　wherever

(1) 「どこで～しようとも」の意味で譲歩を表す副詞節を導く。（＝no matter where）

Wherever I am, I won't forget you.
（どこにいようと，私はあなたのことを忘れない）

(2) 「～する所ならどこでも」の意味で「場所」を表す接続詞の役割を果たす。「～する所に［へ，で］」の意味を表す where である（⊙ p.242 117B）。

You may follow me **wherever** I go.
（私の行く所ならどこへでもついてきていいよ）

141 C　however

however の次に，**形容詞か副詞がつく場合とつかない場合**があることに注意。

(1) 〈**however**＋**形容詞［副詞］**＋**S**＋**V**〉の形で，「どんなに～しようとも」という**譲歩**の意味を表す。（＝no matter how）

However *hard* you push it, the brain will always keep on functioning.
（どんなに一生懸命頑張らせられても脳は機能し続ける）

(2) 〈**however**＋**S**＋**V**〉の形で，「どういうふうに～しても」という**譲歩**の意味を表す。（＝by whatever means）

However *you are paid*, you will still need to determine how much to charge per hour.
（どんな形で支払われようと，あなたは1時間につきいくら請求すべきかを決める必要があります）

◆salary は，伝統的に事務職や専門職の人の月給を示し，wages は主に肉体労働者などに時間給の合計を週ごとに現金で支払うものを示す。弁護士などある種の専門職に支払われるものは，ふつう fee という。

> 発展　whyever は，〈whyever＋S＋V〉の形で，「どんな理由で～しようとも」という譲歩の意味を表すことがある［＝no matter why］。ただし，その他の〈疑問詞＋ever〉に比べると，whyever は，使用頻度の極めて少ない，珍しい語である（⊙ p.287 H.H. 77）。
> **Whyever** he might have told her, he shouldn't have done so.
> （どんな理由で彼が彼女に話してしまったとしても，話すべきではなかった）

Helpful Hint 77　whyever

基本的に **for whatever reason**（～の理由は何であれ）という意味を持つ whyever の〈whyever＋S＋V〉の形は，さほど頻繁に見られる言い方ではないが，この表現がぴったりする感じのときもある。たとえば，There must have been some reason **why** she was absent.（彼女が欠席したのは，何かの理由があったはずだ）と言われ，「どんな理由があったにしても，出席すべきだった」と答える場合，*No matter what* [*Whatever*] *reason* there might have been, she should have attended. や，*No matter why* she was absent, ... などで差し支えないのだが，**Whyever** she was absent, ... という言い方の簡潔さには，表現としての魅力がある。

REVIEW TEST 12

A 確認問題 12 (→ 解答 p.608)

1. 次の各英文の（　）内の語のうち，適切なほうを選びなさい。
   (1) I gave her a glass of water, (which, that) she drank at once.
   (2) He would not believe (that, what) I told him.
   (3) A programmer is a person (which, whose) job is to create computer programs.
   (4) Charleston is a city (what, which) I want to visit again.
   (5) I miss my family, all of (who, whom) live in New York.
   (6) This must be the way (how, that) they would have wanted it to be.
   (7) I want a house (which, whose) windows face south.
   (8) Jane may be late, in (what, which) case I ought to wait for her.
   (9) Everything (what, that) he said was true.
   (10) She is very cheerful, and that is (how, why) I like her.

2. 次の各英文が正しければ〇をつけ，正しくなければ×をつけて，誤っている部分を正しく書き直しなさい。
   (1) I found the camera I had been looking for.
   (2) That is the point I think the President is also trying to get across.
   (3) Which is usual with him, he remained silent for a long time.
   (4) That was the year which I first went abroad.
   (5) Tom Ripley is not the man he used to be.
   (6) The car, that is brand new, belongs to my father.

3. 次の各日本文の意味を表すように，（　）内に適切な1語を入れなさい。
   (1) こういうふうにして戦争が始まったのです。
       This is (　) the war started.
   (2) パーティーに来たい人はだれでも招待していいよ。
       You can invite (　) wants to come to the party.
   (3) 彼の私への口のきき方が嫌いなのです。
       I don't like (　) (　) he speaks to me.
   (4) あなたを助けるためなら，できることは何でもやります。
       I'll do (　) I can do to help you.
   (5) ここが私が生まれた病院です。
       This is the hospital I was born (　).

— 288 —

REVIEW TEST 12

B 実践問題 12 (→ 解答 p.608)

1. 次の各英文を完成させるのに最も適切な語を選び，記号で答えなさい。何も入れないほうが自然な場合は **(D)** を選びなさい。

   (1) "Could you help me?" "I'll do (　) I can."
      (A) that　　　(B) when　　　(C) what　　　(D) φ

   (2) "Do you want me to sit here?" "Please sit (　) you like."
      (A) wherever　(B) what　　　(C) as　　　　(D) φ

   (3) Is there anyone (　) is against the motion?
      (A) who　　　(B) whom　　　(C) whoever　　(D) φ

   (4) "What kind of job do you want to do?"
      "I want to do the kind of job (　) I've been trained for."
      (A) whom　　　(B) what　　　(C) whatever　　(D) φ

   (5) "Do you trust him?" "Yes, I think that everything (　) he says is true."
      (A) what　　　(B) whatever　(C) which　　　(D) φ

2. 次の各英文の下線部から，誤っているものを1つ選び，記号で答えなさい。

   (1) People buy (A)<u>that</u> they can see. (B)<u>If we show</u> them our products on the Internet, they (C)<u>will come</u> to our store or order directly (D)<u>from our website</u>.

   (2) In the (A)<u>English-speaking</u> business world, people use (B)<u>first names</u>, even (C)<u>with</u> people (D)<u>when</u> they do not know very well.

   (3) There are some occasions (A)<u>whose</u> (B)<u>part of the business</u> to be discussed is confidential and (C)<u>will be considered</u> (D)<u>away from</u> the eyes and ears of the press.

   (4) If the history of the last ten years can teach us anything, it is (A)<u>that</u> peace will be achieved (B)<u>not through</u> unilateral* action but (C)<u>by each state's behaving</u> as a member of a global community, one (D)<u>that</u> aim is peace and justice.

   　(*unilateral：一方的な)

   (5) In order to (A)<u>finish writing</u> my report, I'll (B)<u>need you to</u> (C)<u>provide me with</u> more information. That is the only (D)<u>way how</u> I'll be able to get it done.

   (6) (A)<u>Hopefully</u>, the time may soon come (B)<u>then</u> we no longer have to worry about (C)<u>terrorist activities,</u> (D)<u>either foreign</u> or domestic.

第13章 前置詞
PREPOSITIONS

名詞や名詞相当語句と結びついて，形容詞句や副詞句を作るのが前置詞である。日本語にはない品詞であり，慣用的に動詞や形容詞と決まった連語を作るので注意が必要である。

第1節 前置詞の種類と用法

142 前置詞の形

前置詞には from や behind のように1語のものと，そうした前置詞を2つ使った from behind（～の後ろから）のようなもの〔二重前置詞〕，さらに in front of（～の前に）のようにいくつかの語から成るもの〔群前置詞〕とがある。

142 A　1語の前置詞

統計によると，英語の前置詞で最もよく使われているのは **of** で，次に **in, to, for, on, with** の順で続き，さらにその次に **at, by, from** がよく使われている。数が多いだけに，これらの前置詞のいろいろな意味に注意が必要である。

142 B　二重前置詞

2つの前置詞を組み合わせて使える場合がある。これは，**前置詞のついた句が**ほかの前置詞の目的語になっている形である。

　　Two magicians appeared **from** <u>**behind** the curtain</u>.
　　（2人の魔術師が幕の後ろから現れた）
　　　●〈behind the curtain〉（幕の後ろ）が1つの句を作り，それに from がついている。

このような形をとる前置詞は **from** が最も多く，*from* behind [above, among, below, between, over, under] などがよく見られる。

142 C　群前置詞

2語以上が集まって1つの前置詞の役割を果たすもので，成句として覚えるべきものである。

Lumps of concrete had been found on the line **in front of** the first train.
（コンクリートの塊が先頭車両の前の線路上で発見された）

because of, with regard to など，ほかにもたくさんあるので辞書で確認すること。本書では次節の「用法別前置詞の使い分け」のところで，群前置詞も扱う。

143 前置詞の目的語

前置詞の目的語は本来**名詞・代名詞**，および名詞句・名詞節など**名詞に相当する語句**で，〈前置詞＋(代)名詞〉は主に**形容詞句**か**副詞句**として働く。

その他の品詞や語句などにも前置詞がつくことがあるが，それらは特殊な場合で，前置詞に続く部分は名詞化していると言ってよい。

143 A 名詞相当語句

(1) 名詞・代名詞

It was freezing cold and entirely dark **on** *the roof*.   〔副詞句〕
（屋根の上は凍りつくように寒く真っ暗だった）

The cat **on** *the roof* rubbed his eyes and looked around for prey. 〔形容詞句〕
（屋根の上の猫は目をこすり，辺りを見て餌食(えじき)を探していた）

(2) 名詞句

① 動名詞

The United States is proud **of** *having won* the Cold War.
（合衆国は冷戦に勝ったということを誇りに思っている）

② 不定詞 （◎ p.131 **65B**(2)）

不定詞の前に置くことのできる前置詞は，**but, except** などに限られる。

There is no choice **but** *to stop*. We are too tired to go any further.
（立ち止まらないわけにはいかない。私たちは疲れすぎていてもうこれ以上先には行けない）

|注意| 次のような形の文はよく見かけるが，この場合の than は**接続詞**である。
It is better to do a few things really well **than** *to do* a lot of things badly.
（たくさんのことを下手にやるよりも，いくつかのことを本当に上手にやるほうがよい）

(3) 名詞節

① 間接疑問

Many are afraid **of** *how those mountains will look in twenty years*.
（その山々が20年後にはどのようになるのか心配している人が多い）

● 〈are afraid of〉は fear（恐れている）という１つの他動詞の意味を表しており，how 以下の間接疑問の名詞節を目的語にとっている（◎ p.325 **155**(5)）。

② 関係詞節

I'm sure you'll meet kind people **in** *whatever country you visit*.
（どの国を訪れても，きっと親切な人々に出会うと思います）

> 注意　**that** 節の前には原則として前置詞はつかない。**except that, in that** などは特殊な成句として考えたほうが実用的である（● p.234 **116A(4)**）。

143 B　形容詞・副詞

(1) 形容詞——成句として決まったものに限られる。

Things went **from bad to worse** in the second half.
（後半に入って形勢はいっそう悪くなった）

● 最近の英米の辞書では，in *general*（一般的に）などの *general* も名詞として載せているものもあるが，成句として覚えていれば十分である。

(2) 副詞

Until recently, most analysts had expected house prices to begin to recover in early 2006.
（最近までは，たいていのアナリストは家の価格は2006年初頭には回復し始めるものと予期していた）

At dinner, my wife told me the latest news **from abroad**.
（夕食をとっているときに，妻は海外からの最新のニュースを知らせてくれた）

● from *here* [*there*] の場合，here [there] は，this [that] place という意味を持つ名詞である。

144　〈前置詞＋名詞〉の用法

〈前置詞＋名詞〉の使い方にはいくつかの型がある。ほとんどが，形容詞句か副詞句を作る。

144 A　形容詞用法

(1) 限定用法

Penguins **in the Antarctic** are very sensitive to changes in climate. 〔形容詞句〕
（南極のペンギンは気候の変化にとても敏感です）

● この Penguins in the Antarctic は，関係詞節の限定用法（＝制限用法）の Penguins which live in the Antarctic を省略したものと考えてもよい。

(2) 叙述用法

たとえば，〈be **of** great use [＝very useful]〉（とても役に立つ）のように使う。

Your advice *is* **of** great help to me.　　　　　　　　　　　　〔主格補語〕
（あなたのご助言は私にとって大いに役立っています）

I hope to *find* you **in** excellent health and spirits. 〔目的格補語〕
(心身共にすばらしい状態でいらっしゃいますように)
- 〈find O to be C〉の to be が略された形。

144 B 副詞用法

Life began **on** the ocean floor. 〔副詞句〕
(生命は海底で始まった)

To my surprise, the e-mail was responded to in 20 minutes! 〔文修飾〕
(驚いたことに,そのEメールに20分で返事が来た)
- He is good **at** cooking.(彼は料理が上手だ)というような文では,at cooking は前の good という形容詞を修飾している形になっているが,be good at で1つの連語になっているとも考えられる。

144 C 名詞用法

形の上で,〈前置詞＋名詞〉を主語にした文を作れることがある。

Through the woods *is* our recommendation. When you emerge from the woods, the lake will be straight ahead.
(森を抜けていくのが私たちのお薦めです。森から出てくると,湖は真っすぐ前方にあります)
- ◆観光ガイドブックなどによく見られる記述。ここでの Through the woods は,To go through the woods という名詞句を略したものと考えてもよい。

145 前置詞の位置と省略

145 A 前置詞の位置

前置詞はその名のとおり,名詞,代名詞やその相当語句の前に置くのが原則であるが,離れて後ろに置く場合もある。

(1) 疑問詞節が目的語の場合 (→ p.211 **108B**(2))

What do you use a calculator **for** in your everyday life?
(日常生活で計算器は何のために使いますか)
- For what ...?(何のために…)という形もある。

(2) 関係詞節の場合 (→ p.263 **125A**, p.274 **130A**)

関係代名詞が that の場合や,関係代名詞を省略する場合には,前置詞は後置する。また,一般的にも,関係代名詞で始まる節の場合,その関係代名詞の前につく前置詞は,改まって述べる場合でない限り,その関係詞節の最後に回すのがふつうである。

Henry is the most brilliant man I have ever worked **with**.
（ヘンリーは私がこれまで一緒に仕事をしてきた中で，最も優秀な男です）
● man の次に who(m) または that が省略されている。

(3) 不定詞の形容詞用法の場合 (● p.132 **66B**(2))

「**自動詞＋前置詞**」の形のものが **to不定詞**になり，それが名詞の後ろについて形容詞として働く場合などに，その前置詞が文末にくることがある。

When I came to Finland in September, I had no *friends* to talk **with**.
（9月にフィンランドに来たとき，私には話し相手になる友人がいなかった）

(4) 句動詞が受動態になる場合 (● p.112 **52**)

When you are on vacation, your dog will have to *be taken care* **of** by someone else.　　　　　　　　　　　　　（take care of ～ ＝ ～の世話をする）
（休暇旅行に出かけている間は，犬はだれかほかの人に面倒を見てもらわなければなりません）

145 B　前置詞の省略

前置詞は次のような決まった形の場合は省略できる。

(1) 名詞を副詞的に用いる場合

時間や距離を表す for を省略する形が代表的である。

The debate lasted (**for**) *22 hours*.　（議論は22時間続いた）

I now walk (**for**) at least *25 miles* each week in order to reach my new goal of 1,000 miles within the year.
（今年は1,000マイルという新たな目標を達成すべく，私は今毎週少なくとも25マイルは歩いている）

その他**方法**などを表す名詞も，前置詞をつけないでそのまま副詞として用いることがある。これらについては**副詞的目的格**を参照 (● p.357 **170B**(2))。

(2) 〈of＋名詞〉で形容詞句を作る場合の of が省略される形。**年齢・大小・色彩**などを表す。

Not all stars are (**of**) *the same age*, and stars are still coming into existence today.
（すべての星が同じ年であるわけではなく，星は今日でも次々と生まれてくる）

(3) 動名詞の前で慣用的に前置詞が省略される場合

Even with her very tight schedule, Ms Lee spends time (**in**) *doing* volunteer work.
（ぎっしり詰まったスケジュールのさなかでも，リーさんはボランティア活動に時間を費やしている）

(4) **不定詞の中**での前置詞の省略（● p.132 **66B**(2)）

Will I be able to get the money *to* buy a house (**with**)?
（家を買うお金が得られるだろうか）

(5) **疑問詞が導く節の前**の前置詞の省略

I was at a loss (**as to**) *which* path I should follow.
（どちらの小道を行くべきか私は途方にくれてしまった）

She was aware (**of**) *what* he would say.
（彼女には，彼が何と言うかわかっていた）

(6) **時を表す語に this や last などがつくとき**

「いついつに」という副詞的意味で用いられる場合の morning や week などの語に **this, that, next, last, every, one, any** などがつくときには，前置詞はつけないことが多い（● p.298 **147A**(4)）。

We have meetings **every Monday morning**.
（私たちは毎週月曜日の朝に打ち合わせ会を開いています）

I think we'll know the answer to that question **next week**.
（その問題に対する答えは来週わかるでしょう）

発展 that 節の前に前置詞を置くことはできない（except や but など特殊なものについては ● p.234 **116A**(4)）。

① **insist** (on)（言い張る）や **see** (to)（取り計らう）など，語や句の前なら前置詞を入れて使う動詞の中に，直接 that 節を続けることができるものがある。それらは，〈insist (*on it*) that〉，〈see (*to it*) that〉のように，「that 節と同格」の it を間に入れた形から，この〈on it〉や〈to it〉を省略したものである（● p.233 **116A**(3)③）。しかし，最近は，〈insist that〉，〈see that〉の形では，これらの動詞を他動詞と見て that 節を続けるのがふつうになっている。ただし，動名詞を続けるなら前置詞は必要である。

　She **insisted** *that we go at once*.（＝She insisted *on* our [us] go*ing* at once.）
　（彼女は私たちはすぐに行くべきだと主張した）

② 〈**be＋形容詞＋of**〉の形をとる句の場合も，that 節を続ける場合には同様である。
　I **am afraid** *that they will attack me*.（＝I am afraid *of* their attack*ing* me.）
　（彼らが襲ってくるのではないかと心配だ）

これらの形容詞も，that 節以外の形を続けるときには，本来連語的に用いる前置詞を入れるのを忘れないこと。たとえば，I am *afraid* their attacking me. という *of* のない英語はない。

Helpful Hint 78　前置詞の省略

　前置詞の省略はルールによるものではない。単なる慣例である。そして，使用頻度の高い言い方ほど省略が慣例になりがちだ，と考えてよい。ただし，「慣例」というものは基本的に恣意的なものが多く，これといった一貫性はない。たとえば，「自分の家に帰った」を I went **to my** home. とは言わず，I went home. のように **to** と **my** を省略す

る言い方に対して,「今朝,自分の通っている学校に行った」は I went **to** school this morning. のように **my** を省略しても **to** は省略しない。慣例にこうした恣意的な部分がある以上,残念ながら,それぞれの省略形の表現はそのまま覚えるしかないだろう。

いずれにしても,会話・文を問わず,「家に帰る」は go home と言う。go **to my** home と省略せずに表現すると,「家に帰る」という意味ではなく,「〔所有していても住んではいない〕家に**行く**」という,別の意味になってしまう。

同じように,I went to **my** school this morning. のように **my** を省略せずに表現すると,いつものように授業を受けるためではなく,別の目的で学校に行ったという感じになる。たとえば,日曜日の朝,学校を友人との待ち合わせの場所として使った場合であれば,On Sunday morning, I went to **my** school to meet up with some friends. のように,**my** を省略しないほうが自然な言い方になる。

146 前置詞と副詞・接続詞

146 A 前置詞と副詞

前置詞は目的語をとるが,副詞は目的語をとらない。そこで,on や up など,前置詞にも副詞にも使われる語を組み込んだ**句動詞の場合**(◯ pp.49-50 **18** ~ **19**),たとえば call on(〔人を〕訪ねる)や,call up(〔人に〕電話をかける)などの場合,on や up は前置詞なのか,副詞なのか,区別が必要になる。具体的に言うと,

I **called** *on* a friend of mine last night.(昨夜,友人を**訪ねた**)

では,on は**前置詞**として使われているので,a friend of mine を on の前に出して,I **called** a friend of mine **on** last night. とは言えない。一方,

I **called** *up* a friend of mine last night.(昨夜,友人に**電話をかけた**)

では,up は,置く場所が比較的自由に選べる**副詞**として使われているので,

I **called** a friend of mine *up* last night.

と表現してもよいのである(この場合,call on の call は自動詞だが,call up の call は他動詞だからこの形が可能なのである)(◯ p.50 **19B**)。

Jack and Jill went **up** the hill.(ジャックとジルは丘を登って行きました)

● went(go の過去形)は**自動詞**だから目的語をとらない。up は**前置詞**で,up the hill で「丘を登って」という副詞句を作っている。

◆ これは「マザーグース」の中の有名な1節の書き出しで,Jack and Jill は日本の太郎と花子に当たる。英米ではだれでも子供のころから知っているわらべ歌。

The American government **put up** a new monument near the Lincoln Memorial.

(米国政府はリンカーン記念館の近くに,新しい記念碑を建てた)

● これは put up(建てる)という句動詞。put は**他動詞**で目的語をとり,*put* the monument *up* ということもできる。この up は put につく**副詞**である。

146 B 前置詞と接続詞

after, as, before, since, than, until [till] など，前置詞にも接続詞にも使える語がある。前置詞は次に名詞(相当語句)がつくが，接続詞は次に〈S＋V〉の形の節が続く。ただし，省略形に注意する必要がある。

I checked out of the hotel **after** *breakfast* and drove to Lake Michigan.
　　(私は朝食後ホテルをチェックアウトして，ミシガン湖に車を走らせた)〔前置詞〕

After *I had breakfast*, I checked out of the hotel and drove to Lake Michigan.
　　(同上)　　　　　　　　　　　　　　　　　　　　　　　　　　〔接続詞〕

第2節　用法別前置詞の使い分け

147 時を示す前置詞

147 A 年月・日時などを示す前置詞

(1) **at**

時の1点を示すのには **at** を使う。したがって，時刻を示すのに用いることが多いが，時刻とは限らず，1日や1年などのうちのある**特定の期間**を，ある種の時点ととらえて，at を使う場合もある。

at three (o'clock)（3時に），**at** noon（正午に），

at dawn（夜明けに），**at** night（夜に），**at** Christmas（クリスマスの時節に）

Many people exchange cards **at** *Christmas*.
　　(クリスマスの時節にはクリスマスカードを交わす人が多い)

　●**at** Christmas といえば，12月25日の Christmas Day を挟んだ前後の時期を指すのがふつう。特定の1日を指し示すのに用いられる **on** を使って，**on** Christmas といえば，これは on Christmas Day の意味になる。

　◆クリスマスカードは12月に入ると交換し始める。特にいつからいつまでという決まりはないが，25日までに届くようにするのがふつう。

(2) **on**

特定の日を指すのが **on** である。**曜日**や**日付**などを示すのに用いる。

on Thursday（木曜日に），**on** June 24（6月24日に）

　●**on** a Sunday は「ある日曜日に」，on Sundays は「日曜日には〔習慣的〕」の意味。*of* a Sunday は on Sundays の意味の文語的な言い方。

The museum is closed **on** *Mondays* and *Tuesdays*.
　　(博物館は毎週月曜と火曜は休館です)

On *the morning of September 11*, 2001, four passenger jets were hijacked.
（2001年9月11日の朝，ジェット旅客機4機がハイジャックされた）
- ●「午前」や「午後」は *in* the morning, *in* the afternoon というが，ある「**特定の日の朝[晩]**」はこのように on を用いる。

How do you plan to spend your time **on** *the weekend*?
（今度の週末はどのように過ごすのですか）
- ●《英》では at the weekend ということが多い。

(3) in

月，四季，年，世紀など長い単位には **in** を用いる。

in August（8月に）, **in** spring（春に）, **in** 2004（2004年に），
in the 21st century（21世紀に）

TV ratings always drop **in** summer.
（テレビの視聴率はいつも夏には下がる）

> **参考** in the morning [afternoon, evening] などに対して at night というが，in the night という形もある。また，これとは別に，night は 6 p.m.〜12 p.m. で 12 p.m. を過ぎると次の日の朝になるという場合，たとえば，from 11:30 on the night of January 2nd to 1:30 on the morning of January 3rd（1月2日の夜11時半から，1月3日の午前1時半まで）という使い方もある。しかし，一般に in the night は「人が寝ているとき」の意味に使うことが多い。また in the night と during the night はほぼ同じ意味と考えてよい。

(4) this や next などを伴った言い方

前節で述べたとおり，morning や week などの「時」を表す語に this, that, last, next, one, some, every などがつくと，これらの語句自体が**副詞**として働くので，前置詞はつけないことが多い（⊃ p.295 **145B**(6)）。

(5) 「いついつの〜に」式の言い方

次の表現は覚えておくと便利である。

at this time of the year（1年の今ごろの時期に）
at this time tomorrow（明日の今ごろに）
(about) this time next week（来週の今ごろに）
this time next year（来年の今ごろに）
a week ago today（先週の今日）
today (next) week《英》（来週の今日）
today last week（先週の今日）

Parliament will be dissolved **about this time next month**.
（国会は来月の今ごろ解散される）

147 A

147 B 時の起点を示す前置詞

(1) from

ことが始まる出発点は **from** で示す。現在・過去・未来のどの場合でも使える。

I worked at NBC **from** 1960 *to* 2003.
(私は1960年から2003年まで NBC で働いた)
● 「〜で働く」の場合の前置詞については，H.H. 82 (**p.320**) を参照。

The secretary is in the office **from** 9:00 a.m. *to* 4:00 p.m.
(秘書は午前9時から午後4時まで事務所におります)
● 終点は to で示す。till を使うと，「ずっと」という継続の意味が強まる。

「〔これまでとは違って〕これから先は」という意味は from now on で示す。

I'll tell only the truth **from now on**.
(これからは本当のことしか言いません)

(2) since

since は過去のある時から，現在まで継続しているときに用いる。文脈によっては，過去のある時までの継続になる。完了形を用いることが多い。

Neither of us *has eaten* **since** last night.
(私たちは2人とも昨夜から何も食べていないのです)

It was truly a dismal day, and it *had been raining* **since** Wednesday.
(実に陰気な日であり，その上，水曜日から雨がずっと降っていた)
● 継続を表すから，since の前の動詞は状態動詞か進行形になる。ただし，否定形であればそうした規制はない。

It *hasn't rained* **since** early June.　　　　　　　　　　　　　　〔否定〕
(6月の上旬からずっと雨が降っていない)

It *is* [*has been*] two years **since** I last updated the homepage.
(私が最後にホームページを更新してから2年になります)
● この形では It is は主に《英》，It has been は主に《米》であるが，has been にすると「時の経過」が重視されるともいう。

注意　後に till や until があって「〜から…まで」というときは，「〜から」に since は使えず，from にする。

(3) after

ある時点以降は **after** で示す。

I usually don't answer the phone **after** eleven o'clock.
(私はふだん，11時以降の電話には出ません)
● after の場合，since のような継続の意味は含まれない。

147 C　時の終点を示す前置詞

(1) till, until

「〜まで(ずっと)」という意味は **till, until** で表す。どちらも意味は同じだからどちらを使ってもよいが，話し言葉では till のほうが多く，文書では until を用いるのがふつう（⊃ p.238 **117A(5)**）。

　　This trend seems likely to continue **until** the end of the century.
　　　　(この傾向は今世紀の終わりまで続きそうである)

　　I'm hungry. I can't wait **till** tomorrow.
　　　　(おなかがすいているのです。明日まで待てません)

　　　　●ある時までの継続を示すため，**継続**の意味を持った動詞が使われる。
　　　　否定文の場合は，ある時まで継続するのは，何かが行われない状態なので，継続動詞であるかどうかにはこだわらなくてよい。

(2) before

「〜の前に」の意味では **before** を使う。

　　He always goes out to jog **before** breakfast.
　　　　(彼はいつも朝食前にジョギングに出かける)

> 注意　否定文の場合には，He didn't come **before** five o'clock. は「彼は5時前には来なかった」と言っているだけで，結局来たのか来なかったのかはわからない。
> He didn't come **till** five o'clock. だと，5時までは来なかったが，「来ない」という状態は5時で終わった。つまり「彼は5時になってから来た」ということになる。

(3) by

「〜までに」という期限は **by** で表す。

　　Submit your report **by** Monday.
　　　　(レポートは月曜日までに提出のこと)

147 D　期間を示す前置詞

(1) for

数詞や長短を示す語などを伴って，「〜の間」という意味を表すのには **for** を用いる。

　　There have been no bonuses **for** *the last three years*.
　　　　(ここ3年間というものボーナスが出ていません)

　　Saturn sets in the west before 9 p.m., so it is only visible **for** *a short time* now.
　　　　(土星は午後9時前にはもう西に沈んでしまうので，今はほんの短時間しか見られません)

(2) in

in を for の意味で用いるのは主に《米》である。

It was the heaviest snow **in** 12 years.
（ここ12年来の豪雪だった）

I haven't eaten anything **in** 20 hours.
（ここ20時間何も食べていない）

● for の代わりに **in** を使ってもよいのは，最上級や first, last, only あるいは no, not などがついている場合で，その期間内に1回あったとか，なかったとかを言う場合である。

(3) during

the などのついた**特定の期間を示す語句**につけて，「～期間中」という意味を表すには **during** を用いる。その期間中ずっとでもよいし，その期間中のある時期の場合でも使える。

I am planning to work in a factory **during** *my summer vacation.*
（私は夏休みの間工場で働くつもりです）

(4) through

「～の間中ずっと」の意味には **through** を用いる。

That hotel will be closed **through** *the month of December.*
（そのホテルは12月いっぱい閉まっている）

● Bも含めて「AからBまでずっと」は〈from A through B〉の形で表す。主に《米》。
The swimming pool is open **from** Monday **through** Saturday.
（プールは月曜から土曜まで開いている）

147 E　時の経過を示す前置詞

「～から…たったら」という「時の経過」を示す前置詞に，**in** と **after** がある。

(1) in

in は本来「～の中」を意味するが，次の図が示すように，話し手が話している時点に立って，その視点から「**あと～たったらどうなる**」という意味を表し，そこに至る**途中の経過**も意識される。

日常会話では，話している時点はふつう「今」なので，「**今から～したら**」という意味のときに使うことが多い。次の文を図解して示す。

The new year will come **in** three hours.
（あと3時間で新しい年が来る）

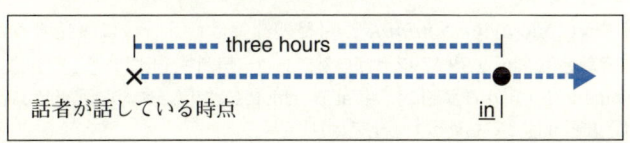

● ⟨**in three hours' time**⟩ という形もあるが，同じ「今から3時間ほどしたら」という意味であり，in three hours と断言するよりもやや漠然とした言い方になる。

小説や記事文で話の舞台そのものが過去の場合は，書き手が**過去のある時点**に視点を置いて，そのときから「〜たったら…した」というように使うこともできる。たとえば，次の実験観察文では，「葉が曲がり始めた」時点から，「数時間したら」「葉先は…まで曲がった」という描写をしていることがわかる。

After a while the leaf began to bend, and **in** *a few hours*, the end of the leaf was so bent inwards as to touch the base.
（しばらくすると葉は曲がり始め，数時間たつと葉先は根元につくくらいまで内側に曲がった）

ただし，これは厳密なものではなく，多少の前後，特に以内は認められる。はっきり「〜以内に」を表すには **within** を用いる。

I will be back **within** an hour.
（1時間以内に戻ってきます）

> **発展** 過去・未来に関係なく，かかる時間の長さを示す言い方もある。
> You should be able to solve this problem **in** 1 hour.
> （この問題は1時間で解決できるはずだ）
> within を使っても大して意味に変わりはないが，「〜以内に」というので，in よりは意味が強くなり，超過は認められない感じになる。
> You should be able to solve this problem **within** 1 hour.
> （この問題は1時間**以内**に解決できるはずだ）

(2) after

after は本来「後に続く」ことを意味する。ある時点からある期間たってその後どうなるかということを表し，話し手の関心は**その後の結果**にある。そこで，結果がわかっている**過去**の話に多く使われる。

The missing diamond ring reappeared **after** *40 years*.
（なくなったダイヤモンドの指輪は40年後にまた現れた）

また，現在や未来のある時点に視点を置いて，「〜後に…する」の意味で after を使うこともできる。

Remove the cake from the oven **after** *10 minutes*.
（10分たったら，ケーキをオーブンから取り出しなさい）

「今から〜たったら」の意味で，in と同じようにも使える。

The bomb will explode **after** *5 minutes*. （その爆弾は，5分後に爆発する）
● 未来に関する場合は，in を用いるほうが自然であり，用例も圧倒的に多い。厳密に言えば in 5 minutes は「5分のうちに」，after 5 minutes は「5分たったら」であるが，日常会話ではどちらを使ってもそう大した差はない。

147 F 時を示すその他の前置詞

(1) past と to

時刻で「〜過ぎ」,「〜前」というときは，それぞれ **past, to** を用いる。《米》では to の代わりに **before** を用いることもある。

> It is ten (minutes) **past** [**after**] nine (o'clock). （9時10分過ぎです）
> It is ten (minutes) **to** [**before**] nine (o'clock). （9時10分前です）
>> ● 実際に会話では，「9時10分」なら nine ten，「9時10分前」なら eight fifty などということが多い。単に「〜時過ぎ」の場合にも，たとえば It's already **after** [**past**] 11 o'clock. （もう11時過ぎだよ）などのように，**after** 〜 や **past** 〜 を使う。

(2) toward(s)

「〜近く，〜ごろ」の意味は **toward(s)** で表す。-s がつくのは主に《英》。

> It stopped raining **toward** *evening*, and I decided to take a walk.
> （夕方近く雨がやみ，私は散歩することにした）

(3) over

「〜中ずっと」の意味は **over** を用いて表すことができる。

> Students who wish to borrow library material to use **over** *the summer vacation* can do so from the 5th of June.
> （学生が夏休み中使うための図書館の資料は，6月5日から借りられます）

(4) behind

「〔定刻などに〕遅れて」の意味では **behind** を使う。

> We were 20 minutes **behind** *schedule*.
> （我々は定刻より20分遅れていた）
>> ●「定刻よりも〜分早く」は 〜 minutes **ahead of** schedule という。

148 場所を示す前置詞

148 A　at, in, on

(1) at

広がりを持たない地点だと話し手が感じる場合には **at** を用いる。

> **at** the door （戸口で）, **at** the bus stop （バス停で）
> Turn right **at** the intersection. （交差点で右に曲がりなさい）
> My uncle came to meet me **at** the airport in Los Angeles.
> （おじがロサンゼルスの空港まで私を迎えにきてくれた）
>> ● 都市名は単に地図上の1点と考える場合には **at** を用いる。そこで活動するようなことが重視されると **in** になる。He got off **at** Naples. （彼はナポリで降りた）　I learned Italian **in** Naples. （私はナポリでイタリア語を学んだ）

(2) in

広がりを感じるときや，ある場所の中，あるいは建物の内部などのときには **in** を用いる。

  in the park（公園で），**in** the room（部屋で），**in** the river（川で），
  in a restaurant（レストランで），**in** Japan（日本で）

  Shakespeare lived **in** a town northwest of London.
    （シェークスピアはロンドンの北西にある町に住んでいた）

  He has left his passport **in** the hotel room.
    （彼はパスポートをホテルの部屋に置き忘れてきた）

(3) on

面を考えるときには **on** を用いる。

  on the floor（床に），**on** the lawn（芝生で），**on** the beach（浜辺で）

  There are several small restaurants **on** the beach.
    （浜辺には数軒の小さなレストランがある）

  Lie down **on** the ground with your body completely flat.
    （身体を完全に平らにして地面にぴったり伏せろ）

> **参考**　「部屋の隅に」は，部屋の一部，つまり３次元の空間を指しているので，**in** the corner of the room というが，「道の角に」は **at [on]** the corner of the street という。
>
> at の場合は，たとえば Meet me **at** the corner.（その角で会おう）のように，その場所を１点（０次元のもの）として指し示していることになる。
>
> 一方，on の場合は，たとえば He was standing **on** the corner.（彼は角に立っていた）のように，その場所を，その辺りの**道の上**，という２次元の空間として示していることになるのである。

Helpful Hint 79　前置詞の英米差

 英・米語の用法の違いはなくなりつつあり，ましてやそもそも大きな違いがなかった前置詞の使い方には，現在気にするほどの違いはないと考えてよい。

 実際，英標準語と米標準語とのごく微妙な違いより，英国・米国のそれぞれの国内における「地方による差異」のほうがよほど大きい。英・米語の用法の違いは取るに足らないものである。

 たとえば，初めてロンドンに行ったアメリカ人は That shop is **in** Bond Street.（その店はボンド通りにある）と言われたら，この言い方をいささかおもしろく思うかもしれない。というのも，アメリカ人ならふつう in ではなく，on Bond Street と言うからである。しかし最近は，イギリス人にしても on Bond Street という言い方をする傾向がかなり進んでいるので，アメリカ人がロンドンまで行っても必ずしも「おもしろい言い方」に出会えるとは限らない。その代わり，ロンドンから離れて地方に行けば，なじみの **in** の使い方よりもはるかに変わった言い方に，毎日のように出会う可能性が高い。

148 B　上下を示す前置詞

(1) on

「～の上の[に]」という意味を表すだけでなく，**表面に接触**していればすべて **on** になる。したがって，たとえば，天井の上だけでなく，**下に面している側**でも，とにかく天井に接触していれば，**on** the ceiling になる。

> The cat is **on** the roof.
> 　（猫は屋根の上にいる）

> The most elaborate work is **on** the ceiling of the second floor parlor.
> 　（最も精巧な作品は2階の応接間の天井に描かれている）

> The clock is hanging **on** the wall behind the bed.
> 　（時計はベッドの後ろの壁にかかっている）

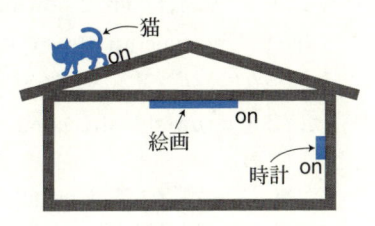

注意　「湖畔に」とか「川べりに」などという場合も，面しているという空間関係（ある種の「接触」）なので，on the lake, on the river のように on を用いて表す。

(2) above と below

ただ単に位置の高低を示すだけの場合には「上方に[の]」には **above** を，「下方に[の]」には **below** を用いる。

> The temperature has not risen much **above** zero for the past week.
> 　（気温はここ1週間0℃から上にさほど上がっていない）

> The author's name is printed **below** the title.
> 　（著者の名前は題名の下に印刷されています）

(3) over と under

「真上に[の]」は **over**，「真下に[の]」は **under** で表す。離れている場合にも接触している場合にも使える。

> The quick brown fox jumped **over** the lazy dogs.
> 　（すばしっこい褐色のキツネが怠け者の犬どもの上を跳び越えた）
> 　◆特に意味もない英文だが，アルファベットの全文字を含んでいるということで，昔はタイプライターの，今はパソコンのブラインドタッチの練習に使われる。

> There was a small guitar **under** the bench.
> 　（ベンチの下に小さなギターがあった）

(4) up と down

「～の上の方に」という方向を示すには **up** を，反対に上から「～の下の方に」という意味は **down** で表す。up, down 共に本来は副詞であるが，次に直接名詞が続くときは前置詞である。

There is a pool **up** the stream not far from here.
(ここからそんなに遠くない川の上流に淵がある)

She immediately went **up** the stairs to her bedroom and went to sleep.
(彼女は直ちに階段を上って自分の寝室に入って眠りについた)

　また，「上下」とは関係なく，「ある『線』を通って」という意味で使われることも多い。その場合，up と down は along に近く，特に意味の差はない。

She was walking **up** [**down**] the road toward the gas station.
(彼女は，ガソリンスタンドの方へ，道を歩いていた)

Go **down** [**up**] this street and turn right at the second traffic light.
(この道を進んで，2番目の交通信号の所で右に曲がりなさい)

　◆ニューヨークの町は，南北に **Avenue** が走り，東西に **Street** がこれを横切る形になっている。基本的に，Avenue はマンハッタン島の東の端から西へ First Avenue から Twelfth Avenue まであり，Fifth Avenue を境に，East Side と West Side に分かれている。Street は南端の First Street から北端の 242nd Street まである。

148 C　進行・通過を示す前置詞

(1) along

　along というと，「～に沿って」という意味づけがされているが，道などのような「ある『線』を通って」という意味に使われることが多い。また，「～に沿って」という場合にも，運動を表す場合と，静止の状態を表す場合とある。

①「ある『線』を通って」

We walked **along** *the sidewalk* for about 20 minutes.
(我々は歩道を20分ほど歩いた)
　●この場合は，along は **on** の意味で「歩道を歩いて行く」のである。

②「～に沿って」

We walked upstream **along** *the river*.
(我々は上流に向かって，川沿いに歩いた)
　●この場合は，**beside** の意味で，川岸に沿って平行に歩いたのである。

The leaves of the palm trees **along** *the beach* rustled in the breeze.
(海辺に沿って並ぶヤシの並木の葉はそよ風にカサカサと鳴った)
　●この場合は，ヤシの木は，海辺と平行に一直線にならんでいる。
　along＝in a line parallel with

(2) across

「~を横切って」という意味は **across** で表す。

James Cook made three voyages **across** the Pacific Ocean.
（ジェームズ・クックは太平洋を3回横断して航海をした）

「〔通りの〕**向かい側に**」という場合も **across** で表せる。起点を示すには **from** を使えばよい。

The supermarket is just **across** the street *from* the bank.
（スーパーマーケットは通りを挟んで銀行のちょうど真向かいにあります）

● **across from** A（Aの反対側に）は《米》。

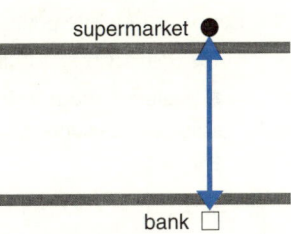

(3) around

「〔角を〕曲がって」などの場合は **around** を使う。round でもよい。

The taxi disappeared **around** the corner.
（そのタクシーは角を曲がって見えなくなった）

(4) through

「~を通り抜けて」は **through** で表す。

She ran straight **through** the woods and dived into the river.
（彼女は森を真っすぐに通り抜けて，川に飛び込んだ）

● 3次元の空間に感じられる「森」と違って，2次元の空間に感じられる平面の上を通り抜ける場合，たとえば「芝生を横切る」場合は，She walked across the lawn and dived into the river. のように，across を使う。

148 D　周囲を示す前置詞

(1) around と round

「あるものの周りを回って」という**運動**を表すには **around** か，**round** を用いる。「~の周りに」という**静止の位置**にも around や round を使う。

The International Space Station travels **around [round]** the earth at about 8 km/s.
（国際宇宙ステーションは秒速約8キロで地球の周りを旋回している）

● 国際宇宙ステーションは，サッカー一場くらいの大きさで，それを造るのに世界数十か国が参加している。

We sat **around [round]** the campfire and dried out our clothes.
（我々はキャンプファイヤーの周りに座って衣服を乾かした）

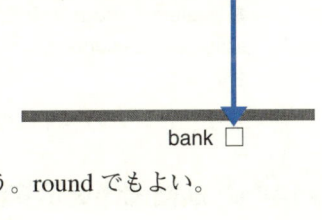

(2) about

「～の辺りに[を]」，「～のあちこちに[を]」という**漠然と周囲**を表すには **about** を使う。似たような意味で，**round** や **around** も使う。

 I arrived at lunchtime and spent the afternoon walking **about [(a)round]** the town.
  （私はお昼時に着いて，午後の時間を町を散歩して過ごした）
  ● walk **(a)round**（歩き回る）という表現に感じられる「～回る」の部分は，**about** には特に感じられないが，2つの表現の意味の違いは，それだけである。

 Leaves and white petals were scattered **about [(a)round]** the ground.
  （葉や白い花びらが地面に散らばっていた）
  ● scattered **about** の場合は，ただ散乱しているという感じであるが，これに対して，scattered **(a)round** というと，意識的にまき散らされているといったニュアンスが幾分かある。

要するに，これらの意味はほとんど **around** でカバーできると言ってもよい。

148 E　前後関係を示す前置詞

(1) before と in front of

「～の前に」というとき，**建物の前など単なる位置**を示すには **in front of** のほうがふつう。**before** はどちらかというと，比喩的に，あるいは動くものについて，人やものの**前後関係や順序**などを示すときに多く用いる。

 Don't park your car **in front of** the south doors.
  （南側の戸口の前に駐車しないこと）

 In French, the noun often comes **before** the adjective.
  （フランス語では，名詞は形容詞の前にくることが多い）

(2) after と behind

「～の後ろに」というとき，動くものについて**前後関係や順序**を示すときには **after** を用いる。「～の前に」の **before** と対語になる。位置関係を示すだけなら **behind** を用いる。in front of に対して **in back of** を用いてもよい。また，behind は「～の陰に隠れて」の意味にも用いる。

 "Japan" comes right **after** "Jamaica" on the list.
  （リストでは，「日本」は「ジャマイカ」の次だ）
  ● after はこのように come や run などと共に用いることが多い。順序を示すことが多く，**After** you.（お先にどうぞ）などもその1つ。
  ◆国のリストは Iran, Iraq, Ireland, Israel, Italy, Jamaica, **Japan**, Jordan ... と続く。

 The cat hid **behind** the bathroom door.
  （猫はバスルームのドアの後ろに隠れた）

148 F　接近・遠隔を示す前置詞

(1) by と beside

「～のそばに」の意味は by か beside で表せるが，**beside** のほうがより近くを表すと共に，「～と並んで」の意味で，もっぱら左右に用いる。**by** のほうは左右だけでなく，近くなら，上下・前後のどこでもよい。

> Place the cupboard **beside** the bed.
> （戸棚はベッドのそばに置きなさい）

> A shell exploded **by** the tank, and then another even closer.
> （砲弾が戦車のそばで爆発した。それからもう1発がさらに近くで）

(2) on と off

湖畔や川辺など「～に面して」の意味を **on** で示すことは前に述べた（⊙ p.305 **148B**(1)[注意]）。この反対の「～から離れて」は **off** で表す。

> Bermuda is located 580 miles **off** the coast of North Carolina.
> （バーミューダ島はノースカロライナの岸から580マイルに位置している）

148 G　方向・到達を示す前置詞

(1) to と for

「～へ」という意味で，方向と共に**到達点**を示すのは **to** である。

> He went **to** the station to meet his uncle.
> （彼はおじを迎えに駅まで行った）

「～の方へ」の意味で到達の**方向**を示すには **for** を用いる。

> After breakfast we started out **for** Lukla, the final destination of our trek.
> （朝食後，我々は今回のトレッキング〔徒歩旅行〕の最終目的地であるルクラに向かって出発した）

(2) toward(s)

toward(s) は to と似ているが，到達点は示さない。したがって，go や come など到達点を考える動詞と使うときには，to との区別が必要である。face（～に面している）など到達点と無関係な動詞の場合はどちらも使える。towards と -s をつけるのは主に《英》。

> A huge rock rolled **toward** the house but stopped before it got there.
> （大きな岩がその家のほうに転がって行ったが，家に達する前に止まった）

> Room 511 faces **toward** [to] the south.
> （511号室は南向きです）
> ●「南向きである」は face south というほうがふつう。

148 H 内外・間を示す前置詞

(1) in

「〜の中に[で]」は **in** で表す。

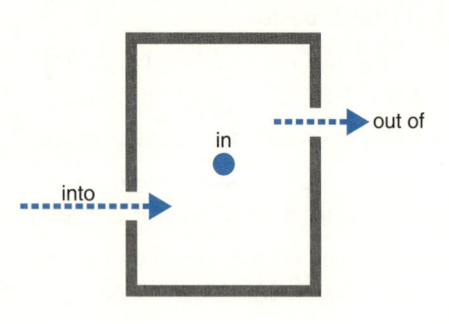

The dog is sleeping **in** the doghouse.
（犬は犬小屋の中で眠っている）
● 「犬小屋」は《英》では kennel。

(2) into

「〜の中へ」は **into** で表す。

I have to go **into** town on some business.
（用を足しに町に行かなければならない）

I backed the car **into** the garage.
（私は車をバックさせて，ガレージに入れた）

(3) out of

「中から外へ」という運動は **out of** で示す。

「〜の外にいる」という意味で be 動詞などと使うこともできる。抽象的に「〜の圏外にいる」という場合にも使える。

I *jumped* **out of** the window and ran away.
（私は窓から飛び出して逃げた）

I *have been* **out of** the US for over 2 years.
（私はここ2年以上米国にいない）
● be out of the loop（中枢にいない）などのように成句にも使う。

「〜の外で」という場合に **outside (of)** も用いられる。of をつけるのは主に《米》である。

Several people were standing **outside of** his house.
（彼の家の外に数人の人が立っていた）

(4) among と between

「〜の間に」というとき，原則として，「2つのものの間に」には **between** を，「3つ以上のものの中で」には **among** を用いる（⊃ p.311 H.H. 80）。

The Red Sea is a narrow sea **between** Africa and Arabia.
（紅海はアフリカとアラビアの間にある幅の狭い海である）

Jane walked **among** [**between**] the trees.
（ジェーンは木立の間を歩いていた）
● 木立の中をぶらぶら歩く場合には，among を用いるが，2本の木の間を通り抜けて行くのであれば between を用いる。

> **Helpful Hint 80　among と between**
>
> 「〜の間に」を示す **among** と **between** の使い分けに迷うネイティブ・スピーカーもいるようであるが，これは，多くの場合，学校で教えられた「3つ以上のものがかかわっている場合には among を用いる」という単純すぎるルールが問題を起こしている。
>
> たとえば，アメリカの南北戦争 the Civil War には，the War **between** the States という別称がある。しかし，この戦争には33もの州がかかわったので，教えられたルールでは「文法的に間違っている」とされてしまうのである。本当は，「いくつのものがかかわっているか」より，意識の中で，かかわっているものにはいくつの「間」があるかという点が肝心である。南北戦争は，22州ある北側と11州ある南側との「間」に起こったが，意識の上では，その「間」は「北と南の間」1つだけだったので，**between** を使って the War **between** the States と表現する。
>
> もし仮の歴史上，たとえば，ある時はイリノイ州とウィスコンシン州との「間」に，ある時はアイオワ州とイリノイ州との「間」に，またある時はウィスコンシン州とアイオワ州との「間」にそれぞれ戦争が起こった場合，つまり「間」が複数ある話であれば，これをまとめて the Wars **among** the States と表現するのである。

149 原因・理由を示す前置詞

149 A　原因・理由を示す1語の前置詞

(1) at

「〜を見て，聞いて」など**感情の原因**を表すには **at** を用いることが多い。

　　I was astonished **at** his heartless reply.
　　　（私は彼の薄情な答えに驚いた）
　　　●〈be astonished〉に伴う前置詞は，at か by（ ◯ p.114 **54A**）。

(2) from と of

「〜のため」という原因を示すのに，**from** や **of** も使われる。**死因**を表すときに，**die of** と **die from** がある。負傷など外部的原因のときは from を使い，病気のときには of を使うとされてきたが，どちらでもよく，最近は原因が何であれ，統計的には **die of** のほうがよく使われる傾向がある。

　　As of Saturday afternoon, 13 people had died **of** SARS in Canada.
　　　（土曜日の午後の時点で，カナダでは13人が新型肺炎で死んだ）
　　　●〈as of 〜〉は「〜の時点で」の意味。この文は CBC News からとったもの。

from は死因のほかにも使う。of は主として死因に限る。

　　My legs were exhausted **from** going up and down the ladder.
　　　（私の脚ははしごの登り降りで疲れ切っていた）

　　Until the late 1960s, a refrigerator was often bought not **from** necessity but as a symbol of wealth.

(1960年代後半までは，電気冷蔵庫は，必要があるからではなく，裕福なしるしとして買われることがよくあった) —— *The Korean Times* からの抜粋。

(3) through
「～のせいで」という意味で，あることのせいで意図しない結果が起きたときなどには **through** が使われる。

through carelessness（不注意のせいで），through misunderstanding（誤解のために）のように，抽象名詞が後にくる場合が多い。

> Decreased blood supply causes damage to tissues and muscles **through** lack of oxygen and nutrition.
>> （血液の供給が減少すると，酸素や栄養分の不足のために組織や筋肉が損なわれる）

また，「～によって」や「～のお陰で」という意味で使うこともある。

> They succeeded **through** careful planning and serious effort.
>> （彼らは慎重に計画を立て，まじめに努力したことによって成功した）

> It was only **through** his letter of introduction that we were granted an audience with the Pope.
>> （私たちがローマ法王に拝謁を賜ったのは，彼の紹介状のお陰でした）

(4) with と out of
with は元来「～と共に」の意味であり，「何かの原因が伴ってある事態が起こっている」というようなときに用いる。

> He shivered **with** cold, but he never complained.
>> （彼は寒さで震えていたが，一度も不平を言わなかった）

out of は動機を表すので，それが「～から」の意味で原因を示すことになる。

> A good deed is defined as an act done **out of** kindness, generosity, or friendliness.
>> （善行とは，親切心や寛容や好意からなされる行為のことであると定義される）

(5) for
for は for joy [sorrow]（うれしさ[悲しみ]のあまり）などのように，**感情を表す名詞**を目的語にとることが多い。

また，*for* this reason（この理由のために）などのように，**原因や理由**を表す際のいささか堅い言い方としても用いられる。

> He jumped up and shouted **for** *joy* as he saw his team win.
>> （彼は自分のチームが勝ったのを見て，うれしさのあまり跳び上がって，叫んだ）

> It was not **for** lack of effort that we lost. 〔やや堅い言い方〕
>> （私たちが負けたのは，努力が足りなかったからというわけではない）

149 B 原因・理由を示す群前置詞

原因・理由を示す前置詞で一番よく使われるのは，句の形をしたものである。

(1) because of と on account of
「～なので」と理由を表すのには **because of** が最もよく使われる。**on account of** はやや堅い言い方になる。

> The Algerian communication system had almost completely broken down **because of** the earthquake.
> （その地震のため，アルジェリアの通信システムはほとんど完全に故障してしまった）
> ● because of は，文頭に出してもよい。

> He resigned **on account of** advanced age.
> （彼は老齢のため辞職した）
> ● on account of をそのまま because of に代えてもよい。

(2) thanks to と owing to
「～のお陰で」という意味では **thanks to** が使えるが，日本語と同じで「～のせいで」という皮肉な言い方にもなるので注意。

> **Thanks to** your help, I was able to resolve my financial troubles.
> （あなたのご助力のお陰で，私の金銭上の悩みも解決できました）

> **Thanks to** you, I got fired. （お陰様で，僕は首になってしまったよ）
> ● 皮肉な言い方の例である。

owing to はやや堅い言い方である。

> **Owing to** your wonderfully skillful treatment, Doctor, my ankle problem seems to have been cured.
> （先生，すばらしい腕前のお手当てのお陰で，足首の問題は完全に治ったようです）

> **Owing to** a lack of funds, the project will probably not be continued next year.
> （資金不足のため，その計画は来年は続けられなくなるだろう）

(3) due to
due to は be 動詞の補語にもなれるが，owing to などと同じようにも使える。

> The live concert was canceled **due to** bad weather. 〔副詞句〕
> （悪天候のため，そのライブコンサートは中止された）

> Our success *was* entirely **due to** his efforts. 〔補語〕
> （私たちの成功はまったく彼の努力のお陰です）

150 目的・結果を示す前置詞

150 A 目的を示す前置詞

(1) for

「〜のために」という目的は **for** で表す。

> This software is used **for** creating graphic designs.
> （このソフトウェアは，グラフィックデザインを創作するために使われるものです）

> What is a university **for**?
> （大学は何のためにあるのか）

go for a walk（散歩に出かける）などの形では，walk のように動詞から派生した名詞の前に for が置かれることが多い。

> Let's go to the river **for** *a swim*.
> （ひと泳ぎしに川へ行こうじゃないか）

(2) after, at, on

「〜を求めて」，「〜の後を追って」という意味のときは **after** を使う。

> A police car was chasing **after** the truck.
> （パトカーがそのトラックを追跡していた）

「〜を目がけて」には **at** を使う。

> He threw a ball **at** his dog's head.
> （彼は飼い犬の頭を目がけてボールを投げてしまった）

on は接触という元の意味から，向かっている目的地や，行動している目的を示すために使われる。

> 180 workers *marched* **on** the City Hall.
> （180人の労働者が市役所に向かって行進した）

> The child *went* **on** *an errand* for her mother.
> （その子は母親のためにお使いに行った）
> ● errand は，「使い」という意味だが，go on an errand で成句として覚えておく。

150 B 結果を示す前置詞

(1) to

「〜にまで」という意味を表す **to** もある。

> McDonald's grew **to** a one billion dollar company within seven and a half years.
> （マクドナルドは7年半のうちに10億ドルの会社にまで成長した）

(2) into

推移や変化の結果である状態や形状など［へ［に］］という意味の **into** もある。

The warehouse is to be turned **into** an office building.
(その倉庫はオフィスビルに改造されることになっている)

151 手段・道具を示す前置詞

(1) 交通・通信の手段

「車で」、「ファックスで」などのような交通・通信の手段には **by** を用いる。

It would probably be faster to go **by** *car*.
(車で行ったほうが早いでしょう)

> **発展** 「乗る」ことを表すとき、たとえば ride **in** a taxi のように、乗り物の運転と自分の意思との間に具体的なつながりが感じられる場合には **in** がよく使われ、**in** は比較的小さい乗り物が多い。これに対して、ただ単に貨物のように運ばれている感じの場合は、ride **on** a train [ship, airliner] のように、**on** が使われる。

It is easy now to send money **by** *e-mail*.
(今ではEメールで送金するのは簡単です)

(2) 道具

「〜を使って」という場合の道具には **with** を用いる。

At the dinner table, you break off pieces of your bread to eat — you don't cut your bread **with** a dinner knife.
(食卓では、パンは指でちぎって食べるのです。ディナーナイフで切って食べるのではありません)

(3) 仲介

「〜を通じて」という意味で使う **through** もある。

Children must have time to learn, and they learn best **through** experience.
(子供には学ぶ時間が必要である。そして経験を通じて学ぶのが一番効果的だ)

152 材料・出所を示す前置詞

152 A 材料・原料

(1) of と from

make や build など「作る」の意味の動詞と一緒に用いられるとき、素材や構成部分などを示す前置詞である。どちらを使ってもよいケースが多いが、どちらかと言えば、**原料**という日本語を使う場合、つまり作られたものを見ただけでは元のものが何であったかわからない場合には、**from** を使うほうが多い。

逆に**材料**という日本語を使う場合、つまり、さほど加工を加えずに作られたも

のの場合には，どちらかと言えば，**of** を使うほうが多い。

  Plastic is made **from** petroleum.（プラスチックは石油からできている）

  Most of the paper you see today is made **from** the wood of both broadleaf trees and conifers.
   （現在出回っている紙のほとんどは，広葉樹と針葉樹の両方から作られたものである）

  That company makes boxes **from** recycled newsprint.
   （その会社は，再生された新聞紙から箱を作っている）

  The top of the Chrysler Building is made **of** stainless steel.
   （クライスラー・ビルの尖塔（せんとう）はステンレス・スチールでできている）
   ◆77階建てのアールデコの幾何学的デザインで有名なクライスラー・ビルはニューヨークに数多くある美しい建物の中でも一段と美しいとされる。

構成要素も **of** で表す。

  Russian salad is made **of** boiled potatoes, carrots, green peas, cucumbers, and boiled chicken meat, and it is dressed with mayonnaise.
   （ロシア風サラダはゆでたジャガイモ，ニンジン，グリーンピース，キュウリ，ゆでた鶏肉（とりにく）から成り，マヨネーズがかかったものである）

しかし，of と from の区別は厳密なものではない。

  Mayonnaise is made **of** oil, egg yolks, lemon juice or vinegar, and seasonings.
   （マヨネーズは，油，卵の黄身，レモンジュースあるいは酢と調味料でできている）

(2) out of

out of は of や from の代わりに用いられる。間に合わせ的に作るような場合に多い。

  We moved our bed into the office and *made* a dining room and kitchen **out of** the waiting room.
   （私たちはベッドを事務室に運び出し，待合室だった部屋をダイニングキッチンに作り変えた）
   ● 同じことを〈make A **into** B〉という形でも表現できる。We *made* the waiting room *into* a dining room and kitchen.
   ● 例文のように，make と of が離れている場合には，of をより明確にするために out of を用いることが多い。

152 B 出所

記事や引用文などの出所は **from** で示す。
人について，出身地は be [come] from，家柄は of または from で示す。

The month-name "August" *is* **from** the name of the Roman Emperor Augustus.
(「オーガスト」という月の名前は、ローマ帝国皇帝アウグストゥスからきている)

"Where *are* you **from**?" "I'*m* **from** Mexico City."
(「どちらのご出身ですか」「メキシコ・シティの出身です」)

153 その他の誤りやすい前置詞

153 A 代価・単位など

「いくらで」というように**代価**を表すには **for** を用いる。
「1ついくらで」というように**単価**を示すときには、**割合**の意味を持つ **at** を用いる。

I paid four dollars **for** this sandwich.
(私はこのサンドイッチに 4 ドル払った)

I sold my car **for** 500 dollars.
(私は自分の車を500ドルで売った)

Rice is sold **at** 18 cents per pound in Jamaica.
(ジャマイカでは米は1ポンド18セントで売られている)

「〜単位で」というときには **by** を用いる。冠詞は the になる。

Don't forget that some carpet is sold **by** *the* square foot and some is sold **by** *the* square yard.
(平方フィート単位で売られているカーペットもあれば、平方ヤード単位で売られているカーペットもあることを忘れないでください)

Helpful Hint 81 **for** の意味

前置詞の **for** の基本的意味は「〜のために」であるのに、なぜ I paid four dollars **for** this sandwich. (私はこのサンドイッチに 4 ドル払った) や I'll swap my apple **for** your pear. (僕のリンゴを君の洋ナシと取り替えっこしよう) などのように、**代価や交換の対象**を **for** で示すのだろう。

簡単に言えば、こうした **for** は慣例的に「〜を手に入れるために」という意味で使われているのである。つまり、「このサンドイッチを手に入れるために4ドル払った」、「君の洋ナシを手に入れるために僕のリンゴを譲ろう」となる。

似たような例は、That dog will do anything **for** food. (えさをもらうためなら、あの犬は何でもやるよ) や、She searched the room **for** clues. (彼女は手がかりになるものを**見つけるために部屋を捜索した**) など数多くある。日本人の英語学習者になじみ深い表現、I'm waiting **for** a friend. (友だちを待っている＝友だちに**会うためにここで待っている**) の「wait **for** 〜」にも、同じ論理が働いているのである。

153 B 関連・関与など

(1) about と on

「〜について」という場合，一般的には **about** を，学術論文の表題など改まった場合には **on** を使うという傾向がある。

I'd like to talk to you **about** yesterday's test.
(昨日の試験についてお話ししたいのですが)

I wrote a term paper **on** channels of communication on the Internet.
(私はインターネットにおける情報伝達の経路について期末レポートを書いた)

(2) over

「〜をめぐって」という意味のときには **over** を使う。

Politicians argued **over** the country's debt.
(政治家たちは国の債務をめぐって議論した)

● argue や debate など，「議論する」という動詞に伴う場合が多い。

(3) with

「〜について」，「〜にとって」などの意味で **with** を使うが，多くは慣用的な表現である。

What is the matter **with** you?
(どうしましたか)

What do you want **with** me?
(私に何のご用ですか)

153 C 様態・着用

(1) 様態の in

「〜の中に」という意味から，ある状態にあることを表すのには **in** を用いる。

Will you stand by him [her] **in** sickness or **in** health, **in** poverty or **in** wealth?
(あなたは病めるときも健やかなときも，貧しいときも裕福なときも，彼（女）を支えますか)

◆教会での結婚式の時の誓いの言葉は，いろいろ変えて使われており，上のものはその1つである。

(2) 着用の in

「〜を着ている」というのは，「〜に包まれて」という感じなので **in** を用いる。

He is a US Marine, and he looks fabulous **in** his uniform.
(彼は米国海兵隊員で，制服を着ているとすてきだ)

● a man **in** black は，「黒い服の男」の意味になる。

153 D　その他の意味を示す前置詞

(1) 賛成・反対

賛成や一致には **for** または **with** を，反対や不一致には **against** を用いる。

　Are you **for** or **against** this plan?
　　（あなたはこの計画に賛成ですか，反対ですか）

(2) 除外

「～を除いては」という意味は **but** か **except** で表す。どちらも，前に **all**, **each**, **every**, **any**, **no** などのついた同種類のものを指す名詞があるときに使い，その語にかかる。

　The restaurant is open *every day* **except** Sunday.
　　（そのレストランは日曜日を除く毎日開いている）
　　● 前に every があるので，「日曜日を除く毎日」となる。

except に **for** をつけた **except for** という，やや口語的な言い方もある。基本的には意味は同じだが，**except for** は，「～はあるが，それを除けば」という意味で，前の文全体にかかる。

　Except for the buzz of a fly, it was quite silent in the room.
　　（1匹のハエがブンブン飛んでいる以外は，部屋の中はまったく静かだった）
　　● **but for**（もし～がなければ）については（● p.207 **107A**）

単独の except ～ の句と違って，except for ～ の句は，文の冒頭に置かれ，文全体にかかる場合もある。

　Except for my dog, I have no one who loves me.
　　（飼っている犬以外に，私には愛してくれるものがいない）
　　● I have no one I could call a friend **except (for)** my dog.（飼っている犬以外に，私には友達と言えるものがいない）も正しいが，**Except** my dog, I have .... とはいわない。

(3) その他

① 「～をしながら」の意味の **over**

　My wife and I talked **over** a cup of coffee on an early Monday morning.
　　（妻と私はある月曜日の朝早くコーヒーを飲みながら話し合った）

② 差を示す **by**

　The new model is lighter than the old one **by** a total of 8 kg.
　　（新しい型は古い型よりも合計で8キログラム軽い）
　　● 「～より」の意味を表す **than** については，**121B**(1)（● p.255），**225B**（● p.496）を参照。

③ 「～に合わせて」の意味の **to**

　They tried singing the new lyrics **to** the tune of "Imagine."
　　（彼らはその新しい歌詞を『イマジン』のメロディーに合わせて歌ってみた）

> **Helpful Hint 82　前置詞の意味と使い分け**
>
> 　前置詞は多いが，それぞれの基本的な意味の違いをうまく利用すれば，かなり細かいところまで正確な表現ができる。たとえば同じ「神保町の銀嶺書店に勤めている」を英語で表現するには，I work **for** the Ginrei Bookstore in Jinbôchô. という言い方があれば，I work **at** the Ginrei Bookstore ... . や I work **in** the Ginrei Bookstore ... . という言い方もあり，それぞれはニュアンスが微妙に違う。
>
> 　「～のために」が本来の意味である **for** を使うと，「銀嶺書店のために働いている」という意味から，「銀嶺書店に雇われている」というニュアンスが強い。これに対して，場所を示すのが本来の役割である **at** を使うと，「銀嶺書店という所で働いている」というニュアンスが強い。あるいは，「～の中に」という本来の意味を表す **in** を使うと，「私の仕事は銀嶺書店という店の中にある」というニュアンスが強い。ただし，このように **in** を使った表現は，話し手が銀嶺書店の社員なのか，それともたまたま別の会社から派遣され，その店の中で仕事（たとえば，英会話学校の売り込みなど）をしているのかは，あくまでもあいまいである。

第3節　動詞・形容詞と前置詞の結合

　動詞や形容詞の中には，意味に応じて決まった前置詞と結びついて連語を作っているものがある。それぞれの前置詞は本来の意味を持っていることが多い。

154　動詞と前置詞との連結

154 A　自動詞と前置詞

「自動詞＋前置詞」で他動詞として働く句動詞になっているもの（● p.50 **19**）もあるが，単なる連語関係として知っておけばよいものも多い。

(1) at と結びつく自動詞

　at はある動作や行為が最終的に向けられている対象物を指す。「～を見て，聞いて」などという場合にも用いる。

　　Columbus *was* **laughed at** because he said the Earth was round.
　　　（コロンブスは地球は丸いと言ったために嘲笑された）
　(類例) **glance** ((～を)ちらりと見る), **grasp** ((～を)つかもうとする), **look** ((～を)見る), **marvel** ((～に)驚く), **shudder** ((～に)ぞっとする), **stare** ((～を)凝視する)

(2) for と結びつく自動詞

　for は「～を求めて」という意味を持ち，追求や希望を表す。

　　I'*m* **looking for** a suitable hotel.　（適切なホテルを探しているところです）
　(類例) **apply** ((～に)申し込む), **cry** ((～を)欲しがって泣く), **hope** ((～を)望む), **long** ((～を)待ち望む), **pray** ((～を)願い求める), **wait** ((～を)待つ), **wish** ((～を)願う)

(3) from と結びつく自動詞

from は「〜から」の意味で，出所や原因などを示し，分離を表す動詞と結びつくことも多い。

He was slow to **recover from** the car accident.
(彼は交通事故から回復するのが遅かった)

(類例) **abstain**((〜を)控える), **differ**((〜と)異なる), **emerge**((〜から)現れる), **escape**((〜から)逃れる), **flee**((〜から)逃げる), **refrain**((〜を)控える), **result**((〜に)起因する), **retire**((〜を)引退する), **suffer**((〜に)苦しむ), **withdraw**((〜を)退く)

(4) in と結びつく自動詞

in は「〜の中に」の意味から，その動詞の適用される点を限定する表現に用いるほか，慣用句的に用いられているものもある。

I **succeeded in** repairing the videotape recorder.
(私はビデオテープレコーダーの修理に成功した)

(類例) **believe**((〜の存在を)信じる), **confide**((〜に)〔信用し秘密を〕打ち明ける), **consist**((〜に)存在する), **delight**((〜を)楽しむ), **engage**((〜に)従事する), **participate**((〜に)参加する), **persist**((〜に)固執する)

(5) of と結びつく自動詞

of は「〜に関して」という関係を表すことから，think of など思想や意志を表す動詞と結びつく。また，make of に見られるように材料を示す場合もある。

This passage **admits of** another explanation.
(この1節はほかにも説明のしようがある)

(類例) **approve**((〜を)是認する), **beware**((〜に)用心する), **consist**((〜から)成る), **despair**((〜に)絶望する), **dispose**((〜を)処分する), **repent**((〜を)悔やむ)

(6) on と結びつく自動詞

on は接触の意味から，そういう位置に動く運動や方向を示す。また，あるものの上にということから，「支えられて」という意味を表したり，reflect on のように「あることについて」という関連を示す言い方にも用いられる。

Most of the students still **depend on** their parents for money.
(学生たちのほとんどはまだ親に金を頼っている)

(類例) **act**((〜に)効く), **count**((〜を)当てにする), **draw**(〈〜を)利用する), **insist**((〜だ〔する〕と)言い張る), **live**((〜で)生計を立てる), **rely**((〜に)頼る)

(7) to と結びつく自動詞

to は基本的に方向・到達を示す。

North Carolina **objected to** the new development plan.
　（ノースカロライナ州は新しい開発計画に関して反対意見を述べた）
(類例) **adhere**（(～に)接着する），**appeal**（(～に)訴える），**apply**（(～に)適応する），**conform**（(～に)順応する），**consent**（(～に)同意する），**contribute**（(～に)貢献する），**listen**（(～を)聞く），**reply**（(～に)返事をする），**respond**（(～に)答える），**stick**（(～に)くっつく），**yield**（(～に)屈する）

(8) with と結びつく自動詞

with はさまざまな動詞と共に用いられ，それぞれの動詞の意味によっていろいろな関係を表す。

　Her eyes **filled with** tears.（彼女の目は涙でいっぱいだった）
(類例) **abound**（(～で)豊富である）；**accord**（(～と)一致する），**conform**（(～と)一致する）；**begin**（(～で)始まる），**finish**（(～で)終わる）；**cope**（(～に)対処する），**deal**（(～を)取り扱う）；**gleam**（(～で)輝く），**glow**（(～で)輝く）

154 B 他動詞＋目的語＋前置詞

〈他動詞＋目的語＋前置詞〉の構文では，前置詞はその本来の意味をとどめているので，類型に分けて覚えるとよい。型と類例を示す。

(1) of をとるもの

① ask A of B 型 「BにAを求める」

The manager will **ask** a great deal **of** you.
　（その店長は君に相当な負担を求めるだろう）
　beg（請う），**demand**（要求する），**expect**（予期する），**require**（要求する）
　● expect the worst of A（Aに最悪の事態を予期する）のような場合もある。

② inform A of B 型 「AにBを知らせる」

You should **inform** the police **of** any change of address within seven days.
　（住所変更があったら7日以内に警察に知らせなければなりません）
　convince（納得させる），**persuade**（納得させる）；**remind**（思い出させる），**warn**（警告する）

③ rob A of B 型 「AからBを奪う」

Aは襲われる立場にある。順序を間違えないこと。
Looters **robbed** the Baghdad National Museum **of** its invaluable collections.
　（略奪者がバグダッド国立博物館から貴重な収集品をすべて奪った）
　clear（取り除く），**cure**（完全に治す），**deprive**（取り上げる），**empty**（完全に取り上げる），**relieve**（取り除いてやる），**rid**（取り除く），**strip**（はぎとる）

(2) for をとるもの

① ask A for B 型 「AにBを求める」

He **asked** me **for** help. (彼は私に助けを求めた)

beg（請う）

● **search A for B**（Bを求めてAを捜す）という形もある。

② blame A for B 型 「AをBの理由で責める」

Don't **blame** others **for** your bad mood.
(気分が悪いのを他人のせいにするな)

excuse（許す），**forgive**（許す）；**praise**（褒める），**punish**（罰する）

③ exchange A for B 型 「AをBと取り替える」

I'd like to **exchange** this sweater **for** something else.
(このセーターをほかのものに取り替えたい)

mistake（間違える），**take**（見なす）

(3) from をとるもの

① prevent A from B 型 「AがBをするのを妨げる」

In the mountains, the cold weather **prevented** me **from** sleeping well.
(山の中で，寒さのため私はよく眠れなかった)

discourage（思いとどまらせる），**hinder**（邪魔する），**keep**（〜するのを妨げる），**prohibit**（妨げる），**protect**（守る），**save**（救う），**stop**（やめさせる）

② tell A from B 型 「AとBを見分ける」

Can you **tell** Japanese people **from** Koreans?
(日本人と韓国人の見分けがつきますか)

distinguish（見分ける），**know**（〜の区別がわかる）

(4) with をとるもの

① provide A with B 型 「AにBを与える」

The Internet **provides** us **with** a huge amount of information on just about any subject.
(インターネットはほとんどどんな話題についても莫大な量の情報を提供してくれる)

entrust（預ける），**feed**（食物を与える），**furnish**（供給する），**impress**（印象づける），**invest**（付与する），**present**（贈る），**supply**（供給する）

② connect A with B 型 「AをBと結びつける」

I want you to **connect** this printer **with** my laptop.
(このプリンターを私のノートパソコンにつないでほしい)

combine（合わせる），**mix**（混ぜる），**unite**（合体させる）

(5) into をとるもの

change A into B 型 「AをBに変える」

Can you **change** these bills **into** coins for me?
（これらの札を硬貨に換えてもらえますか）

convert（変える），**divide**（分割する），**make**（～にする），**put**（～に訳す），**translate**（翻訳する）

(6) on をとるもの

impose A on B 型 「AをBに押しつける」

A school should not **impose** limits **on** students' freedom of expression.
（学校は学生の表現の自由に制限を加えるべきではない）

bestow（与える），**confer**（与える），**inflict**（負わせる）

(7) その他

① **congratulate A on B 型** 「AにBのことでお祝いを言う」

I **congratulate** you **on** your remarkable success.
（あなたのすばらしいご成功をお祝いします）

② **accuse A of B 型** 「BをしたのではないかとAを訴える」

The UN **accused** Iraq **of** lying repeatedly.
（国連は，うそを繰り返しているのではないかとイラクを訴えた）

155 形容詞と前置詞との連結

こうした連語は辞書で確認するのがよい。ここでは，前置詞の意味との関係で，一般的な解説をしながらよく使うものを選んで代表例を示す。

(1) at が続く形容詞

①「～という点において」の意味で，「上手，下手」などを表す。

He is not very *good* **at** tennis.（彼はテニスがあまり得意ではない）

bad（下手な），**clever**（巧みな），**good**（上手な），**poor**（下手な）

②「～を見て，聞いて」などの意味で，感情の原因を表す。

She was *ashamed* **at** her behavior.
（彼女は自分の振舞いを恥ずかしく思った）

ashamed（恥ずかしい），**happy**（うれしい），**sad**（悲しい）

(2) for が続く形容詞

①「～にとって」の意味で，「向き，不向き」「よい，悪い」を表す。

What kind of work is she *fit* **for**?（彼女はどんな仕事に向いていますか）

appropriate（適切な），**dangerous**（危険な），**fit**（ふさわしい），**good**（適している），**ideal**（理想的な），**sufficient**（十分な），**suitable**（適している）

② 「～を求めて」の意味で，希求を表す。

We are all *impatient* **for** political reform.
（我々は皆政治改革を待ち望んでいる）

anxious（切望して），**eager**（熱望して），**impatient**（待ち望んで）

③ 「～のゆえに」の意味で理由を表す。

Northern Ireland is *famous* **for** its great natural beauty.
（北アイルランドはすばらしい自然の美しさで有名です）

famous（有名な），**known**（有名な）；**notable**（注目に値する）

(3) from が続く形容詞

① 「～から離れて」の意味で，分離を表す。

Uranus is *distant* **from** the earth. （天王星は地球から遠く離れている）

absent（欠席して），**different**（異なって），**distant**（離れて），**free**（束縛のない），**independent**（独立して [of]），**remote**（遠く離れて），**safe**（安全な）

② 「～から判断して」,「～のために」の意味で，根拠や原因を表す。

That is *evident* **from** the results shown in Fig. 4B.
（それは図 4 B に示されている結果から明らかだ）

evident（明白な）；**faint**（気が遠くなって），**weak**（弱っていて），**weary**（疲れて）

(4) in が続く形容詞

「～において」という at より広範囲の対象を示す。

① 対象範囲を示す。

She is *engaged* **in** foreign trade. （彼女は外国貿易に従事している）

engaged（従事している），**interested**（興味がある），**involved**（関係している）

② 特殊な技能の及ぶ範囲を示す。

He is *fluent* **in** Spanish. （彼はスペイン語が流暢だ）

fluent(流暢な)；**proficient**（熟達した），**skillful**（熟達した）

(5) of が続く形容詞――〈be ＋形容詞＋ of〉の形で

① 他動詞の働きをするもの

She is *afraid* **of** thunder. （彼女は雷を怖がっている）

be **afraid** of（恐れる），be **aware** of（知っている），be **conscious** of（意識している），be **envious** of（うらやむ），be **fond** of（好む），be **ignorant** of（知らない），be **jealous** of（ねたむ），be **proud** of（自慢する），be **sure** of（確信する）

② 分離

He is *innocent* **of** the crime. （彼はその罪を犯していない）

independent（頼らない），**innocent**（〔罪を〕犯していない）

③ 原因・理由

All are *weary* of his talk. （みんな彼の話に飽き飽きしている）

ashamed（恥じている）; **tired**（飽きている）, **weary**（飽きている）

(6) on が続く形容詞

① 「〜に支えられて」の意味で、「依存」を表す。

I am *dependent* on my own earnings. （私は自分の稼ぎで生活しています）

dependent（頼っている）, **reliant**（当てにして）

● independent は「独立して」という意味で, of [from] を伴う。

② 「〜に対して」の意味で、感情や思考の対象を示す。

He is *intent* on making money. （彼は一心に金儲けをしようとしている）

insistent（固執していて）, **intent**（一心で）, **keen**（熱心な）

(7) to が続く形容詞

基本的には to は、方向や対象を示す。「〜にとって」という意味では for とあまり区別がない場合もあるが、to のほうが主観的・直接的である。

① 「〜にとって」の意味で、適合・利害などを表す。

This meal seems *adequate* to us.
　　（我々にとってはこの食事は十分のようですが）

adequate（十分な）, **appropriate**（適切な）, **dangerous**（危険な）, **fatal**（致命的な）, **favorable**（好都合な）, **harmful**（有害な）, **helpful**（有益な）

② 「〜に対して」の意味で、次のようなことを表す。

Good health is *essential* to success. （健康は成功に不可欠なものだ）

態度	**faithful**（忠実な）, **friendly**（温かく親切な）, **indifferent**（無関心な）, **kind**（親切な）, **polite**（丁寧な）, **rude**（失礼な）	
状態	**familiar**（なじみの）, **foreign**（なじみのない）, **new**（目新しい）	
必要	**essential**（不可欠な）, **important**（重要な）, **necessary**（必要な）	
位置	**close**（近い）, **next**（隣の）	

③ 類似・一致・対立などを示す。

His car is *similar* to mine. （彼の車は私の車と似ている）

類似・一致	**akin**（同類の）, **equal**（等しい）, **similar**（類似した）
対立	**contrary**（反して）, **different**（異なる）, **opposite**（反対の）

④ その他

These are birds *peculiar* to Japan. （これらは日本特有の鳥です）

感受性	**alert**（油断のない）, **blind**（まったく気づかない）, **sensitive**（敏感な）
特殊性	**common**（共通の）, **peculiar**（特有の）, **unique**（特有な）
明白性	**apparent**（明白な）, **clear**（明白な）, **obvious**（明白な）

(8) with が続く形容詞

with は基本的に，随伴と関連の意味を持つ。

① 随伴の意味から，「～でいっぱいで，込んでいる」などの意味を表す。

The Tiananmen Square was *crowded* **with** tourists.
（天安門広場は観光客で込み合っていた）

crowded（込み合った），**jammed**（混雑した），**thick**（いっぱいになる）

② 振舞いや態度の対象を表す。

He is *impatient* **with** postal delays.
（彼は郵便物の遅れにいらいらしている）

generous（気前のよい），**gentle**（優しい），**impatient**（短気を起こしている）

③ 感情の対象を表す。

I am *content* **with** this house.（私はこの家に満足している）

angry（腹を立てて）；**content**（満足して），**satisfied**（満足して）

④ 善しあしを表す。

She is *popular* **with** teenagers.（彼女は10代の若者たちに人気がある）

fine（都合がいい），**popular**（人気のある）

⑤ あることに関して知っている，知っていないなどを表す。

He is quite *familiar* **with** the rules.（彼はそのルールをよく知っている）

acquainted（知り合いである），**familiar**（よく知っている）

⑥ あるもので覆われていることを表す。

The street was *paved* **with** concrete.（通りはコンクリートで舗装されていた）

coated（表面を覆われた），**covered**（覆われた），**paved**（舗装された）

Helpful Hint 83　形容詞と前置詞との連結

Sincerity is especially **important among** friends.（誠実さは友だち同士の間では特に大切である）や，Cool judgment is **important in** a crisis.（危機には冷静な判断力が重要である）などのように，「重要性」を示す形容詞 important には，どの前置詞も結びつくが，to と for の使用頻度が特に高い。そして，この2つの前置詞に限って，その使い分けを難しく感じる学習者が少なくないようである。

具体的に言うと，「我々のチームには闘争本能が重要である」を，Competitive instincts are important **for** our team. と言うか，Competitive instincts are important **to** our team. と言うか，という問題である。いずれも自然な英語であるが，ニュアンスが微妙に違う。important **for** our team は，「チームがうまくいくために重要だ」というニュアンスがいささか強い。これに対して，important **to** our team は，「チームにとって重要だ」というニュアンスがいささか強い。だから，チームがうまくいくかどうかに意識上重点が置かれる場合には，**for** のほうが使われがちで，「我々のチームは闘争本能を重視している」というような自慢話の場合には，**to** のほうが使われがちである。

REVIEW TEST 13

A 確認問題 13 (→ 解答 p.609)

1. 次の各英文の( )内の前置詞のうち，適切なほうを選びなさい。
   (1) Application forms must be received (until, by) August 31.
   (2) I slept for about half an hour (in, during) the movie.
   (3) Temperatures here rarely rise (on, above) freezing in winter.
   (4) I am leaving (to, for) New York next Saturday.
   (5) A famous actor died (of, with) cancer yesterday.
   (6) The best way to get to my house is (on, by) bus.
   (7) It was quiet everywhere (without, except) the kitchen.
   (8) Do you recognize that lady (in, with) the blue dress?
   (9) This is the heaviest snow (in, within) the past five years.
   (10) Student workers are paid (by, at) the hour.

2. 次の各英文の( )内に最も適切な前置詞を入れなさい。
   (1) Please inform me ( ) some good online dealers.
   (2) Rain prevented me ( ) exercising today.
   (3) Can your designer supply us ( ) a sample micro-website?
   (4) Who robbed the tombs ( ) the ancient relics?
   (5) We furnished the room ( ) some beautiful rented antiques.
   (6) Much of the food was familiar ( ) us all.
   (7) I am independent ( ) parental control and support.
   (8) The collection consists ( ) some 300 works produced in the period of 1920-50.
   (9) The same reasoning applies ( ) this case.
   (10) We often talk ( ) a glass of wine or two.

3. 次の各日本文の意味を表すように，( )内に適切な1語を入れなさい。
   (1) 美術館までこの道をずっと歩いて戻りなさい。
       Go back ( ) this street all the way ( ) the Museum of Art.
   (2) 痛みのため夜いつもどおりの時間の睡眠はとれなかった。
       The pain kept me ( ) getting my usual amount ( ) sleep ( ) night.
   (3) 先生にレントゲンを撮っていただく予約がしてあるのですが。
       I have an appointment ( ) the doctor ( ) an x-ray.

REVIEW TEST 13

B 実践問題 13 (→ 解答 p.609)

1. 次の各英文を完成させるのに，最も適切な語を選び，記号で答えなさい。

   (1) "Where's the furniture department?" "It's (　) the sixth floor."
       (A) in　　　　　(B) up　　　　　(C) among　　　　(D) on

   (2) "Do you have an appointment?"
       "Yes, I have an appointment (　) 2 o'clock."
       (A) with　　　　(B) in　　　　　(C) for　　　　　(D) on

   (3) "What is the purpose (　) your visit to the United States?"
       "I have come here to study."
       (A) of　　　　　(B) to　　　　　(C) at　　　　　(D) in

   (4) "Can you send your latest designs (　) fax?"
       "Certainly. I'll fax you right now."
       (A) through　　(B) on　　　　　(C) with　　　　(D) by

   (5) "Can I help you?" "Yes, please. I'm looking (　) some boots."
       (A) at　　　　　(B) through　　(C) out　　　　　(D) for

   (6) "How many employees are there?" "There are seven (　) us."
       (A) of　　　　　(B) in　　　　　(C) on　　　　　(D) to

   (7) "Could I speak with Mr. Anderson?"
       "I'm sorry, but he's (　) another line now. Would you mind holding?"
       (A) with　　　　(B) on　　　　　(C) by　　　　　(D) to

2. 次の各英文の下線部から，誤っているものを1つ選び，記号で答えなさい。

   (1) Some workers have accused the company (A)for cheating them (B)out of overtime pay, (C)which is required (D)by federal law.

   (2) Recently, scientists have succeeded (A)to cloning (B)sheep and other animals. The ability (C)to clone human beings now (D)seems within reach.

   (3) (A)Generally, other than health-care facilities and multilevel shopping malls, elevators (B)need not be provided in buildings (C)in (D)three floors or fewer.

   (4) Sixty-five (A)percent of Americans approve (B)on spanking children, a rate (C)that has held steady (D)since 1990.

   (5) The survey (A)revealed 26 percent (B)have already searched the Internet (C)of online courses, and have (D)either taken an online course, or have taken an in-person course that includes a significant online component.

第14章 名詞
NOUNS

人や事物の名を表す語が名詞であるが，その表す内容と冠詞との関係，単数にするか複数にするか，数による語形の変化や所有格の使い方など，日本人にはなじみにくい面もある。

第1節 名詞の種類

156 名詞の分類

156 A 固有名詞と共通名詞

名詞はまず大きく，固有名詞と共通名詞の2つに分けられる。

(1) 固有名詞

ある特定の場所・人間や事物を同じ種類のものと区別するためにつけた「名前」が**固有名詞**（proper noun）である（固有名詞については ● p.339 **162**）。

（例）**Japan**（日本），**Shakespeare**（シェークスピア），*Time*（タイム誌）

(2) 共通［普通］名詞

Japan とか America などの**固有名詞**に対して，これらに**共通する** country（国）のような名詞を**共通名詞**（common noun）という。common という語は，「共通の」とも「ふつうの」とも訳せるが，本書では，「**固有名詞**」に対して，それ以外のものをすべて「**共通名詞**」として一括する。「普通名詞」という語は，**意味内容**に基づいた我が国の伝統文法での「普通」・「集合」・「固有」・「物質」・「抽象」の名詞5分類法の1つなので，**狭義**の意味で使用することにする（● p.333 **158**）。

名詞を **proper nouns** と **common nouns** に分け，common nouns をさらに下位区分するのは，分類基準を明確にする最近の分類法である（● p.331 **156D**）。

156 B 可算性と不可算性

名詞には，数えられるものと，数えられないものとがあるが，文法上では，「数えられる名詞」を**可算名詞**（countable noun）という。

（例）**box**（箱），**bottle**（瓶），**cat**（ネコ）

これに対して，「数えられない名詞」を**不可算名詞**（uncountable noun）という。

（例）**air**（空気），**honesty**（正直さ），**oil**（油）

可算名詞，不可算名詞の詳細については，別途参照（🔵 p.332 **157**）。

156 C 具象名詞と抽象名詞

名詞といっても，一定の形を備えたもの，つまり具象名詞と，観念的なもの，つまり抽象名詞とがある。

具象名詞とは，たとえば次のような，ふつう，見たり，触ったりすることができる，具体的な物を表す名詞をいう。具体名詞ということもある。

（例）**chair**（いす），**house**（家），**coin**（硬貨）

抽象名詞とは，物質ではなく，概念的なものを指す。そうした抽象的なものがいくつかあると意識する場合には，数えられるものとして使うことがある（🔵 p.332 **157A**, p.338 **161A**）。

（例）**beauty**（美），**courage**（勇気），**safety**（安全さ）

156 D 名詞の体系的分類

以上見てきたように，名詞を，**固有名詞**と**共通名詞**の２つに大きく分けた上で，**共通名詞**を，さらにその**意味**だけでなく，**語法上の特徴**も含めて体系的に分類してみると，おおよそ次のように分類することができる。

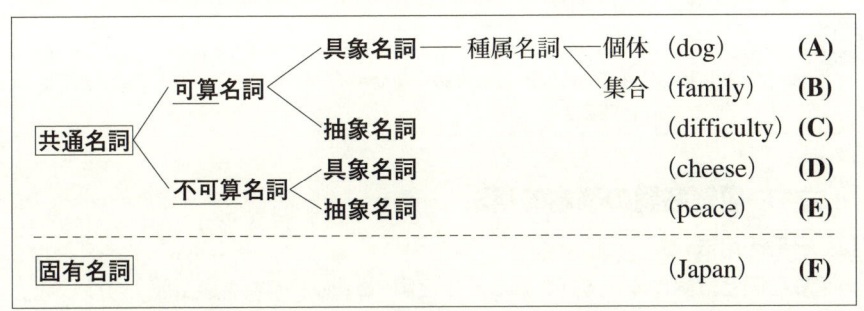

```
                    ┌ 具象名詞 ── 種属名詞 ┬ 個体 (dog)        (A)
          ┌ 可算名詞 ┤                    └ 集合 (family)     (B)
共通名詞 ─┤          └ 抽象名詞                (difficulty)   (C)
          │          ┌ 具象名詞                (cheese)       (D)
          └ 不可算名詞┤
                     └ 抽象名詞                (peace)        (E)
─ ─ ─ ─ ─ ─ ─ ─ ─ ─ ─ ─ ─ ─ ─ ─ ─ ─ ─ ─ ─ ─ ─ ─ ─ ─ ─ ─ ─ ─
固有名詞                                        (Japan)       (F)
```

156 E 伝統的な名詞の５分類

日本の学校文法では，伝統的に名詞を**普通名詞**・**集合名詞**・**固有名詞**・**物質名詞**・**抽象名詞**の５種類に分類するのがふつうになっているが，これは意味に基づく分類なので，便利である半面，分類基準その他にいくつかの問題点がある。

本書では，上の体系的分類基準に基づいて，この５種類の名詞について解説していく。

第14章 名詞　第1節 名詞の種類

157 可算名詞と不可算名詞

157 A　可算名詞

文法上の数の考え方で，**数えられる名詞**が**可算名詞**で，次の特徴がある。

① **単数形**と**複数形**がある。　　　　　　　　dog, dog*s*
② 単数には**不定冠詞**（a [an]）がつけられる。　　*a* desk, *an* orange
③ **数詞**がつけられる。　　　　　　　　　　　*two* boys, *seven* days
④ 複数の場合は，many や few など**不定の数を表す語**がつけられる。
　　many students（たくさんの学生），*a few* books（何冊かの本）
　　● 上の例はすべて**具象名詞**であるが，**抽象名詞**でも，difficulty（厄介な事柄），journey（旅），fact（事実）など可算名詞がある。

157 B　不可算名詞

そのままでは個数として**数えられない**ものを表す名詞が不可算名詞である。

① **原則として複数形にできない。**　〇 dirt（土）　　× dirt*s*
② **不定冠詞の次には置けない。**　〇 information（情報）　× *an* information
③ **数詞を直接つけない。**　〇 two *pieces of* chalk（チョーク2本）　× *two* chalks
④ **量の多少を表す語**がつけられる。　〇 *much* money（大金）　× *many* moneys

[注意] 可算・不可算の別は語によって決まっているわけではなく，同じ語でも意味によって可算名詞になったり，不可算名詞になったりするものもあるので注意。
　　iron（鉄）〔不可算名詞〕　　　an iron（アイロン）〔可算名詞〕

[発展] くだけた会話で，Two *coffees*, please.（コーヒーを2つください）などと言うことがある。文法的に正しくは Two *cups of* coffee, please. だが，レストランなどでの会話では，こういう言い方も不自然ではない。

157 C　可算名詞の基本的用法

(1) 一般的用法

可算名詞と冠詞については，詳しくは冠詞（◎ p.366）の項を参照。

可算名詞には，単数形と複数形があるが，**単数形の場合は，原則としてその前に冠詞か，それに代わるもの**（this, my その他）がつく。

可算名詞を使うときには，次のうちのどれかの形にしなければならない。

①〈**a [an]＋単数形**〉
　　a dog　　　　　　　（〔1匹の，ある〕犬，犬というもの　（◎ p.369 **175B**(5)））
② **冠詞のつかない複数形**
　　dog*s*　　　　　　　（〔いく匹かの〕犬，犬というもの　（◎ p.333 **157C**(2)））

157 A

— 332 —

③〈数詞または不定の数を示す語＋複数形〉

　　seven [*several*] dog*s*　　　　　　　　　　　（7匹の［いく匹もの］犬）

④〈**the**＋単数形〉

　　the dog　　　　　　　　　　　　　　（その犬，犬というもの（ ◯p.373 **176B**(1)））

⑤〈**the**＋複数形〉

　　the dog*s*　　　　　　　　　　　　　　　　　　　　　　（その犬たちみな）

(2) 総称用法

「ライオンというもの」というように，**種類全体**を表すのに，次の3つの形がある。たとえば，「ライオンは組織立った群れを成して暮らしている」という文は，次の3つの形で書ける。

① 冠詞なしの複数形　　　　**Lions** live in organized groups.
②〈**a [an]**＋単数形〉　　　**A lion** lives in an organized group.
③〈**the**＋単数形〉　　　　**The lion** lives in an organized group.

この中で最も一般的な形は①である。

②はどれか1頭のライオンを代表として取り上げ，その種類のものすべてについて特有の性質を述べる言い方である（ ◯p.369 **175B**(5)）。

③はその種類全体をひとまとめにして言う形。やや抽象的な感じになり，比較的改まった書き言葉として用いられることが多い（ ◯p.373 **176B**(1)）。

> **参考**　一般に「〜を好きだ，嫌いだ」などと言うときには，**無冠詞の複数形**がふつう。
> 　　　（例）I like **apples**.（私はリンゴが好きです）

> **発展**　**The pen** is mightier than **the sword**.（ペン〔文〕は剣〔武〕よりも強い）〈ことわざ〉のようなものは，**抽象的な概念**を表す文語表現である（ ◯p.373 **176B**(2)）。

158　普通名詞

158 A　普通名詞の定義

普通名詞（common noun）というのは，定義がややあいまいである。固有名詞（proper noun）に対するものとしたのでは，**156D** (p.331) の分類表の**共通名詞**と同じになり，これは**広義**の場合のことである。**学校文法の5分類の1つとしての普通名詞**は，さらに物質名詞や抽象名詞などとも区別されるもっと**狭義**のものである。

ものの名前としては，**形がはっきりしていて数えられるもの**が一般的でふつうであることは事実であるが，実際に**156D**の分類表でも，右上端の**(A)**に当たるものが狭義の**普通名詞**である。つまり，**具象の可算名詞**で，同じ種類に属すると見

なされる個々のものを指す。定義づければ,「一定の形や区切りがあって数えられるものにつけた名称で,**同じ種類のものに共通して適用できるもの**」と言える。

> ● たとえば,day（日）というと,形もないような感じがするが,1日という明確な区切りがあって,数えられるから,普通名詞に分類される。

158 B　普通名詞の性質と用法

普通名詞は,**可算名詞**の代表的なものであるので,**157C**で述べた性質をすべて持っている。詳しくはそちらを参照されたい（● p.332 **157C**）。

Do you have a **light** by your **bed**?（枕元に明かりを置いていますか）

> ● a light は「電灯」だが,a のつかない light は「光」で不可算名詞になる。

Cars must not be parked in front of the **entrance**.
（玄関の前に車を止めてはいけません）

159　集合名詞

同じ種類のものがいくつか集まって1つの**集合体**を成しているものを表す名詞が**集合名詞**である。**156D**（p.331）の分類表では,具象可算名詞である「種属名詞」に属するが,個体でなく,集合体なので同表の**(B)**に相当する。普通名詞が**個々**のものを指すのに対し,集合名詞は**集合体**を指すからである。人や生物の集合体は可算名詞,ものの集合体は不可算名詞になるのがふつうである。

159 A　可算名詞である集合名詞

(1) 単数にも複数にも扱う集合名詞

family（家族）のように,全体を1つのまとまりとして単数で受ける場合と,その構成員1人1人を考えて複数で受ける場合とがあるもの。

The **family** *is* the fundamental unit of British society.
（家族はイギリス社会の基本的単位である）── it で受けられる。

My **family** *have* all gone back to Australia.
（私の家族はみんなオーストラリアに戻っています）── they で受けられる。

> ●《米》では**集合名詞**そのものが**単数形**であれば**単数動詞**で受けるのがふつうである。
> 2番目の例で言えば,My **family** *has* all gone back to Australia. となる（● p.335 H.H. 84, p.542 **255A**）。

こうした集合名詞自体の単数形・複数形は,ふつうの可算名詞と考えた場合と同じ形である。

Several **families** live on Larsen Island.
（数家族がラーセン島に住んでいる）

> ● 単数形なら a [an] がつき,複数なら複数形になる。

◎単数にも複数にも扱う主な集合名詞

audience（聴衆）	**cabinet**（閣僚）	**class**（クラス）
club（クラブ）	**committee**（委員会）	**company**（会社）
crew（乗組員）	**crowd**（群衆）	**family**（家族）
generation（世代）	**government**（政府）	**jury**（陪審員）
public（大衆）	**staff**（職員）	**team**（チーム）

(2) 常に複数扱いをする集合名詞

people（人々）のように，常に複数扱いをする特殊な集合名詞がある。

(1)の集合名詞とは違い，a [an] はつかず，複数形もない。the をつけると，集合体全体か，特定のものを指す。

　　People *are* marching on the streets in many parts of the world today.
　　（今日，世界の多くの所で人々が街頭を行進している）

●「5人」というときは five people でよい。

|注意| **people** を「国民・民族」という意味で使うときは，(1)の集合名詞と同じように，*a* [*the*] people, people*s* などという。
The British are **a** proud **people**.（英国人は誇り高い国民である）

　　The **police** *are* searching for the couple who have kidnapped the boy.
　　（警察はその少年を誘拐した1組の男女を捜索中である）

● **the police** は「警察」という集合体を指す。個々の「警官」は a [the] police officer（単数）か，(the) police officers（複数）。

◎常に複数扱いをする主な集合名詞

cattle（牧畜牛）	**clergy**（聖職者）	**people**（人々）
police（警察）	**poultry**（家禽）	

◆ox は，（特に去勢した）雄牛，bull は（去勢しない）雄牛，cow は雌牛をいう。cattle は，畜牛を一般的に指す。

Helpful Hint 84　集合名詞の扱いの英米差とは？

　「単数にも複数にも扱う集合名詞」を使うとき，アメリカ人はイギリス人とは違って，一般的に「単数扱い」だけしかしない。もし，アメリカ人どうしの会話で，片方が The *team* were quite happy.（そのチームは皆結構喜んでいた）などのように team を「複数扱い」すれば，わざわざイギリス人っぽくして気取っているような印象を与えてしまう。
　ただし，the New York **Yankees** や the Utah **Jazz** など，**チーム名**を使う場合には，その名前自体の単数形・複数形を問わず，「複数扱い」する。つまり，*The New York Yankees* [*Utah Jazz*] **were** quite happy. と言い，... **was** quite happy. とは言わないのである。アメリカ人の感覚では，**team** は「1つの組織」といった感じが強いのに対して，

> チーム名は「数人から成る集団」という感じが強いようである。ちなみに，日本人が「単数にも複数にも扱う集合名詞」を使う場合は，どちらの「扱い」を選んでも，気取っているような印象を与える心配はない。

159 B　不可算名詞である集合名詞

「人」や「生物」ではなく**「事物」の集合体**の中には，物質名詞と同じように扱うものがある。つまり，**常に単数形**で，量の多少は **much, little** などで示す。個々に数える必要があるときは，**a piece of ～**などをつけて数える。

たとえば「手荷物2個」は two baggages ではなく，two *pieces* of baggage と言う。baggage は bag（かばん），suitcase（スーツケース），box（箱）などの集合体を指す名詞である。

　Passengers are allowed to carry *2 pieces of* **baggage** which together weigh a total of no more than 10 kgs.
　　（ご搭乗の方は併せて10キログラム以内の重さの2個の手荷物を携行することができます）

　　◆国際線の機内持ち込み手荷物の制限は，航空会社により微妙な違いもあるが，「身の回り品1個と手荷物1個で，3辺の和が115 cm 以内」というのが多い。重さはまちまちで，5 kg から12 kg ぐらいまでである。注意書きをよく読む必要がある。

次の集合名詞も，集合を成す個々のものを数えるときには，a piece of ～ を使って数える。

◎不可算名詞である主な集合名詞

clothing（衣類 ― 服や靴など）	**furniture**（家具 ― いすやテーブルなど）
machinery（機械［machine］類）	**mail**（郵便物 ― 手紙や小包など）

　Today, the average US business sends out 30,000 *pieces of* **mail** a year.
　　（今日，米国の平均的な企業は，1年間に30,000通の郵便物を出している）

　● **poem** が個々の詩を指すのに対して，**poetry** が文学としての詩歌を指したり，**novel**（長編小説）や **story**（物語）などをまとめて **fiction**（文学としての作り話）というのもこの類の1つである。

> 参考　① **fish** はふつう集合的に見て数匹いても fish のままで使う。種類が違うことを明確にするときは〈～ kind(s) of fish〉の形でいうのがふつう。
> 　　　How many *fish* did you catch this morning?（今朝は魚は何匹獲れましたか）
> 　ただし，〈the *fishes* of the sea〉（海の各種の魚）のような文学的表現を見かけることもある。
> ② **fruit** もふつう集合的に単数形で使うが，果物の種類を表す場合には，可算名詞として扱う。
> 　　　The tangelo and the tangerine are completely different *fruits*.

> （タンジェリンとタンジェロとは，全然違う果物の種類である）
> I bought a number of differently colored *fruits*. （色の違ういくつかの果物を買った）

160 物質名詞

水や紙のような**物質**につけた名前で，不可算名詞として用いられることが圧倒的に多い。

直接数えられなくても，実際に存在するので，**具象名詞**であり，分類表（○ p.331）では**(D)**に位置する。

160 A　物質名詞の用法

(1) 総称用法

「〜というもの」とその種類全般をいうとき，普通の可算名詞なら〈a＋単数普通名詞〉で言う場合に，物質名詞は単数形でも冠詞をつけずに言う。

> **Uranium** is a heavy, silver-white metal.
> 　（ウランは重い銀白色の金属です）

(2) 不定量の物質名詞

不定量を表すときには，some, any, much, (a) little, a lot of などを単数形の前につける。

> Iraq has *a lot of* **oil** to develop.
> 　（イラクには開発できる石油がたくさんある）

(3) 特定の物質名詞

ある特定の物質を指す場合には，the や，this, that などの指示代名詞，my や his のような所有格の人称代名詞をつける。

> *The* **wine** we drank last night was really bad.
> 　（昨夜飲んだワインは実にまずかった）
> ● The wine that we drank last night ... . の関係代名詞の省略。

160 B　物質名詞の量の表し方

物質名詞の量を具体的に示す場合には〈a piece of 〜〉のような単位を示す語句をその前につける。複数のときは，〈two piece*s* of 〜〉のように piece を複数形にして，物質名詞のほうはそのままにする。

(1) 形を示す語：a *bar* of **chocolate**（チョコレート1枚），a *block* of **ice**（氷1塊），a *cake* of **soap**（石けん1個），a *drop* of **blood**（血の1滴），a *grain* of **salt**（塩1粒），a *loaf* of **bread**（パン1塊），a *piece* of **chalk**（チョーク1本），a *sheet* of **paper**（紙1枚），a *slice* of **ham**（ハム1切れ）

(2) 容器を示す語：a *bottle* of **wine**（ワイン1瓶），a *cup* of **tea**（紅茶1杯），a *glass* of **milk**（牛乳1杯），a *spoonful* of **sugar**（砂糖1さじ）

(3) 単位を示す語：an *acre* of **land**（土地1エーカー），a *kilo* of **plutonium**（プルトニウム1キロ），a *yard* of **silk**（絹1ヤード）

161 抽象名詞

161 A 抽象名詞の一般的性質

love（愛）とか success（成功）のように，感情や概念など形のない抽象的な意味を表す名詞が**抽象名詞**である。冠詞をつけない単数形のまま**不可算名詞**として用いられることが極めて多いが，**可算名詞**として用いられることもある。そのため，多くは分類表（→p.331）の**(E)** に当たるが，**(C)** に入るものもある。

性質	honesty（正直さ）	kindness（親切〔心〕）
状態や心的状態	peace（平和〔というもの〕）	hope（希望〔というもの〕）
出来事や行為	change（変化〔というもの〕）	laughter（笑い〔というもの〕）
複数形になるもの	difficulty（難事）——**(C)** に入る。	

161 B 単独の抽象名詞の前になんらかの限定詞がつく場合

(1) **some** や **much** など

抽象名詞によっては**量や程度の多少**を示すことがある。

A little **knowledge** is a dangerous thing.〈ことわざ〉
（わずかばかりの知識はかえって危険である）

● A little *learning* is a dangerous thing. とも言う。日本語の「生兵法は大けがのもと」に当たる。

注意 **a＝some** の意味のときは，抽象名詞に a がつくことがある。
I have *a* **knowledge** of basic electronics.
（私は基礎電子工学に関する知識が少しあります）

具体的に数える必要があるときには，〈a piece of ～〉などを使う。

A piece of good **advice** is worth a pocketful of gold.
（1つのよい助言はポケットいっぱいの金の価値がある）

(2) **the**

〈**of**＋（代）名詞〉などで後ろから限定されると the がつく。

I have learned *the* **strength** *of the human spirit*.
（私は人間の精神の強さを学んできた）

(3) 〈形容詞＋抽象名詞〉の場合

抽象名詞に形容詞がついているとき，**具体的なものを指すために可算名詞とし**

て使われている場合が多い。こういう場合には，a [an] をつけることもよくある。ただし，抽象名詞には，可算名詞として使われることのない**純然たる抽象名詞**もある。こうした名詞には，どんな形容詞がついても，a [an] はつかない。これらを覚えておく必要がある。

① **可算名詞として使われている抽象名詞に形容詞と a [an] がつく場合**

In most cases *a polite* **refusal** would be appropriate.
（たいていの場合，丁寧に断るのが適切であろう）

② **純然たる不可算名詞で，どんな形容詞がついても a [an] がつかない場合**

I have a bit of *good* **news** to tell everyone.
（みんなに伝えたいいい知らせがある）

◎どんな形容詞がついても a [an] がつかない主な抽象名詞

advice（助言）	**applause**（拍手喝采）	**conduct**（品行）
damage（損害）	**equipment**（設備）	**fun**（楽しみ）
harm（害）	**homework**（宿題）	**information**（情報）
luck（運）	**news**（知らせ）	**progress**（進歩）
weather（気象）	**work**（労働）	

Helpful Hint 85　可算名詞と不可算名詞の感覚

「作品」を示す **work(s)** と「労働」を一般的に示す **work** のように，名詞の多くには可算と不可算の両方の使い方があるが，**純可算・純不可算**のものもある。たとえば，一定の「形」がある **dog**（犬）は，典型的な**純可算名詞**だ。その形を成す2つのものは"**2 dogs**"になり，必ず数えられるものだ。しかし，たとえば，「気象」を一般的に示す **weather** は，決まった「形」がないため，文脈がどうであっても，数えられるものにはならない典型的な**純不可算名詞**である。

日本語の観点からすると，具体性が高そうな名詞，たとえば「装置」を一般的に示す **equipment** のような名詞は，どうしても**純不可算名詞**には見えないかもしれないが，英文をたくさん読めば，その感覚はしだいに身につくはずである。

162 固有名詞

同種類のものと区別するために，その中のある人や事物につけた**名前**が**固有名詞**である。意味内容について見る場合には，伝統的な5分類の固有名詞と，**156D** (p.331) の分類表の固有名詞はほぼ同じと見てよい。

固有名詞であることを明示するために大文字で書き始め，不可算名詞として使うことが圧倒的に多いが，表現したいことによって可算名詞として使うことも珍しくない。以下，5分類の固有名詞として，解説をする。

162 A　the と固有名詞

固有名詞に the がつくか否かは慣習的なものも多く，厳密なルールというものもないが，次のようなことを念頭に置いておくとよい。

(1) the をつける固有名詞

① 固有名詞がもともと**複数形**の場合 —— 原則としてすべてに適用。
山脈 the Alp*s*（アルプス山脈）　群島 the West Ind*ies*（西インド諸島）
集合体の国家 the United State*s*（アメリカ合衆国）

② 〈**A of B**〉の形をとる固有名詞 —— 原則としてすべてに適用。
the Gulf *of* Mexico（メキシコ湾），the Bank *of* Scotland（スコットランド銀行），the District *of* Columbia（コロンビア特別区）

③ 〈**固有名詞＋普通名詞**〉，あるいは普通名詞が省略されているもの

(a) 海・川・運河
the Pacific (*Ocean*)（太平洋），the Thames (*River*)（テムズ川），
the Suez *Canal*（スエズ運河）

(b) 海峡・半島・砂漠
the English *Channel*（イギリス海峡），the Izu *Peninsula*（伊豆半島），
the Sahara (*Desert*)（サハラ砂漠）

(c) 公共建築物
the British *Museum*（大英博物館），the Globe *Theatre*（グローブ座）

(d) 船舶・列車
the *Titanic*（タイタニック号），the Orient *Express*（オリエント急行）

(e) 新聞・雑誌
The New York Times（ニューヨークタイムズ紙），*The Economist*（エコノミスト誌），*The Wisconsin Journal*（ウィスコンシンジャーナル）
　●新聞名にはたいてい the がつくが，雑誌名には the がつかないものも多い。特に，本来抽象名詞の *Time*, *Vogue* のようなタイトルの雑誌には the はつかない。

(2) the をつけない固有名詞

① 普通名詞を含まないもの
人名，天体名，国名，大陸・州・都市名など。
Robinson（ロビンソン），Mars（火星），Japan（日本），Eurasia（ユーラシア大陸），Michigan（ミシガン州），Tokyo（東京）

> 発展　たとえば人名でも，*The* **Mr. Robinson** I know is not the person described in the newspaper stories.（私の知っているロビンソン氏は新聞の話に書かれているような人ではない）というように，限定されれば the がつくこともある。

② 山，湖，島，岬

Mt. Asama（浅間山），*Lake* Biwa（琵琶湖），Sado *Island*（佐渡島），*Cape* Horn（ホーン岬）

③ **建物や施設** ── 慣習的な例外が多い。

公園，広場，駅，橋，教会など。

Hyde *Park*（ハイドパーク），Times *Square*（タイムズスクエア），Grand Central *Station*（グランド・セントラルステーション），London *Bridge*（ロンドンブリッジ），Westminster *Abbey*（ウェストミンスター寺院）

> **Helpful Hint 86　単数形の名詞は再点検しよう**
>
> 　英文を書いて読み返す際，単数形の名詞は「一通りチェック」するとよい。具体的に言うと，それぞれの名詞に，冠詞や，this, that, my, his など「冠詞相当語」がついているかどうかを確認するのである。もし何もついていなければ，そうした「**裸の単数形名詞**」は必然的に**不可算名詞**として使われていることになる。
>
> 　たとえば，Do you like **that [her]** iguana?（その［彼女の飼っている］イグアナは，好きですか）のような文であれば問題はないが，もし一般論として「君はイグアナが好きですか」のつもりで書いた文が，Do you like iguana? と「**裸の単数形名詞**」になっていたら，この iguana も必然的に**不可算名詞**として使われており，**材料**などを示す**物質名詞**としてしか受け止められない。つまり，「君はイグアナ肉が好きですか」と，まったく別の意味の質問になってしまうのだ。この場合，**-s** をつけて Do you like iguana**s**? と，一般論に使われる複数形にすればよい。

162 B　a [an] と固有名詞

固有名詞の前に a [an] がつくのは，それが**可算名詞**として使われているからで，主に次のような意味を表すときである。

(1)「～という人」の意味で

　You have a phone call from *a* **Mr. Kim**.
　　（キムさんという方からお電話です）

(2)「～のような人」の意味で

　I could never be *a* **Princess Diana** or *a* **Mother Teresa**.
　　（私はダイアナ妃や，マザーテレサのような人にはとてもなれない）

(3)「～家の人」の意味で

　It had nothing to do with the fact that he was *a* **Kennedy**.
　　（それは彼がケネディ家の人間であるということとは何の関係もなかった）

(4)「～の作品，製品」の意味で

　My cell phone is *a* **Sony** and has many special functions.
　　（私の携帯電話はソニー製で，特別機能がたくさんついています）

163 名詞の意味合い上の柔軟性

名詞は柔軟性があり，複数の「種類」のものとして使われることがある。

163 A　普通名詞 ⇒ 固有名詞・抽象名詞

(1) 普通名詞 ⇒ 固有名詞

When I got home, I found **Mother**, **Father**, and Ann in the kitchen.
（家に着くと，お母さんとお父さんとアンが台所にいた）

(2) 普通名詞 ⇒ 抽象名詞

She has no **heart** at all.　（彼女には情というものがまったくない）
　● 成句になっているものも多い。

163 B　不可算名詞 ⇒ 可算名詞

(1) 固有名詞 ⇒ 普通名詞

a [an] がついたり，複数形になることでわかる（⊙ p.341 **162B**）。

There are two *Suzukis* in this class.　（このクラスには鈴木という名字の生徒が2人いる）

(2) 物質名詞 ⇔ 普通名詞

同じ名詞でも，形のある個体や製品などを表す場合には個数が数えられるから可算名詞として使われ，決まった形のない物質などを表す場合には個数が数えられないから不可算名詞として使われることがある。

Stones are scattered about in the riverbed and on its banks.
　（川底と川岸に石が点在していた）

The house is built of **stone**.　（その家は石で造られている）
　● **stone** がこのように「石材」を表すときは，不可算の物質名詞だから，a をつけたり複数形にしたりはしない。

(3) 不可算の抽象名詞 ⇒ 可算名詞

くだけた言い方で，a beauty を「非常によいもの」，「美人〔の女性〕」の意味に使う。

I love old china cups, and that one's *a* **beauty**, isn't it?
　（私は古い磁器製の茶わんが好きですが，あれもすてきなものですね）

また，本来の抽象的な意味では不可算名詞だが，具体的な行為や事柄などの意味で可算名詞として用いられるものも多いので，冠詞や数に注意が必要である。

We did it *with* **difficulty**.　　　　　　　　　　　　〔不可算の抽象名詞〕
　（我々は苦労してそれをやり遂げた）

The soldiers overcame *many* **difficulties** and **hardships**.　〔可算名詞〕
　（兵士たちは多くの艱難辛苦を乗り越えた）

164 複合名詞

164 A　複合名詞の種類

2つ以上の独立した語が組み合って，**全体で1つの名詞の役割を果たすものが複合名詞**である。2つの**名詞**が組み合った形（*boy*friend「男友だち」など）が最も多いが，前の要素が**形容詞**（*black*board「黒板」など）や**副詞**（*by*stander「見物人」など）であったり，逆に〈名詞＋副詞〉（looker-*on*「見物人」など）というようなものもあり，多種多様である。さらに，son-in-law（娘婿）のように3語（以上）のものもあるが，ここでは，〈**名詞＋名詞**〉の形を取り上げる。

164 B　1語の複合名詞

厳密に言えば，名詞の1種であるから，**1語になっているものが純粋な複合名詞**である。

　　He has a lot of comic books in his **bookcase**.
　　　（彼の本箱の中にはたくさんの漫画の本がある）
　　　　●comic も「漫画（本）」という名詞で，comic book とするのは《主に米》。

ハイフン（-）で結びついている bottle-opener（栓抜き）なども**1語**と考えられるが，最近はハイフンをつけるのは，〈名詞＋名詞〉の場合は少なくなっている。

164 C　2語(以上)の複合名詞

(1)〈名詞＋名詞〉

ある名詞を他の名詞の前にそのままの形で置くと，**前の名詞が後の名詞を修飾する形容詞的な役割**を果たす。そこで，2つの名詞が1語に結合せずに，2語のままで1つの複合的意味を表す場合も少なくない。

　　I found a **car park** in the city center.
　　　（都心の駐車場を見つけた）

文中の **car park** は2語であるから，厳密に言えば純粋な複合名詞とは呼べない。しかし，**まとまって1つの意味**を表していれば，たとえ2語でも「複合名詞」と呼ぶことが多いので，本書もそれに従う。

　　　　●英米の文法書では，複合名詞句（complex nominal）などともいわれる。

> **発展** 前に置かれる名詞が表す意味は，次のようにさまざまである。
> 　　**winter** sports（冬季スポーツ）〔時〕　　**center** field（野球のセンター）〔場所〕
> 　　**tennis** court（テニスコート）〔目的〕　　**taxi** driver（タクシー運転手）〔種類〕
> 　　**gold** medal（金メダル）〔材料〕　　　　**cell** phone（携帯電話）〔様態〕
> 　　＊cell は表計算の1マス。地域をキロ程度の小区画に分けて周波数を決めるため。

第14章 名詞　　第1節 名詞の種類

(2)〈名詞-名詞〉のハイフン(-)による結合

　一般に〈名詞＋名詞〉が複合名詞となる過程として，たとえば，school boy（男子生徒）という2語だったものが，頻繁に使われているうちに school-boy とハイフンで結ばれた形になり，最後に schoolboy という1語になったといわれる。確かにそういう事実に当てはまる例はあるが，今では緊密に融合した複合語は1語で書き，新しい長い合成語は2語に書くのがふつうで，ハイフンを使うことはあまりない。

> **発展** ハイフンでつないでいるものには，全体が1つの形容詞として使われるものもある。たとえば，「宇宙時代」という意味を表す（ハイフンなしの）the Space Age に対して，「宇宙時代の（＝最新）技術」という意味を表す space-age technology（ハイフンあり）の space-age という形容詞がある。こうした使い方にははっきりしたルールと言えるものはないが，たとえば，She won a blue ribbon.（彼女はブルーリボン〔最高〕賞をとった）に対して，She gave a blue-ribbon performance.（彼女は一流のパフォーマンスを見せた）のように，〈blue-ribbon〉全体を1つの形容詞として用いる場合には，ハイフンでつなげるほうが望ましい。

(3)〈名詞A＋名詞B〉の形の複合名詞の名詞Aの数

　原則として，たとえば複数の硬貨（coins）が入っていても *coin* purse（小銭入れ）のように，**前の名詞Aは単数形**にする。

　ただし，「常に複数形の名詞」（⊃ p.350 **168A**）であるため単数形にできない名詞の場合には，前の名詞Aは複数のままで用いられる。

① 前の名詞が本来単数形であるもの

(a) 前の名詞が**可算名詞**の場合

　複数形があるわけだが，複合名詞になったら単数形にする。

　　a *door* knob（ドアの取っ手）　　a *day* laborer（日雇い労働者）

(b) 前の名詞が**不可算名詞**の場合

　どんな場合でも複数形にならないから，複合名詞になっても単数形のまま。

　　a *glass* case（ガラス張りの陳列箱）　　an *equipment* room（設備室）

　　●ガラス張りで中の品が見えるようにした「陳列ケース」は a display case ともいう。

② 前の名詞が，常に複数形で用いられるもの（⊃ p.350 **168A**）

　　a *physics* textbook（物理学の教科書）　　a *glasses* case（眼鏡のケース）

　　◆「ズボン」を trousers と言うのは，主として《英》で，《米》では pants が多い。複合名詞を作るとき，**trousers** は単数形にすることが多く，**pants** は2語の場合は常に複数形のままだが，合成して1語になる場合は単数形がふつうである。

　　　　trouser suit（トラウザースーツ）　　pants suit, pantsuit（パンツスーツ）

　　「はさみ」の意味の scissors も常に複数形の名詞であるが，はさみは2枚の刃が結合しているので，複合名詞を作るときにはその片方だけを単数形で扱う場合もある。

　　　　scissor blade（はさみの刃）　　scissor(s)-grinder（はさみ研磨機，はさみを研ぐ人）

(4) 〈数詞＋名詞〉の場合

〈数詞＋名詞〉が他の名詞について修飾するときには，**数詞につく名詞は単数形にする**。

 a ten-*dollar* bill（10ドル紙幣） a three-*year* plan（3年計画）

第2節　名詞の数

165　単数と複数

165 A　日英の数の考え方の違い

 文法上の**数**には，1つ，1人などを表す**単数**と，2つ，2人以上を表す**複数**とがある。日本語でも「子供たち」，「山々」など，複数であることを明らかにする表現もないではないが，たとえば「机」，「本」，「川」などというだけでは，それが単数か複数か定かでない場合が多い。英文を書くときには，使う名詞が指しているものは単数か，複数かを考え，それに応じた形にする必要がある。

 英語では，**可算名詞は必ず単数か複数**のどちらかになり，**不可算名詞は常に単数**である。

165 B　単数か複数かの使い分け

(1) 可算名詞を使って，「～がありますか」と尋ねるとき，「あるとすれば1つしかないだろう」と想像する場合であれば，ふつう単数形にするが，「いくつもあるかもしれない」と想像する場合には，複数形で尋ねることが多い。

 Are there any good **restaurants** in Ocean City?
  （オーシャン・シティーにはいいレストランがありますか）

(2)「～がない」という場合，no に続く可算名詞は複数形にすることが多いが，1つしかないのが自然であれば，単数形にする。

 This hotel has no **rooms** on the first floor.
  （このホテルには1階に客室がない）

 He has no **father**, but he has a mother living in Chicago.
  （彼には父親がいないが，シカゴに住んでいる母親がいる）

●zero(0) に続く**可算名詞**も no と同じで，ふつう**複数形**にする。*zero* degrees（零度）

> **発展**　1以上の場合は，1.01でも**複数形**。**1以下の小数**の場合は，一般には**複数形**を用いて，0.6 inch*es* のようにいうが，論文・雑誌その他では，編集方針によるが，ほとんど半々である。そこで「**可算名詞で単数形をとるのは1だけ**」と覚えておくのも実用的である。

(3) **主語が複数で，各自が１つずつ何かを持っている**というような場合は，一般には可算名詞なら複数形にする。ただし，特に誤解される恐れがなければ，単数でも複数でもどちらでもよい。

　　All my neighbors have dog*s*.（私の近所の家はみな犬を飼っている）

各自が１つずつということを特に明示したければ単数形にする。

　　At the end of the semester, students have to write **a paper** of 20 to 25 pages.
　　（学期の終わりに，生徒は20ないし25ページのレポートを書かなければならない）

> **Helpful Hint 87　「主語が複数で各自が１つ」を正確に表すには？**
>
> 　上の「(3)主語が複数で，各自が１つずつ何かを持っているというような場合」，確かに日常会話や友人どうしのメールであれば，All my neighbors have dogs.（私の近所の家はみな犬を飼っている）のように，「可算名詞なら複数形」にしてもまったく差し支えない。
>
> 　しかし，論文やビジネスレターとなると，そうした表現はあいまいすぎるケースも出てくるかもしれない。具体的に言うと，All my neighbors have dogs. という表現だけでは，「近所の家はみな犬を１匹飼っている」とは限らず，「数匹飼っている家」も十分考えられる。逆に，単数形を使う "... students have to write a paper of 20 to 25 pages."（…生徒は20ないし25ページのレポートを書かなければならない）の場合，「生徒たちはみんなで（協力して）１つのレポートを書けばいい」とも受け止められる。このようなあいまいさが許されない文を書くときには，**each** という語が役立つ。それぞれ **Each of** my neighbors has **a dog**. / ... **each** student has to write a paper ... . と書けば，受け止め方が１つしかない表現になるのである。
>
> 　また，**each** は「各自に１つずつ」でない場合にも役立つ。たとえば，「近所の家は，犬を１匹飼っている家もあれば，数匹飼っている家もある」という状況を表すには，"**Each of** my neighbors has **at least one dog**."（近所の各家はみな犬を**少なくとも１匹**飼っている）という言い方がちょうどよい。あるいは「生徒は各自レポートを３つ書かなければならない」なら，"**Each** student has to write **three papers**." と言えばよい。

166 規則複数

166 A　規則的な複数形の作り方

(1) 単数形の語尾に **-s** をつける。

　　book → book*s*（本）　　dog → dog*s*（犬）　　day → day*s*（日）

　-s の発音は，無声音の次では [s]，有声音・母音の次では [z] となる。

> 発展　-th で終わる語につく -s の発音は，th の前の母音の長短によって決まる。
> 　① 長母音，二重母音のときは [ðz]　　　　mouth [mauθ] → mouths [mauðz]
> 　② 短母音のときは [θs]　　　　　　　　　month [mʌnθ] → months [mʌnθs]
> 　③〈長母音 ＋ r ＋ -th〉のときは [θs]　　　fourth [fɔːrθ] → fourths [fɔːrθs]

(2) 語尾の発音が [s], [z], [ʃ], [ʒ], [tʃ], [dʒ] の名詞には **-es** をつける。発音は [ɪz]。
　　class → class*es*（クラス）　　　　lens → lens*es*（レンズ）
　　dish → dish*es*（皿）　　　　　　　watch → watch*es*（時計）
　　　●語尾に発音しない **-e** があれば **-s** だけでよい。rose → ros*es*（バラ）

(3) 〈子音字＋**-y**〉で終わる語は，**y** を **i** に変えて **-es** をつける。発音は [z]。
　　army → arm*ies*（軍隊）
　　　●〈母音字＋**-y**〉ならそのまま **-s** をつける。　toy → toy*s*（玩具）

(4) **-o** で終わる語には，**-s** または **-es** をつける。発音はどちらも [z] になる。
　①〈子音字＋**-o**〉で終わる語には，**-es** か **-s** をつける。
　　(a) **-es** をつける例
　　　hero → hero*es*（英雄）　　tomato → tomato*es*（トマト）
　　(b) **-s** をつける例
　　　solo → solo*s*（独唱）　　ghetto → ghetto*s* / ghetto*es*（特別居住区）
　　短縮語には **-s** をつける。
　　　piano (＜pianoforte) → piano*s*（ピアノ）
　　　photo (＜photograph) → photo*s*（写真）
　　　kilo (＜kilogram [-meter]) → kilo*s*（キログラム［メートル］）
　　　●**-s** と **-es** のいずれも使われることがあり，決まったつづりのない複数形の語もある。
　　　　buffalo → buffalo(*e*)*s*（水牛）　　manifesto → manifesto(*e*)*s*（声明書）
　②〈母音字＋**-o**〉で終わる語には **-s** をつける。
　　　kangaroo → kangaroo*s*（カンガルー）　　radio → radio*s*（ラジオ）

(5) **-f, -fe** で終わる語
　① 多くの語は **-f, -fe** を **-ves** にする。　leaf → lea*ves*（葉）
　② そのまま **-s** をつける語
　　　roof → roof*s*（屋根）　　belief → belief*s*（信念）
　　他に cliff*s*（崖），cuff*s*（袖口），gulf*s*（湾），proof*s*（証拠），reef*s*（暗礁），
　　safe*s*（金庫）など。
　　　●両方の形のあるものもある。scarf → scarf*s* / scar*ves*（スカーフ），dwarf*s* / dwar*ves*
　　　（小人），hoof*s* / hoo*ves*（ひづめ），wharf*s* / whar*ves*（波止場）など。

167 不規則複数

167 A　一般的な **-s** をつける以外の複数変化

(1) 母音を変化させるもの
　　m*a*n → m*e*n（男）　　t*oo*th → t*ee*th（歯）

(2) **-en, -ren** がつくもの

　　ox → ox*en*（雄牛）　　child → child*ren*（子供）

(3) 単複同形（単数形と複数形が同じ形）のもの

　　群れを成す動物や，発音上 [z] で終わる語などに見られる。

　　　　sheep → sheep（羊）　　means → means（手段）

　　　　●本来単複同形のもので，くだけた言い方では -s をつけるものもある。
　　　　　salmon（サケ），trout（マス）など（他にも種類を表すときは -s をつけるものがある）。

◎単複同形の主な名詞

aircraft（航空機）	**Chinese**（中国人）	**corps** [kɔːr]（団）
Japanese（日本人）	**means**（手段）	**percent**（パーセント）
series（シリーズ）	**species**（種）	**yen**（円）

167 B　外来語の複数形

ラテン語やギリシャ語に由来するものは，その元の語尾変化で複数形を示すが，英語化が進むにつれて，-(e)s をつける形も増えてきている。

(1) ラテン語系

　① **-us → -i** [-aɪ]　　　　　stimul*us* → stimul*i* [aɪ]（刺激）
　　-s と両形　　　　　　　　foc*us* → foc*i* [saɪ] / focus*es*（焦点）
　② **-a → -ae** [-iː]　　　　　larv*a* → larv*ae* [iː]（幼虫）
　　-s と両形　　　　　　　　antenn*a* → antenn*ae* / antenn*as*（アンテナ）
　③ **-um → -a** [-ə]　　　　　dat*um* → dat*a* [ə]（データ）
　　-s と両形　　　　　　　　curricul*um* → curricul*a* / curricul*ums*（教育課程）
　④ **-e[i]x → -ices** [-ɪsìːz]　　cod*ex* → cod*ices* [ɪsìːz]（古写本）
　　-s と両形　　　　　　　　ind*ex* → ind*ices* / index*es*（指標）

(2) ギリシャ語系

　① ax*is* → ax*es* [ǽksiːz]（軸）　　cris*is* → cris*es* [kráɪsìːz]（危機）
　② phenomen*on* → phenomen*a*（現象）

(3) フランス語その他

　　plat*eau* → plat*eaux* [plætóʊz] / plateau*s*（高原）

> **Helpful Hint 88**　論文に使う複数形
>
> 　前掲の用例 antenna → antennae / antennas のように，不規則変化の複数形と，-(e)s をつけた規則変化の複数形とがある場合，どちらを選んでも批判される心配はない。ただ，英語圏の学術論文には，分野による「好み」というものが目立つ。
> 　たとえば，昆虫学界では，antenna（触角）の複数形としてラテン語系の antennae の

ほうが好まれるのに対して，通信デバイスの世界では，antenna（アンテナ）の複数形として英語化した antennas のほうが好まれるのである。おそらく，昆虫学者も含め，生物学関係の仕事をしている人は一般的にラテン語の科学名に慣れており，ラテン語系のほうになじみを感じているのだろう。一方，ラテン語にあまりなじみのない通信関係などの人間には，複数形として **-(e)s** のほうしか覚えていない人が多いのかもしれない。

167 C　文字や記号の複数形

(1) **文字や記号の複数形**は，一般に **-'s** をつけるが，〈'〉はない場合もある。

Dot your **i's** and cross your **t's**.（i に点を打ち，t に横棒をつけなさい）
- 「最後の仕上げに細心の注意を払いなさい」ということ。

I particularly like the music of the second half of the **1960's** [**1960s**].
（私は，とりわけ1960年代後半の音楽が好きです）

(2) **略語の複数形**は，**-'s** をつけるか，**-s** だけにしてもよい。

The store sells books, videos, and **DVDs**.
（その店は本やビデオ，DVD などを売っています）
- 以前は，DVD (digital versatile [video] disc) のような略語を作る場合には，通常 D.V.D. のようにピリオドを打って表記したが，現在はピリオドのない略し方がふつうになっている。ピリオドのない略語の複数形には，上の例のように，〈'〉は通常使わない。

(3) **敬称の複数形**は，改まった**商用文**などでは次のようになる。

Mr. → Messrs.　　Mrs. → Mmes.　　Ms(.) → Mses, Ms's　　Miss → Misses

To **Messrs.** Macmillan & Co.（マクミラン商会御中）
- ふつうは，Mr. Johnson and Mr. Smith のように，あて名をまとめずに書く。

167 D　複合名詞の複数形

複合名詞の複数形は，**実際に複数になる名詞**を複数形にする。

(1) **最後の要素**を複数形にするもの

pen-friend → pen-friend**s**（ペンフレンド）── friend の数が問題。
grown-up → grown-up**s**（大人）── 名詞のない場合，全体を1語と見る。

(2) **最初の要素**を複数形にするもの

passer-by → passer**s**-by（通行人）── passer の数が問題。
- mother-in-law（義母）などは，mothers-in-law とするのが正式だが，くだけた言い方では，mother-in-laws ともいう。

> **発展** ① 特に男女の別を言う必要のある場合の，woman writer（女流作家）などという形の複数形は，wo**men** writer**s** のように**両方の要素**を複数形にするのがふつう。
> ② a cup and saucer（受け皿つきの茶わん）のように a〈A and B〉の形で1つのまとまった単位になるものの複数形は，two cup**s** and saucer**s** のように両方を複数形にする。

168 複数形の特別用法

168 A 常に複数形の名詞

名詞の中には，いつも複数形になっているものがある。また，単数形と複数形では意味が違うものもある。

(1) 2つの部分から成っている道具や衣類

　　I had trouble finding my **glasses**. （私は眼鏡がなかなか見つからなかった）

このような語は，特に1つを指したいときは，*a pair of* **glasses** のように〈a pair of〉を用いて表す。漠然と1つを指すときは，*some* **glasses** とすることが多い。また，「この眼鏡」は *these* **glasses** となる。

◎2つの部分から成る主な道具や衣類

glasses（眼鏡）　**scissors**（はさみ）　**pants**（ズボン）　**trousers**（ズボン）

● **glove(s)**（手袋），**shoe(s)**（靴），**sock(s)**（ソックス）などもふつう2つ1組で使うので，複数形にすることが多いが，片方だけを指すときには単数形になる。

(2) 学問・学科名

　　Phonetics is the study of the sounds made by the human voice in speech.
　　（音声学とは，話すときに人間の声で作られる音に関する学問である）

● このような学問・学科名は単数動詞で受ける。

◎常に複数形である学問の名

economics（経済学）　　**electronics**（電子工学）　　**linguistics**（言語学）
mathematics（数学）　　**physics**（物理学）　　　　**statistics**（統計学）

(3) その他 —— 意味に注意

① 複数に扱う語

　　clothes（着物），goods（品物），means（財産），stairs（階段）など

② 単数に扱う語

　　news（ニュース）

③ 単複両様に扱う語

　　barracks（兵舎），customs（関税，税関）

168 B 単数形と複数形で異なる意味を持つ名詞

複数形が，単数形にはなかった新しい意味を持つようになる名詞がいくつかある。たとえば次の語で，／の次が複数形だけの持つ意味である。

(1) 単数形の意味で複数形の場合にも使うもの
   arm / **arms**（腕／武器）　　　　color / **colors**（色／軍旗）
   letter / **letters**（文字／文学）　manner / **manners**（方法／作法）
(2) 元の語が**不可算名詞**で，その意味では複数形のないもの
   air / **airs**（空気／気取り）　　force / **forces**（力／軍隊）
   glass / **glasses**（ガラス／眼鏡）　pain / **pains**（苦痛／骨折り）
   work / **works**（仕事／工場）

168 C　相互複数

行為や状態に**相手**がいる場合に，名詞が複数形になる場合がある。

No one shook **hands** with the same person twice.
（だれも同じ相手と2回握手をすることはなかった）

Over this time we have made **friends** with many people.
（この期間中に私たちはたくさんの人たちと親しくなった）

I would like to change **seats** with you. （あなたと席を替わりたいのですが）

168 D　似たようなものや事柄の繰り返しを強める複数形

以下のような特殊な複数形の使い方がある。詳細は次の H.H. 89 を参照。

The beach is a long stretch of white **sands**.
（この海辺は延々とつながる白い砂浜である）

The night **skies** in Montana are beautiful. （モンタナ州の夜空は美しい）

In Tanzania, the long **rains** begin in March.
（タンザニアの長雨（ながあめ）は3月に始まる）

Each of his **rages** became more severe.
（彼の激怒の発作は毎回さらに激しくなってきた）

> **Helpful Hint 89**　似たようなものや事柄の繰り返しを強める複数形
>
> 前述の「似たようなものや事柄の繰り返しを強める複数形」の用例中の **skies** と **rains** は，しばしば自然描写に使われる，いささか文学的な表現である。空間としての「空」は1つなので，the sky としか言わないのだが，**変わりつつある**「空模様」の意味も含む sky となると，これにはやはり**複数形**がちょうどふさわしい。同様に，**物質としての**砂を表すだけであれば，不可算名詞としての sand が十分な表現だが，砂丘の形が変わりつつある「サハラの砂」を表すなら，ネイティブとしては the **sands** of the Sahara と複数形を使いたくなる。
>
> また，人間の考えを，深さや速さも変わっていく川の流れに例えたことわざ Still **waters** run deep. （静かな流れは深い＝考えの深い人はむやみに口をきかない）の water の複数形の使い方にも，似たような感覚が感じられる。

第3節 名詞の格と性

　名詞の**主格**，**目的格**など，その名詞が文中のほかの語との関係を示すためにとる形を**格**（case）という。古英語には「与格」や「対格」など4つの格があり，格によって名詞が語形変化していた。しかし，数百年の間にそうした変化がしだいに消えてしまい，現代英語では「文中のほかの語との関係を示すためにとる」と言える「形」は〈**'s**〉がつく**所有格**だけである。これ以外のものはみな「形」が同じになってしまい，ふつう「通格」という名でまとめられる。だが，日本では，語形変化をしない名詞に対しても，**文中での「働き」を示すために**「**主格**」・「**目的格**」・「**同格**」という用語も一般的に使われているので，ここでも便宜上この3つの用語を使って，英語の「格」について解説することにする。

169 所有格

169 A　所有格の作り方 ── 〈's〉所有格

　基本的には，所有格は名詞の元の形に〈**'s**〉をつける。発音は複数語尾の場合と同じである（⊃ p.346 **166A**）。

(1) 単数名詞の所有格

　名詞の語尾に〈**'s**〉をつける。複数形の作り方とは違って，たとえば〈子音字＋y〉でも y を ie に変えないし，また〈-f, -fe〉で終わる語でも〈-ve〉に変えないでそのままつける。

　　a cat**'s** tail（猫のしっぽ）　　a baby**'s** head（赤ん坊の頭）
　　my wife**'s** friends（妻の友人）

(2) 複数名詞の所有格

　-(e)s で終わる複数名詞は s が重なるので，**アポストロフィ（'）だけをつける**。
　　ladies**'** shoes（婦人靴）
　-s で終わらない語は，そのまま〈**'s**〉をつければよい。
　　a women**'s** college（女子大学）

(3) -s で終わる固有名詞の所有格

　ふつうは〈**-'s**〉〈**-'**〉のどちらでもよい。原則的には同じ音が重なって発音しにくくなることを避けるため，発音が [s] で終わる人名には〈**-'s**〉[ɪz] をつけ，[z] で終わる場合は〈**'**〉だけをつけるが，これも話すときには [ɪz] と発音することが多い。

　　Columbus**'s** egg（コロンブスの卵）　　James**'** book（ジェームズの本）

(4) 複合名詞の所有格

複合語は主要素がどれかなどは考慮せず，すべて最後に〈**-'s**〉をつける。

 the passer-by**'s** attention （通行人の注目）

  ● 主要素を複数形にする，複数形の作り方と混同しないこと（**◯ p.349 167D**）。

(5) 個別所有の場合

〈**A and B**〉の形を所有格にするとき，A，Bが**共有する場合には最後に**〈**'s**〉をつければよいが，それぞれが**個別**に持っていることを明らかにする場合は，〈**A's and B's ～**〉のように，**A，Bそれぞれを所有格**にする。

 Blair**'s** and Bush**'s** spokespersons both arrived on time.

  （ブレアとブッシュのスポークスマンたちは2人とも時間どおりに着いた）

(6) 所有格の次に続く名詞の省略

① 名詞を繰り返すのを避けるために，所有格の次の名詞を省略する。

 Her voice is as sweet as a **nightingale's** (voice).

  （彼女の声はナイチンゲールのように美しい）

② 所有格の次に続く，house, restaurant, department store などの**建物を表す名詞を省略する。**

 I decided to stay at **Sam's** (house) while he was ill.

  （私はサムが病気の間はサムの家に泊まることに決めた）

 Macy's says that it is the largest department store in the world.

  （メーシーズは自分の所が世界最大のデパートだと言っている）

  ◆ Macy's と Bloomingdale's はニューヨークの誇る大きなデパート。

169 B 〈**'s**〉所有格と〈**of ＋ 名詞**〉

(1) 〈**of ＋ 名詞**〉の形と所有格

たとえば「その箱の幅」のことを，the *box's* width と言ってもよければ，the width *of the box* と言ってもいいように，**名詞の所有格と〈of ＋ 名詞〉はいずれも同じ意味を表し，どちらを使っても差し支えない場合が実に多い。**文脈や文体の面から見てもどちらのほうがよりいいのかは何とも言えないという場合も決して少なくない。従来，「**生物には**〈**'s**〉**を用い，無生物には**〈**of ＋ 名詞**〉**を用いるのが原則で，無生物に**〈**'s**〉**が用いられる場合もあるが，これは慣用的な例外である」**と教える伝統が長く続いていたが，最近ではこうした教え方はあまり見られなくなってきている。英語圏でも，一昔前までは「所有格」を表す用語として the *possessive* case という言い方がよく使われていたが，この言い方だと，*possess*（所有する）との連想が強いだけに，「〈**'s**〉は，人間や動物，つまり実際何かを**所有できるものにしか使えない**」という誤解を招きかねない。それを避け

るために, the *possessive* case の代わりに the *genitive* case という用語を使うのがふつうになっている。〈of ＋名詞〉は, 厳密に言えば「所有格」ではないが, こういう理由で,〈's〉所有格と〈of ＋名詞〉の両方を所有格と言うことが多い。

(2) 伝統的に取り上げられる「無生物の名詞に〈's〉をつけることが多い例」

① **国名・地名・場所名**など

the *earth's* orbit（地球の軌道）, *China's* attitude（中国の態度）, *Boston's* job bank（ボストンの職業紹介銀行）, the *hotel's* lobby（そのホテルのロビー）

② **時間・距離・重量・価格**など

today's paper（今日の新聞）, half a *mile's* distance（半マイルの距離）, a hundred *pounds'* weight（100ポンドの重さ）, one *dollar's* worth（１ドルの価値）

③ **人間の活動に関係の深い表現**

his *journey's* end（彼の旅路の果て）, my *life's* aim（わが人生の目的）, *love's* spirit（愛の心）, *Nature's* law（自然の法則）── 擬人化の例

④ **慣用表現**

out of *harm's* way（安全な所に）, at *swords'* points（敵対して）, art for *art's* sake（芸術のための芸術）

(3)〈's〉と〈of ＋名詞〉の選択

生物・無生物を問わず, たとえば, the building's lobby（そのビルのロビー）や the building's owner（そのビルの所有者）, the building's history（そのビルの歴史）などの表現に見られるように〈**A's B**〉という形は,「**Aが所有するB**」という関係以外にさまざまな関係を表すことができる（◯ p.355 **169C**）。

〈's〉と〈of ＋名詞〉の選択には, 英文の次の特徴を念頭に置いておくとよい。

①〈**'s**〉**所有格を使ったほうが簡潔な表現になる**場合が多い。たとえば, next year's election（来年の選挙）を〈's〉所有格を使わずに表そうとすると, *the* election (that is) *to be held* [*scheduled for*] next year のように, 表現が長くなる。新聞やニュースなどで〈's〉が好まれているのも, この要素が大きい。

② ２つのものの関係を表すときに, **内容的に重要なほうを後に置く**傾向がある。たとえば, I watched a *flock* **of seagulls**.（カモメの群れを見ていた）の場合, 見ていたのは「群れ」だったということよりも「カモメ」だったということが重要なので, このように〈of ＋名詞〉で表現するほうが自然に感じられる。逆に, I watched some *seagulls' flock*. と〈's〉所有格を使って, 特に要点ではない flock を最後に置くと, 極めて不自然に感じられるのである。

③ ２つのものの関係を表すときに, **語数の多いほうを後に置く**ほうが流れのよい文になる。たとえば,「ニューヨークにあるクライスラービルの展望台」を the Chrysler building in New York と observatory という２つの部分を併せ

て表現する場合，**the Chrysler Building in New York's** *observatory* のように語数の少ないほうを後に置くより，*the observatory* **of the Chrysler Building in New York** のように語数の多いほうを後に置いたほうが，文が読みやすくなるのである。

このような「表現の慣習」に慣れるには，良質の英文をたくさん読むことが一番よいだろう。また，本章の Helpful Hint 90, 91 (p.356) も参照されたい。

Helpful Hint 90　文脈と〈's〉所有格と〈of ＋ 名詞〉

　名詞の所有格と〈of ＋ 名詞〉のどちらを使ってもよい場合が多い。しいて言えば，'s のほうが，口語的な感じが幾分か強いかもしれないが，ほとんどの場合，どちらのほうがより適切かを決めるにはこれと言ったルールがなく，文脈がすべてである。

　たとえば，「20世紀後半の文学」を the latter half of the 20th century's literature としても文法的には間違っていないが，極めてぎこちない表現になる。これに比べると of を使った literature of the latter half of the 20th century のほうが，だいぶすっきりした表現になる。

　あるいは，たとえば「多くの国のワインを飲んできたが，レバノンのワインは初めてだ」を**所有格**で I have tried many countries' wines, but this is the first time I've ever tried Lebanon's wine. としてもよいが，英文では要点を示す語をふつう**最後に置く**ので，I have tried the wine **of** *many countries*, but this is the first time I've ever tried the wine **of** *Lebanon*. にすれば，要点である「多くの国とレバノンとの**対照**」が強調される。

　逆に，たとえば「レバノンの**イチジク**は有名だが，レバノンのおいしい**アンズ**はさほど知られていない」を The figs **of** Lebanon are famous, but few people know about the delicious apricots **of** Lebanon. と表現してもよいが，Lebanon's *figs* are famous, but few people know about Lebanon's delicious *apricots*. と言ったほうがすっきりする。

---

169 C　所有格の意味

(1) 所有・所属

　　my **uncle's** tennis club　（私のおじのテニスクラブ）

(2) 主格・目的格関係

　① 主格関係

　　He was surprised at his **father's** sudden *appearance*.
　　　（彼は父親が突然現れたので驚いた）
　　　● His father suddenly appeared, which surprised him. ということである。

　　We believe in the **man's** *innocence*.
　　　（我々はその男の無罪を信じている）
　　　● We believe that the man is innocent. ということである。

　② 目的格関係

　　The police continued their search for the **boy's** kidnapper.

（警察はその男の子の誘拐者の捜索を続けた）
● 「その男の子を誘拐した人」という関係である。

③ その他

日本語の「〜の…」と同じような意味で，いろいろな関係を表す。

Keats's poems（キーツの詩）	〔著作〕
the **woman's** kindness（その女性の親切さ）	〔性質〕
a **girls'** high school（女子高校）	〔対象〕
a **car's** top speed（車の最高速度）	〔能力〕
an **engine's** horsepower（エンジンの馬力）	〔能力〕
a **dollar's** worth（1ドルの価値）	〔価値〕
the **earth's** surface（地球の表面）	〔部分〕
a **book's** last chapter（本の最後の章）	〔部分〕

169 D 二重所有格

所有格は，冠詞や指示代名詞（this, that など），人称代名詞の所有格（my, your など），不定代名詞（some, no など），疑問代名詞（which, whose など）と一緒に使うことはできない。たとえば，「ジョンのその態度」という場合，that John's attitude や，John's that attitude などとは言わない。両方の意味を表す必要があるときは，〈of＋所有格〉の形にして，that attitude *of John's* のように，名詞の後につける。

　a friend **of my father's**（私の父の友人）

> ● **my father's friend** と言えば，「特定の友人」を指す。**one of my father's friends** と言えば，父の「複数の友人の1人」を指す。この場合は，父の友人は他にもいることが示されている。**a friend of my father's** は，同じような意味だが，厳密に言えばほかにも友人がいるかどうかは不明で，ただ漠然と父の友人である1人を示すだけである。

> 発展　a picture *of my mother* は，「私の母を描いた絵」の意味になる。これは〈of＋名詞〉が目的格関係を示し，picture という語の性格から「〜を描いた絵」と言うことができるからである。「私の母が持っている（1枚の）絵」という意味なら a picture *of my mother's* とすればよいし，「私の母が描いた絵」なら a picture *by* my mother とすればよい。

Helpful Hint 91　日本語の「〜の…」に注意

日本語の「〜の…」の「の」はさまざまな関係を示す助詞で，「〜の…」と表現することを英語で「〜's …」か「… of 〜」と表現するとは限らない。

たとえば，「成功の条件」は，success's conditions でもなければ conditions of success でもない。conditions for success である。「成功の条件」は，「成功するためにそろわなければいけない条件」のことを言っており，言わば「成功のための条件」である。この

ような関係は**所有格**や **of** では表されないのである。

　同じように，演劇『奇跡の人』は，「**奇跡を行った**（厳密に言えば，〔奇跡的な効果をもたらした〕）**人**」の話であり，原題は *The Miracle Worker* だ。The Person **of** a Miracle と言ったら，まるで「奇跡の中に存在している人」といった感じで，わかりにくい表現になる。また，The Miracle's Person と言ったら「その奇跡が**所有している唯一の人**」といった感じで，さらにわかりにくい表現になってしまう。日本語の「〜の…」を英語に直す際，その「の」が具体的にどんな関係を示しているのかよく注意する必要がある。

170 主格・目的格と同格

　ここでは，主格・目的格・同格の 3 つの用語を使って，名詞が文中で果たす役割を簡単に説明する。

170 A 主格

主格は，主語・主格補語・呼びかけという 3 つの働きを示す。

　The **rose** is red.（そのバラは赤い）　　　　　　　　　〔rose は主語〕

　Time is **money**.（時は金なり）〈ことわざ〉　　　　　〔money は主格補語〕

　Waiter, check please!

　　（給仕さん，勘定をお願いします）　　　　　　　　〔Waiter は呼びかけ〕

170 B 目的格

(1) 目的格は，**他動詞や前置詞の目的語**，および**目的格補語**という 3 つの働きを示す。

　I *need* your **help**.（私には君の助けが必要だ）

　The cat is *in* the **garden**.（その猫は庭にいます）

　He named his dog **Friday**.

　　（彼は自分の犬をフライディーと名づけた）

(2) **副詞的に働く目的格**（副詞的目的格）

　もともと副詞的に使われていた前置詞句から前置詞自体が省略され，目的語だった名詞(句)が残っている，という表現が多く，その名詞は**副詞的目的格**と呼ばれることが多い。

　① 時

　　The Gettysburg Battle lasted **three days**.

　　　（ゲティスバーグの戦いは 3 日間続いた）

　　　●all, every, last, next, this, these などのつく「時」の表現にも多い。

　② 距離

Over the course of a lifetime, the average person walks more than **100,000 miles**.
　　　(人間は生涯に平均して10万マイル以上歩く)

③ 方法

Try arranging flowers **this way**.
　　　(花をこんなふうに生けてみてごらんなさい)

④ 程度

The Columbia is **8,000 pounds** heavier than the Endeavor.
　　　(コロンビア号はエンデバー号よりも8,000ポンド重い)

> 発展　Do you want to fly **first class**?（ファーストクラスでの飛行をお望みですか）というような場合の first class も，目的格が副詞的に働いている例。

(3) 形容詞的に働く目的格

年齢や形・色などを表す名詞は，前置詞の **of** がなくても形容詞的に働く。

All the children in the grade are **the same age**.
　　　(その学年の子供たちは皆同じ年です)

Bring me a box about **this size**.
　　　(このくらいの大きさの箱を持ってきてくれ)

What color are his eyes?（彼の目は何色ですか）

170 C 同格

名詞や名詞相当語句をほかの名詞や名詞相当語句と並べて，補足的に説明を加えるときに，後の名詞(あるいは相当語句)は，前の名詞(あるいは相当語句)と同格の関係にあるという。

(1) 〈名詞＋名詞〉

Soccer, **the most popular game in the world**, has not been embraced in this country.
　　　(世界で最も人気のある競技であるサッカーは，この国ではまだ受け入れられていない)

(2) 〈代名詞＋名詞〉

We, **the players**, promise to do our best in the game.
　　　(我々選手一同は，全力を尽くして試合をすることを誓います)

(3) 〈名詞＋名詞節〉

that 節か whether 節で始まる名詞節が同格である。

He came back with *the news* **that there was a small inn three miles away**.
　　　(彼は3マイル先に小さな宿屋があるという知らせを持って戻ってきた)

(4) 〈文＋名詞〉

He married money — **the fastest way** to become rich himself.
（彼は金持ちの人と結婚した。自分も金持ちになる最も早い道だったのだ）

> **発展** of が「〜という」，「〜のような」という意味を表すときにも，同格の関係になる。
> the island **of** Hong Kong（香港島）　　a devil **of** a storm（悪魔のような嵐）

171 名詞の性

　古英語の名詞には「男性名詞」と「女性名詞」と「中性名詞」があったのだが，現代英語の名詞には，たとえば現代ドイツ語やフランス語などとは違って，「**文法上の性**」（たとえば「机」は男性名詞など）というものはなく，father は男性というように，すべて自然界の性に従う。ただし，「性」と関わる特徴がいくつかあるので，ここではそうした特徴を紹介する。

171 A　男性と女性のペア

(1) 男性と女性それぞれを示す名詞がまったく違う単語

　father（父）── mother（母）　　　brother（兄弟）── sister（姉妹）
　uncle（おじ）── aunt（おば）　　　nephew（甥）── niece（姪）
　ox [bull]（雄牛）── cow（雌牛）　　rooster（雄鶏）── hen（雌鶏）

> **発展** cow は牛の意味では雌雄を問わず用いられることもある。全体に，こうした動物は，日常は雌雄の区別をせず，goat, horse, dog などと呼ぶのがふつう。

> **参考** mother and father か father and mother かはほぼ半々だが，brother and sister のほうが sister and brother より多い。

(2) 語尾変化で性別を示す語

　① 男性名詞の語尾に **-ess** をつけて女性形を作る。

　　prince（王子）────────── prin**cess**（王女）
　　lion（雄ライオン）────────── lion**ess**（雌ライオン）

> **発展** 人間についても，actor（男優），actress（女優）など男女別に呼ぶ言い方もあるが，今は actor（俳優），aviator（飛行家），poet（詩人）などのように，男女共通の呼び方をするのがふつう。stewardess（スチュワーデス）を flight attendant というのも同じ。

　② その他の語尾で性別を示す。

　　hero（主人公）────────── hero*ine*（女主人公）
　　bride*groom*（花婿）────────── bride（花嫁）
　　widow*er*（男やもめ）────────── widow（未亡人）

③ **性を示す語**をつける。

　　*boy*friend（男友達）　————　*girl*friend（女友達）
　　business*man*（男性実業家）　————　business*woman*（女性実業家）

> **参考**　「議長」のことをchair*man* のように，本来男性を意味する man を使って表すと，**性的差別用語**とされる。これを避けるために最近は chair*person* [chair] という言い方がふつうになっている。「ヒト」や「人類」全体を表すときには，*man* や *mankind* ではなく，humans, human beings, humankind などを用いる。無生物はすべて中性で，it で受ける。国や船，愛車などを she で受けることもあるが，it でもかまわない。

第4節　名詞を用いた重要構文

172　名詞を用いた慣用表現

172 A　〈前置詞＋抽象名詞〉

of や with などに抽象名詞がついて，**形容詞**や**副詞**の働きをするもの。

　　It is **of** great **importance** to know your customer base.　　〔形容詞〕
　　（＝It is very *important* to know your customer base.）
　　　（客層を知ることはとても重要です）

　　A chimpanzee could do that job **with ease**.　　〔副詞〕
　　　（チンパンジーでもその仕事を楽々とできるはずです）

172 B　〈動詞＋抽象名詞〉

〈他動詞＋抽象名詞〉で1つの自動詞として働くもの。

　　In such matters, the opinions of local governments should **take precedence**.
　　　（このような件に関しては，地方自治体の意見が優先すべきである）

> **参考**　英国の地方自治体は大きく州（county）と地区（district）の2段階構造から成るが，実際にはさらに複雑な体系になっており，また，中央政府になお相当の権限がある。米国では，実質的に州政府は連邦政府の支配を受けず，憲法に違反しない限り，政府としての権限を行使できる。

前置詞を伴う形もある。

　　You have to **pay attention to** a text in order to say anything original about it.
　　　（それについて何か独創的なことを言うためには，文章に注意を払わなければいけない）

172 C 〈動詞＋名詞〉

〈動詞＋a [an]＋名詞〉で1つの動詞のように働くもの。動詞はとりわけ have, take, make, get など基本動詞が頻繁に用いられる。

Take a short **rest** as soon as you feel tired.
(疲れたと感じたらすぐに一休みをしてください)

172 D 〈形容詞＋動作主〉

「上手に泳ぐ」というのを，「上手な泳ぎ手だ」というような形で表すもの。

David Beckham is a **good** soccer **player**.
(＝David Beckham *plays* soccer *well*.)
(デイビッド・ベッカムはサッカーがうまい)

172 E 〈have the ＋抽象名詞＋ to do〉

「…にも～する」という意味をこの形で表すもの。

She **had the courage to save** a child from a burning house.
(彼女は炎上している家から子供を救い出す勇気があった)

172 F 〈all＋抽象名詞〉

all が「完全な」という意味から派生し，「～そのものである」という誇張した言い方になるもの。

The audience was **all attention** and greatly excited.
(聴衆はじっと聞き入って，大変興奮した)

● 〈抽象名詞＋itself〉でも同じような意味を表せるが，all のほうが多い。
上の文なら The audience was attention itself and … . と書き換えられる。

173 無生物主語の構文

原因・理由・手段などを示す無生物を主語にして，それが人を「～させる，～する」という形で表す構文があり，よく用いられる英語らしい表現である。

173 A 無生物を主語にした構文

(1) 原因や理由となるものが「人に～させる」という形をとる。以下，Sを無生物，Aを人として，無生物主語の構文の一般的な型を示す。

①「SがAに～させる」→「SのためAは～する」
〈S make A do〉, 〈S make A＋形容詞〉, 〈S cause A to do〉

The burning pain *made* her scream out.
　　（焼けるような痛みのため彼女は悲鳴を上げた）

② 「SがAに無理に〜させる」→「SのためAはやむなく〜する」
　〈S **compel** [**force, oblige**] A **to do**〉

A second scandal *compelled* the president *to* resign from office.
　　（2度目のスキャンダルのため，大統領は退任せざるを得なかった）

③ 「SがAに〜するのを許す」→「SのためにAが〜できる」
　〈S **allow** [**permit**] A **to do**〉

The money *allowed* me *to* work fewer hours and spend more time studying.
　　（そのお金のお陰で，私は働く時間を少なくし，より多くの時間を勉強に当てることができた）

④ 「SがAが〜するのを可能にする」→「Sのお陰でAは〜できる」
　〈S **enable** A **to do**〉

Computers *enable* us *to* communicate across the world to people of different cultures.
　　（コンピューターのお陰で，私たちは世界中くまなく，異文化の人たちと情報の交換ができる）

⑤ 「SがAが〜するのを妨げる」→「SのためにAは〜できない」
　〈S **prevent** [**keep, stop**] A **from 〜ing**〉

The noise *prevented* him *from* sleeping at all that night.
　　（その夜，騒音のため，彼は夜通し眠れなかった）

⑥ 「SがAを〜の状態にする［しておく］」→「Sのため，Aは〜の状態になる［〜の状態のままでいる］」
　〈S **make** [**put, set, drive**] A ＋形容詞〉

This medicine will *make* you well.　（この薬を飲めば治りますよ）
　〈S **keep** [**leave**] A ＋形容詞〉

The cooling system *kept* us comfortable while we worked.
　　（冷房装置のお陰で，私たちは仕事をしている間快適だった）

(2) **手段**や**方法**を示す語を主語にして，それが人などを導くという形にする。
　「SがAを〜に連れて行く［来る］」→「Sを…すればAは〜する［〜の状態になる］」
　〈S **bring** [**carry, take, lead**] A **to 〜**〉

This button will *lead* you *to* our website.
　　（このボタンをクリックすれば，私どものウェブサイトが開けます）

(3) 「SがAに…を示す」→「AがSを見れば［聞けば］…がわかる」

⟨S prove [reveal, show, suggest, teach, tell, remind] A ...⟩

Music in film *shows* us how music can affect mood.
　　(映画における音楽の使い方を意識すれば，音楽がいかに気分に影響を与えるかがわかる)
　　● Music in film **reminds** us how ... . のように，remind（思い出させる）も使える。

(4)「SがAに…という犠牲を払わせる」→「AがSをすると…ということになる」

⟨S cost [deprive, require] A ...⟩

Drunken driving can *cost* you your life.
　　(酔っ払い運転をすると命を失うこともある)

(5)「SがAに…(の手間)を省かせる」→「Sを使えばAは…(の手間)が省ける」

⟨S save [spare] A ...⟩

Microwave ovens *save* us time when we cook.
　　(料理するときに電子レンジを使えば，時間が省ける)

The Internet *spares* us the trouble of going out to shop.
　　(インターネットを使えば，わざわざ出かけて買い物をする面倒が省ける)

173 B 疑問詞を主語にした構文

疑問詞の what は代名詞であるが，以下の構文に見られるように，無生物主語と同じように使われることもある。

What *makes* him so angry? → *Why* is he so angry?
　　(彼はなぜそんなに怒っているのか)

What *brought* you here today? → *Why* did you come here today?
　　(君は今日どうしてここに来たのか)

Helpful Hint 92　「何が彼女をそうさせたか」

　前掲の用例 **What makes** him so angry?（彼はなぜそんなに怒っているのか）のように，疑問詞を主語にした構文で理由や原因を尋ねることができる。こうした構文の意味は，基本的には why を使った **Why is he** so angry? と同じ意味だが，ニュアンスが微妙に違う。⟨**What makes** ...?⟩ 構文のほうが，話し手が「彼がそんなに怒っている」ことに関して**意外性**を感じているニュアンスが微妙に強いのである。だから，たとえば，「どうしてそう思うのですか」という質問の場合，純粋に理由を尋ねるのであれば，**Why** do you think so? だが，「相手がそう思っている」ことが**意外**であれば，ネイティブ・スピーカーはとかく **What makes you** think so? と尋ねがちである。

　この⟨**What makes** ...?⟩構文を使うのは無意識のうちの選択だが，しいて言えば「人間はふつう自ずからそう思わないので，何かにそう思わされているはずだ」というのがその選択の理屈である。

REVIEW TEST 14

A 確認問題 14 (→ 解答 p.610)

1. 次の各英文の（　）内の語（句）のうち，適切なほうを選びなさい。
   (1) (Dog, A dog) is a four-legged mammal.
   (2) The police (is, are) investigating the murder.
   (3) They have a lot of antique (furniture, furnitures).
   (4) (Amazon, The Amazon) runs 3,000 miles from (Andes, the Andes) to the sea.
   (5) (A plutonium, Plutonium) is a silver-gray, radioactive metal.
   (6) This handout* provides (an information, information) on the day's events.
   　　(*handout：配布資料)
   (7) I need some new (sunglass, sunglasses).
   (8) Did you hear the storm (at last night, last night)?
   (9) Meg is wearing (a blue pant, blue pants) this morning.

2. 次の各英文が正しければ○をつけ，正しくなければ×をつけて，誤っている部分を正しく書き直しなさい。
   (1) I felt that she had given me a good advice.
   (2) Our guns all have a safety device.
   (3) I don't believe this your brother's story is true.
   (4) A Mr. Harris has been waiting for about an hour.
   (5) The audience is the best judge of what it wants to see.
   (6) Some people shook hand with one another.
   (7) Will you have kindness to help us now?
   (8) All the cattles are raised in a clean and healthy environment.
   (9) More than 25 million people visit the Central Park each year.
   (10) The next general election will help determine Japan's future course.

3. 次の各日本文の意味を表すように，（　）内に適切な1語を入れなさい。
   (1) 背中のけがのために彼は明日の試合に出られないかもしれない。
   　　His back (　) may prevent (　) (　) playing in tomorrow's game.
   (2) 2，3分歩くと，彼女は市場に着いた。
   　　A few (　) walk brought (　) (　) the market.
   (3) 彼女は自尊心が強かったので，私の質問に答えられなかった。
   　　Her (　) would not allow (　) (　) answer my question.

REVIEW TEST 14

B 実践問題 14 (→ 解答 p.610)

1．次の各英文を完成させるのに，最も適切な語(句)を選び，記号で答えなさい。

(1) "I want some (　　), please." "What sort would you like?"
   (A) knife　　(B) scissors　　(C) paper cutter　　(D) needle

(2) "Taxi! To the station, please. I'm in a hurry."
   "Certainly. We'll get there soon if the (　　) is not too heavy."
   (A) car　　(B) road　　(C) traffic　　(D) street

(3) "Hi! John. How's (　　)?" "Not bad."
   (A) you　　(B) all　　(C) thing　　(D) business

(4) "Would you like some more (　　)?" "Yes, I would."
   (A) cake　　(B) cakes　　(C) bean　　(D) strawberry

(5) "What (　　) people!"
   "They're not all passengers. Some of them have come to see their friends off."
   (A) a crowd　　(B) crowd of　　(C) a crowd of　　(D) crowds

2．次の各英文の下線部から，誤っているものを１つ選び，記号で答えなさい。

(1) (A)The more information a victim (B)provides to the police, (C)the better (D)the police is able to help.

(2) It's (A)a 354-step climb to the (B)statue's crown, (C)the equivalent of climbing (D)a 22-stories building.

(3) If you are unsure about (A)the steps to backup (B)the registry, please refer to (C)the "Backup Procedures" section in the operation manual (D)for more informations.

(4) Donations (A)to UNICEF from April 1, 2001, (B)through March 31, 2002, (C)totaled about (D)300 million yens.

(5) The (A)carry-on baggages of (B)all passengers must be inspected by (C)airline officials before (D)boarding.

(6) (A)For the eastern half of the tunnel, the original plan (B)was to drill by handpower for (C)a distance of 1.6 kilometer, but this method (D)proved too slow.

(7) There are very strict laws prohibiting or restricting (A)the entry into the country (B)of certain items. If you are (C)unsure about anything at all, (D)declare it to Custom upon arrival.

第15章 冠詞 ARTICLES

冠詞には不定冠詞の a [an] と定冠詞の the があるが，日本語にはないものなので英文を書くときには特に注意したい。単数形の可算名詞は，冠詞(相当語)をつけて文中に用いるのがふつう。

第1節 冠詞の種類と用法

174 冠詞の種類と発音

174 A 不定冠詞

不定冠詞 a [an] は，one（1つの）からできた語で，**不特定**のものを指し，原則として**可算名詞の単数形**につく。

(1) a と an の使い分け

① 発音が子音で始まっている語の前には **a** がつく。ここでの決め手は，頭文字自体ではなく，あくまでもその語の第1音節の発音である。

　　a dog [dɔ(:)g]（犬）　　**a** woman [wúmən]（女）　　**a** yacht [jɑ(:)t]（ヨット）

母音字で始まっていても，発音が子音（半母音を含む）なら a がつく。

　　a European [jùərəpíːən]（ヨーロッパ人）

　　a one-man [wʌ́nmæn] show（ワンマンショー）

② 発音が母音で始まっている語の前には **an** がつく。

　　an apple [ǽpl]（りんご）　　**an** egg [eg]（卵）　　**an** idea [aɪdíːə]（着想）

　　an umbrella [ʌmbrélə]（傘）　　**an** orange [ɔ́(:)rɪndʒ]（オレンジ）

略語でも発音が母音で始まっていれば an がつく。

　　an MP [èm píː]（下院議員）　　**an** SOS [ès ou és]（遭難信号）

その他，実際に発音して母音の場合には **an** がつく。

　　Does that word have **an** "f [ef]" in it?
　　　（その語には f の字が入っていますか）

③ h で始まっていても，h を発音しない語には **an** がつく。

　　an hour [áuər]（時間）　　**an** heir [éər]（相続人）　　**an** honor [á(:)nər]（光栄）

④ 発音は，ふつうは弱く　a [ə]　　an [ən]
　特に強勢を置くときは　a [eɪ]　　an [æn]

> **発展** historian などのように，h で始まる語の第1音節に強勢がない場合，語頭の h を発音しないで，an をつけることもある。

174 B　定冠詞

定冠詞 the は，that からきたもので，**特定のものを指す**。**可算名詞にも不可算名詞にもつき，また，単数形にも複数形にもつく。**

the cat（ネコ）　　　**the** cat*s*（ネコ〔複数〕）　　　**the** ice（氷）

発音はふつうは [ðə] で，次にくる語が母音で始まっているときには [ði] になる。特に強調するときには [ðiː] と発音する。

the [ðə] book（本）　　　**the** [ði] eye（目）

This is **the** [ðiː] *tool* I have been looking for.
（これこそ私が探していた道具だ）

174 C　冠詞相当語

次の語は，冠詞に相当する語なので，これらがあるときには，同じ名詞に冠詞を一緒に使わない。

(1) 指示名詞　　　　　this, that, these, those
(2) 不定代名詞　　　　some, any, no, every, each, another, either, neither
(3) 人称名詞の所有格　my, your, his, her, its, our, their
(4) 疑問代名詞　　　　whose, which
(5) 数詞　　　　　　　one, two, three, ... など
(6) 固有名詞の所有格　Jack's, ... など

> **参考**　数詞の場合，たとえば「その3匹の豚」を，three the pigs とは言わないが，the three pigs というように，数詞の前に定冠詞をつけることがある。
> また，所有格の場合，普通名詞なら，所有格にも定冠詞か不定冠詞をふつうにつける。
> 　**The man's** wife has disappeared.（その男の妻は姿を消した）
> 　I heard **a man's** voice.（男の声が聞こえた）

175　不定冠詞の用法

175 A　不定冠詞の基本的用法

(1) 可算名詞が，不特定の単数であることを示す。

I borrowed **a** *book* from the library and found that **a** *page* was missing.
(私は図書館から本を借りたが，あるページが落丁していた)

● book も page も可算名詞だから，単数なら冠詞が必要。**a** book は私が借りた「ある本」であり，**a** page も落丁していた「あるページ」だということである。つまり，**話し手には具体的にどの本とどのページだったのかわかっていても，それらを「あるもの」**としか特定していないのである。
本やページが複数であれば，***some*** books, ***some*** pages となる。

You can bring **a** *book* with you to kill time while waiting.
(待っている間の暇つぶしに本を持ってきてもかまいません)

● この例の **a** book は，前の例と同じように，話し手は具体的にどの本と特定していないが，ここではどの**本**でもいいからという意味で不定冠詞を使っているのである。この場合にも，数冊なら ***some*** books と言ってよい。

(2) **初めて話題に上る可算名詞**を導入する。

Once upon a time, there was **a** *tiger* who lived in a cave.
(昔々，洞窟に住む(1頭の)トラがいました)

● 話し手[書き手]にとっては，不特定のトラではなく，洞窟に住んでいたある特定のトラのことなのだが，話し手[書き手]と聞き手[読み手]の間では，これは初めて話題に上った1頭のトラなので，まだ「そのトラ」にはなっていない。まだ「あるトラ」の話なので，**a** tiger と表現される。2度目の登場からは，その1頭はもう「そのトラ」となっているので，話し手[書き手]はこれを **the** tiger という。

175 B 不定冠詞の拡大用法

(1) 「1つ (＝one)」であることを示す。

I stayed in Paris for **a** *week*.
(私はパリに1週間滞在しました)

● **one** week としてもよい。

> **参考** 不定冠詞がすべて one で置き換えられるわけではない。たとえば，「君は学生ですか」は Are you **a** student? と尋ねるが，Are you **one** student?（君は1人の学生ですか）とは尋ねない。「1つ［1人，1匹，1リットルなど］」であることが要点の場合，つまり，Next, add **a** [one] tablespoon of sugar.（次に，大さじ1杯の砂糖を加える）のような場合にだけ置き換えられるのである。

(2) 「**ある**（＝a certain）」の意味を表す。

English is, in **a** *sense*, a mixture of a variety of languages.
(英語は，ある意味ではさまざまな言語が混ざったものである)

(3) 「**いくらかの**（＝some），ちょっとの」の意味を表す。

Whales look almost black when seen at **a** *distance* in the water.
(クジラは水中でちょっと離れた所から見ると，ほとんど黒く見える)

(4)「**〜につき（=per）**」の意味を表す。

Take this medicine twice **a** *day*. （この薬を1日2回飲みなさい）

(5) 総称用法（⊃ p.333 **157C**(2), p.373 **176B**(1)）

不特定の1つ［1人］を想定して，それを代表例として取り上げ，「〜というものはどれでも」の意味で，**その種類一般の持つ特有の性質**を述べる形である。**any** と似た意味を持つと思ってよい。

A *camel* is a friendly animal. *It* lives in the hot, dry desert.
（ラクダは人なつこい動物です。それは暑く，乾燥した砂漠に住んでいます）

> 発展　A *camel* is a friendly animal.（ラクダは人なつこい動物です）のように，ある種類・種族の持つ特有の性質を述べる**総称文**では，〈**a [an]＋単数名詞**〉は主語の位置にくることが多く，性を特定しない単数形なので，次にこれを受ける場合は it を用いる。〈**a [an]＋単数名詞**〉は，純然たる総称文のほかにも，たとえば比喩表現で，He has the stamina of *a camel*.（彼はラクダのようなスタミナを持っている）とか，〈as friendly as *a camel*〉（ラクダのように人なつこい）のような直喩などにもよく用いられる。ただし，「ラクダが好きだ」のような場合には，I like *camels*. と無冠詞の複数形で表すほうがふつう。以上 **157C**(2)（p.333）を参照。

> 注意　〈**the＋単数名詞**〉は，最初から種族全体をひとまとめにして表すが，〈**a [an]＋単数名詞**〉は，漠然と1つを代表としてそれを一般論として述べる形なので，個体の説明には適しているが，その**種族全体を一括**していう場合には用いない。
> たとえば，「パンダは絶滅しかけている」を A *panda* is becoming extinct. とすることはなく，*Pandas* are becoming extinct. か，*The panda* is becoming extinct. とする。

(6) 序数詞の前につけて，その序数詞と併せて **another** の意味を表す。

Any person diagnosed with a serious medical problem should get **a** *second* opinion.
（深刻な健康問題があると診断された人は，別の所で改めて診察を受けたほうがよい）

He tried to climb the north wall of the Eiger **a** *third* time, but he failed.
（彼は〔2回目に続いて〕もう1度アイガーの北壁を登ろうとしたが失敗した）

Helpful Hint 93　冠詞を a [an] にするか the にするか？

不定冠詞の **a [an]** を使うか**定冠詞**の **the** を使うかは，あくまでも意識の問題である。たとえば，不定冠詞用法の例文，前掲の I borrowed **a** *book* from the library and found that **a** *page* was missing.（私は図書館から本を借りたが，あるページが落丁していた）でも，定冠詞を使って **the** book と **the** page と表現することも十分あり得る。具体的に言うと，もし話し手がある本のあるページを見たくて探しており，そしてそれは具体的にどの本のどのページなのかは聞き手もすでにわかっているはずだという前提で述べているのなら，話し手はこれを **the [that]** book（あの本，例の本）と **the** page（あのページ，例のページ）と表現するのである。逆に，もしそう言われた聞き手が実際どの本の

> どのページのことを言われているのかわかっていなければ、そこでイライラして **What page in *what* book!?!** と反応するだろう。
>
> 　物語の中で「初めて話題に上る」名詞に対する感覚、つまり前掲の例文 there was **a** tiger に対する感覚も同様である。具体的にどのトラのことか聞き手［読み手］が知っているはずはないという前提で語られているので、**a** tiger と言うのだが、一度紹介すれば、その **a** tiger（あるトラ）は **the** tiger（そのトラ）として通じるようになるので、次のセンテンスでは、たとえば、**The** tiger was very lonely.（そのトラはとても寂しがっていた）などのように、その1頭を **the** で示すのである。

175 C 〈不定冠詞＋不可算名詞〉

　原則として不可算名詞に a [an] はつかない。ただし、通常不可算である名詞でも、ある特別の意味では可算名詞として使うこともある。この場合には、単数形に a [an] がつく。
　また、他の語を加えてその前につける場合もある。

(1) 〈不定冠詞＋固有名詞〉

　a [an] が人名について、「〜という人」、「〜のような人」、「〜家の人」という意味を表したり、人名や会社名その他について、「〜の作品、製品」などの意味を表すことは、固有名詞のところで述べた（🔵 p.341 **162B**）。

(2) 〈不定冠詞＋物質名詞〉

　不可算名詞として使われている物質名詞には a [an] がつかない。量を示したいときには次の形を使えばよい。

① **a little**（少しの）、**a lot of**（たくさんの）、**a great deal of**（非常に多くの）などをつける（🔵 p.337 **160A**(2)）。

　　●可算名詞の場合は、a few（少しの）、a lot of（たくさんの）、a large number of（非常に多くの）などがつけられる。

② 〈**a cup of**（1杯の）〉のような語句をつける（🔵 p.337 **160B**）。

③ 種類や製品などを表す場合には、本来不可算名詞として使われる物質名詞が可算名詞として使われるので、**a [an]** がつく。

　　Every month you receive **a** different *wine* from a different region of the world.
　　　（毎月世界の違う地域から違う種類のワインを受け取るのです）
　　A *nickel* will get you on the subway.
　　　（5セント白銅貨があれば地下鉄に乗れます）
　　　◆米国やカナダの5セント硬貨を、くだけた言い方では nickel という。なお、dime といったら10セント硬貨のことである。
　　He invented **a** new *plastic*.　（彼は新しい合成樹脂を発明した）

(3)〈不定冠詞＋抽象名詞〉

抽象名詞に a [an] がついて，実例などを具体的に示す場合がある（⊙ p.338 **161A**）。また，多くの抽象名詞は，その前に**形容詞**がつくと具体的になるので，a [an] か the がつく（⊙ p.338 **161B**(3)）。

I informed the group of the sad news, and there was **a** *silence*.
（私がグループにその悲しいニュースを知らせると，しーんとした）

176 定冠詞の用法

176 A 定冠詞の基本的用法

定冠詞は特定のものを指し，可算名詞だけでなく，不可算名詞にもつく。

(1) 前に１度出た名詞に２度目からつける。

Mary has *a car*. **The** *car* is silver gray.
（メアリーは車を持っている。その車は銀白色である）

(2) 文脈やその場の状況からそれとわかる名詞につける。

① 文脈からわかる場合

We found *a small cottage*. **The** *door* was closed.
（我々は小さな家を見つけた。ドアは閉まっていた）
●その小さな家のドアであることは明確。

② その場の状況からわかる場合

It is cold in here. Please shut **the** *window*.
（ここは寒いですね。窓を閉めてください）
●その部屋の唯一開いている窓であることは相手にもわかる。

(3) 常識的にただ１つしかないものにつける。

Our college is in **the** *north* of England.
（我々のカレッジはイングランドの北部にある）

The *moon* travels around **the** *earth*. It takes 28 days to make its orbit.
（月は地球の周りを回る。この軌道を回るには28日かかる）

(4) 修飾語句がついて特定のものに限定されている名詞につける。

①〈**of＋名詞**〉や**関係詞節**などで限定される場合

The *capital* of China is Beijing.
（中国の首都は北京です）

この場合は，名詞が**抽象名詞**や**物質名詞・固有名詞**でもよい。

He was appalled by **the** *ignorance* (that) his friend betrayed.　〔抽象名詞〕
（彼は友人のさらけ出した無知にあきれた）

I am still unable to sleep because of **the** *tea* I drank earlier. 〔物質名詞〕
（さっき飲んだお茶のせいでまだ眠れない）

The young *Italian* who lives next door is very kind. 〔固有名詞〕
（私の隣に住んでいる若いイタリア人はとても親切です）

ただし，修飾語句がついても**同種のものがほかにあれば a [an]** がつく。

When *a* European buys **a** *car* produced in Japan, *the* car comes to Europe, and *the* money goes to Japan.
（ヨーロッパ人が日本製の車を買うと，車はヨーロッパに来るが，金は日本に行ってしまう）

● 上の **a** car の **a** は，数多くある日本製の車の中のどの1台でもいいことを示しており，European についている **a** も同様，ヨーロッパ人であればどの1人でもいいことを示している。これに続く節の **the** car はそのヨーロッパ人が買った「その1台」を，また **the** money はその1台を買ったときに使った「その金」を指すから，特定の the がついている。

② **only, first, last** などや形容詞の**最上級**がつく場合

The cheetah is **the** fastest *animal* on land. It can reach speeds of more than 100 kilometers per hour.
（チーターは地上で最も速い動物です。時速は100キロメートルを上回ります）

Luciano is **the** only *dog* she keeps, and he is also **the** best *friend* that she has.
（ルチアノは彼女が飼っている唯一の犬であり，彼女の無二の親友でもある）

(5) 〈the ＋ 固有名詞〉

固有名詞には the のつくものがある。これについては，固有名詞のところで解説した（⊃ p.340 **162A**(1)）。

Helpful Hint 94 〈one of the ＋ 形容詞の最上級〉の表す意味

たとえば，**the** richest woman in Tokyo（東京で最も金持ちの女性）のように，only, first, last などや形容詞の最上級がつく名詞にはたいてい **the** もつく。これは「最も」と限定されたものに限るので，つく冠詞は当然定冠詞のほうである。She is **the** kindest person I have ever met.（彼女ほど親切な人に会ったことがありません）などのように，程度を強調したいときに頻繁に使う言い方だ。

もちろん実際問題，そこまでは言い切れないが，それでもなるべく程度を強調したいという場合も多い。そこで She is **one of the** kindest persons I have ever met. のように，**one of the** 〜 がしばしば登場する。こうした英文はよく「彼女は，私が会ってきた中で最も親切な人々の1人です」というように，極めて不自然な日本語に訳されたりするが，英語には決してそのようなぎこちない感じなどない。また，意味にしても「彼女は非常に親切な人です」といった程度の日本語訳で十分だ。〈one of the ＋ 形容詞の最上級〉は，「非常に＋形容詞」と変わらず，「並一通りではない程度」を示すために使う言い回しにすぎないのである。

176 B 定冠詞の拡大用法

(1) 総称用法 (⊙ p.333 **157C**(2), p.369 **175B**(5))

The *dolphin* is a marine mammal.
（イルカは海の哺乳動物です）

● イルカという種族全体を1つの種類として取り上げ，それについて述べている。a dolphin というよりも抽象的で，改まった形なので，理科の説明などに向いている。

(2)〈定冠詞＋単数具象名詞〉の抽象名詞的用法 (⊙ p.333 **157C**(2) 発展)

普通名詞や物質名詞に the がついた形でも，抽象的な概念を表す場合がある。

The area between the Tigris and Euphrates Rivers is considered **the** *cradle* of Western civilization.
（チグリス川とユーフラテス川に挟まれた地域が西洋文明発祥の地と考えられている）

● 複数ある「発祥地」の中の1つの話であれば，**a** cradle［＝one of the cradles］と言ってもよい。また，〈from *the* cradle to *the* grave〉という決まり文句があるが，これは，「揺りかごから墓場まで」という意味から「一生の間」を示す。

(3)〈定冠詞＋複数名詞〉で全部を表す用法

Please wipe **the** *tables*.
（テーブルをふきなさい）

● この場合，話し手も聞き手もどこのテーブルかはわかっている。「そこにあるテーブルをふいて」の意味。強めて言えば，*all* the tables や every [each] table となる。

(4)〈定冠詞＋形容詞［分詞］〉

① 「人々」の意味で複数の意味の普通名詞になる。

The *learned* are not necessarily scholars.
（博学な人だからといって，必ずしも学者というわけではない）

|注意| *the* accused（被告人）や *the* deceased（故人）は，単数にも複数にも用いる。

② 「～なもの，～なこと」の意味で抽象名詞的になる。

He has an eye for **the** *beautiful* and is a lover of nature.
（彼は美に対する鑑識眼があり，自然の愛好者だ）

176 C the を含む慣用表現

(1)〈catch A by the hand〉型

A police officer *caught* him *by* **the** arm.
（警官が彼の腕を捕まえた）

● A police officer caught *his* arm. も正しい英文である。しかし，caught him by the arm というのは，「彼を捕まえた」というのが主であり，その捕まえた箇所が「腕」だと言っている。このように体の一部分を示す場合には the をよく使う。

> **注意** 「Aの肩をたたく」なら〈pat A *on* the shoulder〉,「Aの脚をける」なら〈kick A *in* the leg〉のように,前置詞はその動作と,それを受ける身体の部分の関係を表す。

(2) 〈by the pound〉型

Meat is sold *by* the *pound*, and gasoline is sold *by* the *gallon*.
(肉はポンド単位で売られ,ガソリンはガロン単位で売られる)

● 「1ポンドにつき(いくら)」の〈**a** *pound*〉(● p.369 **175B(4)**) と混同しないこと。

第2節 冠詞の位置と省略

177 冠詞の位置

177 A 冠詞のふつうの位置

冠詞はすべての形容詞の前にくる。形容詞を修飾する副詞があるときは,〈冠詞＋副詞＋形容詞＋名詞〉の語順になる。

This is **a** *very expensive* coat. (これは非常に高価なコートです)

You gave me **the** *very best* advice. (君は最高の助言をしてくれたね)

177 B 冠詞が形容詞や副詞の後にくる場合

(1) 〈such a [an] ＋形容詞＋名詞〉型

such, what

I have never seen *such* **a** *big group* of people dancing.
(こんなに大勢の人たちが踊っているのを見たことがない)

What **a** *beautiful day*!
(なんてすばらしい日でしょう)

● **half** は2つの形が可能。The nearest train station is about **a** *half* mile [*half* **a** mile] away from the hotel. (最寄りの鉄道の駅は,そのホテルから約半マイルの所にある)

(2) 〈rather a [an] ＋形容詞＋名詞〉型

① **rather** は,〈a rather＋形容詞＋名詞〉がふつうだが,くだけた言い方では〈rather a [an] ＋形容詞＋名詞〉になることもある。

It is *rather* **a** [**a** *rather*] *difficult task* to find a good book for such a purpose.
(そのような目的に合うよい本を見つけるのはちょっと難しい)

② **quite** は,1音節の形容詞,または強勢が第1音節にある形容詞の場合には,〈quite a ～〉がふつう。強勢が後ろにある形容詞の場合は,どちらでもよい。

Cleopatra was *quite* **an** *interesting figure* in history.
(クレオパトラは歴史上まったく興味深い人物だ)

(3) ⟨so＋形容詞＋a [an]＋名詞⟩型

as, so, how, too などの場合

"Mr. Lincoln was *as* brave **a** man as ever lived," said Greene.
（「リンカーンは世にもまれな勇敢な男だった」とグリーンは言った）

That desert is *too hot* **a** *place* to live.
（その砂漠は暮らすには暑すぎる）

(4) ⟨all the＋(形容詞)＋名詞⟩型

all, both, double, twice などの場合

This book will sell for *double* **the** *price* in Japan.
（この本は日本では2倍の価格でも売れる）

177 C 冠詞の反復

2つ以上の名詞が and や or で結ばれているとき，冠詞をそれぞれの名詞につけるかどうかは，次の原則に従うのがよい。

(1) 2つの名詞・形容詞

① 同一物［人］を指すときは，最初の名詞だけにつける。

William Scoresby was **a** *scholar and explorer*.
（ウィリアム・スコアズビーは学者で探検家だった）

形容詞の場合も同じである。

There is **a** *red and white* flower in the vase.
（花瓶に紅白まだらの花が〔1本〕挿してある）

② 別々のもの［人］を指すときは，それぞれにつける。

The two people I met were **a** *scholar* and **an** *explorer*.
（私が会った2人は，学者と探検家であった）

There are **a** *red* and **a** *white* flower in the vase.
（花瓶に赤い花と白い花が〔1本ずつ〕挿してある）

(2) 2つで1組になっているもの

最初の名詞だけにつける。

I want to buy **a** *cup and saucer*.
（私は受け皿つきの茶わんが買いたいのです）

● 複数個あるときは，five cups and saucers などと，両方を複数形にする（⇒ p.226 **114A**(1)④）。

発展 誤解の恐れがなければ，冠詞は一般に最初の名詞だけにつければよい。
Do you still have **the** hat and *coat* that I lent you?
（僕が君に貸してあげた帽子とコートはまだ持っている？）

178 無冠詞と冠詞の省略

単数形の可算名詞には冠詞をつけるのがふつうだが，省略される場合もある。

多くは，**家族**や**季節**のように**固有名詞化**している場合か，**呼びかけ**の場合であるが，**無冠詞**が慣習化している場合で，重要なものがいくつかある。

178 A 官職・身分などを表す名詞

(1) **人名**の前で

Professor Ito（伊藤教授）　　**President** Bush（ブッシュ大統領）
● 固有名詞の前に普通名詞がつくと冠詞がつく。**the** *poet* Keats（詩人キーツ）

(2) 人名の後に**同格名詞**として

Dr. Darling, **Professor** of Linguistics at Harvard University, wrote this book.
（ハーバード大学の言語学教授，ダーリング博士がこの本を書いた）

(3) **補語**として用いられる場合

① **主格補語**

Tommy Lasorda was **manager** of the U.S. baseball team in the 2000 Olympics.
（トミー・ラソーダは2000年のオリンピックで米国野球チームの監督だった）

② **目的格補語**

I can't believe that they elected me **president** of the PTA.
（みんなが私を PTA の会長に選んだなんて信じられない）

(4) 役割を表す **as** の次で

I acted *as* **interpreter** during business meetings.
（私は商談の間中通訳として働いた）

> **発展** 以上の(1)～(4)は，冠詞をつける場合もある（◯ H.H. 95）。

Helpful Hint 95　「冠詞の省略」は絶対的か？

基本的には，前述のどの「冠詞の省略」についても，省略しない場合はあり得る。

たとえば「**人名の前で**」は "You have a phone call from **a** Professor Ito." / "**The** Professor Ito?"（「伊藤教授という方からお電話でございます」「あの有名な伊藤教授？」）というような会話も十分考えられる。

「同格」と「補語」の場合にしても，冠詞を省略したほうがやや固く，簡潔な表現になるので，そうした表現が望ましいなら省略すればよいが，たとえば Dr. Darling, **a** Professor of Linguistics at Harvard University, ... や Tommy Lasorda was **the** manager of the ... ., ... they elected me **the** president of ... . などのように，省略せずに表現してもまったく差し支えない。

「役割を表す as の次で」も同様で，I acted as **an** interpreter .... と言っても意味は変わらない。また，もし「その時の通訳は自分1人しかいなかった」ということをはっきり示したければ，定冠詞を使って，I acted as **the** interpreter .... と言えばよい。

178 B　建造物や場所を表す名詞

① 本来の目的や機能を表す慣用句で
建造物や場所を表す名詞が，それらの持つ本来の目的や機能を**前置詞のついた慣用句**として表す場合には，冠詞をつけない。

　I usually *go to* **bed** at eleven.（私はたいてい11時に寝ます）
　　● bed は本来「寝る」ためのものであり，go to bed（寝る）という慣用句では the をつけない。

　She spread her purchases out *on* **the bed**.
　（彼女は買ってきたものをベッドの上に広げた）
　　● このような場合は，ベッドは本来の目的の「寝る」ために使われておらず，慣用句ではないので the がつく。

　In America about half of the Christian women *go to* **church** at least once a week.
　（米国ではクリスチャンの女性の約半数は，週に少なくとも1回は礼拝に行く）
　　◆ ABC ニュースの最近の調査による。礼拝に行く男性はプロテスタントでは約4割，カトリックでは3割弱で，女性より少ないという。

◎建物や場所などに **the** のつかない慣用句

be in **class**（授業中で）	be in **prison**（服役中で）	be at **table**（食事中で）
go to **college**（大学に通う）		appear in **court**（出廷する）
go to **sea**（船乗りになる；出帆する）		go to **school**（通学する）

② その他冠詞に注意すべき建物や場所
(a) **hospital**（病院）
　「入院中」は《英》では be in **hospital**，《米》では be in *the* **hospital**。
(b) **university**（大学）
　「大学に通う」は《英》では go to **university**，《米》では go to **college** や，go to *a* **university** がふつう。
(c) **town**（町）
　話し手が住んでいる所と関係が深い場所などは無冠詞になる。
　We drove into **town** to buy some food.
　　（私たちは食料品を買いに，車で街に行きました）

178 C 〈by＋交通・通信の手段を表す名詞〉

I'll contact her *by* **telephone**. （電話で彼女に連絡します）

◎〈by＋交通・通信の手段を表す名詞〉

by **air [plane]**（空路で）	by **bicycle**（自転車で）	by **boat [ship]**（船で）
by **bus [car]**（バス[車]で）	by **e-mail**（Eメールで）	by **fax**（ファックスで）
by **land**（陸路で）	by **letter**（手紙で）	by **post**（郵便で）
by **sea**（海路で）	by **subway [tube]**（地下鉄で）	
by **telephone**（電話で）	by **train**（列車で）	

「具体的な乗り物で」という場合には冠詞は省略されない。

　　Scott and I went to Chicago *in* **an old** *car*.
　　　（スコットと私は古い車でシカゴへ行きました）
　　　　●バスや電車，船，旅客機などには，in ではなく，on を用いる（⇒ p.315 **151**(1) 発展 ）。

178 D 食事を表す名詞

I *have* **lunch** at home almost every day.
　　（私はほとんど毎日家で昼食をとっている）
Where shall we *have* **dinner** tonight?　（今夜はどこで食事をしましょうか）
　　◆lunch は昼食を指すが，dinner は 1 日の中で最も主要となる食事を指すので，勤労者にとっては夕食の場合が多い。しかし，休日などでは昼に dinner をとることもあり，その場合には夕食は supper と呼ばれる。

178 E 特殊な構文や慣用句で

(1) 対句

　①〈A and B〉

　　We are **husband and wife**.　（私たちは夫婦です）

　②〈A＋前置詞＋A〉

　　Democratic reforms go **hand in hand** with economic reforms.
　　　（民主的な改革は経済的改革と密接な関係がある）

　③〈from A to [till] B〉

　　They kept on living **from hand to mouth**.
　　　（彼らはその日暮らしを続けていた）
　　　　●〈from hand to mouth〉は，稼いだ分をすぐ食費に当てることから出た成句。

(2) 〈名詞＋as [though]＋S＋V〉

　　Coward *as* he was, he couldn't swallow such an insult as this.

(臆病者ではあったが，彼はこのような侮辱をこらえることはできなかった)

● 「譲歩」を表す構文については別途参照（⊙ p.252 **120B**(2)）。
Though he was *a* **coward**, ... とすると a が必要になる。

> 発展　この構文で名詞を前に出すのは古い形であるが，coward のほかに，villain（悪党）や fool（愚か者）のように**程度の差がある名詞**の場合に使うことが多い。

Helpful Hint 96　〈名詞＋as＋S＋V〉と〈名詞＋though＋S＋V〉の違い

〈名詞＋as [though]＋S＋V〉の as と though の使い方には，多少の違いがある。
簡単に言えば，Coward **as** he was ... . という〈名詞＋**as**＋S＋V〉型の譲歩構文は，As cowardly **as** he was, ... の〈As＋形容詞＋as＋S＋V〉を言い換えたものなので，〈名詞＋as ...〉の場合，coward → cowardly，villain → villainous，fool → foolish などのように，「形容詞形」を持つ，「程度の差がある名詞」しか使わない。
　一方，Coward **though** he was, ... という〈名詞＋**though**＋S＋V〉型の譲歩構文は，Though he was a coward, ... という表現を古く，やや文学的にした感じの表現であり，使う名詞は「形容詞形」を持つものとは限らない。たとえば，**Queen though** she was [=Though she was Queen], she feared her servants' displeasure.（女王であるにもかかわらず，召し使いの不機嫌を恐れていた）も可能な表現である。Queen は程度の差がある名詞ではないし，Queen であることを表す「形容詞形」もないので，**Queen as** she was, ... とは言わないが，though と一緒であれば，この構文が使える。ただし，**as** の構文と同様，古く，やや文学的な感じの表現になる。

(3) 〈kind [type] of ＋ A〉

When a new *type of* **computer** is introduced, it is usually expensive.
（新型のコンピューターが発売されるときはたいてい高価である）

(4) その他の慣用句で

① 〈他動詞＋名詞〉型

Americans will never forget the series of events that *took* **place** on the morning of Sept. 11, 2001.
（米国人は2001年9月11日の朝起きた一連の出来事を決して忘れないだろう）

◎〈他動詞＋名詞〉型の慣用句

beg **pardon**（許しを請う）	give **way**（崩れ倒れる）	lose **sight** of（見失う）
send **word**（伝言する）	set **sail**（出帆する）	take **care** of（世話をする）
take **part** in（参加する）		

② 〈前置詞＋名詞〉型

She learned that poem *by* **heart** at school.
（彼女は学校でその詩を暗記した）

◎〈前置詞＋名詞〉型の慣用句

at **heart**（心の底では）	by **accident**（偶然に）	by **chance**（偶然に）
by **name**（名前で）	for **example**（たとえば）	in **fact**（事実上）
of **opinion**（意見上で）	on **hand**（手元に）	under **sail**（帆走中で）

③〈前置詞＋名詞＋前置詞〉型

　　In **course** *of* time there was a need to train computer professionals.
　　　（やがてコンピューターの専門家を育てる必要が出てきた）

◎〈前置詞＋名詞＋前置詞〉型の慣用句

by **means** of（～により）	by **reason** of（～のゆえに）
by **way** of（～経由で）	in **terror** of（～を恐れて）
in **respect** of（～の点において）	on **behalf** of（～のために）

178 F　冠詞の省略

(1) **新聞の見出しや広告・掲示**などで，冠詞が省略されることがよくある。

　① 新聞の見出し

　　Bin Laden (is) Seen With (an) **Aide** on (a) **Tape**
　　　（ビンラデン，側近と共にビデオに現る）

　② 広告

　　(A) **Secretary** Wanted（秘書を求む）

　③ 掲示

　　(An) **Emergency Exit**（非常口）

(2) **文頭の省略**

　会話で文頭の冠詞，または冠詞を含む語句が省略されることがある。

　　(**A**) Happy *New Year*!（新年おめでとう）
　　　●ふつうの文にすると，I wish you a happy New Year. になる。

　　(**The**) *Fact* is, he's a Texan.（実は，彼はテキサス育ちなんだ）

　　(*It is* **a**) *Pity* that his sister is missing.
　　　（彼のお姉さんが行方不明だとは気の毒に）

(3) **その他の慣用句で**

　　Blackley won (**the**) *first prize* in an essay competition.
　　　（ブラックリーはエッセイ・コンテストで1等賞を取った）

　　That is only (**a**) *part* of the problem.
　　　（それは問題の一部に過ぎないのです）

REVIEW TEST 15

A 確認問題 15 (→ 解答 p.611)

1. 次の各英文の( )内の語のうち，適切なほうを選びなさい。
(1) We issued (a, an) 8th edition of the magazine.
(2) She is generally thought to be (a, an) honest person.
(3) Once upon a time, there was (an, the) old woman who lived in a forest.
(4) I have (a, the) little knowledge of the law.
(5) Their pay was roughly twelve dollars (an, the) hour.
(6) (A, The) wine I drank was from California, not from France.
(7) The power of (a, the) pen is a remarkable thing.
(8) Scottish tartan is sold by (a, the) yard.
(9) Even (a, the) rich have to work to keep their fortunes.
(10) I saw (an, the) employee of this school driving a BMW.
(11) This is (a, the) very best book in the whole series.
(12) These gentlemen showed me (a, the) great kindness.

2. 次の各英文が正しければ○をつけ，正しくなければ×をつけて，誤っている部分を正しく書き直しなさい。
(1) It was a such beautiful day that I decided to take a walk.
(2) A ball hit me by the face.
(3) His colleagues elected him a chairperson of the committee.
(4) Stockholm is quite a beautiful place.
(5) Please send this form by the fax or post it to us.
(6) For an example, the sun creates energy via nuclear fusion.
(7) Each night we have the dinner at a restaurant in the city before going home.
(8) He was a priest and teacher at our elementary school.

3. 次の各日本文の意味を表すように，( )内に適切な1語を入れなさい。
(1) 私たちは地下鉄で家に帰った。
　　We went (　) (　) by (　).
(2) 北極グマは北極地方でどのようにして暖かくしているのですか。
　　How do polar (　) keep warm in (　) (　)?
(3) 大学に進学しないつもりなら何か仕事を見つけるべきだ。
　　If you don't (　) to go (　) (　), you ought to find a job.

REVIEW TEST 15

B 実践問題 15 (→ 解答 p.611)

1. 次の各英文を完成させるのに，最も適切な語(句)を選び，記号で答えなさい。

   (1) "Can you direct me to (　)?"
   "Yes. Turn right at the next corner."
   (A) Ueno Station　　　　　　(B) the Ueno Station
   (C) an Ueno Station　　　　　(D) station of the Ueno

   (2) "Do you have (　)?" "It's ten thirty."
   (A) time　　(B) a time　　(C) the time　　(D) times

   (3) "Well, that was (　)." "I'm glad you enjoyed it."
   (A) very nice lunch　　　　　(B) a very nice lunch
   (C) the very nice lunch　　　(D) how nice a lunch

   (4) "Did you go on a picnic yesterday?"
   "No, I was too busy."
   "(　)"
   (A) What a shame!　　　　　　(B) What a bad luck!
   (C) What pity!　　　　　　　(D) What too bad!

   (5) "I'm going to Paris next week."
   "Well, have (　)."
   (A) good trip　　(B) a nice day　　(C) a good trip　　(D) nice day

2. 次の各英文の下線部から，誤っているものを1つ選び，記号で答えなさい。

   (1) (A)A computer is able to (B)rearrange a data in storage by sorting or combining different types of (C)information received from a number of (D)input units.

   (2) (A)Understanding (B)importance of a proper (C)attitude in (D)a business environment is very important.

   (3) During (A)World War II, Winston Churchill, in his (B)late sixties and early seventies, was able to work (C)sixteen hours the day, year after year, directing the war efforts of (D)the British Empire.

   (4) Letter writing is often (A)one of most important functions in a business. (B)The effectiveness of letters may mean (C)the difference between getting and (D)not getting business.

   (5) What I would like for my (A)birthday present is (B)new fountain pen to use with (C)the special paper that I received (D)by mail from Florence.

第16章 代名詞
PRONOUNS

　代名詞には，人称代名詞・指示代名詞・不定代名詞・疑問代名詞・関係代名詞の5種類があり，ここでは初めの3つを扱う。文中のある名詞の代わりに用いる場合が多いが，周囲の事情や文脈から推察できるものを指す場合もある。

第1節　人称代名詞

179　人称と格

179 A　人称代名詞とその格変化

人称		数 単数			複数		
	格	主格	所有格	目的格	主格	所有格	目的格
1人称		I	my	me	we	our	us
2人称		you	your	you	you	your	you
3人称	男性	he	his	him	they	their	them
	女性	she	her	her			
	中性	it	its	it			

● 2人称の古い形に thou, thy, thee と格変化する形があるが，「汝」という感じで，お祈りや説教などにしか用いられない。

179 B　1人称・2人称・3人称

(1) 1人称

話し手(私)または話し手を含む人の集団(私たち)を指す。

　I broke my arm when the wall fell on me.
　(私はその塀が私の上に倒れかかってきたときに腕を折った)

注意 日本語ではこうした場合，「私の腕」と言わないので，「腕を折った」を英訳したとき，arm に冠詞かそれに代わるもの（my など）がついているかどうかに気をつける。

We plan to take **our** children with **us**.
(子供たちを一緒に連れて行く予定です)

> 発展　本の著者や編集者が,「私が」というのを避けて, 自分のことを we で表すことがある。
> As **we** mentioned earlier in this chapter, this information is very critical.
> 　(この章の初めのほうで述べたように, この情報は極めて重要である)
> また, 医者や看護師が患者に, 教師が生徒に, 親しみを込めて we を使うことがある。
> How are **we** feeling today?（今日は気分はどうですか）

(2) 2人称

相手(あなた)または相手を含む人の集団(あなた方)を指す。

Have **you** brought **your** dictionary with **you**?
　　　主格　　　所有格　　　　　目的格
(辞書を持ってきましたか)

I want **you** *all* to hold **your** heads high when **you** state your opinions.
(全員, 意見を述べるときには毅然とした態度をとってほしい)

(3) 3人称

話し手と相手以外のものは, 人も事物もすべて3人称である。

My father is not here; **he** is at work.
　(父はここにおりません。仕事場に行っております)

This is *my aunt*. **She** and I are going on vacation together.
　(こちらはおばです。一緒に休暇に出かける予定です)

　●人称代名詞を2つ以上並べるときには, I を最後にし, you を最初にして言うのが礼儀正しいとされる。たとえば, **You, he, and I** ... . となる。しかし, 目下の者に対して, I を強く押し出すために前に出すこともあり, 厳密な規則ではない。

I can't use *my bicycle* — one of **its** tires is flat.
　(私の自転車が使えない——タイヤの1つがパンクしている)

[注意] it の所有格の its と, it is, it has の短縮形の it's を混同しないこと。

179 C 人称代名詞の位置

まず名詞で示してから, それを人称代名詞で受けて話を進めるのがふつうの順序であるが, 代名詞を先に出してから, それが受ける名詞を示すこともある。書き言葉で, 副詞句や副詞節を前に出す場合が多い。

With **her** arms waving, *Patty* shouted out.
　(両腕を振りながら, パティは大声で叫んだ)

When **he** entered the room, *Dr. Adams* was greeted by the cold stares of six men.
　(部屋に入ったとき, アダムズ博士は6人の男の冷ややかな視線で迎えられた)

179 D 総称人称

we, you, they が,漠然と**一般の人々**を指すことがある。漠然と言っても,それぞれ特徴がある。

(1) we

話し手を含み,広く people の代わりに使う。

We ought to seek peace within **our** hearts.
　　(私たちは自分の心の中に平静を求めるべきである)

We know that people are not all alike.
　　(人間は皆同じではないということはわかっている)
　　　● こういう場合は,It is known that .... と同じである。

話し手も含み,ある地域の人を漠然と指す場合もある。

We have little snow here. (当地では雪は少ない)

(2) you

総称人称として使う you は,「人々」(people) を一般的に指し示すことが実に多い。同じ用法で one [＝a person] を使うこともあるが,改まった感じの表現になる。

You never can tell what will happen. (何が起きるかわかったものではない)

話し相手も含み,ある地域の人を漠然と指す場合もある。

How do **you** celebrate Christmas in **your** country?
　　(お国ではクリスマスはどのように祝うのですか)

(3) they

they は,話し手と話し相手は除いて,「人」を一般的に示す。

They say that eyes are the windows of the soul.
　(＝It is said that eyes are the windows of the soul.)
　　(目は心の窓であると言われる)

ある場所の人を漠然と指すのにも用いる。

They sell candy and popcorn at the front of that store.
　　(あの店の前でキャンディーやポップコーンを売っている)

Helpful Hint 97　英語の you の語感

　日本語には「あなた」や「君」,「お前」,「お宅」,「そちら様」など,相手を指す代名詞がたくさんあるのに,なぜ英語には you しかないのだろうと日本人は不思議に思うこともあるようだが,英語の観点からすると,そうした日本語は英語の人称代名詞とは働きがだいぶ違うので,特に不思議には思えない。
　具体的に言うと,英語の人称代名詞は,相手に対する態度はいっさい示さない,ある

種の符号にすぎない。たとえてみれば，代数式に使われる，どの値をも代表できる x のようなものである。x 自体には何の値もない。だが，これとは違って日本語の「あなた」や「君」，「お前」などは，固有名詞を使わずに相手を指し示す働きばかりでなく，相手との関係や相手に対する態度を示す働きもある。英語の観点からすると「値」のある語に見えるのだ。

また，たとえば，前掲の用例 We plan to take **our** children with **us**. (子供たちを一緒に連れて行く予定です) のような文は，決して「私たちは，私たちの子供たちを私たちと一緒に連れて行く予定です」といったようなくどい感じはまったくしない。むしろ，英語としては，たまたま x が数箇所に置かれている代数式のように，ごくふつうの表現にしか感じられないのである。

179 E 主格・所有格・目的格

(1) 主格

主語や主格補語に用いる。

"Where are *your dogs*?" "**They** are in the garden." 〔主語〕
(「君の犬たちはどこにいるの」「庭にいるよ」)

It was **he** who shared both my happiness and sadness. 〔主格補語〕
(私の喜びも悲しみも分け合ってくれたのは彼だった)

> **発展** 口語表現では，主格補語の代わりに目的格を使うことがある。
> "Who's there?" "It's me." (「そこにいるのはだれ？」「僕だよ」)
> 文法的には It is I. が正しいが，やや堅い言い方になる。

(2) 所有格

名詞と同じように，代名詞の所有格は，所有の意味だけでなく，主格や目的格の関係も示す。

The family had to sell **their** *house* before they left. 〔所有関係〕
(その家族は立ち去る前に自分たちの家を売らなければならなかった)
──彼らの〔持っている〕家

I was very shocked at **his** sudden death. 〔主語関係〕
(私は彼の突然の死にショックを受けた)
──彼が突然死んだこと

The police arrested **her** murderer. 〔目的語関係〕
(警察は彼女の殺害者を逮捕した)
──彼女を殺害した犯人

〈所有格＋own〉は，所有格の意味を強める。

Why don't you have the party at **your own** house once in a while?
(パーティーはたまに自分の家でやればどうですか)

I'll do it *myself*, and I'll do it in **my own** way.
（それは自分でやりますよ，自分なりのやり方で）

● myself などの再帰代名詞には所有格がないので，in myself's way とは言えない。

名詞の後につける場合は，〈名詞＋of＋所有格＋own〉の形になる。

He created a **system of his own**.
（彼は自分自身のシステムを作り上げた）

(3) 目的格

動詞や前置詞の目的語として用いる。

"Will you *help* **me**?" "Yes, gladly."　　　　　　　　　　〔動詞の目的語〕
（「手伝ってくれる？」「ええ，喜んで」）

Actually, just *between* **you** and **me**, he's up to his ears in debt.
　　　　　　　　　　　　　　　　　　　　　　　　　　　　〔前置詞の目的語〕
（実は，ここだけの話だが，彼は借金で首が回らないんだ）

● between は you だけでなく me にもかかるので，この me を I にするのは誤り。

180 it の用法

180 A　it の一般用法

(1) 前に出た特定のものを表す。

I can't find *today's newspaper*. Do you know where **it** is?
（今日の新聞が見つからない。どこにあるか知っていますか）

〈a [an]＋単数名詞〉でも，話し手や聞き手にとって特定されるものであれば，it で受ける。

A wild dog attacked me, but then **it** ran off right away.
（1頭の野犬が私に襲いかかってきたが，すぐに逃げてしまった）

● 前の節では，wild dog は初めて話題に上るので不定冠詞の **a** がついているが，2回目に登場する後の節では，同じ1頭が「襲いかかってきたその野犬」なので，**it** で示されている。不特定のものであれば **one [some, any]** で受ける（● p.399 **187A**）。
"Have you ever seen a wild dog [wild dogs]?" "No, I've never seen **one [any]**." /
"Yes, I saw **one [some]** in Namibia."
（「野犬を見たことがありますか」「いいえ，ありません」／「はい，ナミビアで見ました」）
＊ever があっても wild dogs という複数形も自然なのは，野犬は数匹群れを成していることが多いため。

発展　〈a [an]＋単数普通名詞〉が「～というもの」の意味で，その種類全体を表す**総称用法**（● p.369 **175B**(5)）として用いられるときも，2回目からは it で受ける。
A bald eagle has large wings for soaring, and **it** has sharp talons to grab **its** prey.
（白頭ワシは滑空に適した大きな翼を持ち，餌食をつかむための鋭い鉤爪も持っている）

(2) 不可算名詞を受ける。

　　Oil is lighter than water, and **it** floats on the ocean surface.

　　　（石油は水より軽くて，海面に浮きます）

(3) 前に出た句・節・文の内容を指す。

　　I like having wine with dinner, too. I think **it** is a wonderful custom.

　　　（私も夕食にワインを合わせていただくのが好きです。すばらしい習慣だと思います）

　　　● it は前の文の having wine with dinner を指している。

　　You mustn't ask people their ages. **It** is impolite.

　　　（人に年を聞いてはいけません。失礼ですから）

　　　● この it は asking people their ages ということを一般的に指している。

Helpful Hint 98　前の句・節・文の内容を指す it と that [this] の違い

　「前に出た句・節・文の内容を指す」とき，it を使うか that [this] を使うかが微妙なケースがあるが，it を使うほうが一般的な表現になるということが大ざっぱに言える。

　たとえば，上の用例 I like having wine with dinner, too. I think **it** is a wonderful custom. (私も夕食にワインを合わせていただくのが好きです。すばらしい習慣だと思います) の場合，「夕食にワインを合わせていただく」という習慣について**一般的に**述べているので，**it** が適切である。

　だが，「今夜の食事にワインも合わせようと思っているけど，どう思う？」――「それは名案だ！」という会話なら，"I'm thinking of serving wine with dinner tonight. What do you think?" — **"That's** a great idea!" と言い，"It's a great idea!" とは言わない。この場合，「どう思う？」と質問された人は，「夕食にワインを合わせる」ことについて**一般的に**答えているのではなく，「今夜の食事にワインも合わせる」という具体的な案について答えているので，**that** が適切である。

　同じように，"Going to bed early is good because **it** makes it easier to wake up in the morning." (早く寝ることはいいことだ。早く寝ると，朝起きるのが楽になるから) の場合，「早く寝ること」について**一般的に**述べているので，**it** が適切である。

　だが，「もう8時15分だ！ということは今日もまた遅刻だな」という場合であれば，話は今日だけのことなので，"It's already 8:15! **That** means I'll be late again today." のように，**it** を使わず，**that** で表現するのである。

---

180 B　**it** の特別用法

(1) 天候・時間・距離などの it

　① 天候・寒暖・明暗

　　It is raining again.

　　　（また雨が降っている）

　　When **it** is dark enough, you can see the stars.

　　　（十分暗くなれば，星が見えてくる）

◆米国の哲学者エマソンの言葉。最も暗くなった（＝絶望した）ときに光（＝インスピレーションになるもの）が輝き出るという励ましの意味。

② 時間・季節

It is a quarter to nine. （9時15分前です）

When **it** is spring in Japan, **it** is fall in Australia.
（日本で春のとき，オーストラリアでは秋です）

③ 距離

How far is **it** from Miami to Houston?
（マイアミからヒューストンまでどのくらいありますか）

(2) 状況の it

漠然とした状況を it で示すもの。

It is your turn now. Good luck!
（さあ，君の番だ。頑張ってね）

How's **it** going? （どうだい？うまくいっている？）

We have to fight **it** out. （何とかして切り抜けなくては）

(3) 予備の it

後に置く句や節の代わりに，**形式上の主語や目的語**になるもの。

① 不定詞の場合

It is difficult *to know at what moment love begins*; **it** is less difficult *to know that it has begun*.
（愛が芽生えたという瞬間にはなかなか気がつかないのだが，もう愛してしまっているということはわりあいわかりやすい）
◆米国の詩人ロングフェローの言葉から。

I found **it** difficult *to take pictures of the rainbow*.
（その虹の写真を撮るのは難しかった）

② 動名詞の場合

It is (of) no use *complaining*.
（文句を言ってもしようがない）

I find **it** quite comfortable just *relaxing* like this.
（このようにゆっくりしていて，気持ちいいですね）

③ **that** 節の場合

It is only natural *that she should want to move*.
（彼女が引っ越したいと思っているのはまったく当然だ）

I took **it** for granted *that recycling would be supported here, too*.
（ここでも再生利用が当然支持されていると思っていたのに）

④ **wh-節の場合**

　It is unclear *who the leader is.*
　　（指導者がだれだかははっきりしない）

　I think it doubtful *whether or not they will ever come back.*
　　（彼らがいつか戻ってくるのかどうかは疑わしいと思う）

180 C 〈It is ～ that ...〉の強調構文

強調構文でよく使われる〈It is ～ that ...〉の～の部分に，強調したい語句を挟む形である。

次の文の各数字の部分を強調すると，下のような4種類の文ができる。

　<u>John</u> saw <u>a black bear</u> <u>in the forest</u> <u>yesterday</u>.
　　①　　　　②　　　　　③　　　　　④

　① **It was** *John* **that** [who] saw a black bear in the forest yesterday.
　　（昨日森の中でクロクマを見たのは<u>ジョン</u>だった）

　② **It was** *a black bear* **that** John saw in the forest yesterday.
　　（昨日ジョンが森の中で見たのは<u>クロクマ</u>だった）

　③ **It was** *in the forest* **that** John saw a black bear yesterday.
　　（昨日ジョンがクロクマを見たのは<u>森の中</u>だった）

　④ **It was** *yesterday* **that** John saw a black bear in the forest.
　　（ジョンが森の中でクロクマを見たのは<u>昨日</u>だった）

強調する語が人の場合には，that の代わりに **who** を使ってもよい。

話全体が過去の場合には，〈It *was* ～ that ...〉とすることが多く，強調する語句が，yesterday のように**過去の時**を表す場合には，必ず〈It *was* ～ that ...〉と was を用いる。

疑問詞を強調することもできる。語順に注意。

　What **is it that** makes us humans?
　　（我々を人間たらしめているものは何であるか）

強調するものは，節であってもよい。

　It was *not until I came to Japan* **that** I began to study Japanese.
　　（私が日本語を勉強し始めたのは，来日してからです）

181 所有代名詞

181 A 所有代名詞の形

「私のもの」，「君のもの」などという形が所有代名詞である。

所有代名詞は，次のように人称変化する。

人称＼数	単数	複数
1人称	**mine**（私のもの）	**ours**（私たちのもの）
2人称	**yours**（あなたのもの）	**yours**（あなたたちのもの）
3人称	**his**（彼のもの） **hers**（彼女のもの）	**theirs**（彼[彼女]らのもの）

● 3人称単数中性の it に対する所有代名詞に its を使うのはまれ。

181 B　所有代名詞の用法

(1) 所有代名詞の一般的用法

ふつう，前に出ている名詞を受けて，〈**人称代名詞の所有格＋名詞**〉の役割をする。

Your English is more fluent than **mine**.
　（あなたの英語は私のより流暢だ）

● mine は my English の代わりに用いられている。

> **発展** 所有代名詞のほうを前に出すのは文語的な言い方で，あまり使われない。
> **Ours** is a visual *age*.（我々の時代は視覚的時代である）
> これはふつうに言えば，*Our age* is a visual *one*. となる。

Your eyes are certainly blue, but **hers** are almost indigo.
　（あなたの目は確かに青いけど，彼女の目は藍色に近い）

● hers は her eyes の代わりに用いられている。このように hers が複数のものを表すこともある。

(2) 二重所有格

名詞の二重所有格（⊙ p.356 **169D**）と同じように，所有代名詞は冠詞の a, an, the や，冠詞相当語の this, that, some, any などとは一緒に使わず，〈**of＋所有代名詞**〉の形にして名詞の後に置く。

I'm quite happy even with *this* small room **of mine**.
　（私は自分のこの狭い部屋でも結構気に入っています）

A friend **of mine** happened to notice the same thing.
　（私のある友人がたまたま同じことに気づいた）

That new dress **of hers** is the most becoming one she has ever worn.
　（彼女のあの新しいドレスは，今まで着ていたどれよりもよく似合っているね）

Didn't he tell you about this new plan **of ours**?
　（彼は私たちのこの新しい計画のことを君に話さなかった？）

182 再帰代名詞

182 A 再帰代名詞の形

人称＼数	単数	複数
1人称	myself	ourselves
2人称	yourself	yourselves
3人称	himself / herself / itself	themselves

● 3人称・複数が theirselves にならないことに注意。

182 B 再帰代名詞の用法

(1) 動詞の目的語になる。

① 再帰動詞（ ● p.37 11B ）

Please do not hesitate to *avail* **yourself** of our discount coupons.
（どうぞご遠慮なく割引優待券をご利用ください）

② その他の動詞

Green *excused* **himself** and disappeared for about ten minutes.
（グリーンは中座して，10分間ぐらい姿を見せなかった）
● excuse oneself には「自分を許す」という意味もある。

Help **yourself** to any book you might like to read.
（読んでみたい本があれば，どうぞ何でも取ってください）
● Help yourself to A. は，「どうぞAを自由に取って召し上がれ」という意味で使う。

They say that history *repeats* **itself**, and that is surely true.
（歴史は繰り返すというが，まさにそのとおりだ）

(2) 前置詞の目的語になる。

① 日常会話の慣用表現

Please take good care *of* **yourself**. （どうぞご自愛ください）

② 〈**by [for, in] oneself**〉

After his father's death Howard lived in the house *by* **himself**.
（父親が死んだ後，ハワードは1人でその家に住んでいた）
● この **by oneself** は「1人ぼっちで」という感じである。

Louise finished the story *by* **herself**.
(ルイーズはその物語を 1 人で仕上げた)
● この場合の **by oneself** は「独力で」という感じである。

I made the film *for* **myself** and not for them.
(私はこの映画を自分のために作ったのであって，彼らのためではなかった)
● この **for oneself** は文字どおり「自分のために」の意味。

I managed to work it out *for* **myself**.
(私はなんとかしてそれを独力でやり遂げた)
● この **for oneself** は「独力で」の意味。

The statement *in* **itself** was no particular problem. It was the tone with which he said it that I found irritating.
(彼の発言自体は特に問題なかった。気に入らなかったのはその口調だったのだ)
● **in itself** は 1 つの事物について言い，複数の場合には **in themselves** と言う。**in themselves** は人や，他の生物についてもいうことができる。

③ その他の成句

At that sight she was *beside* **herself** with fear and could do nothing but tremble.
(その光景を見て，彼女は恐怖で我を忘れ，ただ震えるばかりだった)

(3) 強調

I **myself** prefer my New Zealand eggs for breakfast.
(私自身，朝食にはニュージーランドの卵を好みます)
◆ エリザベス 2 世の言葉として知られている。

Five minutes later I received a call from *the DJ* **himself**.
(5 分後，ほかならぬディスクジョッキー本人から電話がかかってきた)

第 2 節 指示代名詞

183 this [these], that [those] の用法

183 A this, that の基本的用法

(1) **this [these]** は近いもの，**that [those]** は遠いものを指す。

this は，実際に物理的な距離が近いものだけでなく，心理的に近いものにも用い，**that** は遠いものを指すのに用いる。

複数形の **these** と **those** も同じ。

This is delicious. Who cooked it?
（これは実においしいね。だれが料理したの）
● 目の前の料理を指して言っている。

That smells nice. Is it for supper? （いいにおいがするね。夕食の準備かな）
● 離れた所からいい香りがしてきている。

名詞の前に置かれると**指示形容詞**として働く。

It is extremely cold **this** *morning*. （今朝ひどく寒い）

It was quiet when she got up late **that** *morning*.
（その朝彼女が遅く起きたとき，辺りは静かだった）

The uppers of **these** *shoes* are made of good quality leather.
（この靴の甲革は上質のレザーでできております）

(2) 電話での用法

電話で，「こちらは〜です」と言うときには this を用いる。相手を指すには，this でも that でもよい。

Hello, **this** is Bob speaking. （もしもし，ボブですが）

Is **this** [**that**] Dr. Martin? （そちらはマーティン先生でしょうか）

(3) 前の文の内容を指す this, that

this も **that** も，先行する文，またはその一部の内容を指す。

In September, *she got a driver's license*. **That** [**This**] has made it possible for her to commute to work by car.
（彼女は9月に運転免許証を取得した。それで，車で通勤することができるようになった）

At sunset, *sunlight travels through a greater thickness of atmosphere than it does at noon*. **This** [**That**] is why the sun looks redder then.
（正午に比べて日没ごろの日光は多くの大気を通らなければいけない。こういうわけで，そのときの太陽は比較的赤く見えるのだ）

◆ 大気を通ると，日光に含まれているどの色の光も，ある程度散乱されてしまうが，波長の長い赤は比較的散乱されないほうなので，朝明けや日没ごろ位置の低い太陽が比較的赤く見えるのはこのためである。

相手が言った言葉をすぐ受けて，「それは…」と言うときには，it ではなく that を用いる。

"Why don't you take a break?" "**That**'s a good idea."
（「ひと休みしないか」「それはいい考えだ」）

(4) 後続する文の内容を指す this

後の文の内容を指すには，this は使えるが，that は使えない。

The story begins like **this**: Seeing is believing, but sometimes our eyes deceive us.
　　（話はこう始まっている。百聞は一見にしかずだが，我々は見た目にだまされてしまうときもある）

183 B　this, that の特殊用法

(1) 副詞用法
this や that を，「これ[それ]ほど」という意味で，副詞として用いることができる。

The fish I caught was **this** *big*.
　　（私が釣った魚はこんなに大きかったんだよ）

Oh, I was very busy yesterday. That's why I came home **that** *late*.
　　（ああ，昨日はすごく忙しかった。そういうわけであんなに遅く帰ってきたのだ）

(2) 名詞の繰り返しを避ける that と those
① 前に出た名詞を，繰り返しを避けるために that や those で受けることがある。特に次のような比較などの文の場合，日本語では前に出た名詞を繰り返して言わないため，この that, those を落としやすいので注意。

The heart of a bird is more powerful than **that** of a mammal of similar size.
　　（鳥の心臓は同じ大きさの哺乳動物の心臓よりも強力である）
　●日本語では，「同じ大きさの哺乳動物よりも」と言うことが多い。

The teeth and nails of Siamese cats are much sharper and longer than **those** of any other cats I have come across.
　　（シャムネコの歯と爪は私がこれまでに出会ったどのネコの歯と爪よりもずっと鋭くて長い）

上の第1文の **that** *of* a mammal は **the one** *of* a mammal，あるいは，第2文の **those** *of* any other cats は **the ones** *of* any other cats としても文法的に間違っているわけではないが，不自然に感じられる。意味としては，that＝the one, those＝the ones と考えてもよいが，次に of が続くときには，that of, those of とするのがふつうである。

② 人間の場合は that でなく **the one** を用いる。

She's a completely different *person* than **the one** I met five years ago.
　　（彼女は私が5年前に会った人物とはすっかり違っている）

③〈the＋名詞〉でなく，〈a [an]＋名詞〉で繰り返す場合は，that でなく **one** を用いる。

His first reaction was **one** [=*a* reaction] of fear.
（彼が最初に示した反応は恐怖の反応だった）
● 恐怖を示す反応にはいろいろな形があるから，1つに特定されないというつもりで表現されている。
もしこれとは違って，「恐怖反応」は1つの決まったものだというつもりであれば，**one** でなく **that** [=*the* reaction] of fear と言う。

④〈that [those] of〉の形では，**前置詞は of に限らない**。

Gasoline taxes **in** the United States are substantially lower than **those in** Europe.
（合衆国のガソリン税はヨーロッパよりもかなり低い）

(3) those who ～

〈those who ～〉は，「～する人々」を表す。

単数の場合は，a person [someone, somebody] who を用いるのがふつう。

The majority of **those** *who* live in the south are either Buddhists or Muslims.
（南部に住んでいる人たちの大多数は，仏教徒かイスラム教徒です）

> 注意　1人に対して **that who** という形はない。
> また，1つの物事に対しては，たとえば most of **that which** he said （彼が言ったことの大部分）などのように，**that which** を用いることは可能だが，このような場合には，most of **what** he said のように，**what** を使うのがふつうである。

184 such の用法

184 A 代名詞として

「そのようなもの[人]」という意味に such を使うことができる。

(1) 前の文の内容を受ける。

Physicists tend to make their most important discoveries early in their research careers, and **such** was certainly the case with Einstein.
（物理学者は最も重要な発見を研究生活の初期でする傾向があり，アインシュタインの場合もまさにそのとおりだった）

(2) 慣用表現

Greyhounds are sensitive dogs, and you must treat them **as such**.
（グレーハウンドは繊細な犬であり，そのつもりで扱わなければいけない）

"Bluegrass" music became known **as such** in the late 1940s.
（ブルーグラス・ミュージックがその名前で知られるようになったのは，1940年代後半だった）
● この形では，such は前の節すべてではなく，句（"Bluegrass" music）を受けている。

◆Bluegrass music は，アメリカ南東部を中心に流行したカントリー・ミュージックの1種である。楽器は，ヨーロッパからのバイオリンやギター，マンドリン，そしてルーツはアフリカにあるバンジョーが中心になる。

Animals **such as** dogs and birds need to be bathed now and then.
（犬や鳥のような動物は，ときどき水浴びをする必要がある）

　●上の「such as 節」が Animals, such as dogs and birds, need ... . のように**コンマ**で挟まれると，「犬や鳥など，動物は…する必要がある」という「非限定的」な意味になる。

I asked him to help me find **such and such** a book.
（私は，これこれの本を見つけるのを手伝ってくれるよう，彼に頼んだ）

184 B 形容詞として

I'll explain why this is **such** *a* difficult problem.
（これがどうしてそんなに難しい問題なのか説明します）

Is there *any* **such** thing as a "a good war"?
（「よき戦争」なんていうものがあるのかね）

It was **such** *a* cold night *that* I decided not to go out.
（その夜，あまりにも寒かったので出かけないことにした）

185 so の用法

so は本来は副詞なので，その項を参照（ p.482 **218B**）。
so が，前の句や節の代わりに用いられる場合は代名詞として働く。

185 A 代名詞的な so

(1) think や say などの目的語として

"Is he a good skater?" "Yes, I *think* **so**."
（「彼はスケートが上手ですかね」「はい，そうだと思います」）

"Is it faster than other cars?" "No, I don't *suppose* **so**."
（「それは他の車よりも速いのですか」「いいえ，そうではないでしょうね」）

> 注意　1語で否定を表すときは，so を使わず not を使う。
> "Do you have to retake the course?" "I hope **not**."
> （「君はその授業を受け直さなければいけないのですか」「そうあってほしくないのですが」）

(2) do so

If you'd like to subscribe, you can **do so** through this web form.
（加入したいのでしたら，このウェブ上の書式でできます）

(3) 補語として

Libya is still a member of the Arab League, and will probably *remain* **so**.
（リビアは今でもアラブ連盟の一員であり，今後もそうだろう）

185 B 〈So＋V＋S〉と〈So＋S＋V〉

〈So＋V＋S〉は「Sもそうである」の意味で，〈So＋S＋V〉は「そのとおりだ」の意味を表す。

"I am scared." "**So** *am* I."
（「怖いわ」「僕だって」）

The train we will use is rather old, and **so** *are* the tracks.
（我々が利用する列車は結構古いし，線路も古びている）

The original is quite informal, and **so** *is* this translation.
（原文はかなりくだけているが，この翻訳もそうだ）

"I've heard butterflies are extremely nearsighted." "**So** they *are*."
（「チョウはひどい近眼だそうだ」「そのとおりなんだよ」）

186 same の用法

186 A 基本的用法

(1) the same

same はふつう〈the same〉の形で，「それと同じこと［もの］」の意味を表す。

She may sometimes be late to class, but **the same** can be said of most students.
（彼女は授業に遅刻したりすることがときどきあるかもしれないが，どの学生でも同じことが言えるではないか）

All four sides of a square are **the same** length.　　　〔形容詞用法〕
（正方形の辺は4つとも同じ長さである）

(2)〈the same 〜 as ...〉と〈the same 〜 that ...〉

〈the same 〜 as〉と〈the same 〜 that〉は，実質的には同じである。

She owns **the same** car **as [that]** I do.
（彼女は僕と同じ車を持っている）

This writer uses **the same** style **as [that]** I (do).
（この作家は私と同じ文体を使っている）
　　●as の場合は，このように動詞を省略できる。

186 B　same を含む慣用表現

It's true that the type of novels he writes is **much the same** as that of Philip Roth, but his characters are not quite so interesting as Roth's are.
（確かに彼はフィリップ・ロスと同じような小説を書いてはいるが，登場人物はロスほどおもしろくない）

"Have a nice weekend." "**The same to you**."
（「よい週末を」「そちらこそ」）

"It might rain." "**All the same**, I still want to go."
（「雨が降るかもしれないよ」「それでも行きたいの」）

"Would you like a ride?" "No, but **thank you just the same**."
（「お乗りになりませんか」「いいえ，結構です。ありがとうございます」）

● 相手の好意を辞退するときや，人に何かを頼んで断られたときなどに使う言い方。

第 3 節　不定代名詞

特定のものを指す it や this, that などに対して，**不特定**のものを指すには不定代名詞を使う。one, other, another, several, some, any, both, all, each, either, neither などは形容詞としても使い，none は代名詞としてのみ使う。every や no は代名詞ではなく，形容詞だが，-one や -body, -thing との複合体である anyone, somebody, everything などの代名詞の形がある。

187　one の用法

187 A　名詞の代用語として

(1) 修飾語がつかない場合

前に出てきた名詞の代わりに，不特定の〈a [an] ＋単数普通名詞〉という形で受けるときには **one** を使う。

If I wanted *a laptop*, I would already have bought **one**.
（もしノートパソコンが欲しいなら，とっくに買っているよ）

● I would already have bought *a laptop* というのを，a laptop の代わりに one を用いたもの。

I've lost *my umbrella*. I have to buy a new **one**.
（私の傘をなくしてしまった。新しいのを買わなければ）

● このように，前に出ている名詞（my umbrella）は特定されている傘を指しているが，

次の文に使われる代名詞は，これから買う傘でいまだに不特定のもの（an umbrella）を指しているので，不特定の one になることに注意。

複数の場合には ones は用いず，**some** や **they [them]** を用いる。

"Have you ever seen *a musical*?" "Yes, I've seen **one**."
（「ミュージカルを見たことがありますか」「はい，あります」）

"Did you see any *musicals* in London?" "Yes, I saw **some**."
（「ロンドンではミュージカルを見ましたか」「はい，いくつか見ました」）

"Do you like *dogs*?" "Yes, I like **them** very much."
（「犬はお好きですか」「はい，とても好きです」）

> **参考** この場合の dogs は「総称」と考えられるので，ここでは some で受けるのは不適切（⊃ p.387 **180A**）。ただし，「どの犬でも好きなわけではないが，好きな犬もいる」といった趣旨の答えをしたいのなら，Well, I like **some**. と言ってもよい。

(2) one と it の使い分け

不特定のものを受けるには one を用いるが，特定のものには it を用いる。

He gave me *a business card*, but I lost **it**.
（彼は私に名刺をくれたが，それをなくしてしまった）
● 「彼からもらった名刺」だから，特定の名刺である。
◆ 一昔前までの社交界では，仕事とは関係のない「個人名刺」を持つ習慣があった。そうした「名刺」は《米》では a calling card，《英》では a visiting card と呼んだ。現在の「業務用」の名刺は a business card と言う。

(3) 〈修飾語＋one〉の場合

one に形容詞をつけると，名詞と同じ扱いになり，単数にも複数にも用いることができる。

Is a hard *mattress* better for the back than *a soft* **one**?
（堅いマットレスのほうが柔らかいのよりも背中によいのですか）

These yellow *tomatoes* taste better than ordinary *red* **ones**.
（この黄色いトマトは，ふつうの赤いのよりもおいしい）

No title could describe this book better than *this* **one**.
（この本の内容を示すには，これよりいい書名はない）

(4) 修飾語がついても one を用いることができない場合

前の名詞が次のような場合には，one でこれを受けることはできない。

① 不可算名詞

one には「1つの」という意味が含まれているから，数えられない名詞の代わりには使えない。

Red *wine* goes well with meat dishes, and **white** is perfect with fish.
（赤ワインは肉料理によく合い，白ワインは魚料理にぴったりです）
● 不可算名詞として使われている wine だから，white one とは言わない。そこで，white wine と wine を繰り返すか，ただ white だけにする。

② 所有格の次で

この場合は所有代名詞（⊙ p.391 **181B**(1)）を使う。名詞の所有格の場合も同じである。

Her computer is newer than **yours**.（× your *one*）
（彼女のコンピューターは君のよりも新しい）

Her computer is newer than my **brother's**.（× my brother's *one*）
（彼女のコンピューターは弟のよりも新しい）

187 B the one ［＝that］

名詞の反復を避けるための that（⊙ p.395 **183B**(2)）と同じように，one に the をつけて用いることができる。

Generally, each *layer* of earth is younger than **the one** beneath it and older than **the one** above it.
（一般的に，どの地層もその下の地層よりも新しく，その上の地層よりは古い）

Each *year* he was wiser than **the one** before.
（年々彼は前の年よりも賢くなってきた）

187 C 一般の人を表す one

一般に「人は」と言うときには，we, you などを用いることが多いが，堅い書き言葉では，one が用いられている場合もある。ただ，one で文を始めると，所有格の場合に one's を使うことになり，そうした one の繰り返しで非常に堅苦しい感じを与えかねない。代わりに his を用いると，性差別ということになりかねないので，his or her を使うこともできるが，これはややぎこちなくなる。結論的には we や you を用いないときには，単数形の everyone で始めて，複数形の their で受ける形が増えているが，そうした数の不一致に抵抗感を覚える人もいる（⊙ p.414 **191B**(1), p.416 **193A**(2)）。

One should follow a healthy lifestyle and eat nutritious food.
（人は健康的な生活様式に従い，栄養のある食べ物をとるべきである）

After taking a meal, **one** should wash **one's** hands and dry them with a dry cloth.
（食事を終えたら，手を洗い，乾いた布で乾かすこと）

187 D　one の形容詞用法

one は名詞の前に置くと，「ある〜」の意味を表す。

One *day* I found a nickel quite by accident.
　（ある日ぼくは偶然に 5 セント硬貨を見つけた）
　● 子供向けに作られた歌の出だし。

I'm sure we'll meet again **one** *day*.
　（きっといつの日かまた会えるでしょう）

> **発展**　上の 2 例のように，one day は過去のことにも，未来のことにも使う。これに対して，someday は未来のことに用い，the other day は過去のことに用いる。
> **Someday** I*'ll buy* a grand piano.（いつの日かグランドピアノを買う）
> **The other day** I encountered a bear in the woods.（先日森の中でクマに出会った）

188　other, another

188 A　other

(1) 代名詞用法

① 2 つのものがあって，そのどちらか一方をまず **one** という不定の形で指せば，残ったもう 1 つのほうは「その一方」の決まったものとして **the other** と定冠詞をつけて表現される。

I don't like *this*. Show me **the other**.
　（これは好きではない。もう 1 つのほうを見せてくれ）
　● 何か物が 2 つある場合の言い方。たくさんあれば，「ほかのどれか 1 つ」ということで，Show me *another*. と言う。

② 3 つ以上のものの場合も，まず **one** で 1 つ取り，次いで **another** でもう 1 つ取り，さらに another または the third というふうに取っていって，最後に残ったものを **the last** で指す。

Three flights were canceled — *one* bound for Brisbane, *another* to Melbourne, and **the third** to the Gold Coast.
　（1 つはブリスベーン行き，もう 1 つはメルボルン行き，そしてゴールドコースト行きの 3 便が欠航になった）

③ 3 つ以上あるもののうち，1 つをまず **one** で指し，残り全部を言うときには，特定の複数だから，**the others** とする。また，最初に不定のいくつかを **some** で取った場合の残り全部も **the others** である。

I would not say **one** is [**some** are] better than **the others**, because they all offer something different.

(私はどれかがほかのすべてよりもすぐれているとは言わない。なぜなら、どれも何かしら違った価値があるからである)

④ 〈**Some ~ others ...**〉は「~のもあれば…のもある」ということ。

Talented children are just like other children: **some** are well behaved and **others** are not.

(英才児もほかの子供とまったく同じである。行儀のよい子もいれば、悪い子もいる)

⑤ **some others** は「いくつかのほかのもの」の意味で、another を複数にしたものと考えればよい。

If you don't like these samples, you can go to the shop and try **some others**.

(もしこの見本が気に入らなければ、店に行ってほかのを(いくつか)試してみればよいのです)

⑥ **others** と複数形にして、単独で用いると、「ほかの人々」という意味を表すことが多い。

What do **others** think of this idea?

(ほかの人たちはこの考えをどう思っているのだろう)

(2) 形容詞用法

other は形容詞として名詞の前に置き、「ほかの~」の意味を表す。

Please try again some **other** *time*.

(いつかほかの時にまた試してみてください)

Other *things* being equal, this is an ideal solution.

(ほかに特別な条件がない限り、これが理想的な解決だ)

There are a couple of small hotels on **the other** *side* of the street.

(通りの反対側には小さなホテルが2軒ある)

The other *rooms* are all empty.

(ほかの部屋はみな空いています)

188 B another

〈an + other〉という形で、「もう1つの別のもの[人]」の意味に用いる。

Can you show me **another** example?

(もう1つ別の例を示してもらえますか)

「さらに加えて」の意味で。

Pour in tomato sauce and cook for **another** *ten minutes*.

(トマトソースを入れて、さらに10分調理しなさい)

● すでに何分か調理しているのに加えて、さらにもう10分間ということ。

Towards evening, they returned **one after another**.
　（夕方になってくると，彼らは次々と帰ってきた）

Theory is **one thing** but practice is **another**.
　（理論と実践は別のものである）
　　●but でなく and を用いたり，接続詞のない，A is one thing, B is another. の型も多い。

188 C　each other, one another

「お互いに」というとき，英語では **each other** または **one another** を使う（これらを相互代名詞ともいう）。

両者の間に特に意味の違いはないが，どちらも**代名詞**なので，使い方に注意が必要である。つまり，他動詞の目的語にはなるが，自動詞の場合は，しかるべき**前置詞**を入れないと目的語にならない。

Dolphins communicate *with* **each other** by making two types of sounds.
　（イルカは２種類の音を出すことによってお互いに意思を伝達する）
　　●「Aと通信する」というのは communicate with A であるから，この場合も with が必要である。

We humans need to help **one another**.
　（我々人間はお互いに助けることが必要である）
　　●help は他動詞であるから，前置詞はいらない。

代名詞だから，**所有格**にすることができる。

Charlie and I would spend the night at **each other's** house.
　（チャーリーと私はよくお互いの家に泊まったりしたものだった）

189　some と any

189 A　some と any の一般的用法

(1) 不定の数や量を示す some と any

不定の数量を示す some と any は，文脈によりさまざまな意味を表現できるので，初めに典型的な形を示しておく。

① 肯定文

　some —— 限られた範囲の肯定。

　I think I can find **some** of those toys.
　　（そのおもちゃのいくつかは見つかると思う）

　any —— 特に制限のない肯定。

　I think I can find **any** of those toys.
　　（そのおもちゃはどれも見つかると思う）

② 否定文

some ── ある限られた一部のものだけの否定。

I can't find **some** of those toys.
　（そのおもちゃの<u>いくつか</u>は見つからない）

any ── どれもこれも否定。

I can't find **any** of those toys.
　（そのおもちゃは<u>どれも</u>見つからない）

③ 疑問文

some ── 数量はあまり意識しない質問や依頼・勧誘。

Can you find **some** of those toys?
　（そのおもちゃは<u>いくつか</u>見つかるかしら）

any ── とにかく少しでもという気持ちでの質問や依頼・勧誘。

Can you find **any** of those toys?
　（そのおもちゃの<u>どれか1つでも</u>見つかるかしら）
　（そのおもちゃを<u>どれも</u>見つけられるかしら）
　　●この文は，単独の場合，受け止め方が2通りある。

実際の用例をいくつか示す。名詞の前につくと形容詞になる。

There are **some** interesting *museums* in the old town center of Florence.　　〔形容詞句〕
　（フィレンツェの旧市街の中心部には，興味深い博物館が<u>いくつかある</u>）

First, drop **some** *salt* into a cup of water and stir.　　〔形容詞〕
　（まず，1杯の水に塩を<u>いくらか</u>入れてかきまぜる）

Some of those problems were caused by the severe thunderstorm.　〔代名詞〕
　（それらの問題の<u>いくつか</u>は，激しい雷雨によって起こったものである）

Are there **any** side effects with this drug?　　〔疑問文中の any〕
　（この薬には<u>何か</u>副作用がありますか）

I *don't* like **some** of the expressions in this paragraph. Do you mind if I change them?　　〔否定文中の some〕
　（この段落には気に入らない表現が<u>いくつか</u>ありますが，書き換えてもいいでしょうか）
　　●「気に入らない」のは **some** of the expressions だけで，気に入っているのもあることを示す。どれも気に入らないのなら，I don't like **any** of the expressions ... . になる。

I would like to have **some** of that cinnamon *bread* if there is **any** [some] left.
　　〔条件節中の any, some〕
　（まだ残っていたら，あのシナモン・パンを<u>少し食べたい</u>）

第16章 代名詞　　第3節　不定代名詞

● この some と any はどちらも代名詞。if there is **some** left と言うと，ただ単に「いくらか残っていたら」という意味になるが，これに対して if there is **any** left と言うと「もうないかもしれないけど，少しでも残っていたら」というニュアンスがある。

Some say that greed is the root of all evil.　　　　　　〔代名詞〕
（貪欲は諸悪の根源であるという人もいる）

|注意| some や any が代名詞として**主語**になるときには，可算名詞を指しているときには複数で，不可算名詞を指しているときには単数動詞で受ける。上の例文の some は人を指しているから複数の say で受けている。

(2) その他の用法の some と any

① 数量はあまり意識しない依頼や勧誘の疑問文で用いる some

Can I have **some** hot water?　（お湯を少しもらえますか）

Won't you have **some** more tea?　（お茶をもう少しいかがですか）

②「ある〜」，「なんらかの〜」の意味の some

In **some** sense, perhaps he was right.
　（ある意味では，彼は正しかったかもしれない）
　●〈in a sense〉とほぼ同じ意味。**単数の可算名詞**につく。

There must be **some** reason for it.
　（それにはなんらかの理由があるはずだ）

③「どんな〜でも」の意味の any

any は，「どんな〜でも」の意味を表す。

I want to find a book on French history — **any** book will do.
　（フランス史の本を見つけたいのですが。どんな本でも結構です）

I want to find books by Philip Roth — **any** of his books will do.
　（フィリップ・ロスの本を見つけたいのですが。どんな本でも結構です）

●前の文は，1冊だけしか買わないつもりの例であり，2番目の文は数冊を買うつもりの例である。

Helpful Hint 99　　other を用いた慣用表現

other を用いた慣用表現の中で，日本人学習者にとって none other than 〜（〜にほかならない）は，かなりなじみ深いようである。It was **none other than** former President Clinton himself!（それは，ほかならぬクリントン元大統領本人だった！）のような言い方は，いざというときには便利だが，日常生活では使える場面は限られている。

これに対して，none 抜きの other than 〜（〜を除いて，〜以外の）は，一般の日本人学習者にとってさほどなじみがないかもしれないが，使用頻度が実に高い。たとえば，I haven't told this to anyone **other than** my mother yet, but ... .（これは母以外にまだだれにも話していないことだが，…）などのような使い方が典型的である。

また，皮肉や冗談まじりの表現にして楽しく使うこともよくある。たとえば，How was your date last night?（昨夜のデートはどうだった？）と尋ねられ，**Other than** the fact that after about the first 30 minutes she said she had a headache and left, everything went pretty well. (まあ, 30分ぐらいして頭痛がするからと言って彼女が帰ってしまったことを除けば, わりと順調なほうだったな) などと答えるのがその1例になる。

あるいは, **Other than** that he's handsome and has a great personality, what's so good about him? (ハンサムで性格もすてきということ以外に, いったいあいつのどこがいいと言うのだ?) など, 似たような使い方もある。

189 B　some, any の特別用法

(1)「およそ」の意味の some

数詞の前に **some** をつけると, about (約) と同じ意味を表す。副詞用法。

　　She managed to get **some** 50 dollars in tips.
　　　　(彼女はなんとか50ドルくらいのチップをもらえた)

　　Of the estimated 200 million users of the Internet, **some** thirty-six *percent* communicate in English.
　　　　(推定2億人のインターネット使用者のうち, 約36パーセントが英語でやり取りしている)

　　　　◆これは2005年の British Council の推定である。これによると, 英語は現在約3億7千5百万人が native language として使い, second language として約7億5千万人が使っているという。ただし, インターネット使用に関しては, 2005年の米国だけでも1億6千万人の使用者がおり, 全世界では7億数千万人いるという推定が一般的である。また, ほかの統計によると, インターネットの website では, 70%近くが英語で書かれているという。

(2) 〈any ＋ 比較級〉

比較級の前に any をつけると, 次のような意味を表す。副詞用法。

① 否定文では, 「少しも~ない」

　　I can't stand this **any** *longer*. I'm leaving!
　　　　(これ以上はもう我慢できません。帰ります!)

　　He wouldn't lend me **any** *more* money.
　　　　(彼はそれ以上のお金を私に貸してくれなかった)

② 疑問文や条件節では, 「いくらかは」, 「いくらかでも」

　　If the earth gets **any** *warmer*, all the ice at the North Pole will melt within 40 years.
　　　　(もし地球がこれ以上少しでも温暖化したら, 北極の氷は40年のうちに全部溶けてしまう)

(3) よく使う慣用句で

　　Address all questions, **if any**, to me. (質問があったら私に聞いてください)

Each system stores data in **some [one] form or other**.
（各システムは，なんらかの形でデータを保存している）

189 C　several の用法

「いくつか」，「何人か」の意味は some で表せるが，**several** は「いくつも」，「何人も」という感じに近い。辞書の定義では，「2，3よりは多いが many ではない」とされるのがふつうである。several は可算名詞の複数にしか使えない。

Several of the books are out of print.
（その本のうち数冊が絶版です）　　　　　　　　　　　　　　〔代名詞〕

Several houses were bombarded and destroyed.
（数軒もの家が爆撃され，壊された）　　　　　　　　　　　　〔形容詞〕

190 all と both

190 A　both の用法

2つ，または2人について「両方」を言うときには，**both** を用いる。常に複数扱いをする。

(1) 代名詞用法

A child born in the US is a US citizen even if **both** *of his or her parents* are illegal immigrants.
（米国で生まれた子供は，たとえ両親が不法入国者であっても，米国の市民である）

● both of his or her parents の of を省略して，both his or her parents と言うことができるが，both of us のように of の次に，**人称代名詞**が続くときは of の省略は不可。

◆日本人は米国の市民権を取ると，日本国籍は失うことになる。

Jack and Nick were high school friends, and they **both** graduated from Michigan State University.　　　　　　　　　　　　　　〔同格〕
（ジャックとニックは高校時代の友人で，2人ともミシガン州立大学を卒業しました）

Speaking and listening are **both** important communication skills.
（話すことと聞くことは両方とも意思伝達の重要な技能である）

(2) 形容詞用法

both *of the* books のように of の次に the が続くときは，**both** *the* books と省略しても，さらに the も省いて，**both** *books* としてもよい。

Hold the ball with **both** hands.　（両手でボールを持ちなさい）
● この場合は，of や the, your を使わないのがふつう。

Parking is allowed on **both** *sides* of the street from 9:00 a.m. to 4:00 p.m.
(午前9時から午後4時までは，道路の両側に駐車してよい)
● on **either** *side* とすることもできるが，side は単数形になる。

Both *the two* great mountains near Loch Hourn can be seen clearly from here.
(ロッホ・ホーンの近くの大きな山が，2つともここからくっきりと見えます)
● both と two はどちらか1つがふつうだが，both *the two* とすると two が強調される。

190 B　all の用法

(1) 代名詞用法

all は**事物**にも**人**にも用い，**数**も**量**も表す。数の場合は，3つ[3人]以上の場合に用いる。

① 「**全員**」の意味で，**人**を表すのに**単独**で all を使うときには，動詞は**複数**で受ける。

At that time **all** were employed at the Royal Life Insurance Co.
(当時は，全員がロイヤル生命保険会社で働いていた)
● all の代わりに，everyone や everybody を使ってもよい。ただし，この2語は単数扱いにする。

② 「**～の全員[すべてのもの]**」の意味で，〈**all of the ～**〉の形で使う場合には，of の次には，the，my その他の**冠詞相当語**（◯ p.367 **174C**）をつけた複数名詞が続く。all も動詞は複数で受ける。

The campus was clean, and **all** *of the buildings were* made of beautiful red brick.
(大学の構内はきれいであり，建物はすべて美しい赤レンガで造られていた)

③ 「**すべて**」の意味で，**事物**を表すのに**単独**で all を使うときには，動詞は**単数**で受ける。

It was the night before Christmas. **All** *was* silent.
(クリスマスの前夜だった。辺り一面音もなく静かだった)
● all の代わりに everything を使うことができる。

④ 「**～のすべて**」の意味で，後ろに修飾語句をつける場合がある。all が**不可算名詞**を示しているときには，動詞は**単数**で受ける。

All you have to do *is* click the "Send this message" button and your messages will immediately be e-mailed to your friends.
(「このメッセージを送る」のボタンをクリックしさえすればよいのです。そうすれば，そのメッセージはすぐにお友達にEメールで送られます)

> **Helpful Hint 100　強調を表す all**
>
> 　**all** は必ずしも「すべて」,「全部」,「みな」という意味で使われるわけではない。別の慣用的な使い方もある。たとえば,相手の協力に対する感謝の気持ちを表す Thank you for **all** your help. という決まり文句がその典型的な例である。これは「すべてのご協力をありがとうございました」ではなく,「いろいろご協力していただき,ありがとうございました」という意味である。同じように,What are you going to do with **all** these empty bottles? は「これらのすべての空き瓶をどうするのですか」ではなく,「こんなにたくさんの空き瓶をどうするのですか」という意味である。
> 　また,たとえば「料理することは好きだけど,後片づけが嫌いだ」は,I enjoy cooking, but I hate (**all**) the work of cleaning up afterwards. と言う。**all** を使っても使わなくてもいいのだが,使うと「後片づけはたいへんな仕事だ」という強調になる。
> 　あるいは,Blackouts occur too often lately.（このごろ,停電が多すぎる）という文に all をつけ,Blackouts occur **all** too often lately. とすれば,「このごろ,停電が多くて困っている」といった感じの表現になる。
> 　つまり,こうした all は,**いろいろあることや多くあることを強調する**ために使う語なのである。「すべて」という意味ではない all は,会話・文章を問わず,重要な役割を果たす「強調語」なのである。

(2) 形容詞用法

① 一般的な意味で,「すべての～」というときには,〈**all ＋無冠詞複数名詞**〉の形を用いる。

　All *animals* in the sea *are* ultimately dependent upon plants.
　　（海中のすべての動物は,最終的には植物に依存している）
　　● これは総称複数（● p.333 **157C**(2)）に all がついたものである。

　All graduate students must take this course.
　　（大学院生は皆この授業を受けなければいけない）

② ある**特定的**なものの中で「すべての～」というときには,〈**all ＋ the ＋複数名詞**〉の形を用いる。

　The rain forest is home to over 50% of **all** *the animals* in the world.
　　（熱帯雨林には世界中のすべての動物の50パーセント以上が生息している）
　　● in the world で限定されて the がついたもので,限定されたもののすべてを表す。

③ ある**地域全体**をいうときには,〈**all ＋ the ＋単数可算名詞**〉の形をとる。

　Today **all** *the village* was covered with snow for the first time this year.
　　（今日は今年初めて村中が雪で覆われた）

④ **物質名詞**や**抽象名詞**につけて,そのすべてを表すときには〈**all ＋ the ＋不可算名詞**〉の形を用いる。

　If **all** *the water* in your body were removed, you would only weigh about 16 kg.

(体の水分がすべて取り除かれたら，人の体重はたった 16 kg くらいになってしまう)

We have to finish **all** *the work* today.
(仕事はすべて今日中に終わらせなければいけない)

⑤ ある**特定の期間全部**をいうときには，ふつう the をつけないで〈**all**＋時を示す語〉の形をとる。

It rained **all** *day* yesterday. (昨日は，1 日中雨が降っていた)

● all night（夜通し），all winter（冬中）のようにいう。「1 年中」は all (the) year round もよく使う。

(3) all の特別用法

① **副詞的**に

The rock was **all** covered with moss.
(その岩はすっかりコケに覆われていた)

② 〈**all**＋抽象名詞・身体の部分を表す語〉（● p.361 **172F**）

In **all honesty**, for me, family comes first.
(正直言って，僕にとってはまず家族だな)

I was **all ears**, trying not to miss a single announcement from the train's loudspeaker.
(私は，列車のラウドスピーカーからの知らせを一言も聞き逃すまいと全身を耳にして聞いていた)

③ **慣用句**を作る。

That is *no* progress **at all**.
(それは<u>全然</u>進歩なんかではない)

● at all は主に否定文，疑問文，条件節に用いて，意味を強める働きをする（● p.562 **271**）。

> 発展　「全然ない」や「まったくしない」などのような「**完全否定**」になる状況を意識しながら，「そこまではいかない［いかなかった］」状況を述べる場合，at all が肯定文にも使われることは珍しくない。
> He's such a nice guy I'm surprised he has any enemies *at all*. (彼はあまりにもいい人だから，敵がいるなんて意外なことだ)　　〔敵が 1 人もいない可能性を意識して〕
> They were lucky to survive *at all*. (彼らがぎりぎり命が助かったのは，運がよかっただけだ)　　〔生き延びない可能性があったことを意識して〕

Above all, be loyal to your friends.
(何よりも，友達に誠実にしなさい)

He decided not to go **after all**.
(彼は<u>結局</u>行かないことにした)

Maybe she's telling the truth. **After all**, she's never lied before.
(彼女は本当のことを言っているかもしれない。<u>だって</u>，これまでは一度もうそをついたことのない人なんだから)

With all his wealth, he did not know what to do.
(そんなに富が<u>ありながら</u>，彼はどうしたらよいのかわからなかった)

190 C　both, all の位置

(1) 形容詞の場合は，他のすべての形容詞よりも前に置く。

Both *his beautiful* daughters are talented singers.
(彼の美人の娘は2人とも才能のある歌手だ)

When **all** *these administrative* problems have been solved, the program itself should go well.
(こうした行政問題がみな解決されたら，プログラム自体はうまくいくだろう)

(2) 主語と同格の場合

① 主語の直後で動詞の前

We **both** *live* near big cities.
(私たちは2人ともそれぞれ大都市の近くに住んでいます)

② be 動詞や助動詞の直後

They are **all** missing the point.
(彼らはみんな趣旨を理解していない)

(3) 目的語と同格の場合

目的語となる人称代名詞の直後

You can take *them* **all** if you can't decide which one you want.
(どれが欲しいか決められなければ，全部取ってもいいよ)

190 D　both, all の否定

both と all は，否定文では**部分否定**になることが多い (⊃ p.534 **252**)。

Not all dictionaries are carefully edited.
(辞書がみな入念に編集されているとは限らない)

　● **All** dictionaries are *not* carefully edited. とすると，「すべての辞書は入念に編集されていない」という意味にとることもできる。

I *don't* need **both** those tools. One is enough.
(その道具が両方とも必要なのではない。1つで十分だ)

　● I don't need both those tools. だけだと，「その道具はどちらもいらない」という意味にとることもできる。「1つで十分だ」という文が続いているから，部分否定になる。

190 E whole と all

日本語の「全〜」を表す all と whole は使い方が違うので注意。

① 〈**whole ＋ 単数名詞**〉

the や my, your などとの位置が逆になる。

my **whole** family ＝ **all** *my* family （私の家族全員）

② 「村人**全員**」を表すには次のうち，2 つが正しい。

　［正］ **all** the villagers （村人全員）

　［誤］ the whole villagers

　［正］ the **whole** of the villagers

③ 〈**a whole A**〉は，「A をまるごと 1 つ」の意味になる。複数にもできる。

three **whole** eggs （全卵（黄身と白身を含めた卵のこと）3 個）

191 each と every

191 A each

「それぞれ」，「めいめい」などの意味で，**each** を人にもものにも使うことができる。**単数に扱う**。

Each *of the students* **gave a presentation to the class.** 〔代名詞〕
（学生は授業でそれぞれプレゼンテーションをした）

　● each of the [my, his, *etc.*] 〜 というように，each of の次にくる複数形の名詞には，定冠詞（相当語）がつく。

Each *computer* **has the following software preinstalled.** 〔形容詞〕
（どのコンピューターも次のソフトウェアがあらかじめインストールしてある）

Apples are 30 cents each. （リンゴは 1 個 30 セントです）

　● この例では each は副詞である。例文全体は，代名詞として使われた場合の Each of the apples is 30 cents. と同じ意味を表している。

主語が **each** を含む語句（each of the A, each A など）のとき，これを受ける動詞は単数形であるが，**代名詞**はくだけた言い方では **they** で受けることがある。

Each of the students completed *their* own research proposal.
（学生たちは各自，自分の研究計画を仕上げた）

　● こうした単数・複数の不一致を非標準と見なす人もいる。

191 B every

「どの〜も」という意味で **every** を用いるのは，3 つ［3 人］以上の場合である。every には**形容詞用法**しかない。**単数扱い**が原則。

each が個別的な感じであるのに対して，every は全体をひとまとめにして言う感じである。

(1) 単数普通名詞につけて

Every teacher has *their* own laptop, in addition to one in each classroom.
（どの教師も，各教室にある1台以外にも，各自のノートパソコンを持っている）

● every を受ける人称代名詞も，たとえばこの文では，教師には男性も女性もいるのだから，**his or her** とすべきである。改まった形ではこのとおりにするが，くだけた言い方では，このように **their** で受けることが多い。ただし，こうした言い方に抵抗感を覚え，どのときでも their の使用を避ける人もいる。has **his or her** own laptop 以外に，たとえば has an individual laptop などのように，代わりになる言い方が多くある。

every は all や both と違って，the, this, these その他の代名詞の前につけることはできない。「これはみな」というときには，every this ではなく，all these を使う。

(2) 抽象名詞につけて

every は，「十分な」，「ありとあらゆる～」，「可能な限りの」という意味で，抽象名詞につけることができる。

There is **every** *reason* to think that such a society will have little poverty or social vice.
（そのような社会には貧困や社会悪が少ないだろうと思う理由がいくらでもある）

(3)「～ごとに」の表現

「3時間ごとに」とか「2時間おきに」という日本語の表現は，混乱しやすい。たとえば，夏のオリンピックは **4年ごとに** 開催されるが，これを図示すると，次のようになる。

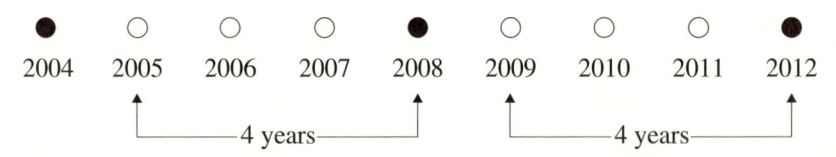

● ○ ○ ○ ● ○ ○ ○ ●
2004 2005 2006 2007 2008 2009 2010 2011 2012
　　　↑――――4 years――――↑――――4 years――――↑

ある「夏のオリンピック」の開かれた年から，次の「夏のオリンピック」が開かれるまでの4年間を1つのまとまった単位と考えて，そうした期間の繰り返しを every four years で表すと，

The Summer Olympic Games are held **every** *four years*.
（夏のオリンピックは4年ごとに開かれる）

という文になる。日本語で考えると，「3年おきに」ということになる。
なお，2004年の●から見ると，翌年の2005年から数えて，2008年の●は4番目

に当たるから，この繰り返しを every *fourth* year ということもできる。どちらも正しいが，統計的には every four years のほうが頻繁に使われている。

「1つおきに」は every other ～，または every second ～ という。

> Write your answers on **every** *other line*.
> （答えは1行おきに書きなさい）

(4) every の否定

every も「すべての」の意味であるから，これを否定形にすると，「すべてが～というわけではない」という**部分否定**になる （◯ p.534 **252**）。

> *Not* **every** lump is cancer.
> （すべての腫瘍が癌だというわけではない）

192 either と neither

2つのもの，または2人の中で，「どちらか」という場合には **either** を用いる。この否定形の「どちらも～ない」は **neither** で表す。either, neither を受ける動詞は，原則として**単数**の形をとる。

(1) either

> This is the first time that **either** of the two actors has received an Academy Award.
> （2人の俳優どちらも，アカデミー賞を受賞したのはこれが初めてだ）

> Parking meters can be found on **either** *side* of the street.
> （パーキングメーターは道路のどちら側にもあります）

(2) neither

> **Neither** *of* the two presidents went into detail about the plan.
> （2人の大統領のどちらも，その計画について詳しくは述べなかった）

> 発展　〈**neither of**＋**複数(代)名詞**〉の場合は，くだけた言い方では**複数**で受けることもあるが，勧められない。

> **Neither** *computer* is connected to the network.
> （どちらのコンピューターもネットワークにつながっていません）

なお，either, neither の**副詞用法**については **219C**(2) (p.486)，**接続詞**としての用法については **114A**(5) (p.227)，**114C**(3) (p.228) を参照のこと。

193 somebody, someone などの用法

193 A　somebody, someone, anybody, anyone, everybody, everyone

(1) 「だれかある人」という意味を some や any に **-body** か **-one** をつけて表す

ことができる。

　somebody のほうが someone よりもくだけた感じで，会話でよく用いる。
　　Somebody is standing behind you. （君の後ろにだれか立っているよ）
　使い方は，some と any の場合と同じである（⊙ p.404 **189A**）。
　この複合形の不定代名詞の持つ特色は，
　① 形容詞は前でなく，後ろにつける。
　　I think we should hire **somebody** *smarter*.
　　　（だれかもっと頭のいい人を雇ったほうがいいと思います）
　② -'s をつけて所有格を作ることができる。
　　Somebody's *wallet* was found on the train.
　　　（電車の中でだれかの財布が見つかった）
　　　　● someone else の所有格は，someone else's になる。
　③ **some one**, **any one** という 2 語の形もある。次に **of** 句が続くときには必ずこの形を使う。2 語の場合，人だけではなくものにも使える。
　　Choose **any one** *of* the following essays.
　　　（次のエッセイの中のどれでもよいから 1 つ選びなさい）

> 発展　somebody [anybody] を「ひとかどの人物」という意味で使うこともある。
> 　Everybody wants to be ***somebody***.
> 　　（だれでもひとかどの人物になりたいと思っている）

(2) 「だれでも（皆）」の意味には，**everybody**, **everyone** を用いる。この場合も，everybody のほうがくだけた感じになる。
　　Everybody has *their* own problems. （だれでも皆自分の悩みを抱えている）
　　　● 主語が everybody のとき，それを受ける代名詞は，正式には his or her となるが，くだけた言い方では their にすることが多い（⊙ p.401 **187C**, p.414 **191B**(1)）。
　somebody などの ①〜③ の用法は，everybody にも当てはまる。
　　Please make this petition well known to **everybody** *concerned*.
　　　（この請願を関係者各位に周知させてください）
　　　● concerned は一般に修飾する(代)名詞の後に置く。
　　Everybody's comment is welcome! （どなたのコメントも歓迎します）
　　The development of **every one** *of the systems* here has been based on years of research.
　　　（ここにあるシステムのどれをとっても，その発展は数年の研究に基づいているものである）
　　He meets **every one** *of the company's employees* at least twice a year.
　　　（彼は少なくとも年に 2 回は，会社の従業員の皆に会うことにしている）

194 something, anything, everything

some, any, every に -body や -one でなく，**-thing** をつけると，「すべてのこと[もの]」という意味で，**物事**を指すことになる。

(1) something などの基本用法

something などに形容詞をつけるときは，形容詞は **something** などの後につけるのがふつう。

> I feel **something** *wonderful* is about to happen.
> （何かすてきなことが起こりそうな気がする）

> Don't worry. He *won't* do **anything** at all.
> （心配するな。彼はまったく何もしないから）

> Nowadays, almost **everything** can be done by computers.
> （今日では，ほぼどんなことでもコンピューターでできる）

> 発展 somebody と同じように，something が「ひとかどの人物，大したこと[もの]」の意味になり，everything が「最も重要なこと」の意味になることがある。
> Making money is **everything** to him. （彼には金儲けがすべて（＝最も重要なこと）だ）

(2) something, anything, everything を使った慣用句でよく使うもの

> He is **something of** a hero to many young people.
> （彼は多くの若者たちにとって，ちょっとした英雄だ）

> Maybe it's not a person. Maybe it's a mirage **or something**.
> （それはもしかして人じゃなくて，蜃気楼か何かかもしれない）

> When he came, my dog was wagging his tail **and everything**.
> （彼が来ると，私の犬はしっぽを振ったり，その他何やかややってみせた）

195 no one, none, nobody, nothing

195 A no one と none

(1) no one の用法

no one は「だれも～ない」の意味で**人**に用い，常に**単数**として扱う。

> **No one** arrived before she did.
> （彼女より早く着いた人はだれもいなかった）

> There was **no one** else in that room at that time.
> （その時，その部屋にはほかにだれもいなかった）

nobody は単独で使い，常に**単数**。くだけた言い方では，これを受ける代名詞として they を使うこともある。

Make sure **nobody** is hiding in a parked car.
　　（駐車している車に，だれも隠れていないことを確かめなさい）
　　　● nobody を「取るに足らない人」の意味で使うこともある。

(2) none の用法

① 単独で人に none を用いるのは，no one よりも堅い言い方。2語で表現する no one は，one という語から単数扱いになる。none は単数にも複数にも扱う。

There *was* [*were*] **none** who could undertake the job.
　　（その仕事を引き受けられる者はだれ1人としていなかった）

② 〈**none of ～＋複数(代)名詞**〉

人にもものにも用い，**単数**にも**複数**にも扱う。

None *of us* is immortal. （我々のだれ1人として死なない者はいない）
None *of these computers* are more than three years old.
　　（これらのコンピューターで3年以上たっているものはない）

③ 〈**none of ～＋単数(代)名詞**〉

不可算名詞に用い，単数扱い。

Once the temperature falls below −3°C, almost **none** *of the water* in the soil remains unfrozen.
　　（ひとたび気温が零下3℃に下がれば，土壌の中で凍らないままでいる水分はほとんどない）

④ 〈**none of ～**〉 と 〈**no one of ～**〉

〈**no one of**〉という形は，「～のただ1つもない」という意味で，この場合の one は「1つ」の意味の数詞だと考えてもよい。人にもものにも使える。

No one *of* the following sentences *is* grammatically correct.
　　（次の文のうちどれ1つとして文法的に正しいものはない）

⑤ **none** は 〈**no＋先行する名詞**〉 の意。可算名詞にも不可算名詞にも用いる。

I asked for some more *coffee*, but there was **none** left.
　　（私はコーヒーをもう少し頼んだが，残っていなかった）
　　　● none＝no coffee

⑥ **none** の副詞用法

〈**none the＋比較級＋for [because of] ...**〉で，「…だからと言って，それだけ～というわけではない」の意味を表す。

The jeans looked **none** *the better* for having been washed.
　　（ジーンズは洗ったからと言って，それだけ見栄えよくなったわけでもなかった）
　　　● 〈none the worse for ...〉 は，「…にもかかわらず同じ状態で」という意味になる。

> **Helpful Hint 101　none は単数扱いか？　複数扱いか？**
>
> **none** は no **one** か not **one** の短縮形だと勘違いして，単数扱いだと思い込んでいるネイティブ・スピーカーが少なくないが，本当は前述のとおり，none は単数としても複数としても扱うことがある。ただし，使い分けがまったくないというわけではない。
>
> たとえば，「金庫のかぎを持っている店員はいない」ということを言うには，None of the clerks **has [have]** a key to the safe. のように，単数扱いでも複数扱いでもいいのだが，金庫のかぎを持っている店員がいるとしてもおそらく１人くらいしかないだろうという意識があれば，無意識のうちに単数形の **has** を選ぶ可能性が高い。逆に，合いかぎがたくさんあって，持っている店員はたくさんいるかもしれないという意識があれば，無意識のうちに複数形の **have** を選ぶ可能性が高い。
>
> また，合いかぎは１個もなく，「金庫のかぎ」と言えるものは１個しかない場合には，**a** key が **the** key となり，none は，None of the clerks **has the** key to the safe. のように，必然的に単数扱いになる。というのも，複数の店員が１個のかぎを同時に持っているわけがないので，かぎを持っている店員がいるとしても１人しかいないに決まっているからである。

195 B　nothing

(1)　「何も～ない」の意味で**単数扱い**。

　　We had **nothing** in the tent to eat and **nothing** to drink, either.
　　　（テントには，食べるものもなければ，飲むものもなかった）

　　Nothing ventured, **nothing** gained.〈ことわざ〉
　　　（虎穴(こけつ)に入らずんば虎児を得ず）
　　　　●If **nothing** is **ventured**, **nothing** will be **gained**. の省略。

(2)　nothing を使った慣用表現

　　"Thanks." "Not at all. It was **nothing**."
　　　（「ありがとう」「いいえ，どうってことなかったんです」）
　　　　●It is nothing. は，「大したことじゃないんだ。(気にしなさんな)」の意味。

　　There was **nothing for it but** to go home alone.
　　　（１人で家に帰るよりほか仕方がなかった）

　　Many English words have origins that **have nothing to do with** their current usage.
　　　（多くの英単語は，それらの現代の用法とは何の関係もない語源を持っている）

　　Amazingly, he gave us the tickets **for nothing**.
　　　（驚いたことに，彼はその券を我々にただでくれた）

　　We did **nothing but** shout at the top of our voices.
　　　（我々はただあらん限りの声で叫ぶだけだった）
　　　　●〈nothing but ＋(代)名詞〉だと，「～のほかは何も…(では)ない」の意味。

REVIEW TEST 16

A 確認問題 16 (→解答 p.611)

1. 次の各英文の（　）内の語（句）のうち，適切なほうを選びなさい。
   (1) How does the picture look now? I've changed (its, it's) frame.
   (2) A horse is a strong animal. (One, It) is also intelligent.
   (3) (There, It) is of no use just sitting here so long.
   (4) It is he that (has, have) created the problem.
   (5) Please help (you, yourself) to a drink.
   (6) I don't really care for this T-shirt. Please show me (others, another) one.
   (7) I have two sisters. (All, Both) of them live in New York.
   (8) I thought there was some milk in the refrigerator, but there is (no one, none).

2. 次の各英文が正しければ〇をつけ，正しくなければ×をつけて，誤っている部分を正しく書き直しなさい。
   (1) This dictionary is not yours. It is my one.
   (2) The claws of the dragon in ancient China were that of eagles.
   (3) Roses are lovely, and so violets are.
   (4) He was looking for a laptop and found it on sale.
   (5) I prefer Italian wine to most French one.
   (6) They started talking one another again.
   (7) Every parent wants to give their children what they never had.
   (8) Luckily, either of the five women are still alive.
   (9) You can click on anyone of the black icons.
   (10) There are paths on either sides of the river.

3. 次の各日本文の意味を表すように，（　）に適切な1語を入れなさい。
   (1) 「風邪を引いているのです」「それはお気の毒ですね」
       "I have a cold." "(　　　) is too (　　　)."
   (2) コーヒーをもう少しいかがですか。
       Won't you have (　　　) (　　　) coffee?
   (3) 明日何が起きるかだれも知らない。
       (　　　) knows (　　　) will happen tomorrow?
   (4) この薬を6時間ごとに飲みなさい。
       Take (　　　) medicine (　　　) six hours.

B 実践問題 16 (→解答 p.612)

1. 次の各英文を完成させるのに，最も適切な語(句)を選び，記号で答えなさい。

(1) "Are you saying you're more sensible than I?"
"No, (　) is not what I mean."
(A) it　　(B) that　　(C) this　　(D) such

(2) "(　) was nice of you to come." "Not at all."
(A) It　　(B) This　　(C) That　　(D) What

(3) "I don't think this is a good idea."
"You can say (　) again! It's a waste of time."
(A) it　　(B) they　　(C) this　　(D) that

(4) "(　) your scissors?"
"Why yes they are. They must have fallen out of my bag. Thank you."
(A) Is this　　(B) Have you　　(C) Aren't these　　(D) There is

(5) "Have another cup of coffee." "Oh, all right, if (　) insist."
(A) you　　(B) they　　(C) none　　(D) I

2. 次の各英文の下線部から，誤っているものを1つ選び，記号で答えなさい。

(1) (A)As of summer 2003, the JET Program (B)had over 6,000 participants from 38 countries. Participants were either (C)placed in Japanese public schools (D)and in Japanese local government offices.

(2) This formal report (A)is distinguished from (B)another types of reports by its sophisticated (C)style of presentation, and the complexity of (D)its content.

(3) Only (A)six of fifty applicants (B)for the job possess (C)the necessary qualifications. (D)None of the other will be considered.

(4) (A)Actually, only a few (B)have availed the discount privilege because (C)many simply do not know (D)about it.

(5) The Pacific Ocean lies (A)on another side of the earth (B)from Europe. This means that in (C)flying to the Pacific, you can either choose to fly via North America (D)or via Asia.

(6) Western society is changing not only in (A)their age distribution but in (B)many other ways as well. Evaluating (C)the importance of each change (D)is all but impossible.

第17章 形容詞
ADJECTIVES

第1節 形容詞の種類と用法

形容詞は，名詞の前や後につけてこれを修飾したり，補語の位置に置いて名詞や代名詞の性質や状態を示す語で，比較変化をするものも多い。

196 形容詞の種類と語形

196 A 形容詞の種類

(1) 性質や状態・種類などを示すもの

① 一般の形容詞

Today is a **beautiful** *day*. （今日はすばらしい日です）

Everyone *is* very **kind** and **friendly**.
（みんなとても親切で好意的です）

② 物質名詞から形容詞になったもの （⇒p.425 196C）

I found an old **wooden** *box* in my attic.
（私は屋根裏部屋で古い木製の箱を見つけた）

③ 固有名詞から形容詞になったもの （⇒p.425 196D）

Tennyson is a **Victorian** *poet*.
（テニソンはビクトリア朝の詩人です）

◆the Victorian Age は，英国でビクトリア女王が君臨した，1837-1901年を指す。これに対して，the Elizabethan Age（エリザベス朝）は，エリザベス1世の時代（1553-1603）を指す。共に，英国文化史上，重要な時代である。

④ 動詞の現在分詞や過去分詞が形容詞になったもの （⇒p.427 197）

"**Flying** *saucer*" is a term commonly used to describe UFOs.
（「空飛ぶ円盤」はUFOについて述べるのによく用いられる語である）

The forest floor was completely covered with **fallen** *leaves*.
（森の地面は落ち葉で完全に覆われていた）

● 分詞が完全に形容詞になると，本来の意味から派生した別の意味も持つことが多い。

たとえば，flying は，「飛んでいるような」というような意味の比喩で使われ，a flying visit（慌ただしい訪問）や a flying start（好調な滑り出し）などの表現がある。

(2) 数量形容詞

① **不定の数量を表すもの**（● p.442 **203**）
　some（いくつかの，いくらかの），**many**（たくさんの）など。

② **数詞**（● pp.451-458 **207**～**210**）
　three（3人の，3つの），**third**（3番目の）など。

(3) 代名詞の形容詞用法

代名詞の多くは，名詞の前に置かれ，形容詞の働きをする。詳しくは，各代名詞のところで説明してあるので，次の各ページを参照のこと。

① **人称代名詞の所有格**（● p.386 **179E**(2)）　**my** address（私の住所）
② **指示代名詞**（● pp.393-399 **183**～**186**）　**this** room（この部屋）
③ **不定代名詞**（● pp.399-419 **187**～**195**）　**other** people（他の人たち）
④ **疑問代名詞**（● p.210 **108**）　　　　　　　**which** bus（どのバス？）
⑤ **関係代名詞**（● p.269 **127D**, p.273 **129B**）　**what** money I have（あり金全部）

196 B　形容詞の語形

形容詞には，big（大きな）のような**本来の形容詞**のほかに，名詞や動詞に**接尾辞**をつけて形容詞になったものも多い。

(1) 名詞や動詞につけられる主な接尾辞

-ic	real*ic*（現実的な）		**-al**	fact*ual*（事実に基づいた）
-ar	pol*ar*（極地〔関係〕の）		**-ary**	tempor*ary*（一時的な）
-en	wool*en*（毛製の）		**-ous**	spaci*ous*（広い）
-ish	boy*ish*（少年のような）		**-y**	speed*y*（速い）
-ive	creat*ive*（創造的な）		**-like**	life*like*（生きているような）
-ful	harm*ful*（有害な）		**-less**	use*less*（役に立たない）
-a[i]ble	eat*able*（食べられる）		**-ly**	friend*ly*（友好的な）（● (2)）
-ed	lion-heart*ed*（勇猛な）		**-(i)an**	Mexic*an*（メキシコ〔関係〕の）
-ese	Javan*ese*（ジャワ〔関係〕の）			

この**接尾辞**の多くは漠然と「～の性質のある」や「～の特徴を持っている」，「～のような」，「～関係の」の意味を表すが，「～のない」の意味を表す **-less**（tooth*less*＝歯のない）と，「～できる，～に適した，～する傾向のある」の意味を表す **-a[i]ble**（change*able*＝変わりやすい）は例外である。

(2) 形容詞に -ly がつけられて別の形容詞になったもの

形容詞に -ly をつけると，多くの場合は副詞になるが，元の意味を多少弱めた

意味の**形容詞**になるものもある。**(1)**の接尾辞 -ly は名詞につく。

  sick（病気の）   — sick*ly*（病弱な）
  lone（ひとりぼっちの） — lone*ly*（寂しい）
  clean（清潔な） — clean*ly*（きれい好きな）
  ● 副詞の cleanly [klíːnli] もあるが，形容詞の cleanly [klénli] とは発音が違う。

(3) 2個以上の語が結合したもの
 handmade（手製の）
 ten-year-old（10歳の）
  ● この形では，year が複数形にならないことに注意（◎ p.345 **164C**(4)）。

(4) 語尾によって意味が違うので，特に混同しやすい形容詞
これらは，**(1)**に示した各接尾辞の例を併せ考えるとよい。

child*like*（子供のように純真な）	child*ish*（子供っぽい）
continu*al*（連続的な）	continu*ous*（絶え間ない）
econom*ic*（経済の；倹約な）	econom*ical*（倹約な）
health*y*（健康な，健康によい）	health*ful*（健康によい）
histor*ic*（歴史上重要な）	histor*ical*（歴史上の）
imagin*ary*（架空の）	imagina*tive*（想像力に富む）
industr*ial*（産業の）	industr*ious*（勤勉な）
memor*able*（記憶に残る）	memor*ial*（記念の）
moment*ary*（瞬間的な）	moment*ous*（重大な）
respect*able*（尊敬すべき）	respect*ful*（丁重な）
sens*ible*（分別のある）	sensi*tive*（感受性の強い）

(5) 名詞をそのまま形容詞として用いるもの
名詞は，他の名詞の前に置かれると，形容詞の働きをする（◎ p.343 **164C**）。
  a **dog** house（犬小屋）   an **entrance** hall（玄関広間）

(6) 副詞を形容詞として用いるもの
 We boarded the **up** train.（私たちは<u>上り</u>列車に乗った）
 CULCON was established in 1961 by an agreement of *the* **then** *Prime Minister* Ikeda and *the* **then** *President* Kennedy.
  （CULCON は1961年に，<u>当時の</u>池田首相と，<u>当時の</u>ケネディ大統領との同意によって設立された）
  ◆**CULCON**（日米文化教育交流会議）は，The United States-Japan Conference on Cultural and Educational Interchange のことだが，Cultural と Conference の頭をとって，CULCON と言う。

> **発展** ① 逆に形容詞を**副詞的**に用いる場合もある。
> 　　　　The sun shines **bright**. （太陽は明るく輝く）
> 　　② 〈形容詞＋**and**＋形容詞〉で，前の形容詞が後の形容詞の意味を強める言い方。
> 　　　　The music is lovely. All the tunes are **nice** *and* **happy**.
> 　　　　（その音楽はすてきだ。曲はみなとても楽しい）

196 C　物質名詞からできた形容詞

(1) 物質名詞をそのままの形で形容詞として用いるもの

ふつう，**名詞の前**に置いて「材質」を表すが，**補語**にして材質を示すことができるものもある。

　　Do we really need to put groceries into **plastic** *bags*?
　　　（本当に食料品をビニール袋に入れる必要があるのだろうか）
　　The frame of the drawer *is* **plastic**.　（引き出しの縁はプラスチック製です）

(2) 〈物質名詞＋-en〉形

比喩的な意味を表すことが多い。

　　We sat around a **wooden** *table*.　　　　　　　　　　　　〔材質〕
　　　（私たちは木のテーブルを囲んで座っていた）
　　Was the table **wooden**?　（そのテーブルは木製でしたか）　　〔材質〕
　　He gave a **wooden** *performance*.　　　　　　　　　　　〔比喩的〕
　　　（彼は生気のない演技をした）
　　He played Hamlet, but his performance *was* **wooden**.　　〔比喩的〕
　　　（彼はハムレット役をやったが，その演技には生気がなかった）

> **発展** **gold** *medal*（金メダル）は**材質**を表し，**golden** *age*（全盛期）は**比喩的表現**。また，「視聴率の高い時間帯」の意味の *golden* hour は和製英語で，**prime time** が正しい。

196 D　国名から派生した形容詞

(1) 国名とその形容詞の語形

　① **-an** で終わるもの

　　　Germany（ドイツ）→ Germ*an*　　　Mexico（メキシコ）→ Mexic*an*
　　　Korea（韓国）→ Kore*an*　　　　　 Norway（ノルウェー）→ Norwegi*an*
　　　Russia（ロシア）→ Russi*an*　　　　Brazil（ブラジル）→ Brazili*an*

　② **-ese** で終わるもの

　　　China（中国）→ Chin*ese*　　　　　Portugal（ポルトガル）→ Portugu*ese*
　　　Suriname（スリナム）→ Surinam*ese*　Nepal（ネパール）→ Nepal*ese*
　　　Vietnam（ベトナム）→ Vietnam*ese*　Malta（マルタ）→ Malt*ese*

③ **-ish** で終わるもの
Spain（スペイン）→ Span*ish*   Poland（ポーランド）→ Pol*ish*
Denmark（デンマーク）→ Dan*ish*   Ireland（アイルランド）→ Ir*ish*
Turkey（トルコ）→ Turk*ish*

④ その他
Greece（ギリシャ）→ Greek   Israel（イスラエル）→ Israeli
Thailand（タイ）→ Thai   Iraq（イラク）→ Iraqi
France（フランス）→ French   Switzerland（スイス）→ Swiss
Afghanistan（アフガニスタン）→ Afghan
　　● Holland（オランダ）（正式国名：the Netherlands）は Dutch になる。

英国は正式には，the United Kingdom of Great Britain and Northern Ireland というが，簡単に，**the United Kingdom**，略して the UK という。通称は (Great) **Britain** で，形容詞形は British，英国人の総称は the British である。
　　◆総称でない場合には，「英国人」は British person [people] という。**England** は「イングランド」を指すので，「英国」の意味で England は使わない。
　　「英語」は English でよいが，American English に対しては British English という。

米国の正式国名は，the United States of America，簡単に **the United States**，略して the U.S.A.，the U.S. という。また，国外にいる米国人が米国のことを **the States** と呼ぶだけた言い方もあるが，国内にいるとふつう使わない。通称は **America**，形容詞形は American で，米国人は，単数は an American，複数は Americans，総称は (the) Americans である。

(2) 国名形容詞の使い方
　　Japanese ceramics are highly valued abroad.
　　（日本製の陶器は海外で高く評価されている）
　　　● 磁器は china という。

多くの形容詞はそのままの形で**国語**を表す。
　　Chinese is a tonal language.　Each character is pronounced with a given tone.
　　（中国語は声調性の言語です。どの漢字の発音も声調が決まっています）
　　◆声調とは，中国語やタイ語などの発音における各音節の上がり下がりを表す用語である。標準中国語では，「高平調」・「上昇調」・「降昇調〜低平調」・「下降調」という4つの声調がある。たとえば，「妈（mā; お母さん）——高く平ら」「麻（má; 麻）——上がり調子」，「马（mǎ; 馬）——低く抑える」，「骂（mà; 罵る）——急激に下がる」のように，漢字はどれも声調が決まっており，高く平らに声を延ばすか，高い所から下降するように発音するかなどによって，言っている意味が違う。

　　She speaks **Georgian**.　（彼女はグルジア語ができる）

〈a(n)＋国名形容詞〉で，その**国民の個人**を表し，〈the＋国名形容詞〉で，その**国民の総称**を表す。

 an Italian（イタリア人〔単数〕） Italians（イタリア人〔複数〕）
 the Italia*s*（イタリア国民）

> **Helpful Hint 102**　Italians と the Italians の意味の違い
>
> 前述の説明どおり，無冠詞の Italians は「複数のイタリア人」，定冠詞のついた **the Italians** は「イタリア国民」を表すが，これはあくまでも単独の場合に限った説明であり，実際は文脈によって意味が異なることも多い。
> たとえば，**The Italians** were the first of the Axis forces to surrender.（日独伊三国軍事同盟では**イタリア軍**が最初に降伏した）のように，「**その〔あの〕イタリア人たち**」という基本的な意味を表す定冠詞のついた **the** Italians は，「イタリア国民」より限定された意味を表すこともある。
> また，**Italians** are industrious.（イタリア人は勤勉である）のように，無冠詞の **Italians** は，文脈によって単なる「複数のイタリア人」より「イタリア国民」に近い意味を表すこともある。
> 文によっては，多くの日本人の感覚からすると，無冠詞でも定冠詞つきでも同じように思えるかもしれない。たとえば「イタリア人は勤勉である」という一般論を言うには，無冠詞の **Italians** are industrious. でも，定冠詞つきの **The Italians** are industrious. でも，どちらでもよいように見えるのである。
> だが，この2つは英語としてはニュアンスがだいぶ違う。無冠詞の **Italians** are ... . のほうは意味上比較的柔らかい表現で，「イタリア人は〔1人残らずとまでは言えないが〕**一般的に**…」といった感じだが，定冠詞の **The Italians** are ... . のほうは，比較的堅い表現で，イタリア国民を**一枚岩と見なしている**感じが強い。
> したがって，ある国民に対する偏見や固定観念，ステレオタイプなどを表す文，たとえば (The) Italians are a cheerful people. のような文では，**the** がつけられていることが多い。**the** があると，「彼らは〔一枚岩と見なしてもいいほど〕皆同じようなものだ」というような話し手［書き手］の態度が感じられるのである。

197 分詞形容詞

 動詞の**現在分詞**と**過去分詞**は，共に形容詞的に名詞を修飾する働きを持っている（🔗 p.158　**79**）。その中で完全に形容詞化している語は，**分詞形容詞**という。これらは，元の動詞の意味から派生して，「〜している」，「〜した」，「〜された」などという意味を表すが，名詞の前に置いて限定用法にすると，こうした**一時的意味**だけではなく，**他と区別**する**分類的・永続的**な意味を持つことも多い。分詞のときの意味とは多少違ったニュアンスを持つので，注意が必要である。中には，派生して別の意味を表すものもある。また，very で修飾できるものと，できないものとがある。

197 A　現在分詞からの形容詞

(1) **自動詞の現在分詞** —— very で修飾できない。

　たとえば，a **singing** bird はそのまま，「鳴いている鳥」の意味にもなれば，分類的に「鳴き鳥（=a songbird）」という意味にもなる（名詞の後ろに置いて，a bird *singing* とすれば，「鳴いている鳥」の意味にしかならない）。

　同じように，a **traveling** circus（巡業サーカス）の traveling は，文字どおり「現在巡業中」という進行形的な意味で使うことは可能だが，巡業しないサーカスとの区別をするために使われるほうが多い。

　つまり，同じ動詞の現在分詞からできた形容詞が，違う意味で使われることがよくあるので，注意が必要である。

　　A lion cannot easily catch a **running** *gazelle*.
　　　（ライオンは，走っているガゼルを容易には捕まえられない）
　　A **running** *printing press* makes a lot of noise.
　　　（作動している印刷機は大きな音を立てる）
　　Many people were terribly poor and had no **running** *water* or electricity.
　　　（すごく貧しくて，水道や電気のない人が多かった）
　　The **working** *population* of Japan is in decline.
　　　（日本の労働人口は減少しつつある）
　　She has a **working** knowledge of physics.
　　　（彼女は実用的に扱える程度，物理学を知っている）

　注意　他動詞の目的語が省略されて自動詞になった語については（◯ p.31 **9A**(2)）

(2) **他動詞の現在分詞**

　「驚かす」というように，人の感情に影響を与えるような動詞の現在分詞は，能動的な意味を持つ。受動的意味を表す過去分詞と比較せよ（◯ p.430 **197B**(3)）。

◎人の感情に影響を与えることを表す動詞の現在分詞

amazing（驚くべき）	**amusing**（愉快な）	**annoying**（うるさい）
astonishing（驚くべき）	**boring**（退屈させる）	**charming**（魅力的な）
exciting（わくわくさせる）	**interesting**（興味深い）	**puzzling**（まごつかせる）
shocking（衝撃的な）	**surprising**（驚くべき）	**thrilling**（ぞっとさせる）

197 B　過去分詞からの形容詞

(1) **自動詞の過去分詞**

　自動詞の過去分詞の多くは，結果としての状態を表す。

The foliage has already turned color, and **fallen** leaves are all over the path.
（木の葉はすでに色づいて，落ち葉が小道をすっかり覆い隠している）

◎結果としての状態を表す自動詞の過去分詞

advanced（高度の）	**faded**（色あせた）	**failed**（失敗した）
grown（完全に成長した）	**fallen**（落ちた）	**learned**（学識ある）
retired（引退した）	**traveled**（旅慣れた）	**withered**（しおれた）

(2) 他動詞の過去分詞 —— 感情表現

197A(2) (p.428) の他動詞は，過去分詞になると**感情**を表現する。完全に形容詞化したものには **very** を使ってよい。

The counsel *was* both *very* **surprised** and *very* **disappointed** at the ruling.
（その弁護士は判決にひどく驚き，たいへんがっかりもした）

The **excited** *crowd* cheered for the home team.
（興奮している観衆は地元チームを応援した）
● excite させられた観衆の意味。

It was an **exciting** *game* between the Yankees and the Marlins.
（それはヤンキースとマーリンズとのわくわくさせるような試合だった）
● 人を excite させる試合の意味。

これらの形容詞は，1番目の例文のように補語として**叙述用法**に使えるし，2番目の例文のように名詞の前に置いて**限定用法**にも使える。

◎感情を表す完全に形容詞化した頻出する過去分詞

amazed（びっくり仰天した）	**amused**（おもしろがっている）
ashamed（恥じている）	**bored**（退屈している）
confused（困惑している）	**contented**（満足している）
delighted（とても喜んでいる）	**depressed**（落ち込んでいる）
disappointed（がっかりした）	**disgusted**（うんざりした）
distressed（たいへん困っている）	**disturbed**（動揺している）
excited（わくわくしている）	**frightened**（おびえている）
interested（興味を持っている）	**irritated**（いらいらしている）
perplexed（困惑している）	**pleased**（喜んでいる）
puzzled（当惑している）	**worried**（心配している）

● He seems to be **tired**. は「彼は疲れたようです」という意味だが，He seems to be **tired of** this game. （彼はこのゲームに飽きたようです）のように，叙述用法に用いられる〈be [get] **tired of** ～〉の形は「～に飽きた」という意味を表す。

(3) 他動詞の過去分詞 —— その他

感情表現以外にも、他動詞の過去分詞から形容詞になったものはたくさんある。基本的に、これらは、「〜された」という意味が強い場合には過去分詞のままと考え、違う意味になっている場合には、完全に形容詞化していると考えればよい。

◎その他よく用いられる形容詞化した他動詞の過去分詞

accustomed（慣れた）	**appointed**（指定された）
civilized*（文明化した）	**closed**（閉じた）
complicated*（複雑な）	**crowded***（混んだ）
cultivated*（教養のある）	**decided**（明確な）
deserted（無人の）	**determined***（決然とした）
distinguished*（気品のある）	**experienced***（経験のある）
fixed*（決まった）	**frozen**（凍った）
hidden（隠れた）	**lost**（行方不明の）
marked*（著しい）	**mixed***（混合の）
noted（有名な）	**organized***（組織的な）
qualified*（資格のある）	**refined***（洗練された）
settled*（固定した）	**spoken**（口語の）
supposed（想定された）	**tired***（疲れた）
used（中古の）	**written**（書かれた）

（＊は very で修飾可能）

(4) 現在分詞・過去分詞から派生した感情を表す形容詞の使い分け

他動詞の現在分詞と過去分詞から派生した感情を表す形容詞は、現在分詞は「〜させる」、過去分詞は「〜される」というのが元の意味であり、それに応じた使い分けに注意する。

That is indeed a **surprising** (×surprised) *story*.
　（それはまさに驚くべき話だ）

I *was* **surprised** (× surprising) at the level of information that could be accessed.
　（アクセスできる情報のレベルの高さにびっくりした）

198 形容詞の 2 用法

198 A　形容詞の限定用法と叙述用法

形容詞は、限定用法と叙述用法の 2 つの用法を持つ。

(1) 限定用法

名詞に直接つけて用いる用法。名詞の前に置くことが多いが，後に置く場合もある（●p.435 **200A**(2)）。

名詞の前に置かれる形容詞は，**分類的性質**を持つ。

> The police officer behind the **tall, dark, wooden** *desk* was in a **blue short-sleeved** shirt.
> （その背の高い黒っぽい木の机の後ろにいた警官は，青い半袖(そで)のシャツを着ていた）
>
> ●「背の高い黒っぽい木の」は，机の形や色，材質などという，他と区別する性質を示すのに使われており，「青い半袖の」も，シャツを説明する，分類的な性質を示している。

注意 poor Jack（かわいそうなジャック）などのような場合の「かわいそうな」は，主観的である。形容詞には，上の例のような客観的に描写する形容詞と，主観的な形容詞とがある。

(2) 叙述用法

補語の位置に置いて，名詞の状態などを述べる用法。一時的な状態を表す形容詞だけでなく，意味上永続的な状態を表す形容詞にも用いられる。

① 主格補語（●p.5 **2D**(3)①, p.7 **3B**）

> I was **sleepy**, and it was hard to get out of bed.
> （私は眠くて，なかなか起きられなかった）
>
> ●He was *sleepy*.（彼は眠かった）は**一時的**状態だが，He was *tall*.（彼は背が高かった）は**永続的**状態を表す。

> Art is **long**, life is **short**.
> （芸術は長く，人生は短し）
>
> ◆ギリシャの医学者，ヒポクラテスの言葉で，本来は「技術(医術)を習得するのには長くかかるから，時間を無駄にするな」の意味。

② 目的格補語（●p.12 **3E**）

> Do you *consider* this statement (to be) **true** or **false**?
> （＝Do you think that this statement *is* **true** or **false**?）
> （この陳述を本当だと思いますか，それともうそだと思いますか）

199 限定用法と叙述用法のどちらか一方のみの形容詞

199 A 限定用法のみの形容詞

次のような形容詞は，叙述用法に用いることができないので注意。

(1) 元来比較級や最上級だった形容詞

次のような形容詞は，もともと比較級や最上級であり，程度は示さず，他との

対比の意味しか表さないから，限定用法にのみ用いる。

elder（年上の）	**former**（前の）	**inner**（内部の）
latter（後半の）	**outer**（外の）	**upper**（上の）
utmost（最大限の）		

［誤］She is *elder* than I am.
［正］She *is* **older** than I am.（彼女は私より年上です）
［正］She is my **elder** *sister*.（彼女は私の姉です）

(2) 意味を強めたり，限定する形容詞

次のような形容詞も，他と**区別**したり，**意味を強める**ために使われ，もっぱら限定用法に用いる。

◎意味を強めたり，限定する形容詞

chief（主要な）	**lone**（ひとりきりの）	**main**（主な）
mere（ほんの）	**only**（唯一の）	**sole**（唯一の）
sheer（まったくの）	**utter**（まったくの）	**very**（まさにその）

［誤］Ocean Drive is *main* in Miami Beach.
［正］Ocean Drive is a **main** *street* in Miami Beach.
　　（オーシャンドライブはマイアミビーチの大通りです）

(3) 名詞から派生した形容詞

たとえば，atom（原子）に，接尾辞の -ic がついてできた形容詞 atomic（原子力の）は，元の「原子」という意味合いをそのまま持っており，「原子力時代」は *atomic* age という。atomic のように名詞から変形した形容詞は，原則として常に他の**名詞の前**に置かれ，補語にはならないが，こうした類の形容詞でも，比喩的な意味で用いられる場合には，**叙述用法**にもなる。

dramatic works（演劇の作品）
　　　〔「演劇の」という意味で，*poetical* works（詩の作品）などと区別して〕
dramatic change（急激な変化）　〔「劇的な，急激な」という比喩的な意味で〕
このように比喩的な意味を持つと，**叙述用法**にも用いることができる。

　The change of climate *was* **dramatic**.
　　（気候の変化は驚くべきものだった）

(4) 語尾が -en の分詞形容詞

語尾が -en 形の過去分詞で，完全に形容詞化したものは，ふつう限定用法のみで叙述用法には用いない。形容詞化していなければ，他動詞の場合は〈be ＋過去分詞〉で，受動態になる。

Suddenly a **drunken** *man* came up to me.
(突然，酔った男が私の方にやって来た)
　●《米》では，「飲酒運転[運転手]」などは，**drunk** driving [driver] ということもある。

叙述用法において補語にするなら，「酒に酔った」は drunk を使う。
[誤] The man was very *drunken* at the time.
[正] The man *was* very **drunk** at the time.
(当時その男はひどく酔っていた)
　●**drunken** は，比喩的に「～に酔いしれている」の意味で，〈be drunken with ～〉というような使い方もある。

限定用法のみに使う -en 形の過去分詞由来の形容詞では，**spoken**（口頭の），**written**（書かれた），**fallen**（落ちた）などがよく使われる。

|注意| -en でなく，-ed で終わる感情を表す語の中で，surprised（驚いて），worried（不安で）などの完全に形容詞化した過去分詞は，be の補語になる（◎ p.429 **197B**(2)）。

tired のような，完全に形容詞化している過去分詞由来の語も補語になる。

(5) その他の限定用法のみの形容詞
これらについては，使うときに辞書で確認しておくのがよい。
　　live [laɪv]（生きている）　　**indoor**（屋内の）　　**outdoor**（屋外の）
　　Outdoor *activities* are now becoming increasingly popular.
　　(屋外での活動は，今人気上昇中である)

199 B　叙述用法のみの形容詞

叙述用法で用いられ，名詞の前に置かない形容詞がある。また，こうした形容詞の中には，名詞の後ろに置かれ，名詞を限定するものもある。

(1) 頭に a- のつく形容詞（次の意味で用いられる場合）

afloat（浮かんで）	**afraid**（恐れて）	**akin**（同類で）
alike（似ている）	**alive**（生きている）	**alone**（ひとりで）
asleep（眠って）	**awake**（目が覚めて）	**aware**（気づいて）

　　Once a balloon *is* **afloat**, it will move in the same direction as the wind.
　　(ひとたび気球が浮かべば，それは風と同じ方向に動く)
　　Floating（✕afloat）*ice* in the ocean hardly raises the sea level at all when it melts.
　　(海に浮かんでいる氷は，溶けても海面の水位をほとんど上昇させない)
　　Let **sleeping**（✕asleep）*dogs* lie.〈ことわざ〉
　　(眠っている犬は寝かせておけ＝触らぬ神に祟りなし)

The *dog* **asleep** [**sleeping**] on the sofa is a Cairn Terrier.
（ソファーで眠っている犬はケアンテリアです）

(2) **前置詞つきの句や，不定詞・動名詞が後に続く形容詞**

This ship is **bound** *for Egypt*.　　　　　　　　　　〔前置詞つきの句〕
（この船はエジプト行きです）

I am **unable** *to remove* the virus from the infected files.　〔不定詞〕
（私は感染されたファイルからウィルスを取り除くことができない）

Which island is most **worth** *visiting*?　　　　　　　〔動名詞〕
（訪ねてみる価値が最もあるのはどの島ですか）

199 C　限定用法と叙述用法で意味が異なる形容詞

限定用法と叙述用法とでは意味が異なる形容詞もあるので注意。

(1) **certain**

Why is Internet response slower at **certain** *times* of the day?
（どうしてインターネット上の反応は，1日の<u>ある</u>時間帯に遅くなるのだろう）

The present Cabinet *is* **certain** to improve its approval rating.
（現内閣が支持率を上げることは<u>確実</u>だ）

(2) **late**

The **late** *Dr. Sagan* was not only a scientist; he was also a philosopher.
（<u>故</u>セーガン博士は，科学者だけでなく哲学者でもあった）

He *was* **late** to court that day.
（その日，彼は出廷の時間に<u>遅刻した</u>）
　● the **late** *arrival*（遅れた到着）のように，「遅れた」という意味で限定用法にもなる。

(3) **right**

The Statue of Liberty holds a torch in her **right** *hand*.
（自由の女神像は，<u>右手</u>にトーチを掲げている）
　●「右の」の意味では，限定用法のみ。

I think the price *is* **right**.
（私はその値段は<u>妥当</u>だと思う）
　●「正しい」，「妥当である」などの意味では限定用法にも叙述用法にもなる。

(4) **ill**

Even though she *is* clearly **ill**, she refuses all medicine.
（明らかに<u>病気</u>なのに，彼女は薬をいっさい拒否している）

The wine had an **ill** *aftertaste*.
（そのワインは，後味が悪かった）

> **参考** an ill man（病気の男）など，「病気の」の意味で限定用法にもなるが，a *mentally* ill patient（精神的に障害のある患者）など，修飾語がつく場合が多い。

(5) present

The **present** *situation* is very serious.（現状は極めて深刻である）
- ● the *present* writer（当の筆者）は，論文などでIの代わりに用いる。

The police interrogated all who *had been* **present** at the meeting.
（警察は，その会合に出席していた人全員を尋問した）

200 形容詞の位置

200 A　形容詞の位置

(1) 名詞の前に置く場合

限定用法の場合，形容詞は名詞の前に置くのがふつうである。その場合に，
① まず，**all** と **both** はすべての修飾語の前に置く。
② 冠詞やそれに相当する語（◎ p.367 **174C**）はその次に置く。
③ 数量を示す形容詞は②の次に置く。

　All **six** *countries* agreed that *the* **nuclear** *issue* should be dealt with by means of *a* **six** *step* approach.
　　（6カ国のすべてが，核問題は6段階の方法で扱っていくべきであるということで一致した）

④ 性質や状態を示す一般の形容詞は，以上の語の次に置かれる。

(2) 名詞の後に置く場合

形容詞を名詞の後に置いて修飾するのは，次のような場合である。以下①，②，③の場合，that is など〈関係代名詞＋be動詞〉を補って表現してもよい。

① **-thing, -body, -one** で終わる不定代名詞を修飾するとき

　Is there *anything* **useful** on the web?
　　（ウェブ上に何か役に立つものがありますか）

② **-able, -ible** で終わる形容詞が，any, all, every や，最上級の形容詞を伴うとき（単独では名詞の前にも置けるものも多い）

　Any material **available** today will also be available tomorrow.
　　（今日手に入る資料はどれも明日でも手に入る）
　　● an *available* room（利用できる部屋）のように前置もできる。

③ 形容詞が他の語と一緒になって，語群を作っているとき

　"Silent Night" is a Christmas song **familiar** *to* many.
　　（「聖しこの夜」は，多くの人によく知られているクリスマスの歌です）

④ 慣用表現

That was a decision of the French *body* **politic**.
（それはフランス国民総体の決意だった）

The demonstration turned into a *battle* **royal** with the police.
（デモは警察との大乱闘になってしまった）

◆ **battle royal** の語源は闘鶏にあると言われる。16羽（8羽とも言われる）の鶏が闘鶏場で勝ち抜き戦をやり，8羽，4羽と勝ち抜いてきた最後の2羽が決闘をして生き残った鶏が勝者になったことに由来する。今では「大乱戦，乱闘，白熱した戦い」などの意味で使う。

200 B 複数の形容詞を名詞の前に置くときの順序

形容詞をいくつか名詞の前に並べるときの順序には，厳密な規則はないが，およそ次のように考えておくとよい。

① **話し手の主観的評価を表す形容詞を前に置く**（厳密な区別ではなく，表現に自分の主観が入っているもの，と考える程度でよい）。

I love Julia's **beautiful** golden *hair*.
（私はジュリアの美しい金髪が大好きだ）

主観的形容詞には，たとえば次のようなものがある。

lovely（美しい）	**nice**（いい）	**pretty**（きれいな）
cute（かわいい）	**poor**（かわいそうな）	**horrible**（ひどい）
terrible（ひどい）	**wonderful**（すばらしい）	**nasty**（意地悪な）

② 意味上，名詞との関係が深いものほど名詞の近くに置くという原則で，次の順で並べるのがふつうである。

大小 → 形状 → 性質・状態 → 新旧 → 色彩

	大小	形状	性状	新旧	色彩	名詞	
a			rich	old		man	（金持ちの老人）
a	big			new		bag	（大きな新しいバッグ）
a	little	round			white	plate	（小さな丸くて白い皿）

③ 名詞の形のまま形容詞として用いる語は名詞の直前に置く。

space travel（宇宙旅行）　　　　**news** media（報道機関）
blood pressure（血圧）　　　　　**sand** hill（砂丘）

④ 名詞に接尾辞をつけて形容詞にした語（⊙ p.423 **196B**(1)）は，「固有名詞から派生した形容詞」→「物質名詞から派生した形容詞」の順で③の前に置く。

a **Japanese earthen** jug　（日本製の陶器の水差し）

201 〈形容詞＋to不定詞〉

〈be＋形容詞＋to ...〉という形は，非常によく使われる便利な形であるが，いくつかの型があって，それにふさわしい形容詞を選ぶ必要がある。

201 A 〈be＋形容詞＋to ...〉

(1)「…するのが難しい」型

Certain information is **difficult** *to access*. （ある情報は入手するのが難しい）

この型の文は，〈It is ～ (for A) to ...〉の構文に書き換えられる（◎ p.141 **70A**）。

→*It is* **difficult** *to access* certain information.

◎〈**be difficult to ...**〉型をとる主な形容詞

convenient（便利な）	**dangerous**（危険な）	**difficult**（難しい）
easy（やさしい）	**hard**（難しい）	**impossible**（不可能な）
nice（快適な）	**pleasant**（楽しい）	**tough**（困難な）

〈It is ～ (for A) to ...〉には用いられるが，〈be＋形容詞＋to ...〉構文には用いられない語があるので注意。たとえば次の語である。

| **important**（重要な） | **necessary**（必要な） | **possible**（可能な） |

［誤］Reliable data *is possible to get* on the Internet.
［正］*It is* **possible** *to get* reliable data on the Internet.
（信頼できる資料をインターネットで入手することが可能である）

● impossible のほうはどちらの型もとれるので，特に注意すること。

[注意] **able [unable] to ...**（…する能力がある［ない］）は，Aを主語にするものなので，「…すること」を主語にする「It is 構文」にはならない。つまり She is able [unable] to walk. はあるが，It is able [unable] (for her) to walk. という英語はない。

(2)「～するとは親切だ」型

Reverend King *was* **brave** *to lead* the bus boycott.
（キング牧師は勇敢にもバス・ボイコットを指導した）

この型の文は，〈It is ～ (of A) to ...〉構文に書き換えられる（◎ p.142 **70B**）。

→*It was* **brave** *of* Reverend King *to lead* the bus boycott.
◆黒人公民権運動の指導者 Martin Luther King, Jr. 牧師は，1968年に暗殺された。

(3)「～してうれしい」型

I am **glad** *to see* so many of you here today.
（今日こんなに多くの皆さんに集まっていただき，うれしく思っております）

- glad to see は「会えてうれしい」という意味で使うことも多い。

◎〈**be glad to ...**〉型の形容詞

afraid（恐れて）	**angry**（怒って）	**content**（満足して）
glad（喜んで）	**happy**（うれしくて）	**sorry**（残念で）
thankful（ありがたく思って）		

- amazed（驚いて）など感情を表す過去分詞由来の形容詞もこの型をとる。

注意 当然のことながら，この類の形容詞の場合，主語になるのは意識を持つ人間や動物のみで，事物が主語になることはない。

発展 〈be afraid to do〉と〈be afraid of doing〉で意味が違う場合がある。
　　He *was* **afraid** *to enter* the house.（彼は怖くて家に入らなかった）
　　He *was* **afraid** *of failing*.（彼は失敗するのではないかと心配だった）
自分の意志で左右することができる動詞の場合は，「怖くて〜しない」という同じ意味になることが多い。
　　I *was* **afraid** *of swimming* [*to swim*] in the river.
　　（私は怖くてその川で泳がなかった）

(4) その他

① 〈**be quick to ...**〉型

Change *is* **slow** *to* be recognized.（変化は認識されるのが遅い）

She *is* **prompt** *to* respond to e-mail from friends.
（彼女は，友達からメールをもらったら，すぐ返事する）

◎〈**be quick to ...**〉型の形容詞

prompt（素早い）	**quick**（速い）	**slow**（遅い）	**swift**（素早い）

② 〈**be anxious to ...**〉型

She *was* **willing** *to* go.（彼女は行ってもいいと思った）

◎〈**be anxious to ...**〉型の形容詞

anxious（切望して）	**eager**（切望して）	**keen**（熱望して）
ready（心の準備ができて）	**willing**（〜する気がある）	

- 〈be ready to〉は，単に「〜の準備ができた」というのが本来の意味だが，文脈によっては「〜する心の準備ができている」や，「〜する意欲がある」というような状態を表すこともよくある。

③ 〈**be likely to ...**〉型

The number of unemployed *is* **likely** *to* rise.
（失業者の数は増える可能性が高い）

◎⟨be likely to ...⟩型の形容詞

| certain（確かな） | likely（可能性が高い） | unlikely（可能性が低い） |

発展 ⟨be sure to do⟩と⟨be sure of doing⟩は意味が違う。
　　He is **sure** *to earn* a living wage there.　　　　〔話し手の確信〕
　　（彼はきっとあそこで生活費が稼げるよ）
　　He is **sure** *of earning* a living wage there.　　〔主語の確信〕
　　（彼はあそこで生活費が稼げると確信している）

202 ⟨形容詞＋that節⟩

202 A　人を主語にした構文での that節

(1) ⟨I am happy that ...⟩型

この型では，that は**感情の原因**を表す。

　I am **happy** *that* you've come.（来てくれてうれしい）

◎⟨I am happy that ...⟩型の形容詞

| **angry**（怒って） | **content**（満足して） | **glad**（喜んで） |
| **happy**（うれしくて） | **sad**（悲しくて） | **sorry**（残念に思って） |

感情表現の過去分詞由来の形容詞もこの型をとる（◯ p.429 **197B**(2)）。

(2) ⟨I am afraid that ...⟩型

この型では，⟨be＋形容詞＋前置詞⟩が1つの他動詞の役割を果たすので，that節はその目的語の**名詞節**になる。この場合，that の前では前置詞は省かれる。

　I am **afraid** *that* the decisions may be made too quickly.
　　（その決定があまりにも早くなされるのではないかと心配だ）

　●I *fear* that ... . というと，これよりも堅い言い方になる。

◎⟨I am afraid that ...⟩型の形容詞

afraid (of)（恐れて）	**aware** (of)（気づいて）
careful (of)（気をつけて）	**certain** (of)（確信して）
confident (of)（確信して）	**conscious** (of)（気づいて）
convinced (of)（確信して）	**desirous** (of)（望んで）
eager (for)（熱望して）	**fearful** (of)（恐れて）
hopeful (of)（期待して）	**ignorant** (of)（知らないで）
keen (on)（夢中で）	**proud** (of)（誇りに思って）
sure (of)（確信して）	

202 B 〈It is ＋形容詞＋that A (should) ...〉構文

この構文については，すでに代名詞（● p.389 **180B**(3)③），助動詞（● p.97 **43B**），仮定法（● p.205 **104B**）のところでも扱った。ここでは，この構文をとる形容詞を，that節内の動詞の語形との関連で3つに分けておく。

(1) that節内に常に**直説法**の動詞を用いるもの（● p.143 **70C**）

 It is **apparent** *that* the world *needs* more forests.
  （世界がもっと多くの森林を必要としていることは明らかだ）

(2) that節内に **should** か**直説法**を用いるもの
 話し手が that節の内容が事実だと意識していれば，**直説法**を用いる。

 It is **natural** *that* everyone's experience *is* different.
  （各人の経験はみな違うということは当然だ）

話し手の意識の中で that節の内容が事実だという確信まではしていないが，実際そうである可能性が十分高く，「～だとしても［したら］」という意味を述べるときに **should** を入れることがある。

 It is **natural** *that* US attention *should* turn to the solution of economic problems.
  （米国の関心が経済問題の解決のほうに向いてもおかしくない）

 It is **strange** *that* he *should* readily accept such a job.
  （彼がそんな仕事を躊躇せずに引き受けるなんて不思議だ）

また，この型では，**should** に感情が込められることがある。

◎話し手の主観的判断を表す形容詞──実際の文脈で意味が決まる。

absurd（ばかげた）	**alarming**（驚くべき）	**amazing**（驚くべき）
appropriate（適切な）	**astonishing**（驚くべき）	**awful**（ひどい）
curious（奇妙な）	**dreadful**（ひどい）	**extraordinary**（驚くべき）
good（よい）	**logical**（理にかなった）	**natural**（当然な）
odd（おかしい）	**proper**（適切な）	**rational**（理にかなった）
reasonable（筋の通った）	**remarkable**（驚くべき）	**ridiculous**（滑稽な）
right（正しい）	**shocking**（けしからぬ）	**strange**（不思議な）
surprising（驚くべき）	**wrong**（間違った）	

◎話し手の気持ちを表す形容詞

annoying（腹立たしい）	**disappointing**（がっかりさせられる）
irritating（腹立たしい）	**sad**（悲しい）

(3) that節内の should を省けば，仮定法現在になるもの （⊙ p.98 **43C**(2), 204 **104A**）

「Aが〜することが望ましい［必要だ，重要だ］」というように，「何かを行う［何かが行われる］かどうか」や，「ある状態になるかどうか」などに関して，話し手が，自分の**意見や見方**，あるいは**要求や願望**を述べるために使う形である。

It is **necessary** *that* this system *be* reviewed at least once every 30 days.
（このシステムは少なくとも30日に１回は再調査する必要がある）

● should を用いるのは《英》に多いという統計がある。くだけた言い方では，《英》では，直説法を用いることもある。

◎**that節内に仮定法現在，または should を用いる形容詞**

advisable（望ましい）	**crucial**（極めて重要な）
desirable（望ましい）	**essential**（絶対必要な）
imperative（絶対必要な）	**important**（重要な）
necessary（必要な）	**urgent**（すぐ必要な）

● その他，**compulsory, critical, indispensable, mandatory, paramount, unnecessary, vital** などもこの使い方をする。

Helpful Hint 103 形容詞が表す意味を強調する *only*

前掲の(2)で「話し手の主観的判断を表す形容詞」として紹介されている中で，**appropriate, logical, natural, proper, rational, reasonable** の６語には，強調のために *only* をつけることが実に多い。

たとえば，「彼女が怒ってもおかしくない」は，It is **natural** that she should be angry. で十分だが，「彼女が怒るのは**当然だ**」というもっと強い「主観的判断」を表す場合には，It is *only* **natural** that she should be angry. がちょうどよい。前者の「**natural のみ**」では，「怒るのは**自然な反応だ**」ということが表されているが，後者のように **natural** の前に **only** をつけると，「怒るのは**自然な反応にすぎない，当たり前だ**」という強調的な言い方になる。同じように，たとえば，It is **only appropriate** that she should be promoted. と言うと，「彼女が昇進するのはほかならずまさに適切なことである」といった感じの強調的な表現になる。極端に言えば「彼女の昇進が適切であるということは，**当たり前なことだ**」のような「強い意見」を表す言い方である。

この **only** は，日本語の「いかにも」に極めて近い。たとえば，It is **only logical** that … . という表現に感じられる強調は，「…はいかにも理にかなったことだ」という日本語に感じられる強調に酷似している。ただし，「いかにも」は **only** よりもだいぶ幅広く使える強調語である。たとえば，「…はいかにもばかげたことだ」や「…はいかにも不思議なことだ」と言うが，It is **only** *absurd* that … . や It is **only** *strange* that … . とは言わない。

前掲の「話し手の主観的判断を表す形容詞」として紹介されている語の中で，**only** が強調語として使えるのは上の６つの形容詞だけである。

第2節 数量形容詞

203 不定の数量を表す形容詞

人や事物の数や量を表す形容詞が数量形容詞である。数詞については次の第3節で扱う。

203 A 不定代名詞の形容詞用法

各語の意味と，続く名詞の数を示す。⇒で示すページを参照のこと。

(1) **all** (⇒ p.409 **190B**)

「すべての」	複数名詞		*all* children（すべての子供）
	集合名詞（単数形）		*all* the family（家族全員）
「全体の」	単数可算名詞（時）		*all* day（１日中）
	（場所）		*all* the world（世界中）
「全部の」	不可算名詞（単数形）		*all* the money（あり金全部）

(2) **both** (⇒ p.408 **190A**)

| 「両方の」 | 複数名詞 | *both* sides（両側） |

(3) **some, any** (⇒ p.404 **189**)

「いくらかの」	複数名詞	*some* countries（いくつかの国）
	不可算名詞（単数形）	*some* tea（いくらかのお茶）
「ある」	単数可算名詞	*some* reason（なんらかの理由）
「どんな～でも」	〈**any**＋単数名詞〉	*any* day（いつでも）

(4) **no** (⇒ p.527 **248A**(2))

① 「１つ［１人］の～もない」，「少しの～もない」（＝**not any**）の意味。-one, -body, -thing と結びついて不定代名詞として用いることが多い（⇒ p.417 **195**）。**可算名詞・不可算名詞のどちらの前にも置ける**。

② １つ［１人］しかない**可算名詞**なら単数形，２つ以上なら複数形になる。単・複どちらでも不自然でない可算名詞の場合には，ふつう**複数形**にする。

> He has **no** *children* [*child*] to comfort him.
> （彼には慰めてくれる子供はいない）
>
> These trousers have **no** *zipper* and **no** *pockets*.
> （このズボンにはファスナーがなく，ポケットもない）
> ●ズボンには，ファスナーはふつう１つだけだが，ポケットはふつう複数ある。

③ **不可算名詞**は単数形である。

> I have **no** *money* to make a trip to the US. （米国に旅行するお金がない）

(5) **either**（⊃ p.415 **192**(1)）
「どちらか一方の」　　単数可算名詞　　*either* day（どちらの日でも）
(6) **neither**（⊃ p.415 **192**(2)）
「どちらのAも〜ない」単数可算名詞　　*neither* side（どちらの側にもない）
(7) **each**（⊃ p.413 **191A**）
「それぞれの」単数可算名詞　　*each* person（各人）
(8) **every**（形容詞のみ）（⊃ p.413 **191B**）
「どの〜も」　単数可算名詞　　*every* student（どの学生も）

203 B　その他の不定数量形容詞

(1) (a) **few**（⊃ p.447）　　「少しの」　　複数名詞　　*a few* cars（数台の車）
(2) (a) **little**（⊃ p.447）　「少しの」　　不可算名詞　*a little* wine（少しのワイン）
(3) **several**（⊃ p.449）　　「いくつもの」複数名詞　　*several* days（数日）
(4) **many**（⊃ p.443）　　　「たくさんの」複数名詞　　*many* books（たくさんの本）
(5) **much**（⊃ p.444）　　　「たくさんの」不可算名詞　*much* water（たくさんの水）

これらについては，次の **204** 以下で説明する。

204　many と much

204 A　many の用法

(1)「多数の」の意味を表すときに，many を用いる場合

　many は可算名詞の複数形につける。くだけた言い方では，many でなく，a lot of などの語句を用いることが多い。

　many を用いるのは，次の場合である。

① 主語を修飾するとき

　Many *parents* believe that the world is no longer safe for their children.
　　（世の中がもはや自分の子供たちにとって安全ではないと思っている親が多い）

　　●I have **many** friends living in England.（私にはイギリスに住んでいる友達がたくさんいる）というように，肯定平叙文の目的語を many で修飾することもある。ただし，こうした形は，たとえば「イギリスに住んでいる友達，いますか」と尋ねられ，「ええ，たくさんいますよ」と答えるように，**何かの有無や数がすでに話題に上っているとき**に使われるのがふつうである。最初から唐突に I have **many** friends living in England. と言うと，いささか不自然に感じられるのである。

② 否定文・疑問文で

　Women clothes usually *don't* have **many** pockets.
　　（女性の服にはたいていポケットがあまり多くついていない）

Have you *told* **many** people about your plan to study abroad?
(留学する予定について多くの人に話していますか)

③ **as, so, too, how** に続くとき

I have never seen *so* **many** butterflies in all my life.
(こんなにたくさんのチョウを見たのは生まれて初めてだ)

(2) many に代わる表現

「多数の」の意味で many の代わりに使われる語句は次のようなものである。

a lot of	**lots of**	**plenty of**
a large [good, great] number of		

〈a lot of〉よりも〈lots of〉のほうがくだけた感じになるが，意味は同じで，両方とも疑問文や否定文にも使える。

> 注意　〈a number of〉は some よりやや多いという感じを受けるかもしれないが，基本的には some と同様，「いくつかの」や「何人かの」の意味で使われる。たくさんであることを示すには，上のように，large, good, great などをつける。

> 発展　many を補語にするのは堅い言い方で，few と対照的に用いる場合などに見られる。
> Lately the people who need organ donations *are* **many** and the donors few.
> （最近，臓器提供を必要としている人は多いのに，提供者は少ない）

(3) 〈many a [an] ～〉

〈many a [an] ～〉は，many よりも「多い」ことが強調され，やや堅い言い方。

Many *a* student *is* given the opportunity of demonstrating his or her performing skills.
（自分の演奏技術を実際に示す機会が与えられる学生は多い）

● 〈many a ～〉は，a があるために，**単数動詞**で受ける。

(4) many の代名詞用法

〈**many of ～**〉の形で，「～の多く」の意味を表すときの many は代名詞。

Many *of the* best *restaurants* are not in the center of London.
（一番いいレストランの中で，ロンドンの中心にはないものが多い）

204 B　much の用法

可算名詞を修飾して「多数の」の意味を示す many に対して，much は**不可算名詞**を修飾して「多量の」の意味を示す。

(1) **物質名詞**について**量の多い**ことを表す。

Hamsters don't drink **much** *water*.
（ハムスターは水をあまりたくさん飲まない）

(2) **抽象名詞**につけて，**程度の高い**ことを表す。名詞は単数形。

I don't think you'll have **much** *difficulty* finding a restaurant here.
(ここではレストランを見つけるのにさほど苦労はしないだろう)

(3) 肯定平叙文では much の代わりに，a lot of などを用いるのがふつう。much を用いるのは，次のような場合である。

① **主語を修飾**する場合

Much *consideration* has been given to curriculum reform, too.
(カリキュラム改革もかなり考慮されています)

When **much** *water* is included, the mixture becomes like mud.
(たくさんの水分が含まれると，その混合物は泥のようになる)

Much *time* is being wasted on meaningless tasks.
(無意味な仕事に浪費されている時間が多い)

② **否定文・疑問文**で

I *don't* waste **much** *time* listening to other people's arguments.
(私は他人の議論を聞くのにあまり時間を浪費しない)

I *haven't* been spending **much** *money* on eating out lately.
(最近，私は外食にはあまりお金を使っていません)

Did you have **much** interest in English as a child?
(子供のころ英語に興味がありましたか)

● 疑問文における much は any に近い意味で，「ある程度」のような感じ (● p.446 H.H. 104)。

③ **as, so, too, how** に続くとき

How **much** *money* did you spend today?
(今日はお金をいくら使いましたか)

(4) much に代わる表現

「多量の」の意味で，much の代わりに使われる語句には次のようなものがある。

a lot of	**lots of**	**plenty of**
a great [good] deal of	**a large amount of**	

(5) much の代名詞用法

much のこの用法は，いささか堅い言い方であり，改まったときに用いられることが多い。

Much *of the universe* is composed of matter we cannot see.
(宇宙の多くは，我々には見えない物質で構成されている)

> **発展** many と much の比較級・最上級である more と most は，数にも量にも使える。
> **Most** of the buyers *are* women. （買い手の大部分は女性です）
> **Most** of the food *was* lost. （食料のほとんどはなくなった）

Helpful Hint 104　疑問文における much の意味

　much のさまざまの用法の中でも，日本人の学習者にとって最も感覚的につかみにくいのは，おそらく「疑問文の用法」だろう。というのも，**Much** of this information is mistaken.（この情報には，間違っている部分が**多い**）のように肯定文なら，たいてい純粋に「**多い**」ことが表されているし，I'm sorry, but have**n't** got **much** time today.（悪いけど，今日は時間が**あまり**ありません）のように否定文なら，「**あまり**」という訳がぴったりなので日本語に直しやすい。

　ところが，疑問文の much は，日本語の観点からするとそう簡単なものではない。たとえば，前掲の**(3)②**の用例 Did you have **much** interest in English as a child?（子供のころ英語に興味がありましたか）の **much** を見ると，直感的に「…に興味が**大いに**ありましたか」のように訳したくなるかもしれないが，この英文はそういう意味ではない。言わば「…に興味が**ある程度**ありましたか」といったことを尋ねているのであり，Did you have **any** interest in ...? や Did you have **an** interest in ...? と書き換えても意味はさほど変わらない。ただ，日本語では「子供のころ，英語に興味が**ある程度**ありましたか」などとふつうは質問しないので，いささか意味がつかみにくい言い方なのだろう。

　また，似たような表現で，I wonder if she has **much** money.（彼女はお金を持っているのかな）という言い方もある。この言い方には「さほど持っていないのではないだろうか」といったニュアンスがあり，説明的に言えば「彼女は，**ある程度**と言えるほどお金を持っているのかな」という意味の疑問になる。

204 C　many, much を含む慣用表現

(1) 〈**a great many** ~〉「非常に多くの」，〈**a good many** ~〉「かなり多くの」

　　His plan gained the support of **a good many** *people*.
　　　（彼の計画はかなり多くの人の賛同を得た）

(2) 〈**as many** ~〉，〈**as much** ~〉「それと同数[量]の」
　　先行する数詞と相関的に用いる。

　　I've bought five cars in **as many** *years*.
　　　（私はこの 5 年間のうちに車を 5 台も買っています）

(3) 〈**so many** ~〉，〈**so much** ~〉「いくらいくらの」
　　ある一定数量を表すのに用いる。

　　"Piecework payment" means paying **so much** *money* for **so many** pieces produced.
　　　（「出来高払い」とは，出来上がった製品の数に対して，それだけの分の賃金を払うことです）

(4) 〈like so many [much] ～〉, 〈as so many [much] ～〉

(2)の応用であるが,「それと同数の」の意味から,「まるで～のように」という意味を表す。

> The children were buzzing around me **like so many** *bees*.
> (子供たちは私の周りで, ミツバチのようにがやがや騒いでいた)

(5) 〈as many [much] ～ as ...〉

「…だけの数［量］の～」──全部を表す。

> For $20 per month, you can rent **as many** DVDs **as** you want.
> (月20ドルで, 欲しいだけの DVD を借りることができる)

205 (a) few と (a) little

many と much の反対の,「少数」「少量」を表すのが, (a) few と (a) little である。共に, a がつくか否かで, 肯定的か否定的かの意味合いが生まれる。

205 A a few と few

(1) a few

a のついた **a few** は,「少しある」という**肯定的**な意味を表す。可算名詞の複数形につける。

> There are **a few** *hills* in the southeast corner of the Netherlands.
> (オランダの南東部には丘陵が少しある)

(2) few

a のつかない **few** は,「少ししかない」という**否定的**な意味を表す。「非常に少ない」と強調したい場合には, very few や exceedingly few などのように, few の前に「非常に」という意味を表す副詞をつければよい。

> *Very* **few** *whales* have been observed in the bay lately.
> (最近, 湾内で観察されているクジラは非常に数少ない)

● Permanent jobs *are* **few**.（終身雇用の仕事はあまりない）というように, few を be 動詞の補語に使ういささか改まった感じの言い方もあるが, There are few permanent jobs. というほうが多い。

(3) 代名詞用法

> Many came to see the exhibit, but **few** were favorably impressed by it.
> (その展示会を見に来た人は多かったが, 見て感心した人は少なかった)

205 B a little と little

(a) little は much の反対で, 量が少ないことや, 程度が低いことを表す。

(a) few と同じように，a がつけば肯定的，つかなければ否定的な意味を表す。

(1) a little

a little は，「少しある」という**肯定的**な意味を表す。

> **A little** *wine* is poured into the host's glass for him to taste and appraise.
> （テイスティングしてもらうために，主人役の客のグラスにワインが少し注がれます）
> ◆レストランなどで，客の注文したワインを，まず主人客に試飲をしてもらう習慣がある。

> How interesting would life be without **a little** danger?
> （ちょっとした危険もない人生なんておもしろいだろうか）

(2) little

a のつかない little は「あまりない」という**否定的**な意味を表す。few と同じように，very などの副詞をつけて用いることが多い。

> In 1850 there was **little** *gold* left in the streams.
> （1850年には，川に残っている金はもうあまりなかった）
> ◆1849年から1853年にかけて，カリフォルニアにはゴールドラッシュがあった。

(3) 代名詞や副詞としての用法

> I know **a little** about basic programming. 〔代名詞〕
> （基礎的プログラミング作成について少し知っています）

> I see him very **little** these days. 〔副詞〕
> （私はこのごろ彼にあまり会いません）
> ●「ほとんど会わない」なら，"I almost never see him." になる。

205 C　few, little を含む慣用表現

(1) only a few [little]

「ほんの少ししかない」という**否定的**な意味に用いる。

> **Only a few** *people* know why this picture is so important.
> （この絵がなぜそんなに重要なのか知っている人はほんの少ししかいない）

(2) quite a few [little]

「かなり多くの」という**肯定的**な意味に用いる。

> The intelligence of **quite a few** *animals* is underestimated.
> （かなり多くの動物の知能が過小評価されている）

(3) not a few [little]

「少なからぬ」という**肯定的**な意味に用いる。

> **Not a few** *people* were absent that day. （その日は，欠席者が結構多かった）

Not a little *oil* leaked into the inlet.
（入り江に少なからぬ石油が漏れてしまった）

206 不定の数量を表すその他の形容詞

206 A　several の用法

「3以上だが many よりは少ない」というのが語義であるが，「たくさん」という感じを言外に含んで使われることも多い。可算名詞の複数形が続く。

Severe *weather conditions* have lasted for **several** *days*.
（厳しい気象状況が何日も続いている）

206 B　enough の用法

「十分な」の意味で，可算名詞の複数形と不可算名詞につけ，数にも量にも用いる。

The earth has **enough** *gravity* to hold the moon in orbit.
（地球には月を軌道にとどめるのに十分な引力がある）

enough には，**副詞**や**(代)名詞**の用法もある。

Egypt's economy is *strong* **enough** to cope with all situations.　〔副詞〕
（エジプトの経済には，あらゆる事態に対処するに足るだけの強さがある）

Enough has been argued on this subject.　〔代名詞〕
（この件に関しては，もう十分論議がなされている）

206 C　日本語に引きずられて誤りやすい「多・少」の表現

(1) large, small を用いる場合

総数［量］や総額が多い，少ないというときは，**large, small** を用いる。

The *audience* was **large** and enthusiastic.
（聴衆は多く，熱狂的だった）

When I was young, I lived on a **small** *income*.
（私は若いころ，少ない収入で暮らしていた）

◎「多・少」を表すのに **large, small** を用いる主な名詞

audience（聴衆）	**crowd**（群衆）	**family***（家族）
population（人口）	**expense***（費用）	**income**（収入）
number（数）	**amount / quantity**（量）	**sum***（金額）

＊のついている語は，日本語でも「大きい」を使うことが多い。

(2) **frequent, rare** を用いる場合

頻度が多い，少ないという場合には，**frequent, rare** を用いる。

Earthquakes are **frequent** in Iceland, but dangerous ones are **rare**.
（アイスランドでは地震が多いが，危険な地震はめったにない）

◎「多・少」を表すのに，**frequent, rare** を用いる名詞

earthquake（地震）	**fire**（火事）	**typhoon**（台風）

> 発展　この２つの形容詞は，幅広く，さまざまな出来事の起こる頻度について「多い」，「少ない」の意味で用いられることがある。
>
> In this neighborhood, *robberies* are **frequent** but *murders* are **rare**.
> （この近辺では強盗が多いが，殺人はめったにない）
>
> At that company, *requests* for overtime are **frequent** and *layoffs* are **rare**.
> （あの会社では，残業の要求が多く，解雇は少ない）
>
> In the world of television programming, *failure* is **frequent** and *success* is **rare**.
> （テレビの番組作成の世界では，失敗が多く，成功は少ない）

Helpful Hint 105　不定の数を表す形容詞のニュアンス

不定の数を表す some や a few, a number of, several, lots of, a lot of, many, numerous などの自然な使い分けは基本的には慣れの問題だが，具体例を通して比較すると，大ざっぱなことがわかる。

たとえば，「喜んだ人が何人かいた」には，some, a number of, a few, several のどれも使えるが，**Some** people were happy. とすると「喜んだ人もいた」といった感じになり，**A few** people were happy. とすると「喜んだ人もいたが，**大した数ではなかった**」といった感じになる。

この２つに対して **A number of** people were happy. と **Several** people were happy. はどちらも「喜んだ人は〔数人しかいなかったが，それでも〕意外と多かった」といった感じで，「喜んだ人も結構いましたよ」というような場合によく使われる。

また，純粋に「多い」では，lots of, a lot of, many, numerous は，みなまったく同じ意味ではある。だが，たとえば「彼女は何回もイタリアに行ったことがある」は，She has made **many** [**numerous**] visits to Italy. はいいが，She has made **lots of** [**a lot of**] visits to Italy. は，くだけすぎていて改まった会話や文章には合わない。逆に，many よりもだいぶ堅い感じの **numerous** を使うと，「フォーマル度」の相当高い会話や文においてでない限り，気取った印象を与えてしまう可能性が高い。

これとまったく同じ使い分けが見られる日本語表現はないかもしれないが，次の英語の使い方は自然である。It's true that **some** people may have been dissatisfied with the film, and **a few** people may even have found it difficult to understand, but there were **several** positive reviews in the newspapers, and it has been nominated for **a number of** awards.（確かにその映画に不満を感じた人もいて，理解しにくいとさえ思った人もわずかにいたのかもしれないけど，新聞には肯定的な評がいくつもあったし，賞にも結構ノミネートされているよ）

第3節 数詞

具体的に一定の数を表すものを数詞という。個数を表す**基数詞**と，順序を表す**序数詞**とがある。

207 基数詞

207 A 基数詞の形

(1) 1～100

① 1～19

1	one	6	six	11	eleven	13	thirteen
2	two	7	seven	12	twelve	14	fourteen
3	three	8	eight			15	fifteen
4	four	9	nine			16	sixteen
5	five	10	ten			17	seventeen
						18	eighteen
						19	nineteen

② 20～100

(a)
20	twenty	50	fifty	80	eighty
30	thirty	60	sixty	90	ninety
40	forty	70	seventy		

(b)
21	twenty-one	35	thirty-five	79	seventy-nine
22	twenty-two	46	forty-six	89	eighty-nine
23	twenty-three	57	fifty-seven	99	ninety-nine
24	twenty-four	68	sixty-eight	100	one hundred

③ 101～

101　one hundred (and) one
102　one hundred (and) two
●《米》では and は入れないことが特に多い。

(2) 1,000～100,000

① 3桁ごとの位

1,000　one thousand
10,000　ten thousand
100,000　one hundred thousand

② 個々の数字の読み方

    3,946   three thousand(,) nine hundred (and) forty-six
    2,005   two thousand(,) (and) five
    48,712   forty-eight thousand(,) seven hundred (and) twelve
    536,685   five hundred (and) thirty-six thousand(,) six hundred (and) eighty-five

(3) 100万 (million) 以上

1,000を単位にして3桁ごとに2乗，3乗となっていく。

    1,000,000 one million (100万)   1,000,000,000 one billion (10億)
1,000,000,000,000 one trillion (1兆)

個々の数字の読み方は，単位だけを変えて，**(2)②**と同じ要領で読む。

million, billion, trillion は，前に2以上の数字がついても，たとえば，five million dollars（500万ドル）のように，million には -s をつけない。ただし，名詞用法のときは -s をつけることがよくある。

    Indonesia's total population *is* approximately 210 **million(s)**.
    （インドネシアの総人口は，約2億1000万人である）

207 B　基数詞の用法

(1) 形容詞として

    Spiders have **eight** *legs*.（クモは脚が8本ある）
    The world is **one**.（世界は1つである）

(2) 名詞として

    The **three** of us have been alone for such a long time. We welcome a fourth person.
    （私たち3人は，あまりにも長い間3人きりでいました。4人目は歓迎です）
    ● the がつくと，us は the three と同格になる。the がなければ，「我々のうち3人」という意味。

(3) 漠然と多数を表す用法

① **hundreds [thousands, millions] of** などの形で

    I have seen it **hundreds of** times, but I never tire of it!
    （私はそれを何べんとなく見たが，決して飽きないのだ）
    ●「何万もの」の意味には tens of thousands of を用いる。

② **ten, hundred, thousand, million** などの形のままで

    I have told a **hundred** *lies* to a **hundred** different *people*.
    （私はたくさんの人々にたくさんのうそをついてきた）

(4) 複数形で

①「～歳代」

Michelangelo was still sculpting in *his* **eighties**.
（ミケランジェロは80歳代でもまだ彫刻をしていた）

②「～年代」

With the end of the Cold War in *the* **nineties**, defense policy changed.
（1990年代に，冷戦が終わるとともに，防衛政策が変わった）

> 発展 **"the 2000s"** には，意味の取り方が２つある。"the two-thousands" と発音すると2000年〜2999年という意味になるが，"the twenty-ohs" と発音すると2000年〜2009年（2000年代）という意味になる。その他にも "the twenty-zeros" や "the twenty-aughts"，"the twenty-naughts" などがある。また，似た表現に the first decade of the twenty-first century「21世紀の最初の10年」があるが，これは2001年から2010年までの10年間を指す。

(5) **dozen** など

① **dozen**

dozen（=12）は，「１ダースの～」というときには，〈**a dozen ～**〉というのがふつう。〈**a dozen** *of* **～**〉は，たとえば a dozen of apples という言い方はあまりしないが，of の目的語の前に these や those, some などの指示形容詞がつけられた **a dozen of** *those* apples などのような言い方はふつうである。

２ダース以上になっても dozen は複数形にしない。

We dyed *a few* **dozen** *eggs* for Easter.
（私たちはイースターのために２，３ダースの卵を染めました）

複数形の〈**dozens of**〉は，漠然と多数を示す。

You can compare **dozens of** *used book stores* on the Internet to find the lowest prices available.
（インターネットで，入手可能な最低価格のものを見つけるために，たくさんの古書店を比べてみることができる）

② **gross**

1 gross（１グロス＝12ダース）

gross は〈**... gross of ～**〉の形をとり，gross そのものは複数形にしない。

The company manufactures between 10,000 and 15,000 **gross of** *pens* per week.
（その会社は，週に１万ないし１万５千グロスのペンを製造している）

③ **score**

score は20の意味を表す古語であり，今日では〈**scores of ～**〉（たくさんの）の意味でもっぱら用いる。

> The festival is the result of the efforts of **scores of** *volunteers*.
> （その祭典は大勢のボランティアの努力の結晶である）

(6) 慣用句

① ten to one

> **Ten to one**, things will happen otherwise.
> （十中八九，事態は別の方向に進むだろう）

② by twos and threes

> The villagers arrived in the square **by twos and threes**.
> （村人たちは三々五々広場にやってきた）

208 序数詞

208 A 序数詞の形

「～番目の」の意味を表すのが序数詞で，first（1番目），second（2番目），third（3番目）以外は，〈基数詞＋-th〉の形になる。下線語のつづりに注意。

第1	*first*	(1*st*)	第11	eleventh	(11th)
第2	*second*	(2*nd*)	第12	tw<u>elf</u>th	(12th)
第3	*third*	(3*rd*)	第13	thirteenth	(13th)
第4	fourth	(4th)	第14	fourteenth	(14th)
第5	fifth	(5th)	第15	fifteenth	(15th)
第6	sixth	(6th)	第16	sixteenth	(16th)
第7	seventh	(7th)	第17	seventeenth	(17th)
第8	eigh<u>th</u>	(8th)	第18	eighteenth	(18th)
第9	<u>nin</u>th	(9th)	第19	nineteenth	(19th)
第10	tenth	(10th)	第20	twentieth	(20th)

第21以降は次のようになる。

第21	twenty-*first*	(21*st*)	第50	fiftieth	(50th)
第22	twenty-*second*	(22*nd*)	第60	sixtieth	(60th)
第23	twenty-*third*	(23*rd*)	第70	seventieth	(70th)
第24	twenty-fourth	(24th)	第80	eightieth	(80th)
第25	twenty-fifth	(25th)	第90	ninetieth	(90th)
第30	thirtieth	(30th)	第100	one hundredth	(100th)
第40	fortieth	(40th)	第1000	one thousandth	(1000th)

208 B 序数詞の用法

(1) 「～番目の」を表すときには，前に **the** をつける。

Is Sunday *the* **first** *day* or *the* **seventh** *day* of the week?
（日曜日は週の最初の日なのか，7番目の日なのか）
◆一般には，米国では日曜日，英国では月曜日を週の始めの日としているが，宗教上の問題もあり，実際にはやや複雑な問題である。

(2) 「もう1つの」の意味で，不定のものを表すときには，**a** をつける。

He was given **a second** chance in the big leagues.
（彼は大リーグでもう一度出場の機会を与えられた）
●くだけた言い方で，a second を，「ちょっとの間」という意味に使うが，この場合の second は「秒」の意味である。　Wait **a second**.（ちょっと待って）

(3) 慣用表現

① **second to none**

His writing is **second to none**!（彼の文章はだれにも負けない）

② 〈**every** ＋ 序数詞 ＋ **day [week, year, line, etc.]**〉

All linen is changed **every third day**.
（リネンはすべて3日ごとに取り替えられる）
● every *three* days のほうが多い（◯ p.414 **191B**(3)）。

209 倍数詞

209 A 「～倍」

2倍は **twice** か **two times**，3倍は **thrice** か **three times**，4倍以上は，**four times**（4倍）や **five times**（5倍）のように，**～ times** とする。
「AはBの～倍である」などの表現については **231A**（◯ p.502）を参照のこと。

> 発展　double the [one's] ～で，「～の2倍の」の意味を表す。
> double the number of the people（その人たちの2倍の人数）
> また，twofold（2倍の），threefold（3倍の）などという言い方もある。

209 B 部分

「半分」は **half**，「4分の1」は **quarter** で表すことがある。
その他の分数表現については，次の **210A** の(3)（p.456）を参照されたい。

I have just finished writing about **two-thirds** of this book.
（この本のほぼ3分の2を仕上げたところです）
●分子が2以上だと，分母の序数詞に複数の -s がつく。

210 数字・数式の読み方

210 A 数字

(1) ゼロ

0 [zíərou] がふつうだが《英》では nought [nɔːt] ともいう。数字が続いてその間にある場合には，oh [ou] と読むことも多い。**(2), (6), (7)** などを参照。

> If x is **zero**, y must be five.
> （x がゼロなら，y は 5 になるはずだ）

(2) 小数

小数点は，point と読み，小数点以下は，1 字ずつそのまま読む。

0.64＝zero point six four

3.106＝three point one oh [zero] six

● point は decimal ともいうが，小数点のときは point がふつう。

(3) 分数

分子は基数詞，分母は序数詞で読む。分子が 2 以上の場合は，分母の序数詞に複数の -s をつける。

1/5　　a [one] fifth　　　　　3/5　　three-fifths

2 3/7　　two and three-sevenths

分母や分子の数字が大きいときには，over か upon《英》を使う。

67/539＝sixty-seven over [upon] five hundred (and) thirty-nine

(4) 時刻

9:20 a.m. [A.M., AM]　　nine twenty a.m. [èi ém]

1:45 p.m. [P.M., PM]　　one forty-five p.m. [pì: ém]

(5) 日付

October 11＝October eleven(th)

●《英》では，11th October あるいは October 11th と書くが，-th は省くことも多い。読むときは，the をつけて，the eleventh of October または，October the eleventh のように言うことも多い。

(6) 年号

2桁ずつ区切って読むのが原則。

1835　　　　eighteen thirty-five

1900　　　　nineteen hundred

2005　　　　two thousand (and) five

25 B.C.　　　twenty-five BC [bì: síː]，または twenty-five before Christ

平成18年　　the eighteenth year of Heisei，または Heisei eighteen

(7) 電話番号

数字を1字ずつ読む。0は oh [oʊ] または zero。

3266-6203　three two six six, six two oh three

◆警察や消防への緊急電話番号は，米国では911，英国では999である。米国の911は，nine-one-one と発音されて覚えやすいが，2001年の同時多発テロ事件9/11（⊃ p.57 **22B**(6)②）のほうは nine-eleven と発音される。英国の999は，第2次世界大戦中ロンドン大空襲の際に，回転式ダイヤルに真っ暗闇でも間違えずに指を入れてかけられることから決められた。

(8) 番地

950 Main Street, Hartford

＝nine five zero [oh] (*or* nine fifty) Main Street, Hartford

(9) 金額

$7.50　seven **dollar**s (and) fifty **cent**s

● seven fifty と略して読むことも多い。実際に買い物などで使うときには，seven fifty というのがふつう。

£3.45　three **pound**s and forty-five **pence**

● three pounds forty-five と略して読むことも多い。

€40.35　forty **euro**s and thirty-five **cent**s，または forty **euro**s thirty-five, あるいは forty thirty-five

¥20,000　twenty thousand **yen**

● yen は単複同形であることに注意。

(10) 計量

① 長さの単位

10 m　　　ten **meter**s（10メートル）

5'6"　　　five **feet** six **inch**es（5フィート6インチ）

60 mph　　sixty **miles per hour**（時速60マイル）

② 面積の単位

50 m²　　　fifty **square meter**s（50平方メートル）

2 ha　　　two **hectare**s（2ヘクタール）

③ 容積の単位

1　　　　　**liter**（リットル）

Humans need about *two* **liter**s of water daily to survive.
　（ヒトは生きるためには，毎日約2リットルの水分が必要である）

quart（クォート）＝2 **pint**s（パイント）

gallon（ガロン）（液量の場合,《米》では約3.8リットル）

④ 重さの単位

lb.　　　**pound**（ポンド）（約454グラム）

oz.　　　**ounce**（オンス）（16分の1ポンド）

g　　　　**gram**（グラム）

⑤ 温度

Water boils at 100°C [＝one [a] hundred degrees **centigrade** [**Celsius**]] or 212°F [＝two hundred (and) twelve degrees **Fahrenheit**].

（水はセ氏100度，すなわちカ氏212度で沸騰する）

● 温度を言うときには，zero degrees Celsius（セ氏0度）のように複数形にする。

> 発展　zero は，次が**可算名詞**なら**複数形**，**不可算名詞**なら**単数形**になる。
> There are **zero** *dollars* in my bank account.（預金口座には1ドルもない）
> There is **zero** *money* in my bank account.（預金口座にはお金は全然ない）

(11) 固有名詞

Elizabeth II＝Elizabeth *the Second*（エリザベス2世）

World War II＝World War *Two*（第2次世界大戦）

● World War Two というときには，the をつけないように注意。

210 B　数式の読み方

(1) 加減乗除

5＋3＝8　　Five *plus* three *equals* eight.

　　　　　Five *and* three *are* [*is, make(s)*] eight.

● and を使うときは，動詞は単数でも複数でもよい。

8－3＝5　　Eight *minus* three *equals* five.

　　　　　Three *from* [*out of*] eight *leaves* [*is*] five.

3×6＝18　 Three *multiplied by* six *equals* eighteen.

　　　　　Three *times* six *is* eighteen.（6の3倍は18である）

　　　　　Three *sixes are* eighteen.

18÷6＝3　 Eighteen *divided* by six *equals* three.

　　　　　Six *into* eighteen *is* [*goes*] three.

(2) 累乗など

3^2＝Three *squared* is nine.（3の2乗は9である）

2^3＝Two *cubed* is eight.（2の3乗は8である）

「累乗」を意味する power という語を使って，次のようにも言う。

Two *to the power of* three is eight.（2の3乗は8である）

$\sqrt{9}$＝3　記号の $\sqrt{}$ は，square root と読む。

The *square root* of nine is three.（9の平方根は3である）

REVIEW TEST 17

A 確認問題 17 (→ 別冊解答 p.612)

1. 次の各英文の(　)内の語のうち，適切なほうを選びなさい。
   (1) Silver City is a town of great (historic, historical) interest.
   (2) (Germany, German) is a key language in the European Union.
   (3) It is (amazing, amazed) how many people are left-handed.
   (4) I am not (satisfying, satisfied) with your service.
   (5) It is (happy, lucky) that the bomb did not explode.
   (6) How (many, much) milk does a baby need in the first few days?
   (7) I'm almost packed. I'll be (likely, ready) to go in a minute.
   (8) Many of the sites have a great (number, deal) of information.
   (9) Twenty (dividing, divided) by four equals five.
   (10) Lately, e-mail seems (slow, slowly) to arrive in my inbox.

2. 次の各日本文の意味を表すように，(　)内に適切な1語を入れなさい。
   (1) 時間があまり残っていないのではないかと心配だ。
       I am afraid that (　　) is (　　) time left.
   (2) 索引のかなり多くのページが欠けている。
       (　　) a (　　) index pages are missing.
   (3) 日本では地震が多い。
       Earthquakes (　　) (　　) in Japan.
   (4) 現住所はどこですか。
       (　　) is your (　　) address?

3. 次の各英文が正しければ○をつけ，正しくなければ×をつけて，誤っている部分を正しく書き直しなさい。
   (1) It is important of you to obtain a proper visa.
   (2) VOA-TV has gained many audience in Iran.
   (3) There are much penguins in Antarctica.
   (4) Can I have three dozen red roses?
   (5) The surface temperature of the sun is possible to measure.
   (6) The number of poor people is very large.
   (7) Is there new anything in this annual report?
   (8) There were more new talk shows in the ninety than ever before.
   (9) She gave a wooden smile to the camera.
   (10) I have no alive relatives.

REVIEW TEST 17

B 実践問題 17 (→ 別冊解答 p.612)

1. 次の各英文を完成させるのに，最も適切な語を選び，記号で答えなさい。

   (1) "I've lost my job." "Oh, that's too (　　)."
   　　(A) bad　　　　(B) badly　　　(C) worse　　　(D) sorry

   (2) "Are you doing anything tonight?" "No, nothing (　　)."
   　　(A) special　　(B) specially　(C) especial　　(D) especially

   (3) "How do you feel?" "I feel much (　　) now. Thank you."
   　　(A) good　　　(B) better　　　(C) nice　　　　(D) nicely

   (4) You look (　　). Are you all right?
   　　(A) terrible　　(B) terribly　　(C) wonderful　(D) horribly

   (5) "What's wrong?" "I feel (　　)."
   　　(A) cool　　　(B) coldly　　　(C) chill　　　　(D) chilly

   (6) The site is not (　　) at this time. Please try again later.
   　　(A) access　　　　　　　　　(B) accessible
   　　(C) accessibly　　　　　　　 (D) accessibility

2. 次の各英文の下線部から，誤っているものを1つ選び，記号で答えなさい。

   (1) Not only (A)prices but also the level of (B)economical activity is (C)tied to the (D)volume of consumption.

   (2) (A)Employee (B)healthy insurance can be (C)further subdivided into a number of (D)different types.

   (3) You (A)will have to (B)fill out a form (C)giving (D)personally information.

   (4) If a (A)customer orders a (B)much quantity, we give them (C)a discount, a reduction in the (D)amount they have to pay.

   (5) (A)You are necessary to check the catalogue carefully (B)to make sure the design of the (C)furniture you order (D)will be compatible with your new living room.

   (6) All (A)necessity documents must be submitted (B)on or (C)prior to the (D)scheduled submission date.

   (7) A disease considered (A)controlled in the (B)nineteen hundred has again become a (C)serious problem (D)for some countries.

   (8) Adults and children 12 years (A)and over: take (B)4 to 8 tablets (C)with water (D)every fourth hours.

第18章 副詞
ADVERBS

第1節 副詞の種類と形

副詞は，動詞，形容詞または他の副詞や文全体を修飾する。いろいろな形の副詞があり，形容詞との使い分けや，文中の位置などに注意が必要である。

211 副詞の種類

本来の副詞のほかに，疑問副詞（→ p.215 110）と関係副詞（→ pp.279-283 133～139）とがある。ここでは，本来の副詞を扱う。

211 A 副詞の意味・用法上の分類

(1) 様態

動詞を修飾して，「どんなふうに」なされるのか，あるいは，「どのような」状態であるのかを示す。

Today the world *is changing* **quickly**.
（今日の世の中は，急速に変わりつつある）

(2) 場所

動詞を修飾して，「どこで」なされるのか，「どこへ」向かうのか，あるいは「どこに」ある[いる]のかなどを示す。

The elevator *moves* **upward** with constant speed.
（そのエレベーターは一定の速さで上に動く）

(3) 時

動詞を修飾して，その動作がなされたり，そういう状態なのは「いつのこと」なのかを示す。

Computers *are* essential in education **now**.
（今や，コンピューターは教育に欠かせないものである）

(4) 頻度

動詞を修飾して，ある動作が「どのくらいの頻度で」なされるかを示す。

Earthquakes **often** *destroy* buildings and homes.
（地震はしばしばビルや人家を破壊する）

(5) 程度
　動詞のほかに，形容詞や副詞などを修飾して，その程度を示す。「非常に」という程度が高いことを強調するものから，「ほとんどない」という否定的なものまである。

I was **greatly** *impressed* by her acting.
（彼女の演技にとても感銘を受けました）

(6) 文修飾
　文から独立して，その文全体を修飾する副詞（⊙ p.472 **215**）。

Naturally, I turned down the committee's request.
（当然のことながら，私は委員会の依頼を断りました）

(7) 接続副詞
　接続詞の役割をする副詞（⊙ p.229 **115**）。

This fluid is poisonous and should, **therefore**, be stored out of the reach of children.
（この液体は有毒なので，子供の手の届かない所に保管すべきです）

(8) 前置詞と同形の副詞
　down, in, off, on, out, over, through, up などは，副詞としても用いられる。句動詞の場合については別途参照（⊙ pp.49-50 **18**〜**20**, p.486 **220**）。

Please *turn* **on** the hallway lights. （玄関広間の明かりをつけてください）

(9) その他
① 名詞を修飾する副詞
only や even などのような，名詞を修飾する特殊な副詞（⊙ p.484 **219B**）。

This fish tastes so bad **even** *a cat* wouldn't eat it.
（この魚はひどくまずくて，猫だって食べやしないよ）

② 疑問副詞などを修飾する副詞
else などがある（⊙ p.471 **214B**(2)）。

When **else** could we have gone? （ほかにいつ行けたのだろうか）

　●*No one* **else** wants to join us.（ほかには私たちの仲間に入りたい人はいない）のように，不定代名詞や，疑問代名詞を修飾する場合には，else を**形容詞**だと見る場合が多いが，これらの場合も else はすべて副詞であると見る学者もいる。

③ 形容詞句や副詞句を修飾する副詞
The ball bounced **just** *in front of my left foot*.
（ボールは私の左足の真ん前でバウンドした）

④ **副詞節を修飾**する副詞

　　Cell-phones are popular **partly** *because they are cheap.*
　　（携帯電話の人気の理由には，安いからという側面もある）

その他，**yes, no**（🔵 p.484 **219A**）なども副詞である。

212 副詞の語形

副詞には，fast（速く），here（ここに），now（今），often（たびたび），very（非常に）などのような**本来の副詞**と，他の品詞から派生したものとある。ここでは，後者を扱う。

212 A　名詞から派生した副詞

(1) 名詞のままの形で副詞として用いるもので，**副詞的目的格**ともいわれる（🔵 p.357 **170B**(2)）。

　　Is there anything good on TV **tonight**?
　　　（今夜は，テレビで何かいいものがありますか）

(2) **-s で終わるもの**

nowadays（最近では）などだが，数は少ない。

　　Most of the work is done by machinery **nowadays**.
　　　（その仕事のほとんどは今では機械でなされる）

次のような語は，《米》では -s をつけないことが多い。

　　afterwards（後で），upwards（上へ）

morning や night などに -s をつけて，〈in the mornings〉（毎朝），〈at nights〉（毎晩）の意味で用いることもある。

　　She worked **mornings** in a local market. （彼女は毎朝地元の市場で働いた）
　　　● on Sunday*s*（毎日曜日に）などもこの部類に入る。

212 B　形容詞と同形の副詞

形容詞をそのまま副詞として用いるものもある。**形容詞の場合は名詞の前か，補語の位置に置く**ので，それらと位置を使い分ける。

　　I have to catch an **early** train.　　　　　　　　　　　〔形容詞〕
　　　（私は早朝の列車に乗らなければならない）
　　　● train の前についているから，early は**形容詞**。

　　The flight *arrived* fifteen minutes **early**.　　　　　　〔副詞〕
　　　（その便は15分早く到着した）
　　　● arrived の後に置いて，この動詞を修飾しているから**副詞**。

◎形容詞と同形の頻出副詞

early（早く）	enough（十分に）	far（遠くへ）
fast（速く）	long（長く）	low（低く）
daily（毎日）	monthly（月ぎめで）	weekly（毎週）

212 C 〈形容詞＋-ly〉形の副詞の -ly のつけ方

副詞というと -ly 形のものが多いが，これらは形容詞に -ly をつけて作ったものである。形容詞に -ly をつける場合の注意を示す。

(1) 〈子音字＋-y〉で終わる形容詞
　　y を i に変えて -ly をつける。　　lucky → luck*i*ly（運よく）
(2) **-le** で終わる形容詞
　　e を取って，-y をつける。　　gent*le* → gently（穏やかに）
(3) **-ll** で終わる形容詞
　　-y だけつける。　　　　　　　du*ll* → du*ll*y（鈍く）
　　　●-ful で終わる形容詞には -ly をつける。careful → carefu*lly*（注意深く）
(4) **-ue** で終わる形容詞
　　e を取って，-ly をつける。　　tr*ue* → truly（本当に）
　　　●ただの -e で終わる形容詞には，そのまま -ly をつける。polite → politely（丁重に）

212 D 形容詞と同形の副詞と，-ly をつけた副詞の意味

(1) **-ly** がついてもほぼ同じ意味のもの

形容詞がそのままの形で副詞になっているものと，それにさらに -ly をつけた副詞とがあって，両者をほとんど同じ意味で使ってよいものがある。

　　The sun shines **bright** [**brightly**].
　　（太陽は明るく輝く）
　　　●こうした bright は，shine（輝く）や burn（燃える）などと用いる。

◎-ly がついても意味・用法がほとんど同じ副詞

cheap / **cheaply**（安く）	clean / **cleanly**（きれいに）
clear / **clearly**（くっきりと）	loud / **loudly**（大声で）
quick / **quickly**（素早く）	slow / **slowly**（ゆっくりと）
smooth / **smoothly**（滑らかに）	strong / **strongly**（力強く）

(2) **-ly** の有無によって，多少意味が違うもの

たとえば，次のように，形容詞 high（高い）はそのままの形で副詞に用いて，

「高く」という意味を表すが、これにさらに -ly をつけた highly は「大いに、高度に」などの違う意味で用いられる。high が空間的な高さを具体的に示すのに対して、highly は抽象的に程度を示している。

> The lark is flying **high** in the sky.
> 　（そのヒバリは空高く飛んでいる）
> The Swiss legal system is **highly** developed.
> 　（スイスの法制度は高度に発達している）

> Earthworms often dig **deep** into the ground.
> 　（ミミズは、地面を深く掘ることがよくある）
> I was **deeply** impressed by the cleanliness of the city.
> 　（私はその都市の清潔さにとてもよい印象を受けた）

　●direct / directly はどちらも「直接に」の意味だが、directly には「すぐに」の意味もある。このように、ほかの意味が加わっている語もある。

◎-ly がつくと抽象的な意味に使う副詞

wide（広く）→ **widely**（広く／ひどく）	**close**（接近して）→ **closely**（綿密に）
near（近く）→ **nearly**（ほとんど）	**short**（短く）→ **shortly**（すぐに）

(3) -ly の有無によって、意味がはっきりと違うもの

たとえば、hard は「一生懸命に」の意味だが、これに -ly をつけた hardly は「ほとんど～ない」という、まったく意味の違う副詞になる。このようなものは数が限られており、よく使う語を覚えておけばよい。

> I tried very **hard** to imitate her pronunciation.
> 　（私は精一杯彼女の発音をまねしようとしてみた）

> It **hardly** ever rains in the desert.
> 　（砂漠ではめったに雨は降らない）

> The Pentagon came to this conclusion too **late**.
> 　（米国防総省がこの結論に達したのは遅きに失した）

> I have been very busy **lately**.
> 　（私は最近とても忙しい）

◎-ly の有無によって意味の異なる頻出副詞

hard（一生懸命に）	—	**hardly**（ほとんど～ない）
just（ちょうど）	—	**justly**（正当に）
late（遅く）	—	**lately**（最近）
most（最も）	—	**mostly**（たいてい）

> **Helpful Hint 106　形容詞と同形の副詞と，-ly をつけた副詞とのニュアンスの違い**
>
> 前掲の用例 The sun shines **bright** [**brightly**]. (太陽は明るく輝く) のように，形容詞をそのままの形で副詞として使っても，またはそれにさらに -ly をつけて使ってもよい語は，**212D**(1)の説明のとおり，どちらも意味はほぼ同じだが，ここで「ほぼ」とこだわっているのは，ニュアンスが微妙に違うからである。The sun shines **bright**. の **bright** には，The sun shines. It is **bright**. (太陽は輝く。明るいものだ) のように，「**補語的**」な感じが幾分かある。つまり，太陽の**輝き方自体**というより，**太陽の状態を示している**感じである。これに対して，The sun shines **brightly**. の **brightly** は，純然たる副詞として使われ，**太陽の状態**というより，その**輝き方自体**を示している感じが幾分か強い。似たような例では，たとえば形容詞の形のままの The bell is ringing **loud** and **clear**. (その鐘は，大きく，きれいに鳴っている) の場合，The **sound** of the ringing bell was **loud** and **clear**. (鳴っている鐘の音は大きく，きれいだった) のように，鳴っている**音が文の「主人公」になっている感じ**だが，-ly をつけた The bell is ringing **loudly** and **clearly**. では，文の主人公は**音自体**というより，その**鳴り方**になるわけである。

第2節　副詞の用法と位置

副詞の文中での位置は，文全体のリズムにも左右され，厳密なルールといったものはない。しかし，およその決まりを知っておくほうがよい。

213　動詞を修飾する副詞とその位置

213 A　様態を表す副詞

(1) 様態を表す副詞

-ly のついていない **hard**（一生懸命に），**well**（上手に），**fast**（速く）などもあるが，様態を表す副詞のほとんどは〈形容詞＋-ly〉形のものだと言ってよい。

(2) 様態を表す副詞の位置

①〈動詞（＋目的語・補語）〉の場合　(● p.467 H.H.107)

動詞の前か後，目的語や補語を伴う場合にはその後か，動詞の前に置くのがふつうだが，意味の強調や文の均衡のために**文末**に置くこともある（● p.470 **213E**）。

She **suddenly** *came* into my room.	〈副詞＋動詞〉
She *came* into my room **suddenly**.	〈動詞＋副詞〉
（彼女は突然私の部屋に入ってきた）	
I **quickly** *finished* my lunch.	〈副詞＋動詞＋目的語〉
I *finished* my lunch **quickly**.	〈動詞＋目的語＋副詞〉
（私は素早く昼食を済ませた）	

ただし，たとえば「彼女は，立ち去ってくれるよう彼らに直ちに頼んだ」と言うには She **quickly** *asked* them to leave. は問題ないが，She *asked* them to leave **quickly**. と言うと，quickly が leave にかかり，「…直ちに立ち去ってくれるよう…」という意味になってしまう。また，She *asked* them **quickly** to leave. のように quickly が asked と leave の間に置かれた場合，どちらにかかっているかがあいまいである。自分が表現したいと思っている意味が正しく伝えられるようにすることが大切である。

② 受動態では，**be 動詞と過去分詞の間**に入れることが多い。

The building *was* **entirely** *destroyed*.
（その建物は完全に破壊された）
●「破壊が完全だった」ということを強調するために，The building *was destroyed* **entirely**. のように副詞を文末に置くこともある。

The étude *was* **beautifully** *composed*, and it *was* **wonderfully** *played* as well.
（エチュード〔練習曲〕は美しく作られ，すばらしく演奏されもしていた）

> 発展 「親切〔勇敢，愚か〕にも～する」というような，主観的評価を示すときに副詞を動詞の前に置くことがある。
> He **kindly** *offered* to lend me the money.
> （彼は親切にもそのお金を融通しようと言ってくれた）

Helpful Hint 107　副詞の位置を変えた場合のニュアンスの違い

たとえば「**実際**そういうことがあったかどうかは…」という日本文を，「そういうことが**実際**あったかどうかは…」のように副詞の位置を変えても，文体上の微妙な違いしかないというようなケースは確かに多い。

しかし，前掲の(2)①の用例の「私は素早く昼食を済ませた」ということを表す I **quickly** *finished* my lunch. と I *finished* my lunch **quickly**. のように，英語では副詞の位置を変えると多少ニュアンスが変わるケースも少なくない。具体的に言うと，I **quickly** *finished* my lunch. の場合，自分が**何をしたのか**が文の要点になる。これに対して，I *finished* my lunch **quickly**. は，昼食を**どのように済ませたのか**が要点である。したがって，たとえば「彼女にヘンな顔をされたので，私は昼食を素早く済ませて部屋を出た」ということであれば，自分がヘンな顔をされてその後どんなことをしたのかが要点なので，..., so I **quickly** *finished* my lunch (and left the room). と言ったほうが自然に感じられる。だが，これとは違って，たとえば「時間に追われていたので，昼食は素早く済ませた」ということであれば，昼食の**済ませ方自体**が話の要点なので，..., so I *finished* my lunch **quickly**. と言ったほうが自然に感じられる。

同様に，(2)②の用例の「その建物は完全に破壊された」ということを表す The building *was* **entirely** *destroyed*. の要点はその建物はどうされたのかということであるのに対して，The building *was destroyed* **entirely**. と言うと，その建物の破壊はどの程度の**破壊だったのか**ということが要点になるのである。

213 B　場所を表す副詞

(1) 場所を表す副詞の種類

位置を表す **here**（ここに），**there**（そこに），方向を表す **away**（離れた所へ），**upstairs**（階上へ），距離を表す **far**（遠く）などがある。

(2) 場所を表す副詞の位置

① 動詞の後。文尾になることも多い。

   I *ran* **upstairs** and dialed 911.（私は２階に駆け上がって911番に電話をした）

   場所を表す副詞(句)が２つ以上並ぶときは，狭いほうが先になる。

   They arrived **at a monastery** *in southern Holland*.
   （彼らは南オランダの修道院に着いた）

   漠然と位置や方向を示してから，具体的な場所を示すこともある。

   About 55 million years ago, magma pushed **upward** *to the earth's surface*.
   （約5,500万年前，マグマは上に向かって地表まで突き進んだ）
   　● まず upward で上方を示し，次に具体的に to the earth's surface とする。

② 強調のため文頭に出すと，〈S＋V〉の語順が倒置されることがある。

   Down from the cliff *fell* a big rock.（崖から大きな岩が落ちてきた）

> 発展　〈**over**＋前置詞（at, in, to, *etc.*）〉という場合の over は副詞で，「(越えて)向こう(側)に」や，「(ある程度)離れた所に」などの意味を表す。She's staying at a hotel *over on* the south side.（彼女は(市の向こうの)南部のホテルに泊まっている）
> 前置詞としては by もよく使われる。
> 　They live *over by* the lake.（彼らは向こうの湖近辺に住んでいる）

213 C　時を表す副詞

(1) 時点・期間

   now（今），**then**（その時），**today**（今日），**tomorrow**（明日），
   tonight（今夜），**yesterday**（昨日）

① 文尾

   I was at last able to send an e-mail message to Mr. Johnson **yesterday**.
   （昨日，やっとジョンソンさんへメールを送ることができました）

② 文頭

   Yesterday, I started training seriously.（昨日，私は真剣に練習し始めました）
   　● 文末の **yesterday** の場合，伝えたい要点は「やっと送ることができたのはいつなのか」ということである。これに対して文頭の **yesterday** の場合，伝えたい要点は「昨日何をやったか」についてである。**now** と **then** は一般動詞の前，助動詞・**be**動詞の後にも置ける。

(2) 時間的関係

① **already**（もう），**just**（ちょうど），**still**（いまだに）

一般動詞の前，助動詞・be動詞の後に置くことが多い。

Environmental pollution *has* **already** *reached* alarming levels.
（環境汚染は，もはや驚くべき程度にまで達している）

② **yet**（まだ）

文尾が多いが，一般動詞の前，助動詞・be動詞の後に置くこともよくある。

I haven't received your e-mail message **yet**.

I *haven't* **yet** *received* your e-mail message.
（あなたのメールをまだ受け取っておりません）

③ **since**（その後）

一般動詞の前，助動詞・be動詞の後に置くことが多い。

He became a journalist in 1973 and *has* **since** *been writing* articles for *Time*.
（彼は1973年にジャーナリストになり，以来『タイム』誌に記事を書いている）

文尾に置くときは，*ever* since（それ以来ずっと）の形がふつう。

He began writing for *Time* in 1973 and has been a journalist *ever* **since**.
（彼は1973年に『タイム』誌に記事を書き始め，以来ずっとジャーナリストである）

④ **early**（早く），**late**（遅く）

一般動詞の後

The trees *are flowering* **late** this year.
（木々の開花は今年は遅れている）

213 D　頻度を表す副詞

(1) 一定の頻度

| **annually**（毎年） | **daily**（毎日） | **hourly**（1時間ごとに） |
| **monthly**（毎月） | **weekly**（毎週） | **yearly**（年1回） |

文尾がふつう。

We pay the milk deliverer **weekly**.
（私たちは牛乳配達に週ぎめで支払います）

● annually 以外は形容詞の限定用法に使うことも多い。

(2) 不定の頻度

always（いつも）	**normally**（ふつうは）	**usually**（たいてい）
frequently（しばしば）	**often**（しばしば）	**sometimes**（ときどき）
rarely, seldom（めったに～ない）		**never**（いっさい～ない）

① 一般動詞の前

The restaurant **usually** *opens* at 7:00 AM.
（そのレストランは，ふつう午前7時に開く）

② 助動詞・be動詞の後

It *is* **sometimes** so hot that the grass catches on fire.
（草が燃え出してしまうほど暑くなるときがある）

③ 文頭・文尾

Sometimes it is so hot that the grass catches on fire.

It gets so hot that the grass catches on fire **sometimes**.
（時として，非常に暑くて草が燃え出してしまうこともある）

● ②と③の例文は，同じ内容である。

213 E　程度・強調を表す副詞

程度を表す副詞を，強いほうから順に否定の方向まで並べておく。

absolutely, completely, entirely	（完全に，まったく）
deeply, greatly	（非常に）
quite, rather	（結構，なかなか）
slightly, somewhat	（やや，わずかに）
hardly, scarcely	（ほとんど〜ない）

一般的に言えば，受動態の場合には一般動詞の前か，助動詞・be動詞の後に，能動態の場合には一般動詞の前か後に置くことが多い。ただし，どちらの場合も文末に置くこともある。

The lake *was* **completely** *frozen* over [*was frozen* over **completely**]. 〔受動態〕
（その湖はもう完全に氷結していた）

She *turned* **slightly** [**slightly** *turned*] to the left. 〔能動態〕

She *turned* to the left **slightly**. 〔同〕
（彼女はわずかに左の方へ向きを変えた）

213 F　異なる種類の副詞が並ぶとき

動詞を修飾する副詞がいくつか並ぶときは，〈場所＋様態＋時〉の順が原則である。

We'll make an effort to *get* **there early tomorrow**.
（私たちは明日そちらに早く着くよう努力します）

● **Last night** they *arrived* **here late**. （昨夜彼らはここに遅く着いた）のように，last night など「時」を表す副詞を文頭に出すこともできる（● p.468 **213C**(1)②）。

214 形容詞や副詞などを修飾する副詞の位置

214 A 形容詞・副詞を修飾する副詞

(1) 原則として，その**形容詞・副詞の前**

Thank you. That's **very** *kind* of you.
（どうもご親切にありがとう）

(2) **enough** は形容詞・副詞の後

The room is *large* **enough** for two single beds.
（その部屋は2台のシングルベッドが置けるほど広い）

214 B 名詞・代名詞などを修飾する副詞

(1) 名詞

even は名詞の前，**alone** は後。

Even *a child* can use it. （子供でさえそれを使える）

God **alone** knows that. （神だけがそれを知っている）

(2) 代名詞

almost, most は代名詞の前，**else** は後。

Almost *everybody* has problems.

（ほとんどだれもが悩み事をかかえている）

　●この almost の代わりに **most** を使うのは主に《米》。

Someone **else** has to go in his place.

（彼の代わりにほかのだれかが行かなければならない）

　●この else は形容詞とも見られる（◯ p.462 **211A**(9)②）。

(3) 数詞

「約」の意味の **about** や **around, nearly**，などが数詞を修飾するときには，**数詞の直前に置く。**

The murder occurred at **about** *11* o'clock.
（その殺人事件は11時ごろ起こった）

> 発展　yesterday（昨日）や there（そこに）などのような**時や場所を表す副詞**が**名詞の後**について，その**名詞を修飾する**形をとることがある。
> 　The *meeting* **yesterday** was a great success. （昨日の会合は大成功だった）
> この形は，The *meeting* (which was) **held yesterday** was a great success. の略である。
> これらの副詞の多くは，The meeting **was yesterday**. （その会合は昨日あった）のように言うことができる。こういう場合の was は「〔いつ，どこで〕起こる」という意味の完全自動詞の代わりになり，yesterday は削除できない（◯ p.7 **3A** 発展）。

215 文修飾の副詞

文から遊離して，その文全体を修飾する副詞がある。ありふれた例で言えば He didn't *die* **happily**. は，「彼は幸福な死に方をしなかった」ということで，副詞 happily は**直前の動詞** die を修飾している。しかし，**Happily**, *he didn't die*. とすると，「幸いにも，彼は死ななかった」という意味で，文頭の Happily は，それ以下の**文全体**にかかっている。こういう副詞を，文修飾副詞という。

215 A 文修飾副詞の種類

(1) 文の内容に対する，話し手の判断や気持ちを表すもの
　① 真偽の評価
　(a) 〈It is ～ that ...〉構文に書き換えられるもの。
　　次の副詞の場合は，-ly を除いた形の形容詞を用いて書き換えができる。

probably（おそらく）	**certainly**（確かに）	**clearly**（明らかに）
possibly（ことによると）	**obviously**（明らかに）	**rightly**（当然ながら）

　　The hospital is **obviously** liable for the accident.
　　(＝*It is* obvious *that* the hospital is liable for the accident.)
　　　（その病院は明らかにその事故に対して責任がある）

　(b) 〈It is ～ that ...〉構文に書き換えられないもの。
　　次の語は，-ly を除いた語を形容詞として，〈It is ～ that ...〉構文に書き換えることができないか，書き換えると意味が変わる。

　　apparently（見たところは…らしい）（→p.15 **3G** 発展）
　　〈It is *apparent* that ...〉は「…であるのは明らかである」の意味になる。
　　evidently（どうやら…らしい）〈It is *evident* that ...〉も「…は明らかである」の意味になる。ただし，**文頭**の〈Evidently, ...〉は「明らかに」の意味になる。
　　seemingly（見たところでは…らしい）の形容詞 seeming（見せかけの）は限定用法のみ。
　　surely（確かに）は〈It is *sure* that ...〉でなく，〈It is *certain* that ...〉が正しい。

　② 話し手の主観的判断を表すもの
　(a) 〈It is ～ that ...〉構文に書き換えられるもの。
　　次の語は，-ly を除いた形容詞で〈It is ～ that ...〉構文に書き換えられる。

fortunately（幸いなことに）	**sadly**（悲しいことに）
luckily（幸いにも）	**surprisingly**（驚いたことには）
interestingly（おもしろいことには）	**strangely**（不思議なことに）
incredibly（信じられないことだが）	**wisely**（賢明にも）

oddly（奇妙なことには）　　　**regrettably**（残念にも）
curiously（奇妙なことには）　　**remarkably**（驚くべきことに）
foolishly（愚かにも）　　　　**absurdly**（不合理なことに）
　●これらの副詞の直後に **enough** をつけることも多い。

Luckily (enough), the police came right away.
(＝It was *lucky* that the police came right away.)
（運よく，警察がすぐ来てくれた）

(b) -ly を除いたものが，人を主語にする形容詞なので，〈It is ～ that ...〉構文に書き換えられないもの。

happily（幸いにも）　**hopefully**（願わくば）　**thankfully**（ありがたいことに）

Happily, the earthquake did not create a tsunami.
（幸いにも，その地震は津波を引き起こさなかった）
　●We are happy ... . とは言えても，It is happy that ... . とは言えない。

(2) 話し手の態度や，述べ方を示すもの

これから述べることについての話し手の態度や述べ方を示す。すべて，-ly を除いた語を形容詞として，〈It is ～ that ...〉構文には書き換えられない。

broadly（大まかに言えば）　　**strictly**（厳密に言えば）
frankly（率直に言うと）　　　**briefly**（手短に言えば）
honestly（正直に言って）　　　**personally**（自分としては）
confidentially（ここだけの話だが）　**truly**（実を言えば）

Briefly, it is a type of American folk dance.
（手短に言えば，それはアメリカン・フォークダンスの1種である）

215 B　文修飾副詞の位置

文修飾の副詞は，**文頭に置くことが多い**が，文中や文尾に置くこともよくあり，どれもコンマで地の文と区切るのがふつうである。ただし，置く位置によって「フォーマル度」が変わりかねない。たとえば，**fortunately** を文頭，文中（一般動詞の前，助動詞・be動詞の後），文尾の3箇所に置いて比べてみる。

Fortunately, human beings are not so thoughtless.　　〔ふつうの言い方〕
Human beings are not, **fortunately**, so thoughtless.　　〔多少洗練された言い方〕
Human beings are not so thoughtless, **fortunately**.　　〔くだけた言い方〕
（幸いなことに，人間はそんなに無分別ではない）

〔発展〕**probably** などは，次の位置に置いても文修飾である。
　If we don't take action, the world's rainforests will **probably** be gone in 25 years.
　（我々が行動しなければ，世界中の熱帯雨林はおそらく25年もすれば消えうせるだろう）

第3節 注意すべき副詞

216 時・頻度の副詞

216 A ago, before, since

(1) ago

 ago は，「今から〜前」の意味で，単独では用いず，必ず時の長さを示す語（句）と用いる。動詞は過去時制。

　Life began in the sea *3.5 billion years* **ago**.
　　（生命は35億年前に海中で生じた）

(2) before

　① before は，ago に対して，過去のある時を基準にして，「その時より〜前」の意味に用いる。動詞は過去完了。

　Some people had already lined up *several hours* **before** to get tickets.
　　（チケットを手に入れるために，数時間前からもう並んでいる人がいた）

　② before を**単独**で，「以前に」の意味で用いることがある。この場合の動詞は，現在完了，過去，過去完了，未来完了のどれでもよい。

　Where *have* I *met* them **before**?
　　（彼らに以前どこで会ったろう）

(3) since

　since は**単独**で用いて，「それ以来」の意味である。動詞が現在完了（進行形）・過去形の場合は，過去のある時から現在までの期間を表す。ever since は「それ以来ずっと」の意味。

　The company *has grown* steadily **ever since**.
　　（その会社はそれ以来ずっと堅実に成長してきている）

　動詞が過去完了（進行形）の場合，過去におけるある時点からその後のある時点までの期間を表す。

　The company *had been growing* steadily **since**.
　　（その会社はそれ以来堅実に成長していた）

　　● ⟨since 〜 days [years] ago⟩ のように，since と ago を一緒に使うのは避ける。

216 B already, yet, still

(1) already

　①「すでに」の意味で，**肯定の平叙文**で用いることがよくある。置く位置は，

以下の3通りである。

 I *have seen* that film **already**.
 I *have* **already** *seen* that film.
 I **already** *have seen* that film.
 （私はその映画はもう見てしまった）

② **疑問文**では，話し手が驚きを表したり，事柄がすでに済んでいることを確認したりするときに用いる。

 Have you finished your lunch **already**?　　　　　　　　〔驚き〕
 （もうお昼を食べてしまったのですか）

 Haven't you **already** finished your lunch?　　　　　　　〔確認〕
 （お昼はもう済んだのではないですか）

③ くだけた言い方では**否定文**でも「もう～しない状態になっている」という意味で用いることがある。

 You don't need to convince me. I **already** *don't* eat meat.
  （私を説得する必要はありません。私は，もう肉を食べないことにしています）
  ● 通常の言い方ではない。I've already quit eating meat. などのように，肯定文で言ったほうがすっきりした表現になる。

④ already は**完了形**や**進行形**と用いるが，**状態動詞**の場合は，**現在形**や**過去形**と用いる。

 I asked her even though I **already** *knew* the answer.
  （私はその答えはすでに知っていたが，それでも彼女に尋ねた）
  ●《米》では動作動詞でも，現在完了の代わりに**過去形**も用いる。

(2) yet

① 「まだ」の意味で**否定文**に用いる。

 I haven't read today's newspaper **yet**.
 I haven't **yet** read today's newspaper.
 （今日の新聞はまだ読んでいません）

② 「もう」の意味で**疑問文**に用いる。

 Has the TV show started **yet**?　（例のテレビショーはもう始まりましたか）
  ● 話し手が「まだ始まっていない」可能性のほうが高いと思っているニュアンスがある。

③ 〈**have [be] yet to ～**〉の形で，「まだ～していない」の意味を表すが，やや改まった感じの言い方。〈still ～ not〉のほうが多い。

 The real story **has yet to** be told.　（真相はまだ語られていない）
  ● The contract is **still [yet]** in force.（その契約は依然として有効である）のように，「依然として」の意味で肯定文で用いる場合もあるが，still のほうが多い。

④ やや改まった言い方で，will や may に伴って，「**やがては**」の意味に用いることがある。

> He may **yet** come to understand it, too.
> （やがては彼にもわかる時が来るかもしれない）

(3) still

① 「**まだ(〜している)**」の意味で**肯定文**に用いる。平叙文でも疑問文でもよい。

> The road was **still** closed. （道路はまだ閉鎖されていた）
> Are you **still** mad? （まだ怒っているの？）

② **否定文**で，「**まだ〜していない**」の意味を表すときには，**not を後**に置く。

> If the bleeding **still** does *not* stop, elevate the wound higher than the heart.
> （もし出血が依然として止まらなければ，傷口を心臓よりも高くしなさい）
> ●〈still ... not 〜〉は，「もう当然そうなってもよいのに，まだ〜していない」という話し手の気持ちを表す点で，〈not 〜 yet〉と違う。

216 C once, ever

(1) once

① 「**1度**」という意味の once は，**文尾**に置くことが多い。

> I saw an aurora **once**. （私はオーロラを1度見たことがある）
> I've only seen an aurora **once**. （私はオーロラを1度しか見たことがない）
> ● I've only **once** seen an aurora. や Only **once** have I seen an aurora. とも言うが，使用頻度は比較的低い。

② 「**かつて**」という意味の once は，**文頭**か，**文中**では，一般動詞の前，助動詞・be動詞の後に置くことが多い。

> I **once** worked on the Space Shuttle program with him.
> （私はかつて彼と一緒にスペースシャトル・プログラムの仕事をしたことがある）

(2) ever

① 「**これ[それ]までに**」の意味では，**ever** は**疑問文**や**否定文**で用いる。「これ[それ]までに(＝以前)〜したことがある」という**肯定の平叙文**なら，**before** を使う。

動詞は，現在完了か過去(完了)形，または未来(完了)形。

> Have you **ever** taken a TOEIC test?
> （TOEIC を受験したことがありますか）
> ◆ TOEIC（Test of English for International Communication）は，英語によるコミュニケーション能力を幅広く評価する世界共通のテスト。試験の志願書には，これまでの受験の有無・受験日・得点などを記入する。

I have often walked down this street **before**.
　　　(私はこれまでにこの通りを歩いたことがよくある)

②「これから先に〜することがあれば」という意味では，条件節の中で使う。この場合の動詞は現在形か過去形。

　　If you **ever** need a friend, call me.
　　　(いつか友達が必要となったら，私に電話してね)

　　If you **ever** come to Vermont, be sure to stop by to meet our family.
　　　(いつかバーモントにいらっしゃったら，ぜひ私たちの家族に会いにお立ち寄りください)

　　　●間接話法では，たとえば I told him that if he **ever** *came* to Vermont, he should be sure to .... のように，動詞が過去形になることもある。

③ ever の基本的意味は at **any** time (どんなときにでも) なので，**誇張表現**として使うことが多い。たとえば，This is the *most beautiful music* I have **ever** heard *in my entire life*. (こんなに美しい音楽を聴いたのは生まれて初めてだ) という文の **ever** は，「生まれてからこれまでの間に一度も (こんなに美しい音楽を聴いたことがない)」という意味の誇張表現になる。あるいは，たとえば This music is *as beautiful as could* **ever** *be imagined*. (これより美しい音楽はとても想像できない) という文の **ever** は，「これからずっと想像しようとしても (この音楽より美しいものを想像できるはずがない)」という意味の誇張表現になる。

Helpful Hint 108　強調を表す ever と before

　前掲の(2)①で「これまでに」の意味を表す副詞として紹介された **ever** と **before** の使い方は，単なる**強調**の問題である。たとえば「ポルトガルに行ったことがあるか」を尋ねるのには，Have you been to Portugal? のように，現在完了の動詞だけでも「これまでに」という意味が含まれるので，文法上わざわざ **ever** を使う必要はないが，Have you **ever** been to Portugal? と尋ねると，「これまでに1度でも」というニュアンスになる。同じように，「ポルトガルには行ったことがないが，スペインに行ったことは何回もある」を言うのには，I haven't been to Portugal, but I've been to Spain a number of times. のように，**ever** がなくても差し支えないが，I haven't **ever** [＝I've never] been to Portugal, but .... のように **ever** を入れると，「ポルトガルに行ったことが1度もない」ということが幾分か強調される。また，これから初めてポルトガルに行くという予定がある場合には，I haven't **ever** been to Portugal **before**, but .... のように，わざわざ **before** を入れて，「これまでにはポルトガルに行ったことが1度もないのだが」といった感じの表現で述べることが多い。肯定文の **before** も同様，「ポルトガルに行ったことがある」を言うのには I've been to Portugal. だけで十分だが，I've been to Portugal **before**. のようにわざわざ **before** を入れると，「ポルトガルにはもうすでに行ったことがある」といった感じの表現になる。

216 D just, now, just now

(1) just

① 「～したばかり」の意味では，just は**現在完了**でも**過去完了**でも使える。

    The match *has* **just** *begun*.
        (試合は始まったばかりです)

② 「～し始めたところ」という意味で，**現在進行形**や**過去進行形**，**未来進行形**とも用いる。

    Her newest work is **just** coming out.
        (彼女の新作が発売されたところだ)

(2) now

「今」の意味で，**現在形**，**現在進行形**と用いる。文頭，文尾，あるいは一般動詞の前か，助動詞・be動詞の後のどこに置いてもよいが，修飾する動詞から離れるほど，くだけた感じになる。

    Now I wish I had been stricter.　　　　　　　　〔ふつうの言い方〕
    I **now** wish I had been stricter.　　　　　　　　〔やや改まった感じの言い方〕
    I wish I had been stricter **now**.　　　　　　　　〔くだけた感じの言い方〕
        (今は，もっと厳しくすればよかったのにと思っている)

    ● 話の緊迫感を出すために，**過去**の文脈で now を過去時制と共に使うこともある。
    The chilly water *came* to our knees **now**.
    (冷たい水が今や私たちのひざまで上がってきた)

(3) just now

① 「ちょうど今」(**at this moment**)の意味では，**現在形**か**現在進行形**と用いる。

    This home page *is* **just now** *being* constructed.
        (このホームページはちょうど今作成中です)

② 「今すぐは」の意味で，**否定文の現在進行形や未来形**と用いることがある。

    I don't think I'*ll buy* the book **just now**.
        (今すぐはその本を買わない)

③ 「今しがた」(**a moment ago**)の意味では

(a) **過去形**，**過去進行形**と用いる。置く場所は比較的自由だが，過去形の場合は文末に置くことが多い。

    I *saw* a shooting star **just now**.
    I **just now** *saw* a shooting star.
    Just now, I *saw* a shooting star.
        (今しがた流れ星を見ました)

(b) 現在完了と用いる。この場合は，**助動詞と動詞との間に置くのがふつう**。

I've **just now** *written* the final chapter of my second novel.
(今しがた2番目の長編小説の最後の章を書き上げました)

217 場所の副詞

217 A　here, there

(1) 場所を表す here と there

Do you like it **here**?（当地はお気に召されましたか）

(2) 〈There is ...〉構文（● p.13 **3F**）

① 基本的用法

(a) be 動詞の数はその後の主語に一致する。

There are *some books* on the desk.
（机の上に本が何冊かあります）

(b) 疑問文では be 動詞を前に出して，〈Is there ...?〉の形にする。

Is there a microphone on the stage?
（舞台にはマイクロフォンはありますか）

② 〈There is [are] A 〜ing〉

There were some Haitians *working* in the building at the time of the crash.
（衝突当時，ビル内には数人のハイチ人が働いていた）

●この文では，文頭の there には特に意味がないから，これを取った Some Haitians were working in the ... . としても，文は成り立つ。

③ 〈There's ...〉という形の慣用句

　日常会話では，〈There's ...〉という形が慣用化している。There is ... . の短縮形であるから，次には不定の単数名詞がくるのが正しいが，くだけた感じの表現では，複数形の名詞や固有名詞などを置くこともある。

There's *some people* on this floor.
（この階に何人かいます）

(3) 相手の注意を引く here / there

Here, I'll help you.（ほら，手伝ってあげよう）

(4) 日常会話の慣用句として

① **Here it [I, he, she, we, they] is [am, are].**　「ほら，ここにあり[い]ますよ」

"Where are the keys?" "Look, **here they are**."
（「かぎはどこにあるのかな」「見て，ここにあるよ」）

"I wonder where Bobby went." "**Here I am**!"
（「ボビーは，どこに行っちゃったのかな」「ほら，ここにいるよ」）

② **Here we [I, you, it, he, she, they] are [am, is] ... .**「もう着きました［もう…になりました］」

Here we are at the finish line after 46 hours of racing.
（さあ，46時間ものレースが終わり，ようやくゴールに着いたところです）

Here you are at [**Here it is**] the end of July already, and you still aren't ready.
（7月末にもなっているのに，準備がまだできていないではないか）

● 単独の **Here we are!** は「さあ，着いたぞ！」という意味である。

③ **Here you are.**「はい，どうぞ」

"Can I see your ID card?" "Yes. **Here you are**."
（「身分証明書を見せてもらえますか」「はい，どうぞ」）

217 B far

距離を表すのに，「遠い」という意味をもつ **far** を用いることが多い。**疑問文**では，「遠いかどうか」だけではなく，「どれほどの距離があるか」を尋ねるときにも用いる。次の例文のように，**否定文**にも用いる。

Is it **far** from here to Madrid? 〔疑問〕
（ここからマドリッドまでは遠いですか）

How **far** is it from here to Madrid? 〔疑問〕
（ここからマドリッドまではどのくらいの距離ですか）

They seldom travel **far** from home. 〔否定〕
（彼らは家から遠くに出かけることなどめったにない）

We don't have **far** to go now. 〔否定〕
（もう，遠くないよ）

too, quite, enough, as, so などで強調して，**肯定文**で用いることもできる。

The village is *quite* **far**.
（その村はかなり遠い）

> 参考　「遠い」という意味を**肯定文**で表すには，⟨**a long way**⟩ がよく用いられる。
> 　　　Havana is **a long way** from California.（ハバナはカリフォルニアから遠い）
> 　　　上に示した，4つの疑問・否定の例文のうち，「どれほどの距離があるか」を表す上から2つ目の How far ...? を除けば，ほかの例文の **far** の代わりに ⟨**a long way**⟩ を用いることもできる。

> 発展　**far** はまた，「心理的距離」を表すことも多い。
> That exists only in a dream world, **far** from reality.
> （それは，現実からかけ離れた夢想の世界にしか存在しないものである）

218 程度・強調の副詞

218 A very, much

(1) 形容詞・副詞と動詞との修飾関係

① **very** は形容詞と副詞を修飾する。

It was a **very** *good* film.（とてもよい映画だった）

Unfortunately, the United Nations works **very** *slowly*.
（あいにく，国連は極めて遅く動くものである）

② **much** は動詞を修飾する。動詞の後に単独で much を置くのは，疑問文か否定文の場合で，肯定文ではふつう very [so, too] much の形をとる。

I *like* sports *very* **much**.（私はスポーツが大好きです）

Do you go out **much**?（出かけたりすることはよくありますか）

I don't **much** like his attitude.（彼の態度はあまり好きじゃない）

ただし，appreciate（感謝する），regret（遺憾に思う）のような**感情を表す動詞**などでは，慣用的に much をその前に置く。

I would **much** *appreciate* it if you would answer this question.
（この質問にお答えいただければ非常にありがたいのですが）

> **発展**　「同じ」，「似ている」などの意味を表す語を much で修飾すると，「ほぼ」の意味になる。
> A computer virus is **much** *the same* as a human virus.
> （コンピューターウィルスは人間のウィルスとほぼ同様である）
> **much too** は「はるかに」の意味に用いる。
> This is **much** *too* small.（これははるかに小さすぎる）

(2) 比較級・最上級との修飾関係（● p.499 **227A**, p.501 **228C**）

① **very** は，原級と最上級を修飾する。

② **much** は，比較級と最上級を修飾する。

(3) 分詞との修飾関係

① **very** は現在分詞，(very) **much** は過去分詞を修飾する。

It was a **very** *boring* film.
（それはとても退屈な映画だった）

The church is (very) **much** *admired* for the aesthetic harmony of its architecture.
（その教会は，建築様式の美的調和のゆえにたいへん賞賛されている）

② 形容詞化した過去分詞は very で修飾する（● pp.429-430 **197B**(2), (3)）。

I am **very** *excited* to have been chosen.
（私は選ばれてとてもわくわくしています）

218 B so, too

(1) so

① **so** は,次に形容詞か副詞がきて,「それほど,そんなに」という意味を表す。

> He walked **so** fast *that I couldn't possibly catch up with him*.
> (彼は私がとても追いつけないほど速く歩いた)

so がこの意味で用いられるのは,基本的には〈so ～ that ...〉の構文である。

- I think so. (そう思います) のように,代名詞として so を用いる場合については別途参照 (🔵 p.397 **185A**)。

② くだけた言い方で,so を単独で強調のために **very** のように使うことがあるが,標準的ではないという人もいるので,改まった文には使わないほうがよい。話す場合には**感嘆文**の音調になり,書くときには**感嘆符**がつけられる。

> This bag is **so** heavy!
> (このバッグはとても重い)

この場合でも,that 以下が省略されていて,that 節の内容は,聞き手や読み手の想像に任されていると考えられる。

この文でも,たとえば,that I cannot carry it (だから私には運べない) などが聞き手に想像できる。

> 発展 so のこの用法については,数十年前から比較的最近まで「特に女性が好む」という意味の解説をしている英米の語法書がいくつかあったため,今でも日本の英和辞典や参考書の多くが依然としてこうした注記をしている。しかし,現在の英語にはそうした特徴は特に見られなくなっている。

(2) too

too は「～すぎる」という意味。

> This water is **too** *cold*.
> (この水は冷たすぎる)

- 「～もまた」という意味の too については別途参照 (🔵 p.485 **219C**(1))。

(3)「あまりにも～で」の意味を表す構文

① 〈so ～ that ...〉 (🔵 p.247 **119B**(1))

> The tunnel is **so** narrow **that** U-turns are impossible.
> (そのトンネルはあまりにも狭くてUターンができない)

② 〈so ～ as to do〉

> This is **so** obvious **as** not **to** require an explanation.
> (このことはいかにも明白なものなので説明するまでもない)

- 「説明の必要がないほど明白」というのも同じ形になる。

●文の主語と to 不定詞の意味上の主語が違うときには，①の形にする。

③ 〈**so ＋形容詞＋a[an]＋名詞**〉（● p.247 **119B**(2), p.375 **177B**(3)）

She is **so** *famous* **a** *singer* **that** almost everyone has heard of her.

(＝She is **such a** *famous singer* **that** almost everyone has heard of her.)

（彼女は歌手としてあまりにも有名なので，聞いたことのない人はほとんどいない）

●名詞が**複数形**のときには **such** のほうしか使えない。ただし，形容詞が many の場合は so を用いる。

He made **so many** *mistakes* that he failed the exam.

（彼はたいへん多くの間違いをしたので，その試験に落ちた）

④ 〈**too ～ to ...**〉（● p.135 **67B**(2)）

〈so ～ that A cannot ...〉と書き換えられる（● p.482 **218B**(3)①, p.247 **119B**(1)）。

The tunnel is **too** narrow for us **to** make a U-turn.

(＝The tunnel is *so* narrow *that* we *cannot* make a U-turn.)

（そのトンネルは狭すぎて，Uターンできない）

218 C　nearly, almost

(1)「ほとんど」の意味では **nearly** と **almost** はほぼ同じだが，almost より nearly のほうがいささか上品な感じである。

The second bus was **almost [nearly] full.**

（2番目のバスはほとんど満員だった）

(2) **all**, **every**, **always** の前では，どちらも使える。

Our work **almost [nearly]** *always* depends on measurement data.

（我々の研究はほとんどの場合，計測データによっている）

(3) **any** および否定の **no**, **none**, **never**, **nothing**, **nobody** などの前では，**almost** しか使えない。

There is **almost** *no* room left on the disc.

（ディスクには空き容量がほとんどない）

(4) **almost** と **most**

almost は副詞であるから，〈most of ～〉のように，〈almost of ～〉とすることはできない。〈almost all of ～〉ならよい。

［誤］*Almost of* the countries in Oceania are small nations.

［正］**Almost** *all* (*of*) the countries in Oceania are small nations.

Most *of* the countries in Oceania are small nations.

（オセアニアのほとんどすべての国は小さな国家である）

219 その他

219 A Yes / No

(1) ふつうの疑問に対しては，答える内容が肯定なら Yes，否定なら No を用いる。

"*Do* you remember?" "**Yes**, I do."
（「覚えていますか」「はい，覚えています」）

"*Do* you remember?" "**No**, I don't."
（「覚えていますか」「いいえ，覚えていません」）

(2) 否定疑問に対しても，答える内容が肯定なら Yes，否定なら No を用いるから，日本語の「はい」「いいえ」とは必ずしも一致しない。

"*Don't* you remember?" "**Yes, I do**."
（「覚えていないの？」「いいえ，覚えています」）

"*Don't* you remember?" "**No, I don't**."
（「覚えていないの？」「はい，覚えていません」）

219 B only

only は，その置く位置に注意する必要がある。たとえば，「ジャックだけがそのライオンを見た」は，**Only** *Jack* saw the lion. と言えばよいが，この英文が正しいのは，**only** が，文の主語である Jack の直前につけてあるからである。「ジャックはそのライオンを見ただけだった〔近寄ったりはしなかった〕」などのように動詞にかけたい場合，一般に，Jack **only** *saw* the lion. という形で，強めたい語の前，つまりここでは動詞の前につけることになるが，これはややあいまいな形になる。声に出して言うときには，強調したい語を音調で示すが，文章では，強調したい語を上の例のようにイタリックで示すか，文脈で判断してもらうかということになる。次の2つの文を比較してみよう。

　　Only *I* know her name. （彼女の名前を知っているのは，僕だけだ）
　　I **only** know her *name*. （僕は彼女の名前しか知らない）

文の主語にかかるときは，上の **Only** *I* .... のように，その直前に置くのがふつうだが，その次の I **only** know her *name*. のように文の他の要素にかかるときには，意味が文脈にもよるため，どの文にも適用できるような簡単な規則はない。また，

　　"We accept **only** cash — no checks."
　　"We accept cash **only** — no checks."
　　　（「現金のみで，小切手はお断りです」）

という文を，"We **only** accept cash — no checks." にすると，内容が内容だけに言いたいことが常識的にわかるが，文の形自体は，意味があいまいになりかねない位置に only が置かれているので，一般的には避けたほうが無難である。

とにかく**実用的な** only の使い方を知りたいという人は，「**only は焦点を当てたい語の直前に置くことが多い**」と覚え，あとは次の Helpful Hint 109 を読んで，その感覚を身につけてほしい。

Helpful Hint 109　only を置く位置に注意！

英語の学習者にとって，数多くの副詞の中でも only の置き方が特に難しいようである。only をどこに置くかは基本的には慣れの問題なのだが，以下のような簡単な実例を通してまとめてみる価値がある。

まず，たとえば，「私はメールでしかリクエストを受け付けない」ということを表すのに only は，I accept requests by e-mail **only**. / I accept requests **only** by e-mail. / I accept **only** requests by e-mail. / I **only** accept requests by e-mail. の4つの位置のどこでも差し支えなく，文体としてもさほどの差がない。しかし，これらとは違って **only** を I の直前に置いて **Only** I accept requests by e-mail. と言えば，上の意味にはならず，「メールでのリクエストを受け付けるのは私だけだ」という意味になってしまうのである。言うまでもなく，前置詞とその目的語の間に置く I accept requests by **only** e-mail. のような言い方はしない。

また，理由を述べる場合には，置く場所によっておもしろい使い分けが見られる。たとえば「僕が彼女に会ったのはただ単に会ってくれと君に頼まれたからだけだよ」ということを表すには，I saw her **only** because you asked me to. と I **only** saw her because you asked me to. の2つの言い方がある。**only** を **because** の直前に置く前者のほうは，秘めた動機やなんらかの思惑があって彼女に会ったわけではないことを訴えたいときに使う。これに対して，**only** を **saw** の直前に置く後者のほうは，本当は特に彼女に会いたいとは思わなかったが，会ってくれと頼まれたからしようがなく会ってきたのだ，それだけだ，ということを訴えたいときに使う。

ちなみに，**only** を **because-** 節の中に置いて別の意味を表すために使うこともちろんある。たとえば She's angry because you **only** gave her a T-shirt for her birthday.（彼女が怒っているのは，君が誕生日プレゼントにTシャツしかあげなかったからだ）という例が挙げられる。こうした because- 節の中での **only** の置き方は，基本的に上のそれぞれの例の only の置き方と同じなのである。

---

219 C　too, also, either, neither

(1) 肯定文で「～もまた」というときは，**too** か **also** で表す。

　　　"I am hungry." "Me **too** (＝I am, too / So am I)."
　　　（「おなかがすいた」「私も」）
　　　　●Me too. はごくくだけた言い方。

　　In addition to rent, I **also** pay a management fee.
　　（家賃以外に管理費も払っています）

(2) 否定文に続けて，さらに「～もまた…ない」というときには **either** を用いる。neither を用いてもよいが，文脈によっては，やや堅い言い方になる。

> If you are *not* happy with your purchase, we are *not* happy **either**.
> （お買い上げいただいた物にご不満なときは，私どももうれしくありません）
>
> "I *don't* like snakes." "**Neither** do I (＝I *don't*, **either**)."
> （「私はヘビが好きではありません」「私も好きではありません」）
>
> ● neither を文頭に出すときには，主語と動詞の位置を倒置する（● p.555 **261A**(4)）。

220 句動詞を作る副詞

句動詞（● pp.49-50 **18**～**20**）として最も多く用いられる〈自動詞＋前置詞〉・〈自動詞＋副詞〉・〈他動詞＋副詞〉の3つの型のうち，副詞を伴う後の2つについて説明する。

220 A 句動詞を作る副詞

句動詞を作る副詞は，次のように**前置詞**と共通しているものが多い。

> about across along around away* back* by down in
> off on out over round through under up
>
> （*の語は前置詞用法なし）

220 B 動詞と副詞の位置

(1)〈他動詞＋副詞〉

① 目的語が名詞の場合

〈他動詞＋副詞＋名詞〉，〈他動詞＋名詞＋副詞〉のどちらでもよい。意味に変わりはなく，前後関係やリズムで決める。

> **Take off** *your shoes* here.（ここで靴を脱ぎなさい）
> **Take** *your shoes* **off** and *put* them *away*.
> （靴を脱いで，しまいなさい）
>
> ●〈**see** O **off**〉（Oを見送る）のように，目的語を必ず動詞と副詞の間に挟む句動詞があるが，限られたものしかない。
> The students **saw** their teacher **off** at the station.（生徒たちが駅で先生を見送った）

② 目的語が代名詞の場合

〈他動詞＋代名詞＋副詞〉となり，代名詞は間に挟む。

> I've come to **pick** *you* **up**.（あなたを〔車で〕お迎えに来ました）

(2)〈自動詞＋副詞〉

この場合は，全体として自動詞として働くので，目的語はない。

> A button has just **come off**.（ボタンが取れてしまったところです）

A 確認問題 18 (→ 解答 p.613)

1. 次の各英文の( )内の語(句)のうち，適切なほうを選びなさい。
   (1) A (truely, truly) great person does not need to praise himself.
   (2) The flag is flying (high, highly) in a blue sky.
   (3) We got up very (late, lately) this morning.
   (4) I ran (to upstairs, upstairs) to protect my son.
   (5) I have heard that song (ago, before).
   (6) This museum was (ever, once) a large train station.
   (7) The death rate among sufferers was (very, much) higher than originally estimated.
   (8) There is (almost, hardly) no possibility of winning.
   (9) I don't remember him very (good, well).
   (10) They were (so, such) beautiful creatures that I wanted to find out more about them.

2. 次の各日本文の意味を表すように，( )内に適切な1語を入れなさい。
   (1) 「彼の名前を知らないのですか」「はい」
       "(   ) you know his name?" "(   )."
   (2) えっ！この機械の使い方をもう忘れてしまったのですか？
       Have you (   ) how to use this machine (   )?
   (3) 「塩をこちらに回してください」「はい，どうぞ」
       "Pass me the salt, please." "Sure. (   ) you (   )."
   (4) 当然，その戦争は大損害をもたらした。
       (   ), the war caused a (   ) of damage.

3. 次の各英文が正しければ○をつけ，正しくなければ×をつけて，誤っている部分を正しく書き直しなさい。
   (1) He doesn't know whether the letter was genuine still.
   (2) Almost of the students returned to the Latin Quarter.
   (3) If you won't go, I won't go, too.
   (4) He came again to the gate about at ten o'clock.
   (5) Construction on the building has to be yet completed.
   (6) He didn't start working right away. Rather, he put off it till the very last minute.
   (7) This chapter completely was rewritten.

REVIEW TEST 18

B 実践問題 18 (→解答 p.613)

1．次の各英文を完成させるのに，最も適切な語を選び，記号で答えなさい。

(1) "Do you mind if I use your facilities?" "(　) not."
　(A) Sure　　(B) Certainly　　(C) Probably　　(D) Please

(2) Operator: I have an overseas call for a Mr. Kato from a Mr. Watt in Los Angeles.
　Kato: Thank you. Please connect me.
　Operator: Your party is on the line. Go (　), please.
　(A) straight　　(B) on　　(C) directly　　(D) ahead

(3) "Can I see your license?" "Sure. (　) it is."
　(A) Certainly　　(B) Here　　(C) Look　　(D) Sorry

(4) "How do you like it (　)?" "I think it's a wonderful place."
　(A) here　　(B) actually　　(C) frankly　　(D) now

(5) "Why don't you come over to my house this evening?"
　"(　), that wouldn't be convenient for me today."
　(A) Fortunate　　　　　　(B) Fortunately
　(C) Unfortunate　　　　　(D) Unfortunately

2．次の各英文の下線部から，誤っているものを１つ選び，記号で答えなさい。

(1) A brand is the name (A)a company gives (B)its products so (C)they can be (D)easy recognized.

(2) Ninety-three (A)percent of respondents said that flextime was very (B)important or (C)somewhere important (D)to them.

(3) You must (A)prompt notify your insurance company (B)of the circumstances (C)and details of (D)the loss.

(4) We value our (A)customers (B)high and are committed to (C)providing them with products of (D)the highest standards.

(5) The company is (A)alleged planning (B)to reduce its workforce to (C)around 180 (D)employees.

(6) I would (A)very appreciate (B)it if you (C)would send me any (D)information about this matter.

(7) (A)Almost of the front doors were (B)open, but it was impossible (C)to see inside. Each door had (D)a curtain.

第19章 比較
COMPARISON

第1節 比較変化

形容詞や副詞が，その表す性質・状態・数量などの程度を比較するためにとる語形変化を，比較(変化)といい，原級・比較級・最上級の3つがある。

221 比較変化の有無

221 A 比較変化をする形容詞・副詞

形容詞と副詞の多くは，その程度を示して比較変化をする。これらの語は，程度を強調する **very** や **barely** などで修飾できる。比較変化をする語の多くは，叙述用法に用いることができる。

221 B 比較変化をしない形容詞・副詞

(1) 比較変化をしない形容詞

限定用法にしか用いない形容詞（◯ p.431 **199A**）の多くは比較変化をしないが，ある語が比較変化をするかしないかは，その意味で見当がつく。

意味上，**程度の差の考えられない形容詞**は，比較変化をしない。

only（唯一の），**whole**（全体の），**earthen**（土製の），**daily**（毎日の）など。

> **発展** **favorite** は，「最もお気に入りの」という最上級的な意味を表す語なので，比較変化はしないが，くだけた言い方では，強調のために **most** をつけることがある。似たような例で **perfect**（完璧な）も，くだけた言い方では more [most] perfect（もっと［一番］完璧な）と言うこともある。英語圏の学校では「perfect には度合いがないから more [most] perfect などは誤りだが，どれが perfect に近いかという話であれば，more [most] **nearly** perfect（もっと［一番］完璧に近い）と言ってもよい」というような注意がなされる。

(2) 比較変化をしない副詞

副詞の場合も，特定の語句に注目させる **alone, just, only** のようなものや，**hardly, nearly, simply** などの語，さらに，時や場所を直接表す **here** や **yesterday** などの語は，その意味や用法からして比較変化をしない。

一方，様態を表す副詞などは，ほとんどが比較変化をする。

The test was **easier** than I had thought it would be.
　（その試験は思ったより易しかった）

222 比較の規則変化

形容詞・副詞のそのままの形が**原級**である。これを変化させて，2つ［2人］の中で，一方が他方よりも程度が高いことを示すのが**比較級**，3つ［3人］以上の中で，程度が最も高いものであることを示すのが**最上級**である。

222 A 規則変化［1］ -er, -est 型

原級に **-er** をつけて比較級，**-est** をつけて最上級を作るもの。基本的には，次のような**短い形容詞・副詞**はこの形をとる。

(1) 1音節語の場合
① 1音節語は**原則として -er, -est 型**の変化をする。
short（短い）－short**er**－short**est**

◎-er, -est 形のみの1音節形容詞

| **big**（大きい） | **hard**（堅い，難しい，勤勉な） | **low**（低い） |
| **old**（老いた） | **small**（小さい） | **wide**（幅の広い） | **young**（若い） |

② 1音節語なのに，-er, -est をつけず，**more, most** のみのもの。
過去分詞由来の形容詞 **bored**（退屈している）など。
③ 両方の型の変化をするが，**more, most** のほうが一般的な1音節語。
like（似ている）　　**real**（本物の）　　**right**（適切な）
just（公正な）　　**wrong**（悪い）

(2) 2音節語で **-er, -est** 型の変化をする形容詞
① **-y** で終わる語　easy（容易な）－eas**ier**－eas**iest**
② その他　**-er, -ure, -le, -ow** などで終わる語
clev**er**（賢い）－clev**erer**－clev**erest**

(3) **-er, -est** のつけ方
① **-e** で終わる語　-r, -st をつける。
true（忠実な）－true**r**－true**st**
② 〈短母音＋1子音字〉で終わる語　子音字を重ねて -er, -est をつける。
hot（暑い）－hot**ter**－hot**test**
③ 〈子音字＋**-y**〉で終わる語　y を i に変えて，-er, -est をつける。
dry（乾いた）－dr**ier**－dr**iest**

(4) 発音上の注意

語尾が [ər] の語に -er, -est をつけると，[r] は [r] と発音する。

　fair（公正な）[feər]—fair*er* [féərər]—fair*est* [féərəst]

語尾の [ŋ] は [ŋg] になる。

　long（長い）[lɔ(:)ŋ]—long*er* [lɔ́(:)ŋgər]—long*est* [lɔ́(:)ŋgəst]

222 B　規則変化 [2]　more 〜, most 〜 型

原級の前に **more** を置いて比較級，**most** を置いて最上級を作るもの。

222A(2)② (p.490) 以外の2音節語と，それ以上の長い音節の語がこの型をとる。

(1) 2音節語

-ful, -less, -ish, -ous など接尾辞のついているもの。

　foolish（愚かな）— **more** foolish — **most** foolish

　　● 2音節語の多くは，実際には -er, -est 形と，more, most 形の両方をとることがある。-er, -est 形のほうがくだけた言い方になる。たとえば次のような語である。
　　common（ふつうの），exact（正確な），pleasant（愉快な），polite（礼儀正しい）

　　● 両方の変化があるが，**more, most** のほうがふつうのものがある。
　　obese（過度に肥満な），distant（遠い）など。

(2) 3音節以上の語

3音節以上の語は，すべて **more, most** をつける。

　expensive（高価な）— **more** expensive — **most** expensive

(3) 副詞

① **-ly** のつかない副詞は，**-er, -est** 型が多いが，more 型もある。

　late（遅く）　—lat*er* [**more** late]—lat*est* [**most** late]

②〈形容詞＋-**ly**〉形の副詞は，**more, most** をつける。

　slow*ly*（ゆっくりと）—**more** slowly—**most** slowly

223　比較の不規則変化

223 A　不規則な比較変化をする語

原級		比較級	最上級
good	〔形容詞〕（よい）		
well	〔形容詞〕（元気な）	**better**	**best**
	〔副詞〕（よく）		
bad	〔形容詞〕（悪い）		
ill	〔形容詞〕（悪い）	**worse**	**worst**
badly	〔副詞〕（悪く，ひどく）		

many	〔形容詞〕（多数の）	more	most
much	〔形容詞〕（多量の）		
little	〔形容詞〕（少量の）	less	least

●動詞の like を修飾するときには，more, most の代わりに better, best を用いることがよくある。

I *like* meat **more** than fish. / I *like* meat **better** than fish.（私は魚より肉が好きです）
I *like* sea bream **most of all** fish. / I *like* sea bream **best of all** fish.
（私は魚の中ではタイが一番好きです）

223 B 比較級・最上級が2つあるもの

(1) **old**

原級	比較級	最上級
old	older / elder	oldest / eldest

① 「年を取った，古い」の意味では older, oldest。
② 家族内の長幼の関係を表す場合には，elder, eldest。

(2) **late**

原級	比較級	最上級
late	later / latter	latest / last

① 「〔時間が〕遅い，遅く」の意味では，later, latest。
② 「〔順序が〕遅い，遅く」の意味では，latter, last。

(3) **far**

原級	比較級	最上級
far	farther / further	farthest / furthest

① 原則として，「物理的距離」に関していう「遠い，遠く」の意味では farther, farthest を使い，「非物理的距離」に関している場合には further, furthest を使う。

② 原則として，「程度」などを表す「さらに，その上の」の意味では further, furthest を使う。

ただし，以上の原則に従わない使い方もよく見られる（●H.H.110）。

> Helpful Hint 110 　farther と further の使い分け
>
> 　farther と further の使い分けには，「厳守」と言えるルールは1つしかない。She would say nothing **further**.（彼女はそれ以上何も話してくれませんでした）のように，

距離とは関係のない話で,「さらにいっそうの,その上の,それ以上」など「程度」の意味を表すときは, **further** のほうしか使わないというルールである。

「距離」と関わりのある話になると,たとえ,それが The station was **farther [further]** than I had imagined.(駅は私が想像したより遠かった)のように「物理的距離」だろうが, I feel we should think a little **further [farther]** into the future.(私たちはもう少し遠い将来のことを考えたほうがいいと思います)のように「比喩的距離」だろうが, **farther**, **further** 両方認められるケースが実に多い。

こうしたケースは,はっきりしたルールはなく,個人の好みの問題とされるものである。ただ,これといった好みなどないからルールがほしい,という英語学習者もいるかもしれない。この場合には,たとえば, A is **farther** from B than C.(AはCよりもBから遠く離れている)というような「純粋な距離比較」なら **farther** を, He moved on even **further**.(彼はさらに(遠くへ)進んだ)という「距離延長」なら **further** を使うことをルールにすればよい。そうすれば,批判される心配はまずないのである。

第2節 比較形式

224 原級を用いた比較

224 A 原級比較の形式

(1) 同等比較 〈as ～ as ...〉

The hailstones were **as** *big* **as** golf balls.
(その雹の粒はゴルフボールほど大きかった)

否定形は 〈not as ～ as ...〉

Mobile phones are **not as** *reliable* **as** landline phones.
(携帯電話は地上ケーブルの電話ほど当てにはならない)

● 以前は,否定の場合,とりわけ書くときには,〈not **so** ～ as ...〉を使う人が多かったが,今ではやや改まった感じの言い方である。「肯定文の as は否定文では so にする」という旧来の伝統に対しては,最近英語圏でも意識が一般的に極めて薄くなり,**否定文でも as を使うことが圧倒的に多くなってきている。**

(2) 後の as 以下を省略する場合

① 主語だけ残す

She works **as** *diligently* **as** you. (彼女は君と同じくらい勤勉に働いている)
● you work の work の省略。

She was **as** *cool* **as** a *cucumber*. (彼女はとても冷静だった)
● as *busy* as a *beaver* (とても忙しい) のようなものを(強意的)直喩という。忙しく動き回るビーバーを引き合いに出して,「とても忙しい」という意味を表す。直喩にはこの例のように頭韻を踏んだものが多いが,そうでないものも珍しくない。

> **注意** 人称代名詞の場合は，たとえば，I love him *as much as* you. という文は，以下の太字の語を強く発音することによって，2通りに解される。
> (a) **I** love him *as much as* **you** (love him).
>   (あなたが彼を愛しているのと同じくらい，私も彼を愛しています)
> (b) I love **him** *as much as* (I love) **you**.
>   (私はあなたを愛しているのと同じくらい，彼も愛しています)
> そこで，(a)の意味を明確にするためには，次のように do を補う。
> I love **him** *as much as* **you** *do*.

② 〈主語＋動詞〉の省略

The air is **as** *cold* **as** yesterday. （空気は昨日と同じくらい冷たい）

● as cold as *it was* (*cold*) yesterday の it was (cold) の省略。

224 B 原級比較の意味

(1) 両者の程度の比較

The Indian team is **as** *strong* **as** the Australian team.
　（インドのチームはオーストラリアのチームと同じくらい強い）

明らかに「強さ」の比較であり，「両方とも強い」ということになる。

Mary is **as** *tall* **as** Jane. （メアリーは背丈がジェーンと同じだ）

これでは，ただ身長が同じだというだけで，「2人とも背が高い」という意味合いはない。しかし，次のように，比較の対象に，**明らかに背の高いとわかる物[人]** を引き合いに出すと，「同じくらい背が高い」の意味になる。

Mary is **as** *tall* **as** Sharapova.
　（メアリーはシャラポワと同じくらい背が高い）

◆ Maria Sharapova はウィンブルドンで活躍したロシアの女子テニス選手で，188 cm の長身から繰り出す迫力あるサーブで人気を集め，一躍有名になった。

一方，tall と逆の意味を表す **short**（背が低い）のような語は，〈as ～ as〉で比較すると，必ず，「…と同じくらい背が低い」という文字どおりの意味になる。この違いは，**110B(4)②**（p.217）で解説した，「どのくらい？」と程度を尋ねる構文に使う形容詞と同じである。つまり，〈How tall ...?〉は「…はどのくらい高いのですか」という意味で使うこともあれば，ただ単に身長などの「高さの程度」を尋ねることもあるが，〈How short ...?〉は，「…はどのくらい低い［短い］のですか」という意味でしか使わない。

類語は，**110B(4)②**（p.217）を参照されたい。

> **発展** こうした現象は日本語にも見られる。たとえば，「高さはわずか 2 cm だが…」というように，高くないものに対しても「高さ」を使うが，低くないものに対しては「低さ」を使うことなどない。deep, high, long, old, thick, wide など，tall と同じように使われる形容詞

には共通点がある。つまり，tall などは，どれも**基準値に対してプラスの方向へ無限に開けていく可能性のある形容詞**であるが，これに対して，short などはマイナスの方向へ向かうので，**ゼロに向かうという限界**がある。

(2) 同一人[物]についての比較

他者と比較するのではなく，同一人[物]について，その性状を違った時や見方などの見地から比較することができる。

> My memory is not **as** *good* **as** it *used to be*.　　〔現在と過去の状態を比較〕
> （私の記憶力は以前ほどよくない）
>
> Landscape gardening is **not as** *easy* **as** *it looks*.　　〔外観と実際とを比較〕
> （造園は見た目ほど楽ではない）
>
> The screen is **as** *tall* **as** it is wide.　　〔縦と横という違う寸法を比較〕
> （そのスクリーンは，縦横同じ長さだ）

Helpful Hint 111　〈as ～ as ...〉構文の表す正確な意味は？

前掲 **224** で紹介されている〈**as ～ as ...**〉の形をとる文は，正確かつ自然な日本語に訳すことが意外と難しい。たとえば，自分の背の高さを自慢している相手に，My sister is **as** tall **as** you. と言ったとする。便宜上この章ではこうした文をよく「うちの妹だって君と同じくらい背が高いよ」のように「同じくらい」という言い方を使って訳しているが，厳密に言えば，意味はちょっと違う。具体的に言うと，たとえば，相手の背丈 173.3 cm に対して「妹」は 173.1 cm しかない場合であっても日本語では「背が同じくらい」と言うかもしれないが，英語では **as** tall **as** とは言えない。日本語の「同じくらい」という表現で許されるそのわずかの差は，**as ～ as** では許されない。英語では，そうしたわずかの差があった場合にはふつう **just about [practically, almost exactly] as tall as** you などのように適切な手加減を加えて言うのである。

また，たとえば「背の高さがまったく同じか，もしくはわずかに**超えている**かもしれない」という場合であれば，**at least as tall as you** や **as tall as you, if not a little taller** などのように言うのがふつうである。だが，こうした表現にしても，和訳するときには「少なくとも君くらいの身長はあるよ」などのように，また「くらい」を使いたくなる。

225　比較級による比較の基本形式

225 A　比較級による比較の形式

〈**比較級＋than**〉の形で，一方が他方よりも程度が高いことを表す。**than** の前には**必ず比較級**がくる。

> Mercury is **smaller** *than* Venus.　（水星は金星より小さい）
>
> ● この文に続けて，Also, Venus is closer to the Earth.（それに，金星のほうが〔水星より〕地球に近い）などと言うときには，than Mercury は，文脈からわかるので省略できる。

●〈rather than〉の場合には，その前には原級がくる。
Blood is red *rather than* pink. （血はピンクというよりは赤色である）

I *work* much **harder** *than* Janet, but she is far **more** highly paid. 〔副詞〕
（私はジャネットよりもかなり働いていますが，彼女は私よりも給料がはるかに高い）

Whoever created this is far **more skillful** *than* I am.
（これを作った人は，私よりはるかに技術がすぐれている）
●「だれがこれを作ったかわからないが」という意味が込められている。

225 B　than の後の省略

(1) 〈as ～ as ...〉の場合と同じように，than 以下の語句で，**前にある語句と重複する部分**は省略できる。

Ostriches can run **faster** *than* horses.
（ダチョウは馬よりも速く走れる）
● than horses *can run* の省略。助動詞の can だけを残すこともできる。

(2) than 以下の**主語が人称代名詞**の場合
たとえば，次の文は，than 以下を省略した(a)と(b)の形が可能である。

He is **taller** *than* I am. （彼は私よりも背が高い）

(a) He is **taller** than *I*. 〔than は接続詞〕
(b) He is **taller** than *me*. 〔than は前置詞〕
[誤] He is *taller* than I am *tall*.
● tall まで入れると誤りになる。程度の比較だけで，I am tall. などとは言っていない。

> **発展** than は基本的に**接続詞**だが，**前置詞**とされる場合が下記の2通りある。
> ①**比較構文**で，than の後に**代名詞の目的格**がくる場合。くだけた言い方に見られる。
> 　He is younger **than** *me*. （彼は私より若い）
> ②more, less, fewer などに続けて，than の後に**数量を示す語**がくる場合。
> 　There were *fewer* **than** ten people at the meeting. （会の出席者は10人足らずだった）
> ＊関係代名詞の前に置く than whom のような形は古風である。

(3) **時を表す語句**のある場合

The earth is **warmer** *today* than (it was) *100 years ago*.
（今日の地球は，100年前よりも暖かい）
● today と 100 years ago という時間的表現が，現在と過去の比較であることをはっきり示しているので，現在形の The earth **is** の後にくる過去形の it **was** を省略できる。

225 C　比較対象のそろえ方

比較対象は文法的に同一にする必要がある（◯ p.395 **183B**(2)）。

The human *brain* is **larger** than *that of* the chimpanzee.
（人間の脳はチンパンジーの脳よりも大きい）
- 人間の脳と比較しているのは，チンパンジーではなく，チンパンジーの脳であるから，the brain of the chimpanzee の the brain を that で受けて明示する。

Female flamingos have **shorter** *wingspans* than *those of* males.
（雌のフラミンゴは雄より翼幅が短い）

225 D　差の表し方

The bottom of the Peru-Chile trench is *several kilometers* **deeper** *than* the surrounding sea floor.
（ペルー・チリ海溝の底は，周辺の海底よりも数キロメートル深い）
- ... **deeper** than the surrounding sea floor *by* several kilometers としてもよい。

225 E　同一の人や物についての比較

他の人［もの］と比較するのではなく，同じ人［もの］の持つ２つの性状を比較する言い方に，〈**more**＋原級＋**than**〉がある。

The restaurant is **more cozy** *than* luxurious.
（そのレストランは，豪華というよりは居心地がよい）
- 「豪華度」より「居心地度」が高いということ。

than 以下の〈主語＋be 動詞〉が省略されているときは，次のように１音節語でも **more** を用いる。省略されない形では -er を用いる。

This window is **more tall** *than* wide.　（この窓は幅より縦が長い）
（＝This window is *taller* than *it is* wide.）

Helpful Hint 112　more often の表す正しい意味は？

前掲**224B**の(1)の説明のとおり，A is **as tall as** B とは言っても，実際問題 A も B も背が全然高くないかもしれない。この現象の例として **as tall as** はわかりやすいが，たとえば，In the future, I hope to visit you **more often [oftener]**. はどうだろうか。まず，この文を機械翻訳ソフトで訳してみると「将来，私はよりしばしばあなたを訪問するのを望みます」という不自然な日本語が出てくる。たとえ，これを「これからよりしばしばお訪ねしたいと思っております」などのように部分的にもう少し自然な日本文に書き換えても，大きな問題が残る。というのも，**more often** は「よりしばしば」という意味ではないのである。「もっとしばしば」という意味でもない。正確に言えば，これまで訪れていた頻度を上げることを示しているだけである。よって，たとえば平均として10年に１度しか訪ねていない所をこれから８年に１度訪ねることにする場合でも visit **more often** と言う。この場合は，最初から「しばしば」ではなかったし，これからも「しばしば」にはならないのだが，やはり前に比べると，頻度としては **more often** になるのである。

こうした現象は，どの語の比較級でも問題になるわけではない。たとえば，Test A was **easier** than Test B.（試験Aは試験Bより易しかった）という文は，ふつうAもBもどちらも易しかったとしか受け止められない。もちろん，厳密に言えば，そういう意味とは限らないかもしれないが，もし逆に「（どちらかと言うと）AはBより幾分か易しかったが，どちらも難しかった」という話であれば，そもそも easy という形容詞を使わず，ふつう Test A was**n't** as **difficult** as Test B. のように表現するのである。

226 比較級の特殊な形式

226 A 〈the ＋ 比較級 ＋ of the two〉

2つ［2人］の中で「より～なほう」というと，どちらかに特定されるから，the がつく。

　　Choose **the better** *of the two*.
　　　（2つのうちでよいほうを選びなさい）

　　　●比較されているものが2つしかないときでも，the best と言っていいように思われるかもしれないが，きちんとした言い方では the better を用いる。

226 B less を使った比較

程度が高いというのとは逆に，「～より程度が低い」という形で比較する場合には，more の代わりに less を用い，〈less ＋ 原級 ＋ than〉の形をとる。

　　Is cooked food **less nutritious** *than* raw food?
　　　（調理された食材は，生の食材より栄養価が低いのだろうか）

　　Electronic payment is **less risky** *than* check payment.
　　　（電子マネーによる支払いは，小切手での支払いより危険度が低い）

　　　●〈not **as** [**so**] ～ **as** ...〉を用いてもほぼ同じ意味を表すことができるが，2つの言い方には使い分けがある。たとえば，Cucumbers are **less nutritious** than coconuts.（キュウリはココナッツより栄養価が低い）という表現は，どちらの食べ物にしても栄養価がさほど高くない場合にふさわしい言い方である。だが，これに対して Cucumbers are not **as** [**so**] **nutritious as** coconuts.（キュウリはココナッツほど栄養価が高くない）という表現は，キュウリはともかくとしてココナッツの栄養価は結構高い，という場合にふさわしい言い方である。

226 C ラテン比較級

ラテン語由来の **-or** で終わる形容詞の中では，比較級のものが多い。この類の形容詞は，特別な構文をとる。

比較構文では，than ではなく **to** を用いる。

　　He is three years **senior** *to* me.
　　　（彼は私よりも3歳上です）

● senior, junior には more, most がつくことがある。

◎ -or で終わるラテン比較級の形容詞（to をとるもの）

| senior（年上の） | junior（年下の） | superior（すぐれた） |
| inferior（劣った） | prior（前の） | posterior（後の） |

226 D　絶対比較級

比較の対象を明示せず，漠然と程度の高いことを示す形容詞の比較級は than はとらない。こうしたものは，much で修飾することができない。

　　Last year she explored a densely forested region of the **upper** *Amazon*.
　　（彼女は去年アマゾン川上流の密林地帯を探検した）

227　比較級の修飾

227 A　比較級を修飾する語句

① **much, far, by far, a lot, lots**

　　Health foods are usually **far** *more expensive* than ordinary foods.
　　（健康食品は，たいていふつうの食品よりもずっと高い）

② **still, a good deal, a great deal, somewhat, rather, a bit, a little**

　　I am feeling **a little** *better* today.（今日は気分が少しよくなっています）

227 B　〈many [much] more ＋ 名詞〉

「ずっと多くのA」は，Aが**可算名詞**であれば〈many more ＋ 複数名詞〉，**不可算名詞**であれば〈much more ＋ 単数名詞〉の形をとる。**many** が数の多いことを表すのに対して，**much** は量の多いことを表す。具体的には，数えられるものの数を示す場合，「少し多くのA」は〈a *few* more A〉，「いくらか多くのA」は〈*some* more A〉，「ずっと多くのA」は〈**many** more A〉になる。数えられないものの量を示す場合，「少し多くのA」は〈a *little* more A〉，「いくらか多くのA」は〈*some* more A〉，「ずっと多くのA」は〈**much** more A〉になる。

　　The European Union includes **many more** *countries* now than it did when it was inaugurated.
　　（現在のヨーロッパ連合は，発足したころに比べて加盟国がかなり増えている）
　　◆EU は1993年に EC 加盟12カ国により批准されたヨーロッパ連合条約（マーストリヒト条約）の発効によって発足，98年にヨーロッパ中央銀行ができ，2002年からユーロの流通が始まり，人口約3億人の大ユーロ圏が誕生。95年にスウェーデンなど3カ国が加盟，2004年に新たに10カ国が加盟。

It took **much more** *time* to write the paper than I had imagined.
（その論文を書くには私が想像したよりもはるかに時間がかかりました）

〈many more〉も〈much more〉も，〈**far [a lot]** more〉で置き換えられる。

228 最上級による比較

228 A　最上級を用いた比較の基本形

〈**the** ＋最上級＋**in [of]** 〜〉の形をとる。

Christmas is *the* **most important** holiday *in* Mexico.
（メキシコではクリスマスが最も重要な祝日である）
● メキシコという「場所」の中での話なので in を用いる。

She works (*the*) **most diligently** *of* all the company employees.
（社員の中で彼女が一番勤勉に働いています）
● 彼女は社員のうちの1人なので of を用いる。

The **most popular entry** *from* Japan was a watercolor by an unknown artist.
（日本からの出品物で最も人気を得たものは無名画家の水彩画だった）
● この形に使われる前置詞は **in** と **of** が圧倒的に多く，**from** などその他の前置詞が使われた場合でも，**in** と **of** のどちらかが省略されていると考えてよい。たとえば，上のThe most popular entry **from** Japan は，The most popular entry **of** all the entries that came from Japan の省略である。

228 B　最上級と the

(1) 形容詞の最上級

① 限定用法の最上級には the をつける。

The Sahara is *the* **largest** *desert* in the world.
（サハラ砂漠は世界最大の砂漠です）

This wrench is *the* **most useful** of all my tools.
（私が持っている道具の中でこのスパナが一番役立っている）
● useful の次に tool を補って考える。

② 叙述用法で同一人[物]の性状を比較する場合は，ふつう the をつけない。

Venus appears **brightest** just after sunset.
（金星が一番明るく見えるのは日没直後である）

(2) 副詞の最上級

the はつけても，つけなくてもよい。

I remember him (*the*) **most vividly** of all my students.
（教え子の中で，彼のことが一番鮮明に記憶に残っている）

228 C 最上級の強調

最上級を強調するには，**by far**, **very**, **much** などを用いる。

Lake Superior agate is *by far* **the most beautiful** agate in the world.
（「スペリオル湖メノウ」は世界で最も美しいメノウである）

the very best と **much the best** の the の位置に注意。

This is *the very* **best** walnut gelato that I have ever tasted.
（これまで味わってきたクルミのジェラートの中で，なんと言ってもこれが最高です）

A Midsummer Night's Dream is *much the* **best** comedy among Shakespeare's works.
（シェークスピアの作品の中で『真夏の夜の夢』が断然すぐれた喜劇である）

229 絶対最上級

最上級を very（とても）の意味で用いることもできる。形容詞を修飾する場合，その後の名詞が単数形であれば，つける冠詞は the でなく a(n) になり，複数形の名詞であれば冠詞はつかない。また，most が副詞を修飾している文では，その意味は「とても」なのか「最も」なのかは文脈で判断するしかない。

Laurel is *a* **most useful** hedging plant because it puts up with dry sites.　〔単数形の名詞〕
（月桂樹は乾燥した敷地に耐えられるので，生け垣用の植物としてたいへん役立ちます）

The boys were **most eager** participants in the training.　〔複数形の名詞〕
（その男の子たちは訓練のとても熱心な参加者だった）

The boys participated in the training **most eagerly**.　〔副詞を修飾〕
（その男の子たちはとても熱心に訓練に参加した）

230 最上級の意味を，原級や比較級で表す形

最上級で表されている内容を，比較級や原級を使って表すには，「Bは最高である」を「他のどんなAもBほど〜ではない」という形で表せばよい。

The ostrich is **the largest** bird in the world.
　→ The ostrich is **larger** *than* any other bird in the world.
　→ *No* (other) bird in the world is *as* **large** *as* the ostrich.
　　（ダチョウは世界で一番大きな鳥です）

　　● *No* (other) bird in the world is **larger** *than* the ostrich. とすると，ダチョウより大きくはないが，ちょうど同じ大きさの鳥がいてもよいことになる（◯ H.H.113）。

other は文脈でわかる場合は省略できる。また、ダチョウを他の鳥と比べるのではなく、**鳥以外の事物**と比べるのであれば、other は当然不要である。

No dog in the world is **as** large **as** an ostrich.
（ダチョウほど大きな犬はいない）

No band has ever had **as** great an impact on popular songs **as** the Beatles in the 1960's.
（60年代のビートルズほど歌謡曲に強い影響を与えたバンドはない）

> **発展** 〈**as ～ as any**〉という形で、最上級で表す内容と似たようなことを表せるが、両者の意味は同じではない。Business is **as** competitive **as any** athletic competition.
> （ビジネスはどんな運動競技にも劣らず競争的である）という文で、競争の激しい運動競技はたくさんあるわけだが、ビジネスはそれらのどれと比べても同じくらいに競争が激しいものだということで、「他のどれにも劣らず～」という意味になる。

Helpful Hint 113　最上級のものが２つ以上ある場合の英語表現は？

前掲 **230** では、The ostrich is **the largest** bird in the world.（ダチョウは世界で一番大きな鳥です）に相当する表現として、The ostrich is **larger than any other** bird in the world. と **No (other)** bird in the world is **as large as** the ostrich. が紹介されている。これ以外に **No (other)** bird in the world is **larger than** the ostrich. という表現もあるのではないかと思われるかもしれないが、実はこの言い方の意味は違う。確かに、上の表現は４つとも「世界で一番大きな鳥」を表すのに使える言い方ではあるが、４つ目だけは違う場合もあるのである。

たとえば、イタリア製の Bugatti Veyron は世界一高価な自動車（**the most expensive car** in the world）で有名だが、もしイギリスのアストン・マーティン社がまったく同じ価格で車を売り出したら、Bugatti Veyron のことは **the most expensive car** in the world とはもはや言えず、**one of the two** most expensive cars in the world としか言えなくなる。言うまでもなく、**more expensive than any other** car も **No (other)** car is **as expensive as** も不正確な表現になってしまう。しかし、これら３つの言い方とは違って、*No* **(other)** car is *more* expensive **than** という表現だけは依然として使える。と言うのも、同じ価格の車は売り出されても、もっと高いものは依然として売り出されていないからである。

これと同じように、万一ダチョウと同じ大きさの鳥が発見されたとしても、上の４つの表現の中で **No (other)** bird in the world is **larger than** the ostrich.（他のどの鳥もダチョウより大きくはない）だけは依然として使っても差し支えない。つまり、ダチョウより大きい鳥はまだいないからである。

231 特殊な比較構文

231 A　倍数表現

「AはBの～倍である」というときに、２つの言い方がある。

(1) 〈倍数詞＋as ～ as ...〉型

倍数を表すには，twice, three times などの**倍数詞**（⊃ p.455 **209**）を用いる。
「AはBの〜倍の…である」は，〈A is 〜 times as ... as B〉の形をとる。

*Uranium is twice **as** dense **as** lead.*
（ウラニウムは鉛より体積密度が2倍高い）

*I worked about ten times **as** much **as** you did.*
（僕は君より10倍くらい働いていたよ）

〈〜 times as 〜 as ...〉を，〈〜 times **〜er than** ...〉で表すこともできる。
twice は〈*twice* as 〜 as ...〉のみ。two times なら上と同じく両形可。

*Some of the fossil bones were more than a hundred times **larger than** those of an elephant.*
（化石の骨には，象の骨の100倍以上大きいものもあった）

(2) 形状や重量を示す語を用いる。

*The largest crater on the moon is three times **the size of** Wales.*
（月面の最大のクレーターは，ウェールズの面積の3倍である）

◆ウェールズは Great Britain 島の南西部の地方で，その面積は約2万平方キロメートルである。

この形で用いる語は，次のようなものである。

age（年齢）	**height**（高さ）	**length**（長さ）
number（数）	**size**（大きさ）	**weight**（重さ）

第3節 比較を用いた慣用構文

232 原級の慣用構文

① 〈**as 〜 as one can**〉「できるだけ〜」

We'll come **as** soon **as** we **can**.（できるだけ早く参ります）
● We'll come as soon as possible. と書き換えられる。

② 〈**not so much A as B**〉「AよりはむしろB」

The film is **not so much** a sequel **as** an entirely new story.
（その映画は，続編というよりまったく新しい物語だ）

③ 〈**might as well 〜 (as ...)**〉「…するくらいなら〜するほうがよい」

We **might as well** go home **as** wait here.（⊃ p.85 **35C**(2), (3)）
（ここで待っているよりは家に帰ったほうがましだよ）
● 〈had better 〜〉（〜したほうがよい）とは違って，あきらめた気持ちが表される。

233 比較級の慣用構文

(1) 〈the＋比較級 , the＋比較級〉「～すればするほど…」

　　The more we discover about the universe, **the more** we find that it is governed by rational laws.
　　　（宇宙について発見すればするほど，宇宙は合理的な法則に支配されていることがわかる）

(2) 〈the＋比較級＋because [for]～〉「～だからいっそう…」

　　The film is all **the more terrifying because** the audience never actually sees the killer's face.

　　The film is all **the more terrifying for** the audience's never actually seeing the killer's face.
　　　（観客が終始殺人者の顔を実際に見ることがないので，その映画はよけい怖い）
　　　●the の前の all は意味を強める働きをする。

(3) 〈比較級＋and＋比較級〉「ますます～」

　　In an effort to compete internationally, **more and more** companies are using translation services.
　　　（国際的に競争しようと翻訳サービスを利用している会社がますます増えつつある）

(4) 〈much [still, even] less ～〉

「～ない」という否定の内容に続けて，「まして～ない」というときに〈much less〉または〈still [even] less〉を用いる。〈let alone〉でもよい。

　　Most of my friends cannot even read Spanish, **much less [let alone]** speak it with fluency.
　　　（僕の友人の多くは，スペイン語を読むことさえできない。まして流暢に話したりすることなどできはしない）

肯定の節に続けて，「まして～はもちろん」という意味を表すには，〈to say nothing of〉または〈not to mention〉（～は言うまでもなく）などを用いるのがふつうである。〈much [still] more〉という形は，今はほとんど用いない。

　　The food was delicious, **to say nothing of [not to mention]** the wine.
　　　（ワインは言うに及ばず，その料理もとてもおいしかった）

(5) 〈know better than to ～〉「～するほどばかではない」

than の次を to不定詞にすることに注意。

　　Nelson **knew better than to** take the enemy's retreat for granted.
　　　（ネルソンは，敵が当然退却すると思うほど愚かではなかった）

I thought you would **know better than to** drive without a license.
（君が無免許運転してしまうほどばかだとは思わなかった）

(6) 〈no more [less] 〜 than ...〉型

① 〈no more 〜 than ...〉

「AはBではない」というのに，「CはDではない」という明白な例を引き合いに出して，A＝Bという可能性もそれ以上は絶対にないとして示す形。

This ride is **no more** dangerous **than** a merry-go-round.
（この乗り物の危険度は回転木馬みたいなものだ）

●まったく危険でないことが明白な「回転木馬」を引き合いに出して，「この乗り物が回転木馬より危険というわけではない」と言い，つまり，「この乗り物は回転木馬同様，まったく危険ではない」ということを主張している。

そこで，〈A is no more 〜 than B〉というのは，「AはB同様〜ではない」という**両方否定**になることを知っておく必要がある。

My German is **no more** fluent **than** my Portuguese.
（私のドイツ語は，ポルトガル語同様流暢などではない）

Most methods for predicting the outcome of boxing matches are **no more** reliable **than** tossing a coin.
（ボクシングの試合結果を予測する方法の多くは，コインをはじいて決めるのと同じくらい当てにならないものだ）

She is **no more** a genius **than** I.
（彼女は，私と同様，決して天才ではない）

② 〈no less 〜 than ...〉

これは〈no more 〜 than ...〉の反対で，**両方肯定**になる。

Truth is **no less** strange **than** fiction.
（事実は小説に劣らず不思議なものである）

A pig is **no less** sensitive a creature **than** a person.
（豚は人間に劣らず傷つきやすい動物である）

(7) 〈not more [less] 〜 than ...〉型

no でなく **not** にすると，〈more [less] 〜 than ...〉の単なる否定になる。

Housing in San Francisco is **not more** expensive **than** housing in Palo Alto.
（サンフランシスコの住宅がパロ・アルトの住宅より高いというわけではない）

●スタンフォード大学に近い Palo Alto は，地価が高いので有名である。

(8) 〈not more [less] than A〉型

① 〈not more than A〉 [＝ at most A]

more than A（Aより多い）を否定しているだけで，「多くてA」の意味。

Write an essay of **not more than** *1,500 words* on Renaissance painting.
(1,500語以内で，ルネッサンス絵画についてエッセイを書きなさい)

② 〈not less than A〉 [＝at least A]

less than A（A未満）を否定するので，「少なくともA」という意味で，規定などの堅い文章に多く見られる。

Fines imposed under this section shall be **not less than** $250 nor *more than* $500.
(本項で科せられる罰金は250ドル以上，500ドル以下のものとする)

(9) 〈no more [less] than A〉型

① 〈no more than A〉 [＝only A]

Online sales are limited to **no more than** *ten tickets* per purchaser.
(オンライン販売では，1人の購入者につきチケット10枚に限定されている)

② 〈no less than A〉

Conditions for purchase also include a down payment of **no less than** $20,000.
(仕入条件では2万ドル以上の頭金も必要とされています)

● 数詞の前では，**not** more [less] than をこの意味に使うこともある。
また，〈**no less than** A〉は「A以上，少なくともA」，〈**as much as** A〉は，「多くてもA」の意味に使うのがふつうだが，共に「Aほども」という強意にも使える。

234 最上級の慣用構文

(1) 〈the second [third, fourth, ...]＋最上級〉 「2［3，4，…］番目に～な」

Italy is **the second largest** steel producer in the European Union.
(イタリアはヨーロッパ連合の中で，2番目に大きな鉄鋼生産国です)

(2) 〈make the most [best] of〉 「～を最大限に活用する」

He tried hard to **make the most of** the money he had on hand.
(彼は，手持ちのお金をなるべく有意義に生かすよう努力した)

You have only one life, so **make the best of** it.
(人生は1度しかないのだから，精一杯活用しなさい)

● 〈make the *best* of〉は，厳しい状況ではあるが，その中でも何とかするよう頑張るというときに使うことが多い。

(3) 〈the last A＋to不定詞 [that節]〉 「最も～しそうもないA」

He is **the last** *person* to be suspected of theft.
(彼はおよそ窃盗で疑われそうもない人物だ)

Dallas is **the last** *city* (that) I would want to live in.
(ダラスは私にとって，一番住みたくない都市だ)

REVIEW TEST 19

A 確認問題 19 (→ 解答 p.614)

1. 次の各英文の( )内の語(句)のうち，適切なほうを選びなさい。
   (1) His dog Sandy is the (clever, cleverer) of the two.
   (2) Things just get (worse and worse, worser and worser).
   (3) Many women began to travel with their families in the (later, latter) half of the 18th century.
   (4) He was quite a few years junior (than, to) me.
   (5) The Center has grown to include new facilities for (much, many) more animals.
   (6) Pete Rose has the most hits (in, of) baseball history.
   (7) On this island, all the buildings are same height, and (no, no other) building is taller than a palm tree.
   (8) Mauna Kea is the second (larger, largest) volcano in the world.
   (9) A donkey's head is proportionally larger than (that, those) of a horse.
   (10) The harder you try to go to sleep, the (wide, wider) awake you become.

2. 次の各日本文の意味を表すように，( )内に適切な1語を入れなさい。
   (1) その窓は，縦横同じ長さだ。
       The window is as ( ) as ( ) is wide.
   (2) 一方の道は他方の2倍の長さである。
       One path is ( ) ( ) long ( ) the other.
   (3) 牛は犬に劣らず頭のいい動物である。
       A cow is no ( ) intelligent an animal ( ) a dog.
   (4) あなたを傷つけることだけはしたくないのです。
       Hurting you is ( ) ( ) thing I'd want to do.

3. 次の各英文を与えられた指示に従って書き換えなさい。
   (1) I am five years older than you.
       (senior を用いて)
   (2) The rainbow crow is the most beautiful bird in the world.
       (No で始め，比較級を用いて)
   (3) Angel Falls is sixteen times as high as Niagara Falls.
       (height を用いて)
   (4) The city's problems are more political than they are economic.
       (not so much を用いて)

REVIEW TEST 19

B 実践問題 19 (→ 解答 p.614)

1. 次の各英文を完成させるのに，最も適切な語(句)を選び，記号で答えなさい。

   (1) I'll meet you at two. Or would three be (　　)?
      (A) good　　(B) nice　　(C) better　　(D) best

   (2) "Hello, this is Jane"
      "Oh, hi. Can I call you back (　　)? I'm having dinner."
      (A) late　　(B) later　　(C) again　　(D) now

   (3) "How's business?" "It couldn't be (　　)."
      (A) well　　(B) better　　(C) best　　(D) badly

   (4) "I have to keep working." "Yes, that's the (　　) important thing."
      (A) much　　(B) very　　(C) most　　(D) less

   (5) Southern Asian countries are using nearly (　　) as much oil as they did 20 years ago.
      (A) same　　(B) double　　(C) so　　(D) twice

   (6) The more users' expectations prove right, the more they will feel in control of the system and (　　) they will like it.
      (A) the more　　(B) the less　　(C) no more　　(D) no less

   (7) The interests of city builders are hardly the same as (　　) of the average citizen.
      (A) one　　(B) that　　(C) those　　(D) such

2. 次の各英文の下線部から，誤っているものを1つ選び，記号で答えなさい。

   (1) Our checking (A)account is far (B)good than those (C)found at other banks, and it (D)offers a number of unusual benefits, too.

   (2) In the (A)late half of the (B)1990s, Internet use doubled (C)every 100 (D)days.

   (3) Our products (A)are created (B)so close as (C)possible to customer (D)specifications.

   (4) Word of mouth is (A)still probably (B)most effective (C)of all advertising (D)methods.

   (5) (A)I'd like to buy (B)a bag which is (C)more durable rather than trendy (D)or fashionable.

   (6) (A)Television commercials are (B)almost (C)three time as effective (D)as newspaper advertising.

第20章 時制の一致・話法
SEQUENCE OF TENSES・NARRATION

第1節 時制の一致

235 時制の一致の原則

複文で，主節の動詞が**過去時制**のときには，原則として従位節の動詞もそれに合わせて過去の形にする。これを時制の一致という。

235 A 主節の動詞が現在・現在完了・未来のとき

主節の動詞の時制が，**現在・現在完了・未来**の場合には，従位節の中の動詞は，その意味に従って時制を決めればよい。

She **thinks** that he *used* to be quite rich.
（彼女は彼が以前はかなり金持ちだったと思っている）

She **has argued** that global warming *will become* an even more serious problem in the future.
（彼女は，地球温暖化は将来さらに深刻な問題になる，と主張したことがある）

He **will** probably **say** that it *was* your fault.
（彼はきっと，君のせいだったと言うだろう）

235 B 主節の動詞が過去・過去完了のとき

主節の動詞の時制が，**過去（進行）**や**過去完了（進行）**の場合には，従位節の中の動詞を原則として次のように変える。

現在	→	過去
過去	→	過去完了または過去のまま
現在完了	→	過去完了
過去完了	→	過去完了のまま
助動詞	→	過去形助動詞
		（例）（will＋動詞の原形）→（would＋動詞の原形）

(1) 現在→過去

I *know* she *wants* to return to India.
（私は彼女がインドに帰りたがっていることを知っている）

→ I **knew** she *wanted* to return to India.
（私は彼女がインドに帰りたがっていることを知っていた）

● 主節の know が knew になると従位節の中の wants も wanted になる。

(2) 過去→過去完了

改まった言い方では，原則として過去は過去完了にするが，口語では，意味が混乱しなければ過去のままでもよい。

I *think* the building *was* abandoned long ago.
（私はその建物はずっと前に廃屋になったのだと思う）

→ I **thought** the building *had been* [*was*] abandoned long before.
（私はその建物はずっと前に廃屋になったのだと思った）

● long before があるから，was abandoned でも意味は混乱しない。

She *says* that she *was* married to a lawyer.
（彼女は弁護士と結婚していたと言っている）

→ She **said** that she *had been* married to a lawyer.
（彼女は弁護士と結婚していたと言った）

●「弁護士と結婚していたと言っている」ということは，話している現在時点では「弁護士と結婚していない」ということになる。もし says を said に変えたときに，従位節の動詞の時制を変えず，She **said** that she *was* married to a lawyer. と言ったら，「弁護士と結婚していると言った」という意味に受け止められかねないので，過去完了の *had been* married. に変える必要がある。be married は **have a husband or wife** ということで，今現在配偶者がいることを示す。配偶者に死なれた場合には，He [She] *was married*, but now *is widowed*. ということになる。

He **said** that the exhibition *finished* [*had finished*] the previous week.
（彼は展覧会は先週終わったと言った）

● 上の文は，He **says** that the exhibition *finished* last week. の says を said にしたもの。

(3) 現在完了→過去完了

She *believes* Addison *has lived* at the residence for at least six years.
（彼女はアディソンがその住居に少なくとも 6 年は住んでいると思っている）

→ She **believed** Addison *had lived* at the residence for at least six years.
（彼女はアディソンがその住居に少なくとも 6 年は住んでいると思っていた）

● この意味を表すには，完了形にすることが必要。現在完了も過去形も，時制の一致ではどちらも過去完了になるので，逆に，時制を一致する前は現在完了だったのか過去形だったのか，文の意味を考えた上での 2 つの形の見分けが必要になる。

(4) 過去完了→過去完了

The manager *says* that the road *had* already *been* completed when he arrived in 1990.

（支配人は彼が1990年に着いたときには，道路はもう完成していたと言う）

→ The manager **said** that the road **had** already **been** completed when he arrived in 1990.

（支配人は彼が1990年に着いたときには，道路はもう完成していたと言った）

- 助動詞の have は，過去形は had だが，過去完了形はない。過去以前のことはすべて過去完了で表す。

(5) 現在形の助動詞→過去形の助動詞

① 従位節の動詞の時制が未来の場合

He *says* that he *will* definitely not be late next time.

（彼は今度は絶対に遅れないと言っている）

→ He **said** that he **would** definitely not be late next time.

（彼は今度は絶対に遅れないと言った）

- would は，過去から見た未来を表す。

② その他の助動詞

Sometimes I *think* that cats *can* read our minds.

（猫は我々の心を読むことができるのではないかと思ったりすることがある）

→ When I was young, I **thought** that cats **could** read our minds.

（若い時分は，猫は我々の心を読むことができるのではないかと思い込んでいた）

- 助動詞の過去形については，別途参照（⊃ p.76 **33B**）。

Helpful Hint 114　進行形の場合の時制の変え方

前掲の **235** で紹介されている時制の変え方は，次のようにどれも進行形の場合でも同じである。

① I *think* she **is reading** War and Peace.
　→ I *thought* she **was reading** War and Peace.　〔現在進行形→過去進行形〕
　（私は，彼女は『戦争と平和』を読んでいると思った）

② I *think* she **was reading** War and Peace.
　→ I *thought* she **had been [was] reading** War and Peace.
　　　　　　〔過去進行形→過去完了進行形または過去進行形のまま〕
　（私は，彼女は『戦争と平和』を読んでいたと思った）

③ I *think* she **has been reading** War and Peace.
　→ I *thought* she **had been reading** War and Peace.
　　　　　　　　　　　　　　〔現在完了進行形→過去完了進行形〕
　（私は，彼女は〔最近〕『戦争と平和』を読んでいると思った）

④ I *think* she **had been reading** War and Peace.
　→ I *thought* she **had been reading** War and Peace.
　　　　　　　　　　　〔過去完了進行形→過去完了進行形のまま〕
　(私は，彼女は〔あのころ〕『戦争と平和』を読んでいたと思った)
⑤ I *think* she **will be reading** War and Peace until late tonight.
　→ I *thought* she **would be reading** War and Peace until late that night.
　　　　　　〔助動詞＋原形（進行形）→過去形助動詞＋原形（進行形）〕
　(私は，彼女はあの夜遅くまで『戦争と平和』を読んでいるだろうと思った)

第2節 時制の一致の例外

主節の動詞が過去(完了，進行，完了進行)形でも，従位節の動詞をそれに一致させなくてもよい場合がある。

236 直説法の時制の一致の例外

236 A 不変の真理などを強調する場合

話し手が，自分の伝えていることの一部が，不変の真理や真実などであることを強調したいときには，過去形の文の中で，その部分だけを現在形のままにして目立たせることが多い。

(1) 不変の真理

よく知られている「不変の真理」は，現在形のままにすることが多い。

The balloon *rose* because helium **is** lighter than air.
　(ヘリウムは空気よりも軽いので，風船は上がった)

真実に反していれば，過去形に一致させる。

The Mayas *believed* that the earth **was** flat.
　(マヤ人たちは，地球は平たいと信じていた)

話し手が，伝える内容に自信がなかったり，特に真理や真実であることを強調する気持ちがない場合には，時制を一致させておくのがふつうである。

The doctor *said* that SARS **could** be prevented by washing hands often.
　(その医者は，新型肺炎は，手をしょっちゅう洗えば防げると言った)

(2) ことわざ

Too many cooks spoil the broth. (船頭多くして船山に上る) などのように，ことわざは不変の真理を示す表現なので現在形が圧倒的に多く，過去の文中に登場するときにもそのまま現在形で使うのが多い。

The report *was* a collaborative effort and *illustrated* the fact that too many cooks **spoil** the broth.

　（その報告書は共同制作であり，船頭多くして船山に上るということの一例にもなった）

236 B　今も当てはまる事実を言う場合

伝える内容が今も当てはまるときには，意味を明確にするために，現在形または未来形のままにしておくのがふつうである。

Did you know the film **is** now out in DVD?
　（その映画が今 DVD で市販されていることを知っていましたか）
　● DVD で今市販されているということが重要。

I *was told* that eventually I **will** have to have surgery.
　（私はいずれは手術を受けることになると言われた）
　● 手術はまだであり，今後いつか受けなければならないということがはっきりする。

> 発展　前掲のA，Bで紹介されている用法でも，特に現在のことであることを強調する場合以外は，国籍などについても過去に一致させるのがふつうである。

236 C　比較を表す場合

比較構文で，異なる時のことを比較する場合には，当然のことながら，それぞれの時を正確に示す必要がある。時制の一致をさせるかどうかは，文脈による問題である。

She *said*, "*In the late 1960's*, crossing the roads of London **was** not as perilous as it **is** *now*."
　（「1960年代の後期には，ロンドンの道路を横断するのは，現在ほど危険ではなかった」と彼女は言った）

→ She *said* that *in the late 1960's* crossing the roads of London **was** not as perilous as it **is** *now* 〔**had** not **been** as perilous as it **was** *then*〕.
　（1960年代の後期には，ロンドンの道路を横断するのは，現在ほど危険ではなかった，と彼女は言った）

> 発展　〔　〕内に見られる**過去形・現在形**から**過去完了形・過去形**への変換，または **now** から **then** への変換は，たとえば，「彼女」の発言があったのが1979年で，話し手がそれを伝達したのが2005年であった，というようなケースのように，発言の現時点と伝達の現時点がだいぶ離れている場合に行う。つまり，発言時の「現在」が伝達時の「現在」とは違う場合に行われる変換である。逆に，たとえば，「彼女」の発言があったのが昨日で，話し手がそれを伝達したのが今日であれば，いずれの現時点も一応同じ「今現在」と広くとらえることができるので，変換はしない。

236 D　歴史上の事実を示す場合

歴史上の事実は**常に過去**(完了，進行，完了進行)形で表し，時制の一致によって変化することはない。

His research *proved* that modern humans **coexisted** with Neanderthals for thousands of years.
（彼の研究は，現生人類が何千年間もネアンデルタール人と共存していたことを証明した）

● 歴史上の事実を言うほど大げさなものでなくても，She said that she **was** born in 1990.（彼女は1990年に生まれたと言った）というような場合もこれに準じる。

237　仮定法と時制の一致

237 A　従位節内の仮定法

主節の動詞が過去(完了，進行，完了進行)形でも，従位節内の**仮定法**の動詞は時制の一致によって変化しない。というのも，仮定法は実際の時を表さないからである。

It *was suggested* that materials **be made** available on-line.　〔仮定法現在〕
（資料はネット上で入手できるようにすべきだという提案がなされた）

● この be は，要求や提案の動詞の目的語節内の仮定法現在なので，変化させない（⊃ p.98 **43C**(2), p.204 **104A**）。

He *said* that if I **kept** a dog I **would** probably **enjoy** life more.　〔仮定法過去〕
（彼は，私が犬を飼っていれば人生がもっと楽しいだろうにと言った）

● 発話時における事実に反することの仮定を表す仮定法過去。

It *is* often *said* that if President Kennedy **had** not **been assassinated** in 1963 the war in Vietnam **might have ended** in 1964.　〔仮定法過去完了〕
（ケネディ大統領が1963年に暗殺されなければ，ベトナム戦争は1964年に終わったかもしれないとよく言われます）

● 過去の事実に反する仮定なので，条件節の動詞を過去完了形にする。

237 B　主節の動詞が仮定法の場合

仮定法の動詞の後にくる従位節中の動詞の時制を決めるときは，話し手が話している現在から見た時をそのまま表し，前の仮定法とは無関係に決める。

I *wish* I **had** the information that you **need**.
（君が必要としている情報を私が持っていればなあ）

● 〈I wish ...〉構文のため，仮定法過去の had が使ってあるが，「君が(ある情報を)必要としている」のは現在のことなので，need は現在形のままにしておく。

If I **had known** that you **were** ill, I would have gone to see you.
（君が病気だと知っていたなら，見舞いに行ったのだが）
●「知っていたなら」というのは，過去の事実に反する仮定なので，仮定法過去完了の **had known** を使う。また，その内容である「君が病気である」というのは，話している現在から見れば，過去のある時点での状態なので，直説法の過去形にすればよく，過去完了に一致させる必要はない。

> ### Helpful Hint 115　時制を変えて用いられることわざ
>
> 前掲の**236A**で説明されているように，不変の真理を示すことわざには現在形が多く，主節の動詞が過去形の文の場合でも，従位節内に置くことわざの現在形はそのまま残ることが多い。しかし，よく知られていることわざほど，時制を変える可能性が高い，という現象もある。
>
> 　たとえば，極めてよく知られている Too many cooks spoil the broth. の場合，用例のとおり，The report *was* a collaborative effort and *illustrated* the fact that too many cooks **spoil** the broth.（その報告書は共同制作であり，船頭多くして船山に上るということの一例にもなった）と表現してもまったく差し支えないが，The report *was* a collaborative effort in which too many cooks **spoiled** the broth.（その報告書は，船頭多くして船山に上ってしまったような共同制作だった）と言うこともできる。
>
> 　あるいは，心まで美しい人について，Beauty **is** only skin deep.（美しさも皮一重）という陳腐なことわざを借りて In her case, beauty **was** *not* only skin deep.（彼女の場合は，美しさも皮一重だけではなかったのだ）などのような言い方も珍しくない。

第3節　話法の種類

238　直接話法と間接話法

238 A　直接話法

発言者の言葉をそのまま伝える方法が，直接話法である。
直接話法は一般に次の形をとる。

　　He **said** to them, "This is enough."
　　　伝達動詞　　　　被伝達部
　　（彼は彼らに「これで十分だ」と言った）

●"This is enough," he **said** to them. のように，伝達動詞を被伝達部の後に置いてもよい。主語が人称代名詞でなく，**名詞**の場合には，"This is enough," said *Jack*. のような倒置形にすることも多い。

〈発展〉被伝達部が長くなり，パラグラフにまたがるときには，途中のパラグラフの最後の引用符は書かず，次のパラグラフの最初に引用符をつける。

> He said to them, "This is enough, but if you would like to do some work for extra credit, please feel free. I'll be happy to look at it for you.
> "Finally, we also need to discuss plans for next week's party. Does anyone have any suggestions?"
> （彼は彼らに言った。「これで十分ですが，もし課外単位の学習を何かしたければ，どうぞ遠慮なくしてください。喜んで見てあげます。
> 最後に，来週のパーティーの計画について話し合っておかなければなりませんね。だれか考えはありませんか」）

238 B　間接話法

話し手［伝達者］が，発言者の話した内容を，自分の言葉に直して伝える方法が間接話法である。一般的に次の形をとる。

　　He **told** them (that) that was enough.
　　伝達動詞　　　　　被伝達部
　　（彼は彼らに，それで十分だと言った）

239　描出話法

直接話法と間接話法の中間に当たる話法で，小説によく見られる修辞的な技法である。He said などを省略し，被伝達部を独立させて地の文の中に埋め込んで，話の中の登場人物の発言や考えなどを表す。

　　She was confused. She asked him, "*What can I do?*"　　〔直接話法〕
　　（彼女は混乱していた。彼に「私には何ができるのでしょう」と尋ねた）
　　● 登場人物が実際に話した言葉がそのまま引用されている。

　　She was confused. She asked him *what she could do.*　　〔間接話法〕
　　（彼女は混乱していた。自分には何ができるのかを彼に尋ねた）
　　● 話し手が中に立って，話し手の立場から彼女の言った内容を伝えている。

　　She was confused. *What could she do?*　　〔描出話法〕
　　（彼女は混乱していた。自分には何ができるのか，と）
　　● 描出話法では，She said [**asked**]. という発話者と伝達動詞は示されない。代名詞の she と，動詞の時制が could と過去形になっているという点は間接話法と同じであるが，独立した疑問文の語順をとり，疑問符もついているという点は直接話法と同じである。

描出話法では，登場人物が心の中で思ったことを述べることもできる。

　　She sighed. *What can I do?*
　　（彼女はため息をついた。私には何ができるのだろうか，と）
　　● 発話者を直接示さず，引用符も使わない書き方が小説やエッセイなどに使われることもあるが，書かれている意味は文脈から判断できる。

第4節 話法の転換

話したり，書いたりする場合には，発話者の言ったことを間接的に第三者に伝える場合が多い。そこで，直接話法を間接話法に換える方法を知っておくと便利である。

240 話法の転換の一般的原則

240 A 一般的原則

基本的には，直接話法を間接話法にするときには，次のようにする。

The man said to me, "I am very busy now."
　　（その男は私に「今とても忙しい」と言った）

The man told me that he was very busy then.
　　　　①　　②③　④　　　　　　⑤

① 伝達動詞を被伝達部の内容に応じて，tell などに変える（→ **240B**）。
② 接続詞を補う。命令文では to 不定詞にする（→ p.520 **241**(2), p.521 **243**）。
③ 伝達者の立場から見て，代名詞を適切に変える（→ p.519 **240C**(2)）。
④ 時制の一致の法則を適用する（→ p.509 **235**）。
⑤ 時や場所の副詞を文脈に応じて変える（→ p.519 **240C**(3)）。

240 B 伝達動詞の選び方

(1)「『～』と言う」のように，人の話をそのまま伝える直接話法では，「言う」という動詞は，話の内容が何であろうと，**say** ですむが，被伝達部の内容に応じて，別の動詞を使うことが多い。

　　She **said**, "Where do you go to school?"
　　（＝She *asked*, "Where do you go to school?"）
　　　　（彼女は「どこの学校に行っているの」と言った）

　　"But I haven't anything to wear," she **complained**, to which I **replied**, "Why don't you wear your new pantsuit?"
　　　　（彼女が「だって，着るものがないのよ」と文句を言うので，僕は「新しいパンツスーツを着ればいいじゃないか」と言った）
　　　　● complain（不平を言う）も，reply（答えて言う）も伝達動詞である。

　　Pounding her fists on the door, she **screamed**, "Somebody help!"
　　　　（彼女は，こぶしをドアにドンドンたたきつけながら，「だれか助けて！」と叫んだ）

"I haven't done anything wrong," he **assured** himself, but then, recalling the telephone call, he worriedly **thought**, "Maybe it was something that I said."
（「僕は何も悪いことをしていない」と彼は自分に言い聞かせたのだが，あの電話を思い出すと，「何か言ってはいけないことを言ったのかもしれない」と心配した）

(2) 間接話法の場合も，被伝達部の内容に応じて，適当な動詞を選んで伝達することができるし，直接話法の場合よりも使える動詞の数が極めて多い。最も一般的なものを示しておく。

① 平叙文　　**admit**（認める）　　　**answer**（答える）　　　**claim**（断言する）
　　　　　　complain（文句を言う）　**deny**（否定する）　　　**explain**（説明する）
　　　　　　insist（言い張る）　　　**object**（反対する）　　　**promise**（約束する）
　　　　　　remark（述べる）　　　**reply**（答える）　　　　**report**（報道する）
　　　　　　say（言う）　　　　　　**tell**（話す）　　　　　　**threaten**（脅かす）
② 疑問文　　**ask**（尋ねる）　　　　**inquire**（尋ねる）
③ 命令文　　**advise**（助言する）　　**command**（命じる）　　**order**（命じる）
　　　　　　tell（〜せよと言う）　　**warn**（忠告する）　　　**ask [beg]**（頼む）
④ 感嘆文　　**cry**（叫ぶ）　　　　　**exclaim**（叫ぶ）
　　　　　　sigh（ため息まじりに言う）

Helpful Hint 116　say 以外の伝達動詞とその位置

　この章では，直接話法→間接話法という転換を説明するために，たとえば前掲の She said [asked], "Where do you go to school?" のように，たいてい直接話法の伝達動詞に **say** を使って被伝達部より前に置いている。そうしたほうが，間接話法の文（She asked me where I went to school.）と見比べやすい形になるからである。つまり，これはあくまでも説明の便宜上の書き方なのである。英文の中でも直接話法の形が最も多く見られる小説では，実際こうした書き方は極めて少ないことがわかる。

　上の例だと，まず，被伝達部が疑問なので，ふつう say という動詞は使わない。**ask** や **inquire, wonder, wonder aloud** など，疑問に合う動詞を使うのがふつうである（ただし，形だけが疑問である修辞疑問の場合，たとえばその次の用例の ... to which I **replied**, "Why don't you wear your new pantsuit?" のような場合，「尋ねる」という意味を表さない動詞を使うことが多い）。また，伝達動詞を被伝達部の**間**や，または**後に置く**（たとえば，"Where," she inquired, "do you go to school?" や，"Where do you go to school?" she inquired. などのように書く）ほうが自然に感じられる文脈が圧倒的に多い。

　被伝達部が疑問文でない場合も同様，たとえば「彼女は腹立たしげに『犬を連れて行ってはいけないのなら，私は行かないよ』と言った」というような場合には，She **said** angrily, "I won't go if I can't take my dog with me." よりも，"I won't go," she **remarked** angrily, "if I can't take my dog with me." や，"I won't go if I can't take my dog with me," she **remarked** angrily. と表現したほうがよほど自然に感じられる文脈が多い。

240 C 話法の転換による被伝達部の変化

(1) 動詞

伝達動詞が過去(完了，進行，完了進行)形のときには，「時制の一致の原則」に従って，被伝達部の動詞を変えるが，時制の一致の例外も適用される。

He *said*, "I'm going out."

→ He *said* that he **was** going out.
（彼は出かけると言った）

> **発展** 助動詞もそのまま過去形に時制を変えればよい（⊙ p.511 **235B**(5)）。英式の堅い言い方で，1人称の単純未来に shall が使われている場合には，間接話法では will の過去形 would に換える。He said, "I **shall** be happy to help." → He said he **would** be happy to help.

(2) 代名詞

① 人称代名詞

伝達する人の立場に立って，「私」，「彼」，「彼女」などの意味を表す人称代名詞に，適当に変える。

My doctor said to me, "**You** can go home anytime **you** want to."

→ My doctor told me that I could go home anytime I wanted to.
（私の医者は私に，帰りたいときにはいつでも帰っていいと言った）

② 指示代名詞

this は that になることが多い。ただし，「これ」や「この」のように直接そのものを指して言う場合には，this のままで伝達する。

She said to me, "I don't like **this** song."
（彼女は「この歌は好きじゃない」と言った）

→ She told me that she didn't like **that** [**this**] song.
（彼女はその［この］歌が好きではないと言った）

● たとえば，話し手と聞き手がたまたま一緒にその歌を聴いている場合であれば，this をそのまま使う。

(3) 時・場所の副詞

伝達の時や場所を実際的に考えた上で変換する。**一般的には次のようになる。**

today	（今日）	→	that day
yesterday	（昨日）	→	the day before, the previous day
tomorrow	（明日）	→	(the) next day, the following day
next week	（来週）	→	the next week, the following week
last week	（先週）	→	the week before, the previous week
now	（今）	→	then

~ ago	(~前)	→	~ before
here	(ここ)	→	there

The police officer *said*, "I saw the suspect **here yesterday**."

→ The police officer *said that* he had seen the suspect **there the day before**.
（その警官は前の日にそこで容疑者を見かけたと言った）

●これは，その警官が話したのが過去のことで，また，伝達者は警官が話した場所とは違う場所でこれを伝えているという，一般的な場合の転換である。

もし伝達している場所が，警官がその容疑者を見かけた現場であれば，here はそのままにして，there に換えない。また，この話が今日なされたのであれば（たとえば，This morning, the police officer said .... などのように），yesterday もそのままにしておく。

241 平叙文の話法転換

(1) 伝達される文が平叙文の場合，**say** や **remark** などの**伝達動詞**は，直接話法では〈say **to**＋目的語〉や〈remark **to**＋目的語〉という形にすることが多い。間接話法に換えるときは，直接話法の文に to ~ がなければ動詞はそのままにし，to ~ があれば，**tell** や **inform** など別の動詞にするのがふつうである。

Nancy *said* to me, "I am looking forward to seeing you on Monday."

→ Nancy **told** me *that* she was looking forward to seeing me on Monday.
（ナンシーは，月曜日に私と会うのを楽しみにしていると言った）

注意 直接話法の場合，伝達部の Nancy said to me は，上のように，被伝達部 "..." の前に置いてもよいし，被伝達部の最後をコンマにして，その後に置いてもよい。
"I am looking forward to seeing you on Monday," *Nancy said to me.*
なお，伝達部は，伝達文，伝達節などとも言われる。

(2) 接続詞には **that** を用いるが，この that は省略してもよい。

She *said* to the police, "I was half asleep when the tall man entered my room."

→ She **told** the police (*that*) she had been half asleep when the tall man entered her room.
（彼女は警察に，背の高いその男が自分の部屋に入ってきたときには，自分はうつらうつらしていたと言った）

●直接話法の従位節中の過去形は，間接話法では過去完了に変えないことが多い。

242 疑問文の話法転換

疑問文を伝達する場合には，直接話法では，動詞は say (to ~) または ask を用い，間接話法では ask を用いるのがふつうである。

間接話法のときの接続詞は，疑問文の種類によって決める。

242 A 一般疑問文の転換

yes / no で答えられる疑問文，すなわち一般疑問文（⊙ p.23 **8B**(1)）の場合には，接続詞は if か whether を補う。if のほうがよく使われる。

間接話法では，〈S＋V〉の語順になる。

    The doctor *said to* [asked] her, "*Are you* frightened?"
    → The doctor **asked** her *if* she was frightened.
       （その医者は彼女に，怖いのかと尋ねた）

    He *said to* [asked] me, "*Do you* speak Chinese?"
    → He **asked** me *if* I spoke Chinese.
       （彼は私に中国語ができるかと聞いた）

選択疑問文は，〈A or B〉をそのままコンマの後に置けばよい。

    The druggist *said to* [asked] him, "*Which* do you prefer, pills *or* granules?"
    → The druggist **asked** him *which* he preferred, pills **or** granules.
       （その薬剤師は彼に，錠剤と顆粒とどちらがいいかを聞いた）

形は疑問文でも，**依頼**などを表す場合は〈ask＋O＋to do〉でもよい。

    She *said to* me, "*Will you pass* me the salt?"
    → She **asked** me **to pass** her the salt.
       （彼女は私に塩を回してくれるように頼んだ）

242 B 特殊疑問文の転換

"wh-" タイプの疑問文，すなわち特殊疑問文（⊙ p.24 **8B**(2)）の場合には，疑問詞を接続詞として使う。間接話法では，〈S＋V〉の語順になる。

    The detective *said to* [asked] the maid, "*Where were you* at around 6:00?"
    → The detective **asked** the maid **where** she had been at around 6:00.
       （探偵はメイドに，6時ごろはどこにいたかを聞いた）

243 命令文の話法転換

形は命令文でも，命令のほかに，忠告や助言，依頼などを表す場合もある。こうした場合には〈**say** to＋*someone*＋"…"〉の形の文は，必ずしも〈**tell** *someone*＋**to**不定詞〉の形に変わるとは限らない。間接話法に換えるときは，文の内容に応じて適切な動詞を選ぶ必要がある。

243 A ふつうの命令文の話法転換

「～しなさい」と言った，という意味の間接話法には，〈tell＋O＋to do〉「O

に~するように言う」のように, tell と to 不定詞を用いることが多い。

Health officials *said to* them, "*Wear* masks and *stay* at home."
→ Health officials **told** them **to wear** masks and **stay** at home.
(衛生局の職員は彼らに, マスクをつけて家にいるようにと言った)

She *said to* me, "Don't *be* late."
→ She **told** me *not* **to be** late. (彼女は私に, 遅刻しないでねと言った)

please がついた, 「~してください」という意味の場合は, 〈ask＋O＋to do〉「Oに~するように頼む」のように, ask と to 不定詞を用いることが多い。

I *said to* him, "*Please reply* as soon as possible."
→ I **asked** him **to reply** as soon as possible.
(私は彼に, なるべく早く返事を出してくれるように頼んだ)

● ask him that ~としないこと (⊙ p.145 **72A**(1)①)。

伝達部の内容によって, 動詞に advise (O＋to＋do) (助言する) や, command [order](O＋to＋do)(命じる), request(O＋to＋do)(頼む) などを用いることもある。

243 B　Let's ~ 型の間接話法

「~しよう」という意味の〈Let's ~〉の間接話法には,〈suggest that ~〉や,〈suggest our＋動名詞 ~〉,〈propose that ~〉,〈propose our＋動名詞 ~〉などの構文を使うことがよくある。

He said, "*Let's postpone* the meeting until Friday."
→ He **suggested** [**proposed**] that we *postpone* the meeting until Friday.
→ He **suggested** [**proposed**] our *postponing* the meeting until Friday.
(彼は, 会議は金曜日まで延期しようと提案した)

244　感嘆文の話法転換

感嘆文を間接話法にするときには, 伝達動詞に, 一般的には cry や exclaim などを用い, 接続には感嘆文の how, what をそのまま使えばよい。

She said, "*How* wonderful this music is!"
→ She **exclaimed** *how* wonderful that music was.
(彼女はその音楽はなんてすてきなんでしょうと言った)

感嘆文の内容によっては, sigh (ため息まじりに言う) なども使う。
また, 感嘆文は強調するために用いられるものなので, 平叙文の転換と同じ形で, very や especially, extraordinarily など強調の意味を持つ副詞をつけ加えて書けば, 似たような意味を表すことができる。

● 上の文なら, She **exclaimed** that that music was *especially* wonderful. とする。

245 重文の話法転換

245 A ふつうの重文の話法転換

等位節が and, but, or などで結ばれている重文を間接話法にするには，各節の前に that を繰り返して置くことがある。

また，that を省略することもある。基本的には，伝えたい意味が明白に通じるならどれを省略してもよいが，that の省略は文体の問題でもある。省略する that によっては文の流れがよくなったり，逆に悪くなったりする場合も少なくない（●p.524 H.H.117）。

She said, "The hors d'oeuvre were quite tasty, but the pasta was overcooked, and the sauce was salty, too."

→ She said (**that**) the hors d'oeuvre had been quite tasty **but** (**that**) the pasta had been overcooked **and** (**that**) the sauce had been salty, too.
（彼女は，前菜は結構おいしかったが，パスタはゆですぎだったし，ソースもまた塩辛かったと言った）

245 B 〈命令文＋and [or]〉構文の話法転換

〈命令文＋and〉「～しなさい，そうすれば」や，〈命令文＋or〉「～しなさい，さもないと」という形の間接話法は，2つの形で表現できる。

He *said to* me, "**Turn** left, **and** you'll see the entrance to the hotel."

→ He **told** me *to turn* left **and** I would see the entrance to the hotel.
→ He **told** me *that* **if** I turned left I would see the entrance to the hotel.
（彼は私に，左に曲がればホテルの玄関が見えてくると言った）

He *said to* me "**Take** care, **or** you'll slip on the ice."

→ He **told** me *to take* care **or** I would slip on the ice.
→ He **told** me *that* **if** I did**n't** take care I would slip on the ice.
（彼は私に，注意しないと氷の上で滑って転ぶよと言った）

246 種類の違う文が混ざっている場合の話法転換

被伝達部が，平叙文と疑問文というように，種類の違う文から成っているときには，伝達動詞をそれぞれに合わせて間接話法にして and で結べばよい。

He *said to* me, "*Stop. Where* are you going?"

→ He **told** me *to* stop and **asked** (me) *where* I was going.
（彼は私に止まれと言い，どこに行くのかを聞いた）
● 前半は命令，後半は質問である。

"Please *don't* cry," I *said to* her. "I'll help you."

→ I **asked** her *not to* cry and **offered** *to* help her.

(私は彼女に，泣かないでくれと頼み，手伝ってもいいよと言ってあげた)

● 前半は命令文，後半は平叙文である。

247 その他注意すべき話法転換

話法の転換は，規則的に処理できるものもあるが，多くの場合は，その意味内容を考えての英作文になる。次のような慣用表現にも注意。

I asked him if he would be leaving from Narita, and he **said** *no*.

(私が彼に成田からたつのかと聞いたら，彼はそうではないと言った)

● he answered *in the negative* という言い方もある。「そうだと答える」はこの形だと answer in the affirmative になる。

He hardly ever **says** *thank you*.

(彼がありがとうと言ってくれることはめったにない)

● thank you などは，このまま使うほうがふつう。

She came to see me and **said** *goodbye*.

(彼女は私に会いに来て，さよならと言った)

● say goodbye は慣用句になっている。

Helpful Hint 117 間接話法における that の省略について

245Aの She said (**that**) the hors d'oeuvre had been quite tasty but (**that**) the pasta had been overcooked and (**that**) the sauce had been salty, too. (彼女は，前菜は結構おいしかったが，パスタはゆですぎだったし，ソースもまた塩辛かったと言った) は，すべての that を省略してもまったく差し支えないが，伝達動詞 **say** の代わりに他の動詞を使うと，そうとは言えなくなる。

たとえば，同じ「～と言った」を表す remarked や，「～と指摘した」を表す noted [pointed out]，「～と文句を言った」を表す complained などを使う場合には，She pointed out **that** the hors d'oeuvre had been quite tasty but the pasta had ... and the sauce had .... のように，最初の **that** だけは残しておくほうが自然に感じられ，読みやすい文になる。ただし，この最初の **that** だけで十分であり，その後の2つの **that** は，かえって残さないほうがすっきりした文になる。3つともそろっていると，that の連発といった感じで，いささかくどい印象を与えかねない。

また，say を使っても **that** を残したい場合もある。たとえば，「彼女は，*あの*ハムはとてもおいしかったと言った」を表す She said **that** *that* ham was delicious. がその1例である。**that** を省略して She said that ham was delicious. と書くと，残った that は「～と」という意味なのか，あるいは「あの」という意味なのかがあいまいになってしまい，「彼女は，ハムはとてもおいしいものだと言った」という意味にも受け止められてしまうのである。

REVIEW TEST 20

A 確認問題 20 (→ 解答 p.615)

1．次の各組の(a)を間接話法にしたものが(b)になるように，(　　)に適切な数語を補って，(b)の文を完成しなさい。

(1) (a) Jane said, "How was your weekend, Andrew?"
　(b) Jane (　　　　　) how (　　　　　　).

(2) (a) Some of my friends said, "We'll see you tomorrow."
　(b) Some of my friends said that (　　　　　).

(3) (a) "I would like an appointment for next Friday," I said to my dentist.
　(b) I told my dentist that (　　　　　).

(4) (a) When I was visiting Miami, Mr. Johnson asked me, "Do you like it here?"
　(b) When I was visiting Miami, Mr. Johnson (　　　　　).

(5) (a) She said to me, "Please send me an e-mail message as soon as you can."
　(b) She (　　　　　) as soon as (　　　　　).

(6) (a) "What a clever boy you are!" the man said to me.
　(b) The man exclaimed what (　　　　　).

(7) (a) "Would you like tea or coffee, madam?" asked the waiter.
　(b) The waiter asked her (　　　　　).

(8) (a) She said, "I want to send this letter to the U.S. How much will it be?"
　(b) She said that (　　　　　) and asked (　　　　　).

2．次の各英文が正しければ〇をつけ，正しくなければ×をつけて，誤っている部分を正しく書き直しなさい。

(1) The conductor asked me that I give him my ticket.
(2) She said her husband must be a fool to behave like that.
(3) We learned that the Iran-Iraq War had broken out in 1980.
(4) My homeroom teacher asked me what was the matter.
(5) She said me that the bus would be late.
(6) I asked him if he would mind lending me his laptop.
(7) I asked her yesterday morning if she had slept well last night.
(8) The organizers explained that the concerts are to be performed in public halls and there is to be no charge for admission.

REVIEW TEST 20

B 実践問題 20 (→ 解答 p.615)

1. 次の各英文を完成させるのに，最も適切な語(句)を選び，記号で答えなさい。

   (1) The clerk said good morning and (　) if he could help me.
   　(A) said　　(B) told　　(C) asked　　(D) offered

   (2) He (　) that someone stay in the office every night.
   　(A) suggested　(B) said　　(C) told　　(D) remarked

   (3) They (　) that the government had shipped 17 tons of ivory to Taiwan.
   　(A) told　　(B) claimed　(C) asked　　(D) demanded

   (4) A CNN reporter said that he had just returned from Kuwait, where he (　) with an American patrol.
   　(A) travel　(B) travels　(C) has traveled　(D) had traveled

   (5) The scientists reported that BSE in cattle could be transmitted to humans and (　) the brain disease CJD.
   　(A) cause　(B) causes　(C) caused　(D) had caused

   (6) I would (　) that you start out with a secured loan.
   　(A) tell　　(B) recommend　(C) ask　　(D) warn

2. 次の各英文の下線部から，誤っているものを1つ選び，記号で答えなさい。

   (1) ABC said (A)the suspect had a French passport (B)and that details concerning him (C)are passed on to security officials (D)at London's Heathrow Airport.

   (2) (A)The White House said that leaking classified information (B)was a serious matter that (C)should pursue (D)to the fullest extent.

   (3) I asked (A)to the company (B)to send a catalog of (C)their products (D)by mail.

   (4) The paper (A)said the number of (B)US troops in Turkey (C)was increased to 25,000 (D)during the following month.

   (5) Microsoft said that (A)such viruses (B)would not infect via Internet Explorer unless the user (C)change the security (D)settings.

   (6) Tom asked the programmer (A)that (B)whether it (C)was possible (D)to redesign the software.

   (7) He said he (A)has already asked (B)his bank to open (C)a Euro account (D)for him.

— 526 —

第21章 否定
NEGATION

　否定には，notのようなはっきりした否定語を用いて否定する場合と，明確な否定語は使わなくても，意味的に否定になっている場合とがある。いずれの場合にしても，否定の範囲がどこまで及ぶのかを知っておくことが大切である。

第1節 否定語句

248 否定語句の種類

　否定に最もふつうに用いられる語は **not** である。これを標準的な否定語とすると，notよりも強い否定語と，弱い否定語がある。
　notと共に用いて，否定を強調する語句については別途参照（● p.539 **254C**）。

248 A　強い否定語

(1) never

　「（どんな場合でも）決して～ない」，「いつになっても～ない」，「一度も～ない」などという意味の強い否定に用いる。詳しくは，H.H.118 (p.528) を参照。

　You'll **never** *solve* that problem.
　　（その問題はいつまでたっても解決しないよ）

　During the Arctic winter, the sun **never** *rises*.
　　（北極圏の冬では，太陽はいっさい昇ってこない）

(2) no

　〈A is not B〉のように，ふつうbe動詞などの後に続くnotの代わりに，**no** を用いると，やや強い否定になる。

　① 〈**be＋no＋名詞**〉

　That man is **no** *kid*. He must be about 25.
　　（あの男は決して子供なんかではない。きっと25歳くらいではないかな）
　　● That man isn't a kid. よりも強い否定になる。

　② 〈**be＋no＋形容詞（＋名詞）**〉

　形容詞の前につく no も not よりも強い否定を表す。

Finding capable people is **no** *easy* task.
  (有能な人物を見つけるのは，およそ容易なことではない)

③〈**no**＋比較級〉

　no bigger than ～ のように，比較級の前に no をつけて，「決して大きいものではない」という意味を表すことがある。多くの場合，こうした言い方には「むしろ，結構小さいものだ」という気持ちが感じられる。

Her new cell phone is **no** *bigger* than a matchbox.
  (彼女の新しい携帯電話はマッチ箱くらい小さい)

Most of the hotels are located **no** *farther* than 2 miles from the stadium.
  (ほとんどのホテルはスタジアムから 2 マイルも離れていない所にある)

248 B　弱い否定語

(1) hardly, scarcely, seldom, rarely

　「ほとんど～ない」には **hardly** か **scarcely** を，「めったに～ない」には **seldom** か **rarely** を用いる。当然のことながら，否定の意を表すのにこれらの語にさらに他の否定語をつける必要はない。

For about three hours we **hardly** [**scarcely**] *spoke* a word to each other.
  (約 3 時間の間，私たちはお互いにほとんど一言も発しなかった)

I **rarely** [**seldom**] *use* my car on weekdays.
  (私は平日には自分の車をめったに使いません)

　● hardly [scarcely] ever（めったに～ない）のように ever をつけると，rarely [seldom] の意味を強めた感じになる。

(2) few, little

　a のつかない **few**（数）と **little**（量・程度）は弱い否定になる（● p.447 **205**）。

The club has **few** *members* and almost no political power.
  (そのクラブにはメンバーがあまりおらず，政治力などはほとんどない)

This metal is **little** affected by heat.
  (この金属は熱の影響をほとんど受けない)

Helpful Hint 118　never の正確な意味

　never は，ほとんどの英和辞典では最初に**(1)**「どんなときでも［いつであろうと］～ない」などのように**時間的表現**として取り上げられ，続いて**(2)**「決して［絶対に］～ない」などのように **not** よりも強い**否定語**として取り上げられている。しかし，こうした分け方では，学習者の誤解を招きかねないケースが多い。
　たとえば，Never give up. のような命令文はたいてい**(2)**に入れられ，学習者には単に Don't give up.（あきらめるな）よりも強い否定の命令文として「絶対にあきらめるな」

と理解されがちである。ボクシングの試合を見ているときに，強い相手に負けそうな選手に「あきらめちゃいかん！頑張れ！」という励ましのつもりで Never give up! と呼びかけるかもしれない。ところが，本当はこの never は，どの場合の never とも同じく，基本的に not ever「いつであろうと〜ない」という意味を表す時間的表現である。Never give up. は，その場であきらめてはいけないという意味ではなく，「どんなときでもやることは最後まであきらめずにやってみるものだ」といった感じの一般論的な意味である。その場であきらめてほしくない場合なら Don't give up! と言えばよい。

249 否定語の位置

249 A 平叙文における not

平叙文で述語動詞を否定する場合，**一般動詞を否定するときには，do [does, did] not** をその動詞の前に置く。**助動詞**や **be動詞**の否定は，not をその後に置く。

be, do, have や助動詞は，**not** がつくと，口語ではふつう短縮形になる（⬀ p.77 33C）。

It **doesn't** really matter anyhow.
　（まあ，それはどうせどうでもいいことなんだからさ）

注意 ▎ may not の短縮形 mayn't は，古く感じられ，現在では珍しい。

be, do, have や助動詞は**主語**と短縮形を作ることもできる。That's not ... . や It's not ... . などのような形の場合に多い。

She's **not** from Maine.　（彼女はメイン州の出身ではない）
　● not は is from Maine を否定している。

249 B 疑問文における not

(1) 否定疑問の形

否定疑問文の場合には，次の2つの形が可能である。

① ふつうは，特に口語では**短縮形**を用いる。

Don't you think so?　（そう思いませんか）

② 堅い言い方では，〈do [be，助動詞] A not ...?〉の形もとる。

Do these DNA test results **not** prove his innocence?
　（このDNA鑑定結果は彼の無罪を立証していませんか）

Am I **not** correct in my thinking?
　（私の考え方は正しくないでしょうか）

Would she **not** actually be happier living in France?
　（本当は彼女にとってはフランスに住んだほうが幸せなのではないでしょうか）

(2) 否定疑問の意味
否定疑問は2つの意味を持つ。
① 肯定の答えを予期しての確認
Didn't you see her yesterday?
（昨日彼女に会いませんでした？（＝会ったのでしょう？））

これは修辞疑問（○ p.26 **8C**(3)）と同じ考えである。また，感嘆文の Isn't it a lovely day!（いい日ですね）などの形も同類である。（○ p.28 **8E**(3)）。

② 否定の確認 「～ではないのですか」の意味で，No という答えを予期する。
Hasn't the mail carrier come yet?
（郵便配達の人はまだ来ていないの？）

(3) 丁寧な要求や提案，勧誘，非難などを表す否定疑問
Won't *you* have some more salad?　　　　　　　　　　　〔勧誘〕
（サラダをもう少し召し上がりませんか）

Why **don't** you try adding a little red pepper?　　　　　〔提案〕
（唐辛子を少しつけ加えたらどうでしょうか）

> [注意]「～してもらえますか［いただけますか］」というような依頼に Can [Could] you ...? をよく使うが，否定文の形をとる「～してもらえませんか［いただけませんか］」に対しては，**Can't** you ...? という尋ね方はしない。
> 　Can you help me?（手伝ってもらえますか）
> 　　※Could you help me? にするとやや丁寧になる。
> Can't you help me? とすると，「手伝ってもらえないの？」といった感じの懇願的，または不平そうな響きになってしまう。

249 C　命令文における not

命令文では **Don't** を文頭に置く。
Don't *eat* too much fat.（脂肪をとりすぎないように）

be動詞の命令文でも，その否定は Be not .... ではなく，Don't be .... にする。
Don't *be* so angry.（そんなに怒らないで）

文頭に **never** を置いてもよいが，1回限りのことについて使うのではなく，いずれの時であってもしてはいけないことを忠告するために使う。
Never *go* out on your own at night.（夜は，決して1人で外出してはいけませんよ）

249 D　hardly, seldom, never などの位置

hardly, scarcely, seldom, rarely, never は，一般動詞の前，be動詞・助動詞の後に置くことが最も多い。
Snow **seldom** *melts* in the Antarctic.（南極では雪はめったに溶けない）

She's **seldom** alone.
（彼女は１人でいることはめったにない）

> 注意　Have you ever ...? に対する答えに，否定の never を使い，「...」の部分を省いて言うときには，never have という語順になる。
> "Have you ever driven a car with a left-hand drive?"
> "No, I **never have**."（＝No, I **have never** driven a car with a left-hand drive.）
> （「左ハンドルの車を運転したことがありますか」「いいえ，一度も」）

249 E　名詞を否定する場合

否定語はすべて**名詞の前**に置く。

No two *genomes* are identical, apart from those of identical twins.
（一卵性双生児の場合以外は，どの２つのゲノムも同一ではない）
◆genome とは，１つの生物を形作るのに必要な最小限の遺伝子セットを言う。

249 F　否定の副詞語句の位置と語順倒置

次の用例のように**否定の意味を表す副詞語句を主節の前**に出すと，主節の主語と述語動詞の**語順は倒置**される。

Hardly *had* he *spoken* when she appeared before him.
（彼が口を開くや否や，彼女は目の前に現れた）

否定の意味を表す副詞語句を，意味を強めるために**文頭**に出す場合も，主語と述語動詞の位置は**倒置**される。

Never *have* I *seen* so strange a sight.
（これまでにこんな奇妙な光景を見たことがない）

249 G　〈I don't think ...〉型

(1)「～ではないと思う」型

「AはBではないと思う」という日本語に最も近い英語表現は，I *think* A is ***not*** B. ではなく，I ***don't*** think A is B. である。これを，I *think* A is ***not*** B. と言うと，「AはBだとは思わない」といういささか**強調的**な感じの表現になる。これは日本語と英語の間に見られる否定の仕方の慣習の違いである。

I **don't** think she'll be able to come today.　（今日，彼女は来られないと思う）
● I **don't** *think* A is B.（A は B ではないと思う）(i)
　I *think* A is **not** B.（A は B だとは思わない）　　(ii)

(i)と(ii)では，確かに英語と日本語の否定語を置く位置が逆になっているが，**ふつうの言い方**(i)の場合は，日本語も英語も，**内容が否定**であることが早く相手に伝わり，**強調的な言い方**(ii)の場合は，どちらの言語でも，**否定が後のほうに出てくる**，という共通点もある。

この型をとる動詞は **think** だけとは限らず，「～と思う」と訳されてもよい場合の **believe**，**expect**，**guess**，**imagine**，**suppose**，**suspect** も同様である。

I **don't imagine** we have anything in particular to worry about.
(心配することは特にないと思う)

「～のようである」を表す **appear** や **seem** などの動詞の否定にも似たような現象が見られる。たとえば，「彼女は怒っていないようである」を言うのには，She **doesn't** seem to be angry. と She seems **not** to be angry. という言い方があるが，後者のほうは，どちらかと言うと「彼女は怒っていないようである」というより，「彼女は怒っている様子はない」といった断定的な表現に感じられる。

Luckily, it **doesn't appear** that it will be so very hot today.
(幸いにも，今日はさほど暑くならないようである)

(2) 「～でないことを望む」型

「～でないことを望む」は，はっきりと〈I hope ～ not ...〉と表現する。〈I don't hope ...〉というと，「～であることを望んでいない」という意味になる。

I **hope** that is **not** true. (それが本当でなければいいが)

be afraid や **fear** などもこの型になる。

I **am afraid** [I **fear**] that is **not** true. (残念ながら，それは本当でないと思う)

(3) I hope not 型

that 節を否定する場合には，これを not 1語で代用して，I hope *not*. のように言うことができる。たとえば，Do you think (that) it will rain today? (今日，雨が降ると思う？) と尋ねられ，I don't know, but **I hope not** [＝I hope **that** it does *not* rain]. (わからないけど，降ってほしくないな) という答え方である。

肯定の場合は，I hope so. のように so を用いる (⊙ p.397 **185A**)。

● think や believe などもこの型をとれるが，やや堅い言い方であり，(1)のほうが多い。つまり，I don't think so. ということのほうが I think not. ということよりも多い。

第2節 否定構文

250 否定の範囲

否定の範囲は，原則として**否定語から右へ**，文[節]の終わりまでである。たとえば，

Tom did **not** play soccer with me today.
(トムは今日私とサッカーをしなかった)

という典型的な例のように，下線のついた部分がすべて **not** による否定の範囲，

つまり「トムの**しなかったこと**」に入るのである。

　ただし，これはあくまでも最も基本的な形に見られる原則にすぎず，書き方を変えて，たとえば today を

　　Today, Tom did **not** play soccer with me.

のように文頭に置き換えても，文全体の意味は変わらないという場合も少なくない。また，否定の範囲は必ずしも「否定語から右へ，**文[節]の終わりまで**」とも限らない。たとえば，

　　Tom did **not** play soccer with me today *because he was too busy*.
　　　（トムは忙しくて，今日私とサッカーをし**なかった**）

のように，さらに右のほうにつけられた**副詞節**が否定の範囲には入らない場合も十分あり得る。もちろん，この副詞節が否定の範囲に入らないと決められるのは，文の形からではなく，文の内容からであるが，文の内容からでもそうした常識的判断ができない場合もある。たとえば，

　　Tom did **not** call me because he was angry.

という**単独の文**では，具体的に何が否定されているのか判断できない。つまり，

　1. Tom did **not** call me because he was angry.
　　　（トムは怒っていて，私に電話をくれ**なかった**）

　2. Tom did **not** call me because he was angry.
　　　（トムが私に電話したのは，怒っていたから**ではない**）

という2通りの受け止め方が可能である。しかしながら，ふつうは「**文脈**」というものがあるので，日常では，たいてい常識的に判断できる。また，会話の場合，以下の例のように，どちらの意味で言っているのかをイントネーションではっきり示す。

　1. Tom did **not** CALL me（ごく短いポーズを置き）because he was ANgry.

　2. Tom did **not** call me because he was *ANGRY*. (↗)

文を書く場合は，伝えたい意味がはっきりするように，次のように書けばよい。

　1. Because he was angry, Tom did **not** call me.

　2. It was **not** because he was angry that Tom called me.

いずれにしても，次の2例の副詞 clearly の位置をそれぞれ見れば，「**否定の範囲は否定語から右へ**」という原則の重要さがよくわかるであろう。

　　Tom will **not** *clearly* state his opinion.
　　　（トムは，自分の意見を**はっきりと言ってくれない**）

　　Tom will *clearly* **not** state his opinion.
　　　（トムは，**明らかに**，自分の意見を言ってくれ**ない**）

251 文否定と語否定

251 A 文否定

述語動詞を否定して，文全体の内容を否定する形が文否定である。
not は述語動詞［助動詞］について，文全体を否定する。

> I **don't** know how digital cameras work.
> （私はデジタルカメラがどのように作動するのかわからない）

no は形の上では，次の名詞を否定するが，意味上は文全体の否定となる。

> **No** one can predict the future.
> （だれも未来を予言することはできない）

251 B 語否定

文中のある語(句)の前に否定語をつけて，その語(句)だけを否定するのが，語否定である。

> **Not** long ago SARS broke out in Singapore.
> （新型肺炎はちょっと前にシンガポールで発生した）
> ● この文では，not は long を否定している。

> Such accidents are **un**avoidable.
> （こうした事故は避けられない）
> ● unavoidable＝not avoidable だが，この文は肯定文である。

252 全体否定と部分否定

ふつうの文否定は，否定が文全体におよぶ**全体否定**であるが，**all** や **both** などが否定の範囲内にあると，**部分否定**になる（● p.412 **190D**）。

「全部が～というわけではない」というように，部分否定にするときには，all が否定の範囲内に入るように，**Not all ～** とする。All ～ not ... の語順にすると，場合によっては「すべての～は…ない」という全体否定にとられることもあるので，意味があいまいになりかねない。

> **Not all** of these computers are connected to the Internet.　〔部分否定〕
> （ここのコンピューターの全部がインターネットに接続されているわけではない）

> **None** of these computers is connected to the Internet.　〔全体否定〕
> （ここのコンピューターのどれもインターネットに接続されていない）

次のような語があるとき，それを否定すると，ふつう部分否定になる。

all（すべての）	**altogether**（まったく）	**always**（いつでも）
both（両方）	**completely**（完全に）	**entirely**（まったく）
every（どの〜も）	**necessarily**（必ず）	**quite**（まったく）

Offense is **not always** the best defense.
（攻撃は必ずしも最大の防御とは限らない）

You need **not** buy **both** the CD's. Just one will do.
（そのCDを両方とも買う必要はない。1枚で十分だ）

> **参考** 否定が「完全」の場合，たとえば I have **some** money.（私はお金をいくらか持っている）に対して「私はお金を少しも持っていない」という場合には，I don't have **any** money. と **any** を使って否定を**完全**にすればよい。ところが，まだ英語独特の否定の仕方に慣れていない初学者は，つい，I don't have **some** money. と言ったりすることもある。そこで，まず「**肯定文**には some を用い，**否定文**には any を用いる」というわかりやすいルールを覚えさせられる。このようなルールは便宜上，学習の初めの段階ではそれなりに役立つが，学習が進んでいくにつれて**否定が**「**完全**」**でない場合**も出てくる。たとえば，リストアップされている9つの名前の中には，見覚えのある名前は**1つもない**（I don't recognize **any** of the names on this list.）という**完全な否定**の場合もあれば，見覚えのある名前が4つだけあって，その他の5つの名前には見覚えがないという「**部分的否定**」の場合も当然あり得る。こうした場合には，I don't recognize **five** of the names on this list. と，見覚えのない名前の数をはっきり示しても差し支えないが，I don't recognize **some** of the names on this list. と，はっきり示さずに言ってもよい。このような「**部分的否定**」には，some は頻繁に使われるのである。むろん，**完全な否定**を表す場合も極めて多いので，初学者が「**否定文**には any を用いる」と教わるのもまったく無意味ではないが，学習のある段階において，このルールの本当の意味は「**完全な否定**を表す文には any を用いるのだ」という事実も理解する必要が出てくる。

253 二重否定

標準英語では，否定の否定は肯定という理屈で，「〜しないAは…ない」という形は，形式的には否定文であるが，意味上は肯定になる。

There was **no** one who was **not** allowed to vote.
（投票を許されない者はいなかった）
（＝Everyone was allowed to vote.）
（全員の投票が許された）

No one has **nothing** to be afraid of.
（怖いものがない人はいない）
（＝Everyone has something to be afraid of.）
（だれにでも怖いものはある）

第21章 否定　第2節 否定構文

> **Helpful Hint 119　重要な役割を果たす二重否定**
>
> 「〜な気がしないでもない」などのように二重否定が頻繁に使われる日本語と同じく，英語でも二重否定がレトリックとして重要な役割を果たしている。
> 　たとえば I am **not dis**satisfied with this computer. （私はこのコンピューターに**不満**ではない）という言い方では「特に満足しているというわけでもない」といったニュアンスが見事に伝わってくる。
> 　あるいは，His policies are **hardly un**usual for a baseball coach. （彼の方針は，野球チームのコーチとして決してふつうで**ない**ものではない）という言い方では，「usual（ふつう）だとまでは言わないが」といったニュアンスが十分に伝わってくる。二重否定は，気持ちや意見のニュアンスを正確に表すには欠かせないレトリックである。

254　否定の重要慣用構文

否定語句や否定の意味を含む慣用表現は，これまで各章で散発的に扱ってきたので，ここでは，いくつかの代表的な構文を示す。

254 A　否定語を用いた慣用表現

①〈**no longer**〉,〈**no more**〉「もはや〜ない」

　I feel as if I can **no longer** trust him.
　　（私はもう彼のことを信用できないような気がする）

②〈**not so much A as B**〉「AというよりもむしろB」

　Happiness is **not so much** in having **as** in sharing.
　　（幸福は所有することよりも，分かち与えることにある）

③〈**no more A than B**〉「（Sは）Bと同様Aではない」

　Using the Internet is **no more** difficult **than** making a telephone call.
　　（インターネットを使うことは，電話をかけることと同様，いたって簡単なことだ）

　●数詞の前の **no more than** は，「ただ〜だけ（＝only）」，**not more than** は「せいぜい（＝at most）」という意味を表すと言われるが，最近は no の代わりに not を用いた **not more than** も，no more than と同じ意味であるとする辞書が多くなっている（⇒ pp.505-506 **233** (6)〜(9)）。

④〈**never ... without 〜ing**〉「…すると必ず〜する」

　I can **never** visit this place **without** thin**k**ing of you.
　　（ここを訪ねると必ず君のことを思い出す）

⑤〈**There is no 〜ing**〉「〜することはできない」

　There is no telling what time the train will depart.
　　（電車が何時に出発するのか見当もつかない）

⑥ 〈**have nothing to do with A**〉 「Aとは何の関係もない」
   BSE **has nothing to do with** biotechnology.
   (狂牛病はバイオテクノロジー〔生物工学〕とは何の関係もない)

⑦ 〈**It is not until ~ that ...**〉 「~して初めて…する」
   It was not until around 1880 **that** the American tradition of summer vacations was firmly established.
   (1880年ごろになって初めてアメリカの夏休みの伝統が確立した)
   ● この文は，The American tradition of summer vacation was not firmly established until around 1880. という文を，It is ~ that ... で強めた構文である。

⑧ 〈**cannot ... too**〉 「どんなに…してもしすぎることはない」
   In a place like this, you **cannot** be **too** careful.
   (このような場所では，いくら注意深くしてもしすぎることはない)

⑨ 〈**It is not [was not / will not be] long before ...**〉 「ほどなく…する」
   否定語と be 動詞と〈long before〉を伴う it 構文である。
   It wasn't long before he decided to quit school.
   (彼はそのうち学校を辞めることにした)
   I do**n't** think **it will be long before** he starts job-hunting.
   (彼はそのうち就職活動をやり始めるだろう)
   ● before 以下は，時を表す副詞節であるから，未来のことも現在形で表すのがふつう。
   They often fight, but **it is never long before** they make up again.
   (彼らはしばしばけんかはするが，いつもそのうち仲直りする)

⑩ 〈**nothing but ~**〉 「~にすぎない」
   This paper is **nothing but** an unstructured list of impressions!
   (この論文は感想を適当にリストアップしただけではないか！)
   He does **nothing but** lie around all day.
   (彼は一日中ごろごろしてばかりいる)

254 B 否定語を用いない否定の意味の慣用表現

(1) 修辞疑問

修辞疑問（○ p.26 8C(3)）は，肯定形であれば，意味的には否定である。逆に，否定形の修辞疑問は，二重否定と同じ理屈で，肯定の意味を表す。

   Who *likes* war?（戦争が好きだなんていう人がいるだろうか）
   （＝*No one* likes war.）
   Who does*n't* like weekends?（週末が嫌いな人なんているだろうか）
   （＝No one does not like weekends.＝Everyone likes weekends.）

(2) 否定語を用いない慣用語句

日本語では否定の形だが，英語では形式的には否定語句を含まないで表現するものがある。

① 〈**anything but ～**〉「決して～ではない」

The situation is **anything but** safe at the moment.
（目下情勢は安全どころではない）
● but の次には名詞か形容詞がくる。

② 〈**far from ～**〉「～どころか；～どころではない」

The global environmental crisis is **far from** being over.
（地球規模の環境危機は終わったどころではない）
● 〈far from ～ing〉で，「～するどころではない」の意味によく用いる。

③ 〈**too ～ to ...**〉「あまりに～なので…できない」

The problem is **too** complicated **to** be solved by *any* such simple device.
（その問題はあまりにも複雑で，そんな単純な工夫で解決できるようなものではない）
（＝The problem is **so** complicated **that** it **cannot** be solved by any such simple device.）

④ 〈**the last A to ～**〉「最も～しそうにないA」

He is **the last** person **to** be accused of theft.
（彼はおよそ窃盗で訴えられるような人ではない）

⑤ 〈**fail to ～**〉「～できない；～しない」

Scientists have as yet **failed to** pick up an expected signal from the British-built spacecraft Beagle 2.
（科学者は英国製の宇宙探査機ビーグル２号からの予期された信号をまだ受信できていない）
◆ Beagle 2 は，英国の科学者が中心になって火星の表面で科学探査を行うために，Mars Express に搭載されて打ち上げられた着陸機。成功の信号はついに得られなかった。

⑥ 〈**have [be] yet to ～**〉「まだ～していない」

The effect of this decision **has yet to** be felt.
（この決定の影響はまだ感じられていない）

⑦ 〈**above ～**〉，〈**beyond ～**〉「～できない；～しない」

above は，「（あることを）超越して」の意味から，「～しない」の意味を表すのにも用いられる。beyond も同じように働き，慣用句などに多い。

She considers herself to be **above** *playing* such tricks.

(彼女はそのようなごまかしなどはしない人間のつもりでいる)

The fact that he is guilty is **beyond** *doubt*.
(彼が有罪であるという事実に疑いはない)

● there is no doubt about it ということ。

⑧ 〈**be free from [of]** 〜〉 「〜がない」

Every effort has been made to ensure that the information presented on this website is **free from** error.
(このウェブサイトに示されている情報に誤りがないことを確実にしようとして，あらゆる努力がなされている)

254 C 否定を強調する語句

それ自身は否定を表さないが，否定文で用いて，否定を強める働きをする語句がある。

① 〈**at all**〉

These binoculars are *not* heavy **at all**.
(この双眼鏡は全然重くない)

② 〈**by any means**〉

This edition is *not* cheap **by any means**.
(この版はおよそ安いものではない)

③ 〈**in the least**〉

I am *not* offended **in the least**.
(私は全然気分を害してはいません)

④ 〈**whatever**〉

There are *no* grounds **whatever** for supposing that to be true.
(それを本当だと思う根拠などおよそない)

Helpful Hint 120　否定を強調する at all, by any means その他の使い分け

前掲の **254C** で紹介されている「否定を強調する語句」は4つとも「まったく（〜ない）」の意味で使われるが，微妙な使い分けもある。たとえば，これらを He is not a fool.（彼はバカではない）の否定を強調するために使うとする。最も口語的に感じられる **at all** を入れた He is not a fool **at all**.（彼は全然バカではない）に対して，He is not **in the least** a fool.（彼は少しもバカではない）という言い方には，いささか改まった感じがある。また，He is not **by any means** a fool. は，たとえば He is not **in any way** a fool. と同じように，「彼はどう見てもバカではない」といった感じの強調になる。最後に，He is **no** fool **whatever**. と言うと，「同じバカといっても種類がそれぞれある」という意識に基づいて言う「彼は何のバカでもない」といった感じの表現になる。

REVIEW TEST 21

A 確認問題 21 (→ 解答 p.616)

1. 次の各英文の( )内の語のうち，適切なほうを選びなさい。
   (1) (No, Not) two snowflakes are alike.
   (2) I (can, cannot) hardly imagine life without the Internet.
   (3) It is (no, not) easy task to raise the tax rate.
   (4) I didn't need (both, either), so I just chose one of them.
   (5) No one has (still, yet) been able to solve the problem.

2. 次の各日本文の意味を表すように，( )内に適切な語句を入れなさい。
   (1) 私はそれはもはや真実ではないと思う。
       I (　　　　　) that that is (　　　　　) true.
   (2) コックピットは安全な場所どころではない。
       The cockpit (　　　　　　　　　　) place.
   (3) 手に入る資料はすべてが英語で書かれているわけではない。
       (　　　　　　) the materials available are (　　　　　　　　).

3. 次の各英文を与えられた指示に従って書き換えなさい。
   (1) No one knows better than you. （修辞疑問で）
   (2) This river is too dirty for fish to live in. （so ～ that ... を用いて）
   (3) Not everybody here can understand French. （全体否定に）
   (4) There is no one who doesn't want to go there. （肯定文で）
   (5) There is no predicting which plane will be the next to depart.
                                                    （can を使って）

4. 次の各英文が正しければ○をつけ，正しくなければ×をつけて，誤っている部分を正しく書き直しなさい。
   (1) Either theory cannot be completely substantiated.
       （どちらの理論にしても完全に確証することは不可能である）
   (2) There is scarcely no room left on the wall.
       （壁にはもうほとんど空いているところはない）
   (3) He is not above using bribery to secure government contracts.
       （彼は政府との契約を取りつけるために賄賂を贈るような人ではない）
   (4) Wilson would be the last person ever to talk about his own triumphs.
       （ウィルソンはとうてい自分の手柄話をするような男ではないよ）

REVIEW TEST 21

B 実践問題 21 (→ 解答 p.616)

1. 次の各英文を完成させるのに，最も適切な語を選び，記号で答えなさい。

   (1) "Would you mail this letter?" "(　) problem."
      (A) Not　　　(B) None　　　(C) Nothing　　　(D) No

   (2) "I bought another new car yesterday." "(　) kidding!"
      (A) No　　　(B) Not　　　(C) Don't　　　(D) Never

   (3) "Do you mind if I smoke here?" "Of course (　)."
      (A) no　　　(B) yes　　　(C) not　　　(D) do

   (4) "Thank you for your help." "Oh, it was (　)."
      (A) none　　　(B) nothing　　　(C) not　　　(D) no

   (5) There is no gain (　) some pain.
      (A) by　　　(B) through　　　(C) with　　　(D) without

   (6) (　) it a lovely day today!
      (A) Is　　　(B) Isn't　　　(C) How　　　(D) What

   (7) (　) ever have I seen it done so well. Congratulations!
      (A) No　　　(B) Nothing　　　(C) Scarce　　　(D) Hardly

   (8) (　) mind him. He doesn't know anything.
      (A) No　　　(B) Don't　　　(C) Hardly　　　(D) Nothing

2. 次の各英文の下線部から，誤っているものを1つ選び，記号で答えなさい。

   (1) Actually, markets continually (A)rise and fall; they (B)do always (C)necessarily go up (D)in a straight line.

   (2) An insurance company (A)would not hardly (B)be obligated to (C)pay damages in such (D)a suspicious case.

   (3) (A)No part of this website (B)may be reproduced (C)with (D)written consent of the webmaster.

   (4) It was not (A)by 1998 (B)that the British Government (C)became concerned that infected cattle feed (D)was a likely cause of BSE.

   (5) Please (A)excuse me for (B)getting not back to you (C)earlier. I was (D)in conference.

   (6) This area (A)has not yet been (B)officially certified (C)as being free (D)with the "bird flu" virus.

   (7) Language ability (A)in itself had (B)anything to do (C)with her success, which was (D)entirely the result of the high quality of her thinking.

第22章 一致
AGREEMENT

文を作るとき，主語と述語動詞，あるいは名詞とそれを受ける代名詞の人称や数などの形を文法上合わせることを一致という。

第1節 主語と動詞の一致

一致の中で最も重要なのは，主語と動詞の一致である。be, have，一般動詞の人称と数による**語形変化**についてはすでに述べたので，次の箇所を別途参照。

be 動詞（⊃ p.41 **13A**），have（⊃ p.43 **13C**），一般動詞（⊃ pp.43-48 **14** ～ **16**）

255 主語が単一名詞の場合

255 A 集合名詞と動詞

集合名詞は，原則として，全体を1つのまとまりとして扱う場合には単数で受け，構成員[もの] 1人1人[1つ1つ] を意識する場合は，複数で受けることになる。集合名詞の複数扱いは，《米》よりも《英》のほうが依然として多いが，最近では，ＩＴやテレビ，映画，音楽などの影響で，こうしたギャップは埋まりつつある（⊃ p.334 **159**）。

> The *audience* **was** extremely large. （聴衆は極めて多かった）
>
> The *audience* **were** [**was**] asked to give *their* opinions.
> （視聴者たちは自分の意見を言うように求められた）
>> ●動詞を単数で受けても，代名詞（their）は複数でかまわない。

255 B 常に複数形の名詞と動詞

形が常に複数形の名詞（⊃ p.350 **168A**）には，単数で受けるものと，複数で受けるものとがある。

(1) 単数形の動詞で受けるもの

① 学問・学科・ゲーム名など（⊃ p.350 **168A**(2)）

> *Economics* **is** a core discipline in the modern university.

(経済学は，現代の大学での中心的な学問である)

Billiards **is** an extremely complex game.
(ビリヤードは極めて複雑なゲームです)

② 国名や新聞・雑誌名など （🔵 p.340 **162A**）

The United States **is** a permanent member of the UN Security Council.
(合衆国は国連の安全保障理事会の常任理事国である)

The New York Times **has** received more than 90 Pulitzer Prizes.
(ニューヨークタイムズ紙は，90以上のピュリッツァー賞を受賞してきている)

③ **news** など （🔵 p.350 **168A**(3)②）

The *news* today **was** almost all about the tsunami.
(今日のニュースはほとんど津波関係だった)

(2) 複数形の動詞で受けるもの

① 対を成す部分から成る衣類や道具 （🔵 p.350 **168A**(1)）

Where **are** my *scissors*? （私のはさみはどこにありますか）

● 「私のはさみ」は，1丁でも my scissors という。漠然と1丁を指すときにも a scissors ではなく，some scissors となる。1丁を強調したければ，a pair of scissors のようにいう。この場合は当然単数で受ける。

② **clothes** など （🔵 p.350 **168A**(3)①）

The first *clothes* **were** presumably animal skins.
(最初の衣服は，おそらく動物の皮だったろう)

What should I do if the *goods* **are** delivered late?
(商品が着くのが遅れたらどうすればいいのでしょうか)

● これらの語は，常に複数として扱う。

(3) 単数でも複数でもどちらでもよいもの

means（手段），customs（税関），politics（政治活動）など，単数で受けても，複数で受けてもよい名詞がある。

There **is** [**are**] no *means* of representing thought outside language.
(言語以外に，思考を表現する手段はない)

● ネイティブの感覚としては，何かある特別な手段の場合は単数で受け，いくつかの手段があるようなときには複数で受ける。上の例では，単数がふつうであろう。

> **参考** 英語などのいわゆる印欧語族では，1が単数で，1より多いもの（more than one）が複数扱いになり，動詞などもこれに応じて変化する。したがって，1.01でも複数である。101と102は文法上の違いはないが，1と2は，**個と集団**という根本的な違いがある感覚で，文法的扱いも異なる。
> 日本語にはこうした語形上の変化はないので，英文を作るときには注意が必要である。

256 不定代名詞を受ける動詞

不定代名詞の some, any, all, both, each その他が示す数については，それぞれのところですでに述べてある（⊃ pp.404-415 **189**～**191**）。

256 A 単数扱いの不定代名詞

each, **every**, **either**, **neither** は原則として単数扱いをする。

Each artist **shows** a unique individual style.
（どの芸術家も自分独自の芸風を示している）

256 B 原則として複数扱いの不定代名詞

both は常に複数扱いをする。

Both of the main characters **are** teenagers.
（主人公は2人ともティーンエージャーだ）

256 C 単数にも複数にも扱う不定代名詞

数えられるものを指すときには複数，数えられないものを指すときには単数に扱う。

① 〈**some, any**〉（⊃ p.406 **189A**(1) 注意）

There **are** *some things* money can't buy.
（お金では買えないものがある）

There **is** *some truth* in what she is saying, too.
（彼女が言っていることにも本当の部分がある）

② 〈**all**〉

All of this chicken **has** to be eaten today.
（この鶏肉はすべて今日中に食べなければいけない）

All of these chickens **have** to be fed today.
（今日中にこのニワトリのすべてにえさをやらなければいけない）

All **are** responsible for our environment's health.
（すべての人が環境を良好に保つことに責任がある）

All you have to do **is** fill in the space below.
（あなたは，ただ下の欄に記入しさえすればよいのです）

③ 〈**none**〉（⊃ p.418 **195A**(2)）

Seal the bag so that *none* of the air **escapes**.
（空気が漏れないように，袋を密封しなさい）

None of these e-mail addresses **are** useful.
（これらのメールアドレスはどれも役に立たない）

> **Helpful Hint 121　単数扱いの every の正しい意味**
>
> 　完全に単数扱いされる every という形容詞に関して、たいていの英和辞典は「すべての、1つ［1人］残らずの、ことごとくの、どの〜もみな」というような定義をつけているので、every は複数のものを示すかのような印象を与えかねない。日本人の学習者にしても、**every**body [**every**one] をたいてい「皆」という複数的な意味で暗記しているようである。そのせいか、日本人が書いた英語論文や手紙に登場する every の中には、Every dish(es) **are** ... . などのように複数扱いされている例が目立つ。本当は each と同様、every も「どの〜も1つ1つ［1人1人］」と理解したほうが正確である。
>
> 　また、each と every には、微妙な使い分けしかない。簡単に言えば、each は集まっているものの数が具体的に決まっている集団のみに対してしか使われないが、これに対して every にはそうした制限はない。たとえば、**Each [Every]** dog in the kennel ... .（そのケンネルのどの犬も）の場合、これは犬の数が具体的に限られている話なので、each も every も使えるが、**Every** dog seeks human love.（どの犬も人間の愛を求める）という**一般論**となると、これは犬の数が特に限られていない話なので、**every** しか合わないのである。

257　部分・数量を表す語句と動詞

257 A　〈A of B〉型の主語の場合

(1)　〈most [all, some] of 〜〉の場合

　〈most [all, some] of B〉の形の主語の場合、原則として、**Bが単数**なら**単数動詞**で受け、**Bが複数**なら**複数動詞**で受ける。

> *Most of the area* **is** *grassland.*
> 　（その地域の大半は草原である）
> 　　● the area が単数だから、most of the area の most も単数。
>
> *Most of the computers* here **are** equipped with microphones.
> 　（ここにあるコンピューターの大半はマイクが装備されています）
>
> *Some of the essay* **was** hard to understand.
> 　（そのエッセイには、わかりにくい部分もあった）
>
> *Some of her classes* **are** at night.
> 　（彼女が受けている授業の中に、夜間のものもいくつかある）

> **発展**　data は、単数にも複数にも受けるので、Much of this data is ... . と Many of these data are ... . の両方が可能。前者のほうが多い。
> 　　*Much of this data* **is** readily available.（このデータの多くはすぐに手に入る）
> 　　*Many of these data* **are** also available.（これらのデータの多くも手に入る）

(2) 〈one of the [my, your, etc.] ＋複数名詞〉の場合

「〜の１つ」というのであるから，単数で受ける。one of の次には，the か，それに変わる my, your などが必ずつく。

One of the side effects of the medicine **is** increased blood pressure.
　　（その薬の副作用の１つは，血圧が上がることです）
　　●〈one of the A＋関係代名詞〉の場合については別途参照（◎ p.260 **123A**(1)②）。

257 B　分数が主語の場合

257A (p.545) と同じで，of の次の名詞の単複に一致する。

Three fourths of the travelers **were** Russians.
　　（旅行者たちの４分の３はロシア人だった）

Roughly *two fifths of the station* **was** destroyed.
　　（駅の約５分の２が破壊された）

More than *half of the beach* **was** lost to erosion.
　　（その砂浜の半分以上は，浸食によって失われてしまった）

In fact, at least *half of the earth's species* **exist** in rainforests.
　　（実際，地球上の種の少なくとも半分は，熱帯雨林に生存している）
　　● species は単複同形だが，ここでは意味上，複数であることがわかる。

257 C　〈a 〜 of A〉型の句が主語の場合

① 〈a cup of A〉などの場合

Aが**物質名詞**で，〈a cup of A〉のように，**容器や単位を示す語**を用いて測るとき，これを受ける動詞は，その容器や単位を示す語の数と一致する。

A cup of tea **is** not only good tasting; it is soothing as well.
　　（１杯の紅茶は，おいしいだけでなく，心を静めてくれることもある）

Twenty-five pieces of the land **have been** divided between two new owners.
　　（土地の25区画分が２人の新しい所有者の間で分けられている）

Five pieces of wood **were** used to make the base.
　　（土台を作るのに５つの木片が使われた）

|注意|　〈a group [flock, team など] of A〉（１群のA）というように，集合名詞を使ってその一部を示す場合，その一部を一かたまりとして意識するときには単数に扱い，「いくつ［何人］かのA」として意識するときには複数に扱う。

　　A group of palm trees **was** in the way.
　　　（一かたまりのヤシの木が道をふさいでいた）
　　A group of palm trees **were** in the way.
　　　（何本ものヤシの木が道をふさいでいた）

② 〈**a lot of ~**〉などの場合

〈a lot of A〉のように，数量の多いことを表す句になっているときは，**of** の次の名詞Aに合わせて動詞の単複を決める。

A lot of money **was** raised for the relief work.
（その救済事業のために多額の金が集められた）

Unfortunately, *a lot of houses* **were** lost.
（不幸なことに，たくさんの家が失われた）

　　● 無冠詞の〈plenty of ~〉や複数形の〈heaps of ~〉，〈lots of ~〉などは，〈a lot of ~〉と同じく，「数」にも「量」にも用いるが，〈a (large) number of ~〉は「数」にしか用いない。

257 D　時間・距離・金額などを表す複数語句と動詞

「時間」・「距離」・「金額」などを，1つのまとまった単位として意識するときには，**単数動詞**で受けるのがふつうである。

Five years **is** too short a time to complete the project.
（そのプロジェクトを完成させるには，5年というのは短すぎる）

> 発展　「5年というのは短すぎる」というのは，「5年」という期間をまとめて意識しているのに対して，**Ten years** have passed since I came here.（私がここに来てから10年になる）というような場合は，1年ずつ数える気持ちが込められるので複数にしている。

A billion dollars **is** a drop in the bucket for the US government.
（10億ドルというのは，米政府にとってはバケツの中の1滴だ）
　　◆アメリカの国家予算は，2000年代では，2兆ドルを超える。

258 複合主語

258 A　〈A and B〉

〈**A and B**〉は原則として**複数**で受けるが，AとBが合体して1つのものや概念を表しているときには，**単数**で受ける（◎p.226 **114A**(1)④）。

① AやBが不可算名詞であっても，andでいくつかが結ばれたら**複数**で受ける。つまり，〈単数名詞＋and＋単数名詞〉は，原則として複数扱いになる。

Milk and cheese **are** good sources of the calcium that is needed for bone growth and maintenance.
（牛乳とチーズは，骨の成長や維持に必要な良質のカルシウム源である）

②〈A and B〉で，1つのまとまったものを表す場合には，**単数**で受ける。

This *bread and butter* **is** very tasty.
（このバターつきパンはとてもおいしい）

That bone china *cup and saucer* **was** made in England.
（そのボーンチャイナ製の受け皿つきカップは英国産です）
◆bone china は，粘土に牛などの骨灰を加えて作った上質の磁器。

③ ⟨**both A and B**⟩ の形の場合は，**常に複数**で受ける。

Both English and Kinyarwanda **are** among the official languages of Rwanda.
（ルワンダの公用語の中には，英語とキンヤルワンダ語両方も入っている）

④ **形容詞その他**の場合も，同じ考えで扱えばよい。

Slow and steady **wins** the race.　　　　　　　　　　〔1つの概念〕
（ゆっくりと着実なのが結局はレースに勝つ）

To want and *to need* **are** two different things.　　　　〔別個の概念〕
（欲しがることと必要とすることとは別々のことである）

> 発展　⟨A and B⟩（A足すB）を受ける動詞は**単複**どちらでもよい。⟨A times B⟩（AかけるB）は**単数**。
> *Five and four* **is** [**are**] nine.（5＋4＝9）　*Three times four* **is** twelve.（4×3＝12）
> また，A minus B（A引くB），A into B（B割るA）も**単数**に一致する
> *Two into ten* **is** [**goes**] five.（10÷2＝5）　　　　　　（⊙ p.458 **210B**(1)）

258 B ⟨A or B⟩

(1) ⟨**A or B**⟩, ⟨**either A or B**⟩

動詞に近いほうの語に一致させて受ける。すなわち，平叙文ではBに一致させるのがふつう。

Apparently, *either his assistants or the professor himself* **is** going to attend the conference.
（助手たちか，もしくは教授本人がその学会に出席するようだ）

If *your wife or your parents* **seem** worried, I'll explain the situation.
（もし奥様かご両親がご心配なさっているようでしたら，私が事情を説明します）

●A，Bのどちらかが複数の場合は，複数形のほうを後に置いて，複数動詞で受ける傾向がある。

(2) ⟨**neither A nor B**⟩

原則は，この場合もBに一致させる。だが，くだけた言い方では，実際には複数で受けてしまうことが多い（特に話し言葉に多い）。

Neither smoking nor pets **are** permitted in the cabins.
（その離れ家では，喫煙もペットの持ち込みも許されない）

Neither Paul nor Dick **like(s)** historical fiction.
　（ポールもディックも歴史小説が好きではない）
　　● Dick に一致させて likes にするのが原則だが，意味を考えると，2人とも嫌いなのだから，複数で受けても不自然な感じは特にしない。

258 C　相関語句

(1)　〈not only A but (also) B〉
「AだけでなくBも」が主語の場合は，動詞はBに一致する。
　It is *not only television but also films* that **are** being censored.
　　（テレビだけでなく，映画も検閲されてしまっているのだ）

(2)　〈A together with B〉，〈A along with B〉
「BとともにA」という形が主語のときには，中心となるAに一致する。
　Her natural curiosity, *together with* an optimistic outlook, **is** having a positive influence on her classmates.
　　（彼女の生まれつきの好奇心は，楽天的な考え方と共に，クラスメートによい影響を与えている）

(3)　〈A as well as B〉
(1)の逆で，中心はAなので，動詞もAに一致する。
　All her bank cards, *as well as* her jewelry, **were** stolen.
　　（宝石ばかりでなく，彼女のクレジットカードも全部盗まれてしまった）

(4)　〈A rather than B〉
「BよりもむしろA」という意味から，中心はAなので，Aに一致する。
　Friends, *rather than* money, **are** what he needs.
　　（彼が必要としているのは，金よりも友達だ）

Helpful Hint 122　〈not only A but also B〉と類句の違い

　前掲**258C**での説明どおり，たとえば，Not only Jim but also his parents **have** come.（ジムだけではなく，彼の両親も来ています）のように，〈not only **A** but also **B**〉が主語の場合は，動詞はBに一致するが，これは単純にBのほうが動詞に近いからである。これに対して，その他に紹介されている〈A together with B〉，〈A along with B〉，〈A as well as B〉，〈A rather than B〉の語句は，たとえば It was the mother, rather than the children, who **was** more at fault.（子供たちよりも，むしろ母親のほうがいけなかったのだ）のように，通常コンマで挟まれるので，Aのほうが直接動詞につながっている感じになる。会話の場合には，このコンマの代わりにイントネーションによって同じように表現できる。The **MO**ther（ごく短いポーズを置き）rather than the **CHIL**dren（ごく短いポーズを置き）was the problem. と言うのである。
　さらに，〈not only **A** but also **B**〉以外の語句は，AとBを分けて表現することがよく

ある。つまり，Rather than the children, it was the mother who **was** more at fault. のような形にする場合も多い。同じように，**258C**(2)(3)の例文はそれぞれ **Together with** an optimistic outlook, her natural curiosity is having a positive influence on her classmates. や All her bank cards were stolen, **as well as** her jewelry. などのような形で表現される頻度が高い。当然のことながら，〈not only **A** but also **B**〉にはこうした分け方はない。

第2節 その他の一致

259 主語と補語の数の一致

259 A 主語と補語の数が一致しない場合

述語動詞の数は，主語にのみ一致していればよく，補語の数には一致していなくてもまったく差し支えない。

> My *favorite* **is** those chocolate chip *cookies* that she makes.
> （私の一番好きなのは，彼女が作ってくれるあのチョコレートチップクッキーです）
> ● favorite（一番お気に入りの物）は可算名詞。ここでは単数だから is で受けているが，たとえば，My favorite**s** **are** the films of Naruse.（私の一番好きなのは成瀬の映画だ）のように，複数で受ける favorites を使うこともよくある。

> These *words* **are** my *guide* in life.
> （この言葉は，私の人生の指針なのです）
> ● 逆に my guide を主語にすれば，My guide in life is these words. となる。

259 B 主語と補語の数が一致する場合

主語が複数であれば，それを説明する補語も当然複数にする場合がある。

> These *books* **are** all reference *works*.
> （これらの本はみな参考書です）
> ● These books are all a reference work. などは明らかにおかしい。

260 名詞と代名詞の一致

260 A 集合名詞と代名詞

集合名詞が，まとまった1つの**集合体**を指すときは **it** で受ける。

> The *team* revised *its* contract with the stadium.
> （そのチームはスタジアムとの契約を変更した）

構成員を意識する場合は **they** で受ける。

The *team* do not try to hide **their** various personal problems.
(そのチームはそれぞれの個人的問題を隠そうとしない)

> **参考** 集合名詞を関係代名詞で受ける場合　その集合名詞を複数と意識するときは The committee, **who** are ... . のように who を使い，単数と意識するときには The committee, **which** is ... . のように which を使う。

260 B　不定代名詞と代名詞

everyone, someone, each, either, neither, no one, anyone

everyone などは，動詞は単数で受けるが，これを受ける人称代名詞は，everyone が男性か，女性かわからないので，正しくは **he or she** で受ける。しかし，そうした言い方は堅い感じなので，くだけた会話では，動詞は単数のまま，代名詞は **they [their]** にすることが少なくない。

Everybody has the right to state **their** own opinions.
(だれでも自分の意見を述べる権利がある)

Someone seems to have forgotten **their** glasses.
(だれかが眼鏡を忘れたようだ)

In such confusion, *anyone* might forget what **they** were supposed to do.
(あんな混乱の中では，だれもが自分のやるべきことを忘れてしまうのかもしれない)

総称用法で「人」を一般的に示すために **one** を用いると，**極めて改まった，書き言葉的**な表現になる。特に改まっていない場合には，会話・文章を問わず，同じ総称用法で **you** を用いることもよくある（⊙ p.401 **187C**）。

> **Helpful Hint 123**　everybody [everyone] を受ける代名詞に they を使わない工夫
>
> 前掲**260B**の用例 Everybody has the right to state **their** own opinions. のように，くだけた**会話**では，単数形の everybody [everyone] を受ける代名詞として，無意識のうちに，he or she の利用を避けるために複数形の they にしてしまうことがよくある。しかし，文書では，こうした言い方は悪い印象を与えかねないので，少し工夫して，単数形のものを受ける，複数形の they を使わない書き方にしたほうがよい。
>
> たとえば，上の用例なら，同じことを Everybody has the right to state **a personal opinion.** や **All people have** the right to state **their** own opinions. などのように書けばよい。つまり，**会話**であれば，つい If any **student has** lost one of **their** textbooks, the school will provide **them** with a new one at no charge.（学生が教科書をなくした場合，学校は無料で新しいものを提供する）というような言い方をするかもしれないが，きちんとした文書では，同じことを The school will provide a new textbook at no charge to any student who has lost one. や Any student who has lost a textbook will be provided by the school with a new one at no charge. などのように，they の使用を避けた書き方にするのである。

REVIEW TEST 22

A 確認問題 22 (→解答 p.616)

1. 次の各英文の（　）内の語のうち，適切なほうを選びなさい。
   (1) Nuclear physics (is, are) the study of the properties of the nucleus.
   (2) SARS (has, have) been a particular problem in East Asia.
   (3) This time of year, a new pair of boots (is, are) a must.
   (4) Spaghetti and meatballs (is, are) my favorite dish. My mother used to make it quite often.
   (5) Everybody (has, have) an excuse to give.
   (6) Almost three-fifths of the population (is, are) urban.
   (7) To love and to respect (is, are) very different things.
   (8) All he told us (was, were) quite true.
   (9) In ice hockey, each team (has, have) six players.
   (10) In this restaurant, bread and butter (is, are) served for free with any salad or soup.

2. 次の各日本文の意味を表すように，（　）内に適切な語（句）を入れなさい。
   (1) 1億ドルと言えば大した金額だ。
       One hundred million dollars (　　　　　) of money.
   (2) 両親の財力といったものは考慮に入れられない。
       The parents' means (　　　　　) not taken into account.
   (3) 空港付近は交通量が多いと思われる。
       Heavy traffic (　　　　　) expected around the airport.
   (4) 高齢者の数は増え続けることが予測される。（elderly を用いて）
       The number (　　　　　) expected to continue to increase.

3. 次の各英文が正しければ○をつけ，正しくなければ×をつけて，誤っている部分を正しく書き直しなさい。
   (1) Three hundred dollars was all that I had.
   (2) I, as well as my friends, were shocked at the news.
   (3) Most of the land were covered with forest when he found it.
   (4) Either my two roommates or I are going to be there.
   (5) For fifty years no one has learned Welsche as their mother tongue.
   (6) The number of Afrikaans speaking people is also on the rise.
   (7) The police were properly trained but did not have enough equipment.
   (8) It is accidents, not crime, that has been the most serious problem.

REVIEW TEST 22

B 実践問題 22 (→ 解答 p.616)

1. 次の各英文を完成させるのに，最も適切な語(句)を選び，記号で答えなさい。

   (1) "(　) everything?" "Not bad."
      (A) How're   (B) How's   (C) Where's   (D) Where're

   (2) "(　) up?" "Nothing special."
      (A) What's   (B) How're   (C) Where's   (D) Which're

   (3) "I'm very sorry." "Oh, (　) no reason to apologize."
      (A) They're   (B) That's   (C) You're   (D) There's

   (4) "What time (　) the 19:15 show finish?" "About nine-thirty."
      (A) is   (B) are   (C) do   (D) does

   (5) (　) any weight limit for packages sent by air?
      (A) Is there   (B) Are there   (C) Is it   (D) Are they

   (6) "(　) my glasses?" "I haven't seen them."
      (A) Where is   (B) Where are   (C) Do you   (D) Are there

2. 次の各英文の下線部から，誤っているものを1つ選び，記号で答えなさい。

   (1) If your (A)goods (B)is satisfactory, we may wish to place (C)repeat orders in substantial (D)quantity.

   (2) While (A)most of the police (B)has studied criminology, none actually (C)has an academic (D)degree in the subject.

   (3) Each private (A)room (B)of this hospital (C)have a telephone and (D)a television.

   (4) The news (A)that the President (B)plans to meet (C)with Jewish leaders (D)are promising.

   (5) The (A)main symptoms (B)of SARS (C)is high fever, dry cough, and shortness of breath (D)or other breathing difficulties.

   (6) Tipping (A)is a general (B)practice here. The usual (C)amount are about 10% to 15% (D)of the bill.

   (7) The bird flu (A)epidemic common across (B)both China and Indonesia (C)were considered a real threat to (D)human health.

   (8) Most of what (A)were written about him in (B)newspapers (C)was either completely untrue (D)or highly exaggerated.

   (9) Both (A)hot meals and snacks (B)is served for students (C)at reasonable prices. Vending machines (D)are also available to serve soft drinks.

第23章 倒置・省略・強調・挿入
INVERSION · ELLIPSIS · EMPHASIS · PARENTHESIS

第1節 倒置

　基本5文型その他で見てきたように，英語は**語順**がきちんと決まっている言語なので，主語と述語動詞の順を逆にするのにも，一定の決まりがある。なんらかの理由で，**主語**（S）と**述語動詞**（V）の順が逆になることを**倒置**という。

261 文法上必ず倒置する構文

261 A 文中の主語と述語動詞の倒置

(1) 疑問文で （⊃ p.23 **8B**）

　疑問代名詞が主語になる場合以外は，疑問文では，主語と述語動詞は倒置する。be 動詞と助動詞以外は，do [does, did] をつけて，これが文頭に出る。

　　Is *he* a doctor? （彼は医者ですか）
　　Do *you* like hamburgers? （君はハンバーガーが好きですか）
　　Can *she* use a computer? （彼女はコンピューターが使えますか）
　　Where **were** *you* born? （あなたはどこで生まれたのですか）

(2) 〈There is ...〉構文で （⊃ p.13 **3F**③）

　〈There is A ...〉構文ではAが主語で，**be** 動詞と主語は倒置されているが，**There** が主語のように感じられるため，疑問文では〈Is there A ...?〉の形になる。

　　There **are** some *scissors* in the second drawer.
　　（2番目の引出しにはさみが入っています）
　　→ **Are** there any *scissors* in the second drawer?

(3) 直接話法の伝達部で （⊃ p.556 H.H.124）

　被伝達部を前に出すときには，話者が**代名詞**なら〈S＋V〉の順だが，**名詞**の場合には倒置することが多い。

　　"Aren't you feeling well?" **asked** *the doctor*.
　　（「気分が悪いのですか」と医者は聞いた）

(4) so, neither, nor が文頭にくるとき　(● p.486 **219C**(2))

"I'm tired." "So am I." （「疲れたよ」「私も」）

"I can't understand this." "Neither [Nor] can I."
（「これは，私にはわかりません」「私にも」）

261 B　副詞節中の主語と述語動詞の倒置

仮定法の構文の条件節で **if** を省略するときには，主語と述語動詞を倒置する (● p.200 **101A**)。

ただし，これは if 節中の仮定法の動詞が **were, had, should** の場合であって，**was** や一般動詞の過去形の場合は倒置しない。

Sales might have increased by about 8 percent **had** it not been for the weakening of the US dollar.
 (=... *if it had not been for* the weakening of the US dollar)
 （米ドル安がなければ，売上高は約8パーセント増加したかもしれない）

Should the *ice* in Antarctica melt completely, the world's oceans could be expected to rise by about 60 meters.
 (=*If* the ice in Antarctica *should* melt completely, ...)
 （南極大陸の氷が完全に溶けたら，世界の海面は60メートルぐらい上昇するだろう）

> **発展**　① 〈形容詞 [副詞] ＋ as [though] ...〉型の譲歩構文では，主語と述語動詞は倒置しない。
> 　　*Tired* as she **was**, she couldn't sleep. （疲れてはいたが，彼女は眠れなかった）
> 　② 動詞を文頭に出して，**as** や **what** を用いる譲歩構文は，やや堅い言い方。
> 　　**Try** as *she* might, she could not get him to understand.
> 　　（どんなにやってみても，彼女は彼にわかってもらえなかった）
> 　　**Say** what *you* will, I don't care. （君が何を言おうと，私は気にしない）

262　強調のための倒置

262 A　目的語・補語を文頭に出す場合

(1) 目的語を文頭に出す場合

否定語のついた目的語を文頭に出した場合，主語と述語動詞は**倒置する**。

Not one of these paintings **would** *I* ever wish to buy.
 （これらの絵画には，買おうと思うようなものは1つもない）

否定語のつかない目的語は，文頭に出しても，主語と述語動詞は**倒置しない**。

That sort of story *I* would never believe.
 （そのような話は，私は絶対に信じない）

(2) 補語を文頭に出す場合

第2文型の補語を文頭に出すと，主語が**名詞**の場合には倒置することが多く，**代名詞**の場合にはそのままにしておくことが多い。

<u>Lucky</u> **are** the *children* who managed to leave the country.
　（なんとか出国できた子供たちは幸せである）

<u>Lucky</u> they **are**. （彼らは幸せである）

262 B　副詞を文頭に出して強調する場合

場所や方向を示す副詞語句を，強調や文のバランスをとるため文頭に出すと，主語と述語動詞は倒置される。主語が人称代名詞のときはそのままでよい。

<u>Down</u> **came** the *rain* in torrents. （土砂降りになった）

The plane exploded, and <u>down</u> *it* **came**.
　（その飛行機は爆発して，落ちてしまった）

262 C　否定語句を文頭に出す場合

(1) **否定語句**を文頭に出すと，主語と述語動詞は必ず倒置される。

<u>Hardly</u> **had** *he* moved when the leopard sprang upon him.
　（彼が動くや否や，そのヒョウは彼に飛びかかってきた）

<u>Not a single fish</u> **could** *I* catch.
　（魚は1匹も獲れなかった）

(2) **only** の場合も同じである。

<u>Only</u> once **did** *I* see him cry.
　（たった一度しか彼が泣いている姿を見たことがない）

Helpful Hint 124　被伝達部を前に出すときの主語と述語動詞の倒置

前掲**261A**(3)の説明の通り，被伝達部を前に出すとき，話者が名詞の場合には倒置することが多い。つまり，たとえば "And how are you feeling today?" **the doctor asked**. （「で，今日の気分はいかがですか」と医者は尋ねた）と倒置せずに書いてもよいが，"And ... today?" **asked the doctor**. と倒置した形で書くこともよくある。倒置した形のほうが「伝統的な物語風」な書き方で，いささかおとぎ話っぽい感じがある。

また，これは小説を見ればわかるが，被伝達部を前に置くか後に置くかという単純な選択しかないわけではない。話者を被伝達部で挟む書き方もよく使われる。たとえば，"And how," **the doctor asked**, "are you feeling today?" というような書き方がその1例になる。この場合も，倒置するかどうかは好みの問題にすぎないが，倒置すると，やはりいささかおとぎ話っぽい感じになる。いずれにしても，小説など直接話法の使用が多い文章を書く際，書き手は文体が単調で無味乾燥にならないように，話者を被伝達部で挟む書き方を無意識のうちに選ぶことが多い。

第2節 省略

構文上必要でも、意味上省いても混乱しない語句を省くことを省略という。関係詞や仮定法構文における省略その他については、各該当箇所を参照のこと。

263 〈主語＋be動詞〉の省略

263 A 従位節中で

主節の主語と、時や条件・譲歩などを表す副詞節の主語が同じ場合には、副詞節中の〈主語＋be動詞〉を省くことができる。

> When (*I was*) young, *I* wanted to become a nurse.
> （若かったころ、私は看護師になりたいと思った）

> If (*it is*) heated to a very high temperature, *iron* will become easy to shape.
> （非常な高温に熱せられると、鉄は形を変えやすくなる）

> **発展** Correct errors, if (*there are*) any.（誤りがあれば正せ）などに見られる〈**if any**〉なども慣用表現としてよく使われる。
> 感嘆文では、〈主語＋be動詞〉を省略することが多い（● p.28 **8E**(3)）。
> What a beautiful day (*it is*)!（今日はなんてよい天気なんでしょう）

263 B 日常会話における慣用的省略

日常会話の慣用表現では、〈主語＋be動詞［have, do］〉を省略した形で使うこともよくある。

(1) **I am** の省略

> (*I am*) Sorry!
> （ごめんなさい）

(2) **You are** の省略

> (*Are you*) Ready?
> （用意できた？）

(3) **It [This, That] is** の省略

> (*It is*) Nice to meet you.
> （お会いできてうれしいです）

> (*That is*) Too bad.
> （お気の毒ですね）

> (*This is*) Robinson speaking. 〔電話〕
> （こちらはロビンソンです）

263 C 掲示などにおける省略

No Smoking (is allowed.) （禁煙）
(This item is) Not for Sale(.) （非売品）
(This area is) Off Limits(.) （立ち入り禁止）
Admission (is) Free(.) （入場無料）
Help (is) Wanted(.) （求む）

264 主語（＋動詞）の省略

264 A 日常会話における慣用的省略

日常会話では，慣用的な省略がなされる場合も多い。

(I) Beg your pardon?
　（すみません。今何とおっしゃったんですか）
(It) Looks like snow. （雪になりそうだ）
(That) Sounds great. （とてもよさそうだね）
(There's) Nobody in here.
　（ここにはだれもいないよ）
(Have you) Got the tickets? （切符持っている？）
(Do you) Want a drink? （飲む？）
(That would be) No problem.　　　　　　　　　〔依頼に対する承諾〕
　（大丈夫ですよ）

> **発展** たとえば，She must have gone out to buy books.（彼女はきっと本を買いに出かけているだろう）というようなことを言われたら，
> 　You are quite *right* **that** she has gone out, but not to buy books.
> 　（「出かけている」というのは間違いないが，それは「本を買いに」というわけではない）
> などのように，慣用的な省略を含む言い方で応じることが多い。
> これを省略せずに言うと，You are right **in saying** [**thinking**, **imagining**, **supposing** など] that she has gone out, but **you are** not **right in saying** [**thinking**, **imagining**, **supposing** など] **that she has gone out** to buy books. という何とも長い文になる。

264 B 分詞構文の意味上の主語の省略

(1) 分詞構文の意味上の主語が，主文の主語と同じ場合（⊃ p.167 83B(1)①）

Not **knowing** what to do, *I* asked my mother for advice.
　（＝Because **I** didn't know what to do, **I** asked my mother for advice.）
　（どうしてよいのかわからなくて，母にアドバイスを頼んだ）

(2) 独立分詞構文で慣用的なもの。主として一般の人を表す主語を省略する。
Generally speaking, Japanese animation is highly regarded abroad.
（一般的に言えば，日本のアニメは海外で高く評価されている）

265 接続詞 that の省略

265 A　think などの目的語になる名詞節

I **think** (*that*) we should wait a few more days notifying the police.
（2，3日待ってから警察に通報したほうがいいと思う）

265 B　〈It is ～ that ...〉構文で

(1) 形式主語の構文（⊃ p.389 **180B**(3)③）

It is unlikely (*that*) anything will change before the next election.
（次の選挙までは何か変化がある可能性は少ない）

(2) 強調構文（⊃ p.390 **180C**）

It was her originality (*that*) they admired, not her academic background.
（彼らが感心したのは，彼女の学歴ではなく，その独創力なのだ）

265 C　目的や結果を表す構文で

The machine was **so** heavy (*that*) the three of us couldn't lift it.
（その機械は重すぎて，私たち3人でも持ち上げることができなかった）

266 その他の文法上の省略

その他，文法上省略できるものについては，これまで各該当箇所で説明した。
●関係代名詞や関係副詞に関する省略（⊃ p.274 **130**）
●冠詞の省略（⊃ p.376 **178**）
●前置詞の省略（⊃ p.294 **145B**）
●所有格の次の名詞の省略（⊃ p.353 **169A**(6)）
ここでは，それ以外のものでよく使う形を示す。

266 A　比較構文における as や than 以下の省略

（⊃ p.493 **224A**(2)，p.496 **225B**）

It is **colder** today than (*it was*) yesterday.
（今日は昨日よりも寒い）
　●today と yesterday があるので，現在と過去の比較が明確なため。

266 B 〈関係詞＋be動詞〉の省略

(1) 進行形を作るbe動詞の省略

The man (*who is*) speaking is the delegate from Japan.
（今話している男は，日本の派遣代表だ）

(2) 受動態を作るbe動詞の省略

The meeting (*which was*) held yesterday began at noon and dragged on until 10 P.M.
（昨日の会議は，昼の12時に始まり，午後の10時まで長引いた）

267 共通している語句の重複を避ける省略

267 A 質問と応答

応答では，質問の中の語句を繰り返さないのがふつう。

"How many *pencils* do you *need*?" "(*I need*) Ten (*pencils*)."
（「鉛筆は何本いるのですか」「10本です」）

強勢を置きたい部分がある場合，それは省略しない。Are you an American? という質問に対しては，Yes. だけでもよいが，Yes, **I am**.（ええ，そのとおりです）；Yes, I'm **an American**.（ええ，アメリカ人ですよ）のようにも答えられる。

267 B 前に出た語句の反復を避けるための省略

(1) 主語と動詞

"I haven't read that novel yet." "I haven't (*read it*), either."
（「その小説はまだ読んでいません」「私もです」）

(2) 重複する語句の2番目を省略

Come to see me whenever you want (*to come*).
（おいでになりたいときにいつでもいらっしゃい）

● whenever you want to と，to だけを残すこともある（ ◯ p.123 **60D**）。

My sister *lives* in London and my brother in Rome.
（妹はロンドンに住み，弟はローマです）

(3) 同じ動詞につく助動詞だけを並べて示す。

I *have been* and *will*, for the time being, *be* **staying** at the Grand Hotel.
（私は，最近，またこれからも当分，グランドホテルに泊まっています）

Helpful Hint 125　Not to brag, but .... と Not to change the subject, but .... の省略された意味は？
前掲**264B**(1)で紹介されている「分詞構文の意味上の主語の省略」と似たような用

法で，**Not to brag, but** I think I'm pretty good at English, too.（自慢じゃないけど，僕も結構英語ができるほうだと思う）という言い方もある。くだけた会話に限るが，「to不定詞」を使うこうした言い方の使用頻度は高い。また，「自慢じゃないけど」と言いながらも本当は自慢しているという点でも，この英語は感覚的に日本語の場合と変わりがない。話題を変えるときに使う **Not to change the subject, but** ... .（話は違いますが，…）も，同じ用法である。

こうした言い方は，それぞれ I don't mean **to brag, but** ... .（自慢話をするつもりではないが…）と I don't mean **to change the subject, but** ... .（話題を変えるつもりではないが…）の省略だが，気持ちとして伝えたいのは This is nothing to brag about, but ... .（自慢にはならないことですが…）と I'm going to change the subject, but this is not in any way because I'm unhappy with the current subject.（話題を変えますが，それは決してこれまでの話題に気に入らないところがあったからというわけではありません）ということである。

第3節 強調

文中のある語句を特に強めて表現することを強調という。

268 強調構文〈It is ～ that ...〉

強調したい語句を〈It is ～ that〉の～の部分に挟んで，これを強調する形で，it の用法として，すでに解説した（○ p.390 **180C**）。

　It is *his fortune*, not his love, **that** she really wants.
　　（彼女が欲しがっているのは，彼の愛ではなく，その財産だ）

　It was *her smile* **that** charmed him.
　　（彼が魅せられたのは，彼女の笑顔だった）

269 do を用いた強調

文の内容が**事実**であると強調したいときに，**助動詞の do** を，文中の述語動詞の**直前**につける。命令文の場合は文頭に do を置くことになる。

助動詞がある場合には do は用いず，その助動詞に強勢を置く。

(1) 平叙文

　You **do** *look* beautiful!（君は本当に美しい）　　　　　〔強い感情の表現〕

　"Why didn't you attend the party yesterday?" "I **did** *attend*."　〔対照の強調〕
　　（「君はどうして昨日パーティーに行かなかったんだ？」「行ったよ」）

　I don't know if I'll be able to go or not, but I really **do** *want to*.
　　（行けるかわからないけど，行きたい気持ちだけは十分あるよ）〔気持ちの強調〕

He said he would win, and he **did** *win*.　　　　　〔予期の実現〕
　　(彼は勝つと言っていたが，本当に勝ったんだ)

(2) 命令文

Do *be* quiet in the library.
　　(図書館ではどうぞお静かに)

270 強調語句による強調

これまでの各章での解説との重複を避けるため，参照ページのみを示す。

270 A　形容詞・副詞の強調

形容詞・副詞の強調法については別途参照（⊃ p.470 **213E**，p.481 **218**)。

270 B　比較級・最上級の強調

比較級・最上級の強調の仕方については別途参照（⊃ p.499 **227A**，p.501 **228C**)。

270 C　疑問詞の強調

ever などを用いる。用例は別途参照（⊃ p.211 **108B**(4))。

271 否定の強調

〈not 〜 **at all** [**in the least**, **by any means**]〉など（⊃ p.539 **254C**)。
　　It doesn't matter to me **in the least**.（それはまったくかまいません）
〈simply [really, just]（＋助動詞）＋not〉の形もある。
　　● I **simply** won't allow that.（そんなことは断じて許さない）

272 その他の強調法

272 A　oneself の利用

　　She is *kindness* **itself**.（彼女は本当に親切だ）
oneself の強調用法の類例については別途参照（⊃ p.393 **182B**(3))。

272 B　反復による強調

　　She repeated the words **again and again** in her mind.
　　(彼女はその言葉を頭の中で何度も繰り返した)
　　Electrical circuits are recently being made **smaller and smaller**.
　　(電気回路は最近ますます小さく作られてきている)

第4節 挿入

文中に，前後をコンマやダッシュで区切って，独立的に慣用的な語句を入れることを挿入という。文頭に置くこともできる。

273 挿入語句

273 A 慣用句

I like to walk. **In fact**, I walk a lot every day.
（私は歩くのが好きだ。実際，毎日たくさん歩いている）

He looks like a nice person, but **in fact** he is selfish.
（彼はいい人に見えるが，実際はわがままなのだ）

● in fact には，このように2つの違った働きがある。2つ目の文の場合は，「それどころか，実は」という感じである。

◎よく使う挿入句

対照	on the other hand（その反面）
譲歩	it is true ...（…ではあるが）
矛盾	on the contrary（それどころか）
補足	what is more（その上），as a matter of fact（実を言うと），by the way（ちなみに）
一般化	in general（一般に），on the whole（全体としては），as a rule（概して）
例示	for example（たとえば）
結論	as a result（結果的に），after all（結局は）
要約	in short（要するに）
つなぎ	let me see（ええと）
換言	in other words（言い換えれば）
限定	in a sense（ある意味では）

273 B 挿入節

as it is（そのまま），**as it were**（言わば）など（◯ p.207 **107B**）。

This house, **as it is**, would probably not sell; it needs repainting and roof repairs.
（この家は，このままでは売れないだろう。再塗装と屋根の修理が必要なのだ）

273 C 〈I think〉など

I think などを，文頭でなく，文中や文末に置く形（⊃ p.275 **130B**(4)）。

273 D 独立不定詞

to begin with（まず第一に），**to tell the truth**（実を言えば），**so to speak**（いわゆる）など（⊃ p.148 **73**）。

274 同格語句

274 A 名詞と並列される場合

名詞の章を参照（⊃ p.358 **170C**）。

John F. Kennedy was born in **Brookline**, *a suburb of Boston.*
（ジョン・F・ケネディは，ボストン郊外のブルックラインで生まれた）
● suburb は，都市の郊外をいう。the suburbs は，郊外全体を指す。

274 B 同格を示す語句

(1) 〈**that is (to say)**〉（すなわち，つまり）など。

The *tanuki* is a member of the dog family. It is not, **that is to say**, a kind of badger.
（タヌキはイヌ科である。つまり，ある種のアナグマではないのだ）

(2) **of**

The *city* **of** *Toronto* is the cultural and financial capital of Canada.
（トロント市はカナダの文化と経済の中心都市です）

Helpful Hint 126　「by the way＝ところで」の誤った使い方

日本人の書いた英文を読むと，"By the way, ..." という慣用句によく出会うが，ほとんどの場合，その By the way, を削除する必要がある。

問題は「By the way＝ところで」という強い思い込みから生じているようである。日本語の「ところで」は，それまで述べてきた事柄から離れて話題を変えるときに用いられ，ちょっとした紹介文から話の本筋に入るときでも，「ところで」で入ることがよくある。ところが，"By the way, ..." は，ただ単に新しい話題を持ち出すために使う表現ではない。"Incidentally, ..." と同じように，「ちなみに言うけど，…」や，「ついでながら，…」などのような意味を口語的に表す慣用句である。とりわけ真面目な学術論文で，要点が述べられている段落の冒頭にこうした "By the way, ..." が唐突に登場すると，読者はかなりの違和感を覚えるはずである。

幸いなことに，英文では話題が変わることを読者に示すには改行して新しい段落で書き続ければ十分なので，「ところで」に相当する英語がなくても差し支えない。

A 確認問題 23 (→ 解答 p.617)

1. 次の各英文の( )内の語(句)のうち，適切なほうを選びなさい。
   (1) "I can't help him."
       "(No, Neither) can I."
   (2) (Had, Have) I known about it, maybe I could have done something.
   (3) No sooner (I had, had I) hung up than the phone rang again.
   (4) That mistake (I would never make, would I never make) again.
   (5) A very honest man (he is, is he).
   (6) They don't worry about tomorrow, and they seldom, (as ever, if ever), bother about the past.
   (7) There are five (in, of) them, three women and two men.
   (8) Look! (Here comes, Comes here) my best friend, Jim.
   (9) What (is, are) the languages spoken in Canada?
   (10) (Do be, Be do) aware of the network rules.

2. 次の各日本文の意味を表すように，( )内に適切な語句を入れなさい。
   (1) 彼は非常に勤勉だったから，だれもが褒めた。
       Such (   ) everybody praised him.
   (2) 私はちっともかまわないよ。
       I don't (   ) the least.
   (3) 愛というものは，言わば，心のための栄養である。
       Love is, so (   ), a nutrient for the heart.

3. 次の各英文が正しければ○をつけ，正しくなければ×をつけて，誤っている部分を正しく書き直しなさい。
   (1) Little I did know that he would be late again.
   (2) It is his lack of sleep that worries me.
   (3) The information was, in fact, so useful that it became the basis of our success.
   (4) Only this year did we finally get around to doing what should have been done in 1991.
   (5) That dictionary is, as it was, the record of a people's speech.
   (6) What on the earth do you think could possibly happen here that would be such a disaster?

REVIEW TEST 23

B 実践問題 23 (→解答 p.617)

1. 次の各英文で，[　]内は省略されている語句です。(　)の中に入れるのに最も適切な語(句)を選び，記号で答えなさい。

   (1) "I want a pair of golf shoes."
   "(　) [do you wear]?"
   "Seven and a half."
   (A) How much　(B) What size　(C) What color　(D) What time

   (2) "What time would be most convenient?"
   "[Let me see.] (　) three?"
   "All right."
   (A) What is　(B) How do　(C) Is it　(D) How about

   (3) "[I'll go] (　)." "No, you go first."
   (A) Late　(B) Slowly　(C) Soon　(D) After you

   (4) "How was your trip?" "[It] Couldn't (　)."
   (A) be better
   (B) have been better
   (C) enjoy
   (D) have enjoyed

   (5) "Could I speak to Mr. Robinson?" "[This is Robinson] (　)."
   (A) I am　(B) I speak　(C) OK　(D) Speaking

   (6) [We are] (　) Mr. Jones, Mr. Robert Jones. Please come to the nearest information desk.
   (A) Calling　(B) Searching　(C) Asking　(D) Paging

2. 次の各英文の下線部から，誤っているものを1つ選び，記号で答えなさい。

   (1) (A)Enclosing (B)herewith is (C)our price (D)list.

   (2) "I'll (A)fax you right now. (B)What your fax number?" "(C)1 for the US, then 145, 774, 3947." "OK. (D)I've got that."

   (3) He won't (A)agree to help (B)out, nor (C)will he not agree to (D)stay out of the way.

   (4) Should our product (A)failed, you may (B)return it for (C)a full refund or (D)a replacement.

   (5) (A)Was the picture genuine, (B)it would (C)be worth thousands (D)of pounds.

   (6) Only recently (A)has adopted the government policies (B)protecting this (C)natural resource, which (D)has been abused for so many years.

第24章 文の転換
CHANGES IN SENTENCE STRUCTURE

第1節 文の種類の転換

同じ内容を英語でいう場合にも，いくつかの形が考えられ，どの形にもそれなりの独自性がある。ここでは，ごく一般的に，同じ考えを基本的な2つの構文で表す代表的なものを取り上げ，どちらの形でも使えるようにしておく。

275 複文⇔単文

複文はなんらかの形の従位接続詞を含み，それ以下が名詞節や副詞節になっているので，この部分を名詞句や副詞句に変えればよい（形容詞節の場合は，関係詞が導く形になるので，それに相当する形容詞句に変えることになる）。

275 A 名詞節を含む複文

(1) **that** 節を **to** 不定詞で

「彼はメキシコへ旅行することに決めた」
He decided **that** he *would take* a trip to Mexico. 〈S＋V＋that 節〉
He decided **to** *take* a trip to Mexico. 〈S＋V＋to不定詞〉

● determine, hope, intend, resolve など（→ p.144 **71B**(1)）。
● to不定詞構文のほうが多い。

「彼女は私にそのパーティーに出席するようにと言った」
She advised me **that** I *should attend* the party. 〈S＋V＋O＋that 節〉
She advised me **to** *attend* the party. 〈S＋V＋O＋to不定詞〉

● persuade, remind, teach, tell など（→ p.145 **72A**(1)①）。
● to不定詞のほうが多い。目的語Oをそのまま that の前に置くことのできる動詞は限られている。

「私たちは彼がじきに戻ってくるだろうと思っている」
We expect **that** he *will be* back soon. 〈S＋V＋that 節〉
We expect him **to** *be* back soon. 〈S＋V＋O＋to不定詞〉

— 567 —

275 A

● to不定詞構文のほうが多い（● p.146 **72A**(1)②）。

「彼らは彼は偉大だと思っている」

　　They believe **that** he is great.　　　　　　　　　　〈S＋V＋that 節〉

　　They believe him **to be** great.　　　　　　　　　　〈S＋V＋O＋to be C〉

　　　　● think や believe を用いるこの形では，that 節のほうが多く，口語的（● p.147 **72B**）。

(2) 〈It is ～ that ...〉 と 〈It is ～ (for A) to ...〉

「君が腹を立てるのも当然だ」

　　It is only natural **that** you should get angry.　　　　　〈It is ～ that ...〉

　　It is only natural **for** you **to get** angry.　　　　　　〈It is ～ (for A) to ...〉

　　　　● (im)possible, understandable など（● p.141 **70A**）。

(3) 〈It seems that ...〉 と 〈seems to ...〉

「私は財布をなくしたようだ」

　　It seems **that** I have lost my wallet.

　　I seem **to** have lost my wallet.

　　　　● appear, be likely, happen, turn out など（● p.139 **69A**）。

(4) 動名詞と that 節

① 他動詞の目的語

「彼はそのお金を盗んだことを認めた」

　　He admitted **that** he had stolen the money.

　　He admitted **stealing** [**having stolen**] the money.

「彼は，自分も行くと言い張った」

　　He insisted **that** he would go.

　　He insisted **on** going.

　　　　● insist のように，that 節のときには前置詞はつけないが，動名詞の場合は前置詞（on, upon）をつけるようなものに注意（● p.295 **145B** 発展）。

② 同格の that 節と of

「私がシカゴに転勤する可能性はありますか」

　　Is there any possibility **that** I will be transferred to Chicago?

　　Is there any possibility **of** my *being* transferred to Chicago?

　　　　● 同格の that 節については別途参照（● p.234 **116A**(5)）。

(5) 疑問詞の利用

「彼女はどうしたらよいのかわからなかった」

　　She didn't know **what** she *should* do.

　　She didn't know **what** *to* do.

　　　　● 〈疑問詞＋to不定詞〉については別途参照（● p.136 **68**）。

「到着の予定時間を教えてください」
> Tell me **when** you are scheduled to arrive.
>
> Tell me **the** scheduled **time** *of* your arrival.

275 B 副詞節を含む複文

副詞節を含む複文は極めて多い。これを単文の形にしようとすると，副詞節の部分を副詞句で表現することになる。これには，副詞用法の to 不定詞や，分詞構文のほかに，〈前置詞＋名詞〉の副詞句などを用いることが考えられる。

(1) 副詞節を to 不定詞で
① 目的
「私は，ホームステイの家族と話ができるように，夜は家にいるようにすることが多かった」
> I stayed at home many nights **so that** I *could talk* with my host family.
>
> I stayed at home many nights (**so as**) **to** *be able to talk* with my host family.
> ● ただ to よりも，〈so as to ...〉や，〈in order to ...〉にしたほうが意味が明確になる（⊃ p.133 **67A**(1)）。

② 結果・程度
「ショックがあまりにもひどかったので，私は身動きができなかった」
> I was **so** shocked **that** *I couldn't move*.
>
> I was **too** shocked **to** *move*.

③ 条件
「彼の話を聞くと，彼はまるで金持ちであるかのような印象を受けてしまう」
> **If** you *heard* him speak, you'd think he was rich.
>
> **To hear** him speak, you'd think he was rich.
> ● 不定詞（⊃ p.135 **67A**(5)）の解説と共に，仮定法（⊃ p.201 **101B**(1)）も参照。

(2) 分詞構文と副詞節
分詞構文は副詞句であるから，これを使えば単文になる。
① 時
「買い物を終えると，テディは家に帰った」
> *After* he **had finished** his shopping, Teddy went home.
>
> **Having finished** his shopping, Teddy went home.
> ● 副詞節とは違って，分詞構文は因果関係を示す。つまり，上の Having finished .... は「買い物を終えたので家に帰った」ということを表しているのである。副詞節ではこうした因果関係は示されない。
> また，After の代わりに When を使って，When he had finished .... としても意味は変わらない。

② 原因・理由

「彼女は，手伝いが必要だったので，父親に来てくれるように頼んだ」

Because she needed help, she asked her father to come over.

Needing help, she asked her father to come over.

- being で始まる分詞構文は，ふつう理由を表す（○ p.169 **84A**(2)）。
  being が略されて，過去分詞（まれに形容詞）だけが残ることもある。

③ 条件

「そのデバイスは正しく使われないと，爆発するかもしれない」

If *it is used* incorrectly, the device may explode.

(If) **Used** incorrectly, the device may explode.

- 分詞の前に If をつけてわかりやすくすることが多い。

Turning to the left, ...（左に曲がれば ...）というような形は，日常会話ではまず使うことはない。

④ 譲歩

「彼は自分がやったと認めてはいるが，それでも謝ろうとはしない」

Although he admits that he did it, he still refuses to apologize.

(While) **Admitting** that he did it, he still refuses to apologize.

- 最近は，譲歩の分詞構文には while をつけるほうがふつう。

(3) 動名詞と副詞節

動名詞を使って，副詞節を副詞句にすることはあまり多くない。

① 時

「母親を見ると，彼女はにっこりと笑いかけた」

When she *saw* her mother, she smiled brightly.

On seeing her mother, she smiled brightly.

- 〈on 〜ing〉は〈as soon as〉の意味に近いことが多い（○ p.179 **90** (3)）。

② 原因・理由

「金が足りなくて困っていたので，彼はよく落ち込んだりしていた」

Because he *needed* money, he was often depressed.

Because of **his need for money**, he was often depressed.

③ 目的

「その回路は水からの破損を防ぐために，プラスチックに封じ込められた」

The circuit was sealed in plastic **so that** water would not damage it.

The circuit was sealed in plastic *for the purpose of* **preventing** water from damaging it.

- 〈for the purpose of〉を使うと，堅い言い方になる。

(4) 〈前置詞＋名詞〉の副詞句と副詞節

一種の慣用表現である。

① at the age of

「シャンブ・タマングは17歳のとき，エベレストに登頂した」

Shambu Tamang climbed Mount Everest **when** he was 17.

Shambu Tamang climbed Mount Everest **at the age of** 17.

◆タマングは，ネパール人で，1973年にエベレストに登頂した最年少記録保持者。

② on account of, because of, owing to など

どれも，理由を表す副詞節の代わりに使える。

「パレードは雨のため中止になった」

The parade was cancelled **because** it was raining.

The parade was cancelled **because of** [**on account of**] rain.

●一般的な表現として because of が最もふつうである。

③ in spite of, despite

「年は取っていたが，彼の歌声はいまだに美しく，表現力に富んでいた」

Though he was old, his singing voice was still sweet and expressive.

In spite of [**Despite**] his old age, his singing voice was still sweet and expressive.

④ with all

「彼は裕福ではあるが，社交的にはかなり控えめだ」

Although he is wealthy, he is socially quite reserved.

With all his wealth, he is socially quite reserved.

⑤ with

「彼らがもう少し気をつけていたら，その宝石を見つけられたかもしれないのだが」

If *they had taken a little more care*, they might have found the gem.

With *a little more care*, they might have found the gem.

●仮定法 if 節の代用となる語句については別途参照（● p.202 **101B**(3)）。

Helpful Hint 127　複文と単文の使い分けは？

　この章で紹介されている転換のそれぞれの使用頻度に関しては，大ざっぱに言えば，短い言い方のほうが頻度が高い，と考えてよい。たとえば，前掲275A(1)の用例 She advised me **that** I *should attend* the party.⇔She advised me **to** *attend* the party.（彼女は私にそのパーティーに出席するようにと言った）の場合，短い to不定詞のほうが表現としては率直ですっきりしており，無意識のうちに選ばれることが多い。もちろん，長いほうが選ばれることもあるが，それはむしろ意識的な場合が多い。とりわけ改まった文

> 書や演説には、必要以上に長い、すっきりしない言い方が登場しがちである。
>   この現象は、文の転換ばかりでなく、語彙選択にも見られる。たとえば、「今」を表す now という1語がすっきりしており、十分な表現である場合でも、at this point in time とわざわざ5語を使って表す、というようなケースがその典型的な例である。

275 C 形容詞節を含む複文

形容詞節を含む複文とは、要するに関係代名詞もしくは関係副詞の導く節を含む文である。この部分を、形容詞句に変えればよいわけである。

(1) to不定詞

to不定詞の形容詞用法の応用である（◯ p.132 **66**）。

「今日はやるべきことがたくさんある」

There are a lot of things **that** I should do today.

I have a lot of things **to do** today.

(2) 分詞

「会員は、図書館所蔵のどんな本にも書き込みをしてはいけない」

Members shall not write upon any book **which** *belongs* to the library.

Members shall not write upon any book **belonging** to the library.

> ●分詞を含む形容詞句は、ただ〈関係代名詞＋be〉を省略したものと一律に考えてはいけない。たとえば、この belong は進行形にならないから、〈which is belonging〉という形は不可である。

(3) 動名詞

「彼は、なぜ解雇されたのかその理由を知りたかった」

He wanted to know the reason **why** he was let go.

He wanted to know the reason **for** his *being* let go.

(4) 〈前置詞＋名詞〉の形容詞句

「黄色のジャケットを着ているあの少女を知っていますか」

Do you know that girl **who** *is wearing* the yellow jacket?

Do you know that girl **in** the yellow jacket?

「私たちは港を見渡せる部屋に泊まっていた」

We stayed in a room **that** *had* a view of the whole harbor.

We stayed in a room **with** a view of the whole harbor.

276 重文⇔単文

等位接続詞の代わりに、それに近い意味になるように準動詞を適切に使う。

(1) 不定詞

結果を表す用法の to 不定詞がよく使われる。
「劇場には行ったのだが，その晩の公演は中止になっていた」
　　We went to the theater, **but** we *found* that the evening's performance had been cancelled.
　　We went to the theater, **only to** *find* that the evening's performance had been cancelled.
　　　● only to は意外な結果などを表すことが多い（⬢ p.134 **67A**(2)）。

(2) 分詞構文
「～して，そして」の意味の分詞構文が利用できる。
「彼女はその箱を開けて，オーストリア製の水晶のイヤリングを取り出した」
　　She *opened* the box **and** took out a pair of Austrian crystal earrings.
　　Opening the box, she took out a pair of Austrian crystal earrings.
　　　● この分詞構文の形については別途参照（⬢ p.169 **84A**(4)）。

(3) 前置詞句
「彼は頭痛がしたにもかかわらず，その開会式典に出席した」
　　He had a headache, **but** he attended the opening ceremonies nonetheless.
　　In spite of a headache, he attended the opening ceremonies.

277 重文⇔複文

接続詞が，and, but, or などにより，およそ形が決まってくる。

(1) 〈命令文＋and [or] ...〉
重文と複文の書き換えができるものの代表が，〈命令文＋and [or] ...〉を if を使って表す形である。
「急げば最終バスに乗れますよ」
　　Hurry up, **and** you'll be able to catch the last bus.
　　If you hurry up, you'll be able to catch the last bus.
「急がないと最終バスに乗り損ないますよ」
　　Hurry up, **or** you'll miss the last bus.
　　If you **don't** hurry up, you'll miss the last bus.
　　　● Unless you hurry up .... でもよい。

(2) but ⇔ though, although
逆接を示す but と though [although] の書き換えも可能である。
「彼は一生懸命に努力していたが，失敗した」
　　He worked hard, **but** he failed.
　　Though [**Although**] he worked hard, he failed.

(3) or ⇔ if

仮定法で，否定の条件節を含む複文の代わりに，or（さもなければ）で接続される重文が使える。

「彼女は眠っていなければ，きっとその煙に気がついたろう」

　　If she hadn't been sleeping, she surely would have noticed the smoke.

　　She must have been sleeping, **or** surely she would have noticed the smoke.

Helpful Hint 128　「to不定詞」の形容詞用法では to に続ける動詞に注意

前掲**275C**で紹介されている「to不定詞」の形容詞用法には，注意すべき特徴がある。簡単に言えば，**to不定詞**の形は「〜すること」の意味を表す場合にしか使わず，to に続く動詞は動作動詞に限る，という特徴だ。具体的な例で説明すると，たとえば「よさそうなワインを見つけた」は，ふつう関係詞節を使って I found some wine **that seemed** good. のように表現する。**to不定詞**を使って I found some wine **to seem** good. とは言わない。seem は「〜する」ではなく，「状態」を表す動詞だからである。

この現象は，たとえば「That wine **seems** good, doesn't it?（そのワインはよさそうですね）とは言うが，進行形を使って That wine **is seeming** good, isn't it? とは言わない」という現象に似ている。同じように，たとえば「舌平目のムニエルに**合う**ワインを探しています」は，I'm looking for a wine **that goes** well with sole meunière. が完璧な表現であり，I'm looking for a wine to go well with sole meunière. とは言わない。しかし，「〜する」であれば，話は違う。たとえば「舌平目のムニエルに**合わせる**ワインを探しています」は，I'm looking for a wine **to serve** [**that I can serve**] with sole meunière. のように，どちらの形を使ってもよい。

第2節　主語の転換

278　It を主語にする文

278 A　天候・時間・距離などの it

(1) 天候・時間や距離などを主語にした構文にできる場合が多い。

「ロッキー山脈には雪がたくさん降る」

　　They *have* a lot of snow in the Rocky Mountains.

　　It *snows* a lot in the Rocky Mountains.

「第二次世界大戦が終わってから60年以上たつ」

　　Over **60 years** have passed since World War II ended.

　　It *is* [*has been*] over 60 years since World War II ended.

「私の家は，駅から歩いてたった5分です」

　　My house is only five minutes' walk from the station.

It *is* only five minutes' walk from my house to the station.

「仕事に行くのにどれくらいの時間がかかりますか」

How much time do **you** *need* to get to work?

How long does **it** *take* you to get to work?

(2) 〈A seems to be ...〉 ⇒ 〈It seems that A is ...〉型

この形をとるのは，**seem, appear, be (un)likely** など（⊃ p.139 **69A**）参照。

「南極大陸上空のオゾン層は回復する可能性が低い」

The ozone layer above the Antarctic **is unlikely to** recover.

It is unlikely that the ozone layer above the Antarctic will recover.

278 B 〈It is ～ for [of] A to ...〉型

形式主語の it で，to不定詞を従える2つの型である。

① 「その問題は容易には解決できなかった」

That problem *was not easy to* resolve.

It was not easy to resolve that problem.

● この形をとる構文については別途参照（⊃ p.437 **201A**）。

It was not easy *for me* [*us*] to ... . の型については別途参照（⊃ p.141 **70A**）。

② 「そうおっしゃってくださるとはご親切さま」

You are very kind **to** say so.

It is very kind **of** you **to** say so.

● この形をとる構文については別途参照（⊃ p.142 **70B**）。

278 C 〈It is ～ that [wh-] ...〉型

形式主語の it は〈be＋形容詞＋that〉節を従えることが非常に多いが，その代わりに，〈be＋形容詞＋to do〉を従える形もある。また，同じ意味を表すのには，その他にもいくつかの言い方があることに注意。

「毎日練習しなければ，上達することはできない」

We cannot make progress without practicing every day.

It is impossible for us **to** make progress without practicing every day.

It is impossible that we should make progress without practicing every day.

次は，動名詞を用いた慣用表現である。

「次に何が起こるかわからない」

There is no know**ing** what will happen next.

It is impossible to know what will happen next.

● この構文については別途参照（⊃ p.179 **90** (2)）。

279 無生物・疑問詞主語の構文

英語には，原因や理由，手段，その他のものを表す**無生物**を主語にして，それが人を「～させる」という形をとる構文が多い。これについては，名詞を用いた重要構文として，「名詞」の項で解説をしたので，参照のこと (⊙ p.361 **173**)。

「数分歩くと，私はホテルに着いた」

　　When *I* had walked a few minutes, *I* arrived at the hotel.

　　A few minutes' walk **brought** me to the hotel.

「このバスに乗れば，グランドセントラル駅に着きます」

　　If *you* take this bus, *you* will get to Grand Central Station.

　　This bus will **take** you to Grand Central Station.

「この写真には，星の誕生が見られる」

　　In this photograph, *you* can *see* the birth of a star.

　　This photograph **shows** the birth of a star.

「交通ストのため車で通勤しなければならなくなった人がたくさんいた」

　　Because of the transit strike, *many people* had to *drive* to work.

　　The transit strike **compelled** many people to drive to work.

無生物主語の構文と似たものに，**疑問詞**を主語にした構文がある。

「あなたはどうしてそれが殺人だったと思うのですか」

　　Why do *you* think it was murder?

　　What **makes** you think it was murder?

　　　　●疑問詞を主語にした構文については H.H.92 (**p.363**) を参照。

280 実践的文の変換

これまでは，to 不定詞を that 節に変えるというような「**機械的**な文の書き換え」の練習をしてきた。ここでは，**同じ和文を幾通りかの違う形の英文に直してみて**，それらの各英文の特徴を考えるという，もう少し実用的な学習をしてみる。

(1)「この箱を開けるためにはかぎが必要です」

　① You need (to use) a key to [in order to] open this box.

　② To [In order to] open this box, you need (to use) a key.

　③ A key is needed to [in order to] open this box.

　④ A key must be used to [in order to] open this box.

　⑤ To [In order to] open this box, it is necessary to use a key.

[解説] この中では，①が最も率直かつ口語的な表現になり，⑤が最も冗長かつ書き言葉的な表現になる。文体は好みという部分もあるが，原則としては**語数**

の少ない，簡潔な表現が望ましい。たとえば，上の①〜⑤の場合，「総称用法の **you**」が口語的すぎるように感じられない限り，①の You need a key to open this box. にすればよい。一方，「総称用法の **you**」が口語的すぎるように感じられる場合であれば，③の A key is needed to open this box. にすればよい。いずれにしても，このように8語で表現できることを，たとえば，⑤の In order to open this box, it is necessary to use a key. のように13語を使うより，簡潔な8語のほうが読み手に親切な書き方になるのである。

(2)「その家を見つけることはできなかった」
　① We couldn't find the house.
　② We were unable to find the house.
　③ It was impossible to find the house.
　④ The house was impossible to find.
　⑤ The house was not to be found.

　[解説] この中では，①の We **couldn't** find the house. が最も率直かつ口語的な表現になる。これに対して，②の We **were unable to** find the house. は，**couldn't** の代わりに **were unable to** を使っただけで，いささか堅く，改まった感じになる。また，この①②のように **We** を主語にした言い方に対して，**It** を主語にした③の **It** was impossible to find the house. は，we（私たち）の「ものを探す能力」とはまったく関係なく，「その家を見つけるのはそもそも不可能だったんだ」といった感じの表現になる。この点では，④⑤も同じだが，これらは，**The house** を主語にしただけで「その**家**はとうてい見つけられるようなものではなかったんだ」というように，**The house** 自体に重点を置いている感じになる。④の The house was impossible to find. は，会話・文書を問わず，ふつうの言い方だが，一方の⑤の The house was not to be found. のほうは，いささか書き言葉的な堅い言い方である。

(3)「彼女は疲れてはいなかったが，それでも床に就いた」
　① She wasn't tired, but she went to bed anyway.
　② She wasn't tired, but she went to bed nevertheless.
　③ She wasn't tired. Nevertheless, she went to bed.
　④ Even though she wasn't tired, she went to bed.
　⑤ Despite the fact that she wasn't tired, she went to bed.

　[解説] この中では，①の She wasn't tired, but she went to bed anyway. が最も率直かつ口語的な表現になる。②の She wasn't tired, but she went to bed **nevertheless**. は，①にあった **anyway** の代わりに **nevertheless** を使っただけで，

文がいささか上品になった感じである。また，③の She wasn't tired. Nevertheless, she went to bed. のように，文を2つに分け，Nevertheless を2番目の文の冒頭に置いてもいいのだが，そうすると，流れが悪くなり，「上品」というより，堅い感じになるだけである。この①②③に比べると，④の **Even though** she wasn't tired, she went to bed. は「（疲れていない）**にもかかわらず**」という感じが幾分か強い。つまり，「彼女がそれでも床に就いた」ということの**意外性**が幾分か強調されているのである。⑤の **Despite the fact that** she wasn't tired, she went to bed. では，そうした強調がまた一段と強くなる。

(4)「この方法にはメリットはあまりないようだ」

　① This method doesn't seem to offer much advantage.
　② It doesn't seem that this method offers much advantage.
　③ This method wouldn't seem to offer much advantage.
　④ It wouldn't seem that this method offers much advantage.
　⑤ There doesn't [wouldn't] seem to be much advantage to this method.

　［解説］この中では，① の **This method** doesn't seem to offer much advantage. が最も率直かつ口語的な表現になる。②の **It** doesn't seem that this method offers much advantage. のように「**It ～構文**」で表現しても差し支えないが，そうすると，**This method** を主語にした①とは違って，あまりすっきりしない言い方になる。③の This method **would**n't seem to offer much advantage. は，①を仮定法に変えたものであり，①をいささか上品にした，といった感じの文である。こうした仮定法は，「考えてみれば」や「調べてみると」などのような「条件節」の意が言外にある用法である。④It **wouldn't** seem that this method offers much advantage. も同じように，②を仮定法に変えたものであり，②がいささか上品になった，といった感じの文である。また，これらと同様に，⑤There **doesn't [wouldn't]** seem to be much advantage to this method. のように「**There ～構文**」の形にした場合も，直説法と仮定法のどちらを使ってもよい。

(5)「すぐに返事をしなくてすみませんでした」

　① I'm [very, really, awfully, terribly] sorry for not replying right away.
　② I apologize for not replying right away.
　③ Please excuse me for not replying right away.
　④ Please forgive me for not replying right away.
　⑤ I hope you might be so kind as to forgive me for not immediately replying.

　［解説］この中では，① I'm [very, really, awfully, terribly] sorry for not replying right away. が最も率直かつ口語的な表現になる。**really** などを使って **sorry** を強めるかどうかは気持ちの問題だが，そうした副詞をつけたほうがいいかもしれない。というのも，謝り方としては，I'm sorry. だけでは日本語の「すみません」ほど強い謝罪の表現にはならないのである。もっと詳しく説明すると，たとえば，I'm **really** sorry. は，ただの「すみません」より強いが，「**本当にすみません**」ほど強くない。その中間くらいの表現になるのである。原文はただの「すみません」なので，どちらにしても差し支えないのだが，わび言は必要以上に強い表現にしてもたいてい損はしないだろう。

②の I **apologize** for not replying right away. の I **apologize**（謝ります）には，**sorry** という気持ちが感じられ，I **apologize** for は I'm **sorry** for より改まった言い方である。

③の Please **excuse** me for not replying right away. と④の Please **forgive** me for not replying right away. は，どちらも相手の「許し」を求めているので，自分の「悪かった」ことを認めてはいるが，①②とは違って，**sorry** という気持ちは特に感じられない。③の Please **excuse** me よりも，④の Please **forgive** me のほうが，こちらの「罪悪感」が重いように感じられる表現になる。

⑤の I **hope** you **might be so kind as to** forgive me for not **immediately** replying. は，とても丁寧な言い方で，「敬語」に近い感じの言い回しである。そこで，原文の「すぐに」を表すには，カジュアルな言い方に感じられる right away より，もう少し改まった感じの immediately のほうが適切である。

281 英文の推敲（すいこう）と仕上げ

実際に英文を書くときには，同じ内容でも，文脈に応じて適切な表現を選ぶ必要がある。本書では各所でそうした解説をしてきたし，**280** (p.576) でも，同じ和文が幾通りかに訳せることを学んだ。最後に，やや長い和文の英訳をする場合，どのような英語表現を学べば，文の流れが自然なものになるかを考えよう。

①狭い家に住み，帰ると玄関からテレビの音が聞こえる。②番組の登場人物が会話していることがわかるが何を言っているのかは聞き取れない，といった程度の音である。③が，不思議なことに，番組が日本語のオリジナルか日本語吹き替えかが一瞬にしてわかる。④なぜだろうか。⑤番組によって有名な俳優が声優をやっていることもあるので，単純に声質や演技の上手下手の問題でもなさそう。⑥玄関に立ったまましばらく聞いてみたことが何回かあるが，感じている違いはそう容易には説明できない。

第24章 文の転換　　第2節 主語の転換

① 「狭い家に住み，帰ると玄関からテレビの音が聞こえる」

[訳例1] I live in a small house, and when I come home, I can hear the sound of the television from the front entranceway.

[コメント] このように，I が短い間に3回も登場すると，ややしつこくなる。

[訳例2] I live in a small house, and coming home, I can hear the sound of the television from the front entranceway.

[コメント] 「帰ると」の部分を，and coming home, と**分詞構文**を使って書き換えれば，1つの I をなくすことができるが，現在分詞の coming home は「帰る途中」という感じがやや強いので，この文脈にはベストではない。

[訳例3] I live in a small house, and when I come home, the sound of the television can be heard from the front entranceway.

[コメント] 1つの I をなくすために，**受動態**を使っても間違いではないが，文中でこのように唐突に受動態へ変化していると，とても不自然に感じられる。

[範例] My house is small, and when I come home, I can hear the sound of the television from the front entranceway.

② 「番組の登場人物が会話していることがわかるが何を言っているのかは聞き取れない，といった程度の音である」

[訳例] The sound is loud enough to tell that people on the program are having a conversation, but not loud enough to catch what they are saying.

[コメント] 「といった程度の音である」で終わる文なので，このように「音」を主語にして The sound is loud enough .... と表現してもよいのだが，前の文の sound をそのまま繰り返さないで，代名詞の it を使ったほうが英語らしい。

[範例] It is loud enough to tell that people on the program are having a conversation, but not loud enough to catch what they are saying.

③ 「が，不思議なことに，番組が日本語のオリジナルか日本語吹き替えかが一瞬にしてわかる」

[訳例1] But, oddly enough, I can immediately tell whether the program is a Japanese original or has been dubbed in Japanese.

[コメント] 「(だ) が，…」と始まる文の「逆接」を表すには，日本人はとかく But .... または However, ... と書いてしまいがちのようである。確かに，この例のように，But を文頭に置いていけないわけではないが，前の文でも ..., but not loud enough .... と，but で「逆接」を示しているので，その直後にまた but による「逆接」が出てくると，かなりぎこちない。

[訳例2] However, oddly enough, I can immediately tell whether the program is a Japanese original or has been dubbed in Japanese.

［コメント］ however を用いた表現も正しいが，使うなら，冒頭に置くより，Oddly enough, **however**, it is ... . のように，文中に置いたほうが，英語として自然な流れになる。

しかし，全般に軽く，柔らかく感じられる原文の文体には **however** は重く，堅すぎる。**though** など，もう少し口語的で柔らかい感じの語を使ったほうがよい。

［訳例3］ Oddly enough, though, **it is** immediately clear whether the program is a Japanese original or has been dubbed in Japanese.

［コメント］ ここでは「it is 節」で表現しているが，そのようにする必要は特にない。たとえば，**I** can immediately tell ... . のように **I** を主語にしてもよいし，**you** can immediately tell ... . と「総称用法」の **you** を使えばさらに自然な英語に感じられる。

［範例］ Oddly enough, though, you can immediately tell whether the program is a Japanese original or has been dubbed in Japanese.

④「なぜだろうか」

［訳例］ Why is this?

［コメント］ この表現でも差し支えないが，文脈という観点から見ると，ある「現象」の「原因」を仮想する話なので，**仮定法**を使ったほうがより英語らしい。

［範例］ **Why should this be?**

⑤「番組によって有名な俳優が声優をやっていることもあるので，単純に声質や演技の上手下手の問題でもなさそう」

［訳例1］ Some of these programs use famous actors for the dubbing, **so** the issue does not seem to be the one of voice quality or of acting ability.

［コメント］「～ので，…」という意味を示す「因果関係」を表すには，言うまでもなく **since** などを使ってもいいが，この文脈では等位接続詞の **so** を使って文体を口語的にしても特にかまわない。

［訳例2］ Since some of these programs even use famous actors for the dubbing, the issue **does** not seem to be the one of voice quality or of acting ability.

［コメント］ このセンテンスでも「現象」の「原因」を仮想しているので，the issue **does** not seem to be ... . の代わりに，the issue **would** not seem to be ... . と，仮定法で表現すればより英語らしい言い方になる。

［範例］ Since some of these programs use famous actors for the dubbing, the issue would not seem to be one of voice quality or of acting ability.

⑥「玄関に立ったまましばらく聞いてみたことが何回かあるが，感じている違いはそう容易には説明できない」

[訳例１] **Although a few times I've tried standing in the entranceway for a while just to listen, the difference that I feel is not so easy to explain.**

[コメント] 原文の「何回かあるが，…」の「が」が表している「逆接」をAlthough [Though, Even though] を使って表しても間違いではないが，このように文頭に置くと，なんとなく「にもかかわらず」という感じが強すぎるように思われる。この文脈では，「逆接」のつながりとして，**but** を使ったほうがすっきりする。

[訳例２] **A few times I've tried standing in the entranceway for a while just to listen, but it is not so easy to explain the difference that I feel.**

[コメント] 「it is 節」で表現してもまったく差し支えない。文全体の感じも変わらない。

[訳例３] **The difference I feel is not so easy to explain, even though a few times I have tried standing in the entranceway for a while just to listen.**

[コメント] このように，節の順を逆にしてもよい。こうして「逆接語」を含む節を後のほうに置くと，even though を使っても，「にもかかわらず」という感じが強すぎる印象はなくなる。

[範例] **A few times I've tried standing in the entranceway for a while just to listen, but the difference that I feel is not so easy to explain.**

上記６つの[範例]をつないで，１つの文にまとめ上げると，次のようになる。

> **My house is small, and when I come home, I can hear the sound of the television from the front entranceway. It is loud enough to tell that people on the program are having a conversation, but not loud enough to catch what they are saying. Oddly enough, though, you can immediately tell whether the program is a Japanese original or has been dubbed in Japanese. Why should this be? Since some of these programs use famous actors for the dubbing, the issue would not seem to be one of voice quality or of acting ability. A few times I've tried standing in the entranceway for a while just to listen, but the difference that I feel is not so easy to explain.**

この他にもいろいろな書き方がある。膨大な数の可能な書き方から適切なものを選ぶ力を身につけるには，よい英文をたくさん読むことが最も効果的な方法である。

A 確認問題 24 (→ 解答 p.618)

1．次の各組の英文は，同じような意味のことを2つの異なった形式で述べたものです。(b) の (   ) 内に最も適切な1語を入れなさい。

(1) (a) She hoped she would soon be able to drive a car.
    (b) She hoped (   ) (   ) able to drive a car soon.

(2) (a) I didn't really expect that you would understand.
    (b) I didn't really expect (   ) (   ) understand.

(3) (a) Thanks to their savings, they were able to retire early.
    (b) Their savings (   ) (   ) to retire early.

(4) (a) She began writing poetry when she was ten years old.
    (b) She began writing poetry (   ) (   ) (   ) of ten.

(5) (a) If the doctor had not operated, he would be dead now.
    (b) (   ) the doctor's operation, he (   ) not be alive now.

2．次の各日本文の意味を表すように，(   ) 内に適切な1語を入れなさい。

(1) パソコンがあれば，こんな手間はすべて省けますよ。
    A personal computer (   ) (   ) you all this (   ).

(2) 私の母は100歳まで生きられそうです。
    (   ) (   ) likely that my mother will (   ) to be a hundred.

(3) このホテルから湖まで歩いて約5分です。
    (   ) (   ) about five minutes' (   ) from this hotel to the lake.

(4) 雨が激しく降っていたにもかかわらず，彼女は仕事に行った。
    (   ) (   ) (   ) the heavy rain, she went to work.

3．次の各英文が正しければ〇をつけ，正しくなければ×をつけて，誤っている部分を正しく書き直しなさい。

(1) It took years for me to complete this book.
(2) There seems to be no one outside.
(3) It is a possibility that it will snow tomorrow.
(4) My father appears very angrily today.
(5) There happened to be a lecture on that day.
(6) Her father's sudden death compelled her to give up her career in music.
(7) They believe him that he graduated from Harvard.
(8) We asked him come to dinner, but he refused.

REVIEW TEST 24

B 実践問題 24 (→ 解答 p.618)

1. 次の各 (a)(b) 2つの文は，同じようなことを言っています。どちらかの文にある（　）内に入れるのに，最も適切な語（句）を選び，記号で答えなさい。

　(1) (a) I'm sorry, but would you mind repeating what you just said?
　　　(b) I beg your (　　)?
　　　(A) repeating　　(B) words　　(C) again　　(D) pardon

　(2) (a) Would you like to join me for some coffee?
　　　(b) Why (　　) you join me for some coffee?
　　　(A) do　　(B) don't　　(C) are　　(D) aren't

　(3) (a) Thanks a lot.
　　　(b) Thank you very much. I really (　　) it.
　　　(A) obliged　　(B) grateful　　(C) thanked　　(D) appreciate

　(4) (a) I think you ought to sell it immediately.
　　　(b) If I were (　　), I would sell it immediately.
　　　(A) in my position　　　　(B) better
　　　(C) there　　　　　　　　(D) you

2. 次の各英文は，ある内容をこれまでに学習した構文のどれかを使って表現しようとしたものですが，どの文も1か所，文型や語形が不適切なため意味が通じないところがあります。その誤っている部分を，下線部から1つ選び，記号で答えなさい。

　(1) He (A)didn't find it (B)possible to understand the manual. It was (C)so complicated to (D)understand.

　(2) The company (A)seems likely (B)that it sees growth (C)in both sales and profits in the (D)next financial year.

　(3) Accordingly, (A)there is (B)a high probability of its (C)reduces (D)the effectiveness of the strategy.

　(4) (A)A two-hour bus ride (B)we took to the small village (C)of Kallithea, deep in the (D)farthest reaches of the peninsula.

　(5) Shopping (A)with a credit card (B)it is very convenient. Also, if you pay off (C)what you owe each month, (D)you don't have to pay any interest.

　(6) An ISP will provide you (A)to Internet access. First, you register and (B)open an account, and then they give you an e-mail address (C)so that you can begin to communicate with other people right away (D)by e-mail.

— 584 —

付録 I

句読法

1．終止符 （Period《米》, Full-stop《英》）

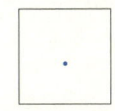

.

(1) 平叙文・命令文の末尾につける。
　Time went by slowly.
　　（時はゆっくりと流れていった）
　Come, tell me all. （さあ，全部話しなさい）
(2) 略語の後につける。
　Mr. Johnson（ジョンソン氏）
　　　●《英》では一般に略語にはピリオドをつけないことが多い。
　U.S.A.（アメリカ合衆国）　●国名では〈USA〉のようにピリオドを省くことが多い。
　Julius Caesar died in 44 B.C.（ジュリアス・シーザーは紀元前44年に死んだ）
　　　●略語が文末に来た場合には，略語にピリオドがついていたら，さらにピリオドは打たない。
(3) 丁寧な依頼文で，疑問符の代わりに用いる。
　Will those in the back kindly come down to the front, please.
　　（後ろにいらっしゃる方々は，どうぞ前の方へお願いいたします）
(4) インターネットでEメールアドレスに用いる。
　morris@jpn.com　　　●"Morris at JPN dot com." と読む。

2．疑問符 （Question Mark）

?

(1) 疑問文の末尾につける。
　Have you brought your dictionary with you?
　　（辞書を持ってきましたか）
(2) 平叙文でも，疑問の意味を含むときには，疑問符をつける。
　This china is made in Japan?（この陶器は日本製なの？）
(3) 文中の語や数字に確信が持てないときに（　　）で挟んで入れる。
　This Muromachi Era (?) sword is a beautiful work of art.
　　（この室町時代(?)の刀は美しい芸術作品である）

3．感嘆符 （Exclamation Point [Mark]）

!

(1) 感嘆文の末尾につける。
　What nice weather we are having**!**（なんていい天気だろう）
(2) 強い命令文につける。
　You be quiet**!**（さあ，静かにするんだ）
(3) 特別に強い感情を表す語句や，間投詞の後につける。
　Look out**!**（危ないっ）
(4) 願望を表す文の末尾につける。
　May you have a very happy married life**!**（幸多きご結婚生活を）
　　● 感嘆符はむやみに使わないこと。

4．コンマ （Comma）

,

(1) 重文の等位接続詞の前に置く。
　The weather forecast said it would be rainy**,** *but* it was fine.
　　（天気予報は雨だろうと言っていたが，晴れだった）
(2) 直接話法の引用部分の区切りに置く。
　Jane asked**,** *"Is this Mr. Robinson's house?"*
　　（ジェーンは「ここがロビンソンさんの家ですか」と聞いた）
(3) 従位節が前に出たときに，その節の区切りに置く。
　*If I had more time***,** I would learn another language.
　　（もしもっと時間があれば，外国語をもう1つ学びたいのだが）
(4) 付加疑問の前に置く。
　His father's ill**,** *is he*?（彼のお父さん，病気だって？）
(5) 分詞構文の区切りに置く。
　*Singing merrily***,** they started towards town.
　　（陽気に歌いながら，彼らは町の方に出かけた）
(6) 非制限用法の関係詞の前に打つ。「前置詞＋関係詞」のときは前置詞の前に打つ。
　He sent me a copy of his new book**,** *in which* I am mentioned three times.
　　（彼は新著を1部送ってくれたが，その本には，私のことが3回ほど登場してくる）

(7) 3つ以上の語句が並ぶときの区切りに使う。
The store sells *books, magazines, videos*(,) and *DVDs*.
（その店は本や雑誌，ビデオ，それに DVD などを売っています）

● 最後の2つは，and でつなぐだけでコンマを打たないこともある。たとえば，ここでは videos and DVDs とすることもある。しかし，とりわけ長い文だと，そうした書き方によってセンテンス全体の意味があいまいになる場合もあるので，一般には，最後の and や or の前にもコンマを打ったほうがよい。

(8) 意味の混乱を避けるために，文法上必要のないコンマを打つことがある。
I saw the woman who had pulled out the gun, *and screamed*.　　(i)
（私は，銃を取り出した女性を見かけ，叫んだ）
I saw the woman who had pulled out the gun *and screamed*.　　(ii)
（私は，銃を取り出して叫んだ女性を見かけた）

● (i)の文は，and の前にコンマがあるから，(　　)に示したような意味が通じるが，こう言いたいときに，(ii)の文のように，and の前のコンマを落とすと，全然違う意味にとられてしまう。英文を書きながら意味を正しくとってもらうために，コンマを打って明確にする必要がある場合もあることに注意。

(9) 同格語句や挿入語句の前後に打つ。
All of us, *to tell the truth,* were exhausted.
（実のところ，我々は皆疲れ切っていた）

● however や therefore などの接続副詞を文中に置くときも，その前後に打つ。

(10) 文頭の文修飾副詞の次に打つ。
Luckily, the police came right away.（運よく警察がすぐ来てくれた）

(11) **Yes / No** や，間投詞の後，呼びかけの語の前か後に置く。
Hello, is anyone there?
（もしもし，そこにだれかいますか）
Don't miss the train, *John*.
（ジョン，電車に乗り遅れないようにしなさい）

(12) 手紙や **e-mail** の書き出しと結びに用いる。
Dear John,　　（親愛なるジョン様 → 拝啓）
Sincerely yours,　　（敬具）

(13) 数の1000などの単位を区切るのに用いる。
365,000 （36万5千）

(14) 日付や住所を書くときの区切りに用いる。
February 22, 2007 　（2007年2月22日）
55 Yokodera-cho, Shinjuku-ku, Tokyo （東京都新宿区横寺町55）

● 郵便などを出す場合には，この後に，162-8680, Japan などと，郵便番号と国名を続けて書く。

5．セミコロン（Semicolon）

```
;
```

(1) 2つの文を結ぶために，等位接続詞の代わりに用いる。

The policy is more than just new; it is revolutionary.
（その方針はただ単に新しいというわけではない。革命的なのだ）

(2) 独立文を接続副詞だけで結ぶときに用いる。

It was raining; *consequently*, we decided to stay home.
（雨が降っていたので，家にいることにした）

　● yet や so の前はコンマがふつう。

(3) 混乱を防ぐために，コンマよりも大きな区切りであることを示す。

I think it would be best to call her in the morning, when she will probably be at home; then send her some yellow roses, which are her favorite type and which you can order from the hotel flower shop; and then, if possible, visit her directly the next day.

（一番いいやり方は，まず，彼女が家にいるだろうと思われる午前中に電話し，それから，黄色いバラを送ってあげ〔それはホテルの花屋でも注文できる，彼女の一番好きな花だ〕，そして，できれば翌日に直接訪ねることだと思う）

　● 上のようなやや長い文では，よけい区切りを明確にする必要がある。

6．コロン（Colon）

```
:
```

(1) ある節が，前の節の説明的な内容になる場合などのときに用いる。

We gave up the plan: we had far too little money.
（我々はその計画を断念した。お金があまりにも足りなかったからだ）

(2) 「すなわち」の意味で，続く節の前に置く。

The problem is this: next year's budget is too small.
（問題は次のことです。来年度の予算は少なすぎるのです）

(3) 対話の内容を示すのに，発話者の名前の次に置く。

John: Will you marry me?
Jane: Please give me a little more time.
　（ジョン「結婚してくれる？」
　　ジェーン「もうちょっと時間をください」）

(4) 正式な手紙や e-mail の書き出しの頭語 (→ p.593 **「英文手紙・Eメールの書き方」**) の後につける。

　Dear Sir**:**（拝啓）　　　　　　　● 親しい間柄の場合はコンマのほうがふつう。

(5) 〈**as follows**〉などの次に置く。

　The dates of the meetings will be as follows**:**
　February 24, March 10, April 7.
　　（会合の日取りは次のようである。2月24日，3月10日，4月7日）

(6) 時刻の区切りに用いる。

　9**:**30 p.m.（午後9時30分）

7．引用符　（Quotation Marks）

" "　　● 《米》では，" " を用い，《英》では，' ' を用いる場合が多いが，書き手の好みにもよる。

(1) 直接話法の発言の引用部分を囲む。他の句読点との位置関係に注意する。
　① コンマ・ピリオドは引用符の内側に，コロン・セミコロンは外側に置く。
　He said, **"**I have a cold.**"**（彼は「風邪を引いているんだ」と言った）
　It is clear who he meant by saying **"**poor golfers**":** you and me.
　　（彼が「下手なゴルファー」と言ってだれを指したのかは明らかだ：君と僕だよ）
　② ？や！が引用文のほうについている場合には，引用符の内側に置く。
　She asked him, **"**What can I do**?"**
　　（彼女は彼に「私には何ができるのでしょう」と尋ねた）
　③ ？や！が本文全体についている場合には，引用符の外側に置く。
　Do you believe **"**Honesty is the best policy**"?**
　　（「正直は最良の策」だと思いますか）
　④ 両方が疑問文の場合は？は引用符の内側だけにつける。
　Did he really ask, **"**Is that true**?"**
　　（彼は本当に「それは本当ですか」と尋ねたのですか）
　⑤ 引用文中の引用符は，" " の中なら ' ' に，' ' の中なら " " にする。
　"Did he ask, **'**Where am I**?' "**（「彼は『ここはどこですか』と聞いたのですか」）
　　　● 引用文が長く，いくつかのパラグラフにわたるとき，各パラグラフの冒頭にだけ引用符の始めのほうをつける。最後のパラグラフの最後に引用符の閉じるほうを置く。

(2) 曲名や，詩，雑誌の記事，論文，短編小説の題名に
　The next song was **"**Tutti Frutti**.**"
　　（その次の曲は「トゥッティ・フルッティ」だった）
　　　● 交響曲やオペラ，演劇，映画，長編小説などの題名，または新聞名や雑誌名はイタリックで表記する。

8. ダッシュ (Dash)

—

(1) 発言や思考の突然の中断や言い直しなどに用いる。
　There they are — the Spanish Steps.
　　（あそこにある —— スペイン階段だ）
(2) 前後を — で囲んで，文中の語句を補足説明する。
　All of the "veterans" — those with 10 or more years of teaching experience — are women.
　　（「ベテラン」，つまり教歴10年以上の者は，皆女性である）
(3) 名詞をいくつか並べた後で，それらを総括する意味で置く。
　Inflation, stock prices, unemployment — all are part of the economy.
　　（インフレーション，株価，失業率 —— これらはすべて経済の分野だ）

9. アポストロフィ (Apostrophe)

'

(1) 名詞や，ある種の不定代名詞の所有格を作るのに用いる。
　Twenty minutes' walk brought me to the hotel.
　　（20分歩くと，そのホテルに着いた）
　Everybody's comment is welcome.
　　（どなたのコメントも歓迎します）
(2) 語句の短縮形を作るのに用いる。
　I can't [＝cannot] speak French.
　　（私はフランス語がしゃべれないのです）
(3) 数字や記号の複数形に〈-'s〉をつける。
　Dot your i's and cross your t's.
　　（i に点を打ち，t に横棒をつけなさい）
　It was in the early 1900's.
　　（1900年代初期のことだった）
(4) 商店やホテル名に〈-'s〉をつけることがある。
　Macy's says that it is the largest department store in the world.
　　（メーシーズは，自分の所が世界最大のデパートだと言っている）

10. ハイフン (Hyphen)

```
-
```

(1) 複合語や数詞に用いる。
 forget-me-not(忘れな草)
 twenty-five(25)　　　　●100以上のときは数字を用いるほうが多い。
(2) 行末の語が次の行にわたるとき,音節で区切り,ハイフンをつけて次の行に続ける。

　hold out　**1** to last, especially in a difficult situ-
ation

　(**hold out**　**1** とりわけ困難な状況下で持ちこたえること)

　　●*OALD* 7th. の〈**hold out**〉の語義から引用。〈situation〉がその行に入りきらないので分節している。

11. 省略符号 (Ellipses)(Three dots)

```
...
```

(1) 引用文などの一部を省略するとき,3つ打つ。1ストローク分の間を空ける。
 "My heart leaps up . . ." is the beginning of a famous poem by Wordsworth.
　(My heart leaps up . . . は,ワーズワースの有名な詩の出だしである)
(2) 文の終わりに来たときには,文の終わりを示すためさらに1つ打って,計4点とする。
 The poem begins, "My heart leaps up when . . . ."
　(その詩は My heart leaps up when . . . で始まる)

12. カッコ (Parentheses)

```
( )
```

(1) 文中で初めて略号を使うときに,カッコ内に入れて示す。
 Bovine Spongiform Encephalopathy (BSE) 〔BSE (Bovine Spongiform Encephalopathy)〕 is a progressive, fatal disease of the nervous system of cattle.
　(牛海綿状脳症(BSE)〔BSE(牛海綿状脳症)〕は,ウシの神経系統の進行性で致命的な病気である)

　　●上の行の〔　　〕内は,略号を先に出した場合の書き方を示す。

(2) 文中での補足，説明に使う。
　　Figure 1 (see p. 32) shows the structure of the switch.
　　　（第1図（32ページ）は，スイッチの構造を示している）

13. ブラケット （Brackets）

[　]

(1) 書かれた文中に，自分の説明や訂正を入れるときに用いる。
　　"Why were they [the police] so late?" she asked.
　　　（「なぜ彼ら（警察）はあんなに遅れてきたの？」と彼女は尋ねた）
(2) カッコの中にさらにカッコを入れたいときに使う。
　　Here is the poll (taken by *The New York Times* [March 5, 2005]).
　　　（ここにニューヨークタイムズ紙〔2005年3月5日付〕による世論調査がある）
(3) 発音記号を表すのに用いる。
　　walk [wɔːk]

14. 大文字 （Capitals）
(1) 文頭の語の最初の字は大文字で書く。
　　Can she use a computer?（彼女はコンピューターが使えますか）
(2) 固有名詞（形容詞）は大文字で始める。
　　The **B**ritish are a proud people.
　　　（英国人は誇り高い国民である）
(3) 人名が続く官職名は大文字にする。
　　Like **P**resident Roosevelt, **P**rime **M**inister Churchill was a man faithful to his duty.
　　　（ルーズベルト大統領と同じく，チャーチル首相は自己に課せられた義務に忠実な人間だった）

15. イタリック （Italics）
(1) 書名・雑誌名・新聞名はイタリック体で書く。
　　The Oxford English Dictionary（オックスフォード英語大辞典）
(2) 長編の音楽作品・戯曲・映画などの題名もイタリック体で書く。
　　Macbeth is being staged at the Strand Theatre.
　　　（『マクベス』はストランド・シアターで上演されている）
(3) 強調したい語句をイタリック体にすることがある。
　　Papers should be written in *standard* English.
　　　（レポートは標準英語で書くべきである）

付録 II

英文手紙・Eメールの書き方

A. 英文手紙

(1) 英文手紙の形式

英文手紙の標準的な形式は次のとおりである。詳細は次ページ参照。

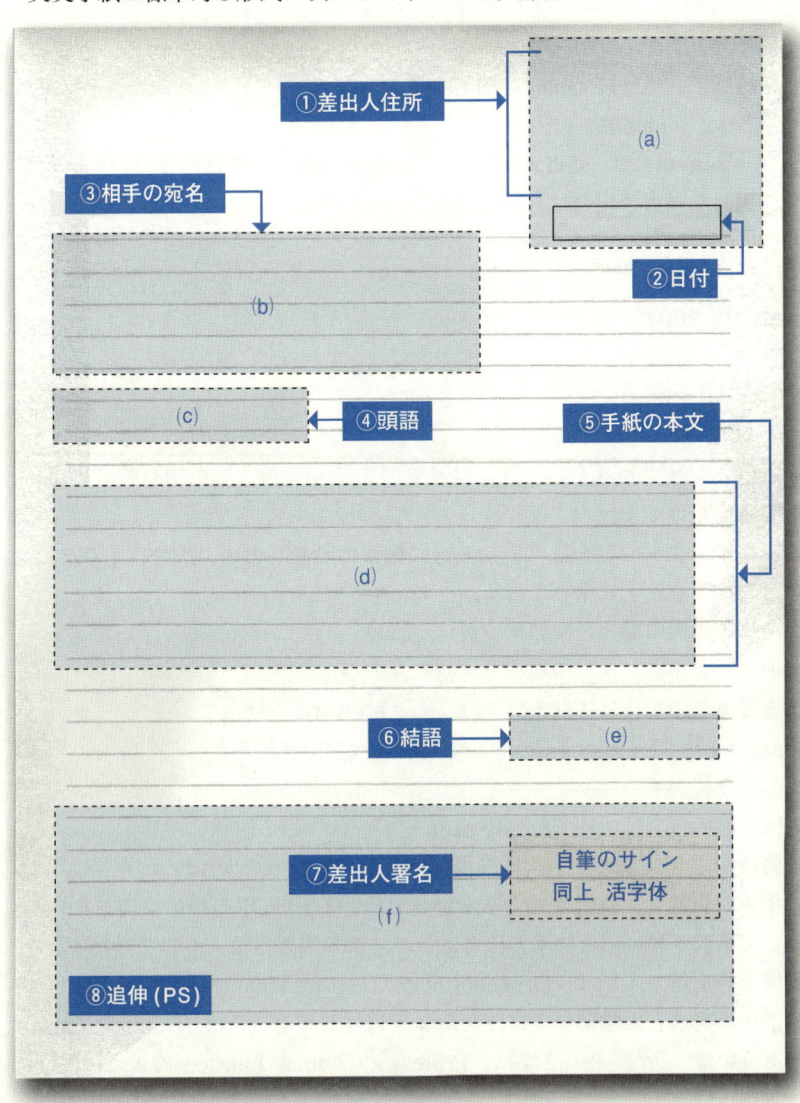

① 差出人住所 → (a)
② 日付
③ 相手の宛名 → (b)
④ 頭語 → (c)
⑤ 手紙の本文 → (d)
⑥ 結語 → (e)
⑦ 差出人署名 → (f)　自筆のサイン／同上 活字体
⑧ 追伸 (PS)

(2) 各部の書き方
前ページに示した番号順に，具体的な書き方と注意点を示す。

(a) Heading
① 差出人住所

    55 Yokodera-cho,
    Shinjuku-ku, Tokyo
    162-8680, Japan

番地から始めて，**日本語の方式とは逆になる**。
郵便番号は，Tokyo のすぐ後にふつうコンマで切らずに続けて書き，そこでコンマを打って，最後に Japan と明記する。
(→ p.457 および **『句読法』** p.587)

＊1. 手紙文の場合は，差出人住所の上に，差出人の名前を書かないのがふつう。
　　（封筒や葉書の場合は，最初に自分の名前を書く）

＊2. コンマは打たなくてもよい。

② 日付

March 10, 2007 のように書くのがふつう。

　＊《英》では 10th March, 2007 の順で書く（→ p.456）。

(b) Inside Address
③ 相手の宛名

　住所はビジネスレターのときには必要であるが，**個人間のやり取りの場**は，**相手の名前だけでよい**。

　ビジネスレターの場合は，最初の行に**相手の名前**を書き，次の行からその**会社などの住所**を，①に準じて書く。

＊住所は差出人の場合と同じ順で書けばよい。

　名前はビジネスレターの場合は，特に次の点に注意。

(i) **企業あての場合は，個人名ではなく，Messrs を使って，**
Messrs. ATT Trading Company（ATT 商事会社御中）
のように書く。

(ii) 個人名の場合は，姓（family name）の前につける敬称に注意。
男性の場合は **Mr.** を，**女性**の場合は **Ms** をつけるのがふつう。
相手が**男性か，女性かわからない**ときは，**To** [TO] の後にコロン(:)を置いて**名前**を続けるという方法もあるが，この書き方はメモ的な感じになる。

(iii) **博士号**を持つ人には，Dr. Johnson または Mr. Thomas Johnson, Ph.D. のように書き，**大学関係**では Professor に対しては，Prof. Thomas Johnson あるいは，Prof. と略さずに，Professor Thomas Johnson のように書けばよい。

(c) Salutation
④ 頭語
　日本語の「拝啓」に当たるものである。
　ふつうは，男性に対しては，Dear Mr ...: を，女性に対しては，Dear Ms ...: を用いる。
　改まった形では，**男性**に対しては，Dear Sir: を用い，**女性**に対しては Dear Madam: を用いる。一般に，**Dear Sir(s)** とか，**Dear Gentlemen** とするのは，最近は性差別の見地から避ける。

(d) Body of Letter
⑤ 手紙の本文
　これは個々の内容や，発信者と受信者の関係によって異なるので，相手によってフォーマル度に注意して書けばよく，特に決まりはない。よく出版されている見本を見て，そのとおりに書くのは紋切り型になり，善しあしである。
＊改行するときに，新しいパラグラフの1行目の最初の語を字下がり（インデント）にするか，1行空けるか，どちらかにする。そうしないと，文全体が読みにくい。

(e) Complimentary Close
⑥ 結語
　日本語の「敬具」に当たるものである。ビジネスレターでは，**Sincerely** や **Very truly yours**，**Sincerely yours**，**Yours truly** などがふつう。個人間では，多少丁寧に **Cordially**，あるいは親しい場合には，**Regards** や **Best wishes**，**Love** などとも書く。

(f) Signature
⑦ 差出人署名
　ここは，必ず**自筆のサイン**を入れる。名前が明確にわかるように，**結語**の下に4行空け，名前を活字で打つ。自筆のサインは，**結語**と活字で打った名前との間に入れる。
　また，性別を明らかにするように，パソコンで打ったほうの最後に（Ms）（Mr.）などと書き添えておくのが親切である。

⑧ 追伸（**P.S.** または **PS**）
　書き忘れたことを，署名から2行空けて簡単に書く。正式文書ではなるたけ避けたほうがよい。

(3) 手紙やメールでは，ふつうの英文を書けばよいわけであるが，「丁寧な」言葉を書く必要のある場合には，特に何かを頼もうとする場合が多いので，その際に覚えておくと便利なものを示す。

- 「お願いを聞いていただけますでしょうか」
  I wonder if I might ask you for a favor.
- 「この件について私に助言をしていただけませんか」
  Would you be so kind as to advise me on this matter?
- 「現金でお支払いいただければありがたいのですが」
  I would much appreciate it if you paid in cash.
- 「ご連絡をいただければありがたく存じますが」
  I was hoping you could contact me.
- 「ご親切なご助言をいただきまして，本当にありがとうございます。
  I'm extremely grateful to you for your very kind advice.

（4）封筒の書き方

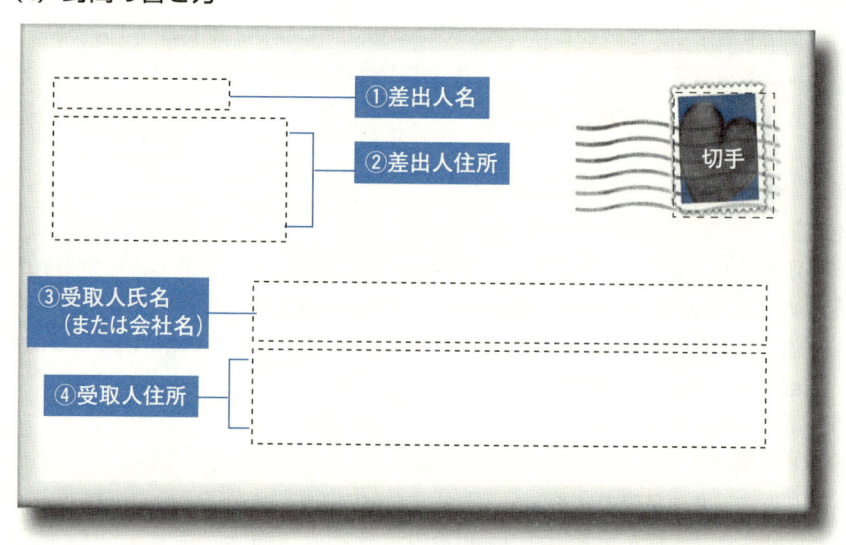

①差出人名
②差出人住所
切手
③受取人氏名（または会社名）
④受取人住所

① 手紙の本文の場合と違って，**住所の上に差出人の名前を明記**する。
② **差出人の住所**は手紙の本文で示したとおりの順序で書く。差出人の名前とともに左端は縦に揃うようにする。スペースその他の関係で，封筒の裏ののり付け部分の三角形になっている所に書いてもよい。
③ **受取人氏名**は，大きく，中央に書く。書き方は本文の場合と同じ。
④ **受取人住所**は，③の下に，より小さな字で書く。書き方は前述のとおり。
相手国の国名を，U.S.A. のように，絶対に落とさないこと。
＊絵葉書に書く場合には，裏面の右側に，封筒の場合と同じ要領で書く。

B. Eメール

(1) Eメールの形式

　Eメールは，機種によって多少異なるが，本文を書く前に，必ず書かなければならない項目がある。

　次に，標準的なものを示す。発信日時などは自動的に相手に伝えられるようになっているから，こちらで書く必要はない。記入する必要のあるものは，ふつう次の①〜④である。

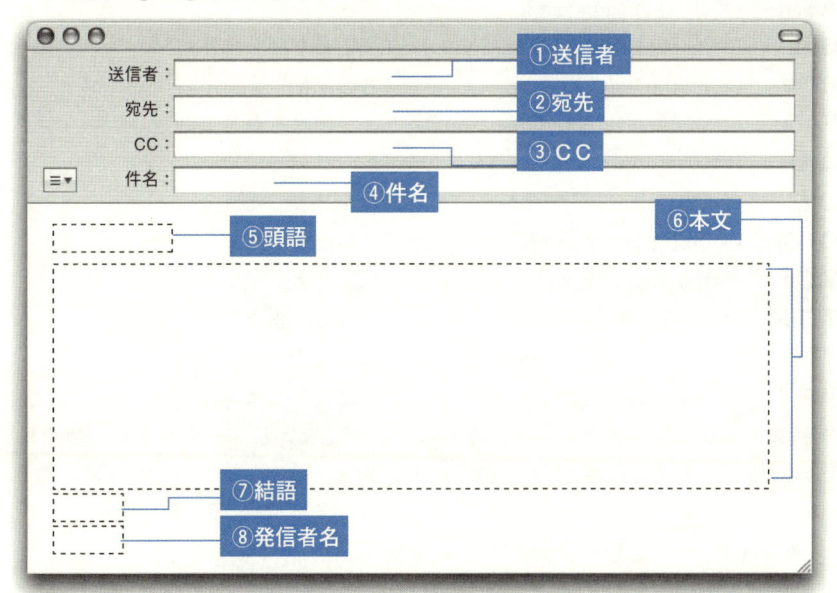

（メール画面図：①送信者／②宛先／③CC／④件名／⑤頭語／⑥本文／⑦結語／⑧発信者名）

① **送信者**　自分のコンピューターなら，すでに設定した**Eメールのアドレス**が入っているのがふつうなので，特に書き込む必要はない。
② **宛　先**　ここには，メールを送る**相手のメール・アドレス**を記入する。ドット1つを落としても先方に着かず，戻ってくるので注意。
③ **Ｃ　Ｃ**　同じメールを**複数の相手**にも送る場合に，その個々のメール・アドレスをここに書く。その必要がない場合には空欄のままにしておく。
④ **件　名**　メッセージの内容がわかるような語句を簡潔に入れる。
⑤ **頭　語**　Dear John, のような形でもよい。同じ相手とやり取りをする場合には，いちいち書かずに，省略することもよくある。
⑦ **結　語**　手紙に準じる。たとえば，次のように書く。
　　　　　　Regards,　With best wishes,　Thanks,
　　　　　　Best regards [wishes],　Warmest regards,
　　　　　※1行を70字程度にすると，相手が読みやすくなる。

Sincerely (yours), ―　Eメールではややフォーマルなのであまり使われない。
Love, ―　ごく親しい場合。

(2) Eメールで使われる略語

くだけた文では迅速さを優先させるために，よく使う用語を略語で示すことがある。いくつか例を示しておく。

ASAP	(＝as soon as possible)	(できるだけ早く)
BBL	(＝be back later)	(後でまた戻ります)
BTW	(＝by the way)	(ちなみに)
FAQ	(＝frequently asked questions)	(よく尋ねられる質問)
IMO	(＝in my opinion)	(私の意見では)
OIC	(＝Oh, I see)	(わかりました)
OTOH	(＝on the other hand)	(その反面)
TIC	(＝tongue in cheek)	(冗談だよ)
TTFN	(＝Ta-Ta for Now)	(それじゃまた)
TTYL	(＝Talk To You Later)	(また後で)
WRT	(＝With Respect To)	(～に関しては)

＊アンダーラインやイタリック，太字などが使えないEメールの場合，強調したい語句は，その前後を＊　＊で囲むことがある。

(3) スマイリー［エモーティコン］（絵文字）

くだけた相手同士のEメールでは，感情を伝えるために，コンピューターの入力で作れる「感情マーク」をよく使い，一般に **smiley [emoticon]** と呼ばれる。特に決まったものではない。気軽なメールに見られる一種の「お遊び」と考えればよい。たとえば，次のようなものが一般的である。

:-)	Happy		:-(	Sad
:-O	Shocked or amazed		:-D	Laughing
;-)	Winking		:-|	Bored or Uninterested

＊*The American Heritage Book of English Usage* より。

(4) メールで覚えておくと便利な言葉

・「このメールを最も適切な方に回していただけますか」
Would you please forward this message to the most appropriate person?
・「ご迷惑をおかけしまして申し訳ありません」
I'm very sorry to have troubled you.

確認問題・実践問題　解答・解説

第1章　文

解答　**確認問題1**（→p.29）
1. (1) **3**　(2) **1**　(3) **4**　(4) **2**　(5) **5**
2. (1) 名詞句　(2) 副詞節　(3) 副詞句　(4) 形容詞句　(5) 形容詞節
3. (1) weren't, we　(2) does, taste　(3) Who, has
4. (1) became → **came** または became to be → **became**　(2) suggests me lots of things → **suggests lots of things to me** ＊suggest は二重目的語をとらない。　(3) Be not → **Don't be**　(4) are → **is**　(5) you found → **did you find**　(6) How → **What** または How a beautiful → **How beautiful a**　(7) Is here a microphone? → **Is there a microphone here?**　(8) don't → **won't**

解答　**実践問題1**（→p.30）
1. (1) **C** reply　(2) **A** a check　(3) **C** difficult　(4) **D** sounds　(5) **D** seems　(6) **D** cost　(7) **A** to confirm　(8) **B** news
2. (1) **A** It → **There**　(2) **D** till us → **us**　(3) **C** for → **that**　(4) **C** for → **to**　(5) **D** will → **we will**　(6) **B** it をとる。　(7) **A** me → **my**　(8) **C** are → **is**

実践問題1 全文訳（→p.30）
1. (1) すぐにお返事をいただけたらありがたいのですが。＊文の構成からみて，主部だから名詞が入るはず。
   (2) 1,200ドルの小切手を同封いたします。＊進行形はくだけた言い方。
   (3) 工場の騒音のため，会話が難しい。
   (4) この人物はその仕事にうってつけのようだね。＊sound のこのような用法は Helpful Hint 2 (p.9) を参照のこと。
   (5) 世界の趨勢(すうせい)は環境にやさしくするということのようである（→p.14）。
   (6) タクシー代はいくらかかりますか。＊cost は二重目的語をとる。
   (7) 座席は確かに予約されていることを確認します。＊〈This is to confirm ...〉は，何かを確認するときのビジネスレターの定型文。この文は，たとえば，旅行会社からの，予約したことの確認メールなど。
   (8) コンピューターウイルスについてのニュースがたくさんある。
2. (1) ここで雇ってもらうのは不可能です。＊〈There is ...〉構文と〈It is ...〉構文は間違えやすいので注意（→p.13）。
   (2) 価格表を送っていただけますか。＊send は二重目的語をとる動詞（→p.10）。
   (3) 我々はみな世界貿易センターのタワーが崩壊したということを聞いた。＊the news と同格だが，後に〈S＋V〉という節が続くから，that節になる。
   (4) これを適切な人に転送してください。＊会社などにＥメールを送るのにしかるべき部署がわからない場合に書く決まり文句。forward（転送する）は二重目的語をとらない。
   (5) 私たちに何かできることがありましたら，どうぞお知らせください。できるだけお手伝いいたします。＊will の主語の we が抜けているので，文として成り立たない。
   (6) 投資顧問をよく選んで決めることが，財務上非常に重要なことだ。＊動名詞の selecting が主語で，それを受ける動詞が is だから，is の前の it は不要。
   (7) 私が書いた論文になるべく早くお目通しいただき，ご意見をいただければ幸いです。＊「I hope you might＋動詞」は丁寧な依頼の仕方として頻繁に用いられる。
   (8) この２つのウェブサイトの内容は，米国住民のみにあてて書かれているものである。＊主語と動詞を確認する。主語は content で単数。これに on these two web sites という修飾語句がついていて紛らわしいが，動詞は is になる。

第2章　動詞

[解答]　[確認問題2]（→p.51）
1. (1) discuss about → **discuss**　(2) replied → **replied to**　(3) married with → **married**
 (4) approached to → **approached**
2. (1) draw　(2) robbed　(3) left ＊「ある場所に置き忘れる」という動詞は leave。(4) go up ＊climb は「手足を使って登る」が基本的意味。
3. (1) come, this　(2) lend, do　(3) resembles, in　(4) use, next
4. (1) have　(2) makes　(3) called　(4) lay
5. (1) flew → **flowed**　(2) wound → **wounded**　(3) got the train off → **got off the train**
 (4) called at → **called on**

[解答]　[実践問題2]（→p.52）
1. (1) **D** ask　(2) **C** tell　(3) **B** pass　(4) **B** welcome　(5) **D** apologize　(6) **D** invite
 (7) **D** fill out　(8) **A** turned off
2. (1) **B** take → **make**　(2) **B** to know → **know**　(3) **A** this proposal → **to this proposal**
 (4) **C** are waiting → **are awaiting** または **are waiting for**　(5) **C** responding your letter
 → **responding to your letter**

[実践問題2 全文訳]（→p.52）
1. (1)「お願いがあるのですが」「いいですよ。お役に立てれば幸いです」
 (2)「マディソン・スクエアガーデンに行く道を教えていただけますか」「いいですよ」
 　＊道案内には tell を用いる。teach は，「（知識や技能を）教える」ときに用いる。
 (3)「塩をとっていただけませんか」「いいですとも」
 (4)「どうもありがとうございます」「どういたしまして」＊welcome は形容詞。
 (5)「お話中失礼します」「かまいませんよ、一向に」
 (6)「今度の日曜日に，私の家に夕食にご招待したいのですが」「ありがとうございます。喜んで伺います」
 (7) 次の書式に記入してくだされば，確認書がEメールで送られます。
 (8) 機長がシートベルトサインを消すまで，シートベルトを締めたままにしていてください。＊turn on が「つける」で，turn off が「消す」の意。
2. (1) 来週の12日から15日まで，シングルルームを1部屋予約したいのですが。
 (2) 注文書を同封いたします。いつ商品の出荷準備ができるかお知らせください。
 (3) この提案にご同意くだされば，それらの点に基づいて契約書を作成します。
 (4) ご注文品が出来上がりました。送る方法についての指示［発送指示書］を待っております。＊「待つ」は wait for か await だが，商用文など堅い文では await がよく使われる。
 (5) 上記の件に関するお手紙へのお返事が遅れまして申し訳ありません。

第3章　時制

[解答]　[確認問題3]（→p.73）
1. (1) boils　(2) rained　(3) looked　(4) turns
2. (1) is becoming ＊「だんだん～になっている」という場合，become は進行形になる。
 (2) have known　(3) hear　(4) will　(5) is using ＊「だれかが今使っているところです」というので，現在進行形になる。目の前で使っていなくてもよい。
3. (1) Where's / has gone　(2) the first / have　(3) have lost / looking for　(4) How long / been studying または studied　＊study は，live, rain, wait などと同じように，現在までの継続を表すのに，現在完了でも，現在完了進行形でもよい（→p.70）。
4. (1) ○　(2) ○　(3) × have seen → **saw** ＊「私がロンドンに滞在していたとき」だから，過去形で表す。(4) ○　(5) × Has Albert Einstein ever gone → **Did Albert Einstein**

— 600 —

ever go ＊Einstein はすでに故人。 (6) ○

解答 実践問題3 (→p.74)
1. (1) **C** was (2) **D** didn't (3) **B** I'll (4) **A** I have (5) **A** You did it (6) **B** will get (7) **C** Will
2. (1) **D** they will be ready → **they are ready** (2) **B** achieved → **have been achieved** (3) **B** are going to → **were going to** (4) **B** produces → **produced** (5) **A** lost → **has lost** (6) **B** will be → **is** (7) **A** become → **becoming**

実践問題3 全文訳 (→p.74)
1. (1) 「お話できてとてもよかったです」「お立ち寄りくださってありがとう」
   (2) 「もうおいとましなければ。こんなに遅くなっているとは気がつきませんでした」
   (3) 「ご注文はお決まりですか」「はい、ローストチキンをいただきましょう」
   (4) 「奈良へ行ったことがありますか」「はい、あります」
   (5) 「大学院の入試に合格しました」「やったね」 ＊You did it! は「よくやったね」というほめ言葉。一方、You got it. は、こちらの言うことを理解した相手に対して、「そのとおり」と言うときに使う。
   (6) 「もしもし、ヘンリーさんをお願いします」「ちょっとお待ちください。呼んでまいります」
   (7) 「今晩のパーティーにいらっしゃいますか」「はい」 ＊Will you be coming ...? とすると、相手の予定を聞いている形になる (→p.69)。
2. (1) 新しい価格表を製作中ですので、出来上がりしだいお送りします。
   (2) この病気に関して、ここ数年間に遂げられた医学的進歩に感謝している。
   (3) 1999年に、C社とD社は合併すると公表した。それは、その時点までのところ、コンピューター業界における最大の合併になるものだった。＊ここでは、実際に合併したとは書かれていないから、would be が適切。
   (4) 1891年から1957年までに、そのれんが会社は、年間約1,000万個のれんがを製造した。＊「1891年から1957年まで」というのは、過去のある時期を指している。
   (5) その会社は、9・11テロ攻撃以来、今年の第2四半期の20億ドルを含めて、60億ドル以上の損失を出した。
   (6) 森林火災は、初期段階で正確に分析しないと、鎮火がきちんとできない。
   (7) 英語教育法はますます多様化してきている。本やビデオ、コンピューター・ソフトウェアを含む専門的教材も必要となっている。＊ELT は、English Language Teaching (英語教育法)。

第4章 助動詞

解答 確認問題4 (→p.102)
1. (1) may (2) can't (3) mightn't (4) must (5) can
2. (1) Shall (2) would (3) would ＊I wonder if you would [could] ... . は丁寧な依頼を表す。 (4) oughtn't (5) should
3. (1) Would (2) must (3) couldn't (4) used to (5) should
4. (1) ✕ can → **be able to** (2) ○ (3) ○ (4) ○ (5) ✕ shall → **should** (6) ○ (7) ✕ used to go → **went** (8) ✕ ought → **ought to** または **should** (9) ✕ have made → **will have made** (10) ○

解答 実践問題4 (→p.103)
1. (1) **A** can (2) **C** may (3) **D** would (4) **D** can't (5) **D** Would (6) **D** will (7) **D** Will
2. (1) **A** need have brought → **need not have brought** (2) **C** vaccinated → **be vaccinated** (3) **C** might well to → **might as well** (4) **D** should → **ought** (5) **C** must

→ will　(6) **A** should not → **should**

実践問題4 全文訳（→p.103）
1. (1)「あなたの CD プレイヤーを使わせていただけますか」「ええ，もちろん」
   (2)「サンディはすごく遅いね」「電車に乗り損なったのかもしれない」
   (3)「土曜日にお宅に伺ってもいいですか」「それはいいですね」
   (4)「スペイン語の勉強を手伝ってもらえませんか」「残念ですができません。スペイン語が話せないのです」
   (5)「スミス先生の講義のノートを見せていただけませんか」「いいですよ。さあ，どうぞ」
   (6)「ご両親様にどうぞよろしくお伝えください」「はい，申し伝えます」＊regards は，複数形で，「よろしくという挨拶(あいさつ)」の意。
   (7)「海外での広告キャンペーンに，我が社を利用していただけませんか」「そうですね，少し考えさせてください」
2. (1) ダイアナはコートを持ってくる必要はなかった。彼女が考えていたよりもずっと暖かかったのだから。
   (2) 老人は皆インフルエンザのワクチン注射を受けるべきだという意見の保健審議会の委員が何人かいた。
   (3) テントの中では火も起こせないし，キャンプストーブも使えなかったので，我々は仕方がなく眠ることにした。＊〈might as well ...〉は，「こういうわけだから…するより仕方がない」という感じ。
   (4) 電話番号や住所，学校の場所を教えてくれなどという人は信用してはいけないことを子供たちに教えてください。
   (5) その会社は，これらの折衝をうまくやり終えるということをなんら保証できない。
   (6) 製品が自分の要求に合うかどうか，ユーザーがすぐに確認できるように，簡潔な説明書をつけるべきである。

第5章　態
解答　確認問題5（→p.120）
1. (1) born　(2) with　(3) taken　(4) been married　(5) was caught
2. (1) We are being followed (by somebody). ＊進行形の受動態だから，〈be being ＋ 過去分詞〉になる。　(2) The children will be looked after (by them) for a short period of time.　(3) It is said that the new restaurant is very expensive. または The new restaurant is said to be very expensive.　(4) No attention was paid to us by the bears.　(5) I have never been treated like that before (by anyone). ＊否定の受動態だから，I have never been treated ... . の形になる。
3. (1) What language do most people speak in Germany?　(2) A Hollywood studio made the novel into a popular movie.　(3) They elected his father speaker of the first session.　(4) You must not open or close hatch covers while workers are below.　(5) East German workers started work on the building of the Berlin Wall on the night of August 12-13, 1961.
4. (1) ✕　by → **in** ＊Tokyo は単に「場所」を表している。　(2) ○　(3) ✕ Herself → **She** ＊再帰代名詞を主語にした受動態は作れない。　(4) ○　(5) ○ ＊「この肉はよく切れる」の意。　(6) ✕ 全文 → **Some houses still lack bathrooms here.**　(7) ○　(8) ✕ 全文 → **The problem was explained to us.**　(9) ○

解答　実践問題5（→p.121）
1. (1) **C** pleased　(2) **C** being cleaned　(3) **D** be kept　(4) **D** have been bitten
   (5) **D** was built　(6) **B** being helped　(7) **D** seated
2. (1) **B** removed into → **was removed into**　(2) **D** should send to that place → **should be**

sent to that place (3) **D** will require → **will be required** (4) **B** attach to → **is attached to** (5) **B** applied → **has been applied** (6) **B** placed → **was [had been] placed**

実践問題5 全文訳 (→p.121)
1. (1) 「お会いできてうれしいです」「こちらこそ」
   (2) 「この部屋を使っていいですか」「すみません。ちょうど今掃除しているところなのです」 ＊ is being cleaned は進行形の受動態。
   (3) 「パーティー用のワイン買った？」「はい。このワインは冷やしておかなければ」
   (4) 「どうしました？」「ヘビにかまれたのです」
   (5) 「この建物はすごく古いようだ」「うん，1800年に建てられたんだ」
   (6) 「ご用は承っておりますか」「ありがとう。ただぶらりと見ているだけです」 ＊店に入ると，店員が May I help you? と言うが，その help と同じ意味。
   (7) 「先生が見えるまで，ロビーでお掛けになってお待ちください」
2. (1) レトルト（乾溜装置）は24時間熱せられ，それからその炭は別の室に移され，そこでさらに24時間冷却された。＊一連のプロセスを述べるのに，受動態が便利である。科学論文に受動態が多くなりやすい理由の１つである。
   (2) 経済学的原理は明らかである。もしある仕事がより少ない費用でどこかほかの場所で同じようにうまくできるのであれば，その仕事はその場所に移されるべきなのである。
   (3) 2003年の新型肺炎のウイルスの場合と同じように，鳥インフルエンザとの闘いも，国際的にうまく連携している努力が必要になる。＊avian influenza は，「鳥インフルエンザ」の正式名。
   (4) Eメールの通信文に添付されたファイルを開くには，そのファイルを示すアイコンをただダブルクリックすればよい。
   (5) 地球と，それよりはるかに暗い月の両方が同じ写真の中で見えるようにするために，ある特殊な処理が施されている。＊make 以下は，make both the Earth and the Moon visible という骨子で，「両方が見えるようにする」ということ。
   (6) イスラエル警察は，その装置が爆発してから燃え出したトラックに，爆弾がどのように設置されていたのか調査中である。

第6章 不定詞

解答 **確認問題6** (→p.153)
1. (1) of (2) not to (3) to be found (4) how to (5) old enough (6) to work (7) that he'll (8) want to ＊suggest に続く that節なので，仮定法現在の buy が使われている。 (9) than ＊物質文明の弊害に反抗して，自然の中の生活を実践した，米国の作家ヘンリー・ソローの言葉。 (10) wonder
2. (1) I thought that he was an actor. (2) I expect that you will follow my rules. ＊〈I expect you that ...〉と you を入れないこと (→p.146)。 (3) He seems to have a lot of money. (4) He promised that he would [will] come to see me this afternoon. (5) She was the first woman ever to be elected mayor of this city. (6) It's already too late (for us) to do it. (7) There are a lot of books here for you to read.
3. (1) ○ ＊All you have to do のように do があると，is の次に to はいらない。 (2) ○
   (3) × believe to be → **believe myself to be** ＊これは自分のことを言っている場合の答え。日本文の意味が与えられていないから，英文としては，him や her も入るが，いずれにせよ，この形で目的語なしの問題文は誤りである。 (4) × to talk → **to talk to** (5) ○
   (6) ○ (7) × 全文 → **It is impossible for him to climb that tree.** (8) ○

解答 **実践問題6** (→p.154)
1. (1) **D** to eat (2) **C** I'd like to (3) **A** to hear that (4) **D** too heavy to (5) **B** kind of

確認・実践問題 解答・解説

you (6) **A** rather stand
2. (1) **B** to be destroyed → **to have been destroyed** (2) **B** discover → **to discover** (3) **A** In order to not delay → **In order not to delay** (4) **A** be → **to be** (5) **D** had not better drive → **had better not drive**

実践問題6 全文訳 (→p.154)
1. (1)「何か食べませんか」「はい，サンドイッチをいただきたいですね」
　(2)「もう少しおられたら？」「そうしたいのですが，別の約束がありますので」＊I'd like to まで言えばよい。代不定詞の形。
　(3)「我々のチームは，10種目中6種目に勝ちました」「それはよかったですね」
　(4)「この車椅子はどうして外に置きっぱなしになっているのですか」「重すぎて，階上に運び上げられないのです」
　(5)「あなたはすばらしい芸術家ですね。あなたの作品が大好きです」「ありがとう。ご親切にそう言っていただけるとは」＊〈It is [was] very kind of you to ...〉は，相手にお礼を言うときの決まり文句。
　(6)「どうぞお掛けください」「ありがとう。でも，立っているほうがよいのです。長くはおりませんので」
2. (1) 2棟の馬小屋が破壊されたと伝えられ，6頭もの馬が死んでしまったようだ。
　(2) 本社が，小麦粉を出荷するときに，密封されたブリキ缶を使うことを初めて発見したのです。
　(3) 出版を遅らせないように，著者に送られる校正刷りは，決められた期日内に返送されなければならない。校正がこの期間内に受け取られない場合，刊行は取り消されることもある。＊proofs which are sent to authors と，which are を補えばわかりやすい。
　(4) 10月28日にその火山が白い灰で覆われているのが観察された。そして，その火山は薄い灰の柱を北西になびかせながら，依然として活動していた。
　(5) その薬を飲んでから8時間の間は飲酒は控え，車の運転もしないほうがよい，と看護師に言われた。

第7章　分詞

解答 確認問題7 (→p.172)
1. (1) burning (2) confused (3) repaired ＊〈get＋O＋過去分詞〉で，「O を〜してもらう」の意味。 (4) speaking (5) understood (6) stealing (7) closed (8) filled (9) having been (10) stolen
2. (1) Opening the drawer, he took out a revolver.　(2) Watching TV, he fell asleep.
　(3) Being a friend of the President's, he has considerable influence in the White House.
　(4) Any book which [that] belongs to the library should be returned within a week.
　(5) I had my wallet stolen in the middle of the city.
3. (1) × Being not → **Not being**　(2) ○　(3) × Knowing not → **Not knowing**
　(4) ○ ＊have completed my homework と同じ意味で，完了を表す。 (5) ○

解答 実践問題7 (→p.173)
1. (1) **B** very boring (2) **D** stolen (3) **D** traveling (4) **C** Speaking of (5) **D** waiting
2. (1) **B** leave → **leaving** (2) **D** fixing → **fixed** (3) **C** come into → **coming into**
　(4) **B** consisted of → **consisting of** (5) **C** smoking people → **people smoking**
　(6) **A** admitted → **admitting** (7) **A** See from the outside → **Seen from the outside**

実践問題7 全文訳 (→p.173)
1. (1)「そのテレビ番組はどうだった？」「とてもつまらなかった」
　(2)「カードを盗まれました」「発行している銀行に至急連絡しなくては」

— 604 —

(3) 中東を旅行している間は，大勢の親切な人に出会う。
(4)「机といえば，新しい事務所の家具をどう思う？」「いい家具だけどね，私は新しい家具よりも，超過勤務手当てを払ってもらいたい」＊Talking [Speaking] of ともいう。
(5)「こんなに遅くなってすみません，ジェーン。うんと待たせたかしら」「いいえ，それほどでは」

2. (1) 6月24日の成田発ニューヨーク行きの直航便に乗りたいのです。どの便が利用できるか，教えてくれませんか。
(2) 新しい電池を入れて，ふたを元どおりに閉めなさい。それでもその時計が正しく，あるいはまったく動かないようでしたら，修理してもらわなければなりません。
(3) 国際収支とは，国に入ってくる金額と，国から出て行く金額との差のことである。
(4) 情報通信網，すなわち WWW は，インターネットの，世界中のコンピューターに蓄えられているドキュメントから成る部分のことです。
(5) 他人の喫煙に長い間さらされていると，肺癌（がん）や心臓病の危険性が増大する。
＊smoking は，名詞の前に置くと，「煙を出している」の意味になる。
(6) 身体にビタミンやミネラルを十分に補う必要性は認めるが，健康の専門家の大多数は，通例としてサプリメントをとることの重要性を軽視してきた。
(7) 外側から見ると，その建物は4つの別個の部分，すなわち，ロビーと講堂，張り出した展示場，古文書保管所，そして，上に事務所のある図書館から成っているように見える。

第8章　動名詞

【解答】**確認問題8**（→p.187）

1. (1) to help　(2) singing　(3) committing　(4) to graduate　(5) to take　(6) watching
＊〈be worth ～ing〉「～する価値がある」。この場合 watching の意味上の目的語は this TV show である。　(7) skiing　(8) eating　(9) driving　(10) making

2. (1) There, telling　(2) On, entering　(3) needs, fixing　(4) my [me], taking
(5) without, thinking

3. (1) ✕ meet→**meeting**　(2) ✕ to change → **on changing**　(3) ◯ ＊「彼がなぜそのように振舞うのかわからない」の意。him は his でもよい。　(4) ◯　(5) ◯　(6) ✕ to type → **typing**

【解答】**実践問題8**（→p.188）

1. (1) **B** about going　(2) **D** to driving　(3) **D** for interrupting　(4) **B** about going
(5) **D** opening　(6) **B** to turn out　(7) **D** for trying

2. (1) **C** to support → **to supporting**　(2) **D** needs to reform → **needs reforming** または **needs to be reformed**　(3) **B** to touch → **touching**　(4) **B** deserves to read → **deserves reading** または **deserves to be read**　(5) **D** needed knowing → **needed to know**　(6) **B** complain → **complaining**

実践問題8　全文訳（→p.188）

1. (1)「宇宙に行くというのはどう？」「あまり行きたくないね」
(2)「右側通行に慣れましたか」「いいえ，まだです」＊〈be used to ～ing〉で「～するのに慣れている」。「～するのに慣れる」なら〈become used to ～ing〉になる。
(3)「スミスさん，お話中失礼ですが，お電話です」「ありがとう」
(4)「夕食を食べに商店街に行くのはいかが？」「それはいい考えだ」
(5)「ドアを開けていただけませんか」「いいですよ」
(6)「出るときに明かりを消すのを忘れないように」「はい，忘れません」
(7)「助けようとしてくださってありがとう」「どういたしまして」

2. (1) こんな堅実な投資家たちを抱えた集団の仲間入りができて，うれしく思います。そし

て社が計画を推進するときに支援するのを楽しみにしています。＊as it advances の as は，「～するとき」の意。
(2) 「簡単」なほうが「複雑」よりも望ましいということに反対する人はほとんどいないだろうし，税制にも改革の必要があることに疑いはない。＊「改革される必要がある」だから，〈need reforming〉か，〈need to be reformed〉にする。
(3) ディスクは縁を持って扱い，光っている面に手を触れることを避け，使っていないときには，そのケースにしまっておきなさい。
(4) この本は，まじめな研究編纂(さん)書であり，人類がいかに情報時代に対応してきたかということに関心のある人にとって，読む価値のあるものだ。
(5) このデータベースを利用する価値はあった。私が知る必要のあったありとあらゆる情報を提供してくれたからだ。＊(A) の worth using は正しい（→確認問題1-(6)）。(D) の needed knowing は，〈need ～ing〉の形だと，「～される必要がある」（→(2)）になるので不可。
(6) これらのフォーラムで同じ話題に多数のメッセージがあったことについて不平を言っても無駄だよ。

第9章 法

解答 **確認問題9** （→p.208）
1. (1) were (2) were (3) should need (4) repainted (5) be ＊主節は意味上現在のことを言っている。 (6) work (7) weren't (8) were to see (9) would (10) were ＊〈if only〉は〈I wish〉よりも強い言い方。
2. (1) If the bag had not been so expensive, I would have bought it. (2) If it had not been for the scholarship, I wouldn't have been able to complete my studies. (3) I wish I knew something about computers. (4) Should you have any problems, please feel free to contact me. (5) She talked as if she were my mother. ＊talked になっても as if 以下は仮定法だから，時制を一致させる必要はない。
3. (1) ○ (2) ○ ＊demand の目的語の that節だから，仮定法現在を使う。 (3) × Was → **Were** (4) ○ (5) × wish → **hope**

解答 **実践問題9** （→p.209）
1. (1) **A** I were (2) **B** you were (3) **D** Couldn't (4) **A** you did (5) **D** wish
   (6) **D** had not been
2. (1) **B** will be changed → **be changed** (2) **D** was safe → **will be safe** (3) **B** would fail → **should fail** (4) **A** moved → **had moved** (5) **C** did not receive → **would not have received** (6) **A** would want → **would like** または **would** を取って **want** だけにする。
   (7) **B** submitted → **(should) be submitted** (8) **D** would have been → **had been**

実践問題9 全文訳 （→p.209）
1. (1) もし私が君だったら，常連のお客さんを動揺させたりはしない。
   (2) もしあなたが責任者を選んでくれたら，すごくうれしいのですが。
   (3) 「週末はいかがでしたか」「最高でした」＊Couldn't have been better. は頻出表現。
   (4) まだクラブに加入していないのでしたら，もう加入していいころですよ。
   (5) このひとときが永遠に続いてくれたらなあ。＊hope なら could は will になるし，意味上も不適。
   (6) テロリストたちがいなかったなら，この防護柵(さく)は作らなかった。
2. (1) 無認可者が入り込むのを避けるために，あなたのパスワードを少なくとも月に1回変えるようお勧めします。＊suggest の目的語の that節だから，仮定法現在。
   (2) たとえコンピュータが使用中にたまたま動かなくなったとしても，ハードディスクに保存されているものは無事です。＊should を用いた仮定法だが，意味上 was はおか

(3) これらの部品のどれかが万一作動しなくなっても，私どもの監視サービスがEメールですぐにお知らせします。
(4) もしその会社がカリフォルニアに移転していたら，その労働者の約85ないし90％を失っていたことだろう。＊過去のことを仮定している。
(5) もし狂牛病が食肉に関連していなかったらあれほどマスコミの関心は呼ばなかっただろう。
(6) 5月10日にダブルルームの予約をしたいのですが。
(7) リストは，私たちのウェブフォームを利用するか，あるいは普通テキストの形式でEメールで提出されるよう要求します。
(8) もしその中味がもっと完全なものだったなら，多くの人がとっくにその資料を利用していたでしょう。

第10章　疑問詞

解答　確認問題10　(→p.222)

1. (1) How　(2) How　(3) What　＊like があることに注意。　(4) What　(5) Who　(6) Why　(7) What　(8) How　(9) Which　(10) soon　＊「あとどのくらいしたらよくなるでしょうか」
2. (1) ○　＊How come ...? は，Why ...? と違って，主語と動詞は倒置しない。　(2) × **Do you know what this flower is?**　(3) ○　(4) ○　(5) × **How do you like your eggs?**　(6) × **Can you guess who he is?**
3. (1) What, the, with　(2) Who(m), are, for　(3) Who, do, you, think　(4) are, you　(5) where, my, are　(6) Where, are, we

解答　実践問題10　(→p.223)

1. (1) **A** Where　＊選択肢に How があればそれでもよい。　(2) **C** What　(3) **D** Why　(4) **D** Where　(5) **A** Who　(6) **B** What's　(7) **C** Why　(8) **B** Where
2. (1) **C** why → **what**　(2) **B** what was like → **what it was like**　(3) **A** How do you think → **What do you think**　(4) **A** How → **What**　(5) **C** how much your diamond weight → **how much your diamond weighs**

実践問題10 全文訳（→p.223）

1. (1)「ご連絡はどこにすればよいですか」「〈vowel@robinson.co.jp〉で私あてにEメールを送ってください」
   (2)「何を差し上げましょうか」「これに似合うレースを1ヤード欲しいのですが」
   (3)「彼に電話をしたらどうですか」「はい，そうします」
   (4)「この地図ですと，どこにいるわけですか」「ちょうどここです」
   (5)「どこにお勤めですか」「サリー設計事務所です」＊勤め先を聞くときに使う表現。
   (6)「どうしたの？」「いや，別に」
   (7)「お仲間入りしてもいい？」「どうぞ」
   (8)「どこで会おうか」「グリーンプラザホテルのロビーで」
2. (1) 勤め先に応募するときに，これから雇い主になるかもしれない会社に，どういうことをしてほしいと望みますか。
   (2) あなたが初めて恋をしたときに，どんなものだったか覚えていますか。
   (3) 私どものサイトをどう思われますか。私どもの製品についてのお問い合わせをEメールでなさりたい場合には，私どものEメールの書式をお使いください。
   (4)「その学会はどういうものですか」「プログラムは，主要な演者たちの発表と，分科会のメニューが注意深く組み合わされています」
   (5) 最後のCというのは，ダイアモンドの基本計量単位を表しています。カラット重量と

は，ダイアモンドがどれくらいの重さかということです。ダイアモンドは1カラットの千分の1まで計られます。

第11章 接続詞

解答 確認問題11 (→p.257)
1. (1) because (2) so (3) or (4) that (5) Although (6) long (7) such (8) as (9) but
2. (1) ○ (2) × unless they reply → **if they don't reply** (3) × and → **or** (4) ○ (5) ○
   (6) × if → **whether** (7) × missed → **miss** (8) × beside → **besides**
3. (1) I, must (2) or, you, will (3) it, if (4) so, can

解答 実践問題11 (→p.258)
1. (1) **B** that you (2) **D** when (3) **B** but (4) **B** until (5) **C** If (6) **A** saying that
2. (1) **D** if → **unless** (2) **A** until → **while [when]** (3) **D** and → **or** (4) **C** though → **in case** (5) **C** for → **because** (6) **A** insisted on → **insisted** (7) **C** if → **that**

実践問題11 全文訳 (→p.258)
1. (1)「お話しできて実に楽しかったです」「おいでくださってうれしいです」
   (2)（酒をつぎながら）「適量になったら言ってください」「ありがとう。それで十分です」
     ＊Say so [Tell me] when you have been given enough. の略。
   (3)「すみませんが，今何時か教えていただけませんか」「3時10分前です」
   (4)「私が戻るまでここで待っていてくれるとお約束してくださいますか」「いいですよ」
   (5)「ジェーンに会ったら，よろしく伝えてください」「はい，お伝えします」
   (6)「高すぎると言うのですか」「そのとおりです」
2. (1) 話し相手がだれだかわかっていない限り，電話で個人情報や，クレジットカードの番号を公表してはいけない。
   (2) 信号が赤の間は，どの車も止まって待っていなければいけない。そして，信号が青になったら動いてよい。
   (3) メッセージは，100字までにしてください。句読点はそれぞれ1字と見なされます。下の照合欄にチェックをしないと，ご希望の口座更新はされません。
   (4) システムが作動しなくなったり，壊れた場合に備えて，情報をどこかほかの場所に保存する手段を設ける必要がある。
   (5) ただ水面が穏やかだからというだけの理由で，そこにクロコダイルがいないと思ってはいけない。
   (6) 最高裁は，政府はその件を法廷にかけて，どうして出版が禁止されるべきなのかを示す証拠を提出しなければいけない，という命令を下した。
   (7) この会社がこのように成功している理由の1つは，真に顧客の要求に耳を傾け，ただちにしかるべく対処をするからである。

第12章 関係詞

解答 確認問題12 (→p.288)
1. (1) which (2) what (3) whose (4) which (5) whom (6) that (7) whose (8) which (9) that (10) why
2. (1) ○ (2) ○ (3) × Which → **As** (4) × which → **when** (5) ○ (6) × that → **which**
3. (1) how (2) whoever (3) the, way (4) whatever [what] ＊anything も可。 (5) in

解答 実践問題12 (→p.289)
1. (1) **C** what (2) **A** wherever (3) **A** who (4) **D** φ (5) **D** φ
2. (1) **A** that → **what** (2) **D** when → **who(m)** (3) **A** whose → **when** (4) **D** that → **whose** (5) **D** way how → **way that** (6) **B** then → **when**

— 608 —

実践問題12 全文訳 (→p.289)

1. (1)「お手伝いいただけますか」「できることでしたら何なりと」
   (2)「座るのはここがいいですか」「どこでもお好きな所に」
   (3) 動議に反対の方はおられますか。
   (4)「どんな仕事をしたいのですか」「そのための訓練を受けてきた仕事をやりたいです」
   (5)「彼を信用していますか」「はい,彼の言うことはすべて本当だと思います」
2. (1) 人は見ることができる物を買うものです。我々の製品をインターネット上でお見せすれば,来店されるか,ウェブサイトで注文してきますよ。
   (2) ビジネスを英語で行う世界では,あまりよく知らない人に対してもファーストネームで呼びます。
   (3) 議題の中に秘密にしておくべきものが入っている場合もあり,その場合には,そうした議題はマスコミのいないところで検討されることになる。*part of the business to be discussed の part は is の主語である。
   (4) 過去10年の歴史が我々に教えるものがあるとすれば,平和というものは,ある国が一方的に行動することによって達成されるものではなく,どの国も平和と正義を目的とする国際社会の一員として行動することによって達成されるものだということである。
   (5) 報告書を書き終えるために,そちらにもっと情報を提供してもらわないといけません。そのようにしてもらうしか終わらせる方法がないのです。
   (6) うまくいけば,海外・国内を問わず,テロ行為はもう心配しなくていい日がじきにやってくるかもしれません。

第13章 前置詞

解答 確認問題13 (→p.328)

1. (1) by (2) during (3) above *この freezing は「氷点」の意味。 (4) for (5) of (6) by (7) except (8) in (9) in (10) by
2. (1) of (2) from (3) with (4) of (5) with (6) to (7) of (8) of (9) to (10) over
3. (1) along [up, down], to (2) from, of, at (3) with, for

解答 実践問題13 (→p.329)

1. (1) **D** on (2) **C** for (3) **A** of (4) **D** by (5) **D** for (6) **A** of (7) **B** on
2. (1) **A** for cheating → **of cheating** (2) **A** to cloning → **in cloning** (3) **C** in → **with [of]** (4) **B** on spanking → **of spanking** (5) **C** of online courses → **for online courses**

実践問題13 全文訳 (→p.329)

1. (1)「家具売り場はどこでしょうか」「6階です」
   (2)「予約はしてありますか」「はい,2時の予約をしてあります」*病院などの予約をしたいときには,"Could I make an appointment?" などと尋ねることが多い。
   (3)「米国に来られた目的は何ですか」「勉強のためです」
   (4)「最新のデザインをファックスで送っていただけますか」「かしこまりました。今すぐお送りします」
   (5)「いらっしゃいませ。何かお探しでしょうか」「ええ,ブーツを探しているのです」
   (6)「ここの従業員は何人ですか」「私たち7人です」
   (7)「アンダーソンさんとお話ができますか」「申し訳ございませんが,ただ今ほかの電話に出ております。そのままお待ちいただけますか」
2. (1) 会社が,連邦法によって命じられている,自分たちのもらうべき超過勤務手当を巻き上げているのではないかと訴えている労働者が何人かいる。*〈cheat A out of B〉は「AからBを巻き上げる」。out of は of でもよい(〈rob A of B〉と同じ形になる)。
   (2) 最近,科学者は,羊や他の動物のクローンを作るのに成功した。ヒトをクローンとし

て発生させる技能も，今や達成可能な範囲にあるように思われる。
(3) 一般的に言って，ヘルスケアの施設や，多層のショッピングモール以外では，エレベーターは3階以下のビルにつける必要はない。
(4) アメリカ人の65％は，子供のお尻(しり)をたたくことを是認しているが，この割合は1990年以来ずっと変わっていない。
(5) この調査で明らかになったことだが，26パーセントはすでにインターネットでオンラインコースを検索しており，どれか1つのオンラインコースを受けたか，あるいは，講師が直接教える授業だが，オンラインで行われる重要な部分も含むコースを受けている。

第14章　名詞

解答 確認問題14 (→p.364)

1. (1) A dog (2) are (3) furniture (4) The Amazon, the Andes (5) Plutonium (6) information (7) sunglasses (8) last night (9) blue pants
2. (1) ✕ a good advice → **a good piece of advice** または **good advice** (2) ○ (3) ✕ this your brother's story → **this story of your brother's** (4) ○ (5) ○ (6) ✕ shook hand → **shook hands** (7) ✕ have kindness → **have the kindness** (8) ✕ cattles → **cattle** (9) ✕ the Central Park → **Central Park** (10) ○
3. (1) injury, him, from (2) minutes', her, to (3) pride, her, to

解答 実践問題14 (→p.365)

1. (1) **B** scissors (2) **C** traffic (3) **D** business (4) **A** cake (5) **C** a crowd of
2. (1) **D** the police is → **the police are** (2) **D** a 22-stories building → **a 22-story [storied] building** (3) **D** for more informations → **for more information** (4) **D** 300 million yens → **300 million yen** (5) **A** carry-on baggages → **carry-on baggage** (6) **C** a distance of 1.6 kilometer → **a distance of 1.6 kilometers** (7) **D** declare it to Custom → **declare it to (the) Customs**

実践問題14 全文訳 (→p.365)

1. (1)「はさみが欲しいのですが」「どんな種類のものがお望みで」＊はさみは，1丁でも some scissors になる。
   (2)「タクシー！　駅まで。急いでいるんだ」「かしこまりました。道路がそんなに渋滞していなければすぐに着きますよ」＊「道路が込む」は，The traffic is heavy. あるいは，The street is busy.
   (3)「やあ，ジョン，商売はどう？」「まあまあです」
   (4)「ケーキをもう少しいかが？」「はい，いただきます」
   (5)「なんという人だかりでしょう」「みんなが乗客というわけではありませんよ。友人の見送りに来ている人もいます」
2. (1) 被害者が警察に情報を提供すればするほど，警察は力になれる。
   (2) その像の冠まで上るには354段あり，22階建てのビルの上まで上るのと同じです。＊自由の女神像についての説明。
   (3) 登録簿をバックアップする手順について自信がなければ，詳細についてはオペレーション・マニュアルの「バックアップの手順」のセクションを参照してください。
   (4) 2001年の4月1日から2002年の3月31日までの間，ユニセフへの寄付金は，およそ3億円に達した。
   (5) 搭乗は，航空会社の職員によるすべての乗客の手荷物の検査が済んでからである。
   ＊baggage（手荷物）は，複数形にならない。
   (6) トンネルの東半分に関して，当初の計画では，人力で1.6キロの距離を削岩することに

なっていたが，その方法では遅すぎるということがわかった。＊1.6でも，1.0以上は複数になる。

(7) 物によっては，国内への持ち込みを禁止したり，制限する非常に厳しい法律があります。お持ち物に関して不安がある場合は，到着時に必ず税関に申告してください。

第15章　冠詞

解答 確認問題15 （→p.381）

1. (1) an　(2) an　(3) an　(4) a　(5) an　(6) The　(7) the　(8) the　(9) the　(10) an　(11) the　(12) a
2. (1) ✕　a such → **such a**　(2) ✕　by → **in** または **on**　(3) ✕　a chairperson → **chairperson**　(4) 〇　(5) ✕　by the fax → **by fax**　(6) ✕　For an example → **For example**　(7) ✕　the dinner → **dinner**　(8) 〇
3. (1) back, home, subway　(2) bears, the, Arctic　(3) intend, to, university [college]

解答 実践問題15 （→p.382）

1. (1) **A** Ueno Station　(2) **C** the time　(3) **B** a very nice lunch　(4) **A** What a shame!　(5) **C** a good trip
2. (1) **B** rearrange a data → **rearrange data**　(2) **B** importance → **the importance**　(3) **C** sixteen hours the day → **sixteen hours a day**　(4) **A** one of most important functions → **one of the most important functions**　(5) **B** new fountain pen → **a new fountain pen**

実践問題15 全文訳 （→p.382）

1. (1)「上野駅への行き方を教えていただけますか」「はい，次の角を右に曲がってください」
   (2)「今何時ですか」「10時半です」＊時間を尋ねるには，What time is it? でもよい。
   (3)「いや，実においしいランチでした」「気に入っていただいてなによりです」＊lunch は，具体的に修飾語などがつくと a をつける。
   (4)「昨日はピクニックに行きましたか」「いいえ，一日中忙しすぎたもので」「それは残念でしたね」
   (5)「来週パリへ行きます」「そうですか，どうかよい旅を」
2. (1) コンピューターは，多くの入力機構から受信した様々な種類の情報を分類したり結合したりして，記憶装置内のデータを並べ替えることができる。
   (2) 実業界では，適切な態度をとることの重要性を理解することは，非常に重要なことです。
   (3) 第2次世界大戦中，ウィンストン・チャーチルは，60代後半から70代前半にかけての年齢だったが，来る年も来る年も，1日に16時間も働くことができて，大英帝国の戦争遂行の指揮を執っていた。
   (4) 手紙を書くという仕事は，会社にとって極めて重要なものになることが多い。手紙の効果によって注文を獲得するかどうかが決まってしまうかもしれないのだ。＊one of the most important functions には the が必要。
   (5) 私が誕生日の贈り物に欲しいものは，フローレンスから郵便で受け取った特殊な紙に書くときに使う新しい万年筆です。＊new fountain pen には冠詞が必要。

第16章　代名詞

解答 確認問題16 （→p.420）

1. (1) its　(2) It　(3) It　(4) has　(5) yourself　(6) another　(7) Both　(8) none
2. (1) ✕　my one → **mine**　(2) ✕　that → **those**　(3) ✕　so violets are → **so are violets**　(4) ✕　it → **one**　(5) ✕　one → **wine**　(6) ✕　talking → **talking to [with]**　(7) 〇　(8) ✕　either → **all**　(9) ✕　anyone → **any one**　(10) ✕　sides → **side** または either → **both**
3. (1) That, bad　(2) some, more　(3) Who, what　＊最後に ? がついていなければ，None

[Nobody], what。 (4) this, every

解答 実践問題16 (→p.421)
1. (1) **B** that (2) **A** It (3) **D** that (4) **C** Aren't these (5) **A** you
2. (1) **D** and → **or** (2) **B** another types → **(the) other types** または **another type**
(3) **D** None of the other → **None of the others** (4) **B** have availed → **have availed themselves of** (5) **A** on another side → **on the other side** (6) **A** their → **its**

実践問題16 全文訳 (→p.421)
1. (1)「君のほうが僕より分別があると言っているの？」「いや，そんなつもりで言っているんじゃないよ」＊前言を訂正するときに言う決まり文句。前言を直接に指しているので that になる。
(2)「おいでいただいてありがとう」「どういたしまして」＊わざわざ来てくれたことへのお礼とその応答。
(3)「これはいい考えじゃないと思うな」「まったくそのとおりだ。時間の無駄だよ」＊You can say that again! は，くだけた表現で，強い同意を示す表現。
(4)「これ，君のはさみじゃない？」「おや，そうだ。バッグから落ちてしまったんでしょうね。ありがとう」
(5)「コーヒーをもう1杯飲まない？」「それではお言葉に甘えまして」＊〈if you insist〉は，「どうしてもとおっしゃるなら」。
2. (1) 2003年夏の時点で，JET プログラムには，38か国から6000人を超える参加者がいた。参加者は，日本全国の公立学校や，地方公共団体に配属されていた。＊JET (Japan Exchange and Teaching Program) は，語学指導を行う外国青年招致事業のこと。
(2) この公式報告書は，洗練された説明の文体と，その内容の複雑さで，他のタイプの報告書と見分けがつく。＊type of は，this type of car または these types of car(s) のような形をとる。(D) の it は this formal report を指している。
(3) その仕事に応募した50人の志願者のうち，必要な資格を持っているのは6人しかいない。それ以外の者は1人も考慮に入れられない。＊none of の次は複数形がくる。
(4) 実のところ，割引の特典を利用してきた人はほんのわずかしかいないのだが，ただそのことを知らない人が多いからだけだ。＊avail はやや堅い言い方だが，使うときには avail oneself of の形にする。
(5) 太平洋はヨーロッパからみると地球の反対側にある。ということは，太平洋に飛ぶには，北アメリカ経由でも，アジア経由でもどちらでも選べることになる。＊「反対側」は，the other side。
(6) 西欧社会は年齢分布だけでなく，ほかの多くの点でも変わりつつある。それぞれの変化の重要性を判断するのは，ほとんど不可能である。＊Western society is ... と受けているのだから，代名詞も their でなく its にする。

第17章 形容詞
解答 確認問題17 (→p.459)
1. (1) historical (2) German (3) amazing (4) satisfied (5) lucky (6) much (7) ready (8) deal (9) divided (10) slow
2. (1) there, little (2) Quite, few (3) are, frequent (4) What, present [current]
3. (1) × of you → **for you** (2) × many → **a large** (3) × much → **many** (4) ○ (5) × 全文 → **It is possible to measure the surface temperature of the sun.** (6) ○ (7) × new anything → **anything new** (8) × ninety → **nineties** (9) ○ (10) × alive → **living**

解答 実践問題17 (→p.460)
1. (1) **A** bad (2) **A** special (3) **B** better (4) **A** terrible (5) **D** chilly (6) **B** accessible

2. (1) **B** economical → **economic**　(2) **B** healthy → **health**　(3) **D** personally → **personal**　(4) **B** much → **large**　(5) **A** You are necessary → **It is necessary for you**　(6) **A** necessity → **necessary**　(7) **B** nineteen hundred → **nineteen hundreds**　(8) **D** every fourth hours → **every four hours**

実践問題17 全文訳 （→p.460）

1. (1)「失業してしまいました」「それはお気の毒ですね」
(2)「今夜は何かご予定でも？」「いいえ，特に何も」＊何かしようという誘いのときに言うことが多い。
(3)「ご気分はいかがですか」「だいぶよくなっています。ありがとう」
(4) ひどく悪いみたいですね。大丈夫ですか。
(5)「どうなさったんですか」「寒気がするのです」＊What's the matter? とほぼ同じ。
(6) このサイトは今はアクセスできません。後ほどもう一度やってみてください。

2. (1) 物価だけでなく，経済活動のレベルも，消費の量と密接な関係がある。
(2) 被雇用者の健康保険は，さらに多くのさまざまなタイプに分けられる。
(3) 個人情報を書式に記入する必要がある。＊fill out＝fill in
(4) お客様が大量に注文なさいますと，割引，つまりお支払いになるべき金額を値引きいたします。
(5) 注文される家具のデザインがあなたの新しい居間に似合うかどうか確かめるために，カタログを慎重にチェックすることが必要です。
(6) 必要書類はすべて提出期限日，またはそれ以前に提出されなければなりません。＊on or prior to は，「当日かそれより以前に」。
(7) 1900年代に蔓延（まんえん）が防がれたと考えられていた病気が，いくつかの国でまた深刻な問題になっている。＊A disease (which was) considered (to be) controlled ... .「蔓延を防げたと思われていた病気」のように，consider A to be B の to be は省略できる。
(8) 成人および12歳以上の者：4時間ごとに4ないし8錠を水で服用のこと。＊12 years and over は，12歳を含む。

第18章　副詞

解答 確認問題18 （→p.487）

1. (1) truly　(2) high　(3) late　(4) upstairs　(5) before　(6) once　(7) much　(8) almost　(9) well　(10) such
2. (1) Don't, No　(2) forgotten, already　(3) Here, are　(4) Naturally, lot
3. (1) He doesn't know ... still. → **He still doesn't know ... .**　(2) Almost → **Most**　(3) too → **either**　(4) about at → **at about**　(5) has to be yet → **has yet to be**　(6) put off it → **put it off**　(7) completely was → **was completely**

解答 実践問題18 （→p.488）

1. (1) **B** Certainly　(2) **D** ahead　(3) **B** Here　(4) **A** here　(5) **D** Unfortunately
2. (1) **D** easy → **easily**　(2) **C** somewhere → **somewhat**　(3) **A** prompt → **promptly**　(4) **B** high → **highly**　(5) **A** alleged → **allegedly**　(6) **A** very → **very much**　(7) **A** Almost of the front doors → **Most [Almost all] of the front doors**

実践問題18 全文訳 （→p.488）

1. (1)「お手洗いを使わせていただけますか」「はい，どうぞ」＊Do you mind if ...? に対する応諾は no になる。
(2) 交換手「ロサンゼルスのワット様という方から，加藤様に国際電話がかかってきております」加藤「ありがとう。つないでください」交換手「先方がお出になりました。お話を始めてください」＊party は「相手」のことで，Your party is on the line. は決ま

り文句。
(3)「免許証を見せてください」「はい，これです」＊Here it is. は「ほら，ここにあります」の意味。
(4)「ここは気に入りましたか」「すてきな場所だと思います」
(5)「今晩私の家にいらっしゃいませんか」「残念ですが，今日は都合が悪いのです」
＊Why don't you ...? は勧誘の表現だが，文脈によっては，理由を尋ねる疑問にも使える。「どうして〜しないのか」という疑問を，Why do you not ...? で表すのはややフォーマルな言い方。この形が勧誘を表すことはない。

2. (1) 商標というのは，製品が容易にそれとわかるように，会社がそれらにつける名前です。
(2) 応答者の93％が，自由勤務時間制は自分にとって非常に重要である，あるいはある程度重要であると答えた。＊somewhat は「いくぶん，やや」の意味。
(3) すみやかに保険会社に損害の事情と詳細を知らせなければいけない。＊notify A of B で，「AにBを知らせる，届け出る」。
(4) 私どもは顧客を大いに尊重し，最高の水準の製品を供給することに専念しています。
(5) その会社は，労働力を約180人の雇用者数にまで削減することを計画中であると言われている。＊allegedly は，「伝えられるところでは」という，真偽を確信していないときに使う言い方。
(6) この件について情報を送っていただけるとありがたいのですが。＊I would very much appreciate it if ... は，何かを依頼するときの丁寧な表現。appreciate は「〜に感謝する」の意の他動詞。
(7) 表口はほとんど全部開いていたが，中を見ることはできなかった。どのドアにもそれぞれのカーテンが掛かっていたのだ。

第19章　比較
解答　確認問題19（→p.507）
1. (1) cleverer　(2) worse and worse　(3) latter　(4) to　(5) many　(6) in　(7) no　＊建物とヤシの木の高さの比較だから，other はおかしい。(8) largest　(9) that　(10) wider
2. (1) tall, it　(2) twice, as, as　(3) less, than　(4) the, last
3. (1) I am five years your senior. / I am your senior by five years. / I am five years senior to you.　(2) No other bird in the world is more beautiful than the rainbow crow.　(3) The height of Angel Falls is sixteen times that of Niagara Falls.　(4) The city's problems are not so much economic as (they are) political.

解答　実践問題19（→p.508）
1. (1) **C** better　(2) **B** later　(3) **B** better　(4) **C** most　(5) **D** twice　(6) **A** the more　(7) **C** those
2. (1) **B** good → **better**　(2) **A** late → **latter**　(3) **B** so → **as**　(4) **B** most → **the most**　(5) **C** more durable → **durable**　(6) **C** three time → **three times**

実践問題19 全文訳（→p.508）
1. (1) 2時にお会いしましょう。それとも3時のほうがよろしいですか。
(2)「もしもし，ジェーンですが」「あら，後ほどかけ直してもいい？ いま食事中なの」
(3)「景気はどうだい」「最高だね」
(4)「働き続けなければならないのです」「そう，それが一番重要なことなんだよ」
(5) 南アジアの国々は20年前と比べると，ほとんど2倍の石油を使っている。
(6) ユーザーは，（システムの反応が）自分の予想と合っていればいるほど，システムを制御していると感じ，ますますそれが好きになる。
(7) 都市の建築業者の利益は，一般市民の利益とどうみても同じではない。
2. (1) 当行の当座預金口座は他の銀行で見られるものよりもはるかによく，他では見られな

(1) い多くの便宜も提供します。
(2) 1990年代後半に，インターネットの使用は100日ごとに倍増した。
(3) 当社の製品は，お客様の仕様書にできるだけ近く作られています。
(4) 口コミは，おそらく依然として最も効果的な宣伝法でしょう。
(5) トレンディーとかファッショナブルなものより，むしろ長持ちするバッグを買いたい。
(6) テレビのＣＭは新聞広告の３倍近くも効果的である。

第20章　時制の一致・話法

解答　確認問題20　(→p.525)

1. (1) asked Andrew / his weekend had been　(2) they would see me the next day
(3) I would like an appointment for the next Friday　(4) asked me if I liked it there
(5) asked me to send her an e-mail message / I could　(6) a clever boy I was
(7) if she would like tea or coffee
(8) she wanted to send that letter to the U.S. / how much it would be

2. (1) × asked me that I give → **asked me to give**　(2) ○　(3) × had broken out → **broke out**　(4) ○　＊what is the matter の形は，主語が what なので，語順は変わらない。　(5) × said me → **told me**　(6) ○　＊Would you mind ～ing? の形。　(7) × last night → **the night before** または **the previous night**　(8) ○

解答　実践問題20　(→p.526)

1. (1) **C** asked　(2) **A** suggested　＊stay が原形。　(3) **B** claimed　(4) **D** had traveled
(5) **A** cause　(6) **B** recommend

2. (1) **C** are → **were [had been]**　(2) **C** should pursue → **should be pursued**　(3) **A** to the company → **the company**　(4) **C** was → **would be** または **was to be**　(5) **C** change → **changed** または **were to change**　(6) **A** that をとる。　(7) **A** has → **had**

実践問題20 全文訳　(→p.526)

1. (1) 店員は，おはようございます，何を差し上げましょうか，と言った。
(2) 彼は，毎晩だれかが事務所に残っていたらよいと提案した。
(3) 彼らは，政府は台湾に象牙(げ)を17トン送ったと主張した。
(4) CNN のレポーターは，自分はちょうどクウェートから戻って来たところだが，そこではアメリカ人の警備隊員が同行していたと言った。
(5) その科学者たちは，牛の BSE は人に伝染して脳の病気である CJD を引き起こす可能性があると報告した。
(6) 担保付きローンから始めたほうがよいと勧めたい。

2. (1) ABC ニュースは，容疑者はフランスのパスポートを持っており，彼に関する詳細が，ロンドンのヒースロー空港の警備当局に伝えられたと言った。
(2) ホワイトハウスは，機密情報を漏らすことは，徹底的に追及されるべき重大な事であると言った。
(3) 私はその会社に，製品のカタログを郵送してくれと頼んだ。
(4) その新聞は，トルコに駐留する米軍の数は，翌月中に25,000人に増える(予定だ)と言った。
(5) マイクロソフト社は，ユーザーがセキュリティーを変えたりしない限り，そのようなウイルスがインターネットエクスプローラーを通して感染することはないと言った。
(6) トムはプログラマーに，そのソフトウエアを再構築することができるかどうか聞いた。
(7) 彼はすでに自分の銀行にユーロの口座を開いてくれるよう頼んであると言った。

第21章　否定

解答　確認問題21　(→p.540)

1. (1) No　(2) can　(3) no　(4) both　＊so 以下と意味が合うようにすると，「両方はいらない」という部分否定が適切。　(5) yet
2. (1) don't think, any longer　(2) is far from a safe または is no safe　(3) Not all, written in English
3. (1) Who knows better than you?　(2) This river is so dirty that fish cannot live in it.
   (3) Nobody here can understand French.　(4) Everyone wants to go there.
   (5) No one can predict which plane will be the next to depart.
4. (1) ✕ Either theory cannot → **Neither theory can**　(2) ✕ no → **any**　(3) ✕ not above → **above**　(4) ◯

解答　実践問題21　(→p.541)

1. (1) **D** No　(2) **A** No　(3) **C** not　(4) **B** nothing　(5) **D** without　(6) **B** Isn't
   (7) **D** Hardly　(8) **B** Don't
2. (1) **B** do → **don't**　(2) **A** would not → **would**　(3) **C** with → **without**
   (4) **A** by → **until**　(5) **B** getting not back → **not getting back**　(6) **D** with → **from [of]**
   (7) **B** anything → **nothing**

実践問題21 全文訳　(→p.541)

1. (1)「この手紙を出してくれますか」「いいですよ」
   (2)「昨日，新車をもう1台買った」「すごい！」
   (3)「ここでタバコを吸ってもいいですか」「どうぞ」
   (4)「手伝ってくださってありがとう」「どういたしまして」
   (5) 苦痛を伴わなければ得ることはない。
   (6) 今日はなんてよい天気なのでしょう。
   (7) こんなにうまくできたのをめったに見たことがない。おめでとう。
   (8) 彼のことは気にしないでください。彼は何ひとつわかっていないのだから。
2. (1) 実際には，相場は絶えず上がったり下がったりする。それは必ずしもいつも一直線に上昇したりはしない。
   (2) 保険会社はそのような疑わしい場合には，損害保険料を支払う義務などありはしない。
   (3) このウェブサイトのどの部分も，ウェブマスターの文書による合意がなければ，複製してはいけない。
   (4) 1998年になって初めて，英国政府は感染した牛のえさが BSE の原因である可能性が高いということを懸念し始めた。
   (5) 折り返し連絡するのが遅くなり，申し訳ございません。会議中だったのです。
   (6) この地域はまだ公式に「鳥インフルエンザ」ウイルスがなくなったとは認定されていない。
   (7) 彼女が成功したのはその言語能力自体とは関係ないことだった。まったく質の高い彼女の思考の賜物だった。

第22章　一致

解答　確認問題22　(→p.552)

1. (1) is　(2) has　(3) is　(4) is　(5) has　(6) is　(7) are　(8) was　(9) has　(10) is
2. (1) is a lot [a large amount]　(2) are　(3) is　(4) of elderly people [the elderly] is
3. (1) ◯　(2) ✕ were → **was**　(3) ✕ were → **was**　(4) ✕ are → **am**　(5) ◯　(6) ◯
   (7) ◯　(8) ✕ has → **have**

解答　実践問題22　(→p.553)

1. (1) **B** How's　(2) **A** What's　(3) **D** There's　(4) **D** does　(5) **A** Is there

(6) **B** Where are
2. (1) **B** is → **are**　(2) **B** has studied → **have studied**　(3) **C** have → **has**　(4) **D** are → **is**　(5) **C** is → **are**　(6) **C** amount are → **amount is**　(7) **C** were considered → **was considered**　(8) **A** were → **was**　(9) **B** is served → **are served**

実践問題22 全文訳 （→p.553）
1. (1)「調子はどう？」「まあまあです」 ＊How's everything? は，親しい間柄で使う。
   (2)「どうしたの？」「別に何も」
   (3)「どうもすみませんでした」「謝られることなんかないですよ」
   (4)「19時15分のステージはいつ終わるのですか」「9時半ころです」
   (5) 航空便で送る小包に重量制限はありますか。
   (6)「私の眼鏡はどこだろう」「見かけていませんけど」
2. (1) 貴社の商品に問題がなければ，かなり多量の再発注をお願いすることがあるかもしれません。
   (2) 警察官のほとんどは犯罪学を学んだことがあるものの，実際その学位を持っている者はいない。＊police は常に複数形であり，most of the police も複数扱いになる。また，ここでの none は「1人もいない」というニュアンスが幾分かあるので，単数扱いは差し支えない。
   (3) この病院の各個室には，電話とテレビがあります。
   (4) 大統領がユダヤ教徒の指導者と会う予定であるというニュースは期待の持てるものだ。
   (5) SARS の主な症状は，高熱，空咳（からせき），呼吸の切迫ないしその他の呼吸困難です。
   (6) チップは当地では一般の習慣です。ふつうの金額は，勘定書きの10ないし15％です。
   (7) 中国とインドネシア両国全土に広がっていた鳥インフルエンザは，人間の健康にとって真の脅威だと考えられていた。
   (8) 新聞に書き立てられている彼に関する記事の大半は，まったくのうそか，ひどい誇張だった。
   (9) 暖かい食事と軽食の両方が学生のために手ごろな値段で提供されます。ソフトドリンクの自動販売機もあります。＊meal（食事）は可算名詞。〈both A and B〉は，原則として複数で受ける。

第23章　倒置・省略・強調・挿入
解答 確認問題23 （→p.565）
1. (1) Neither　(2) Had　(3) had I　(4) I would never make　(5) he is　(6) if ever　(7) of　(8) Here comes　(9) are　(10) Do be
2. (1) was his diligence that　(2) mind in　(3) to speak [say]　＊〈as it were〉と同じように使う。（→p.207 **107B**）。
3. (1) × I did → **did I**　(2) ○　(3) ○　(4) ○　(5) × as it was → **as it were**　(6) × on the earth → **on earth**

解答 実践問題23 （→p.566）
1. (1) **B** What size　(2) **D** How about　(3) **D** After you　(4) **B** have been better　(5) **D** Speaking　(6) **D** Paging
2. (1) **A** Enclosing → **Enclosed**　(2) **B** What your → **What is your**　(3) **C** will he not → **will he**　(4) **A** failed → **fail**　(5) **A** Was the picture → **Were the picture**　(6) **A** has adopted the government → **has the government adopted**

実践問題23 全文訳 （→p.566）
1. (1)「ゴルフシューズが欲しいのですが」「サイズはいくつですか」「7.5です」

— 617 —

(2)「何時が一番都合がよいですか」「そうですね，3時はどうでしょう」「結構です」
(3)「お先にどうぞ」「いえ，どうぞお先に」
(4)「旅行はいかがでした？」「最高でしたよ」
(5)「ロビンソンさんとお話ししたいのですが」「私です」
(6) お呼び出し申し上げます。ジョーンズ様，ロバート・ジョーンズ様。最寄りのご案内所までお越しください。＊Paging Mr. [Ms] ... は公共の場での呼び出しの決まり文句。

2. (1) 私どもの商品の価格表を同封いたします。＊商用文によく使われる形だが，Our price list is enclosed (herewith). の倒置形である。We are enclosing (herewith) our price list. というように，進行形にすることもある。本問は倒置形。
(2)「今すぐファックスをお送りします。そちらのファックス番号は何番でしょうか」「米国を示す1に続けて145-774-3947です」「はい，わかりました」
(3) 彼は手伝おうともしなければ，邪魔にならないようにどいてくれようともしない。
(4) 私どもの製品が万一破損しておりましたら，全額払い戻しか，お取り替えのためお戻しください。
(5) その絵が本物だとするなら，数千ポンドの価値があるでしょう。
(6) 政府が，長年乱用されてきたこの天然資源を保護する政策をやっと採用したのは，ごく最近だ。

第24章 文の転換

解答 確認問題24 (→p.583)

1. (1) to, be (2) you, to (3) enabled, them (4) at, the, age (5) Without, would
2. (1) would, save, trouble (2) It, is [seems, appears], live (3) It, is, walk
(4) In, spite, of
3. (1) ○ (2) ○ (3) × It is a possibility → **There is a possibility** または **It is possible**
(4) × angrily → **angry** (5) ○ (6) ○ (7) × believe him that → **believe that**
(8) × asked him come → **asked him to come**

解答 実践問題24 (→p.584)

1. (1) **D** pardon (2) **B** don't (3) **D** appreciate (4) **D** you
2. (1) **C** so → **too** (2) **B** that it sees → **to see** (3) **C** reduces → **reducing** (4) **B** we took → **took us** (5) **B** it is → **is** (6) **A** to Internet access → **(with) Internet access**

実践問題24 全文訳 (→p.584)

1. (1) すみませんが，もう1度おっしゃっていただけますか。
(2) コーヒーをご一緒にいかがですか。
(3) どうもありがとうございます。
(4) それはすぐ売ったほうがいいと思うよ。＊〈if I were you〉は相手に助言をするときの決まり文句。
2. (1) 彼はそのマニュアルがわからなかった。複雑すぎてわからなかったのだ。
(2) その会社は売り上げも利益も次の会計年度では伸びそうだ。
(3) したがって，それがその計画の効果を損なう可能性が大きにある。
(4) バスに2時間乗って，我々は半島の最も奥深い所にあるカリテアという小さな村に着いた。＊A two-hour bus ride が主語になっている。
(5) クレジットカードでの買い物は極めて便利である。その上，毎月使った分だけを支払えば利息はつかない。
(6) ISP はインターネットアクセスを提供するものだ。まず登録をして，アカウントを開けば，他の人たちとすぐにEメールで交信できるようにEメールアドレスをくれる。

1. 文法事項索引

※太字は主要文法項目を，青字は機能名を示す。
太数字は主要解説のあるページを示す。

あ行

間を示す前置詞　310
新しい情報　14
アポストロフィ（'）　352
（実現しなかったことに対する）遺憾を表す〈should [ought to]＋have＋過去分詞〉　126
意見を述べる〈It is＋形容詞＋that A (should) ...〉構文　441

意志
　過去の強い〜　would　93
　話し手の〜・意図　will　59, **90**
　shall　95
意志未来（will）　59
依存を示す前置詞　326
1人称　383
　〜の shall　95
一致　542
　関係代名詞の人称と数　260
　時間・距離・金額などを表す複数語句を受ける動詞　547
　時制の〜　509
　集合名詞と動詞　334, **542**
　集合名詞を受ける代名詞　550
　主語と動詞の〜　542
　主語と補語の数の〜　550
　相関語句を受ける動詞　549
　常に複数形の名詞と動詞　542
　複合主語を受ける動詞　547
　不定代名詞と代名詞の〜　551
　不定代名詞を受ける動詞　544
　部分・数量を表す語句と動詞　545
　分数の主語を受ける動詞　546
　名詞と代名詞の〜　550
　〈A and B〉を受ける動詞　226, **547**
　〈a 〜 of A〉型の句の主語を受ける動詞　546

　〈A of B〉型の主語を受ける動詞　545
　〈A or B〉，〈either A or B〉を受ける動詞　548
　everybody [everyone] を受ける代名詞に they を使わない工夫　551
　〈neither A nor B〉を受ける動詞　548
　〈not only A but also B〉と，類句の違い　549
　〈There is ...〉構文の be 動詞の数や人称　13
一般疑問文〈V＋S〉（Yes / No で答えられる）　23
　〜に組み込む間接疑問　220
　〜の受動態　110
　〜の話法転換　521

意図
　主語の〜を表す be going to　60
　積極的な意欲・〜を表す to 不定詞　182
意味上の主語
　動名詞の〜　176
　不定詞の〜　127
　分詞構文の〜　167
　分詞構文の〜の省略　**167**, 558
　〜を表す〈for＋目的格〉　128
（積極的な）意欲・意図を表す to 不定詞　182

依頼
　丁寧な〜　could　80
　丁寧な〜を表す過去進行形　68
　丁寧な〜を表す動名詞の慣用構文　179
　丁寧な〜を表す未来進行形　69
　丁寧な〜を表す〈if you were to ...〉　199
命令文に続く付加疑問文　26
　〜を表す疑問文で用いる any と some　405, 406
　〜を表す単なる条件（開放

条件）　192
　can　79
　might　84
　will　91
　would　94
（2つの部分から成る）衣類の単複の扱い　350
因果関係を表す等位接続詞 and　225, 227
印象を表す動詞　9
（迷惑の）受身〈get＋O＋過去分詞〉　166
遠隔を示す前置詞　309
応諾を表す will　91
脅しを表す単なる条件（開放条件）　192
驚き
　〜を表す副詞　475
　should　97
重さ
　〜の単位の読み方　457
　〜を尋ねる How much ...?　218

終わりを表す
　〈S＋V＋to 不定詞〉　143
温度の単位の読み方　458

か行

回避的なことを言う動名詞　183
開放条件　192
会話文　6
限られた期間内の動作の継続　66
格
　関係代名詞の〜　259, 261
　主〜　357
　所有〜　352
　同〜　358
　二重所有〜　356
　人称と〜　383
　名詞の〜　352
　目的〜　357
確認
　肯定・否定の答えを予期しての〜　530
　〜を表す副詞　475
学問〈常に複数形〉　350

— 619 —

加減乗除の読み方		458
過去		57, 510
意味上〜のこと　would		92
実現しなかった〜の予定を表す〈was [were] to＋have＋過去分詞〉		126
〜のある時より前の動作・出来事を表す過去時制		58, 65
〜のことについて言う〈cannot have＋過去分詞〉		78
〜の代用		56
過去完了		64, 510, 511
過去形で代用できる〜		58, 65
仮定法〜		194, **196**
完了		64
経験		64
継続		65
結果		64
現在完了が過去に移行した場合		64
時制の一致による〜		65, **510**
大過去		65
過去完了進行形		71
過去形	41, **43**, 45, 57, 194, 511	
〜で代用できる過去完了		58, 65
〜と現在完了の比較		66
〜を作る〈原形＋-ed〉		43, 44
〈be going to〉と〈be about to〉		60
過去時制		57
過去形で代用する大過去		58, 65
過去形をいくつか並べて使う		58
過去における動作・出来事・状態		57
具体的行為		57
現在完了の代用		58, **62**
行動		58
同時を表す when と〜		59
過去進行形		68
瞬間への接近		68
進行中の動作・出来事		68
丁寧な依頼		68
〜と未来進行形		69
過去分詞	43, 61, 104, 125, **155**	

感情を表す完全に形容詞化した〜		429
完全に形容詞化した〜		429, 432
完了形を作る〜	61, 64, 65, 66, 158	
形容詞化した語尾が -en の〜		432
形容詞化した〜を修飾する very		481
結果としての状態を表す自動詞の〜		429
自動詞の〜		161
受動態を作る〜		104, 158
他動詞の〜		161
他動詞の〜からの形容詞		430
知覚動詞と〜	**40**, 165	
動詞の〜からの形容詞	422, **428**	
名詞との語順		161
目的格補語に〜をとる第5文型		13
〜から派生した感情を表す形容詞の使い分け		430
〜形を作る〈原形＋-ed〉		43, 44
〜の分詞構文		167
〜を修飾する much		481
〈be＋自動詞の〜〉		158
〈be＋他動詞の〜〉		104
〈be＋〜〉		116
〈being＋〜〉		157, 168
〈can't have＋〜〉		78, 86
〈could have＋〜〉		80
〈couldn't have＋〜〉		86
〈get＋〜〉		116
〈had＋〜〉	64, 191, 196	
〈have＋O＋〜〉		39
〈have [get]＋O＋〜〉	105, 166	
〈have [has]＋〜〉		61
〈having＋〜〉		156
〈having been＋〜〉	157, 168	
〈having never＋〜〉		156
〈intended to have＋〜〉		126
〈may have＋〜〉		83
〈might have＋〜〉		84
〈must have＋〜〉		86
〈need not have＋〜〉		100
〈never having＋〜〉		156
〈not having＋〜〉		156

〈ought to have＋〜〉		89
〈S＋V＋〜〉		162
〈S＋V＋O＋〜〉		165
〈should have＋〜〉	96, 97	
〈should [ought to] have＋〜〉		126
〈to be＋〜〉	105, 126	
〈(to) have＋〜〉		125
〈to have been＋〜〉	105, 126	
〈was [were] to＋have＋〜〉		126
〈will＋have＋〜〉		65
〈would like to have＋〜〉		94
可能性と不可能性		330
可算名詞	330, 331, **332**, 367	
単数形の 1		345
初めて話題に上る〜を導入する不定冠詞		368
不可算（抽象）名詞⇒〜		342
〜が不特定の単数であることを示す不定冠詞		367
〜である集合名詞		334
〜である普通名詞		333
〜と冠詞	332, 366	
〜として使われる固有名詞		341
〜としての抽象名詞	338, 339	
〜と不可算名詞の感覚		339
〜につく定冠詞		371
〜にも不可算名詞にもつく定冠詞		367
〜の単数形につく不定冠詞		366
〜の用法		332
〈a [an]＋単数形〉	332, 369	
〈all＋the＋単数〜〉		410
〈many more＋複数名詞〉		499
〈no＋〜〉		442
zero に続く〜の扱い		345
仮想の条件		193
仮想を表す仮定法	190, 193	
家族を表す固有名詞化した無冠詞		376
価値を表す所有格		356
活用		43
意味によって〜が違う動詞		47
注意すべき〜の動詞		46
動詞の〜		43

2種類の〜形のある動詞 47	現在の事実に反する仮定 195	複合関係形容詞 285
ネイティブの動詞〜の覚え方 48	現在または未来についての可能性の乏しい想像 196	複合関係代名詞 284
複合形の動詞 46	時制の一致 514	複合関係副詞 286
〜形を混同しやすい動詞 47	条件節と帰結節の動詞の形 194	〜を用いた複文 22
仮定	条件節に用いる〜 198	〈〜＋be動詞〉の省略 560
過去の帰結を〜する 197	条件文と〜 195	**関係代名詞** 259
過去の事実に反する〜 196, 197	〜に用いるbe動詞 191, 194, 195	擬似〜 260, **277**
可能性の乏しい〜 196	〈as if [though] 〜〉 205	継続用法 262
現在の事実に反する〜 195	〈It is time 〜〉 205	限定用法 262
仮定法 190	**仮定法過去完了** 191, **196**	「自動詞＋前置詞」の目的語の〜 264
仮想の条件（却下条件） 193	時制の一致 514	集合名詞を受ける 551
願望を表す構文 203	実現しなかったことに対する気持ちを表す構文 203	制限用法と非制限用法 262
願望を表すhopeとwish 191	条件節と帰結節の動詞の形 **194**, 196	先行詞につくaとtheの〜 261
時制の一致 514	条件文と〜 196	〈前置詞＋〜〉 263
時制の一致の例外 512	〜の使い方 195	複合〜 260, **284**
条件節と帰結節の動詞の形 194	〜を用いる条件節 197	〜が導く形容詞節 21
条件節と帰結節の動詞の時制 194	〈as if [though] 〜〉 205	〜とthere is 276
条件節の省略 202	**仮定法現在** 98, 204	〜につく前置詞の位置 264
条件文と法 191	時制の一致 514	〜の格 259
丁寧な表現のwould 94	〈It is＋形容詞＋that節〉中で 205, 441	〜の省略 274
〈命令文＋and [or] ...〉⇔if 573	that節内の動詞の時制 98, 204, 233	〜の二重限定 276
〜と直説法の使い分け 197	**可能**	〜の人称・数・格 260
〜と用いるsuppose, supposing 251	be able to 80	〈of＋〜〉 264
〜の時制 191	can 78	〈one of the＋複数名詞＋〜〉 260
〜を含む慣用表現 207	could 79	that 270
〜を用いた重要構文 203	**可能性**	what 272
〈as if [though] 〜〉 206	can 78	which 267
could 194, 198	could 79	〜の制限用法と非制限用法 268
couldと〜 82	may 82	whichの特別用法 269
if節の代用 201	（これから先のことに対する）考えを表す〈S＋V＋to不定詞〉 143	who 265
ifの省略 200	感覚を表す動詞 9	whoと動物 271
〈It is time 〜〉構文 205	関係を表す状態動詞 35	whom 266
might 194, 198	**関係形容詞** 269, 273	〜の制限用法と非制限用法 266
should 98, 194, 198	複合〜 285	whose 266, 268
shouldを用いた条件文 99, **199**	what 273	〜の制限用法と非制限用法 266
unlessと〜 249	which 269	**関係副詞** 279
were toを用いた条件文 198	**関係詞** 259	複合〜 286
would 95, 194, 198	関係形容詞 269	〜が導く形容詞節 21
〈would rather＋節〉 152	関係代名詞 259	〜の制限用法 279
仮定法過去 191, 194, **195**	関係副詞 279	〜の先行詞の省略 283
願望を表す構文 203	〈前置詞＋〜〉 292	〜の非制限用法 279
	複合〜 284	〜thatの省略 282
		〜whenの省略 280
		〜whereの省略 281
		〜whyの省略 281
		how **281**, 283

that		282
when		279
where		280
why		281

冠詞 16, **366**
  可算名詞と〜 332, 366
  形容詞や副詞の後にくる〜 374
  形容詞用法の all と〜 410
  定〜 367
  不定〜 366, **367**
  無〜の複数形 332, 333, 369
  〜がつく動名詞 175
  〜と序数詞 455
  〜に注意すべき建物や場所 377
  〜の位置 374
  〜の種類と発音 366
  〜の省略 376
  〜の反復 375
  〈〜＋副詞＋形容詞＋名詞〉 374
  a [an] と the の使い分け 261, 369

冠詞相当語 367
  疑問代名詞 367
  固有名詞の所有格 367
  指示代名詞 367
  数詞 367
  人称名詞の所有格 367
  不定代名詞 367
  〈all of＋〜＋複数名詞〉 409

感情
  現在分詞・過去分詞から派生した〜を表す形容詞の使い分け 430
  受動態で表す〜表現 114
  人の〜に影響を与える動詞の現在分詞 428
  〜の原因を表す that 244
  〜の原因を示す前置詞 at 114, **311**
  〜表現 should 97
  〜を表す完全に形容詞化した他動詞の過去分詞 429
  〜を示す前置詞 for 312

官職を表す名詞の無冠詞 376

間接疑問 25, **220**
  一般疑問文に組み込む〜 220
  疑問詞が文中にくる一般疑問文 221
  疑問詞が文頭にくる特殊疑問文 221
  疑問詞で始まる特殊疑問文 220
  〈疑問詞（を含む語句）＋S＋V〉 220
  〈前置詞＋名詞節〉 291
  「…が何だか知っていますか」型 221
  「…をどう思いますか」型 221
  〈I wonder ...〉と疑問詞 221
  if [whether]を用いる〜 220

間接目的語 3
  〜を主語にできる・できない受動態 108, 109

間接話法 516
  〜における that の省略 524
  〈if [whether]＋S＋V〉 220, 521
  Let's 〜型の〜の話法転換 522

完全自動詞 3
  副詞(句)が必要な〜 7
  〜の現在分詞 162
  be 42

完全他動詞 3
完全動詞 3, 31
完全否定 535
  肯定文での at all 411

感嘆文 28
  省略形の〜 28
  〜中の〈主語＋be動詞〉の省略 28, 557
  〜の話法転換 522
  How を用いた〜〈How＋形容詞[副詞]＋S＋V ...!〉 28
  What を用いた〜〈What (a [an])＋形容詞＋名詞＋S＋V ...!〉 28

寒暖を表す it 388
間投詞 17

願望
  実現不可能な〜を表す帰結節の省略 202
  〜を表す仮定法 190, 203
  〜を表す構文 203
  〜を表す hope と wish 191
  〜を表す〈It is＋形容詞＋that A (should) ...〉構文 98, 441, 205

勧誘
  命令文に続く付加疑問文 26
  〜を表す疑問文で用いる any と some 405, 406
  〜を表す否定疑問 530
  must 86
  will 91
  would 94

慣用句
  誤りやすい受動態 118
  基数詞を使った〜 454
  〈前置詞＋名詞〉型の無冠詞 379
  挿入 563
  建物や場所などに the のつかない〜 377
  〈他動詞＋名詞〉型の無冠詞 379
  特殊な〜での無冠詞 378
  日常会話の〜 here, there 479
  否定語を用いない慣用語句 538
  不定代名詞を使った〜 407
  〜的な受動態 115
  all を用いた〜 411
  something, anything, everything を使った〜 417

慣用構文
  原級の〜 503
  原形不定詞を用いた〜 150
  最上級の〜 506
  動名詞を用いた〜 178
  比較級の〜 504
  比較を用いた〜 503
  否定の重要〜 536

慣用的省略
  日常会話における主語(＋動詞)の〜 558
  日常会話における〈主語＋be動詞〉の〜 557

慣用的独立分詞構文 171

慣用表現 6
  仮定法を含む〜 207
  疑問詞 what を含む〜 **214**, 218
  疑問副詞 how を用いた〜 218

1. 文法事項索引　かんよをしめ―ぎもんし

再帰代名詞を使った〜　392
序数詞を使った〜　455
定冠詞 the を含む〜　373
否定語を用いた〜　536
否定語を用いない否定の意の〜　537
名詞を用いた〜　360
話法転換　524
〜を表す現在時制　55
can を用いた〜　81
dare を用いた〜　101
few, little を含む〜　448
many, much を含む〜　446
may, might を含む慣用構文　84
nothing を使った〜　419
other を用いた〜　406
same を含む〜　399
such を使った〜　396
what を含む重要〜　273
would を用いた〜　94

関与を示す前置詞　318

完了
〜の予想　〈should have＋過去分詞〉　97
〜を表す過去完了　64
〜を表す現在完了　62
〜を表す未来完了　66
〜を表す〈have＋O＋過去分詞〉　166

完了形　61
過去完了　64
原形不定詞の〜　125
現在完了　61
動名詞の〜　174
不定詞の〜　125
分詞の〜　156
未来完了　65
〜の動名詞　178
〜の不定詞の進行形　127
〜を作る過去分詞　61, 158
〜を作る have　75
〈cannot＋〜〉　78

完了進行形　70
過去〜　71
現在〜　70
分詞の〜　156
未来〜　71

完了不定詞　125
〈過去形の助動詞＋〜〉　194, 197
過去のことに対する推量　125
実現しなかったことに対する〜　126
〈助動詞＋〜〉　125

関連を示す前置詞　318

期間
ある特定の〜全部を表す〈all＋時を示す語〉　411
ある特定の〜を表す前置詞　297
〜を表す副詞　468
〜を表す while　237
〜を表す前置詞　300

祈願
〜文〈May＋S＋V ...!〉　28
〜を表す may　83

帰結節　191
〈過去形の助動詞＋完了不定詞〉　197
〈過去形の助動詞＋原形不定詞〉　197
条件節と〜の時制　197
条件節と〜の動詞の形　194
〜の省略　202

記号の複数形　349
気候を尋ねる表現　219
擬似関係代名詞　260, 277
as　260, 277
but　260, 278
than　260, 278

擬似自動詞　31
〜の現在分詞　160

基数詞　451
形容詞としての〜　452
個々の数字の読み方（1,000〜100,000）　452
3桁ごとの位（1,000〜100,000）　451
2000年代　453
漠然と多数を表す用法　452
複数形で用いる〜　453
名詞としての〜　452
〜の用法　452
〜を使った慣用句　454
〈〜＋-th〉　454
dozen　453
gross　453
score　453
1〜100　451
101〜　451
100万以上　452

季節

〜を表す固有名詞化した無冠詞　376
〜を表す it　389

規則動詞　43
語尾 -ed の発音　45
〜の過去形　43, 57
〜の語形変化　44

規則複数　346
(比較の)規則変化　490
規則を表す may　83
(時の)起点を示す前置詞　299
(過去に実現しなかった)**希望**を表す〈would like to have＋過去分詞〉　94

基本時制（➡時制）　53

義務
過去の〜　〈ought to have＋過去分詞〉　89
過去の〜　〈should have＋過去分詞〉　96
〜を表す〈be to 〜〉　140
have to　87
must　85
ought to　88, 96
should　96

気持ち
これから先のことに対する〜を表す〈S＋V＋to不定詞〉　143
話し手の〜を表す形容詞　440
話し手の〜を表す副詞　472

疑問
〜に対して答える Yes / No　23, 484
〜の表現を強調する語句　212

疑問形容詞　214
疑問詞　210
間接疑問　25, **220**
疑問形容詞　214
疑問代名詞　210
疑問副詞　215
修辞疑問　26, 212
従属疑問　220
直接目的語が〈〜＋to不定詞〉の第4文型　11
人に what を用いる場合　214
〜が文中にくる〈Do you know what ...?〉型をとる動詞　221

— 623 —

1. 文法事項索引　ぎもんだいめ―きんがく

～が文頭にくる〈What do you think ...?〉型をとる動詞　221
～主語の構文　576
～と一緒に用いる ever　213
～と前置詞の位置　211
～のある文の受動態　111
～の位置　24, **210**
～を主語にした構文　363
～を接続詞として使う間接疑問　220
～を用いる疑問文　24, 210
〈～＋to 不定詞〉　136, 212
ever のついた～　211
〈I wonder ...〉と～　221
〈no matter＋～〉　254
what　213
what を含む慣用表現　180, **214**
which　213
who　212
whom　212
whose　212

疑問代名詞　15, **210**
　形容詞用法　214
　～を受ける動詞の数　211

疑問符（?）　23

疑問副詞　215
　～などを修飾する副詞　462
　how　217
　how を用いた慣用表現　218
　when　215
　where　215
　Where ...? 内で用いる前置詞 in, on, under　216
　why　216
　Why ...? と How come ...? と What ... for? のニュアンスの違い　218

疑問文　23, 24
　一般～〈V＋S〉(Yes / No で答えられる)　23
　一般動詞の～　23
　間接疑問　25, 220
　疑問詞を用いる～　24, **210**
　修辞疑問　26, 212, 537
　従属疑問　220
　助動詞の～〈助動詞＋主語＋本動詞〉　23
　選択～　24
　倒置をしない疑問文　24
　特殊～（"wh-" タイプの～）　24

反語的な言い方になる Why should [would] ...?　216
反語的に使う～　212
否定形の～　23
付加疑問　25
～中の倒置　554
～での〈any＋比較級〉　407
～での many　443
～での much　445, 446
～における not の位置　529
～における some と any　405
～の受動態　110
～の話法転換　520
～を作る do　23, 76
be動詞の～　23
〈I wonder ...〉と疑問詞　221
〈There is ...〉構文　13
When で始まる～と現在完了　63
why, how などで始まる～での should　97
〈Would you rather＋原形不定詞 ...?〉　152

却下条件　193

旧情報と新情報　108

強勢
　～の位置〈現在分詞＋名詞〉　181
　～の位置〈動名詞＋名詞〉　181

強調　561
　確実であることの～
　〈There is no doubt but that ...〉　236
　疑問の表現の～語句　212
　形容詞が表す意味を～する only　441
　形容詞を～する分詞　162
　〈形容詞＋and＋形容詞〉　425
　再帰代名詞を使った～　393
　最上級の～　501
　修飾語句の順序　2
　似たようなものや事柄の繰り返しを強める複数形　351
　反復による～　562
　否定の～　539, 562
　副詞を文頭に出して～する倒置　556

不変の真理などの～　512
平叙文での do を用いた～　561
命令文での do を用いた～　562
～構文〈It is ～ that ...〉　**390**, 561
～語句による～　562
～のための倒置　555
～の at all　**411**, 562
～表現の分類　163
～を表す副詞　470, 481
～を表す all　410
～を表す because の前の just [only]　243
～を表す ever と before　477
～を表す there is　276
do を用いた～　76, **561**
ever のついた疑問詞　211, 213
〈It is ～ that ...〉構文　243
oneself の利用　393, 562
two が～される both the two　409

強調構文〈It is ～ that ...〉　390
　～での that の省略　559

共通名詞　330, 331, 333

許可
　丁寧な～　could　80
　～を求める動名詞の慣用構文　180
　can　78
　may　82
　might　84

拒絶
　過去の～　wouldn't〔否定文で〕　93
　won't〔否定文で〕　91

拒否を表す〈S＋V＋to 不定詞〉　143

距離
　心理的～を表す far　480
　天候・時間・～などの it を主語にする文　574
　～を表す副詞的目的格　357
　～を表す複数語句を受ける動詞　547
　～を表す it　389

金額
　～の読み方　457
　～を表す複数語句を受ける動詞　547

— 624 —

1. 文法事項索引　きんし―けいようし

禁止
can't	79
mustn't	86
shall not	96

句 18
- 形容詞〜 18
- 第3文型で目的語になる〜 10
- 副詞〜 19
- 補語になる〜 5
- 前に出た〜の内容を指すit 388
- 名詞〜 18
- 目的格補語に〜をとる第5文型 12

具象名詞 331, 332
- 〜である物質名詞 337

句動詞 49
- 前置詞と副詞 49, 296
- 〈他動詞＋名詞〉 50
- 〈他動詞＋名詞＋前置詞〉 50
- 〈動詞＋前置詞〉 50
- 〈動詞＋副詞〉 49
- 〈動詞＋副詞＋前置詞〉 49
- 〜(「自動詞＋前置詞」)の目的語の関係代名詞 265
- 〜の受動態 112
- 〜を作る副詞 49, 486
- 〈let＋原形不定詞〉 149

句読法
- アポストロフィ (') 352
- 引用符を使わないこともある描出話法 516
- 感嘆符 (!) 28
- 感嘆符をつけるsoを使った表現 482
- 疑問符 (?) 23
- コンマ, as〔理由〕 243
- コンマ〈..., so that 〜〉 248
- 終止符〔ピリオド〕(.) 23
- 制限用法と非制限用法のコンマ 262
- 節＋セミコロン(;)＋接続副詞＋節 231
- 接続副詞の句読点 231
- セミコロン (;) 22
- パラグラフと引用符 515
- 〈名詞-名詞〉のハイフンによる結合 344
- 〈I wonder ...〉の〜 221

繰り返し
- 名詞の〜を避けるthatとthose 395
- 〈a [an]＋名詞〉で繰り返す場合のone 395

群前置詞 290
- 原因・理由を示す〜 313
- because of 313
- due to 313
- on account of 313
- thanks to と owing to 313

群動詞 49
(時の)経過を示す前置詞 301

経験
- 〜を表す過去完了 64
- 〜を表す現在完了 62
- 〜を表す未来完了 66
- 〜を聞くWhenで始まる疑問文 63

傾向・習性・性質を表すwill 91

形式主語 (it) 2, **389**
- 動名詞の代わりのit 389
- 不定詞の代わりのit 389
- 〜構文でのthatの省略 559
- 〈be＋形容詞＋that〉, 〈be＋形容詞＋to do〉 575
- 〈It is 〜 for [of] A to ...〉型 141, 575
- 〈It is 〜 that [wh-] ...〉型 575
- that節の代わりのit 389
- wh-節の代わりのit 390

形式目的語 4, **389**

敬称の複数形 349

形状を示す語を用いる倍数表現 503

継続
- 限られた期間内の動作の〜 66
- 動作の〜を表す現在完了進行形 63, 70
- 〜を表す過去完了 65
- 〜を表す現在完了 62
- 〜を表す未来完了 66
- 〜を表すtill, until 238
- 〜を示す前置詞 299

継続用法 262

形容詞 16, **422**
- 頭にa-のつく〜 433
- 意味を強めたり，限定する〜 432
- 過去分詞からの〜 428
- 関係〜 269
- 〈冠詞＋副詞＋〜＋名詞〉 374
- 完全に〜化した過去分詞 429, 430, 432
- 元来比較級や最上級だったもの 431
- 疑問〜 214
- 現在分詞・過去分詞から派生した感情を表す〜の使い分け 430
- 現在分詞からの〜 428
- 限定用法と叙述用法で意味が異なる〜 434
- 限定用法にしか用いない〜 431, 489
- 国名(から派生した)〜 425, 426
- 語尾が-enの分詞〜 432
- 語尾によって意味が違う〜 424
- 固有名詞からの〜 422, 425
- 主格補語 5, 431
- 叙述用法のみのもの 433
- 数詞 423, **451**
- 数量〜 423, **442**
- 前置詞の目的語になる〜 292
- 第2文型で補語になる〜 8
- 他動詞の過去分詞からの〜 429
- 単数扱いのeveryの正しい意味 545
- 〈定冠詞＋〜[分詞]〉 373
- 〈定冠詞＋〜の最上級＋名詞〉 372
- 程度の差の考えられない〜 489
- 動詞の現在分詞・過去分詞からの〜 422, **427**
- どんな〜がついてもa [an]がつかない抽象名詞 339
- 2個以上の語が結合した〜 344, 424
- 話し手の気持ちを表す〜 440
- 話し手の主観的判断を表す〜 440
- 比較変化をする〜 489
- 人の感情に影響を与える動詞の現在分詞 428
- 人を主語にした〈〜＋that

— 625 —

節〉構文　　　　　　439
副詞的に用いる〜　　425
複数の〜を名詞の前に置く
　ときの順序　　　　436
物質名詞からの〜　422, **425**
〈不定冠詞＋〜＋抽象名詞〉
　　　　　　　　　　371
不定数量〜　　　　　443
不定の数量を表す〜　442
分詞〜　　　　　427, 428
補語になる　　　　　　5
名詞から派生した〜　432
名詞との位置　　　　435
目的格補語に〜をとる　431
目的格補語に〜をとる第5
　文型　　　　　　　　12
〜が表す意味を強調する
　only　　　　　　　441
〜化した過去分詞を修飾す
　る very　　　　429, 481
〜化した他動詞の過去分詞
　　　　　　　　　　430
〜がつく動名詞　　　175
〜的修飾語句　　　　　6
〜的に働く目的格　　358
〜として使う疑問代名詞
　　　　　　　　　　214
〜としての基数詞　　452
〜としての each　　　413
〜としての such　　　397
〜として用いる副詞　424
〜として用いる名詞
　　　　　　　　343, 424
〜と前置詞との連結　324
〜と同形の副詞　　　463
〜と同形の副詞と，-ly を
　つけた副詞の意味　464
〜になる some と any　405
〜の後にくる冠詞　　374
〜の位置　　　　　　435
〜の限定用法　　431, 435
〜の語形　　　　　　423
〜の最上級　　　　　500
〜の叙述用法　　　　431
〜の働きをする〈前置詞＋
　抽象名詞〉　　　　360
〜の比較変化　　　　489
〜の several　　　　 408
〜・副詞修飾の to不定詞
　　　　　　　　　　135
〜を修飾する副詞の位置
　　　　　　　　　　471

〜を修飾する very　　481
〈〜＋前置詞つきの句や，
　不定詞や動名詞　　434
〈〜＋抽象名詞〉　　　338
〈〜＋動作主〉　　　　361
〈〜＋and＋〜〉　　　425
〈〜[副詞]＋as＋S＋V〉 252
〈〜＋at〉　　　　　　324
〈〜＋for〉　　　　　　324
〈〜＋from〉　　　　　325
〈〜＋in〉　　　　　　325
〈〜＋-ly〉形の副詞の -ly
　のつけ方　　　　　464
〈〜＋-ly〉の副詞　　　466
〈〜＋-ly〉→別の〜　　423
〈〜＋on〉　　　　　　326
〈〜＋that節〉　　　　439
〈〜＋to〉　　　　　　326
〈〜＋with〉　　　　　327
〈all the＋(〜)＋名詞〉 375
〈be＋〜＋of〉　　　　325
〈be＋〜＋that〉, 〈be＋〜＋
　to do〉　　　　　　575
〈be＋〜＋to不定詞〉
　　　　　　　135, 437
〈be＋〜＋to ...〉構文には
　用いられない〜　　437
〈be＋no＋〜(＋名詞)〉 527
〈be anxious to ...〉型　438
〈be difficult to ...〉型
　　　　　　　　　　437
〈be glad to ...〉型　　438
〈be likely to ...〉型　 438
〈be quick to ...〉型　 438
〈be 〜 to ...〉→〈It is 〜 (for
　A) to ...〉構文　　　437
〈be 〜 to ...〉→〈It is 〜 (of
　A) to ...〉構文　　　437
every　　　　　413, 443
〈How＋〜[副詞] ...?〉　217
〈however＋〜[副詞]＋S＋
　V〉　　　　　　　　287
〈I am afraid that 〜〉型 439
〈I am happy that 〜〉型 439
〈It is＋〜＋that ...〉
　　　　　　98, 205, 233, 440
〈It is 〜 for A to ...〉構文と
　that 構文のどちらに使っ
　てもよい〜　　　　141
〈It is 〜 for A to ...〉構文に
　用い，that 構文には使わ
　ない〜　　　　　　141

〈It is 〜 of A to ...〉型に用
　いることのできる〜　142
〈It is 〜 that ...〉構文だけ
　で, to不定詞構文をとれ
　ない〜　　　　　　143
〈It is 〜 that ...〉構文に書
　き換えられない副詞
　　　　　　　472, 473
〈It is 〜 that ...〉構文に書
　き換えられる副詞　472
〈one of the＋〜の最上級〉
　　　　　　　　　　372
-or で終わるラテン比較級
　の〜　　　　　　　499
〈rather a [an]＋〜＋名詞〉
　　　　　　　　　　374
〈so＋〜＋a [an]＋名詞〉
　　　　　　　375, 483
〈so＋〜＋that ...〉　　247
〈some, any＋-body [-one]＋
　〜〉　　　　　　　　416
〈such＋〜＋名詞＋that ...〉
　　　　　　　　　　247
〈such a [an]＋〜＋名詞〉
　　　　　　　　　　374
that節内で常に直説法の動
　詞を用いる〜　　　440
that節内で should か仮定法
　現在の動詞を用いる〜
　　　　　　98, 205, **441**
that節内で should か直説法
　の動詞を用いる〜　440
形容詞句　　　　　　 18
〈前置詞＋名詞〉の形　19
分詞を用いる〜　　　 19
〜として働く〈前置詞＋
　(代)名詞〉　　291, **292**
〜を修飾する副詞　　462
to不定詞を用いる〜　 18
形容詞節　　　　　　 21
〜を含む複文⇔〈前置詞＋
　名詞〉の形容詞句　572
〜を含む複文⇔単文　572
形容詞用法
〈前置詞＋名詞〉の〜　292
代名詞の〜　　　　　423
不定代名詞の〜　　　442
〜の every　　　　　 413
〜の the same　　　　398
all の〜　　　　　　410
both の〜　　　　　　408
one の〜　　　　　　402

otherの〜	403
to不定詞の〜	122, 132
計量の読み方	457
結果	
原因・〜を示す接続副詞	230
事実に反する〜〈ought to have＋過去分詞〉	89
程度や〜を表す接続詞	247
当然予想できた〜に反することを表す〈should have＋過去分詞〉	97
未来の〜を表すwill	91
目的・〜を示す前置詞	314
目的や〜を表す構文での省略	559
〜としての状態を表す自動詞の過去分詞	428
〜としての状態を示す〈be＋自動詞の過去分詞〉	158
〜の状態を表す〈have＋O＋過去分詞〉	166
〜の状態を表す未来完了	66
〜を表す過去完了	64
〜を表す現在完了	62
〜を表すto不定詞	134
結婚を表す受動態	118
原因	
感情の〜を表すthat	244
感情の〜を表すto不定詞	134
〜・結果を示す接続副詞	230
〜や理由を表すものが主語の構文	361
〜・理由を表す接続詞	242
〜・理由を表す分詞構文	169, 170
〜・理由を示す群前置詞	313
〜・理由を示す前置詞	311
〜を示す前置詞for	312
〜を示す〈be＋形容詞＋of〉	326
原級	
最上級の意味を，〜で表す形	501
〜の慣用構文	503
〜を修飾するvery	481
〜を用いた比較	493
〈less＋〜＋than〉	498
〈more＋〜＋than〉	497
原級比較	
同等比較	493
〜の意味	494
〜の形式	493
原形	43, 54
動詞の〜を使う現在時制	54
動詞の〜を用いる命令法	27, 189
〈〜＋-ed〉	43, 44
〈had better＋〜〉	150, 207
〈had intended to＋動詞の〜〉	65, 126
〈lest＋〜〉	207, 236, 246
〈to＋動詞の〜〉	122
〈will＋動詞の〜〉	59
〈would rather＋〜〉	151, 207
原形不定詞	122
〈過去形の助動詞＋〜〉	194, 197, 198
仮定法で用いる	194
使役動詞の後の〜	122, 149
助動詞の後の〜	122, 148, 194
知覚動詞の後の〜	40, 122, 149
〜の完了形	125
〜の否定形	123
〜の用法	148
〜を用いた慣用構文	150
〈cannot help but＋〜〉	152
〈help＋O＋〜〉	123, 150
〈let＋〜＋O〉	149
〈make [let, have]＋O＋〜〉	39, 149
〈S＋V＋O＋〜〉	40, 163
〈see [hear, feel, etc.]＋O＋〜〉	40, 149, 163
were toを用いた条件文	198
〈would rather＋原形不定詞＋〜 (than ...)〉	151, 207
現在完了	61, 64, 510
過去形と〜の比較	66
完了	62
経験	62
経験を聞くWhenで始まる疑問文	63
継続	62
結果	62
習慣的行為	62
状態	62
未来完了の代用	63, 237
〜が過去に移行した過去完了	64
〜が使えない場合	63
〜と現在完了進行形	63, 70, 72
〜の代用	58
現在完了進行形	70
現在完了と〜	63, 70, 72
現在時制	54
過去の代用	56
現在行われている動作	55
習慣的な動作・反復的な出来事	55
新聞の見出し	57
真理や社会通念	55
性質・状態	54
時・条件を表す副詞節中の動詞	56
年代記的現在	57
未来の代用	56
歴史的現在	56
〜で表す未来	56, 61
現在進行形	67
確定的な未来・予定	67
現在形と〜の違い	66
進行中の動作・出来事	67
〜で表す未来	61
現在分詞	155
完全自動詞の〜	162
擬似自動詞の〜	160
形容詞化した自動詞と，していない自動詞の〜	159
形容詞の前に置く〜	162
自動詞化した他動詞の〜	160
自動詞の〜＋名詞	160
進行形を作る〜	67, 157
知覚動詞と〜	40, 163
動詞の〜からの形容詞	422, 427
動名詞と〜	181
人の感情に影響を与える動詞の〜	428
副詞用法	162
名詞と〜の位置	160, 161
目的格補語に〜をとる第5文型	13
〜・過去分詞から派生した感情を表す形容詞の使い分け	430

1. 文法事項索引　けんすいぶん―しえきどうし

〜からの形容詞　428
〜の分詞構文　167
〜を修飾する very　481
〈have＋O＋〜〉　39
〈leave＋O＋〜〉　165
〈S＋使役動詞＋O＋〜〉　163
〈S＋知覚動詞＋O＋〜〉　40, **163**
〈S＋catch [find]＋O＋〜〉　163
〈S＋not have＋O＋〜〉　165
〈S＋V＋〜〉　162
〈S＋V＋O＋〜〉　163

懸垂分詞　170
（前になんらかの）**限定詞**がつく抽象名詞　338
限定用法　262
　形容詞の〜　**431**, 435
　形容詞の最上級　500
　〈前置詞＋名詞〉の〜　292
　分詞の〜　160
　〜にしか用いない形容詞　431, 489
原料を示す前置詞　315
行為
　習慣的〜を表す現在完了　62
　習慣的〜　will　91
（by＋）**交通**・通信の手段を表す名詞　315, 378
肯定
　〜的な意味の〈not a few [little]〉　448
　〜的な意味の〈quite a few [little]〉　448
　〜的な意味を表す a few　447
　〜的な意味を表す a little　448
　〜の答えを予期しての疑問　530
肯定文　22
　〜での at all　411
　〜における some と any　404
（過去における）**行動**を表す　57, 58
国民
　〜の個人を表す〈a(n)＋国名形容詞〉　427
　〜の総称を表す〈the＋国名形容詞〉　427
国名から派生した形容詞　425
国名形容詞　426
　〈a(n)＋〜〉　427
　Italians と the Italians の意味の違い　427
　〈the＋〜〉　427
語形
　形容詞の〜　423
　副詞の〜　463
語形変化
　規則動詞の〜　44
　助動詞の〜　75
　be　41
　do　42
　have　43
固執を表す won't　91
ことわざにおける時制の一致の例外　**512**, 515
好みを表す〈S＋V＋to不定詞〉　143
語否定　534
語尾変化で性別を示す語　359
5文型（➡文型）　7
固有名詞　330, 331, **339**, 370, 371, 372
　普通名詞⇒〜　342
　不定冠詞＋〜　341, 370
　〜化している場合の無冠詞　376
　〜からの形容詞　422, 425
　〜の数字の読み方　458
　〜⇒普通名詞　342
　a [an] と〜　341
　-s で終わる〜の所有格　352
　the と〜　340
　〈the＋〜〉　340, 372
　〈the＋〜＋普通名詞〉　340
（判断の）**根拠**を表す to不定詞　135
懇請を表す〈S＋V＋to不定詞〉　143
コンマ（,）　243, 248

さ行

差
　〜の表し方〈比較級〉　497
　〜を示す前置詞　319
再帰代名詞　392
　強調　393
　前置詞の目的語になる〜　392
　動詞の目的語になる〜　392
　〜を使った慣用表現　392
　〜を使った成句　393
　〜oneself を使った強調　393, 562
再帰動詞　**37**, 392
　〜と oneself　37
材質を表す形容詞　425
最上級　490, **500**, 501, 506
　形容詞の〜　500
　絶対〜　501
　〈定冠詞＋形容詞の〜＋名詞〉　372
　副詞の〜　500
　〜が2つあるもの　492
　〜と the　500
　〜による比較　500
　〜の意味を，原級や比較級で表す形　501
　〜の慣用構文　506
　〜の強調　501
　〜のものが2つ以上ある場合の英語表現　502
　〜を修飾する much と very　481, 501
　〈a [an] most＋単数名詞〉　501
　〈make the most [best] of〉　506
　〈most＋副詞〉　501
　〈most＋複数名詞〉　501
　〈one of the＋形容詞の〜〉　372
　〈the＋最上級＋in [of] 〜〉　500
　〈the last A＋to不定詞 [that節]〉　506
　〈the second [third, fourth, ...] ＋〜〉　506
　〈There is ...〉構文内の〜と冠詞　14
材料
　〜・原料を示す前置詞　315
　〜・出所を示す前置詞　315
指図を表す will　91, 92
賛成・反対を示す前置詞　319
3人称　384
　〜単数現在形　43
　〜単数現在（3単現）の -s のつけ方　54
　〜の shall　95
使役動詞　**38**, 149, 163

1. 文法事項索引　しえきをあら―じせいのいっ

否定文中の
　〈have＋O＋doing〉　40
～としての have　　39, 43
～の後の原形不定詞
　　　　　　　　122, **149**
～の受動態　　　　　110
〈get＋O＋to do〉　　 40
have と leave の意味　165
〈have＋O＋過去分詞〉 39
〈have＋O＋原形不定詞〉39
〈have＋O＋現在分詞〉 39
〈let＋O＋原形不定詞〉 39
〈make＋O＋原形不定詞〉
　　　　　　　　　　39
〈S＋～＋O＋to do〉　 39
〈S＋～＋O＋過去分詞〉
　　　　　　　　 39, 165
〈S＋～＋O＋現在分詞〉163
〈S＋～＋O＋分詞〉　163
使役を表す〈have [get]＋O＋
　～〉　　　　　　　166
時間
　～的関係を表す副詞　469
　～と時制　　　　　 53
　～を表す複数語句を受ける
　　動詞　　　　　　547
　～を表す it　　 389, 574
四季を示す前置詞　　298
時刻
　～の読み方　　　　456
　～を示す前置詞　　297
事故を表す受動態　　118
指示形容詞　　　　　394
　～として働く指示代名詞
　　　　　　　　　　394
指示代名詞　　　　　393
　形容詞としての such　397
　後続する文の内容を指す
　　this　　　　　　394
　指示形容詞として働く～
　　　　　　　　　　394
　補語としての so　　398
　前の文の内容を受ける
　　such　　　　　　396
　前の文の内容を指す this,
　　that　　　　　　394
　名詞の繰り返しを避ける
　　that と those　　395
　話法の転換による～の変化
　　　　　　　　　　519
　do so　　　　　　 397
　same　　　　　　 398

so　　　　　　　　　397
〈So＋V＋S〉と〈So＋S＋
　V〉　　　　　　　398
such　　　　　　　 396
the same　　　　　 398
〈the same ～ as ...〉と〈the
　same ～ that ...〉　 398
think や say などの目的語
　としての so　　　 397
this, that の電話での用法
　　　　　　　　　　394
this, that の副詞用法　395
〈those who ～〉　　 396
事実
　今も当てはまる～を示す時
　　制の一致の例外　 513
　過去の～に反する仮定
　　　　　　　　196, 197
　過去の～に反するものを表
　　す　　　　　　　207
　変わらない～に反すること
　　を条件にする　　197
　既定の～表す〈be to ～〉
　　　　　　　　　　141
　現在の～に反する仮定　195
　現在の～に反することにつ
　　いて述べる　　　197
　現在の～に反するものを表
　　す　　　　　　　207
　時間を超越した～を表す
　　　　　　　　　　 54
　歴史上の～を示す時制の一
　　致の例外　　　　514
　～を述べる直説法　189
時制　　　　　　　　 53
　英語の～　　　　　 53
　過去完了　　　　　 64
　過去完了進行形　　 71
　過去～　　　　　　 57
　過去進行形　　　　 68
　仮定法の～　　　　191
　完了形　　　　　　 61
　完了進行形　　　　 70
　現在完了　　　　　 61
　現在～　　　　　　 54
　現在進行形　　　　 67
　時間と～　　　　　 53
　従位節に if と when が使わ
　　れた場合の「時」　242
　受動態の～　　　　104
　条件節と帰結節の～　197
　助動詞　　　　　　 75

進行形　　　　　　　 66
　態の転換における be動詞
　　の～　　　　　　106
　動名詞の～　　　　177
　時・条件を表す副詞節中の
　　動詞の～　　　　 56
　分詞構文の～　　　168
　未来完了　　　　　 65
　未来～　　　　　　 59
　未来進行形　　　　 68
　未来を表す名詞節中の動詞
　　の～　　　　　　 56
　～の助動詞としての will
　　　　　　　　　　 91
　have to　　　　　　87
　lest節内の～　　　 246
　need　　　　　　 100
　that節内の動詞の～　233
　will　　　　　　59, 90
　〈Would [Do] you mind＋if
　　節〉の if節内の～　180
時制の一致　　　　　509
　仮定法と～　　　　514
　従位節中の動詞　　509
　従位節中の動詞　過去→過
　　去完了　　　　　510
　従位節中の動詞　過去完了
　　→過去完了　　　511
　従位節中の動詞　現在→過
　　去　　　　　　　510
　従位節中の動詞　現在完了
　　→過去完了　　　510
　従位節中の動詞　現在形の
　　助動詞→過去形の助動詞
　　　　　　　　　76, **511**
　従位節内の仮定法　514
　主節の動詞が過去・過去完
　　了のとき　　　　509
　主節の動詞が仮定法の場合
　　　　　　　　　　514
　主節の動詞が現在・現在完
　　了・未来のとき　 509
　進行形の場合の時制の変え
　　方　　　　　　　511
　～による過去完了　65, 510
　～の例外　　　　　512
　could　　　　　　 79
　have to　　　　　　87
　might　　　　　　 83
　would　　　　　　 92
時制の一致の例外　　512
　今も当てはまる事実を言う

— 629 —

1. 文法事項索引　じつげんをあ―しゅご

ことわざ　513
　ことわざ　512
　時制を変えて用いられることわざ　515
　直説法の〜　512
　比較を表す　513
　不変の真理などの強調　512
　歴史上の事実を示す　514
実現を表す〈be to 〜〉　141
質問
　職業や地位を聞く what　214
　名前や地位・素性を尋ねる who　212
　〜を表す some と any　405
時点・期間を表す副詞　468
自動詞　3, 31
　完全〜　3
　擬似〜　31
　形容詞化した〜と、していない〜の現在分詞　159
　結果としての状態を表す〜の過去分詞　429
　受動態にならない〜　33
　前置詞と結びつく〜
　　50, 320, 321, 322
　他動詞の目的語が（慣習的に）省略された〜　31, **160**
　不完全〜　3
　〜的な意味を表すのに oneself を目的語にとる再帰動詞　37
　〜と誤りやすい他動詞　32
　〜としての do　42
　〜として働く〈他動詞＋抽象名詞〉　360
　〜と前置詞　50, **320**
　〜にも他動詞にも用いられる動詞　31
　〜の過去分詞　161
　〜の過去分詞からの形容詞　428
　〜の現在分詞からの形容詞　428
　〈〜の現在分詞＋名詞〉　160
　「〜＋前置詞」の目的語の関係代名詞　264
　〈〜＋副詞〉　49, 486
　〈be＋〜の過去分詞〉　158
社会通念を表す現在時制　55
従位節（従属節）　20
　〜が主節に結びつけられた文　22

〜中の〈主語＋be動詞〉の省略　557
従位接続詞　224, **232**
　〜を用いた複文　22
習慣
　過去における〜的行動を表す過去時制　58
　過去の〜 would　92
　現在の〜的な動作を表す現在時制　55
　〜的行為を表す現在完了　62
　〜的行為 will　91
　〜的動作 used to　89
集合名詞　331, **334**
　可算名詞である〜　334
　単数にも複数にも扱う〜　334, 335, 542
　常に複数扱いをする〜　335
　不可算名詞である〜　336
　〜と動詞　334, **542**
　〜の扱いの英米差　335
　〜を受ける代名詞　550
　〈a group of 〜〉などの主語を受ける動詞　546
修辞疑問　26, **212**, 537
　〜で使われる ever　213
　〜内の else　26
　could　80
　wh- タイプの疑問文による〜　26
　Yes / No で答えられる疑問文による〜　26
修飾
　動詞〜の to不定詞　133
　比較級を〜する語句　499
　副詞だけが〜する分詞　159
　不定詞を〜する副詞の位置　124
　to不定詞の形容詞用法　132
修飾語句　6
　形容詞的〜　6
　副詞的〜　6
　〜がついて限定される名詞につける定冠詞　371
　〜が必要な完全自動詞　7
　〜の語順　2
習性を表す will　91
従属疑問　220
従属節（➡従位節）　20
（時の）**終点**を示す前置詞　300

重文　22
　〜の話法転換　523
　〜⇔複文　573
　〜⇔単文　572
重量を示す語を用いる倍数表現　503
主格　357, 383, 386
　関係代名詞の〜　259, **261**
　主語になる〜　357
　人称代名詞の〜　383, **386**
　名詞の〜　357
　呼びかけ　357
　〜関係を表す所有格　355
　〜の関係代名詞の省略　274
　〜の that　270
　〜の which　267
　〜の who　265
主格補語　4, 131, 357
　〜としての to不定詞　131
　〜に相当する語句　5
　〜になる形容詞　5, 431
　〜になる名詞　357
主語　1, 2
　疑問詞を〜にした構文　363
　形式〜　2
　真〜　2
　動名詞の意味上の〜　176
　独立分詞構文の〜の省略　559
　複合〜　2
　不定詞の意味上の〜　127
　不特定の人・物が〜の構文　13
　分詞構文の意味上の〜　167
　分数の〜を受ける動詞　546
　無生物を〜にした構文　361
　〜が疑問代名詞の場合の数　211
　〜が単一名詞の場合　542
　〜が複数で，各自が１つずつ何かを持っている場合の単複の使い分け　346
　〜関係になる〈名詞＋to不定詞〉　132
　〜関係を表す所有格　386
　〜としての to不定詞　130
　〜と動詞の一致　542
　〜となる名詞〈if節の代用〉　202
　〜と補語の数の一致　550
　〜に重点を置きたい場合の受動態　116

1. 文法事項索引　しゅごのてん―じゅんどうし

～になる〈疑問詞＋to不定詞〉 136
～になる主格 357
～になる〈前置詞＋名詞〉 293
～になる代名詞 386
～になる動名詞 175
～になる名詞 357
～になる名詞節 20
～になるthat節 232
～になるwhatが導く名詞節 272
～の転換 574
～を変えずに文を続ける場合の受動態 117
～を修飾するmany 443
～を修飾するmuch 445
～＝補語の関係になる第2文型 8
〈a ～ of A〉型の句の～を受ける動詞 546
〈A of B〉型の～を受ける動詞 545
主語の転換 574
　実践的文の変換 576
　天候・時間・距離などのitを主語にする文 574
　無生物・疑問詞主語の構文 576
　〈It is ～ for [of] A to ...〉型 575
　〈It is ～ that [wh-] ...〉型 575
主節 20
　従位節が～に結びつけられた文 22
種属名詞 331, 334
手段
　～・道具を示す前置詞 315
　～や方法を表すものが主語の構文 362
　～を尋ねるhow 217
　〈by＋交通・通信の～を表す名詞〉 315, 378
述語動詞 2, 31
　～の種類 3
出所を示す前置詞 315, 316
出発点を示す前置詞 299
述部の構成 2
受動
　能動態で～の意味を表す動詞 119

～的意味を持つ他動詞の過去分詞 161
～の意味を表す動名詞 175, 185
～を表す〈have [get]＋O＋過去分詞〉 166
受動態 104
　間接目的語，直接目的語のどちらも受動文の主語になれる動詞 108
　間接目的語を主語にした受動文が不自然になる動詞 109
　慣用句的な～ 115
　疑問文の～ 110
　旧情報と新情報 108
　句動詞の～ 112
　混雑を表す～ 119
　事故・病気を表す～ 118
　〈自動詞＋前置詞〉の～ 112
　従位節の主語を文の主語にした～ 114
　主語に重点を置きたい場合 116
　主語を変えずに文を続ける場合 117
　受動文中の前置詞 109
　状態の～〈be＋過去分詞〉 116
　第5文型の～ 110
　第3文型の～ 107
　態の転換における語順の変化 105
　第4文型の～ 108
　〈他動詞＋副詞〉の～ 112
　〈他動詞＋名詞＋前置詞〉の～ 113
　誕生・結婚を表す～ 118
　談話の流れによる～ 117
　知覚動詞構文と～ 150
　知覚動詞・使役動詞の～ 110
　動作主にby以外の前置詞を用いる～ 114
　動作主を示さない～ 117
　動作の～ 116
　動名詞の～ 174
　日本語からの類推で誤りやすい～ 118
　能動～ 119
　能動～をとる動詞 119
　不自然な～ 118

　不定詞の～ 126
　分詞の～ 157
　補語が不定詞・分詞の～ 110
　補語が名詞・形容詞の～ 110
　命令文の～ 111
　目的語が再帰代名詞の～ 107
　目的語が節の～ 107
　目的語が2つある場合 108
　目的語が名詞・代名詞の～ 107
　論文中の～ 119
　～が好まれる場合 116
　～で表す感情表現 114
　～での副詞の位置 467
　～にしない知覚動詞 150
　～にならない自動詞 33
　～にならない動詞 117, 118
　～の時制 104
　～の分詞構文 168
　～の用法 116
　～を作る過去分詞 104, 158
　～を作るbe 75, 104
　〈be＋他動詞の過去分詞〉の～ 104, 162
　〈by＋動作主〉の省略 106, 112
　forを用いた第3文型の文 109
　〈have [get]＋O＋過去分詞〉の～ 105
　〈let＋O＋原形〉の～ 112
　〈let＋O＋be＋過去分詞〉の～ 111
　〈S＋V＋O＋to be〉の～ 147
受動不定詞 126
　能動不定詞と～の意味 126
受動文 108, 109, 116
主部の構成 1
種類
　～を表す〈不定冠詞＋物質名詞〉 370
　～を示す形容詞 422
瞬間動詞 34
準動詞
　動名詞 174
　不定詞 122

分詞		155
状況		
その場の〜からわかる名詞につける定冠詞		371
〜を表す it		389
消極的なことを言う動名詞		183
上下を示す前置詞		305
条件		
仮定法の〜が言外にある would		95
変わらない事実に反することを〜にする		197
時・〜を表す副詞節中の動詞の時制		56
〜を表す接続詞		248
〜を表す副詞節での will		91
〜を表す分詞構文		169
〜を表す〈as long as 〜〉,〈so long as 〜〉	251,	**256**
〜を表す provided (that), granting (that)		251
〜を表す to不定詞	**135**,	201
条件節	191, 194, 197,	202
仮定法の〜での should	99,	199
単なる未来の will		92
〜中の〈be to 〜〉		140
〜と帰結節の時制		197
〜と帰結節の動詞の形		194
〜に用いる〈be to〉の仮定法過去		198
〜の省略		202
〈any＋比較級〉		407
条件節と帰結節の時制		197
過去→現在		197
現在→過去		197
条件文		191
開放条件		192
仮想の条件		193
却下条件		193
現在の事実に反する仮定		195
単なる条件		192
〜と仮定法過去		195
〜と仮定法過去完了		196
〜と法		191
〜の種類		191
if の省略		200
should を用いた〜	99,	**199**
were to を用いた〜		198

小数の読み方		456
状態		
過去における〜を表す過去時制		57
過去の継続的〜 used to		90
現在の〜を表す現在時制		54
名詞の〜を表す現在分詞		181
〜の受動態		116
〜の変化を表す動詞		8
〜を表す現在完了		62
〜を表す動詞		8
〜を示す形容詞		422
〜を尋ねる how		217
状態動詞		35
進行形になる〜	35,	72
存在や関係を表す		35
知覚や認識を表す		35
〜（現在形，過去形）と用いる already		475
〜と would		93
know		35
love		35
while節内の〜		237
承諾		
依頼に対する〜の慣用的省略		558
提案を〜する〈Why not?〉		217
譲歩		
〜構文		555
〜の副詞節を導く whatever		286
〜の副詞節を導く whenever		286
〜の副詞節を導く wherever		286
〜の副詞節を導く whichever		285
〜の副詞節を導く whoever		284
〜を表す接続詞		251
〜を表す分詞構文		170
〜を表す as		252
〜を表す granted (that), granting (that)		251
〜を表す〈however＋形容詞[副詞]＋S＋V〉		287
〜を表す〈however＋S＋V〉		287

〜を表す if，〈even if〉,〈even though〉		253
〜を表す when, while, whereas		253
〜を表す〈whyever＋S＋V〉		287
may		83
might		84
省略		557
仮定法の条件節の〜 could		79
〈関係詞＋be動詞〉の〜		559
関係代名詞の〜		274
関係副詞の先行詞の〜		283
関係副詞 that の〜		282
関係副詞 when の〜		280
関係副詞 where の〜		281
関係副詞 why の〜		281
冠詞の〜		376
間接話法における that の〜		524
感嘆文中の〈主語＋be動詞〉の〜	28,	557
帰結節の〜		202
擬似関係代名詞 than を使用した文		278
強調構文での that の〜		559
共通している語句の重複を避ける〜		560
形式主語構文での that の〜		559
原級比較における後の as 以下の〜		493
質問と応答での〜		560
従位節中の〈主語＋be動詞〉の〜		557
主語（＋動詞）の〜		558
〈主語＋be動詞〉の〜		557
受動態での〈by＋動作主〉の〜	106,	112
受動態の分詞構文の being, having been の〜		168
条件節の〜		202
助動詞の後の動詞の〜		560
所有格の次に続く名詞の〜		353
接続詞 that の〜		559
前置詞の〜		294
他動詞の目的語の〜		31
重複する語句の2番目の〜		560
提示などにおける〜		558

1. 文法事項索引　じょがい―しょゆうかく

動名詞の意味上の主語の〜	177
独立分詞構文の主語の〜	559
日常会話における慣用的〜	557, 558
比較構文における as や than 以下の〜	496, 559
分詞構文の意味上の主語の〜	**167**, 558
前に出た語句の反復を避けるための〜	560
目的語が(慣習的に)〜された他動詞	31, **160**
目的語になる名詞節の that の〜	559
目的や結果を表す構文での〜	559
話法転換　間接話法における接続詞 that の〜	520
〜形の感嘆文	28
as 以下の主語だけを残す	493
as 以下の〈主語＋動詞〉の〜	494
〈be＋形容詞＋前置詞＋that節〉の前置詞の〜	439
both の後の of と the の〜	408
〈by the time (that) 〜〉の that の〜	239
〈for fear (that)〉の that の〜	246
if節が〜された仮定法用法の should	99
if の〜	200
if を〜するときの倒置	200, 555
〈It is 〜 that ...〉構文での that の〜	559
Not to brag, but ... . と Not to change the subject, but ... . の〜された意味	561
〈now that ...〉の that の〜	244
oneself を〜できる再帰動詞	37
〈S＋V＋O＋to be＋C〉における to be の〜	147
〈see (to it) that ...〉の〈to it〉の〜	233
〈seeing that ...〉の that の〜	

〈so (that)〉の that の〜	248
〈so that can 〜〉の that の〜	245
than の後の〜	496
that節の前の〈前置詞＋it〉の〜	233
that の〜	232
whom の〜	266
除外	
〜を表す接続詞	256
〜を示す前置詞	319
職業を聞く what	214
助言	
〜を表す帰結節が命令法	200
〜を表す〈Why don't you ...?〉	216
叙述用法	431
形容詞の最上級	500
形容詞の〜	431
〈前置詞＋名詞〉の〜	292
分詞の〜	162
〜のみの形容詞	433
序数詞	454
〈不定冠詞＋〜〉	369
〜を使った慣用表現	455
〈a＋〜〉	455
〈every＋〜＋day [week, year, line, etc.]〉	455
〈the＋〜〉	455
所属を表す所有格	355
助動詞	16, 31, **75**, 511
〈過去形の〜＋完了不定詞〉	197
〈過去形の〜＋原形不定詞〉	197, 198
仮定法で用いる	194
強調の do	561
語形変化	75
時制の〜としての will	91
法〜	76
法〜としての will	91
話法の変換による〜の変化	511, 519
〜の後の原形不定詞	122, **148**
〜の後の to不定詞	149
〜の一般疑問文	23
〈〜＋完了不定詞〉	125
be	67, 75, 104
be able to	80

can	77
can と could	80
could	79
dare	101
do	75
〈for fear (that)〉内の〜	246
have	75
have to	87
may	82
might	83
must	**85**, 89
need	100
〈no matter＋疑問詞〉内の may, might	254
ought to	88
shall	95
should	96
should を用いた条件文	99, **199**
used to	89
will	59, 75, **90**, 91, 92
would	92
所有	
〜関係を表す所有格	386
〜・所属を表す所有格	355
〜を表す have	43
所有格	352, 386
関係代名詞の〜	259, **261**
慣用表現の〜	354
国名・地名・場所名の〜	354
個別所有の場合の〜	353
時間・距離・重量・価格の〜	354
主格関係を表す〜	355
所有・所属を表す〜	355
生物の〜	353
単数名詞の〜	352
著作・性質・対象・能力・価値・部分を表す〜	356
二重〜	**356**, 391
人間の活動に関係の深い表現の〜	354
人称代名詞の〜	383, **386**
複合名詞の〜	353
複数名詞の〜	352
無生物の〜	353
名詞の〜	352
〈名詞＋of＋〜〉の二重所有格	**356**, 391
〈名詞＋of＋〜＋own〉	387
目的格関係を表す〜	355

1. 文法事項索引 しょゆうだい―すうりょうけ

～にできる each other, one
　　another　　　　　　　　404
　～の意味　　　　　　　　355
　～の次に置けない one　　401
　～の次に続く名詞の省略
　　　　　　　　　　　　　353
　～の作り方　　　　　　　352
　～の which　　　　　　　267
　～の whose　　　　266, 268
　〈of＋名詞〉の形と～　　353
　〈's〉～　　　　　　　　352
　〈's〉～と〈of＋名詞〉
　　　　　　　353, 354, **355**
　-s で終わる固有名詞の～
　　　　　　　　　　　　　352
　〈some, any＋-body [-one]〉
　　の～　　　　　　　　　416
所有代名詞　　　　　15, **390**
　二重所有格　　　　　356, 391
　〈人称代名詞の所有格＋名
　　詞〉の役割をする　　　391
　〈名詞＋of＋～〉　　356, 391
　～を使う場合　　　**391**, 401
進行形　　　　　　　　　66
　過去～　　　　　　　　　68
　完了形の不定詞の～　　　127
　完了～　　　　　　　　　70
　現在～　　　　　　　　　67
　不定詞の～　　　　　　　127
　分詞の～　　　　　　　　156
　未来～　　　　　　　　　68
　～と用いる till, until　　238
　～にしない動詞　　　　　71
　～になる状態動詞　　35, 72
　～になる知覚・心的動詞
　　　　　　　　　　　　　72
　～を作る現在分詞　67, 157
　～を作る be　　　　67, 75
　while 節内の～　　　　　237
　進行・通過を示す前置詞　306
真主語　　　　　　　　　2
　～になる動名詞　　　　　175
　（旧情報と）**新情報**　　 108
身体
　「～を洗う」を表す表現
　　　　　　　　　　　　　38
　〈all＋～の部分を表す語〉
　　　　　　　　　　　　　411
心的動詞
　進行形にしない～　　　　71
　進行形になる～　　　　　72
　人名と無冠詞　　　　　376

真理を表す現在時制　　　　55
（英文の）推敲と仕上げ　　579
推量
　過去のことに対する～を表
　　す〈助動詞＋have＋過去
　　分詞〉　　　　　　　　125
　過去のことの～　〈could
　　have＋過去分詞〉　　　80
　過去のことの～　〈may
　　have＋過去分詞〉　　　83
　過去のことの～　〈might
　　have＋過去分詞〉　　　84
　過去のことの～　〈must
　　have＋過去分詞〉　　　86
　現在での～　should　　　97
　強い打消しの～　can't　78
　have to　　　　　　　　 88
　may　　　　　　　　　　82
　might　　　　　　　　 84
　must　　　　　　　 86, 89
　ought to　　　　　　　 89
　should　　　　　　　　 97
　would　　　　　　　　　95
数
　1 と 1 以下・以上の小数の
　　扱い　　　　　　　　　345
　関係代名詞の～　　　　　260
　疑問代名詞を受ける動詞の
　　～　　　　　　　　　　211
　主語と補語の～の一致　　550
　態の転換における be 動詞
　　の～　　　　　　　　　106
　日英の名詞の～の考え方の
　　違い　　　　　　　　　345
　不定の～を示す some と
　　any　　　　　　　　　404
　名詞の～　　　　　　　　345
　〈名詞 A＋名詞 B〉の形の
　　複合名詞の名詞 A の～
　　　　　　　　　　　　　344
　～にも量にも使える more,
　　most　　　　　　　　 446
　～の扱い　2つの部分から
　　成る道具や衣類　　　　350
　～の多いことを表す many
　　　　　　　　　　　　　499
数詞　　　　　　　423, **451**
　基～　　　　　　　　　　451
　序～　　　　　　　　　　454
　数字・数式の読み方　　　456
　倍～　　　　　　　　　　455
　〈～または不定の数を示す

語＋可算名詞の複数形〉
　　　　　　　　　　　　　333
　～を修飾する副詞　　　　471
　〈～＋名詞〉の複合名詞
　　　　　　　　　　　　　345
　〈some＋～〉　　　　　　407
数字　　　　　　　　　　456
　1 とそれ以外の～の単複の
　　扱い方　　　　　　　　543
　重さの単位の読み方　　　457
　温度の単位の読み方　　　458
　基数詞の～の読み方　　　452
　金額の読み方　　　　　　457
　計量の読み方　　　　　　457
　固有名詞の～の読み方　　458
　時刻の読み方　　　　　　456
　小数の読み方　　　　　　456
　ゼロの読み方　　　　　　456
　電話番号の読み方　　　　457
　長さの単位の読み方　　　457
　年号の読み方　　　　　　456
　番地の読み方　　　　　　457
　日付の読み方　　　　　　456
　分数の読み方　　　　　　456
　面積の単位の読み方　　　457
　容積の単位の読み方　　　457
　～の読み方　　　　　　　456
数式　　　　　　　　　　456
　加減乗除の読み方　　　　458
　累乗の読み方　　　　　　458
　～の読み方　　　　　　　458
数量
　不定の～を表す形容詞
　　　　　　　　　　423, **442**
　～を表す語句と動詞　　　545
数量形容詞　　　　 423, **442**
　誤りやすい「多・少」の表
　　現　　　　　　　　　　449
　疑問文における much の意
　　味　　　　　　　　　　446
　数詞　　　　　　　423, **451**
　不定の数を表す形容詞のニ
　　ュアンス　　　　　　　450
　a few　　　　　　　　　447
　a few と few の代名詞用法
　　　　　　　　　　　　　447
　a little　　　　　　　　 448
　(a) little の代名詞や副詞と
　　しての用法　　　　　　448
　enough　　　　　　　　 449
　few　　　　　　　　447, 448
　frequent, rare を用いる

「多・少」の表現 450	同格〜 20	241
large, small を用いる「多・少」の表現 449	副詞〜 21	〜としての either と neither 227, 228
little 448	補語になる〜 5	〜と前置詞の than 496
many 443, 444, 446	前に出た〜の内容を指す it 388	〜の役割を果たす whenever 286
many の代名詞用法 444	前の〜の内容を指す, it と that [this] の違い 388	〜の役割を果たす wherever 287
much 444, 445, 446	名詞〜 20	〜を頭につけた分詞構文 168, 169
much の代名詞用法 445	**接近**	〈〜＋接続副詞〉 231
〈much＋抽象名詞〉 445	瞬間への〜を表す過去進行形 68	〈according to〉 255
〈much＋物質名詞〉 444	〜・遠隔を示す前置詞 309	after 238
several 449	**接触**を示す前置詞 305	although, though 252
性 359, 383	**接続詞** 16, **224**	as〔譲歩〕 252
語尾変化で〜別を示す語 359	位置によって異なる while 節の意味 239	as〔同時〕 237
女性 359, 383	関係代名詞的に使う as, but, than 277	as〔付言〕 256
代名詞の〜 383	間接疑問「〜かどうか」を表す if, whether 220, 235	as〔様態〕 254
男性 359, 383	疑問詞を〜として使う間接疑問 220	as〔理由〕 243
名詞の〜 359	従位〜 22, 224, **232**	〈as 〜 as ...〉,〈not as (so) 〜 as...〉 255
世紀を示す前置詞 298	従位節に if と when が使われた場合の「時」 242	〈as [so] far as 〜〉 256
制限	接続副詞 224, **229**, 462	as if, as though 205, 255
〜を表す接続詞 256	前置詞にも〜にも使える語 297	〈as long as 〜〉,〈so long as 〜〉 251, **256**
〜を表す〈as [so] far as 〜〉 256	等位〜 224	because **242**, 533
制限用法 **262**, 279	時を表す〜〈every time〉,〈each time〉 241	because と for 243
関係代名詞につく前置詞の位置 264	時を表す〜 if 241	before 238
関係代名詞の省略 274	時を表す〜 once 241	but that 236, 251
関係代名詞の〜 262, 265, 266, 267, 268	場所を表す〜 where 242	〈except (that)〉 256
関係副詞の〜 279, 280, 281	副詞節を導く〜 21, 236, 242, 245, 248, 254	〈for fear (that)〉 246
性質	期間 237	granted (that), granting (that) 251
現在の〜を表す現在時制 54	原因・理由 242	if,〈even if〉,〈even though〉 253
その種類一般の持つ特有の〜を述べる総称用法 333, 369	条件 248	〈in case〉〔条件〕 250
〜を表す所有格 356	譲歩 251	〈in case〉〔目的〕 245
〜を示す形容詞 422	除外 256	〈in order that S may 〜〉 245
will 91	制限 256	lest 236, 246
製品を表す〈不定冠詞＋物質名詞〉 370	程度や結果 247	like 254
節 19	同時 237	〈no matter＋疑問詞〉 254
帰結〜 191	時 236	〈No matter ...〉の基本的な意味 254
形容詞〜 21	比較 255	〈Not that ...〉 244
従位〜（従属〜） 20	比例 255	provided (that), granting (that) 251
〈主語＋述語〉 19	付言 256	〈seeing that ...〉 244
主〜 20	目的 245	since〔時〕 239
条件〜 191	様態 254	since〔理由〕 243
挿入〜 563	名詞節を導く〜 232	〈so 〜 that ...〉 247
第3文型で目的語になる〜 10	〜として使う副詞や名詞	〈..., so that 〜〉 248
等位〜 19		

1. 文法事項索引　せつぞくふく―ぜんちし

〈so that〉, 〈in order that〉	245
〈such ～ that〉	247
suppose, supposing	251
than	255, 291, 496
that〔原因の副詞節を導く〕	244
that〔名詞節を導く〕	232
that の省略	559
the way	255
till, until	238
unless と〈if ～ not〉	248, 249, 250
when	237
when, while, whereas	253
whenever	237, 286
whether と if	220, 235
〈whether ～ or ...〉	254
while	237
接続副詞	229, 462
原因・結果	230
〈節＋セミコロン (;) ＋～＋節〉	231
〈接続詞＋～〉	231
選択	230
反意・対立	230, 231
付加説明	230
連結	229
～の位置	231
so	230, 248
絶対最上級	501
絶対比較級	499
接頭辞のついた動詞	46
接尾辞（名詞や動詞につけられる）	423
セミコロン (;)	22
ゼロの読み方	456
先行詞	259
関係副詞の～の省略	283
～が事物	267, 270
～が主節やその一部	269, 277
～が職業や性格など	269
～が動物	271
～が時を表す語	279
～が場所を表す語	280
～が人の職業や性格	269, 271
～が人，ペット，擬人化したもの	265
～が〈人＋事物〉	271
～が前の節全体やその一部	269
前置詞	269
～が all, anything, everything, nothing, little, much など	271
～が anywhere, somewhere, nowhere	282
～が place	281, 282
～が reason	281
～が the reason	282
～が the time, the place, the reason	283
～が time	280
～が wh-疑問詞	271
～に最上級，first, only, best などがついたもの	270
～の a と the の使い分け	261
前後関係を示す前置詞	308
全体否定	534
選択	
冠詞の a [an] と the の～	369
～を示す接続副詞	230
～を示す等位接続詞	228
〈's〉所有格と〈of＋名詞〉の～	354, 355
選択疑問文	24
～の話法転換	521
前置詞	16, 290
誤りやすい～	317
ありがたくない状況を表すときの on	33
疑問詞と～の位置	211
群～	290
形容詞と～との連結	324, 325, 326, 327
形容詞用法	292
〈形容詞＋～つきの句〉	434
〈自動詞＋～〉	50, 320
〈自動詞＋～〉の目的語の関係代名詞	264
受動文中の～	109
接続詞 than と～ than	255, 496
〈他動詞＋～〉	50
〈他動詞＋名詞＋～〉	50
〈他動詞＋O＋～〉	322, 323, 324
動作主に by 以外の～を用いる受動態	114
〈動詞＋～〉	50, 320
〈動詞＋副詞＋～〉	49
副詞として働く～をつけない語句	295, 298
副詞用法	293
無冠詞の〈A＋～＋A〉	378
名詞用法	293
用法別～の使い分け	297
～と結びつく自動詞	321, 322
～にも接続詞にも使える語	297
～にも副詞にも使える語	296, 462, 486
～の位置	293
～の意味	317
関連・関与	318
期間	300
結果	314
原因・理由	311, 313
構成要素	316
材料・出所	315
賛成・反対	319
周囲	307
手段	315
出所	316
上下	305
除外	319
進行・通過	306
接近・遠隔	309
前後関係	308
代価・単位	317
仲介	315
道具	315
時	297
～の起点	299
～の経過	301
～の終点	300
時を示すその他の～	303
内外・間	310
二重～	290
年月や日時など	297
場所	303
範囲	325
方向・到達	309
目的	314
様態・着用	318
割合	317
～の省略	294, 295
～の目的語	291
～の目的語としての to 不定詞	131, 291
～の目的語になる再帰代名詞	392

～の目的語になる動名詞 175	behind 303	冠詞なしの複数形 333
～の目的語になる名詞 357	by〔差〕 319	定冠詞の～ 333, **373**
～の目的語になる each other, one another 404	by〔手段〕 315	物質名詞の～ 337
	by〔時〕 300	不定冠詞の～ 369, 373
～の目的語の関係代名詞の省略 274	by と beside 309	～の〈a [an]＋単数普通名詞〉を受ける it 387
～の in と within 302	〈by＋交通・通信の手段を表す名詞〉 **315**, 378	〈a [an]＋可算名詞の単数形〉 332, 333
～の to に続く動名詞 180	during 301	
〈～＋関係詞節〉 292	for〔期間〕 300	〈a [an]＋単数名詞〉 333, 369
〈～＋関係代名詞〉 263	for〔理由・原因〕 312	〈the＋可算名詞の単数形〉 333, 373
〈～＋形容詞〉 292	for〔目的〕 314	
〈～＋(代)名詞〉 291	for と結びつく自動詞 320	総数[量]や額が多い，少ないを表す表現 449
〈～＋抽象名詞〉 360	for の意味 317	(現在または未来についての可能性の乏しい)想像 196
〈～＋動名詞〉 291	for, with〔賛成・反対〕 319	
〈～＋副詞〉 292	from〔時〕 299	挿入 563
〈～＋不定詞〉 131, **291**	from と of〔原因・理由〕 311	同格語句 564
〈～＋名詞〉型の無冠詞 379	in〔期間〕 301	独立不定詞 148, 564
〈～＋名詞節〉 291	in〔時〕 298	名詞と並列される同格語句 358, 564
〈～＋名詞〉の形の形容詞句 19	in〔場所〕 304	～句 563
	in〔様態〕 318	～語句 563
〈～＋名詞〉の形の副詞句 19	in と after〔時〕 301, 302	～節 207, 563
〈～＋名詞〉の用法 292	in（～の中に） 310	I think 275, 564
〈((～＋it)＋that節〉 233, 234	into〔結果〕 315	存在や関係を表す状態動詞 35
〈～＋when〉 215	into（～の中へ） 310	
〈～＋which＋名詞〉 269	〈of＋関係代名詞〉 264	**た行**
about 308	past の代わりの after《米》 303	態 104
about と on〔関連・関与〕 318	to と for の違い 326	助動詞 75
above と below〔上下〕 305	to の代わりの before《米》 303	～の転換 105
		第1文型〈S＋V〉 7
across 307	Where ...? 内で用いる～ in, on, under 216	大過去 65
after〔時〕 299, 302	with〔関連・関与〕 318	過去形で代用する～ 58, 65
after と behind, in back of〔前後関係〕 308	with〔道具〕 315	対格（古英語） 352
	with と out of〔原因〕 312	代価・単位を示す前置詞 317
after, at, on〔目的〕 314	work の後につける at, for, in 320	第5文型〈S＋V＋O＋C〉 12
against 319		目的格補語 12
along 306	全部を表す〈定冠詞＋複数名詞〉 373	～に句をとる 12
among と between〔間〕 310, 311	相関語句 549	～に形容詞をとる 12
around〔進行・通過〕 307	～を受ける動詞 549	～に不定詞をとる 13
around と round〔周囲〕 307	〈not only A but also B〉と，類句の違い 549	～に分詞をとる 13
at〔原因〕 311	相互代名詞 404	～に名詞をとる 12
at〔時〕 297	相互複数 351	目的語と補語との関係が〈主部＋述部〉 13
at〔場所〕 303	総称人称 385	～の受動態 110
at と結びつく自動詞 320	they 385	第3文型〈S＋V＋O〉 10
〈be＋形容詞＋of〉 325	we 385	目的語にできる語句 10
before 300	you 385	～の受動態 107
before と in front of〔前後関係〕 308	総称文 369	for を用いた～の文からの受動態 109
	総称用法 333	

1. 文法事項索引　たいじゅうを―たどうし

〈S＋V＋wh- to do〉　137
体重を尋ねる How much ...?　218

対象
　～を表す所有格　356
　～を示す前置詞　326
代動詞　do　76
（話し手の）態度を表す副詞　473
第2文型〈S＋V＋C〉　7
　～で補語をとる動詞　8
対比
　現在との～　used to　89
　～を表す while, whereas　253
代不定詞　123
　～の to で終わる表現　124
代名詞　15, **383**
　関係～　259
　疑問～　210
　再帰～　392
　指示～　393
　集合名詞を受ける～　550
　主語になる～　1
　所有～　390
　〈前置詞＋～〉　291
　相互～　404
　第3文型で目的語になる～　10
　第2文型で補語になる～　8
　〈他動詞＋～＋副詞〉　49, 486
　同格の関係にある〈～＋名詞〉　358
　人称～　383
　不定～　399
　不定～と～の一致　551
　補語になる～　5
　名詞と～の一致　550
　話法の転換による～の変化　519
　～的な so　397
　～としての (a) little　448
　～としての such　396
　～として用いる so　397, 482
　～になる some と any　406
　～の形容詞用法　423
　～を修飾する副詞の位置　471
　～を説明する関係代名詞　262
　〈～＋concerned〉　416
　～ where と前置詞の位置

216
everybody [everyone] を受ける～に they を使わない工夫　551
〈neither of＋複数～〉　415
〈none of ～＋単数～〉　418
〈none of ～＋複数～〉　418
〈nothing but＋～〉　419
〈the＋抽象名詞＋of＋～〉　338

代名詞用法
　疑問副詞 when の～　215
　疑問副詞 where の～　215
　〈前置詞＋when〉　215
　～としての enough　449
　a few と few　447
　all の～　409
　both の～　408
　many の～　444
　much の～　445
　other の～　402
代用
　過去の～の現在時制　56
　現在完了の～の過去時制　58
　未来完了の～の現在完了　63
　未来の～の現在時制　56
　名詞の～語としての one　399
　as if [though] の代わりの like　206
　if 節の～　201
　to 不定詞の～の and　226
　when, where, why, how の～　282
　whom〈目的格〉の～　212
　whomever の～　285
第4文型〈S＋V＋O₁＋O₂〉　10
　直接目的語が〈疑問詞＋to 不定詞〉　11
　直接目的語が名詞節　11
　直接目的語が that [wh-, whether, if] 節　11
　直接目的語が to 不定詞　11
　常に～で用いる動詞　11
　～の受動態　108
　～〈S＋V＋O₁＋O₂〉⇔第3文型〈S＋V＋O₂＋for O₁〉　11
　～〈S＋V＋O₁＋O₂〉⇔第3文型〈S＋V＋O₂＋to O₁〉

10
〈S＋V＋O＋wh- to do〉　137

対立
　～を表す等位接続詞　227
　～を示す接続副詞　230, 231
建物に the のつかない慣用句　377
他動詞　3, **31**
　完全～　3
　自動詞化した～の現在分詞　32, **160**
　自動詞と誤りやすい～　32
　自動詞にも～にも用いられる動詞　31
　受動態にならない～　117
　不完全～　3
　目的語が慣習的に省略された～　31, 160
　～としての do　42
　～の過去分詞　161
　～の過去分詞からの形容詞　429, 430
　～の現在分詞からの形容詞　428
　～の働きをする〈be＋形容詞＋of〉　325
　～の目的語としての to 不定詞　131, 143
　～の目的語になる名詞　357
　～の目的語になる each other, one another　404
　～の目的語の関係代名詞の省略　274
　～の目的語の省略　31
　〈～＋前置詞〉　50
　〈～＋代名詞＋副詞〉　486
　〈～＋抽象名詞〉　360
　〈～＋抽象名詞＋前置詞〉　360
　〈～＋副詞〉　49, 50, 486
　〈～＋副詞＋名詞〉　49, 486
　〈～＋名詞〉　50
　〈～＋名詞〉型の無冠詞　379
　〈～＋名詞＋前置詞〉　50
　〈～＋名詞＋副詞〉　49, 486
　〈～＋O＋前置詞〉　322, 323, 324
　〈be＋～の過去分詞〉　104
　〈wh- to do〉と〈to 不定詞〉のどちらも目的語にとる　138

1. 文法事項索引 たんい―つかいわけ

単位
〜の読み方　457
〈〜を表す語＋物質名詞〉
　　　　　　　　337
〜を示す前置詞　317
短縮形
〈助動詞＋not〉の〜　77
否定疑問文の〜　529
単純未来　59
誕生を表す受動態　118
単数
可算名詞が不特定の〜であることを示す不定冠詞
　　　　　　　　367
名詞の〜と複数　345
〜扱いの every の正しい意味　545
〜に扱う名詞　350
〜にも複数にも扱う集合名詞　334, 335
either, neither を受ける動詞
　　　　　　　　415
単数形
可算名詞の〜につく不定冠詞　366
常に〜である集合名詞　336
〜と複数形で異なる意味を持つ名詞　350
〜にも複数形にもつく定冠詞　367
〜の動詞で受ける名詞　542
〜の動詞で受ける all　409
〜の動詞で受ける〈all（不可算名詞）＋修飾語句〉
　　　　　　　　409
〜の名詞は再点検しよう
　　　　　　　　341
〈a [an]＋〜〉　332, 333, 369
〈the＋〜〉　333, 373
単数名詞
〈定冠詞＋単数具象名詞〉の抽象名詞の用法
　　　　　　　333, 373
〈〜＋and＋〜〉を受ける動詞　547
〈a [an]＋単数普通名詞〉を受ける it　387
〈a [an]＋単数普通名詞〉を受ける one　399
〈a [an]＋〜〉　369
〈a [an] most＋〜〉　501
〈all＋the＋単数可算名詞〉

410
〈every＋単数普通名詞〉
　　　　　　　　414
〈none of 〜＋単数(代)名詞〉　418
〈the＋〜〉　369
〈whole＋〜〉　413
単なる条件　192
単複同形　348
単複両様に扱う名詞　350
単文　22
重文⇔〜　572
複文⇔〜　567
談話
〜の慣用表現　will　59, **90**
〜の構造　108
地位を聞く what　214
知覚
〜や認識を表す状態動詞
　　　　　　　　35
〜を表す動作動詞　34
知覚動詞　9, 149, 163
受動態にしない〜　150
受動態にすると to 不定詞になる〜　150
進行形にしない〜　71
進行形になる〜　72
〜と不定詞・分詞　40
〜の受動態　110
〜＋原形不定詞　122, 149
〈can＋〜〉　78
〈S＋V＋O＋過去分詞〉
　　　　　　　40, **165**
〈S＋V＋O＋現在分詞〉
　　　　　　　40, **163**
〈S＋V＋O＋分詞〉　163
着用を示す前置詞　318
（相手の）**注意**を引く here / there　479
仲介を示す前置詞　315
忠告
had better 〜　**150**, 207
ought to　88
抽象名詞　331, 332, **338**, 371
〈形容詞＋〜〉　338
〈前置詞＋〜〉　360
〈定冠詞＋単数具象名詞〉の〜的用法　333, **373**
〈動詞＋〜〉　360
どんな形容詞がついても a [an] がつかない〜　339
不可算の〜⇒可算名詞　342

普通名詞⇒〜　342
〈不定冠詞＋形容詞＋〜〉
　　　　　　　　371
〈不定冠詞＋〜〉　338, 371
前になんらかの限定詞がつく〜　338
量や程度の多少を示す〜
　　　　　　　　338
〜的になる〈定冠詞＋形容詞[分詞]〉　373
〈all＋〜〉　361, 411
〈all＋the＋不可算名詞（〜）〉　410
〈every＋〜〉　414
〈have the＋〜＋to do〉　361
〈much＋〜〉　445
〈the＋〜＋of＋(代)名詞〉
　　　　　　　　338
重複
共通している語句の〜を避ける省略　560
〜する語句の2番目の省略
　　　　　　　　560
直説法　189
仮定法と〜の使い分け　198
単なる条件（開放条件）
　　　　　　　　192
〜と仮定法　190
〜の時制の一致の例外　512
〈as if [though] 〜〉　205
should を用いた条件文
　　　　　　　99, **199**
直接目的語　3, 10, 11
〜が〈疑問詞＋to 不定詞〉の第4文型　11
〜が主語になる受動態　109
〜が名詞節の第4文型　11
〜が that [wh-, whether, if] 節の第4文型　11
〜が to 不定詞の第4文型
　　　　　　　　11
〜 it の位置　10
直接話法　515
〜の伝達部での倒置
　　　　　　554, 556
直喩　〈as 〜 as ...〉　493
著作を表す所有格　356
通過を示す前置詞　306
(by＋)**通信**の手段を表す名詞
　　　　　　　315, 378
使い分け
仮定法と直説法　198

1. 文法事項索引 つきをしめす―でんたつどう

現在完了と現在完了進行形 72
現在形と現在進行形 66
制限用法と非制限用法 262, 279
接続詞 as と関係詞 as 256
動名詞と現在分詞 181
動名詞と to 不定詞 92, 182, 185
日英の名詞の数の考え方 345
能動態と受動態 106
複文と単文 571
名詞の単数と複数 345
月を示す前置詞 298

提案
丁寧な〜を表す〈if you were to ...〉 199
〜を表す帰結節が命令法 200
〜を表す否定疑問 530
〜を表す〈Hadn't A better 〜?〉 151
〜を表す that 節中に仮定法現在を用いる構文 98, 204
〜を表す〈Why don't we ...?〉 217
〜を表す〈Why don't you ...?〉 216
shall 96
should 98

定冠詞 (the) 367, **371**
可算名詞につく〜 371
可算名詞にも不可算名詞にもつく〜 367
修飾語句がついて限定される名詞につける〜 371
全部を表す〈〜＋複数名詞〉 373
その場の状況からわかる名詞につける 371
ただ 1 つしかないものにつける〜 371
特定のものを指す〜 367, **371**
不可算名詞につく〜 371
文脈からわかる名詞につける〜 371
前に出た名詞に 2 度目からつける〜 371

〜の拡大用法 373
〜の基本的用法 371
〜の総称用法 333, 373
〈〜＋形容詞[分詞]〉 373
〈〜＋形容詞の最上級＋名詞〉 372
〈〜＋単数具象名詞〉の抽象名詞的用法 333, 373
〈〜＋普通名詞〉の抽象名詞的用法 333, 373
〈〜＋物質名詞〉の抽象名詞的用法 373
〈〜＋名詞＋関係詞節〉 371
〈〜＋名詞＋of＋名詞〉 371
a [an] と the の使い分け 369
〈all the＋(形容詞)＋名詞〉 375
〈one of the＋形容詞の最上級〉 372
only, first, last がつく名詞につく〜 372
the と固有名詞 340
the を含む慣用表現 373
〈the＋可算名詞の単数形〉 333, 373
〈the＋可算名詞の複数形〉 333, 373
〈the＋国名形容詞〉 427
〈the＋固有名詞〉 340, 372
〈the＋固有名詞＋普通名詞〉 340
〈the＋最上級＋in [of]〜〉 500
〈the＋単数名詞〉 369
〈the＋抽象名詞＋of＋(代)名詞〉 338

程度
両者の〜を比較する原級比較 494
〜が低いことを表す (a) little 447
〜が低いを表す〈less＋原級＋than〉 498
〜の差の考えられない形容詞 489
〜の高いことを表す much 445
〜や結果を表す接続詞 247
〜を表す副詞 462, 470, **481**
〜を表す副詞の目的格 358
〜を表す to 不定詞 135
〜を尋ねる how 217

出来事
過去における〜を表す過去時制 57
過去における反復的な〜を表す 58
過去に進行中の〜を表す過去進行形 68
過去のある時より前の動作・〜の表し方 58, 65
現在進行中の〜を表す現在進行形 67
現在の反復的な〜を表す 55
未来のある時に進行中の〜を表す未来進行形 69
〜の継起を表す分詞構文 169

転換 517, 567
関係代名詞節⇔単文 572
関係副詞節⇔単文 572
疑問詞主語の構文 363, **576**
〈疑問詞節〉⇔〈疑問詞＋to 不定詞〉 568
形容詞節を含む複文⇔単文 572
実践的文の変換 576
主語の〜 574
〈前置詞＋名詞〉の副詞句と副詞節 571
態の〜 105
動名詞⇔副詞節 570
動名詞⇔ that 節 568
副詞節⇔ to 不定詞 569
分詞構文⇔副詞節 569
文の〜 567
無生物主語の構文 361, **576**
話法の〜 517
〈A seems to be ...〉⇔〈It seems that A is ...〉型 575
but⇔though, although 573
It を主語にする文 574
or⇔if 574
that 節⇔ to 不定詞 567

天気・天候
天気を尋ねる表現 219
天候・時間・距離などの it を主語にする文 574
天候を表す it 388

伝達動詞 515, **517**
平叙文の話法転換 520
〜の選び方 517
say 以外の〜とその位置

1. 文法事項索引 てんよう—どうし

	518
（品詞の）転用	17
電話番号	
911《米》, 999《英》	
	57, **457**
～の読み方	457
等位節	19
～からなる文	22
等位接続詞	224
選択	228
反意・対立	227
理由	229
連結	225
and	225, 227
〈both A and B〉	227, 548
but	227
for	229
〈neither A nor B〉	227, 548
nor	226
〈not only A but (also) B〉	
	227, 549
or	228
同一	
比較対象の文法的～	496
～の人や物についての比較	
	497
同格	358
人名の後の～名詞の無冠詞	
	376
〈代名詞＋名詞〉	358
不定代名詞 both	408
〈文＋名詞〉	359
名詞と～の to 不定詞	131
〈名詞＋名詞〉	358
〈名詞＋名詞節〉	358
～語句　挿入	564
～の that 節を伴う名詞	234
～を示す語句	564
同格節になる名詞節	20
動機を示す前置詞 out of	312
道具	
2 つの部分から成る～の単複の扱い	350
～を示す前置詞	315
動作	
過去における～を表す時制	57
過去に進行中の～を表す過去進行形	68
過去のある時より前の～・出来事の表し方	58, 65
現在行われている～を表す	

現在時制	55
現在進行中の～を表す現在進行形	67
現在の習慣的な～を表す現在時制	55
習慣的～　used to	89
未来のある時に進行中の～を表す未来進行形	69
～の繰り返しを表す過去進行形	68
～の継起を表す分詞構文	
	169
～の受動態	116
動作動詞	34, 35
～（現在完了，過去形）と用いる already	475
～の現在時制	55, 56
動作主	105, **106**, 114, 117
〈形容詞＋～〉	361
～を示さない受動態	117
動詞	16, **31**
ある状態への移行を表す動作～	34, 35
一般～の一般疑問文	23
意味と語法の上で注意すべき～	36
意味によって活用が違う～	
	47
印象を表す～	9
同じ～が自～にも他～にもなるため誤りやすい～	50
活用形を混同しやすい～	
	47
感覚を表す～	9
〈関係詞＋be～〉の省略	
	559
間接目的語，直接目的語のどちらも受動文の主語になれる～	108
間接目的語を主語にした受動文が不自然になる～	
	109
完全自～	3, 7
完全他～	3, 7
完全～	3, **31**
規則～	43
疑問詞が文中にくる〈Do you know what ...?〉型をとる～	221
疑問詞が文頭にくる〈What do you think ...?〉型をとる～	221

疑問代名詞を受ける～の数	
	211
偶発的な出来事を表す動作～	34
句～	49
群～	49
再帰～	**37**, 392
3 人称単数現在形	43
使役～	38
時間・距離・金額などを表す複数語句を受ける	547
自～	3, 31
集合名詞と～	334, 542
主語と～の一致	542
述語～	2, 31
受動態	104
受動態にならない	117, 118
瞬間～	34
準～（不定詞，分詞，動名詞）	31 (122, 155, 174)
条件節と帰結節の～の形	
	194
状態～	35
状態の変化を表す～	8
状態を表す～	8
助～	31
助～と本～の need	101
助～の後の～の省略	560
進行形にしない～	71
接頭辞のついた～	46
相関語句を受ける	549
存在や関係を表す状態～	
	35
態	104
第 2 文型で補語をとる～	8
第 2 文型で名詞を補語にとる～	8
他～	3, 31
単数扱いの不定代名詞を受ける～	544
単数形の～で受ける名詞	
	542
単数で受けても複数で受けてもどちらでもよい名詞	
	543
単数にも複数にも扱う不定代名詞を受ける～	544
知覚～	9
注意すべき活用の～	46
直説法	189
常に第 4 文型で用いる～	
	11

1. 文法事項索引　どうしのかつ—とうち

常に複数形の名詞と〜 350, **542**
動作〜 34, 35
同族目的語をとる〜 38
動名詞 174
動名詞だけを目的語にとる〜 183
動名詞と to 不定詞のどちらも目的語にとる〜 184
時・条件を表す副詞節中の〜の時制 56
2種類の活用形がある〜 47
能動受動態をとる〜 119
能動態 104
人の感情に影響を与える〜の現在分詞 428
不完全自〜 3
不完全他〜 3
不完全〜 3, **31**
不規則〜 45
複合形の〜 46
複合主語を受ける〜 547
複数扱いの不定代名詞を受ける〜 544
複数形の〜で受ける名詞 543
不定詞 122
不定代名詞を受ける〜 544
部分・数量を表す語句と〜 545
分詞 155
分数の主語を受ける〜 546
本〜 31
未来を表す名詞節中の〜の時制 56
名詞を含む成句〜 50
命令文 27
命令法 189
目的語に〈wh- to do〉をとる〜 137
要求・提案・命令を表す〜の目的語となる that 節中に仮定法現在を用いる構文 98, **204**
話法の変換による〜の変化 519
〜修飾の to 不定詞 133
〜と前置詞の連結 320
〜につけられる接尾辞 423
〜の過去形で表す過去時制 57

〜の形〈法〉 189
〜の原形を使う現在時制 54
〈〜の原形＋ed〉 44, 155
〈〜の原形＋ing〉 48, 155
〜の現在分詞・過去分詞からの形容詞 422, **427**
〜の種類 31
〜を修飾する副詞とその位置 466
〜を修飾する much 481
〈〜＋前置詞〉 50
〈〜＋抽象名詞〉 360
〈〜＋副詞〉 49
〈〜＋副詞＋前置詞〉 49
〈〜＋a [an]＋名詞〉 361
〜ing 形の作り方 48
〈a 〜 of A〉型の句の主語を受ける〜 546
〈A and B〉を受ける〜 226, **547**
〈A of B〉型の主語を受ける〜 545
〈A or B〉,〈either A or B〉を受ける〜 548
〈A times B〉を受ける〜 458, **548**
be〜 41
〜の一般疑問文 23
〜の仮定法過去 191, 195
〈〜＋他動詞の過去分詞〉 162
borrow の使い方 37
either, neither を受ける〜 415
〈have a＋名詞〉 43
〈neither A nor B〉を受ける〜 548
〈S＋V＋O＋to 不定詞〉を〈S＋V＋O＋that 節〉に書き換えられる〜 146
〈S＋V＋O＋to 不定詞〉を〈S＋V＋that 節〉に書き換えられる〜 146
〈S＋V＋O＋to 不定詞〉を that 節に書き換えられない〜 146
〈S＋V＋O＋to be〉と that 節をとる〜 147
〈seem to 〜〉と同じ構文をとる〜 140
that 節内で常に直説法を用

いる〜 440
that 節内で should または仮定法現在を用いる〜 98, **204**, 441
that 節内で should または直説法を用いる〜 440
that 節内の〜の形 233
that 節を目的語にとらない〜 233
that 節を目的語にとる〜 232
〈There is ...〉構文に使える〜 14
to 不定詞だけを目的語にとる〜 182
to 不定詞を that 節に書き換えられない〜 146
to 不定詞を that 節に書き換えられる〜 145
〈wh- to do〉は目的語にとるが,〈to 不定詞〉はとらない〜 138
〈will＋〜の原形〉 59

動詞の活用 43

同時
〜生起を表す分詞構文 169
〜を表す as 237
〜を表す when と過去時制 59

当然
should 96
ought to 89

同族目的語 38
〜をとる動詞 38

到達を示す前置詞 309

倒置 554
疑問文中の〜 **23**, 554
強調のための〜 555
主語と述語動詞の〜 554
主語と動詞を〜した条件文 200
譲歩構文での〜 555
直接話法の伝達部での〜 554, 556
否定語句を文頭に出す〜 556
否定の副詞語句と〜 531
被伝達部を前に出すときの主語と述語動詞の〜 556
副詞節中の〜 555
副詞を文頭に出して強調する〜 556

文頭の though 252	現在分詞・過去分詞と	[have, do]〉の慣用的省略
文法上必ず~する構文 554	「~」 157	557
補語を文頭に出す~ 556	不定詞の表す「~」 129	2人称 384
目的語を文頭に出す~ 555	~・条件を表す副詞節中の	~の shall 95
~構文に用いる do 76	動詞の時制 56	認識を表す状態動詞 35
~をしない疑問文 24	~の経過を示す前置詞 301	人称 383
if を省略するときの~	~を表す関係副詞 that 282	1~ 383
200, 555	~を表す接続詞 236, 286	関係代名詞の~ 260
nor に続ける節の主語と動	~を表す先行詞の場合の	3~ 384
詞の~ 226	when 279	総称~ 385
so, neither, nor が文頭にく	~を表す〈前置詞＋関係代	態の転換における be 動詞
るときの~ 486, 555	名詞〉 264	の~ 106
〈There is ...〉構文 13, 554	~を表す副詞 461, 468, 474	2~ 384
同等比較〈as ~ as ...〉 493	~を表す副詞的目的格 357	人称代名詞 383
動名詞 174	~を表す分詞構文 169	1人称・2人称・3人称
格と数の変化 175	~を表す〈as long as ~〉,	383
冠詞がつく~ 175	〈so long as ~〉 251, 256	自分のことを表す we 384
完了形の~ 178	~を表す〈every time〉,	主格 386
許可を求める~の慣用構文	〈each time〉 241	主語に each を含む語句を
180	~を示す前置詞 297, 303	受けるとき 413
形容詞がつく~ 175	~を尋ねる when 215	主語の everybody を受ける
〈形容詞＋~〉 434	特殊疑問文（"wh-" タイプの	とき 416
〈形容詞＋~〉と〈~＋副	疑問文） 24, 210	状況を表す it 389
詞〉 176	~になる間接疑問 220	所有格 386
受動の意味を表す〈動詞＋	~の受動態 111	総称人称 385
~〉 175, 185	~の話法転換 521	天候・時間・距離などを表
前置詞の to に続く~ 180	特定のものを指す定冠詞	す it 388
〈前置詞＋~〉 291	367, 371	人称と格 383
第3文型で目的語になる~	独立不定詞 148	不可算名詞を受ける it 388
10	挿入 564	前に出た句・節・文の内容
丁寧な依頼を表す~の慣用	独立分詞構文 170	を指す it 388
構文 179	慣用的~ 171	前に出た特定のものを表す
動詞的機能 174, 176	~の主語の省略 559	it 387
補語になる 5	〈with＋~〉 171	目的格 387
名詞的機能 175, 176	**な行**	予備の it 389
~だけを目的語にとる動詞	内外・間を示す前置詞 310	話法の変換による~の変化
183	長さの読み方 457	519
~と現在分詞 181	二重限定 276	~とその格変化 383
~と to 不定詞 182	二重所有格 356, 391	~の位置 384
~と to 不定詞のどちらも	〈名詞＋of＋所有代名詞〉	〈~の所有格＋名詞〉の役
目的語にとる動詞 184	391	割をする所有代名詞 391
~の意味上の主語 176	〈of＋所有格〉 356	~を複数並べるときの語順
~の完了形 174	二重前置詞 290	384
~の時制 177	二重否定 535	~ it で受ける〈a [an]＋単
~の受動態 105, 174	重要な役割を果たす~ 536	数名詞〉 387
~の単純形と完了形 178	二重目的語 3	〈both of＋~〉 408
~の名詞化 176	日時を示す前置詞 297	every を含む語句を受ける
~を含む句（主語になる） 1	日常会話	とき 414
~を用いた慣用構文 178	~における主語（＋動詞）	it の特別用法 388
~を用いる名詞句 18	の慣用的省略 558	〈It is ~ that ...〉の強調構文
〈~＋名詞〉 181	~における〈主語＋be 動詞	390
時		値段を尋ねる〈How much is

1. 文法事項索引 ねんげつやに—ひかくきゅう

this? 218
年月や日時を示す前置詞 297
年号の読み方 456
年を示す前置詞 298
能動
　〜的意味を持つ自動詞の過去分詞 161
　〜の意味を表す to 不定詞 185
能動受動態 119
　〜をとる動詞 119
能動態 104
　〜で受動の意味を表す動詞 119
能動不定詞と受動不定詞の意味 126
能力
　〜を表す所有格 356
　be able to 80
　can 78
　could 79
　(話し手の)述べ方を表す副詞 473

は行

倍数
　形状や重量を示す語を用いる〜 503
　〈〜詞＋as 〜 as ...〉 503
　〜表現 502
倍数詞 455
　「〜倍」 **455**, 503
　部分 455, 456
ハイフンによる結合〈名詞-名詞〉 344
始まりや終わりを表す〈S＋V＋to 不定詞〉 143
場所
　〜に the のつかない慣用句 377
　〜を表す関係副詞 that 282
　〜を表す接続詞 where 242
　〜を表す接続詞 wherever 287
　〜を表す先行詞の場合の where 280
　〜を表す副詞 461, 468, 479
　〜を聞く where 215
　〜を示す前置詞 303
8 品詞（➡品詞） 15
発音
　冠詞の種類と〜 366

語尾 -ed の〜〈規則動詞〉 45
比較級，最上級の -er, -est の〜 491
反意
　〜・対立を示す接続副詞 230, 231
　〜を表す等位接続詞 227
範囲
　否定の〜 532
　〜を表す〈as [so] far as 〜〉 256
　〜を示す in 325
反語
　修辞疑問 26, 212
　〜的な言い方になる Why should [would] ...? 216
　〜的な could 80
　can 78
　shall 96
　should 97
反対を示す前置詞 319
判断
　主観的〜 should 97
　話し手の主観的〜を表す形容詞 440
　話し手の〜を表す副詞 472
番地の読み方 457
反復
　過去における〜的な出来事を表す 58
　冠詞の〜 375
　現在の〜的な出来事を表す 55
　前に出た語句の〜を避けるための省略 560
　〜による強調 562
　〜を避ける the one 395, **401**
　(特定の)日を示す on 297
比較 489
　過去形と現在完了の〜 66
　原級〜の意味 494
　原級〜の形式 493
　最上級による〜 500
　接続詞と前置詞の than 496
　同一人[物]についての〜 495, 497
　同等〜 493
　動名詞の単純形と完了形 178
　倍数表現 502
　両者の程度の〜 494

〈〜級＋than〉 495
　〜級による〜の基本形式 495
　〜形式 493
　〜の規則変化　-er, -est 型 490
　〜の規則変化　more 〜, most 〜型 491
　〜の不規則変化 491
　〜を表す時制の一致の例外 513
　〜を表す接続詞 255
　〜を用いた慣用構文 503
　〈as 〜 as ...〉構文の表す正確な意味 495
　less を使った〜 498
　〈less＋原級＋than〉 498
　more often の表す正しい意味 497
比較級 490, **495**, 498, 499, 504
　最上級の意味を，〜で表す形 501
　差の表し方 497
　絶対〜 499
　同一の人や物についての比較 497
　ラテン〜 498
　〜が 2 つあるもの 492
　〜による比較の基本形式 495
　〜の慣用構文 504
　〜の修飾 499
　〜の修飾〈many [much] more＋名詞〉 499
　〜の特殊な形式 498
　〜を修飾する much 481, 499
　〈〜＋and＋〜〉 504
　〈〜＋than〉 495
　〈any＋〜〉 407
　〈know better than＋to 不定詞〉 504
　〈more＋〜＋than〉 497
　〈much [still, even] less 〜〉 504
　〈no＋〜〉 528
　〈no more [less] 〜 than ...〉型 505
　〈no more [less] than A〉型 506
　〈none the＋〜＋for [because of] ...〉 418

— 644 —

〈not more [less] 〜 than ...〉型	505
〈not more [less] than A〉型	505, 506
than ではなく to を用いる〜	498
than の後の省略	496
〈the＋〜＋because [for] 〜〉	504
〈the＋〜＋of the two〉	498
〈the＋〜, the＋〜〉	504
〈what is＋〜〉	273
比較構文	502
特殊な〜	502
〜における as や than 以下の省略	559
比較変化	489
比較級・最上級が２つあるもの	492
不規則な〜をする語	491
〜の有無	489
〜をする形容詞・副詞	489
far	492
farther と further の使い分け	492
late	492
old	492
比較を用いた慣用構文	
原級	503
最上級	506
倍数表現	502
比較級	504
非制限用法	262, 279
関係代名詞 262, 265, 266, 267, 268, 269	
関係代名詞につく前置詞の位置	264
関係副詞	279, 280, 281
〈前置詞＋which＋名詞〉	269
日付	
〜の読み方	456
〜を示す前置詞	297
必然　must	86
必要	
過去の〜　〈should have＋過去分詞〉	96
have to	87
must	85
need	100
should	96
否定	527

完全の〜	535
完全〜	411
語〜	534
全体〜と部分〜	412, **534**
二重〜	535
文頭の hardly	240
文〜	534
〜的な意味の〈only a few [little]〉	448
〜的な意味を表す few	447
〜的な意味を表す little	448
〜の強調	539, 562
〜の答えを予期しての確認	530
〜の重要慣用構文	536
〜の範囲	532
〜の命令文	27
〜の目的を表す表現	124, 134
〜を強調する語句	539
〜を強調する at all, by any means その他の使い分け	539
because を用いる〜文	242, 533
both, all の〜	412, 534
every の〜	415
nor	**226**, 227
否定疑問	484, 529
〜に対して答える	484
〜の意味	530
〜の形	529
否定疑問文	529
否定形	
原形不定詞の〜	123
不定詞の〜	123
分詞の〜	156
〜の疑問文	23
have to の疑問と〜	87
〈would rather not＋原形不定詞〉	152
否定語	527
疑問文における not の位置	529
強い〜	527, 539
否定の副詞語句と倒置	531
否定の副詞語句の位置	531
平叙文における not の位置	529
名詞の前に置く〜	531
命令文における never	530
命令文における not	530

弱い〜	528
〜の位置	529
〜を文頭に出す倒置	556
〜を用いた慣用表現	536
〜を用いない慣用語句	538
〜を用いない否定の意味の慣用表現	537
〈be＋no＋形容詞（＋名詞）〉	527
〈be＋no＋名詞〉	527
few, little	447, 528
hardly, scarcely, seldom, rarely	528
〜の位置	530
〈I don't think ...〉型	531
〈I hope not〉型	397, **532**
〈I hope 〜 not ...〉	532
never	527, 528
no	527
〈no＋比較級〉	528
否定構文	532
否定語句	527
否定文	22
〜中の〈have＋O＋doing〉	40
〜での〈any＋比較級〉	407
〜での many	443
〜での much	445, 446
〜での since	299
〜における some と any	405
〜を作る do	76, 529
被伝達部 515, 517, 519, 520, 523	
話法の転換による〜の変化	519
〜を前に出すときの主語と述語動詞の倒置	556
（一般の）人を表す one	401
非難を表す否定疑問	530
比喩	
〜的な意味を表す〈物質名詞＋-en〉形	425
〜表現　〈a [an]＋単数名詞〉	369
評価	
真偽の〜を表す副詞	472
話し手の主観的な〜を表す〈It is 〜 of A to ...〉	142
病気を表す受動態	118
描出話法	516
ピリオド［終止符］(.)	23
比例を表す接続詞	255

1. 文法事項索引 ひんし―ふくし

品詞	15
8 ～とその機能	15
間投詞	17
形容詞	16, **422**
冠詞	16, 366
接続詞	16, **224**
前置詞	16, **290**
代名詞	15, **383**
動詞	16, **31**
助動詞	16, **75**
副詞	16, **461**
名詞	15, **330**
品詞の転用	17
形容詞⇔副詞	17, 18
前置詞⇔接続詞	17
名詞⇔動詞	17
頻度	
～が多い，少ないを表す表現	450
～を表す副詞	461, 469, 474
付加疑問	25
肯定文に続く～	25
否定文に続く～	25
命令文に続く～	25
〈hadn't I [we]?〉	151
Let's ～に続く～	26
不可算名詞	331, **332**, 339, 367, 370
可算名詞にも～にもつく定冠詞	367
〈不定冠詞＋～〉	370
～である集合名詞	336
～としての抽象名詞	338
～として用いられることが多い物質名詞	337
～につく定冠詞	371
～を受ける it	388
～⇒可算名詞	342
〈all（～）＋修飾語句〉	409
〈all＋the＋～〉	410
〈much＋～〉	444
〈much more＋単数名詞〉	499
〈no＋～〉	442
〈none of ～＋不可算名詞〉	418
one を用いることができない～	400
付加説明を示す接続副詞	230
不完全自動詞	3, 31
be	42
不完全他動詞	3

不完全動詞	3, 31
不規則動詞	45
A‒A‒A 型	46
A‒A‒B 型	46
A‒B‒A 型	46
A‒B‒B 型	45
A‒B‒C 型	46
～の過去形	45, 57
（比較の）**不規則**変化	491
複合関係形容詞	285, 286
whatever	286
whichever	285
複合関係詞	284
複合関係形容詞	285
複合関係代名詞	284
複合関係代名詞	260, **284**
whatever	286
whichever	285
whoever, whomever	284
複合関係副詞	286, 287
however	287
whenever	286
wherever	286
whyever	287
複合主語	2
～を受ける動詞	547
複合名詞	343
1 語の～	343
〈数詞＋名詞〉	345
2 語（以上）の～	343
〈名詞＋名詞〉	343
〈名詞-名詞〉	344
〈名詞 A ＋名詞 B〉の形の～の名詞 A の数	344
～の所有格	353
～の複数形	349
副詞	16, **461**
相手の注意を引く here / there	479
〈冠詞＋～＋形容詞＋名詞〉	374
疑問～	215
強調を表す ever と before	477
句動詞を作る～	49, 486
形容詞句や副詞句を修飾する～	462
形容詞として用いる～	424
形容詞と同形の～	463
形容詞と同形の～と，-ly をつけた～の意味	464, 466

形容詞・～修飾の to 不定詞	135
形容詞・副詞を修飾する～の位置	471
〈形容詞[～]＋as＋S＋V〉	252
〈形容詞＋-ly〉	466
〈形容詞＋-ly〉形の～の -ly のつけ方	464
異なる種類の～が並ぶときの語順	470
〈自動詞＋～〉	49, **486**
受動態での～の位置	467
数詞を修飾する～	471
接続詞として使う～	241
接続～	224, **229**, 462
前置詞と同形の～	462
前置詞と～	49, **296**
〈前置詞＋～〉	292
〈前置詞＋名詞〉の～句と～節	571
〈他動詞＋代名詞＋～〉	486
〈他動詞＋～〉	49, 50, 486
〈他動詞＋～＋名詞〉	49, **486**
〈他動詞＋名詞＋～〉	49, **486**
注意すべき～	474
動詞を修飾する～とその位置	466
〈動詞＋～〉	49, 466, 470
〈動詞＋～＋前置詞〉	49
〈動詞＋O＋～〉	466, 467
否定の～語句の位置	531
不定詞を修飾する～の位置	124
文修飾～	462, **472**
～の位置	473
補語になる	5
名詞・代名詞などを修飾する～の位置	471
名詞から派生した～	463
名詞を修飾する～	462
〈名詞＋時や場所を表す～〉	7, **471**
話法の変換による時・場所の～の変化	519
～（句）が必要な完全自動詞	7
～（句）で修飾される動名詞	175

— 646 —

1. 文法事項索引　ふくしく―ふくすう

～句を修飾する　462
～(句)〈if節の代用〉　201
～節を修飾する　463
～だけが修飾する分詞　159
～的修飾語句　6
～的に用いる形容詞　425
～的に用いる all　411
～としての (a) little　448
～としての enough　449
～として働く前置詞をつけない語句　295, **298**
～の後にくる冠詞　374
～の位置　466, 467
～の位置を変えた場合のニュアンスの違い　467
～の意味・用法
　強調　470, 481
　時間的関係　469
　時点・期間　468
　真偽の評価　472
　程度　462, 470, 481
　時　461, 468, 474
　場所　461, 468, 479
　話し手の態度や，述べ方　473
　話し手の判断や気持ち　472
　頻度　461, 469, 474
　様態　461, 466
～の語形　463
～の最上級　500
～の働きをする〈前置詞＋抽象名詞〉　360
～の比較級　496
～の比較変化　489
～を修飾する～の位置　471
～を修飾する very　481
～を文頭に出して強調する倒置　556
〈～＋動詞〉　466, 467
〈～＋動詞＋O〉　466
about, around, nearly　471
ago　474
almost　**471**, 483
already　474
already, just, still　469
also　485
before　474
〈be動詞＋～＋過去分詞〉　467
early, late　469
either, neither　486

else　462, **471**
enough　471
even, alone　471
ever　476
far　480
here, there　479
〈How＋形容詞[～]...?〉　217
〈however＋形容詞[～]＋S＋V〉　287
〈It is ～ that ...〉構文に書き換えられない～　472, 473
〈It is ～ that ...〉構文に書き換えられる～　472
just　478
just now　478
-ly がついても意味・用法がほとんど同じ～　464
-ly がつくと抽象的な意味に使う～　465
-ly の有無によって意味の異なる～　465
maybe と「たぶん」　83
most　**471**
〈most＋～〉　501
nearly, almost　483
now　478
once　476
only　484, 485
〈over〈～〉＋前置詞〉　468
since　469, 474
so　482
〈so ～ as to do〉　482
〈so＋形容詞＋a [an]＋名詞〉　375, **483**
〈so＋～＋that ...〉　247, 482
still　476
〈There is ...〉構文　479
〈to＋～＋原形〉　124
too　482, 485
〈too ～ to ...〉　375, 483
very, much　481
very のように使う so　482
Yes / No　484
yet　469, 475
副詞句　19
〈前置詞＋関係代名詞〉　264
〈前置詞＋名詞〉の形　19
分詞を用いる　19
～としての due to　313
～として働く〈前置詞＋(代)名詞〉　291, 293

to不定詞を用いる～　19
副詞節　21
原因・理由の～を導く接続詞　242
条件の～を導く接続詞　248
条件を表す～での will　91
譲歩の～を導く接続詞　251
譲歩の～を導く複合関係形容詞　285, 286
譲歩の～を導く複合関係代名詞　284, 285, 286
譲歩の～を導く複合関係副詞　285, 286
除外の～を導く接続詞　256
制限の～を導く接続詞　256
単なる未来の will　92
程度や結果を表す～を導く接続詞　247
時・条件を表す～中の動詞の時制　56
時の～を導く接続詞　236
場所の～を導く接続詞　242
比較の～を導く接続詞　255
比例の～を導く接続詞　255
付言の～を導く接続詞　256
目的を表す～を導く接続詞　245
様態の～を導く接続詞　254
～を含む複文⇔単文　569
副詞的目的格　294, **357**, 463
　距離　357
　程度　358
　時　357
　方法　358
副詞用法
〈前置詞＋名詞〉の～　293
〈any＋比較級〉　407
either と neither　415, 486
〈none the＋比較級＋for [because of] ...〉　418
〈some＋数詞〉　407
this, that の～　395
to不定詞　122, **133**
複数
規則～　346
主語が～で，各自が1つずつ何かを持っている場合の単複の使い分け　346
単数にも～にも扱う集合名詞　334, 335
常に～扱いの both　408
常に～扱いをする集合名詞

	335
不規則～	347
名詞の単数と～	345
～に扱う名詞	350
複数形	
外来語の～	348
冠詞なしの～	332, 333
敬称の～	349
〈数詞または不定の数を示す語＋～〉	333
相互複数	351
単数形と～で異なる意味を持つ名詞	350
単数形にも～にもつく定冠詞	367
常に～の名詞	350
常に～の名詞と動詞	542
似たようなものや事柄の繰り返しを強める～	351
複合名詞の～	349
無冠詞の～	333, 369
名詞の規則的な～の作り方	346
文字や記号の～	349
略語の～	349
論文に使う名詞の～	348
～で用いる基数詞	453
～の動詞で受ける名詞	543
～の動詞で受ける all	409
～の動詞で受ける〈all of the ～〉	409
～の特別用法	350
〈the＋可算名詞の～〉	334
zero に続く可算名詞	345
(一般的な -s をつける以外の)複数変化	347
複数名詞	
全部を表す〈定冠詞＋～〉	373
～を受ける some, they [them]	400
〈a [an] most＋～〉	501
〈all＋無冠詞～〉	410
〈all＋the＋～〉	410
〈all of＋冠詞相当語＋～〉	409
〈neither of＋複数(代)名詞〉	415
〈none of ～＋複数(代)名詞〉	418
〈one of the＋～＋関係代名詞〉	260

複文	22
形容詞節を含む～⇔単文	572
重文⇔～	573
副詞節を含む～⇔単文	569
名詞節を含む～⇔単文	567
～⇔単文	567
付言を表す接続詞	256
付帯状況を表す分詞構文	169
普通名詞	330, 331, 333
固有名詞⇒～	342
〈定冠詞＋～〉の抽象名詞的用法	333, 373
物質名詞⇔～	342
～になる〈定冠詞＋形容詞[分詞]〉	373
～⇒固有名詞・抽象名詞	342
〈a [an]＋単数～〉を受ける it	387
〈a [an]＋単数～〉を受ける one	399
〈every＋単数～〉	414
〈the＋固有名詞＋～〉	340
物質名詞	331, 337, 370, 371
総称用法	337
〈単位を表す語＋物質名詞〉	337
〈定冠詞＋～〉の抽象名詞的用法	333, 373
特定の～	337
〈不定冠詞＋～〉	337, 370
不定量の～	337
～からの形容詞	422, **425**
～の量の表し方	337
〈～＋-en〉形	425
～⇔普通名詞	342
〈a cup of ～〉などの主語を受ける動詞	546
〈all＋the＋不可算名詞(～)〉	410
〈much＋～〉	444
不定冠詞 (a [an])	366, **367**
「ある」の意味を表す	368
「いくらかの」の意味を表す	368
可算名詞の単数形につく	366, 367
総称文	369
総称用法	333, 369
どんな形容詞がついても a [an] がつかない抽象名詞	

	339
初めて話題に上る可算名詞を導入する～	368
「1つ」であることを示す	368
不特定のものを指す～	366, **367**
「～につき」の意味を表す	369
～の拡大用法	368
～の基本的用法	367
〈～＋形容詞＋抽象名詞〉	371
〈～＋固有名詞〉	341, 370
〈～＋序数詞〉	369
〈～＋抽象名詞〉	338, 371
〈～＋不可算名詞〉	370
〈～＋物質名詞〉	370
a [an] と固有名詞	341
a [an] と the の使い分け	369
〈a [an]＋可算名詞の単数形〉	332, 333, 369
〈a [an]＋単数名詞〉	333, 369
〈a(n)＋国名形容詞〉	427
it で受ける〈a [an]＋単数名詞〉	387
〈rather a [an]＋形容詞＋名詞〉	374
〈so＋形容詞＋a [an]＋名詞〉	375
〈such a [an]＋形容詞＋名詞〉	374
不定詞	122
意味上の主語を示さない～	128
完了～	125
〈形容詞＋～〉	434
原形～	122, **148**
〈助動詞＋完了～〉	125
代～	123
代～の to で終わる表現	124
知覚動詞構文と受動態	150
知覚動詞と～	40
独立～	148
能動～と受動～の意味	126
分離～	124
目的格補語に～をとる第5文型	13, 131
～構文 〈S＋V＋O＋to do〉	39, 145
～の表す「時」	129
～の意味上の主語	127, 128

— 648 —

1．文法事項索引　ふていすうり―ふていだいめ

～の完了形　125
～の受動態　105, 126
～の進行形　127
～の否定形　123
～を修飾する副詞の位置　124
be動詞の補語になる～　123
〈help [know]＋O＋(to) do〉　123, 150
Not to brag, but ... . と Not to change the subject, but ... . の省略された意味　560
〈S＋V＋O＋原形～〉　40, **163**
〈should [ought to] have＋過去分詞〉　126
to不定詞〈to＋動詞の原形〉　122
　感情の原因　134
　既定の事実・実現，義務・命令，予定〈be to 不定詞〉　140, 141
　形容詞・副詞修飾　135
　結果　134
　主語としての～　130
　受動態にすると～になる知覚動詞　150
　条件　135, **201**
　助動詞の後の～　149
　前置詞の目的語としての～　**131**, 291
　第3文型で目的語になる～　10
　他動詞の目的語としての～　131, 143
　直接目的語が〈疑問詞＋～〉の第4文型　11
　直接目的語が～の第4文型　11
　程度　135
　動詞修飾の～　133
　動名詞と～　182
　動名詞と～のどちらも目的語にとる動詞　184
　判断の根拠　135
　補語としての～　131
　補語になる～　5
　名詞と同格の用法　131
　目的　133
　目的語としての～　131
　～だけを目的語にとる動詞　182

～でも原形不定詞でもよい構文　123
～と that節　144
～の基本構文　136
～の形容詞用法　132
～の代用の and　226
～の副詞用法　133
～の名詞用法　130
～を含む句〔主語になる〕　1
～を用いる形容詞句　18
～を用いる副詞句　19
～を用いる名詞句　18
～を that節に書き換えられない動詞　146
～を that節に書き換えられる動詞　145
〈疑問詞＋to不定詞〉　136, 212
〈as if＋to不定詞〉　207
〈be＋形容詞＋to不定詞〉　135, 437
〈be＋to不定詞〉　140, 145
if節の代用　135, **201**
〈It is ～ for A to ...〉構文　128, 141, 575
〈It is ～ for A to ...〉構文と that 構文　141
〈It is ～ of A to ...〉構文　142, 575
〈It is ～ that ...〉構文だけで, to ～構文をとれない形容詞　143
〈S＋V＋O＋to be〉と that節をとる動詞　147
〈S＋V＋O＋to do〉　145
〈S＋V＋O＋to do〉を〈S＋V＋O＋that節〉に書き換えられる動詞　146
〈S＋V＋O＋to do〉を〈S＋V＋that節〉に書き換えられる動詞　146
〈S＋V＋O＋to do〉を that節に書き換えられない動詞　146
〈S＋V＋to不定詞〉　143
〈seem＋to不定詞〉　139
〈the last A＋to不定詞〉　506
「to不定詞」の形容詞用法では to に続ける動詞に注意　574

〈wh- to do〉と〈to不定詞〉のどちらも目的語にとる他動詞　138
〈wh- to do〉は目的語にとるが,〈to不定詞〉はとらない動詞　138
〈wh- to do〉を目的語にとる動詞　137
〈to＋副詞＋原形〉　124
〈was [were] to＋have＋過去分詞〉　126
不定数量形容詞　443
　(a) few　443, **447**
　(a) little　443, **447**
　enough　449
　many　443
　much　443, **444**
　several　443, **449**
不定代名詞　399
　「ある～」の意味の some　406
　一般の人を表す one　401
　「およそ」の意味の some　407
　強調を表す all　410
　肯定文での at all　411
　〈修飾語＋one〉　400
　所有格の次に置けない one　401
　単数扱いの～を受ける動詞　544
　単数にも複数にも扱う～を受ける動詞　544
　同格の both　408
　「どんな～でも」の意味の any　406
　副詞的に用いる all　411
　複数扱いの～を受ける動詞　544
　複数名詞を受ける some, they [them]　400
　名詞の代用語としての one　399
　～と代名詞の一致　551
　～の形容詞用法　442
　all　410, 442
　both　408, 442
　each　413, 443
　either　415, 443
　every　413, 443
　neither　415, 443
　no　442, 527

― 649 ―

some, any	405, 442	
〜を受ける動詞	544	
〜を使った慣用句	407	
〈a [an]＋単数普通名詞〉を受ける one	399	
〈a whole A〉	413	
all	409	
all の形容詞用法	410	
all の代名詞用法	409	
all を用いた慣用句	411	
〈all＋抽象名詞・身体の部分を表す語〉	411	
〈all＋時を示す語〉	411	
〈all＋無冠詞複数名詞〉	410	
〈all＋the＋単数可算名詞〉	410	
〈all＋the＋不可算名詞〉	410	
〈all＋the＋複数名詞〉	410	
〈all of＋冠詞相当語＋複数名詞〉	409	
another	403	
〈any＋比較級〉	407	
both	408	
both の形容詞用法	408	
both の代名詞用法	408	
both, all の位置	412	
both, all の否定	412, 534	
each	413	
each other, one another	404	
either	415	
every	413	
〈every＋単数普通名詞〉	414	
〈every＋抽象名詞〉	414	
neither	415	
〈neither of＋複数(代)名詞〉	415	
〈no＋先行する名詞〉	418	
no one	417	
nobody	417	
none	417, 418	
none の単複の扱い	419	
〈none of 〜＋単数(代)名詞〉	418	
〈none of 〜＋複数(代)名詞〉	418	
nothing	419	
〈nothing but＋(代)名詞〉	419	
one	399	
one と it の使い分け	400	

one の形容詞用法	402	
one を用いることができない不可算名詞	400	
〈one＋名詞〉	402	
other	402	
other の形容詞用法	403	
other の代名詞用法	402	
other を用いた慣用表現	406	
several	408	
some と any	404, 407	
〈some＋〜〉	407	
〈some one, any one＋of 句〉		416
somebody, someone, anybody, anyone, everybody, everyone		415
something, anything, everything		417
the one	395, 401	
whole と all	413	
〈whole＋単数名詞〉	413	
不特定		
可算名詞が〜の単数であることを示す不定冠詞		367
〜のものを指す不定冠詞	366, **367**	
〜のものを指す不定代名詞		399
部分		
〜を表す語句と動詞	545	
〜を表す所有格	356	
〜を表す分数表現	455, 456	
部分否定	412, **534**	
both, all	412, 534	
every		415
文		1
会話〜		6
感嘆〜		28
慣用表現		6
祈願〜		28
機能上の〜の分類		23
疑問〜	23, 24	
後続する〜の内容を指す this		394
肯定〜		22
種類の違う〜が混ざっている場合の話法転換		523
単・重・複〜		22
同格の関係にある〈〜＋名詞〉		359
否定〜		22
平叙〜		23

前に出た〜の内容を指す it		388
前の〜の内容を受ける such		396
前の〜の内容を指す, it と that [this] の違い		388
前の〜の内容を指す this, that		394
命令〜	6, 27	
〜の構成		1
〜の種類		22
〜の転換（➡文の転換)		567
〜の要素		6
〜の要素を欠く〜		6
〜否定		534
文型（基本5文型)		7
第1〜〈S＋V〉		7
第2〜〈S＋V＋C〉		7
第3〜〈S＋V＋O〉		
	7, **10**, 107	
第3文型⇔第4文型		
	10, 11	
第4〜〈S＋V＋O_1＋O_2〉		
	7, **10**, 108	
第5〜〈S＋V＋O＋C〉		
	7, **12**, 110	
分詞		155
過去〜	43, 155	
強調表現の〜		163
形容詞の前に置く〜		162
現在〜	48, 155	
現在〜・過去〜と「時」		157
懸垂〜		170
知覚動詞と〜		40
〈定冠詞＋形容詞[〜]〉	373	
副詞用法		162
補語をとる〜		159
目的格補語に〜をとる第5文型		13
目的語をとる〜		159
〜と共に用いる語句		159
〜との修飾関係 very, much		481
〜の完了形		156
〜の完了進行形		156
〜の形容詞化	158, 427	
〜の限定用法		160
〜の受動態	105, 157	
〜の叙述用法		162
〜の進行形		156
〜の動詞的機能		157

～の否定形	156
～の用法	157
～を使った簡潔な言い方	159
～を用いる形容詞句	19
～を用いる副詞句	19
〈S＋知覚[使役]動詞＋O＋～〉	163
〈S＋catch [find]＋O＋現在～〉	163
〈S＋V＋～〉	162
〈S＋V＋O＋～〉	163
分詞形容詞	427
語尾が -en の～	432
分詞構文	167
過去分詞の～	167
原因・理由	169, 170
現在分詞の～	167
受動態の～	168
条件	169
譲歩	170
接続詞を頭につけた～	168, 169
動作や出来事の継起	169
時	169
独立～	170
付帯状況	169
～の表す意味	169
～の意味上の主語	167
～の意味上の主語の省略	167, 558
～の時制	168
if節の代用	169, 201
文修飾の〈前置詞＋名詞〉	293
文修飾副詞	462, 472
～の位置	473
～の種類	472
分数	455
～の読み方	456
～表現	455
文の転換	
疑問詞の利用	568
形容詞節を含む複文⇔単文	572
重文⇔前置詞句を使った単文	573
重文⇔単文	572, 573
重文⇔不定詞を使った単文	572
重文⇔分詞構文を使った単文	573
副詞節を含む複文⇔単文	569
複文と単文の使い分け	571
複文⇔単文	567
名詞節を含む複文⇔単文	567
〈命令文＋and [or] ...〉⇔if	573
〈It is ～ that ...〉⇔〈It is ～ (for A) to ...〉	568
〈It seems that ...〉⇔〈seems to ...〉	568
分離不定詞	124
分離を示す〈be＋形容詞＋of〉	325
平叙文〈S＋V〉	23
～での do を用いた強調	561
～における not の位置	529
～の話法転換	520
(動名詞の数と格の)変化	175
変換	576
過去形・現在形→過去完了形・過去形	513
実践的文の～	576
法	189
仮定～	190
条件文と～	191
直説～	189
命令～	189
方向・到達を示す前置詞	309
法助動詞（➡助動詞）	59, 76, 91
方法	
～や様態を表す先行詞の場合の how	281
～を表す関係副詞 how	281
～を表す関係副詞 that	282
～を表す副詞的目的格	358
～を表すものが主語の構文	362
～を尋ねる how	217
法律・規則を表す shall	96
補語	4
主格～	4
主語と～の数の一致	550
主語＝～の関係になる第2文型	8
目的格～	4, 12
～が必要な第2文型	7
～としての so	398
～としての to不定詞	131
～として用いられる場合の無冠詞	376
～に相当する語句	5
～になる〈疑問詞＋to不定詞〉	136
～になる語句	5
～になる動名詞	175
～になる名詞節	20
～になる due to	313
～になる that節	232
～になる what が導く名詞節	272
～をとる分詞	159
～を必要としない完全動詞	3
～を必要とする不完全動詞	3
～を文頭に出す倒置	556
本動詞	31
be	41
do	42
have	43

ま行

(意見・)見方を表す〈It is＋形容詞＋that A (should) ...〉構文	441
身分を表す名詞の無冠詞	376
未来	
意志～	59
確定的な～を表す現在進行形	61, 67
現在時制で表す～	61
現在進行形で表す～	61, 67
単純～	59
当然の～を表す未来進行形	69
～の結果を表す will	91
～の代用［時・条件を表す副詞節中の動詞の時制］	56
～の代用の現在時制	56
～を表す表現	59
～を表す名詞節中の動詞の時制	56
～を表す be going to	60
～を表す will	59
未来完了	65, 66
完了	66
経験	66
継続	66
結果の状態	66
未来完了進行形	71

1. 文法事項索引　みらいじせい―めいし

～の代用の現在完了　63
未来時制〈will＋動詞の原形〉
　　　　　　　　　　59
未来進行形　　　　68
　確定的な予定　　　69
　過去進行形と～　　69
　進行中の動作・出来事　69
　丁寧な依頼　　　　69
無冠詞　　　　　　376
　官職・身分などを表す名詞
　　　　　　　　　　376
　建造物や場所を表す名詞
　　　　　　　　　　377
　食事を表す名詞　　378
　人名の後の同格名詞として
　　　　　　　　　　376
　人名の前で　　　　376
　〈前置詞＋名詞〉　379
　建物や場所などに the のつかない慣用句　　377
　〈他動詞＋名詞〉　379
　対句　　　　　　　378
　特殊な構文や慣用句で　378
　補語として用いられる場合
　　　　　　　　　　376
　役割を表す as の次で　376
　～の複数形　　　　333
　〈by＋交通・通信の手段を表す名詞〉　315, 378
無生物
　～の所有格　　　　353
　～の名詞に〈's〉をつけることが多い例　　354
無生物主語
　～と will　　　　　91
　～の構文　　　361, 576
明暗を表す it　　　　388
名詞　　　　　　15, 330
　外来語の複数形　　348
　可算～　　　330, 332, 339
　官職・身分などを表す～の無冠詞　　　　　　376
　〈冠詞＋副詞＋形容詞＋～〉
　　　　　　　　　　374
　規則複数　　　　　346
　具象～と抽象～　331, 332
　形容詞として用いる～
　　　　　　　　343, 424
　〈形容詞＋動作主〉　361
　〈現在分詞＋～〉　181
　建造物や場所を表す～の無冠詞　　　　　　　377

語尾変化で性別を示す語
　　　　　　　　　　359
固有～　　　　　331, **339**
固有～と共通～　　　330
集合～　　　　　331, **334**
集合～と動詞　　334, **542**
修飾語句がついて限定される～につける定冠詞　371
主格　　　　　　　　357
主語が単一～の場合　542
主語となる～〈if節の代用〉
　　　　　　　　　　202
主語になる～　　　　1
種属名詞　　　　331, 334
食事を表す～の無冠詞　378
所有格　　　　　　　352
所有格の次に続く～の省略
　　　　　　　　　　353
〈数詞＋～〉の複合～　345
接続詞として使う～　241
〈前置詞＋（代）～〉　291
〈前置詞＋抽象～〉　360
〈前置詞＋～〉型の無冠詞
　　　　　　　　　　379
〈前置詞＋～〉の形の形容詞句　　　　　　　　19
〈前置詞＋～〉の形の副詞句　　　　　　　　　19
〈前置詞＋which＋～〉　269
全部を表す〈定冠詞＋複数～〉　　　　　　　　373
相互複数　　　　　　351
総称用法　　　　　　333
その場の状況からわかる～につける定冠詞　　371
第3文型で目的語になる
　　　　　　　　　　10
第2文型で補語になる　8
代～　　　　　　　　383
「多・少」を表すのに frequent, rare を用いる～
　　　　　　　　　　450
「多・少」を表すのに large, small を用いる～　　449
〈他動詞＋副詞＋～〉　486
〈他動詞＋～〉　　　50
〈他動詞＋～〉型の無冠詞
　　　　　　　　　　379
〈他動詞＋～＋前置詞〉　50
〈他動詞＋～＋副詞〉
　　　　　　　　49, 486
単数形と複数形で異なる意

味を持つ～　　　　350
単数形の動詞で受ける～
　　　　　　　　　　542
単数形の～は再点検しよう
　　　　　　　　　　341
単数で受けても複数で受けてもどちらでもよい～
　　　　　　　　　　543
単数と複数　　　　　345
単数に扱う～　　　　350
〈単数～＋and＋単数～〉を受ける動詞　　　　547
男性と女性それぞれを示す
～がまったく違う単語
　　　　　　　　　　359
単複同形　　　　　　348
単複両様に扱う～　　350
抽象～　　　　　　　338
常に複数形の～　　　350
常に複数形の～と動詞　542
〈定冠詞＋単数具象～〉の抽象～的用法　333, 373
伝統的な～の5分類　331
同格　　　　　　　　358
同格の関係にある〈代名詞＋～〉　　　　　　　358
同格の関係にある〈文＋～〉　　　　　　　　359
同格の関係にある〈～＋～〉　　　　　　　　358
同格の関係にある〈～＋～節〉　　　　　　　　358
同格の that節を伴う～　234
〈動詞＋抽象～〉　　360
〈動詞＋a [an]＋～〉　361
動名詞の～化　　　　176
〈動名詞＋～〉　　　181
似たようなものや事柄の繰り返しを強める複数形
　　　　　　　　　　351
不可算～　　　331, **332**, 339
不規則複数　　　　　347
複合～　　　　　　　343
複数形の動詞で受ける～
　　　　　　　　　　543
複数に扱う～　　　　350
複数の形容詞を～の前に置くときの順序　　　　436
2つの部分から成る道具や衣類　　　　　　　　350
普通～　　　　　　　333
物質～　　　　　　　337

— 652 —

1. 文法事項索引　めいしく―めいれいぶん

文頭に出す冠詞をつけない
　〜　252
文頭に出す程度の差のある
　〜　252
文脈からわかる〜につける
　定冠詞　371
補語になる　5
前に出た〜に2度目からつ
　ける定冠詞　371
無冠詞〈〜＋as [though]
　＋S＋V〉　252, **378**
無生物の〜に〈's〉をつけ
　ることが多い例　354
〈名詞＋名詞〉の複合名詞
　343, 344
〈名詞A＋名詞B〉の形の
　複合名詞の名詞Aの数
　344
目的格　357
目的格補語に〜をとる第5
　文型　12
論文に使う複数形　348
〜扱いの〈修飾語＋one〉
　400
〜から派生した形容詞　432
〜から派生した副詞　463
〜としての基数詞　452
〜としての enough　449
〜と代名詞の一致　550
〜につけられる接尾辞　423
〜の後に置く形容詞　435
〜の格　352
〜の数　345
〜の繰り返しを避ける that
　と those　395
〜の種類　330
〜の性　359
〜の代用語としての one
　399
〜の分類　330, **331**
〜の前に置く形容詞　435
〜の前に置く否定語　531
〜の前または後に置く現在
　分詞　160
〜を修飾する副詞　462
〜を修飾する副詞の位置
　471
〜を説明したり，〜に説明
　を加える関係代名詞　262
〜を含む成句動詞　50
〜を用いた重要構文　360
〈〜＋時や所を表す副詞〉

　7, **471**
〈〜＋and〉　225
〈〜＋as＋S＋V〉と〈〜＋
　though＋S＋V〉の違い
　379
〈〜＋concerned〉　416
〈〜＋of＋所有格＋own〉
　387
〈〜＋or〉　228
〈a [an]＋単数〜〉　333, 369
〈a [an]＋〜〉で繰り返す場
　合の one　395
〈a [an] most＋単数〜〉　501
〈a [an] most＋複数〜〉　501
〈all＋抽象〜〉　361
〈all＋無冠詞複数〜〉　410
〈all＋the＋単数可算〜〉
　410
〈all＋the＋不可算〜〉　410
〈all＋the＋複数〜〉　410
〈all of＋冠詞相当語＋複数
　〜〉　409
〈all the＋(形容詞)＋〜〉
　375
〈be＋no＋形容詞(＋〜)〉
　527
〈be＋no＋〜〉　527
〈by＋交通・通信の手段を
　表す〜〉　315, 378
〈have a＋〜〉　43
〈have the＋抽象〜＋to do〉
　361
it で受ける〈a [an]＋単数
　〜〉　387
〈many [much] more＋〜〉
　499
〈neither of＋複数(代)〜〉
　415
〈no＋可算・不可算〜〉　442
〈no＋先行する〜〉　418
〈none of〜＋単数(代)〜〉
　418
〈none of〜＋複数(代)〜〉
　418
〈nothing but＋(代)〜〉　419
〈of＋〜〉の形と所有格
　353
〈one＋〜〉　402
〈one of the＋複数〜〉　546
〈one of the＋複数〜＋関係
　代名詞〉　**260**, 546
〈rather a [an]＋形容詞＋〜〉

　374
〈's〉所有格と〈of＋〜〉
　353
〈so＋形容詞＋a [an]＋〜〉
　247, 375, 483
〈such＋形容詞＋〜＋that
　...〉　247
〈such a [an]＋形容詞＋〜〉
　374
〈the＋単数〜〉　369
〈the＋抽象〜＋of＋(代)
　〜〉　338
〈whole＋単数〜〉　413
zero に続く可算〜の扱い
　345
〈zero＋名詞〉の扱い方　458
名詞句　18
〈前置詞＋〜〉　291
　動名詞を用いる　18
　to 不定詞を用いる　18
名詞節　20
　主語になる　1
〈前置詞＋〜〉　291
　直接目的語が〜の第4文型
　11
　同格の関係にある〈名詞＋
　〜〉　358
　未来を表す〜中の動詞の時
　制　56
　目的語になる〜の that の省
　略　559
　〜を導く接続詞　232
　〜を導く複合関係形容詞
　285, 286
　〜を導く複合関係代名詞
　284, 285, 286
　what の導く〜　272
名詞用法
〈前置詞＋名詞〉の〜　293
　to 不定詞　122, **130**
命令
　軽い〜　might　84
　〜を表す〈be to〜〉　140
　〜を表す〈had better〜〉
　150, 207
　〜を表す that 節中に仮定法
　現在を用いる構文
　98, 204
　shall　96
　should　98
　will　91
命令文　**6**, 27, 189

— 653 —

1. 文法事項索引　めいれいほう―もくてきご

1人称に対する～　27
3人称に対する～　27
2人称に対する～で，主語のyouの有無　27
命令法　189
～でのdoを用いた強調　562
～におけるnever　530
～におけるnot　530
～の受動態　111
～の話法転換　521
〈～＋and〉　225
〈～＋and [or]〉構文の話法転換　523
〈～＋and [or] ...〉⇔if　573
〈～＋or〉　228
〈If S'＋現在形 ..., 命令文〉　193
letを用いた～　27
命令法　189
面積の単位の読み方　457
申し出
～を表す〈S＋V＋to不定詞〉　143
can　79
shall　96
will　91
目的
後に続く名詞の～・用途を表す動名詞　181
否定の～を表す表現　124, 134
～・結果を示す前置詞　314
～・譲歩　may　83, 252
～や結果を表す構文での省略　559
～を表す接続詞　245
～を表すto不定詞　133
～を示す前置詞　314
目的格　357, 386, 387
関係代名詞の～　259, **261**
形容詞的に働く～　358
前置詞の目的語　357
他動詞の目的語　357
人称代名詞の～　383, **387**
副詞的に働く～　357, 463
名詞の～　357
二重～　3
～関係を表す所有格　355
～の関係代名詞の省略　274
～のthat　270
～のwhich　267
～のwhom　265
目的格補語　4, 6, 12, 131, 357
～としてのto不定詞　13, 131
～に句をとる第5文型　12
～に形容詞をとる第5文型　12
～に相当する語句　6
～になる形容詞　12, **431**
～になる名詞　357
～に不定詞をとる第5文型　13
～に分詞をとる第5文型　13
～に名詞をとる第5文型　12, 357
目的語　2, 3, 10
間接～　3
間接～，直接～のどちらも受動文の主語になれる～　108
形式上の～になるit　389
形式～　4
自動詞的な意味を表すのにoneselfを～にとる再帰動詞　37
前置詞の～　291
前置詞の～になる再帰代名詞　392
前置詞の～になるeach other, one another　404
第3文型で～にできる語句　10
第4文型〈S＋V＋O₁＋O₂〉　10
他動詞の～になるeach other, one another　404
他動詞の～の省略　31
〈他動詞＋(形容詞＋)～〉　38
他動詞＋～＋前置詞　322
直接～　3, 10
常に～にoneselfをとる再帰動詞　37
動詞の～になる再帰代名詞　392
動詞や前置詞の～になるwhom　266
同族～　38
動名詞だけを～にとる動詞　183
動名詞とto不定詞のどちらも～にとる動詞　184
～関係〈名詞＋to不定詞〉　132
～関係を表す所有格　386
～としてのto不定詞　131
～になる〈疑問詞＋to不定詞〉　136
～になる語句　3
～になる動名詞　175
～になる人称代名詞　387
～になる名詞　357
～になる名詞節　20
～になる名詞節のthatの省略　559
～になるthat節　232
～になるwhatが導く名詞節　272
～にforをとる動詞（第4文型→第3文型）　11
～にtoをとる動詞（第4文型→第3文型）　10
～に〈wh- to do〉をとる動詞　137
～を主語にした受動文が不自然になる動詞　109
～をとらない自動詞　3
～をとる他動詞　3
～をとる分詞　159
～を文頭に出す倒置　555
〈get＋～＋to do〉　40
〈have＋～＋過去分詞〉　39
〈have＋～＋原形不定詞〉　39
〈have＋～＋現在分詞〉　39
〈let＋～＋原形不定詞〉　39
〈make＋～＋原形不定詞〉　39
teachの～〈wh- to do〉と〈to不定詞〉　138
that節が前置詞の～になる場合　234
that節を～にとらない動詞　233
that節を～にとる動詞　232
thinkやsayなどの～としてのso　397
to不定詞だけを～にとる動詞　182
〈wh- to do〉と〈to不定詞〉のどちらも～にとる他動詞　138
〈wh- to do〉は～にとるが,

〈to不定詞〉はとらない
動詞 138
文字の複数形 349

や行

約束
　～を表す単なる条件（開放条件） 192
　～を表す〈S＋V＋to不定詞〉 143
役割を表す as の次での無冠詞 376
要求
　丁寧な～を表す否定疑問 530
　～を表す仮定法 190, 204
　～を表すthat節中に仮定法現在を用いる構文 98, 204
　～を述べる命令法 189
　〈It is＋形容詞＋that A (should) ...〉構文 98, 205, 441
　should 98
　（丁寧な）要請を表す could 80
容積の単位の読み方 457
様態
　～・着用を示す前置詞 318
　～を表す関係副詞 how 281
　～を表す関係副詞 that 282
　～を表す接続詞 254
　～を表す〈前置詞＋関係代名詞〉 264
　～を表す副詞 461, 466
　（後に続く名詞の）用途を表す動名詞 181
容認
　may 83
　might 84
曜日を示す前置詞 297
与格（古英語） 352
予期を表す will 91, 92
（完了の）予想を表す〈should have＋過去分詞〉 97
予測
　～を述べる be going to 60
　will 91
予定
　確定的な～を表す現在時制 56, 61
　確定的な～を表す現在進行形 61, 67
　確定的な～を表す未来進行形 69
　実現しなかった～を表す〈was [were] to＋have＋過去分詞〉 126
　～を表す〈be to ～〉 140
呼びかけ 357, 376

ら行

理由
　否定文に対して～を聞く〈Why not?〉 217
　～を表す関係副詞 that 282
　～を表す関係副詞 why 281
　～を表す〈形容詞[副詞]＋as＋S＋V〉 253
　～を表す接続詞 242
　～を表す先行詞の場合の why 281
　～を表す分詞構文 169, 170
　～を表すものが主語の構文 361
　～を聞く why 216
　～を示す群前置詞 313
　～を示す接続詞 229
　～を示す前置詞 311
　～を示す前置詞 for 312
　～を示す〈be＋形容詞＋of〉 326
量
　数にも～にも使える more, most 446
　物質名詞の～の表し方 337
　不定の～を示す some と any 404
　～が少ないことを表す(a) little 447
　～の多いことを表す much 444, 499
累乗の読み方 458
連結
　形容詞と前置詞との～ 324, 327
　動詞と前置詞との～ 320
　～を示す接続副詞 229

わ行

話法
　間接～ 516
　直接～ 515
　描出～ 516
話法(の)転換 517
　一般疑問文の～ 521
　間接話法における that の省略について 524
　感嘆文の～ 522
　慣用表現 524
　疑問文の～ 520
　重文の～ 523
　種類の違う文が混ざっている場合の～ 523
　選択疑問文の～ 521
　伝達動詞の選び方 517
　特殊疑問文の～ 521
　ふつうの命令文の～ 521
　平叙文の～ 520
　命令文の～ 521
　〈命令文＋and [or]〉構文の～ 523
　～による動詞の変化 519
　～による被伝達部の変化 519
　～による変化　代名詞 519
　～による変化　時・場所の副詞 519
　～の一般的原則 517
　Let's ～型の間接話法 522
　say 以外の伝達動詞とその位置 518
　that の省略 520
割合を示す前置詞 317

2. 英文語句索引

※太字は検索頻度が高く，見出しが複数ある場合の先頭語句であることを示す。
太数字は主要解説のあるページを示す。

A

a [an] 〈不定冠詞〉	16, **366**, **367**, 374
a＋可算名詞	368
a＋序数詞	369
a＋形容詞＋and＋a＋形容詞＋名詞	375
a＋形容詞＋and＋形容詞＋名詞	375
a＋形容詞＋抽象名詞	371
a(n)＋国名形容詞（国民個人）	427
a＋固有名詞	341, 370
a＋固有名詞（〜家の人）	341
a＋固有名詞（〜という人）	341
a＋固有名詞（〜のような人）	341
a＋固有名詞（〜の作品，製品）	341
a＋最上級＋単数形の名詞	501
a＋単数形可算名詞	332, 333
a＋単数名詞〈総称用法〉	369
a＋抽象名詞	371
a＋不可算名詞	370
a＋副詞＋形容詞＋名詞	374
a＋普通名詞の所有格	367
〈a＋単数普通名詞〉で受けるときの one	399
〈a＋単数普通名詞〉を受ける it	387
a＋物質名詞	370
a＋名詞＋and＋a＋名詞	375
a＋名詞＋and＋名詞	375
a と an の使い分け	366
a と the の使い分け	261, 369
a-が頭につく形容詞	433
a bar of chocolate	337
A bird in the hand is worth two in the bush.〈ことわざ〉	2
a bit〈比較級を修飾〉	499
a block of ice	337
a bottle of wine	338
a cake of soap	337
a cup and saucer	**226**, 349, 375
a cup of	338, 370, 546
a cup of tea	338, 546
a dozen 〜	453
a drop of blood	337
a few	443, **447**, 450
a few＋可算名詞	370
a few more A	499
a flock of A〈一致〉	546
a flying start〔比喩表現〕	423
a flying visit〔比喩表現〕	423
a friend of my father's〈二重所有格〉	356
a girls' high school	356
a glass case	344
a glass of milk	338
a glasses case〈複合名詞〉	344
a good deal〈比較級を修飾〉	499
a good deal of	445
a good many	446
a good number of	444
a grain of salt	337
a great deal〈比較級を修飾〉	499
a great deal of	445
a great deal of＋物質名詞	370
a great many 〜	446
a great number of	444
a group of A〈一致〉	546
a half mile＝half a mile	374
A Happy New Year!	380
a kilo of plutonium	338
a knowledge of	338
a large amount of	445
a large number of	444, 547
a large number of＋可算名詞	370
a little	443, 447, **448**, 499
a little＋物質名詞	370
A little knowledge is a dangerous thing.〈ことわざ〉	338
a little more A	499
a loaf of bread	337
a long way と far	480
a lot〈比較級を修飾〉	499
a lot more A	500
a lot of	444, 450, 547
a lot of＋可算名詞	370
a lot of oil	337
a moment ago	478
a number of	444, 450
a 〜 of A	546
a pair of glasses	350
a physics textbook〈複合名詞〉	344
a piece of 〜	336, 337
a piece of advice	338
a piece of chalk	337
a question as to whether ...	235
a quite＋形容詞＋名詞	374
a rather＋形容詞＋名詞	374
a second chance	455
a sheet of paper	337
a slice of ham	337
a spoonful of sugar	338
a team of A〈一致〉	546
a week ago today	298
a whole A	413
a women's college	352
a yard of silk	338
about〈前置詞〉	308, 318
about〔関連・関与〕	318
about〔周囲〕	308
about〈副詞〉	471, 486
about this time next week	298
abound with	322
above〈上下を示す前置詞〉	305
above 〜	538
above all	411
absent from	325
absent oneself from	37
absolutely〈副詞〉	470
(be) absorbed in	115
abstain from	321

(It is) absurd that ...	440	
absurdly→It is absurd that ...	473	
accompany	32	
accord with	322	
according as ～〔比例〕	255	
accuse A of B	324	
accustomed	430	
acquainted with	327	
across〈進行・通過を示す前置詞〉	307	
across〈副詞〉	486	
across from A	307	
act on	321	
actor〈男女共通の名詞〉	359	
adequate to	326	
adhere to	322	
adjectives（形容詞）	422	
adjust (oneself) to	37	
Admission (is) Free(.)	558	
admit〈伝達動詞〉	518	
admit＋～ing	184	
admit of	321	
advanced	429	
adverbs（副詞）	461	
(a piece of) advice〈抽象名詞〉	338, 339	
(It is) advisable that ...	441	
advise〈伝達動詞〉	518	
advise〈O＋to不定詞〉⇔〈O＋that節〉	146, 518, 571	
advise＋O＋to do〈命令文の間接話法〉	522	
advise＋O＋疑問詞＋to不定詞	138	
advise＋that節〔should または仮定法現在〕	98	
advise＋疑問詞＋to不定詞	137	
Afghanistan→Afghan	426	
afloat〈形容詞〉	433	
afraid〈形容詞〉	433	
afraid of	325	
(I am) afraid that ...	439, 532	
after〈接続詞〉	58, 238	
after〈前置詞〉	299, 302, 308, 314	
after〔前後関係〕	308	
after〔時の起点〕	299	
after〔時の経過〕	302	

after〔目的〕	314	
after〈前置詞・接続詞〉	297	
after と in	302	
after all	411, 412, 563	
After you.	308	
afterward(s)	463	
again and again〈強調〉	562	
against〈反対・不一致を示す前置詞〉	319	
(～ times the) age of ...	503	
ago	474	
～ ago→～ before〈話法転換〉	520	
agree＋that節〔should または仮定法現在〕	98	
agreement（一致）	542	
ah	17	
ain't	77	
air / airs	351	
aircraft〈単複同形の名詞〉	348	
akin〈形容詞〉	433	
(be) akin to	326	
(It is) alarming that ...	440	
(be) alert to	326	
alike〈形容詞〉	433	
alive〈形容詞〉	433	
all	409, 410, 411, 412, 435, 442	
(almost [nearly]) all	483	
all＋that〈関係代名詞〉	271	
all＋the＋単数可算名詞	410	
all＋the＋不可算名詞	410	
all＋the＋複数名詞	410	
all＋抽象名詞	361, 411	
all＋身体の部分を表す語	411	
all＋時を示す語	411	
all＋無冠詞複数名詞	410	
all＋名詞＋-able〈形容詞〉	435	
all＋名詞＋-ible〈形容詞〉	435	
all と whole〈不定代名詞〉	413	
all day	411	
(be) all ears	411	
(in) all honesty	411	
all night	411	
All ～ not ...	412	
all of ～〈一致〉	545	

all of the ～	409	
all the＋(形容詞)＋名詞	375	
all the ～	413	
all the same	399	
all these	414	
all winter	411	
allow＋O＋to do〔that節不可〕	146, 362	
almost	471, 483	
almost all of ～	483	
alone〈比較変化しない副詞〉	433	
alone〈比較変化しない副詞〉	471, 489	
along〈進行・通過を示す前置詞〉	306	
along〈副詞〉	486	
A along with B	549	
already〈副詞〉	62, 64, 469, **474**	
also〈接続詞〉	229	
also〈副詞〉	485	
although〈接続詞〉	252	
Although＋S＋V ～⇔(While) V-ing	570	
although⇔but	573	
altogether〈否定〉	535	
always〈副詞〉	67, **469**	
always〈部分否定〉	535	
(almost [nearly]) always	483	
am〈助動詞〉	75	
am〈本動詞〉	41	
am＋～ing	67	
Am I not correct in my thinking?	529	
a.m. [A.M., AM]	456	
amazed	429	
amazing	428	
(It is) amazing that ...	440	
America→American	426	
among〈内外・間を示す前置詞〉	310	
among と between	311	
(large [small]) amount	449	
amused	429	
amusing	428	
an〈不定冠詞〉	16, **366**, **367**, 374	
an と a の使い分け	366	
an acre of land	338	
and〈接続詞〉	

16, 19, 224, **225**, 226, 227	anything 417	art for art's sake 354
（名詞＋）and 225	anything＋that〈関係代名詞〉	Art is long, life is short. 431
（命令文＋）and ... 225, 573	271	articles〈冠詞〉 366
〈（命令文＋）and〉構文の話法	anything but ～ 538	**as**〈擬似関係代名詞〉
転換 523	anyway 577	260, 277
A and B 2, 225, 226, 378, 547	anywhere (that) ... 282	as〈接続詞〉 16, 237, 243,
A and B are [is, [make(s)] ～	apologize 33, 578	252, 254, 255, 256
〔加算〕 458	(It is) **apparent**＋that〔to不	as〔原因・理由〕 243
A and B の所有格 353	定詞不可〕 143	as〔譲歩〕 252
A's and B's ～〔個別所有〕	(It is) apparent that ... 15	as〔時〕 237
353	(be) apparent to 326	as〔比例〕 255
and also 231	apparently〈副詞〉 472	as〔付言〕 256
～ and everything 417	appeal to 322	as〔様態〕 254
and so 231	**appear** 114	as〈前置詞・接続詞〉 297
and then 231	appear＋C〈第2文型〉 9	（名詞＋）as＋S＋V 378
and yet 231	appear＋形容詞化した過去分	〈名詞＋as＋S＋V〉と〈名詞
(I am) angry that ... 439	詞 162	＋though＋S＋V〉の違い
(be) angry with 327	(It doesn't) appear ... 532	379
annoying 428	appear in court 377	as＋形容詞＋a [an]＋名詞
(It is) annoying that ... 440	appear to ～ 139	375
annually〈副詞〉 469	(It) appears that ... 15	as＋無冠詞の名詞〔役割〕
another〈代名詞〉	A appears to be ...⇔It appears	376
367, 369, 402, **403**	that A is ... 568, 575	as 以下の省略 493, 559
answer 32, 33, 518	applause〈抽象名詞〉 339	as A as ...〈擬似関係代名詞〉
answer in the affirmative	apply for 320	277
〈話法転換〉 524	apply to 322	as a matter of fact〈挿入〉
answer in the negative	appoint＋O＋C〈第5文型〉	563
〈話法転換〉 524	12	as a result〈挿入〉 563
antennae（antennaの複数形）	appointed 430	as a rule〈挿入〉 563
348	(I would) appreciate it if you	as ～ as ...〔比較〕
(be) anxious for 325	would answer my question.	255, **493**, 495
(be) anxious to ... 438	〔丁寧な依頼〕 94	as ～ as any 502
any 367, 387, **404**, 535, 544	approach 32	as ～ as one can 503
(almost) any 483	(be) appropriate for 324	as busy as a beaver 493
any＋時を示す語 295	(It is) appropriate that ... 440	as cool as a cucumber 493
any＋比較級 407	(be) appropriate to 326	as far 480
any＋名詞＋-able〈形容詞〉	approve of 321	as far as ～〔制限〕 256
435	**are**〈助動詞〉 75	as friendly as a camel
any＋名詞＋-ible〈形容詞〉	are〈本動詞〉 41	〈ことわざ〉 369
435	(Are you) Ready? 557	as if ... **205**, 255
any と some 404	Aren't you feeling well? 554	as if＋to不定詞 207
Any book will do. 406	arm / arms 351	as interpreter 376
(not ～) any longer 407	**around**〈前置詞〉 307	as it is〈挿入〉 563
any of ～ 406	around〔周囲〕 307	as it were〈挿入〉 207, 563
any one 416	around〔進行・通過〕 307	as long as〔条件〕 251
any one of ～ 416	around〈副詞〉 471, 486	as long as〔制限〕 256
anybody 415	arrange＋that節〔should または	as many ～ 444, 446
anybody（ひとかどの人物）	仮定法現在〕 98	as many ～ as ... 447
416	**arrive**〈進行形・接近〉 67	as much ～ 444, 446
anyone 415, 551	arrive (at) 33, 34	as much ～ as ... 447

as much as		506
as of ～		311
as short as ～		494
as so many ～		447
as so much ～		447
as soon as ...	179, **240**,	570
as such		396
as tall as ～		494
as though ...	205,	255
as to ～		295
A as well as B〈一致〉		549
ashamed		429
(be) ashamed at		324
(be) ashamed of		326
ask	33,	518
ask＋O＋to do	146, 521,	522
ask＋O＋to do〔ask＋that節〕		146
ask＋O＋whether [if] ...		235
ask＋O＋疑問詞＋to不定詞		
	11, 137,	138
ask＋that節〔should または仮定法現在〕		
	98,	146
ask＋to不定詞		138
ask＋疑問詞＋to不定詞		
	137,	138
ask A for B		323
ask A of B		322
asleep〈形容詞〉		433
assert＋O＋to be〔that節〕		147
assist＋O＋to do〔that節不可〕		
		146
assume＋O＋to be〔that節〕		
		147
assure〈伝達動詞〉		518
(be) astonished at		311
astonishing		428
(It is) astonishing that ...		440
at〈前置詞〉		
	114, 297, 303, 311, 314,	317
at〔原因・理由〕		311
at〔単価〕		317
at〔年月や日時など〕		297
at〔場所〕		303
at〔目的〕		314
(形容詞＋)at		324
(自動詞＋)at		320
at a distance		368
at all	411, 539,	562
at Christmas		297
at dawn		297
at full speed		18
at heart		380
at least A〔＝not less than A〕		
		506
at most A〔＝not more than A〕		
		505
at night		297
at nights		463
at noon		297
at swords' points		354
(be) at table		377
at the age of〈複文⇔単文〉		
		571
at the corner と on the corner		
		304
at the weekend		298
at this moment		478
at this time of the year		298
at this time tomorrow		298
at three (o'clock)		297
at work		384
atomic age		432
(large [small]) audience		
	335, 449,	542
auxiliary verbs（助動詞）		75
avail oneself of ～	37,	392
aviator〈男女共通の名詞〉		
		359
avoid＋～ing		184
awake〈2種類の活用形のある動詞〉		
		47
awake〈形容詞〉		433
aware〈形容詞〉		433
(be) aware (of)	295,	325
(be) aware that ...		439
away〈副詞〉	468,	486
(It is) awful that ...		440
axes（axis の複数形）		348

B

baa		17
back〈副詞〉	50,	486
bad at		324
bad, badly の比較変化		491
(It is) bad of A to ...		142
baggage〈集合名詞〉		336
bake〈能動受動態〉		119
bang		17
barely＋形容詞〔副詞〕		489
barracks〈常に複数形の名詞〉		
		350
battle royal		436
be〈助動詞〉		
	23, 67, **75**, 195, 514,	554
be〈進行形にしない動詞〉		
	41,	71
be〈本動詞〉	35, **41**, 71,	542
Be ～.〈命令文〉		189
be＋C〈第2文型〉		8
be＋～ing〈進行形〉		
	67, **75**,	157
(to) be＋～ing〈不定詞の進行形〉		
		127
be＋no＋形容詞（＋名詞）		
		527
be＋no＋名詞		527
be＋過去分詞〈受動態〉		
	75, 104, **116**,	158
（助動詞＋）be＋過去分詞		
		106
be＋形容詞＋of		295
be＋形容詞＋that		575
be＋形容詞＋to ～		
	135, 437,	575
be＋自動詞の過去分詞		
		158
be＋他動詞の過去分詞〈受動態〉		
	104,	162
be動詞	7,	195
be動詞＋様態を表す副詞＋過去分詞		
		467
〈(関係詞＋)be動詞〉の省略		
		560
be動詞の命令文の否定		530
be able to	80,	437
be able to と can の違い		81
be about to do		60
〈be about to do〉・〈be going to do〉と過去形		
		60
be accustomed to ～ing		180
be accustomed to do		180
be afraid of ～	291,	325
be afraid that ...		295
be afraid to ...		438
〈be afraid to do〉と〈be afraid of doing〉		
		438
be anxious for		325
be anxious to ...		438
be astonished at		311

be at table		377
be aware (of)		295, 325
be born		118
be bound for ~		434
be brave to ... →It is brave (of A) to ...		142, 437
be careful not to ~		124
be caught in		115
be certain to ...		439
be content to ...		438
be convenient to ... →It is convenient (for A) to ...		437
be covered with		115
be crowded with		119, 430
be dangerous to ... →It is dangerous (for A) to ...		141, **437**
be derailed		119
be difficult to ... →It is difficult (for A) to ...		141, **437**
be divorced		118
be drawn with		115
be dressed in		115
be drunken with ~		433
be eager to ...		438
be easy to ... →It is easy (for A) to ...		141, **437**
be engaged in		115, 321, 325
be free from ~		539
be from		316
be glad to ...		437
be going to と will の違い		60, 61
be going to do		60
be gone		158
be good at ~		293
be happy to ...		438
be hard to ... →It is hard (for A) to ...		141, **437**
be having to		87
be impossible to ... →It is impossible (for A) to ...		141, **437**
be in class		377
be in hospital《英》		377
be in prison		377
be in the hospital《米》		377
be keen to ...		438
be killed		118
be known by		115
be known to		115
be likely to ~		**140**, 438, 568, 575
be made from		316
be made of		316
be made to do		149
be married		118
be nice to ... →It is nice (for A) to ...		437
be of great help		292
be of great use		292
be pleasant to ... →It is pleasant (for A) to ...		437
be prompt to ...		438
be proud of ~		291, 325
be quick to ...		438
Be quiet.		189
Be quiet, can't you?		26
be ready to ...		438
be satisfied with		115
be slow to ...		438
be sorry to ...		438
be supposed to		147
〈be sure to do〉と〈be sure of doing〉		439
be surprised at		114
be surprised by		115
be swift to ...		438
be taken care of ~		294
be thankful to ...		438
be tired of ~		429
be to do		**140**, 145
be tough to ... →It is tough (for A) to ...		437
be unable to ...		434, 437, 577
be unlikely to ...		439
be used to ~		89, 175, **180**
be used to ~ing		180
be willing to ...		438
be worth ~ing		**179**, 434
beautiful〈形容詞〉		436
beautifully〈副詞〉		467
(a) beauty		342
Beauty is only skin deep.〈ことわざ〉		515
because〈接続詞〉		21, **242**
Because＋S＋V ~⇔V-ing ~		570
because of〈原因・理由を示す群前置詞〉		313
because of〈複文⇔単文〉		571
become		3, 118
become〈受動態にならない動詞〉		118
become〈進行形・接近〉		67
become＋C〈形容詞，名詞〉		8
been〈助動詞〉		75
been〈本動詞〉		42
been to ~		62
before〈接続詞〉		238
before〈前置詞〉		300, 308
before〔前後関係〕		308
before〔時の終点〕		300
before〈前置詞・接続詞〉		297, 474, 476
before〈副詞〉		58, 62, **477**
before と till		300
beg〈伝達動詞〉		518
beg＋O＋to do [beg＋that節]		146
beg A for B		323
beg A of B		322
beg pardon		379
(I) Beg your pardon?		558
begin＋to不定詞[動名詞]		184
begin with		322
behave (oneself)		37
behind〈前置詞〉		303, 308
behind〔前後関係〕		308
behind〔時〕		303
behind the curtain		290
being〈助動詞〉		75
being〈本動詞〉		42
Being ~〔原因・理由〕		169
being＋~ing〈分詞の進行形〉		156
(being)＋過去分詞〈受動態の分詞構文〉		167, 168
being＋過去分詞〈動名詞の受動態〉		105, 175
being＋過去分詞〈分詞の受動態〉		105, 157
believe		72, 114
believe〈to不定詞⇔that節〉		147, 568
believe〔What do you ...? 型〕		221

believe＋O＋to be［that節］		147
believe in		321
(I don't) believe A is B.		532
S believe that S' ...→It is believed that ... [S' is believed to ...]		114
belong (to)		34, 35
belong (to)〈進行形にしない動詞〉		71
below〈上下を示す前置詞〉		305
beside〈接近・遠隔を表す前置詞〉		309
beside＋関係代名詞		264
besideの意味を表すalong		306
beside oneself		393
besides〈接続詞〉	229,	231
best		491
best ～ that〈関係代名詞〉		270
bestow A on B		324
better		491
between〈内外・間を示す前置詞〉	310,	311
betweenとamong	310,	311
beware of		321
beyond＋関係代名詞		264
beyond ～		538
big		490
billiards〈一致〉		543
billion		452
bird watching		182
blackboard〈複合名詞〉		343
(be to) **blame**		127
blame A for B		323
blind to		326
blood pressure		436
blue-ribbon		344
body politic		436
boil＋O＋C〈第5文型〉		12
boiled (eggs)		219
boiled water		160
boiling		162
boiling water		160
(It is) bold of A to ...		142
bookcase〈複合名詞〉		343
bored		429
(more [most]) bored		490

boring		428
(be) born		118
borrow		37
borrowとuse		37
both〈一致〉	408,	**544**
both〈形容詞用法〉		408
both〈代名詞〉	**408**,	442
both〈否定〉	412,	534
bothの位置	**412**,	435
both A and B	227, 229,	548
both the（＋形容詞）＋名詞		375
both the two〈twoの強調〉		409
bottle-opener〈複合名詞〉		343
(be) bound for ～		434
bow-wow		17
boyfriend〈複合名詞〉		343
(It is) brave of A to ...	**142**,	437
Brazil→Brazilian		425
breathe a ～ breath		38
bridegroom / bride		359
briefly〈副詞〉		473
bright≒brightly	464,	466
bring＋O_1＋O_2⇔bring＋O_2＋for [to] O_1〔toとforで意味が違う〕		11
S bring A to ～		362
(Great) Britain→British		426
broadly〈副詞〉		473
burning hot	**162**,	163
busy ～ing		182
but〈擬似関係代名詞〉	260, 277,	**278**
but〈除外を示す前置詞〉		319
but〈接続詞〉19, 224,	**227**,	582
but⇔though, although		573
but for ～	207,	319
but still		231
but that	236,	251
but to do	131,	291
(no alternative / choice / option) but to do ～		131
but we found that ...⇔only to find that ...		573
but what	236,	251
buy＋O_1＋O_2⇔buy＋O_2＋for O_1		11

buzz		17
by〈前置詞〉		
115, 290, 300, 309, 315, 319		
by〔交通・通信の手段〕		315
by〔差〕		319
by〔接近・遠隔〕		309
by〔時の終点〕		300
by〔判断の基準〕		115
by〈副詞〉		486
by＋交通・通信手段を表す名詞		378
by＋動作主		105
〈by＋動作主〉の省略		
	106,	112
by以外の前置詞を用いる受動態		114
by accident		380
by air [plane]		378
by any means		539
by bicycle		378
by boat [ship]		378
by bus		378
by car		378
by chance		380
by e-mail		378
by far〈最上級の強調〉		501
by far〈比較級を修飾〉		499
by fax		378
by land		378
by letter		378
by means of		380
by name		380
by oneself		392
by post		378
by reason of		380
by sea		378
by subway [tube]		378
by telephone		378
by the＋単位	317,	374
by the gallon		374
by the pound		374
by the time (that) ～		239
by the way〈挿入・補足〉		
	563,	564
by train		378
by twos and threes		454
by way of		380
by whatever means ...		287
By whom was ... founded?		111

— 661 —

2. 英文語句索引　bystander ― command

bystander〈複合名詞〉　343

C

cabinet〈単数にも複数にも扱う集合名詞〉　335
call＋O＋C〈第5文型〉　12
call＋O₁＋O₂⇔call＋O₂＋for O₁　11
call on　49, 296
call ～ up　296
can　76, 77
  can〔可能性〕　78
  can〔許可〕　78
  can〔能力・可能〕　78
Can＋主語 ...?　554
can＋知覚動詞　78
can と be able to の違い　81
(I) can ...〔申し出〕　79
can afford to ～　144
Can I ...?〔申し出〕　79
Can I ...? と Could I ...?　80
Can I carry your books for you?〔申し出〕　79
Can I have some ...?　406
Can we ...?〔許可〕　79
Can we sit down here? Yes, you can.〔許可〕　79
can you?〈付加疑問〉　25
Can you ...?　530
Can you ...?〔依頼〕　79
Can you give me the overview of online procedures?〔依頼〕　79
cannot＋完了不定詞　125
cannot but＋原形不定詞　152
cannot ～ enough　81
cannot have＋過去分詞　78
cannot help but＋原形不定詞　81, 152
cannot help ～ing　81, 152, 180
cannot ～ too ...　81, 537
can't〈must の反対の強い打消しの推量〉　78
can't〔禁止・不許可〕　78, 79
can't have＋過去分詞　86
can't you?〈付加疑問〉　25
Can't you ...?　530
(What is the) capital of Japan?　215

car park〈複合名詞〉　343
(be) careful not to ～　124
(I am) careful that ...　439
careful watching と watching carefully　176
(It is) careless of A to ...　142
S carry A to ～　362
case（格）　352
catch　34
catch＋O＋現在分詞　163
catch A by the hand　373
catch sight of〈受動態にする場合〉　113
cattle〈集合名詞〉　335
(be) caught in　115
S cause A to do　361
cease＋to不定詞［動名詞］　184
cell phone〈複合名詞〉　343
Celsius [centigrade]　80, 458
cent　457
center field〈複合名詞〉　343
centigrade [Celsius]　458
certain〈形容詞〉　434
(It is) certain＋that節〔to不定詞不可〕　143
(I am) certain that ...　439
(be) certain to ...　439
certainly→It is certain that ...　472
Certainly not.　180
chairperson [chair]　360
challenge＋O＋to do〔that節不可〕　146
change〈抽象名詞〉　338
change A into B　324
change seats with ～　351
changes in sentence structure（文の転換）　567
charming　428
chief〈限定用法〉　432
childlike / childish　424
children（child の複数形）　348
China→Chinese　425
Chinese〈単複同形の名詞〉　348
civilized　430
claim〈伝達動詞〉　518
claim＋to不定詞　183

class〈単数にも複数にも扱う集合名詞〉　335
clean / cleanly　424
clean＝cleanly　464
(It is) clear＋that節〔to不定詞不可〕　143
clear≒clearly　464, 466
clear A of B　322
clear to　326
clearly→It is clear that ...　472
clergy〈集合名詞〉　335
clever の比較変化　490
(be) clever at　324
(It is) clever of A to ...　142
climb と go up　36
close と closely　465
close to　326
closed〈形容詞〉　430
clothes〈常に複数形の名詞〉　350, 543
clothing〈集合名詞〉　336
club〈単数にも複数にも扱う集合名詞〉　335
coated with　327
codices（codex の複数形）　348
coin purse〈複合名詞〉　344
collide　119
color / colors　351
combine A with B　323
come＋C〈形容詞〉　8
come と go　36
come and see [＝come to see]　76, 86, 226
come from　316
Come in and take a seat, will you?〔依頼〕　26
come into existence　294
come off　486
come out　49
come see　226
come true　8
comic book〈複合名詞〉　343
command〈伝達動詞〉　518
command＋O＋to do [command＋that節]　146
command＋O＋to do〈命令文の間接話法〉　522
command＋that節〔should または仮定法現在〕　98

― 662 ―

committee〈単数にも複数にも扱う集合名詞〉 335	consist of〈進行形にしない動詞〉 71	Could I ask you a question?〔丁寧な許可・要請〕 80
common の比較変化 491	constantly〈進行形で用いる場合〉 67	Could I see a wine list, please?〔丁寧な依頼〕 80
common noun（共通名詞） 330	(the) consuming population 159	could you?〈付加疑問〉 25
(be) common to 326	contact 32	Could you ...?〔丁寧な依頼〕 80, 530
communicate with each other 404	contain 35	couldn't ～ 577
company〈単数にも複数にも扱う集合名詞〉 335	contain〈進行形にしない動詞〉 71	couldn't have＋過去分詞 86
comparison（比較） 489	content oneself 37	couldn't help ～ing の果たす社交的役割 181
compel＋O＋to do〔that節不可〕 146	(I am) content that ... 439	count on 321
S compel A to do 362, 576	(be) content to ... 438	countable noun（可算名詞） 330
complain〈伝達動詞〉 517, 518	content with 327	(the) country 19
completely〈副詞〉 470, 535	contented 429	county 360
complex nominal（複合名詞句） 343	continual / continuous 424	(be) covered with 115, 327
complicated 430	continue＋C〈第2文型〉 8	crack 17
(It is) compulsory that ... 441	continue＋to不定詞〔動名詞〕 184	cradle 373
conclude＋O＋to be［that節] 147	contrary to 326	(It is) crazy of A to ... 142
conduct〈抽象名詞〉 339	contribute to 322	crew〈単数にも複数にも扱う集合名詞〉 335
confer A on B 324	(be) convenient to ...→It is convenient (for A) to ... 437	(The children) cried on me. 33
confide in 321	convert A into B 324	crises（crisis の複数形） 348
(I am) confident that ... 439	convince A of B 322	(It is) critical that ... 441
confidentially〈副詞〉 473	(I am) convinced that ... 439	crowd〈単数にも複数にも扱う集合名詞〉 335
conform to 322	cook〈能動受動態をとる動詞〉 119	(large [small]) crowd 449
conform with 322	cook＋O_1＋O_2⇔cook＋O_2＋for O_1 11	crowded 430
confused 429	cope with 322	(be) crowded with 119, 327
congratulate A on B 324	corps〈単複同形の名詞〉 348	(It is) crucial for ～ to ... 142
conjunctions（接続詞） 224	cost〈受動態にならない動詞〉 118	(It is) crucial that ... 441
connect A with B 323	cost（［金額が］かかる）＋O_1＋O_2〈常に SVOO〉 11	(It is) cruel of A to ... 142
conscious of 325		cry 518, 522
(I am) conscious that ... 439		cry for 320
consent to 322		cubed〔累乗〕 458
consequently〈接続詞〉 230	S cost A ... 363	cultivated 430
consider〔What do you ...?型〕 221	could 76, 79, 82	cup and saucer was ...〈一致〉 548
consider＋～ing 184	could〔可能性〕 79	cure A of B 322
consider＋O＋C〈第5文型〉 12, 147	could〔能力・可能〕 79	(It is) curious that ... 440
consider＋O＋to be［that節] 147	could＋完了不定詞 125	curiously→It is curious that ... 473
consider＋疑問詞＋to不定詞 137	could＋完了不定詞〈仮定法過去完了〉 194	curricula（curriculum の複数形） 348
considering ～ 171	could＋原形不定詞〈仮定法過去〉 194, 195, 198	customs〈常に複数形の名詞〉 350, 543
consist in 50, 321	could have＋過去分詞 80	cut〈能動受動態〉 119
consist of 50, 321	Could I ...?〔丁寧な許可・要請・依頼〕 80	cute〈形容詞〉 436
	Could I ...? と Can I ...? 80	

— 663 —

D

daily 〈形容詞〉	489
daily 〈副詞〉	464, 469
damage 〈抽象名詞〉	339
dangerous for	324
(It is) dangerous for ～ to ... 〔that 構文不可〕	141
dangerous to	326
(be) dangerous to ...→It is dangerous (for A) to ...	141, **437**
dare	76, **101**
dare say ～	101
dared	76, **101**
data（datum の複数形）	348
(Many of these) data are ...	545
(Much of this) data is ...	545
deal with	322
debate＋疑問詞＋to 不定詞	137
decade	453
(It is) decent of A to ...	142
decide〈to 不定詞⇔that 節〉	145, 567
decide＋that 節〔should または仮定法現在〕	98
decide＋to 不定詞	138, 182, 183
decide＋疑問詞＋to 不定詞	137, 138
decide to	145
decided 〈形容詞〉	430
decimal 〈形容詞〉	456
decision＋to 不定詞〈同格〉	132
declare＋O＋to be [that 節]	147
decline＋to 不定詞	183
deep と deeply	465
deeply 〈副詞〉	470
defy＋O＋to do〔that 節不可〕	146
(zero) degrees centigrade [Celsius]（0°C）	80, 458
delight in	321
delighted 〈形容詞〉	429
demand＋that 節〔should または仮定法現在〕	98, 190, 204
demand＋to 不定詞	183
demand A of B	322
demonstrate＋疑問詞＋to 不定詞	137
Denmark→Danish	426
deny〈伝達動詞〉	518
deny＋～ing	183, 184
deny＋O＋to be [that 節]	147
depend on	321
depend on 〈進行形にしない動詞〉	71
depend on A to ...	234
depend on A's ～ing	234
depend on it＋that 節	233
dependent on	326
depends on whether ...	235
depressed	429
S deprive A ...	363
deprive A of B	322
(be) derailed	119
describe＋疑問詞＋to 不定詞	137
deserted	430
deserve〈進行形にしない動詞〉	71
deserve＋～ing	175
deserve ～ing と deserve to do	185
(It is) desirable that ...	205, 441
desire＋O＋to do [desire＋that 節]	146
desire＋that 節〔should または仮定法現在〕	98
desire＋to 不定詞	132, 183
(I am) desirous that ...	439
despair of	321
despite	571, 578
despite the fact that ...	578
determine〈to 不定詞⇔that 節〉	183, 567
determine＋that 節〔should または仮定法現在〕	98
determined 〈形容詞〉	430
did〈助動詞〉	23, **75**, 529
did 〈本動詞〉	42
Did＋S ...?	23, 554
Did you ever ...?	62
Didn't＋S...?〈否定疑問〉	530
die	35, 118
die 〈進行形・接近〉	67
die a ～ death	38
die from / of	311
die young 〈主格補語〉	5
differ〈進行形にしない動詞〉	71
differ from	321
different from	325
different to	326
(It is) **difficult** for ～ to ... 〔that 構文不可〕	141
(be) difficult to ...→It is difficult (for A) to ...	141, 437
difficult to do	135
difficulty 〈抽象名詞〉	338
difficulty 〈抽象名詞⇒可算名詞〉	342
dining room	182
(have) dinner	378
direct＋O＋to do [direct＋that 節]	146
directly	241
disappointed	429
(It is) disappointing that ...	440
discourage A from B	323
discover＋O＋to be [that 節]	147
discover＋疑問詞＋to 不定詞	137
discuss	32
discuss＋疑問詞＋to 不定詞	137
disgusted	429
dislike〈進行形にしない動詞〉	72
dislike＋動名詞 [to 不定詞]	185
dispose of	321
distant の比較級・最上級	491
distant from	325
distinguish A from B	323
distinguished 〈形容詞〉	430
distressed	429
district	360
disturbed	429
divide A into B	324
divided by	458

(be) divorced		118
do〈強調〉		76, 561
do〈助動詞〉	23, 27, **76**, 554	
do〈本動詞〉		42
(Twenty dollars will) do.		43
Do＋S ...?		23, 554
do［be, 助動詞］A not ...?		529
Do be quiet.〈命令文の強調〉		562
Do I have to ...?		87
do so		397
do the dishes		42
(which ...) do without		265
Do you mind ...? と Would you mind ...? の違い		180
Do you mind ～ing?		179
does〈助動詞〉		75, 554
does〈本動詞〉		42
Does＋S ...?		23, 554
doesn't		77, 529
doing		42
dollar		457
done〈本動詞〉		42
Don't ...〈否定の命令文〉	27, 190, 529, 530	
don't have to		88, 100
don't mind＋O＋～ing		177
Don't ～, will you?		26
Don't you think so?		529
double the［one's］～		455
double the＋(形容詞)＋名詞		375
doubt〈進行形にする・しない〉		72
down〈上下を示す前置詞〉		305
down〈副詞〉	468, 486, 556	
down the road		306
dozen(s) of ～		453
dramatic change		432
dramatic works		432
draw と write と paint		36
draw on		321
(It is) dreadful that ...		440
dress oneself		38
drink		32, 34
drink と eat		36
(a) drinking man		160
drive＋O＋C〈第 5 文型〉		12

drive＋O＋to do〔that 節不可〕		146
S drive A＋形容詞		362
drive into town		377
drown		35
(A) drowning man will catch at a straw.〈ことわざ〉		158
drunk driving [driver]		433
drunken〈形容詞〉		433
dry の比較級・最上級		490
due to〈原因・理由を示す群前置詞〉		313
during〈期間を示す前置詞〉		301
during＋関係代名詞		264
during the night		298

E

each〈形容詞〉		413, 443
each〈代名詞〉	367, **413**, 544, 551	
each〈副詞〉		413
each (of)		346
each of＋定冠詞(相当語)＋複数形の名詞		413
each other		107, **404**
each time		241
eager for		325
(I am) eager that ...		439
(be) eager to ...		438
early〈形容詞〉		463
early〈副詞〉		463, 469
earthen〈形容詞〉		489
(frequent [rare]) earthquake		450
easy の比較変化		490
(It is) easy for ～ to ...〔that 構文不可〕		141
(be) easy to ...→It is easy (for A) to ...		141, **437**
easy to do		135
eat		32, 34
eat〈能動受動態〉		119
eat と drink		36
economic / economical		424
economics〈常に複数形の名詞〉		350, 542
-ed〈過去形・過去分詞〉		45, 57
effort＋to 不定詞〈同格〉		132

eh		17
eighth [8th]		454
either〈接続詞〉		228, 548
either〈代名詞〉	367, **415**, 443, 544, 551	
either〈副詞用法〉		486
either A or B		228, 548
elder〈限定用法のみ〉		432
elder―eldest		492
elect＋O＋C〈第 5 文型〉		12
electronics〈常に複数形の名詞〉		350
ellipsis（省略）		554
else〈接続詞〉		230, 231
else〈副詞〉	26, 462, 471	
emerge from		321
(An) Emergency Exit		380
emphasis（強調）		554
empty A of B		322
-en 形の分詞形容詞		432
enable＋O＋to do〔that 節不可〕		146, 362
encounter		34
encourage＋O＋to do〔that 節不可〕		146
end〈完全自動詞〉		7
(be) engage(d) in	115, 321, 325	
(the) English-speaking population		159
enjoy		3
enjoy＋～ing		184
enjoy oneself		37, 107
enough		**449**, 464
(large) enough		471
(副詞＋) enough		473
enough far		480
enough to ～		135
enter〈受動態には不自然な動詞〉		118
entirely	467, 470, 535	
entrust A with B		323
envious of		325
envy（うらやむ）＋O_1＋O_2〈常に SVOO〉		11
equal〈進行形にしない動詞〉		71
equal (to)		326, 458
equipment〈抽象名詞〉		339
er		17

-er, -est〈比較級〉,〈最上級〉 490		319
escape＋～ing 184	except＋関係代名詞 264	
escape from 321	except for ～ 319	
(It is) **essential** that ... 441	except (that)〔除外〕	
essential to 326	**234**, 251, **256**, 292	
euro 457	except to do **131**, 291	
even〈副詞〉 462, 471	exchange A for B 323	
even if〔譲歩〕 253	excited 429	
even less ～ 504	exciting 428	
even though〔譲歩〕	exclaim 518, 522	
253, 578, 582	**excuse**＋～ing 184	
ever 58, 62, 64, **476**	excuse A for B **323**, 578	
ever〈強調〉 **211**, 213, 477	excuse oneself 38, 392	
-ever〈関係詞＋ever〉 284	exist〈進行形にしない動詞〉 71	
ever since 474	**expect**〔What do you ...? 型〕 221	
every〈形容詞〉 367, **413**, 443, 544	expect＋O＋to do [expect＋that節] 146, 567	
(almost [nearly]) every 483	expect＋to不定詞 183	
every＋序数詞＋day [week, year, line] 414, 455	(I don't) expect A is B. 532	
every＋単数普通名詞 414	expect A of B 322	
every＋抽象名詞 414	expect the worst of A 322	
every＋時を示す語 295, 298	(large [small]) expense 449	
every＋名詞＋-able, -ible〈形容詞〉 435	expensive の比較級・最上級 491	
every の否定〈部分否定〉 415	experienced 430	
Every dog has its day.〈ことわざ〉 55	**explain**〔Do you ～ what ...? 型〕 221	
every four years 414	explain〈伝達動詞〉 518	
every fourth year 415	explain＋疑問詞＋to不定詞 137, 138	
every other ～ 415	(It is) extraordinary that ... 440	
every second ～ 415		
every time 241	**F**	
everybody〈代名詞〉 415, **416**, 551	face (toward [to] the) south 309	
Everybody wants to be somebody. 416	**fact**＋that節〈同格〉 234	
everyone〈代名詞〉 415, **416**, 551	(The) fact is, ... 380	
everything〈代名詞〉 417	faded 429	
everything＋that〈関係代名詞〉 271	**fail** to ～ 144, 538	
(It is) **evident**＋that節〔to不定詞不可〕 143	failed 429	
evident from 325	faint from 325	
evidently〈副詞〉 472	fair の比較変化と発音 491	
exact の比較変化 491	faithful to 326	
except〈除外を示す前置詞〉	**fall** 8, 34, 47	
	fall〈進行形・接近〉 67	
	fallen (leaves) 422, 429, 433	
	familiar to 326, 435	
	familiar with 327	

(large [small]) family 334, 449	
famous for 325	
fancy＋O＋to be [that節] 147	
far 464, 468, **480**	
far〈比較級を修飾〉 499, 500	
far と a long way 480	
far の比較級・最上級 492	
far from ～ 538	
farther と further の使い分け 492	
fast 464, 466	
fatal to 326	
Father〈普通名詞⇒固有名詞〉 342	
favorable to 326	
favorite 489, 550	
fear〔What do you ...? 型〕 221	
(I) fear ... 532	
(I am) fearful that ... 439	
feed A with B 323	
feel 9, 40	
feel〈能動受動態〉 119	
feel＋O＋原形不定詞 40, 149	
feel like ～ing 179	
feeling＋that節〈同格〉 234	
feet 457	
fell〈混同しやすい活用形の動詞〉 47	
(be) felt to be ～ 150	
few **447**, 528	
fiction 336	
fight 34	
fight a ～ fight [battle] 38	
fill out [in] 87	
fill with 322	
find 4, 11, 47	
find＋O＋to be [that節] 147	
find＋O＋現在分詞 163	
find (out)＋疑問詞＋to不定詞 138	
(be) fine with 327	
finish＋～ing 184	
finish with 322	
(frequent [rare]) fire 450	
(the) first 372	
first class 358	
first ～ that〈関係代名詞〉	

2. 英文語句索引 First—glow

First-class passengers may carry two pieces of baggage.〔規則〕	270, 83
fish	336
fit〈受動態にならない動詞〉	118
fit (for)	324
fixed	430
flatter oneself	38
flee from	321
flight attendant〈男女共通の名詞〉	359
flow〈混同しやすい活用形の動詞〉	47
fluent in	325
fly	47
foci（focus の複数形）	348
follow	32
fond of	325
foolish の比較級・最上級	491
(It is) foolish of A to ...	142
foolishly→It is foolish that ...	473
for〈接続詞〉	224, **229**
for〈前置詞〉	62, 113, 290, 294, 300, 309, 312, 314, 317, 319
for〔期間〕	294, 300
for〔距離〕	294
for〔原因・理由〕	312
for〔賛成・一致〕	319
for〔代価〕	317
for〔方向・到着〕	309
for〔目的〕	314
for〈第4文型⇔第3文型〉	11
（形容詞＋）for	324
（自動詞＋）for	320
（他動詞＋O＋）for	323
for＋目的格〈不定詞の意味上の主語〉	128
for と in	54
for を伴う動詞の受動態	109
for a short time	300
for example	230, 380, 563
for fear (that)	99, **246**
for instance〈付加説明〉	230
for joy	312
for oneself	393
for rent	127
for sorrow	312
for the purpose of	570
for this reason	312
For what ...?	**211**, 293
for whom	264
For whom do you work?	213
forbid＋O＋to do〔that節不可〕	146
force / forces	351
S force A to do	362
foreign to	326
forget＋疑問詞＋to不定詞	137
forget と leave	36
forget ～ing と forget to do	185
forgive A for B	**323**, 578
former〈限定用法のみ〉	432
fortunately〈副詞〉	473
fortunately→It is fortunate that ...	472
found〈混同しやすい活用形の動詞〉	47
France→French	426
frankly〈副詞〉	473
frankly speaking	171
(be) free from	325, 539
freight train	119
frequent を用いて「頻度が多い」を表す名詞	450
frequently〈副詞〉	469
friendly to	326
frightened	429
from〈前置詞〉	299, 311, 315, 316
from〔家柄〕	316
from〔原因・理由〕	311
from〔材料・原料〕	315
from〔出所〕	316
from〔時の起点〕	299
（形容詞＋）from	325
（自動詞＋）from	321
（他動詞＋O＋）from	323
from A through B	301
from A to [till] B	378
from abroad	292
A from [out of] B leaves [is] ～〔減算〕	458
from behind ～	290
from hand to mouth	378
from here [there]	292
from now on	299
from the cradle to the grave	373
from ～ till [until] ...	299
frozen	430
fruit	336
fun〈抽象名詞〉	339
furnish A with B	323
furniture〈集合名詞〉	336
further—furthest	492

G

gallon	457
generally speaking	171, 559
generation〈単数にも複数にも扱う集合名詞〉	335
generous with	327
genitive case（所有格）	354
gentle with	327
Georgian	426
Germany→German	425
gerunds（動名詞）	174
get	11, 12, 40, 47
get〈進行形・接近〉	67
get＋C〈形容詞〉	8
get（＋O＋）back	50
get＋O＋to do	13, 40
get＋O＋過去分詞〔使役・受動〕	105, 166
get＋O＋現在分詞	164
get＋過去分詞	116
get off	50
get tired of ～	429
get used to ～	85
give	3, 7
give＋O_1＋O_2⇔give＋O_2＋to O_1	10
give up＋～ing	184
give way	50, 379
(I am) **glad** that ...	439
(be) glad to ...	437
glad to see	438
glance at	320
glass / glasses	350, 351
gleam with	322
glove(s)	350
glow with	322

go	3
go〈進行形・接近〉	67
go＋C〈形容詞〉	8
go と come	36
go and ～	226
go for a walk	314
go from bad to worse	292
go ～ing	182
go on an errand	314
go on vacation	384
Go right ahead.	180
go through〈受動態にする場合〉	112
go to a university《米》	377
go to bed	377
go to church	377
go to college《米》	377
go to school	377
go to sea	377
go to university《英》	377
go up と climb	36
God save the King [Queen].〈英国国歌〉	204
gold medal	343, 425
golden age	425
gone to ～	62
good の比較変化	491
(be) good at	293, 324
(be) good for	324
(It is) good of A to ...	142
(It is) good that ...	440
(It is a) good thing that ...	97
goods	350, 543
(Have you) Got the tickets?	558
government〈単数にも複数にも扱う集合名詞〉	335
gram	458
granted (that)〔条件〕	251
granting (that)〔条件〕	251
grasp at	320
greatly	462, 470
Greece→Greek	426
gross	453
grow	31
grow＋C〈形容詞〉	8
grown	429
grown-up(s)	349
guess〔What do you ...? 型〕	221
guess＋O＋to be〔that節〕	147
guess＋疑問詞＋to不定詞	137
(I don't) guess A is B.	532

H

had〈助動詞〉	64, 75
had〈本動詞〉	43
had＋been＋～ing〈過去完了進行形〉	71
had＋S〈if の省略〉	200, 555
had＋過去分詞	64, 191
Had A better not ～?	151
had best	151
had better	150, 152, 207, 503
had better not do	124, 151
had intended to ～	65, 126
had to	87
Hadn't A better ～?	151
Hadn't we better wait here until he comes?〔提案〕	238
half	455
half a mile＝a half mile	374
hand＋O₁＋O₂⇔hand＋O₂＋to O₁	10
hand in hand	378
handmade	424
hang〈意味によって違う活用形の動詞〉	47
happen	114, 140
happen〈to不定詞⇔that節〉	140, 568
happily〈副詞〉	473
(be) **happy** at	324
(A) Happy New Year!	380
(I am) happy that ...	439
hard〈形容詞〉	17, 490
hard〈副詞〉	17, 466
hard と hardly	465
(It is) hard for ～ to ...〔that 構文不可〕	141
(be) hard to ...→It is hard for A) to ...	141, 437
hardly〈副詞〉	25, 470, 489, 528, 530
hardly [scarcely] ～ when [before]	240, 531, 556
hardship〈抽象名詞⇒可算名詞〉	342
harm〈抽象名詞〉	339
harmful to	326
has〈助動詞〉	61, 75
has〈本動詞〉	43
Has the TV show started yet?	475
has to	87
Hasn't ...?	530
Hasn't the mail carrier come yet?	530
hate〈進行形にしない動詞〉	72
hate＋O＋to do〔that節不可〕	146
hate＋to不定詞〔動名詞〕	184
have〈使役動詞〉	39, 43
have〈受動態にならない動詞〉	118
have〈助動詞〉	61, 75, 542
have〈進行形にしない動詞〉	71
have〈本動詞〉	35, 43
have＋O＋doing〈否定文中〉	40
have＋O＋過去分詞	39, 105, 166
have＋O＋原形不定詞	39, 149
have＋O＋現在分詞	39, 164
have [has] been＋～ing	70
(to) have been＋～ing〔完了の不定詞の進行形〕	127
have [has]＋過去分詞〈完了形〉	61, 75, 158
(to) have＋過去分詞〈完了不定詞の形〉	125, 129
have a dream	43
Have a nice weekend.	399
have a view of ～⇔with a view of ～	572
have a wash	38
have been to ～	62
have got to	87
Have him come in, please.	43
have nothing to do with A	537
have the courage to do	361
have to〈助動詞〉	87
have to〔遺憾の気持ち〕	88
have to〔義務・必要〕	87
have to (be)〔推量〕	88

have to と must	**87,** 88	
have [be] yet to ～	475, 538	
Have you ever been to ...?	62	
having〈助動詞〉	75	
having〈本動詞〉	43	
having＋過去分詞	156, 174, 178	
Having been ～〔原因・理由〕	169	
having been＋～ing〈分詞の完了進行形〉	156	
having been＋過去分詞	105, 157, 167, 168, 174	
having kept you waiting と keeping you waiting の違い	178	
having never＋過去分詞	156	
having not＋過去分詞	156	
he	383, 384	
He cannot dance, can he?	25	
He is gone.	61	
he or she で受ける everyone	551	
healthy / healthful	424	
heaps of ～〈一致〉	547	
hear	35, 40, 41	
hear〈進行形にしない動詞〉	71	
hear＋O＋過去分詞	13, 41	
hear＋O＋原形不定詞	149, 163	
hear＋O＋現在分詞	40, 163	
(For) here or to go?	228	
hearing aid	182	
heart〈普通名詞⇒抽象名詞〉	342	
hectare	457	
(～ times the) height of ...	503	
(an) heir	366	
hello	17	
Hello, this is Bob speaking.〔電話〕	394	
(be of great) **help**	292	
help＋O＋原形不定詞[to不定詞]	123, 150	
Help (is) Wanted(.)	558	
help one another	404	
Help yourself to A.	392	
helpful to	326	
hen / rooster	359	
hence〈接続詞〉	230	

her	367, 383, 384	
here〈副詞〉	13, 468, **479,** 489	
here→there〈話法転換〉	520	
Here comes A.	55	
Here is ...〈関係代名詞の省略〉	275	
Here it [I, he, she, we, they] is [am, are]	479, 480	
Here you are.	480	
Here, I'll help you.〔申し出〕	479	
hero / heroine	359	
hers	391	
herself	392	
he's	42	
hey	17	
hi	17	
hidden	430	
hide (oneself)	37	
high と highly	464	
him	383	
himself	392	
hinder A from B	323	
his	367, 383, 391	
His father is ill, is he?	25	
his or her で受ける every＋単数普通名詞	414	
historic / historical	424	
hit〈進行形・反復〉	67	
hold＋C〈第2文型〉	8	
hold＋O＋to be[that節]	147	
hold your head	384	
Holland→Dutch	426	
homework〈抽象名詞〉	339	
(It is) honest of A to ...	142	
honestly〈副詞〉	473	
honesty〈抽象名詞〉	331, 338	
(an) honor	366	
hope	182, 183, 221, 233	
hope〈抽象名詞〉	338	
(I) hope (＋that節)	232	
hope＋to不定詞[that節]	144, 532, 567	
hope と wish	191	
(I don't) hope ...	532	
hope for	320	
(I) hope not.	532	
(I) hope ～ not ...	532	
(I am) hopeful that ...	439	

hopefully〈副詞〉	473	
horrible〈形容詞〉	436	
hospital の冠詞	377	
hot の比較級・最上級	490	
(an) hour	366	
hourly〈頻度を表す副詞〉	469	
how〈関係副詞〉	279, **281,** 283	
how〈疑問副詞〉	215, **217**	
how〔方法・手段・状態〕	217	
how＋形容詞＋a [an]＋名詞	375	
How＋形容詞[副詞]＋S＋V ...!〈感嘆文〉	**28,** 522	
(This is) how ...	**282,** 283	
How about a little golf?	218	
how and why to do	136	
How are we feeling today?	384	
How are you?	17, 218	
How are you doing lately?	43	
How can you say you don't like this job?	218	
How come ...?	218	
How could he know ...?〈修辞疑問〉	80	
How dare you ...!	101	
How dare you accuse me of lying!	101	
How deep ...?	217	
How do you do, ...?	218	
How do you do, Mr. Andersen?	218	
How do you feel about ...?	219	
How do you like it in Seattle?	218	
How do you pronounce ...?	219	
How do you spell ...?	219	
How ever ...?	211	
How far ...?	217, 480	
How fast ...?	217	
How high ...?	217	
How is it (that) ...?	218	
How is the weather ...?	219	
How large ...?	217	
How long ...?	217	

How many ...?	217	
How much ...?	217	
How much do you weigh?	218	
How much does this cost?	218	
How much is this?	218	
How old ...?	217	
How short ...?	218	
How tall ...?	217	
How thick ...?	217	
how to do	136	
How wide ...?	217	
How would you like your coffee?	219	
however 〈接続副詞〉	224, **230**, 231, 581	
however 〈複合関係副詞〉	287	
however＋S＋V 〔譲歩〕	287	
however＋形容詞[副詞]＋S＋V 〔譲歩〕	287	
How's it going?	389	
humans [human beings, humankind]	360	
hundred	452	
hundreds of ～	452	
hush	17	

I

I	383	
I am glad to see so many of you here today.	437	
I am happy that you've come.	439	
I am looking forward to＋名詞の所有格＋～ing	177	
I am sorry for being unable to ...	177	
I am very glad to see that so many of you have joined us here today.	134	
I apologize for ～	579	
I believe 〈関係代名詞の省略〉	275	
I can help contact him for you. 〔申し出〕	79	
I can't ...	39	
I don't think so.	532	
I don't think you ought to talk to us like that. 〔義務〕	88	
I doubt that ...	236	
I fancy 〈関係代名詞の省略〉	275	
I fear 〈関係代名詞の省略〉	275	
I find 〈関係代名詞の省略〉	275	
I had better ～, hadn't I?	151	
I have never gone to ...	62	
I hear 〈関係代名詞の省略〉	275	
I hear ...	55	
I hope not.	397, **532**	
I hope you might be so kind as to forgive me for ～	579	
I know 〈関係代名詞の省略〉	275	
I miss you.	226	
I need your help. 〔依頼〕	357	
I see ...	55	
I should think she would be eager to attend. 〔控えめな表現〕	98	
I swear ...	55	
I think 〈関係代名詞の省略〉	275	
I think 〈挿入〉	564	
I was hoping you could contact me. 〔丁寧な依頼〕	68	
I was wondering ... 〔丁寧な依頼〕	80	
I will help you if you come early.	56	
I wish ...	**203**, 514	
I wish I could go with you. 〔婉曲な断り方〕	203	
I wish I were ...	190	
I wish you wouldn't do that. 〔婉曲な言い方〕	203	
I wonder ... と疑問詞	221	
I wonder if I could leave a message for her. 〔丁寧な依頼〕	80	
I wonder if S should ...	99	
I won't ...	39	
I would appreciate it if you would answer my question. 〔丁寧な表現〕	94	
I would like to do ...	94, 128, 405
I would like to know more about this hardware. 〔丁寧な表現〕	94	
I would rather you didn't do that sort of thing. 〔丁寧な表現〕	94	
I'd [＝I had, I would]	43	
I'd rather ～	152	
I'd rather you didn't.	180	
idea＋that節 〈同格〉	234	
ideal for	324	
identify (oneself) with	37	
i.e. (＝that is) 〈付加説明〉	230	
if 〈接続詞〉	21, 224, 235, 241, 514, 521, 523, 524
if 〔譲歩〕	253	
if 〔時〕	241	
if 〈法〉	189-207	
if＋～ing 〔条件〕	169	
If＋S＋should	99, **200**, 555
if＋S＋V 〈間接疑問〉	25, **220**, 521
if⇔or	574	
If ～⇔(If) V (過去分詞)～	570	
if が名詞節を導く場合の時制	56	
if節の代用	201	
if と when	242	
if と whether	235	
if の省略	**200**, 555	
if any	407, 557	
if ～ any＋比較級	407	
If I were you ...	196	
If it had not been for ～	207, 555	
If (it is) heated to ... 〈省略〉	557	
If it were not for ～	207	
if need be [≒if necessary]	194	
if only	202, 203	
if ... or not	236	
if there is any [some] left	405	
If you ～⇔命令文, and	573	
If you don't ～⇔命令文, or	573	
if you were to ... 〔丁寧な提案や依頼〕	199	

ignorant of	325	
(I am) ignorant that ...	439	
ill〈形容詞〉	**434**, 491	
I'll be grateful for whatever help you give me.	286	
I'm	42	
I'm going to ～〔確定的な未来・予定〕	67	
I'm just looking.	67	
I'm looking forward to hearing from you.	180	
I'm sorry for ～	578, 579	
I'm sorry for having kept you waiting.	178	
I'm sorry for keeping you waiting.	178	
I'm sorry to have kept you waiting.	178	
I'm sorry to keep you waiting.	178	
I'm wondering if ...〔丁寧な依頼〕	80	
imaginary / imaginative	424	
imagine〔What do you ...? 型〕	221	
imagine〈進行形にしない動詞〉	72	
imagine＋～ing	184	
(I don't) imagine A is B.	532	
immediately	241	
(be) impatient for	325	
(be) impatient with	327	
(It is) imperative that ...	441	
important＋among [in, to, for]	327	
(It is) important for ～ to ...	142, 437	
(It is) important that ...	441	
important to	326	
impose A on B	324	
(It is) **impossible**＋that節	143, 568	
(It is) impossible for ～ to ...	141, 577	
(be) impossible to ...→It is impossible (for A) to ...	141, 437	
impress A with B	323	
in〈Where ...? 内で用いる〉	216	
in〈前置詞〉	50, 113, 115, 290, 298, 301, 303, 304, 310, 318	
in〔期間〕	301	
in〔着用〕	115, 318	
in〔時の経過〕	301	
in〔内外・間〕	310	
in〔年月〕	298	
in〔場所〕	303, 304	
in〔様態〕	318	
in〈副詞〉	486	
(形容詞＋)in	325	
(自動詞＋)in	321	
in と after	302	
in と within	302	
in a few hours	302	
in a sense	368, 406, 563	
(ride) in a taxi	315	
in any way	539	
in August	298	
in back of	308	
(a man) in black	318	
in Bond Street と on Bond Street	304	
in case	245, 250	
in course of	380	
in excellent health and spirits	293	
in fact	380, 563	
in front of ～	291, 308	
in general	292, 563	
in good health	19	
in ～ hours' time	302	
in itself	393	
in one's own way	387	
in oneself	393	
in order for A to do	128	
in order not to ～	124, 134	
in order that S may ～	245	
in order to ～	**133**, 569	
in other words	563	
in respect of	380	
in short	563	
in some sense	406	
in spite of〈複文⇔単文〉	571	
in spring	298	
in terror of	380	
in that ～	**234**, 292	
in the afternoon	298	
in the corner of the room	304	
in the least	539	
in the morning(s)	298, 463
in the night	298
in the 21st century	298
(Who) in the world	212
in themselves	393
in 2004	298
in [for] ～ years	16
inch	457
include	35
(large [small]) income	449
incredibly→It is incredible that ...	472
indeed ～, but ...	228
independent from [of]	325
independent of [from]	325
indices（index の複数形）	348
(be) indifferent to	326
(It is) indispensable that ...	441
indoor〈限定用法のみ〉	433
induce＋O＋to do〔that節不可〕	146
industrial / industrious	424
inferior to ～	499
infinitives（不定詞）	122
inflict A on B	324
inform	32, 33, 520
inform＋O＋疑問詞＋to不定詞	138
inform A of B	322
information〈抽象名詞〉	339
～**ing**〈現在分詞〉	48, **155**, 181
～ing〈進行形〉	48, **67**
～ing〈動名詞〉	48, **174**, 181
～ing〈現在分詞〉＋名詞	181
～ing〈動名詞〉＋名詞	181
inner〈限定用法のみ〉	432
innocent of	325
inquire〈伝達動詞〉	518
insist	235, 518
insist＋that節〔should または仮定法現在〕	**98**, 235
insist on	295, 321
insist on＋(人称代)名詞の所有格＋～ing	176, 177
insistent on	326
instruct＋O＋疑問詞＋to不定

詞		138		383, **387**, 388, 389, 574	It is [has been] 〜 since ...	299
intend＋O＋to do〔intend＋that節〕		146, 567	it 〔寒暖〕	388	It is 〜 that ...〈強調〉	
			it 〔季節〕	389		**390**, 559, 561
intended to have＋過去分詞			it 〔距離〕	389, 574	It is 〜 that [wh-] ...	575
		65, **126**	it 〔時間〕	389, 574	It is 〜 that A (should) ...〈仮定法〉	
intent on		326	it 〔状況〕	389		205, 233, 440, 441
intention＋to不定詞〈同格〉			it 〔天候〕	388, 574	It is time A was 〜	205
		132	it 〔明暗〕	388	It is time for A to 〜	205
interested		429	it 〔予備〕	389	It is time (that) S＋仮定法過去	
interested in		325	it〈形式主語〉			205
interesting		428		2, 232, 235, 389	It is time to do 〜	133
interestingly→It is interesting that ...			it〈形式目的語〉	4, 389	It is ... to 〜〈形式主語〉	
		472	it〈直接目的語〉	10		2, 130, 582
interrogatives（疑問詞）		210	it と one の使い分け	400	it is true ...〈挿入〉	563
intersection		303	it と that [this] の違い	388	It is true 〜, but ...	228
into〈前置詞〉		112, 310, 315	It appears that ...	139	It is unknown whether [if] ...	
into〔結果〕		315	It couldn't be better!	202		235
into〔内外・間〕		310	It goes without saying that ...		It is very kind of you to say so.	
（他動詞＋O＋）into		324		179		575
A into B is [goes] 〜 〔除算〕			(How's) it going?	389	It is worth 〜ing	179
		458, 548	It happened that ...	140	It is worthwhile 〜ing [to 〜]	
inversion（倒置）		554	It is ...〈関係代名詞の省略〉			179
invest A with B		323		275	It is your turn now.	389
invite＋O＋to do〔that節不可〕			It is＋形容詞＋that節〔should または仮定法現在〕		It looks as if 〜	206
		146			(We have to fight) it out.	389
involve〈進行形にしない動詞〉				97, 98, 205, 233, **440**	It says in the newspaper ...	55
		71	It is because ...	243	It seems as if 〜	206
involve＋〜ing		184	It is better to have＋過去分詞形		It seems that S ...→S seems to 〜	
involved in		325		130		114, **139**, 568, 575, 578
Iraq→Iraqi		426	It is 〜 (for A) to ...		It was great talking to you.	
Ireland→Irish		426		128, 141, 437, 575		175
irritated		429	It is 〜 for A to ...⇔It is 〜 that ...		It was not long before ...	537
(It is) irritating that ...		440		142, 568	It was not until 〜 that ...	390
is〈助動詞〉		67, **75**, 104	It is impossible for A to ...	575	It will not be long before ...	
is〈本動詞〉		8, **41**	It is impossible that＋S＋V			537
Is he a doctor?		554		575	It would be better for you to 〜	
A is not B		527	It is impossible to 〜	179, 577		151
S is not to be＋過去分詞		577	It is impossible to know... ⇔ There is no knowing		It would be my pleasure to ...	
A is one thing and B is another.						201
		404		179, **575**	It wouldn't seem that ...	578
A is one thing, B is another.			It is necessary that ...	205, 233	Italians と the Italians の意味の違い	
		404	It is no good 〜ing	178		427
S is said to have＋過去分詞			It is not long before ...		its	367, **383**
		129		537	it's	42
Is there A ...?		554	It is not that ...	244	It's not ...	529
Is there anyone outside?		13	It is not until 〜 that ...	537	itself	392, 393, 562
Is this [that] 〜?〔電話〕		394	It is 〜 (of A) to ...		(history repeats) itself	392
A is to B what C is to D		273		142, 437, 575		
Israel→Israeli		426	It is (of) no use 〜ing	178	**J**	
it〈代名詞〉			It is said that S＋過去形	129	jammed with	327

— 672 —

Japanese〈単複同形の名詞〉	348	
jealous of	325	
jingle	17	
judging from ～	171	
jump	34, 67	
junior to ～	499	
jury〈単数にも複数にも扱う集合名詞〉	335	
just〈形容詞〉	490	
just〈副詞〉	62, 462, 469, 478, 489	
just＋助動詞＋not	562	
just と justly	465	
just because	243	
just now	63, **478**	

K

keen on	326	
(I am) keen that ...	439	
(be) keen to ...	438	
keep〈能動受動態をとる動詞〉	119	
keep＋C〈第2文型〉	8	
keep＋O＋C〈第5文型〉	12	
keep＋O＋過去分詞	165	
keep＋O＋現在分詞	13, **164**	
S keep A＋形容詞	362	
keep A from B	323	
S keep A from ～ing	362	
keep an eye on〈受動態にする場合〉	113	
keeping you waiting と having kept you waiting の違い	178	
kick	34, 67	
kick A in the leg	374	
kill time	368	
kind [type] of＋A	379	
(It is) kind of A to ...	142	
(be) kind to	326	
kind(s) of fish	336	
kindly＋動詞	467	
kindness〈抽象名詞〉	338	
knock	34, 67, 211	
know	35, 71	
know〔Do you ～ what ...? 型〕	221	
know＋O＋to be〔that 節〕	147	
know＋O＋(to) do	**123**, 150	
know＋O＋原形不定詞[to 不定詞]	150	
know＋疑問詞＋to 不定詞	137	
know A from B	323	
know better than to ～	504	
know how to ～	138	
know not to do	138	
know to do	138	
know whether [if] ...	235	
known for	325	
Korea→Korean	425	

L

lack〈受動態にならない動詞〉	118	
ladies' shoes	352	
land〈進行形・接近〉	67	
large を用いて「総数[量]が多い」を表す名詞	449	
larger than any other ～	502	
larvae（larva の複数形）	348	
last＋時を示す語	295, 298	
(the) last	402	
(the) last ～	372	
(the) last A＋to 不定詞[that 節]	506, 538	
Last night ...	470	
last week→the week before, the previous week	519	
late〈形容詞〉	434	
late〈副詞〉	469	
late と lately	465	
late の比較級・最上級	491, **492**	
later—latest	492	
latter〈限定用法のみ〉	432	
latter—last	492	
laugh a ～ laugh	38	
laugh at	50, 320	
laughter〈抽象名詞〉	338	
lay〈混同しやすい活用形の動詞〉	47	
lead＋O＋to do〔that 節不可〕	146	
S lead A to ～	362	
learn	35	
learn＋to 不定詞	183	
learn＋疑問詞＋to 不定詞	137	
learn ～ by heart	379	

learned	429	
least	492	
leave	32, 34	
leave＋O＋C〈第5文型〉	12	
leave＋O₁＋O₂⇔leave＋O₂＋for [to] O₁〔to と for で意味が違う〕	11	
leave＋O＋to do〔that 節不可〕	146	
leave＋O＋過去分詞	165	
leave＋O＋現在分詞	164, 165	
leave と forget	36	
S leave A＋形容詞	362	
leaves（leaf の複数形）	347	
lend＋O₁＋O₂⇔lend＋O₂＋to O₁	10	
(～ times the) length of ...	503	
less	492	
less＋原級＋than	498	
lest〈接続詞〉	99, 236, **246**	
lest＋原形	207	
lest we forget	247	
let〔許可〕	39	
let〈命令文〉	**27**, 114	
let＋O＋be＋過去分詞	111	
let＋O＋原形不定詞	39, 112, 149	
let＋原形不定詞＋O	149	
〈Let ～〉の形の命令文の受動態	112	
let alone ～	504	
let drop ～	149	
let fall ～	149	
let fly ～	149	
let go ～	149	
let go of ～	149	
Let me help you.	27	
let me see	563	
let pass ～	149	
Let sleeping dogs lie.〈ことわざ〉	181, 433	
let slip ～	149	
Let them be quiet.	189	
Let us ～	39	
Let's 型の間接話法	522	
Let's ～〔勧誘〕	39	
Let's go to the movies tonight.〔勧誘〕	39	

2. 英文語句索引 **Japanese—Let's**

— 673 —

2. 英文語句索引　Let's─mere

Let's ～, shall we?〔勧誘〕 26
Let's watch a soccer game on television, shall we?〔勧誘〕 26
letter / letters 351
lie〈意味によって違う活用形の動詞〉 47
lie＋C〈第2文型〉 8
like〈形容詞〉 490
like〈接続詞〉 254
like〈動詞〉 7, 72
like＋O＋過去分詞 165
(don't) like＋O＋現在分詞 164
like＋to不定詞［動名詞］ 184
like＋無冠詞の複数形名詞 333, 369
like＝as if [though] 206
like を修飾する better, best 492
like so many [much] ～ 447
(It is) likely＋that節〔to不定詞不可〕 143
(A is) likely to be ...⇔It is likely that A is ... 140, 438, 568, 575
liking 175
linguistics〈常に複数形の名詞〉 350
lion / lioness 359
listen (to) 34, 40, 41, 322
liter 457
little 448, 492, 528
little＋that〈関係代名詞〉 271
little＋不可算名詞の集合名詞 336
Little did I know ...〈倒置構文〉 76
live 7, 35
live〈形容詞〉 433
live a ～ life 38
live on 321
lock〈能動受動態をとる動詞〉 119
(It is) logical that ... 440
lone〈限定用法〉 432
lone / lonely 424
long〈形容詞と同形の副詞〉 464, 491
long for 320
look＋C〈第2文型〉 9
look＋形容詞化した過去分詞 162
look after 50
look (at) 34, 40, 320
look for 50, 320
look forward to ～ing 180
look into〈受動態の場合〉 112
look up to 49
looker-on〈複合名詞〉 343
(It) Looks like snow. 558
lose 34
lose〈進行形・接近〉 67
lose sight of 113, 379
lost 430
lots〈比較級を修飾〉 499
lots of [＝many] 444, 450, 547
lots of [＝much] 445, 547
loud≒loudly 464, 466
love 35, 72
love＋to不定詞［動名詞］ 184
lovely〈形容詞〉 436
low〈形容詞〉 490
low〈形容詞と同形の副詞〉 464
luck〈抽象名詞〉 339
luckily→It is lucky that ... 472
(have) lunch 378

M

machinery〈集合名詞〉 336
mail〈集合名詞〉 336
main〈限定用法〉 432
make 34, 39
make＋O＋C〈第5文型〉 12
make＋O₁＋O₂⇔make＋O₂＋for O₁ 11
make＋O＋過去分詞 165
make＋O＋原形不定詞 13, 39, 149
S make A＋形容詞 361, 362
S make A do 361
make A into B 316, 324
make a fool of〈受動態にする場合〉 113
make allowance for〈受動態にする場合〉 113
make contributions 129
make friends with ～ 351
make fun of〈受動態にする場合〉 113
make the most [best] of ～ 506
Malta→Maltese 425
manage to ～ 144, 183
(It is) mandatory that ... 441
manner / manners 351
many 423, 443, 446, 450, 492
many a [an] ～ 444
many more＋複数名詞 499
many of ～ 444
marked 430
marry 32
Mars, which ... 263
marvel at 320
mathematics〈常に複数形の名詞〉 350
may 76, 82
　may〔祈願〕 83
　may〔規則〕 83
　may〔許可〕 82
　may〔推量〕 82
　may〔目的・譲歩〕 83
　may〔容認〕 83
May＋S＋V〔祈願文〕 28
may＋完了不定詞 125
may と can〔可能性〕 82
may as well ～ 85
may as well ～ as ... 85
may ～ but ...〔譲歩〕 82
may have＋過去分詞 83
May I ...?〔許可〕 82
May I help you?〔申し出〕 67
May we ...?〔許可〕 79
may well ～ 84
maybe と「たぶん」 83
me 383
(It's) me. 386
mean＋O＋to do [mean＋that節] 146
mean＋to不定詞 183
means〈単複同形〉 348, 350, 543
memorable / memorial 424
men（manの複数形） 347
meow 17
mere〈限定用法〉 432

2. 英文語句索引 Messrs.―Neither

Messrs.（Mr. の複数形） 349
meter 457
Mexico→Mexican 425
might 76, **83**
　might〔許可・依頼〕 84
　might〔推量〕 84
　might＋完了不定詞〔過去のことの推量〕 84, 125
　might＋完了不定詞〈仮定法過去完了〉 194
　might＋原形不定詞〈仮定法過去〉 194, 198
　Might（×May）～?〔疑問文で〕〔推量〕 82
　(You) might ...〔軽い命令〕 84
might as well ～ 85
might as well ～ as ... **85**, 503
might have＋過去分詞 84
Might I have ...?〔許可・依頼〕 84
Might I have a few moments of your time?〔依頼〕 84
might well ～ 84
mile 457
million 452
millions of ～ 452
mind＋～ing 184
Mind if ...?〔許可〕 180
mine 391
A minus B 458, 548
～ minutes ahead of schedule 303
～ minutes' walk bring O to ...〈無生物主語〉 576
Misses（Miss の複数形） 349
mistake A for B 323
mix A with B 323
mixed 430
Mmes.（Mrs. の複数形） 349
momentary / momentous 424
monthly 464, 469
moo 17
mood（法） 189
more 446, 490, **491**, 492
more＋原級＋than 497
more and more 504
more often の表す正しい意味 497
moreover〈接続詞〉 229

mornings 463
most〈副詞〉 471
most＋副詞 501
most と mostly 465
most ～〈最上級〉 490, **491**, 500
most of ～ 446, 483, 545
Mother〈普通名詞⇒固有名詞〉 342
mother(s)-in-law 349
(the) motoring population 159
move＋that節〔should または仮定法現在〕 98
(an) MP 366
Mses（Ms(.) の複数形） 349
Ms's（Ms(.) の複数形） 349
much 443, **444**, 446, 481, 492
much〈疑問文における意味〉 446
much〈最上級の強調〉 501
much〈比較級を修飾〉 499
much＋that〈関係代名詞〉 271
much＋不可算名詞の集合名詞 336
much [still, even] less ～ 504
much more＋単数名詞 499
much of ～ 445
much the best ～ 501
much the same 481
much too 481
multiplied by 458
must 76, **85**
　must〔遺憾の気持ち〕 86
　must〔勧誘〕 86
　must〔義務・必要〕 85
　must〔推量〕 89
　must〔推量〕の否定（＝cannot） 86
　must〔必然〕 86
must＋完了不定詞 125
must＋状態動詞〔推量〕 86
must と have to **87**, 88
must と ought to 88
S must be used to [in order to] ～ 576
must have＋過去分詞〔推量〕 86
Must he go by himself?〔確認〕 23

mustn't [must not]〔禁止〕 **86**, 88
my 17, 367, **383**
myself 392

N

name＋O＋C 12
namely〈接続詞〉 230
narration（話法） 509
nasty〈形容詞〉 436
natural〈to不定詞⇔that節〉 568
(It is) natural that S should ... 99, **440**
naturally 462
Nature's law 354
(It is) naughty of A to ... 142
near＋関係代名詞 264
near と nearly 465
nearly 471, **483**, 489
necessarily〈部分否定〉 535
(It is) **necessary**＋that節〈仮定法現在〉 99, 205, 233, **441**
(It is) necessary for ～ to⇔It is necessary that ... 142, 441
(It is) necessary (for A) to ～ 437
necessary to 326
need〈助動詞〉 76, **100**
need〈助動詞と本動詞〉 101
need＋～ing 175
Need I go into details?〔確認〕 100
need ～ing と need to do 185
need not have＋過去分詞 100
(S is) needed to [in order to] ... 576
needless to say 148
negation（否定） 527
neither〈接続詞〉 226, 227, 548
neither〈代名詞〉 367, **415**, 443, 544, 551
neither〈副詞用法〉 486
neither A nor B **227**, 548
Neither can I. 555
neither of＋複数(代)名詞 415
Neither smoking nor pets are

permitted in the cabins.		548
Nepal→Nepalese		425
nephew / niece		359
never		
	27, 190, 469, **527**, 528, 530	
(almost) never		483
Never have I seen ...		531
never having＋過去分詞		156
never to ～		134
never ... without ～ing		
	179, 536	
nevertheless〈接続詞〉		
	230, 577	
new to		326
news	339, 350, 543	
news＋that節〈同格〉		234
news media		436
next＋時を示す語		295
(the) next day←tomorrow		519
next to		326
next week→the next week, the following week		519
nice〈形容詞〉		436
nice [good] and ～		226
nice and happy		425
(It is) nice of A to ...		142
(be) nice to ...→It is nice (for A) to ...		437
(It's) Nice to have met you.		125
Nice to meet you.	**6**, 125, 557	
niece / nephew		359
nine-eleven（9/11 [9-11]）		
	57, 457	
nine-nine-nine（999）		89
nine-one-one（911）		
	57, **89**, 457	
ninth [9th]		454
no	442, **527**, 534	
(almost) no		483
(Yes /) No〈疑問文〉		
	23, 463, **484**	
no＋比較級		528
no＋名詞		531
no ～ at all		411
(A is) no less ～ than B		505
no less than A		506
no longer		536
no matter＋疑問詞〔譲歩〕		
		254

no matter how ...		287
no matter when ...		286
no matter where ...		286
no matter which ...	284, **285**	
no matter who ...	284, **285**	
no more		536
no more than ～	**506**, 536	
(A is) no more ～ than B		
	505, 536	
no ～ not ...〈二重否定〉		535
No ～ nothing ...〈二重否定〉		
		535
no one	**417**, 551	
no one of ～		418
No (other) ～ as large as ...		
		502
No (other) ～ larger than ...		
		502
(That would be) No problem.		
〔依頼に対する承諾〕		558
No smoking (is allowed.)		558
no sooner ～ than		240
no ～ whatever		539
(It is) noble of A to ...		142
nobody		417
(almost) nobody		483
(There's) Nobody in here.		558
nod		34
none〈代名詞〉	418, 534, 544	
none〈副詞用法〉		418
(almost) none		483
none of ～		418
none of ～＋単数(代)名詞		
		418
none of ～＋複数(代)名詞		
		418
none other than ～		406
none the＋比較級＋for [because of] ...		418
none the worse for ...		418
nor		226
Nor can I.		555
normally〈副詞〉		469
Norway→Norwegian		425
not	23, 527, **529**, 530, 534	
(be動詞＋) not		529
(助動詞＋) not		529
(I hope) not.		397
not＋～ing〈分詞の否定形〉		
		156

(do [does, did]) not＋動詞		
		529
not A but B		228
not a few [little]		448
Not a single fish could I catch.		
〈倒置〉		556
not all ～〈部分否定〉		
	412, **534**	
not always〈部分否定〉		535
not ～ any longer		407
not as ～ as ...	255, **493**, 498	
Not at all.	180, 419	
not ～ at all〈否定の強調〉		
	539, 562	
not ～ both ...	412, 535	
not ～ by any means〈否定の強調〉		562
(This item is) Not for sale(.)		
		558
not have＋O＋現在分詞		165
not having＋過去分詞〈分詞の否定形〉		156
not ～ in the least〈否定の強調〉		562
Not knowing what to do, I asked ...〈意味上の主語の省略〉		558
not less than A＝at least A		506
not less ～ than ...		505
not more than A＝at most A		
	505, 536	
not more ～ than ...		505
not only A but (also) B		
	227, 549	
not so ～ as ...	**493**, 498	
not so much A as B	**503**, 536	
Not that ...		244
Not to brag, but ...		560
Not to change the subject, but ...		560
not (to) do		123
not to mention		504
not ～ yet		476
notable for		325
noted		430
nothing		419
(almost) nothing		483
(for) nothing		419
(It was) nothing.		419
nothing＋that〈関係代名詞〉		

676

	271
nothing but＋(代)名詞	419
nothing but ～	419, 537
(There is) nothing for it but ～	419
(have) nothing to do with ～	419
Nothing ventured, nothing gained.〈ことわざ〉	419
notice〈知覚動詞〉	40
(be) noticed to be	150
nought	456
nouns（名詞）	330
novel	336
now	62, 461, 468, **478**
now→then	**513**, 519
now (that)	244
nowadays	463
nowhere (that) ...	282
(large [small]) number	449
(～ times the) number of ...	503
numerous	450

O

obese の比較変化	491
obey	32
object	518
object to	322
oblige＋O＋to do〔that節不可〕	147, 362
observe〈知覚動詞〉	40
(It is) **obvious**＋that節〔to不定詞不可〕	143
(be) obvious to	326
obviously→It is obvious that ...	472
occupy oneself	38
(It is) odd that ...	440
oddly→It is odd that ...	473
of〈前置詞〉	
50, 113, 290, 311, 315, 316	
of〔家柄〕	316
of〔原因・理由〕	311
of〔材料・原料〕	315
of〈挿入・同格〉	359, 564
(be＋形容詞＋)of	325
(自動詞＋)of	321
(他動詞＋O＋)of	322
of〔部分や一部を表す〕＋関	

係代名詞	264
of＋所有格〈二重所有格〉	**356**, 391
of＋名詞	294
〈of＋名詞〉と〈's〉所有格	353
of⇔that節〈同格〉	568
of がなくても形容詞的に働く名詞	358
A of B〈一致〉	545
of a Sunday [＝on Sundays]	297
Of course not.	180
of importance	360
of opinion	380
of which〈関係代名詞〉	259, **267**
off〈前置詞〉	50, **309**
off〔接近・遠隔〕	309
off〈副詞〉	112, 486
offer＋to不定詞〔that節不可〕	183, 233
(This area is) Off Limits(.)	558
often	62, 462, 469
oh	17
old	490, **492**
on〈Where ...? 内で用いる〉	216
on〔ありがたくない状況を表す〕	33
on〈前置詞〉 290, 297, 304, 305, 309, 314, 318	
on〔関連・関与〕	318
on〔上下〕	305
on〔接近・遠隔〕	309
on〔年月や日時〕	297
on〔場所〕	304
on〔目的〕	314
on〈副詞〉	49, 486
(形容詞＋)on	326
(自動詞＋)on	321
(他動詞＋O＋)on	324
on の意味を表す along	306
on ～ing	179, 570
on a Sunday	297
(ride) on a train [ship, airliner]	315
on account of〔原因・理由を示す群前置詞〕	313, 571
on behalf of	380

on Bond Street と in Bond Street	304
(What) on earth	212
on hand	380
on Sundays	297, 463
on the contrary〈挿入〉	563
on the corner と at the corner	304
on the lake	305
on the morning of September, 11, 2001	298
on the ocean floor	293
on the other hand〈挿入〉	563
on the other side of the street	403
on the river	305
on the roof	291
on the weekend	298
on the whole〈挿入〉	563
once〈接続詞〉	241
once〈副詞〉	62, **476**
one〔＝a person〕	385
one〔一般の人を表す〕	**401**, 551
one〈形容詞用法〉	402
one〈不定代名詞〉	387, 395, **399**, 402
(修飾語＋)one	400
one＋時を示す語	**295**, 298
one で受けられない場合	400
one と it の使い分け	400
one after another	404
one another	404
one day	402
one of〔部分や一部を表す〕＋関係代名詞	264
one of the＋形容詞の最上級	372
one of the [my, your, etc.]＋複数名詞	546
one of the A＋関係代名詞	**260**, 546
oneself	37, **392**
oneself〈強調〉	562
only〈形容詞〉	372, **432**, 489
only〈副詞〉	441, 462, 484, **485**, 489
only＝no more than A	506
only a few [little]	448

only a part of ~		380
only because		243
Only once did I see him cry.〈倒置〉		556
only ~ that〈関係代名詞〉		270
only to do	**134**,	573
oppose		32
opposite＋関係代名詞		264
opposite to		326
or		
	19, 24, 224, **228**, 521, 523,	**548**
（名詞＋）or		228
（命令文＋）or ...	**228**,	573
or⇔if		574
or else	230,	231
~ or something		417
order		518
order＋O＋to do[order＋that節]	**146**,	522
order＋that節[should または仮定法現在]	**98**,	204
order＋that節〈同格〉		234
organized		430
other〈形容詞用法〉		403
other〈不定代名詞〉		402
other を用いた慣用表現		406
other than ~		406
others		403
otherwise〈接続詞〉		230
ought to	76, **88**,	89
ought to〔義務〕		88
ought to〔推量・当然〕		89
ought to＋完了不定詞		125
ought to と must		88
ought to と should	88,	96
ought to have＋過去分詞	**89**,	126
ounce		458
our	367,	383
ours		391
ourselves		392
out〈副詞〉	49,	486
out of〈前置詞〉		
	310, 312,	316
out of〔原因・理由〕		312
out of〔材料・原料〕		316
out of〔内外・間〕		310
A out of [from] B is [leaves] ~〔減算〕		458

out of date		229
out of harm's way		354
out of print		408
outdoor〈限定用法のみ〉		433
outer〈限定用法のみ〉		432
outside＋関係代名詞		264
outside (of)		310
over〈形容詞〉		5
over〈前置詞〉		
	303, 305, 318,	319
over〔関連・関与〕		318
over〔上下〕		305
over〔時〕		303
over（～をしながら）		319
over〈副詞〉		486
over〔分数〕		456
over＋前置詞		468
over by ~		468
overhear〈知覚動詞〉		40
owing to〈原因・理由を示す群前置詞〉	**313**,	571
own		35
own〈進行形にしない動詞〉		71
（所有格＋）own		386
（名詞＋of＋所有格＋）own		387
oxen（ox の複数形）		348
P		
pain / pains		351
paint＋O＋C〈第 5 文型〉		12
paint と write と draw		36
pants〈常に複数形の名詞〉		
	344,	350
pants suit [pantsuit]		344
(It is) paramount that ...		441
pardon	379,	558
parenthesis（挿入）		554
participate in		321
participles（分詞）		155
partly because ...		463
Pass me the salt, please.〔依頼〕		6
(the) passer-by's attention		
	349,	353
past〈時を示す前置詞〉		303
pat A on the shoulder		374
paved with		327

pay attention to	113,	360
peace〈抽象名詞〉	331,	338
peculiar to		326
pence		457
pen-friend(s)		349
people〈集合名詞〉		335
People say that ...→It is said that ...		107
per hour		457
perceive〈知覚動詞〉		40
percent〈単複同形〉		348
(more [most] nearly) perfect		489
perishing		162
permit＋O＋to do[that節不可]		
	147,	362
perplexed		429
persist in		321
personally〈副詞〉		473
persuade〈to不定詞⇔that節〉		567
persuade A of B		322
phenomena（phenomenon の複数形）		348
phonetics〈常に複数形の名詞〉		350
physics〈常に複数形の名詞〉		350
pick off		112
pick ~ up		486
pint		457
(It is a) pity that ...		380
place (that) ...		282
(It is) plain＋that節[to不定詞不可]		143
plastic bag		425
plateaux（plateau の複数形）		348
(be) pleasant to ...→It is pleasant (for A) to ...		437
please〈命令文〉 27, 190,	578	
Please excuse me for ~		579
Please forgive me for ~		579
pleased		429
plenty of	444, 445,	547
plus		458
p.m. [P.M., PM]		456
pneumonia		228
poem		336
poet〈男女共通の名詞〉		359

— 678 —

poetry	336	
point〔小数点〕	456	
Poland→Polish	426	
police〈集合名詞〉	335	
(It is) **polite** of A to ...	142	
(be) polite to	326, 491	
politics〈一致〉	543	
(be) poor at	324, 436	
pop	17	
(be) popular with	327	
(large [small]) population	449	
Portugal→Portuguese	425	
possess〈進行形にしない動詞〉	71	
possible〔that節をとれない場合〕	141	
possible〈to不定詞⇔that節〉	141, 143, 568	
(It is) possible＋that節	143	
(It is) possible (for A) to ...	437	
possibly→It is possible that ...	472	
posterior to ～	499	
postpone＋～ing	184	
poultry〈集合名詞〉	335	
pound	457, 458	
praise A for B	323	
pray for	320	
prefer〈進行形にしない動詞〉	72	
prefer＋O＋to do〔that節不可〕	147	
prefer＋to不定詞〔動名詞〕	184	
prefer A-ing to B-ing	185	
prepositions（前置詞）	290	
present〈形容詞〉	435	
present A with B	323	
present oneself	38	
press＋O＋to do〔that節不可〕	147	
presume＋O＋to be[that節]	147	
pretend＋to不定詞	183	
pretty〈形容詞〉	436	
pretty〈形容詞⇔副詞〉	18	
prevent A from B	323	
S prevent A from ～ing	362	
pride oneself on	37	
prime time	425
prior to ～	499
(It is) **probable**＋that節〔to不定詞不可〕	143
probably〈副詞〉	473
probably→It is probable that ...	472
proficient in	325
progress〈抽象名詞〉	339
prohibit A from B	323
promise	518
promise＋to不定詞	183
(be) prompt to ...	438
pronouns（代名詞）	383
proper noun（固有名詞）	330, 331, **339**
(It is) proper that ...	440
propose＋that節〔should または仮定法現在〕	98
propose our＋動名詞 ～〈Let's ～型の間接話法〉	522
propose that ～〈Let's ～型の間接話法〉	522
protect A from B	323
proud of	325
(be) proud of ～	291
(I am) proud that ...	439
prove＋O＋to be[that節]	147
S prove A ...	363
provide A with B	323
provided (that)〔条件〕	251
public〈単数にも複数にも扱う集合名詞〉	335
puff	17
punish A for B	323
push＋O＋C〈第５文型〉	12
S **put** A＋形容詞	362
put A into B	324
put off	112
put off＋～ing	183, 184
put on	35
put up	296
put up with	49
puzzled	429
puzzling	428

Q

qualified	430
(large [small]) quantity	449
quart	457
quarter	455
quick	464
(be) quick to ...	438
quickly〈副詞〉	461, 466
quiet	26, 189
quite〈副詞〉	470, 535
quite a [an]＋形容詞＋名詞	374
quite a few [little]	448
quite far	480

R

rages	351
(long) rains	351
(the) rains	70
(the) rainy season	70
rare を用いて「頻度が少ない」を表す名詞	450
rarely〈副詞〉	469, **528**, 530
rather〈副詞〉	470, 499
rather a [an]＋形容詞＋名詞	374
A rather than B	496, 549
(It is) rational that ...	440
reach	32, 33, 118
read	34
read〈擬似自動詞〉	32
read〈能動受動態をとる動詞〉	119
reading for reading's sake	175
reading glass	182
(Are you) **Ready**?	557
(be) ready to ...	438
real	490
really（＋助動詞）＋not	562
(It is) reasonable that ...	440
recognize＋O＋to be[that節]	147
recommend＋O＋to do[recommend＋that節]	146
recommend＋that節〔should または仮定法現在〕	98
recover from	321
refined	430
reflect on	321
refrain from	321
refuse〔that節不可〕	233
refuse＋to不定詞	183
regret having＋過去分詞と

regret 〜ing の違い	178	
regret 〜ing と regret to do		185
regrettably→It is regrettable that ...		473
relatives（関係詞）	259	
reliant on	326	
relieve A of B	322	
reluctance＋to不定詞〈同格〉		132
rely on	321	
remain〈進行形にしない動詞〉		71
remain＋C〈第2文型〉		8
〜 remain to be ...	105	
remark〈伝達動詞〉	518	
remark＋that節〈同格〉	234	
remark to＋O	520	
(It is) remarkable that ...	440	
remarkably→It is remarkable that ...		473
remember〔Do you 〜 what ...? 型〕		221
remember〈進行形にしない動詞〉		72
remember＋疑問詞＋to不定詞		137
remember 〜ing	178	
remember 〜ing と remember to do		185
remind＋O＋to do［that節］		146, 567
remind＋O＋疑問詞＋to不定詞		138
S remind A ...	363	
remind A of B	322	
remote from	325	
rent〈能動受動態〉	119	
repent of	321	
reply	517, 518	
reply to	33, 322	
report〈伝達動詞〉	518	
report＋O＋to be［that節］		147
request＋O＋to do［request＋that節］		146, 522
request＋that節〔shouldまたは仮定法現在〕		98, 233
require＋〜ing	175	
require＋O＋to do［require＋that節］		146
require＋that節〔shouldまたは仮定法現在〕		98, 204
S require A ...	363	
require A of B	322	
resemble	32, 35, 118	
resolve〈to不定詞⇔that節〉		183, 567
respectable / respectful	424	
respond to	322	
result from	321	
retire from	321	
retired	429	
reveal＋疑問詞＋to不定詞		137
S reveal A ...	363	
rid A of B	322	
ride〈能動受動態〉	119	
(It is) ridiculous that ...	440	
right（正しい）	440	
right（妥当である）	434	
right（適切な）	490	
right（右の）	434	
(It is) right of [for] A to ...	142	
rightly→It is right that ...	472	
rob と steal	36	
rob A of B	322	
(A) rolling stone gathers no moss.〈ことわざ〉		155
rooster / hen	359	
roughly speaking	171	
round〈受動態には不自然な動詞〉		118
round〈前置詞〉	307	
round〔周囲〕	307	
round〔進行・通過〕	307	
round〈副詞〉	486	
round＋関係代名詞	264	
(It is) rude of A to ...	142	
rude to	326	
run	32	
run a 〜 race	38	
running	428	
running water	428	
Russia→Russian	425	

S

〈's〉所有格と〈of＋名詞〉		353, 354, 355
A's B	354, 355, 356	
-(e)s〔3単現の-s〕	43, 54	
(be) sad at	324	
(I am) sad that ...	439, 440	
sadly→It is sad that ...	472	
(It is) safe for 〜 to ...〔that構文不可〕		141
safe from	325	
salmon(s)〈原則単複同形の名詞〉		348
same	398, 399	
sand hill	436	
sands	351	
satisfied with	327	
save（省く）＋O₁＋O₂〈常にSVOO〉		11
save＋O₁＋O₂⇔save＋O₂＋for O₁		11
S save A ...	363	
save A from B	323	
saw〈混同しやすい活用形の動詞〉		48
say	34, 114, 518	
say〔What do you ...? 型〕		221
say〈間投詞〉	17	
say＋that節	232	
say goodbye	524	
say to＋O	520, 521	
Say what you will, ...	555	
scarcely	25, 470, 528	
scarcely [hardly] 〜 when [before]		240
scatter about と scatter (a)round		174, 308
schoolboy〈複合名詞〉	344	
(a pair of) scissors	350, 543	
score	453	
scores of 〜	454	
scrambled (eggs)	219	
Scratch my back and I'll scratch yours.〈ことわざ〉		225
scream〈伝達動詞〉	517	
search A for B	323	
second to none	455	
(A) Secretary Wanted	380	
see	35, 40, 48, 72	
see＋O＋原形不定詞		40, 149, 163
see＋O＋現在分詞	40, 163	
see＋疑問詞＋to不定詞	137	
see 〜 off	486	
see (to)	295	

see (to it)＋that節	233, 295	
Seeing is believing.〈ことわざ〉		178
seeing that [as]		244
seek＋to不定詞		183
seem	114, 578	
seem＋C〈第2文型〉		9
seem＋形容詞化した過去分詞		162
(It doesn't) seem that ...	15, 139, 578	
(don't) seem to ～	139, 578	
(There) seem to ...⇔It seems that ...	140, 578	
seem(s) to ...⇔It seems that ...	15, 114, **139**, 568, 575, 578	
seemingly〈副詞〉		472
(It) seems that ～ not ...		15
seldom	25, 469, **528**	
(It is) selfish of A to ...		142
sell〈能動受動態〉		119
send＋O₁＋O₂⇔send＋O₂＋to O₁		10
send word		379
senior to ～		499
sensible / sensitive		424
(It is) sensible of A to ...		142
sensitive to		326
sentences（文）		1
sequence of tenses（時制の一致）		509
series〈単複同形の名詞〉		348
set＋O＋C〈第5文型〉		12
set＋O＋現在分詞		164
S set A＋形容詞		362
set sail		379
settled		430
several	408, 443, **449**, 450	
sewing machine		182
shake hands with		351
shall	76, **95**	
shall〔法律・規則〕		96
shall→would〈話法転換〉		519
(Who) shall ...?〔反語〕		96
Shall I ...?〔申し出・提案〕		96
shall (not) ...〔命令・禁止〕		96
Shall we ...?〔申し出・提案〕		96

		96
Shall we have another game?		
		96
shave oneself		38
she	383, 384	
sheep〈単複同形の名詞〉		
		348
sheer〈限定用法〉		432
she's		42
shocking		428
(It is) shocking that ...		440
shoe(s)〈常に複数形の名詞〉		
		350
short	465, 490	
short と shortly		465
should	76, **96**, 127	
should〔that節内〕	98, 204, 205, 440	
should〈仮定法〉	98, 99, 199, 200	
should＋S〈ifの省略〉	**200**, 555	
should＋完了不定詞		125
should＋完了不定詞〈仮定法過去完了〉		194
should＋原形不定詞〈仮定法過去〉	194, 198	
should と ought to	88, **96**	
(Why [Who, How]) should ...?〔驚き・反語〕		97
(You) should ...〔義務・必要〕		96
should have＋過去分詞	96, 97, 126	
(You) should have been here yesterday!〔遺憾〕		126
show〈能動受動態〉		119
show＋O₁＋O₂⇔show＋O₂＋to O₁		10
show＋O＋to be〔that節〕		147
show＋疑問詞＋to不定詞	137, 138	
show と tell と teach		37
S show A ...	363, 576	
shudder at		320
sick / sickly		424
sigh	518, 522	
(It is) silly of A to ...		142
similar to		326
simply〈副詞〉		489

simply（＋助動詞）＋not		562
(I) simply won't allow that.		
		562
since〈接続詞〉		62
since〔原因・理由〕		243
since〔時〕		239
since〈前置詞・接続詞〉	17, 297	
since〈時の起点を示す前置詞〉		299
since〈副詞〉	469, **474**	
since＋関係代名詞		264
since ～ days [years] ago		474
sing a ～ song		38
sit＋C〈第2文型〉		8
(～ times the) size of ...		503
skies		351
skillful in		325
sleep		31
sleep a ～ sleep		38
sleeping bag		181
slightly〈副詞〉		470
slow＝slowly		464
Slow and steady		548
(be) slow to ...		438
slowly の比較変化		491
small		490
small を用いて「総数[量]が少ない」を表す名詞		449
smaller and smaller〈強調〉		
		562
smell	34, 35, 40, 72	
smell＋C〈第2文型〉		9
smile		31
smile a ～ smile		38
smoke〈擬似自動詞〉		31
smooth＝smoothly		464
so〈接続副詞〉	225, 230, 231, 248	
so〈代名詞的〉	**397**, 398	
so〈副詞〉		482
So＋S＋V と So＋V＋S		398
so＋形容詞＋a [an]＋名詞	375, 483	
(I think) so.	**397**, 482	
So am I.	398, 555	
so as for A to do		128
so as not to do	124, 134	
so as to do	**133**, 569	
so ～ as to do	136, 482

so do I〈代動詞〉		76
so far		480
so long as ~		251, 256
so many		444
so many ~		446
so much		445
so much ~		446
so that		245
..., so that ~		248
so that ~⇔for the purpose of V-ing ~		570
so ~ that ...	21, 136,	**247**, 482
so ~ that ...⇔such ~ that ...		247, 248
so ~ that ...⇔ too ~ to ...		136, 483, **569**
so that S can [will, could, might, would] ~		**245**, 569
so to speak [say]〈挿入〉		207, 564
So what if ...?		214
sock(s)〈常に複数形の名詞〉		350
sole〈限定用法〉		432
some		367, **404**
some [＝about]		407
some と any〈不定代名詞〉		404
(I like) some.		400
some [one] ~ or other		408
Some ~ others ...		403
some more A		499
some of ~〈一致〉		545
some one of ~		416
some other time		403
some others		403
Some say that ...		406
somebody〈ひとかどの人物〉		416
somebody〈不定代名詞〉		415
someday		402
someone		**415**, 551
something〈ひとかどの人物，大したこと[もの]〉		417
something〈不定代名詞〉		417
something＋形容詞		417
something of ~		417
sometimes〈副詞〉		469
somewhat〈副詞〉		470, 499
somewhere (that) ...		282
son-in-law〈複合名詞〉		343
sopping wet		162
(I am) **Sorry**!		557
(I am) sorry that ...		439
(be) sorry to ...		438
(an) SOS		366
sound〈名詞〉		580
sound＋C〈第2文型〉		9
(That) Sounds great.		558
space travel		436
space-age technology		344
Spain→Spanish		426
S spare A ...		363
speaking of ~		171
species〈単複同形の名詞〉		348
spoken		430, 433
square meter [root など]		457, 458
squared〔累乗〕		458
staff〈単数にも複数にも扱う集合名詞〉		335
stairs〈常に複数形の名詞〉		350
stand		35
stand＋C〈第2文型〉		8
stare at		320
start		33
start＋O＋現在分詞		164
start＋to不定詞〔動名詞〕		184
statistics〈常に複数形の名詞〉		350
stay＋C〈第2文型〉		8
stay and ~		226
steal と rob		36
stick to		322
still〈接続詞〉		230
still〈副詞〉		469, **476**, 499
still [much, even] less ~		504
still ... not ~		475, **476**
stimuli（stimulus の複数形）		348
stone〈物質名詞⇔普通名詞〉		342
stop		34
stop〈進行形・接近〉		67, 68
stop＋~ing		183, 184
stop A from B		323
S stop A from ~ing		362
stop and ~		226
story		336
(It is) **strange** that ...		440
strange to say		148
strangely→It is strange that ...		472
strictly〈副詞〉		473
strictly speaking		168, 171
strip A of B		322
strong＝strongly		464
strong coffee		6
(It is) stupid of A to ...		142
succeed in		321
such〈形容詞〉		397
such〈代名詞〉		396
such a [an]＋形容詞＋名詞		374, 483
such A as ...〈擬似関係代名詞〉		277
such and such		397
such as ...		397
such (~) that ...		247
such ~ that ...		247
such ~ that ...⇔so ~ that ...		247, 248
suddenly〈副詞〉		466
suffer from		321
sufficient for		324
suggest〔What do you ...? 型〕		221
suggest＋that節〔should または仮定法現在〕		**98**, 204
suggest＋疑問詞＋to不定詞		137, 138
S suggest A ...		363
suggest our＋動名詞 ~〈Let's ~型の間接話法〉		522
suggest that ~〈Let's ~型の間接話法〉		522
suit〈受動態にならない動詞〉		118
suitable for		324
(large [small]) sum		449
sunny-side up		219
superior to ~		499
(have) supper		378
supply A with B		323
suppose〔What do you ...? 型〕	

		221
suppose〈進行形にしない動詞〉		72
suppose〈接続詞〉		251
suppose＋O＋to be［that節］		147
(I don't) suppose A is B.		532
supposed〈形容詞〉		430
supposed〈動詞〉		147
supposing〈接続詞〉		251
Sure.		82
sure of		325
(I am) sure that ...		439
surely〈副詞〉		472
Suriname→Surinamese		425
(be) surprised		
	114, 115, 429, 430	
surprising		428, 430
(It is) surprising that ...		440
surprisingly→It is surprising that ...		472
suspect＋O＋to be［that節］		147
(I don't) suspect A is B.		532
(I) swear ...		55
(It is) sweet of A to ...		142
sweltering		162
(be) swift to ...		438
Switzerland→Swiss		426

T

take A for B		323
take a rest		361
Take a seat, won't you?〔勧誘〕		
		26
S take A to ～		362, 576
take advantage of		50, 113
take care not to ～		124
take care of		113, 294, 379
take notice of		113
take off ～		486
take part in		379
take place		50, 379
take precedence		360
take pride in		113
taking ～ into consideration		
		171
talk for talking's sake		175
talking of ～		171
tap〈進行形・反復〉		67

taste〈進行形にしない動詞〉		
		72
taste＋C〈第2文型〉		9
taxi driver〈複合名詞〉		343
teach＋O₁＋O₂⇔teach＋O₂＋to O₁		10
teach＋O＋that [wh-, whether, if] 節		11
teach＋O＋to do［that節］		
	138, 146, 567	
teach＋O＋疑問詞＋to不定詞		
		138
teach＋疑問詞＋to不定詞と teach＋to不定詞の違い		
		138
teach と tell と show		37
S teach A ...		363
team〈単数にも複数にも扱う集合名詞〉		335
tear〈能動受動態〉		119
teeth（toothの複数形）		347
telephone		32
tell〔What do you ...? 型〕		
		221
tell〈伝達動詞〉		518, 520
tell＋O₁＋O₂⇔tell＋O₂＋to O₁		10
tell＋O＋that [wh-, whether, if] 節		11
tell＋O＋to do［that節］		
	146, 521, 567	
tell＋O＋疑問詞＋to不定詞		
		138
tell と show と teach		37
S tell A ...		363
tell A from B		323
tempt＋O＋to do［that節不可］		
		147
ten〔漠然と多数を表す〕		
		452
ten to one		454
tennis court〈複合名詞〉		343
tense（時制）		53
ten-year-old		424
terrible〈形容詞〉		436
Thailand→Thai		426
than〈擬似関係代名詞〉		
	260, **278**	
than〈接続詞〉	255, 291, 496	
than〈前置詞〉		496

than〈前置詞・接続詞〉		297
（比較級＋）than		495
than の後の省略	**496**, 559	
Thank you.〔感謝〕		471
Thank you for all your help.		
		410
thank you for ～ing		177
thank you just the same		399
(be) thankful to ...		438
thankfully〈副詞〉		473
Thanks (a lot).		17
thanks to〈原因・理由を示す前置詞〉		313
that〈関係代名詞〉	259, **270**	
that〈関係副詞〉	279, **282**	
that〈間接話法〉		
	520, 523, 524	
that〈指示代名詞〉	367, **393**	
that〈省略〉		559
that〈接続詞〉		
	20, **232**, 236, 244	
that〈副詞用法〉		395
that〔名詞の繰り返しを避ける〕		395
that＋時を示す語	**295**, 298	
that←this〈話法転換〉		519
that節〈同格〉	**234**, 568	
(It is＋形容詞＋)that節		
	98, **205**, 233	
（前置詞＋it＋）that節		233
that節⇔of〈同格〉		568
that節⇔to不定詞	**144**, 567	
that節⇔動名詞		568
that節を直接目的語にとる第4文型		11
that [this] と it の違い		388
that ～, and which ...〈並列〉		
		276
that day←today〈話法転換〉		
		519
that [those] in ～		396
that is (to say)〈挿入・同格〉		
		564
that ～ not		278
that [those] of ～		396
that S should do⇔to do〈形容詞用法〉		571
that which		396
(that) ～ which ...〈二重限定〉		
		276

— 683 —

That's a good idea.		394
That's easy to say.		129
That's not ...		529
That's very kind of you.		471
the 〈定冠詞〉		
	16, 367, **371**, 375
（最上級と）the		500
the と a の使い分け	261, 369
the をつけない固有名詞	340
the ＋形容詞［分詞］		373
the ＋形容詞＋抽象名詞	371
the ＋形容詞の最上級	372
the ＋国名形容詞		427
the ＋固有名詞	**340**, 372
the ＋固有名詞＋普通名詞	
		340
the ＋最上級＋in [of] ～	500
the ＋序数詞（～番目の）	
		455
the ＋人名（Mr. Robinson）	
		340
the ＋数詞＋名詞		367
the ＋単数具象名詞		373
the ＋単数形可算名詞		333
the ＋単数名詞〈総称用法〉	
	333, 369, **373**
the ＋抽象名詞		371
the ＋抽象名詞＋of＋(代)名詞	
		338
the ＋比較級＋because (for) ～	
		504
the ＋比較級＋of the two	498
the ＋副詞＋形容詞＋名詞	
		374
the ＋複数形可算名詞		333
the ＋複数名詞		373
the ＋普通名詞		373
the ＋普通名詞の所有格	367
the ＋物質名詞	372, 373
the ＋名詞＋of＋名詞		371
the ＋比較級, the ＋比較級	
		504
the A of B		340
the accused		373
the beautiful		373
the British		426
the day (when / that) ...	280
the day before←yesterday〈話法転換〉		519
the deceased		373
the Elizabethan Age		422
The fact is, ...		232
the first ～		372
the following day←tomorrow〈話法転換〉		519
the following week←next week〈話法転換〉		519
The good die young.〈ことわざ〉		5
the Gulf of Mexico		340
the instant		241
the largest ～		502
the last		402
the last ～		372
the last A＋to 不定詞 [that 節]	
	506, 538
the learned		373
the moment		241
The New York Times	340, 543
the next week←next week〈話法転換〉		519
the one〔名詞の繰り返しを避ける〕	395, **401**
the only ～		372
the only one		260
the other		402
the other＋名詞		403
the other day		402
the others		402
The pen is mightier than the sword.〈ことわざ〉	333
the place (where) ...		281
the possessive case（所有格）	
		353
the previous day←yesterday〈話法転換〉		519
the previous week←last week〈話法転換〉		519
the reason (that) ...		282
the reason (why) ...		281
The reason is that ...		232
the reason why ～⇔the reason for ～		572
the same		398
the same A as [that] ...〈擬似関係代名詞〉		277
the same ～ as ...		398
the same ～ that ...		398
The same to you.		399
the second [third, fourth, ...] ＋	
最上級		506
The sooner, the better.		6
the Space Age		344
the stamina of a camel〈ことわざ〉		369
the time (when / that)		280
The truth is, ...		232
the United States	
	340, **426**, 543
the very best ～		501
the way〔様態〕		255
(This is) the way ...	**282**, 283
the week (when / that)		280
the week before←last week〈話法転換〉		519
the whole of the ～		413
the year (when / that)		280
thee〈人称代名詞・2人称・古い形〉		383
their	367, 383
their で受ける every＋単数普通名詞	**414**, 416, 551
theirs		391
them		383
themselves		392
then〈接続詞〉		229
then〈副詞〉	424, **468**
then←now〈話法転換〉	
	513, 519
then Prime Minister		424
there	13, 468, 470, **479**
there←here〈話法転換〉	520
There doesn't [wouldn't] seem to		578
There goes A.		55
〈There is ...〉構文	
	13, 275, 479, 554
〈There is ...〉構文に使える動詞 arise, come, exist, follow, happen, lie, live, remain, stand		14
there is と関係代名詞	276
There is [are] A ～ing	479
There is no ～ing	**179**, 536
There is no doing ... ⇔It is impossible to do ...	
	179, 575
There is no doubt but that ...	
		236
There is no (general) rule	

without some exception. 278
There is no rule but has some exception. 278
there live 14
There used to be ... 90
therefore〈接続詞〉 230, 231, 462
There's ... 479
these〈指示代名詞〉 367, 393
they 383, 385, 550
they〔everybody [everyone] を受ける〕 551
they [their]〈不定代名詞を受ける〉 551
they [them]〈複数名詞の代用語〉 400
they でも受ける each of the A, each A 413
They say ... 55
they're 42
thick with 327
think 7, 114, 518
think〔What do you ...? 型〕 221
think〈進行形にしない動詞〉 72
think＋O＋to be [that節] 147, 568
think＋that節 232
think＋疑問詞＋to不定詞 137
(I don't) think ... 531
(I don't) think A is B. 531
(I) think A is not B. 531
think of 321
this〔後続の文を指す〕 394
this〈指示代名詞〉 367, 393
this〈副詞用法〉 395
this＋時を示す語 295, 298
this→that〈話法転換〉 519
(This is) Robinson speaking.〔電話〕 557
This is ～ speaking.〔電話〕 394
this time next year 298
those〈指示代名詞〉 367, 393

those〔名詞の繰り返しを避ける〕 395
those [that] in ～ 396
those [that] of ～ 396
those who ～ 396
thou〈人称代名詞・2人称・古い形〉 383
though〈接続詞〉 224, 252
though〈名詞＋though＋S＋V〉 378, 379
though⇔but 573
(It is) thoughtful of A to ... 142
thousands of ～ 452
threaten〈伝達動詞〉 518
three times [＝thrice] 455
threefold 455
thrice [＝three times] 455
thrilling 428
through〈前置詞〉 301, 307, 312, 315
　through〔期間〕 301
　through〔原因・理由〕 312
　through〔進行・通過〕 307
　through〔仲介〕 315
through〈副詞〉 486
through carelessness 312
through misunderstanding 312
through the woods 293
thy〈人称代名詞・2人称・古い形〉 383
till〈接続詞〉 238
till〈前置詞・接続詞〉 297
till〈時の終点を示す前置詞〉 300
till と before 300
Till [Until] when ...? 215
Time is money.〈ことわざ〉 357
～ times（～回） 62
～ times（～倍） 455
A times B is ～〔乗算〕 458, 548
～ times as ～ as ... 503
～ times ～er than ... 503
tired 430, 433
Tired as＋S＋V, ... 555
tired of 326
to〈前置詞〉 49, 290, 303, 309, 314, 319
　to〔結果〕 314

　to〔時〕 303
　to〔方向・到達〕 309
　to〈「～に合わせて」を表す前置詞〉 319
to〈代不定詞〉 123, 124
to〈第4文型⇔第3文型〉 10
（形容詞＋）to 326
（自動詞＋）to 321
to＋動詞の原形 122
to＋副詞＋原形〈分離不定詞〉 124
to に続ける動詞〈to不定詞の形容詞用法〉 574
to不定詞 122
　if節の代用 135, 201
　主語関係 132
　前置詞の目的語 132
　他動詞の目的語 132
　名詞と同格 131
　～と that節 144
　～と前置詞 132, 294, 295
　～になる受動態 110
　～の形容詞用法 132
　～の副詞用法 133
　　〔感情の原因〕 134
　　〔結果〕 134
　　〔条件〕 135, 201
　　〔判断の根拠〕 135
　　〔目的〕 133
　～の名詞用法 130
　～を直接目的語にとる第4文型 11, 145
　～を補語にとる第5文型 13
　～を用いる形容詞句 18, 132
　～を用いる副詞句 19, 133
　～を用いる名詞句 18
to不定詞⇔that節 567
to を伴う動詞の受動態 108
to be＋過去分詞〈不定詞の受動態〉 105, 126
to be frank with you 148
to be sure 148
to be sure, but ... 228
to begin with〈独立不定詞〉〈挿入〉 148, 564
to do〈形容詞用法〉⇔that S should do 572

To err is human; to forgive, divine.	135	
to have been＋過去分詞〈不定詞の受動態〉	105, **126**	
To ～ is ...	**130**, 135	
To [In order to] ～, it is necessary to ～	576	
to let＝to be let	127	
to make matters worse	148	
to make the matter [things] worse	148	
to my surprise	293	
to say nothing of ～	504	
to say the least	148	
to tell the truth〈独立不定詞〉〈挿入〉	**148**, 564	
A to the power of B	458	
To want and to need are ...	548	
to whom〈制限用法〉	264	
To [In order to] ～, you need (to)	577	
today〈副詞〉	468	
today→that day〈話法転換〉	519	
today last week	298	
today (next) week	298	
A together with B〈一致〉	549	
tomorrow〈副詞〉	468	
tomorrow→(the) next day, the following day	519	
tonight	463, 468	
too（～すぎる）	482	
too（～もまた）	485	
too＋形容詞＋a [an]＋名詞	375	
(That is) Too bad.	557	
too far	480	
too many	444	
Too many cooks spoil the broth.〈ことわざ〉	512	
too much	445	
too ～ to ...	**135**, 483, 538	
too ～ to ...⇔so ～ that ...	136, 483, 569	
touch	32	
(It is) **tough** for ～ to ...〔tough 構文不可〕	141	
(be) tough to ...→It is tough (for		

A) to ...	437	
toward(s)〈前置詞〉	303, 309	
toward(s)〔時〕	303	
toward(s)〔方向・到着〕	309	
town の冠詞	377	
translate A into B	324	
traveled	429	
traveling circus	428	
trillion	452	
trousers〈常に複数形の名詞〉《英》	**344**, 350	
trout(s)〈原則単複同形の名詞〉	348	
true の比較変化	490	
(It is) true＋that節〔to不定詞不可〕	143	
true or false	431	
truly〈副詞〉	473	
Try as＋S＋V ...,	555	
try doing と try to do	186	
Turkey→Turkish	426	
turn＋C〈形容詞，名詞〉	8	
turn＋O＋C〈第5文型〉	12	
turn on	49	
turn out〈to不定詞⇔that節〉	**140**, 568	
turn out to ～	140	
twelfth [12th]	454	
twentieth [20th]	454	
twice [＝two times]	455	
twice as ～ as ...	503	
twice the＋(形容詞)＋名詞	375	
Two coffees, please.	332	
Two cups of coffee, please.	332	
two pieces of ～	337	
two times [＝twice]	455	
two-thirds	455	
twofold	455	
type [kind] of＋A	379	
(frequent [rare]) typhoon	450	

U

un-〈語否定〉	534	
uncountable noun（不可算名詞）	331	
under〈Where ...? 内で用い		

る〉	216	
under〈上下を示す前置詞〉	305	
under〈副詞〉	486	
under sail	380	
understand〔Do you ～ what ...? 型〕	221	
understand〈進行形にしない動詞〉	72	
understandable〈to不定詞⇔that節〉	568	
unique to	326	
unite A with B	323	
university の冠詞	377	
unless と if ～ not	249	
unless と仮定法	249	
Unless you ～⇔命令文, or	573	
(A is) unlikely to be ...⇔It is unlikely that A is ...	**140**, 575	
(It is) unnecessary that ...	441	
until〈接続詞〉	238	
until〈前置詞・接続詞〉	297	
until〈時の終点を示す前置詞〉	300	
until recently	292	
Until [Till] when ...?	215	
up〈上下を示す前置詞〉	305	
up〈副詞〉	49, 424, 486	
up＋関係代名詞	264	
up the hill	296	
up the road	306	
up train	424	
upon〔分数〕	456	
upper	432, 499	
upstairs〈副詞〉	468	
upward〈副詞〉	461, 468	
upward(s)	463	
urge＋O＋to do [urge＋that節]	146	
urge＋that節〔should または仮定法現在〕	98	
(It is) urgent that ...	441	
us	383	
(be of great) **use**	292	
use と borrow	37	
used〈形容詞〉	430	
used to〔過去の習慣〕	58, 76, **89**

used to と would	92, 93	
(It is) useless for 〜 to ...〔that構文不可〕		141
(It is) usual for 〜 to ...〔that構文不可〕		141
usually〈副詞〉		469
utmost〈限定用法のみ〉		432
utter〈限定用法〉		432

V

verbs（動詞）	31
very〈形容詞〉	432
very〈最上級の強調〉	501
very〈副詞〉	429, **481**
very で修飾できない形容詞	428
very で修飾できる形容詞	429, 430
very のように使う so	482
(That's) very kind of you.	471
Victorian	422
Vietnam→Vietnamese	425
visiting card	182, **400**
(It is) vital that ...	441
voice（態）	104

W

Wait a second!〔依頼〕	455
wait for	320
Waiter, check please!〔依頼〕	357
(keeping you) waiting と (having kept you) waiting の違い	178
waiting room	182
walk	35
walk (a)round	308
walking	176
walking stick	182
want	56, 72
want〔that節不可〕	233
want＋〜ing	175
want＋O＋to do〔that節不可〕	147
want＋O＋過去分詞	165
(don't) want＋O＋現在分詞	164
want と would like	204
(Do you) Want a drink?	558
want 〜ing と want to do	185

want to do〈他動詞の目的語〉		131
warn〈伝達動詞〉		518
warn A of B		322
was〈仮定法過去〉		
	191, 194, 195	
was〈助動詞〉		75
was〈本動詞〉		41
was と were〈仮定法過去〉		
	191, **195**, 203, 206	
was [were]＋〜ing		68
was to〈仮定法過去〉		198
was [were] to＋have＋過去分詞		126
wash〈能動受動態〉		119
wash oneself		38
watch	40, 56, 150	
watching carefully と careful watching		176
water〈名詞⇔動詞〉		17
wave〈擬似自動詞〉		32
(the) way (that [in which]) ...		283
we	383, 385	
We had better 〜, hadn't we?		151
We know that ...[＝It is known that ...]		385
We would be very pleased if		199
weak coffee		6
weak from		325
wear		35
wear〈能動受動態〉		119
weary from		325
weary of		326
weather〈抽象名詞〉		
	219, 339	
weather permitting		170
weekly〈副詞〉	464, 469	
(〜 times the) weight of ...		503
well〈副詞〉		466
well の比較変化		491
(It is) well-known＋that節〔to不定詞不可〕		143
were〈仮定法〉		
	190, 191, 194, 200	
were〈仮定法過去〉		
	191, 194, **195**, 197	

were〈助動詞〉		75
were〈本動詞〉		41
were＋S〈ifの省略〉		200
were と was〈仮定法過去〉		
	191, **195**, 203, 206	
we're		42
were to を用いた条件文		198
wh-〈特殊疑問文〉	24, 210	
wh-疑問詞＋that〈関係代名詞〉		271
wh-節を直接目的語にとる第4文型		11
wh-タイプの疑問文の話法転換		521
what〈関係詞〉		
	20, 259, 272, 273	
what〈関係形容詞〉		273
what〈関係代名詞〉		
	259, **272**	
what〈疑問形容詞〉		214
what〈疑問代名詞〉	210, **213**	
What＋(a [an])＋形容詞＋名詞＋S＋V ...!〈感嘆文〉		28
what＋S＋V⇔what＋to＋V		568
What a beautiful day (it is)!		557
What about ...?	**214**, 218	
What about taking a test-preparation class?		214
What brought you here today?		363
What could be better!		202
What did I tell you?		214
What do you call ...?		219
What do you say to going out for dinner tonight?		214
What do you say to 〜ing?		
	180, 214	
What do you think of ...?		219
What does your father do?		214
What ... for?		314
What 〜 for ...?		293
what is＋比較級		273
what is called		273
What is it that makes ...?		390
what is more〈挿入〉		563
What is the best way to do ...?		

What is the climate like in ...?	133	
	219	
What is the matter with you?		
	318	
What is the price?	218	
What is the weather like in ...?		
	219	
What is your occupation?	213	
What is your weight?	218	
What makes him so angry?		
	363	
What makes you think ...?⇔ Why do you think ...?		
	363, 576	
What time ...?〔時刻を尋ねる〕	215	
what to do	**136**, 212	
what we [you] call	273	
what with A and all	273	
what with A and everything	273	
what with A and (what with) B	273	
what you [we] call	273	
whatever	260, **286**, 539	
whatever＝anything which [that]	272	
What's up?	214	
when〈関係副詞〉	**279**, 283	
when〈疑問副詞〉	215	
when〈接続詞〉		
	20, 21, 237, 253	
When＋S＋V ...⇔On＋～ing ...	570	
when が名詞節を導く場合の時制	56	
when と if	242	
When ...?〈現在完了・経験〉	63	
When and by whom ...?	111	
When (I was) young, ...〈省略〉	557	
when to do	136	
whenever〈接続詞〉	237	
whenever〈複合関係副詞〉	286	
where〈関係副詞〉	21, 279, **280**, 283	
where〈疑問副詞〉		

	24, 210, **215**	
where〈接続詞〉	242	
Where〈疑問詞〉＋be動詞＋主語 ...?	554	
Where are you from?	216	
Where are you going (to)?	216	
Where do you come from?	216	
Where have you been?	216	
Where to?	216	
where to do	136	
whereas〈接続詞〉	253	
wherever〈複合関係副詞〉	286	
whether	220, **235**, 521	
whether〈一般疑問文の話法転換〉	25, 521	
whether＋S＋V〈間接疑問〉	25, **220**	
whether節を直接目的語にとる第4文型	11	
whether ～ or ...〔譲歩〕	254	
whether or not	236	
whether ... or not	236	
which〈関係形容詞〉	269	
which〈関係代名詞〉	259, 261, **267**	
which〈疑問形容詞〉	214	
which〈疑問代名詞〉	15, 210, **213**, 367	
(前置詞＋)which＋名詞	269	
Which ～, A or B?〈選択疑問文の話法転換〉	521	
which belongs to⇔belonging to	572	
which is ...〔集合名詞を受ける関係代名詞〕	551	
which to do	136	
whichever〈複合関係形容詞〉	285	
whichever〈複合関係代名詞〉	285	
while〈接続詞〉	237, 239, 253	
while＋～ing	168, 170	
who〈whom の代用〉	212, 267	
who〈関係代名詞〉	21, 259, 263, **265**	
who〈疑問代名詞〉	24, 25, 210, **212**	

who と動物	271	
who are ...〔集合名詞を受ける関係代名詞〕	551	
Who do you work for?	213	
Who doesn't like ...?〈修辞疑問〉	537	
Who ever ...?	211	
Who knows ...?〈修辞疑問〉	26, 212	
Who told you such a thing?	24	
Who wouldn't ...?〈修辞疑問〉	26	
whoever〈複合関係代名詞〉	260, **284**	
Whoever ...?	211	
whole〈比較変化しない形容詞〉	489	
whole＋単数名詞	413	
whole と all〈不定代名詞〉	413	
whom〈関係代名詞〉	259, **266**	
whom〈疑問代名詞〉	210, **212**	
Whom was ... founded by?	111	
whomever〈複合関係代名詞〉	260, **284**	
whose〈関係代名詞〉	259, **266**, 268	
whose〈疑問代名詞〉	210, **212**, 367	
whosever〈複合関係代名詞〉	260	
why〈関係副詞〉	21, 279, **281**, 283	
why〈疑問副詞〉	215, **216**	
(That is) why ...	281	
Why ...? と How come ...? と What ... for? のニュアンスの違い	218	
Why don't we ...?〔提案〕	217	
Why don't we take a little break?〔提案〕	217	
Why don't you ...?〔助言・提案〕	**216**, 530	
Why don't you try adding a little red pepper?	530	
Why not?〔提案の承諾〕	217	

2. 英文語句索引 **Why—Would**

Why should I?〔反語的〕 216	wind〈混同しやすい活用形〉 48	91, 530
Why should I go to the police station? 97	window shopping 182	Won't you have some more tea? 406
Why should this be?〈仮定法〉 581	wink〈進行形・反復〉 67	wooden 422, 425
why to do 136	winter sports〈複合名詞〉 343	work 34
whyever 287	(It is) wise of A to ... 142	work / works 351
whyever＋S＋V 287	wisely→It is wise that ... 472	work for と work at と work in 54, 320
(It is) wicked of A to ... 142	wish〈進行形にしない動詞〉 72	work(s)〈抽象名詞〉 339
wide 490	wish（＋that節）〈仮定法〉 144	working knowledge 428
wide と widely 465	wish＋to不定詞 144, 183	working population 159, 428
widow / widower 359	wish と hope 191	World War II [World War Two] 458
will〈時制〉 59, 65, 68, 71, 91, 509, 510	wish for 320	worried 429
will〈単なる条件〉 192	with〈前置詞〉 49, 109, 115, 290, 312, 315, 318, 319, 571	worse 491
will〈法助動詞〉 59, 75, 76, **90**	with〔関連・関与〕 318	worst 491
will〔意志・意図〕 90	with〔原因・理由〕 312	(be) **worth** ～ing 179, 434
will〔依頼や勧誘の応諾・申し出〕 91	with〔賛成・一致〕 319	(A is) worth your while. 179
will〔習慣的行為〕 91	with〔道具〕 315	**would** 76, **92**, 581
will〔予測，予期，指図〕 91	(形容詞＋)with 327	would〔依頼〕 94
will＋be＋～ing〈未来進行形〉 68	(自動詞＋)with 322	would〔遠慮がちな気持ち〕 95
will＋have＋過去分詞〈未来完了形〉 65	(他動詞＋O＋)with 323	would〔過去の習慣〕 58, **92**
will＋動詞の原形〈未来時制〉 59	with＋O＋分詞〔付帯状況〕 171	would〈仮定法〉 193, 194, 195, 196, 197, 198
will と be going to の違い 60, 61	With a little more care, this could be ... 202	would〈時制の一致〉 509, 511
(If you ～, you) will ...〔単なる未来〕 92	with all 412, 571	would＋完了不定詞〈仮定法過去完了〉 **194**, 196
will have been＋～ing〈未来完了進行形〉 71	with difficulty 342	would＋原形不定詞〈仮定法過去〉 **194**, 195, 196, 197, 198
will have to 87	with ease 360	would と used to 92, 93
will not 59	with one's arms waving 384	would like と want 204
S will probably be ～ing 69	with which〔時・様態〕 264	would like to ～〔丁寧な表現〕 **94**, 185
will you?〈付加疑問〉 25, 190	withdraw from 321	would like to have＋過去分詞 94
Will you ...?〔依頼〕〔命令〕 59, **91**	withered 429	would not [wouldn't]〔拒絶〕 93
Will you be coming to the party?〔確定的な予定〕 69	within〈前置詞〉 302	would rather＋原形不定詞 ～(than) ... 151, 207
Will you come here, please?〔依頼〕 59	within と in 302	would rather＋節〔丁寧な表現〕 94, **152**
Will you help with the packing?〔依頼〕 91	without ～〈仮定法〉 207	would rather not＋原形不定詞 152
(be) willing to ... 438	woman writer / women writers 349	would sooner ～ than ...〔改まった表現〕 152
win (the) first prize 380	**wonder**＋疑問詞＋to不定詞 138	Would that ...＝I wish ... 204
	wonder whether [if] ... 235	
	wonderful〈形容詞〉 436	
	wonderfully〈様態を表す副詞〉 467	
	won't 59, **91**	
	(肯定の命令文＋) won't you?〈付加疑問〉 25, 190	
	Won't you ...?〔勧誘〕	

would you?〈付加疑問〉 25
Would you be so kind as to advise me on this matter?〔依頼〕 136
Would you help me this morning?〔依頼〕 91
Would you like to ...?〔丁寧な勧誘〕 94
Would you like to be a guest on a TV chat show in the UK?〔丁寧な勧誘〕 94
Would you mind ...? と Do you mind ...? の違い 180
Would you mind 〜ing ...?〔丁寧な表現〕 94, **179**
Would you mind my [me] smoking here?〔許可〕 180
Would you mind taking that back to the library?〔丁寧な表現〕 94
Would you please ...?〔丁寧な依頼〕 94
Would you rather＋原形不定詞 ...? 152
wouldn't 39, **93**, 578
wouldn't seem to ... 578
wound〈混同しやすい活用形の動詞〉 48
wow 17
write＋O_1＋O_2⇔write＋O_2＋to O_1 10
write と draw と paint 36
writing desk 182
written〈形容詞〉 430, 433
wrong 490
(It is) wrong of A to ... 142
(It is) wrong that ... 440

Y

yearly〈副詞〉 469
yen 348, 457
Yes / No〈疑問文〉 23, 463, **484**
Yes, certainly. 80
Yes, gladly. 387
yesterday〈副詞〉 468, 471, 489
yesterday→the day before, the previous day〈話法転換〉 519
yet〈接続詞〉 **230**, 231
yet〈副詞〉 62, 469, **475**
yield to 322
you 383, 384
you〈総称用法〉 **385**, 551, 581
you〈命令文〉 27
You are very kind to say so. 575
You be quiet. 27
You could meet her when you go to England. 202
You don't have to wear helmets.〔義務・必要〕 88
You had better 〜 150
You love Susie, don't you? 25
You may ...〔許可〕 82
You may follow me wherever I go.〔許可〕 287
You may park here if the driver remains in the vehicle.〔許可〕 82
You must come and see us when you come to San Francisco.〔勧誘〕 86
You need to use 〜 to ... 576
You will ...〔指図〕 92
You'll do it? 24
young 490
your 367, 383
you're 42
yours 15, 391
yourself 392

Z

zero 456
zero＋(可算・不可算)名詞 458
zero degrees (zero の後の名詞の複数形) 345

～語句の使い分け～

a と an	366
a と the	261
〈名詞＋**as**＋S＋V〉と〈名詞＋**though**＋S＋V〉	379
（否定を強調する）at all, in the least, by any means, in any way, no ～ whatever	539
〈be afraid to do〉と〈be afraid of doing〉	438
〈be going to do〉と〈be about to do〉	60
〈be sure to do〉と〈be sure of doing〉	439
can と be able to	81
farther と further	492
（願望を表す）hope と wish	191
（前の句・節・文の内容を指す）it と that [this]	388
Italians と the Italians	427
must と have to	87, 88
none と no one	418
〈not only A but also B〉と類句	549
one と it	400
〈S＋V＋O＋現在分詞〉と〈S＋V＋O＋原形不定詞〉	163
should と ought to	96
to不定詞と that節	144
〈try doing〉と〈try to do〉	186
unless と〈if ～ not〉	248
used to と be used to	89, 180
used to と would	92, 93
want と would like の丁寧度	204
whole と all	413
Why ...? と How come ...? と What ... for? のニュアンスの違い	218
will と be going to	61
work の後につける前置詞 at, for, in	320
前置詞 about と around [round]	308
about と on	318
after と behind	308
among と between	310, 311
before と in front of	308
by と beside	309
in と after	301, 302
（「乗る」ことを表す）in と on	315
in と within	302
in Bond Street と on Bond Street	304
of と from	315
to と for	309, 326
toward(s) と to	309

◆背景知識◆

a business card（名刺〔個人名刺：a calling card《米》, a visiting card《英》〕）	400
a New York minute（瞬間）	125
A rolling stone gathers no moss, but still water becomes stagnant.（転がる石にコケは生えないが，動かない水はよどむ）	155
Associate Degree（準学士）	183
Avenue（南北），Street（東西）〔マンハッタン島〕	306
baggage〔国際線の機内持ち込み手荷物の制限〕	336
bald eagle（白頭ワシ〔米国の国鳥〕）	4
ball game《米》（野球）	38
Bang bang! You're dead.〔西部劇ごっこ〕	17
Beagle 2	538
BSE（牛海綿状脳症　bovine spongiform encephalopathy）	85
Christmas Island	75
Columbia とコロンブス	210
Congress（米国議会）	140
county（州），district（地区）《英》	360
CULCON（日米文化教育交流会議　The United States-Japan Conference on Cultural and Educational Interchange）	424
downtown, midtown, uptown	133
Durham Castle（ダラム城）	157
Emily Brontë　Wuthering Heights（『嵐が丘』）	3
EU（ヨーロッパ連合　the European Union）	499
fee と salary と wages	287
form（記入用紙）	87
Gandhi（ガンジー）	239
Heimaey（ヘイマエイ島）	261
hungry enough to eat a horse	135
If Cleopatra's nose had been shorter, the whole face of the world would have been changed.（パスカルの言葉）	196
If it were not for hopes, the heart would break.（英国の牧師 Thomas Fuller の言葉）	207
In Memoriam（英国の詩人アルフレッド・テニスンの詩）	130
IPI（国際新聞編集者協会　International Press Institute）	127
Jack and Jill went up the hill.（「マザーグース」	

の中の1節)	296		111
Jeannette Rankin（ジャネット・ランキン）		the House of Commons《英》(下院)	140
	132	the House of Lords《英》(上院)	140
jeans（ジーンズ）	55	the House of Representatives [the House]《米》	
Junior College《米》（日本の短期大学に相当）		(下院)	140
	183	the Rotary Club（ロータリークラブ）	93
knock, knock joke	211	the Senate《米》(上院)	140
lunch と dinner と supper	378	the September Eleventh victims [(the) 9/11	
Mona Lisa（「モナリザ」ダ・ビンチ作）	161	victims]	95
mother and father, brother and sister の語順につ		the Speaker（下院の議長）	140
いて	359	the stars shall fall from heaven（「聖書」より）	
native language, second language としての英語			200
	407	the Statue of Liberty（自由の女神像）	110
nine-eleven（9/11, 9-11）	57	the United Kingdom of Great Britain and Northern	
nine-one-one《米》（緊急電話番号911）		Ireland ほか（「英国」の英語表記について）	
	57, 89, 457		426
nuclear winter（核の冬）	123	the United States of America ほか（「米国」の英	
OPEC（石油輸出国機構 Organization of		語表記について）	426
Petroleum Exporting Countries）	144	the Victorian Age（ビクトリア朝）と the	
orchestra ほか（劇場内の座席の名称《英》《米》		Elizabethan Age（エリザベス朝）	422
の別）	240	TOEIC（Test of English for International	
ox（特に去勢した雄牛）と bull（去勢しない		Communication）	476
雄牛）と cow（雌牛）	335	Wake not a sleeping wolf.（眠っているオオカ	
race（競走）	38	ミを起こすな　シェークスピア）	181
rand（ランド：南アフリカ共和国の貨幣単位）		When I was a little boy, my mummy kept me in.	
	199	（「マザーグース」の中の1節）	237
SARS（重症急性呼吸症候群　severe acute		When it is dark enough, you can see the stars.（米	
respiratory syndrome）	161, 195, 228	国の哲学者エマソンの言葉）	388
September 11（9/11, 9-11）	57	Will you stand by him [her] in sickness or in	
sonnet（ソネット）	194	health, in poverty or in wealth?（結婚式の誓	
the American Red Cross（アメリカ赤十字社）		いの言葉）	318

3. 日本語表現索引

あ行

(〜の) 間 (for) 300
(〜の) 間中ずっと (through) 301
(〜の) 間に (among, between) 310
(2つのものの) 間に (between) 310
(〜している) 間に[は] (while) 237
会えてうれしい 〈glad to see〉 438
あえて〜する (dare) 101
(〜に) 飽きた 〈be [get] tired of 〜〉 429
(…は) 明らかである 〈It is evident that ...〉 472
(Aの) 脚をける 〈kick A in the leg〉 374
(AにBを) 与える 〈provide A with B 型〉 323
(〜の) 辺りに[を] (about) 308
(〜の) あちこちに[を] (about) 308
(〜ということを) 当てにする 〈depend on it that ...〉, 〈depend on A to 〜 [on A's 〜ing]〉 233
あと〜たったらどうなる (in) 301
(〜した) 後で (after) 238
後に続く (after) 302
(〜の) 後を追って (after) 314
あなたは〜することになるのだ 〈You will〉 92
あの時〜だったら, そうしたら今は〜だろう 〈条件節 (仮定法過去完了)+帰結節 (過去形の助動詞+原形不定詞)〉 197
あまりない (little) 448
あまりに〜なので…できない 〈too 〜 to ...〉 538
あまりにも〜で 〈so 〜 that ...〉, 〈so 〜 as to do〉 482
あまりに(も)〜なので, …である 〈such 〜 that ...〉 247

(〜することが) あり得る (can) 78
(そんなことは) あり得ない (can't) 78
ありとあらゆる (every) 414
ある 〈不定冠詞 a [an]〉 368
(どこそこにAが) ある[いる] 〈There+be動詞+A+場所を表す語句〉 13, 14
ある〜 (one) 402
ある〜 (some) 406, 442
ある意味では 〈in a sense〉 563
あることについて (on) 321
あるはずがない (can't) 78
(だれか) ある人 〈some, any +-body [-one]〉 415
言い換えれば 〈in other words〉 563
言い張る 〈insist that〉 98, 233
(Oに〜するように) 言う 〈間接話法〉 521
言うのは簡単だ 〈That's easy to say.〉 129
(…は) 言うまでもない 〈It goes without saying that ...〉 179
〜以外の 〈other than 〜〉 406
いくつかの 〈a number of〉 444
いくつかのほかのもの 〈some others〉 403
いくつも(の) (several) 408, 443
いくらいくらの 〈so many 〜〉, 〈so much 〜〉 446
いくらか多くのA 〈some more A〉 499
いくらかでも 〈any+比較級〉 407
いくらかの (some) 442
いくらかの 〈不定冠詞 a [an]〉 368
いくらかは 〈any+比較級〉 407
いくら〜してもし足りない 〈cannot 〜 enough〉, 〈cannot 〜 too ...〉 81

いくらで (for) 317
以前に (before) 474
以前は〜だった 〈used to〉 90
1度 (once) 476
一度〜すれば (once) 241
一度も〜ない (never) 527
1年中 〈all (the) year round〉 411
いつ？ (when) 215
ついつの〜に 〈時を示す前置詞〉 298
いつが都合よいですか 〈When ...?〉 215
いつ〜しようとも (whenever) 286
(〜だから) いっそう 〈the+比較級+because [for] 〜〉 504
(〜へ) 行ってきたところだ 〈have been to 〜〉 62
いつになっても〜ない (never) 527
一般的に言えば 〈Generally speaking 〜〉 171
一般に 〈in general〉 563
(〜の) 一方で (while, whereas) 253
いつも〜している 〈現在進行形〉 67
〜以内に (within) 302
今 (now) 478
今から〜したら (in) 301
今から〜前 (ago) 474
今しがた 〈just now〉, 〈a moment ago〉 478
今すぐは 〈just now〈否定文〉〉 478
今はもう〜なので 〈now that〉 244
今までどこにいたの？ 〈Where have you been?〉 216
(〜して) 以来 (since) 239
言わば 〈as it were〉 207, 563
いわゆる 〈so to speak〉 564
いわゆる 〈what is called〉, 〈what we [you] call〉 273

飲酒癖のある男〈a drinking man〉 32
飲食する（have） 43
（〜の）上の[に]（on） 305
（〜の）上の方に（up） 305
雨季〈the rains〉 70
（〜の）後ろに（after, behind），〈in back of〉 308
（コーヒーが）薄い（weak） 6
（BをしたのではないかとAを）訴える〈accuse A of B 型〉 324
腕を折る〈broke one's arm〉 383
（AからBを）奪う〈rob A of B 型〉 322
「（〜して）うれしい」型〈be＋形容詞＋to 〜〉 437
ええと〈let me see〉 563
（AにBのことで）お祝いを言う〈congratulate A on B 型〉 324
（〜の）多く〈many of 〜〉 444
多くてA〈not more than A〉，〈at most A〉 505
（〜の）お陰で〈thanks to〉，〈owing to〉 313
（〜の）お陰で（through） 312
（Sの）お陰でAは〜できる〈S enable A to do〉 362
（定刻などに）遅れて（behind） 303
（AをBに）押しつける〈impose A on B 型〉 324
お互いに〈each other〉,〈one another〉 404
（…するのと）同じA〈the same A as ...〉 277
（…と）同じくらい〜〈as 〜 as ...〉 255
（…するのと）同じくらいのA〈as A as ...〉 277
（それと）同じこと[もの]〈the same〉 398
（〜と）同じ瞬間に〈the instant〉 241
（…するのは〜するのと）同じだ〈may [might] as well 〜 as ...〉 85

（〜したことを）覚えている〈remember 〜ing〉 185
（が〜だと）思う〈be felt to be 〜〉 150
（AはBだとは）思わない〈I think A is not B.〉 531
およそ（some） 407

か行

〜が，…（and） 225
AかBか〈選択疑問文〉 24
〜か…か（or） 224
概して〈as a rule〉 563
（AをBに）変える〈change A into B 型〉 324
（…にも）かかわらず同じ状態で〈none the worse for ...〉 418
（〜の）限りでは〈as [so] far as 〜〉 256
かく（write と draw） 36
（〜の）陰に隠れて（behind） 308
…かしら〈I wonder ...〉 221
佳人薄命〈The good die young.〉 5
〜かそれとも…か（or） 228
（Aの）肩をたたく〈pat A on the shoulder〉 374
かつて（once） 476
活動する（do） 42
〜かどうか（if, whether） 220, 235
（道の）角に〈at [on] the corner of the street〉 304
〜がない〈no＋可算名詞〉 345
（…すれば）必ず〜する〈never ... without 〜ing〉 179
かなり多くの〈a good many 〜〉 446
かなり多くの〈quite a few [little]〉 448
（〜の）可能性がある（maybe） 83
（〜の）可能性は十分ある〈may [might] well 〜〉 84
可能な限りの（every） 414
（SがAが〜するのを）可能にする〈S enable A to do〉 362

下方に[の]（below） 305
〜かもしれない（may） 82
（ひょっとしたら）〜かもしれない（might） 84
〜かもしれないが〈may 〜 but〉 82
〜から（from） 321
〜から（out of） 312
〜から…まで（from 〜 till [until] ...） 299
仮に〜としたら（suppose, supposing） 251
川べりに〈on the river〉 305
（AのBに対する）関係はCのDに対する関係と同じである〈A is to B what C is to D〉 273, 274
（Oが〜する[している]のを）感じる（feel） 40, 41
（〜と）感じる（look, feel, smell, sound, taste） 9
（〜を）聞いて（at） 311, 320, 324
〜期間中（during） 301
（名前を呼ばれるのを）聞く〈hear one's name called [being called]〉 41
（Oが〜する[している]のを）聞く（hear, listen to, overhear） 40
（〜されるのが）聞こえる〈hear＋O＋過去分詞〉 41
（SがAに…という）犠牲を払わせる〈S cost [deprive, require] A ...〉 363
（Oが〜しているのに）気づく（perceive） 40, 41
（Oが〜する[している]のに）気づく（notice） 40, 41
きっと〜だったろう〈must have＋過去分詞〉 86
きっと〜だろう（have to） 88
きっと〜だろう（must） 86
きっと〜のはずだ（must） 86
きっと間に合うでしょう〈should do〉 43
（〜を）着ている（in） 318
記念に〈lest we forget〉 247
（〜が）嫌いだ〈無冠詞複数形〉 333

グロス〈gross〉 453
警察〈the police〉 335
結果的に〈as a result〉 563
結果的に~になる（come） 8
結局は〈after all〉 563
決して~ではない〈anything but ~〉 538
（どんな場合でも）決して~ない（never） 527
（~だ）けれども（though, although, as） 251
（~の）圏外にいる〈out of〉 310
（コーヒーが）濃い（strong） 6, 219
（~を）考慮すれば〈Considering ~〉 171
（~を）考慮に入れれば〈Taking ~ into consideration〉 171
国民・民族（people） 335
午後〈in the afternoon〉 298
（ほら,）ここにあり[い]ますよ〈Here it [I, he, she, we, they] is [am, are].〉 479
ここはどこですか〈Where are we? / Where am I?〉 215
午前〈in the morning〉 298
こちらは~です（this）［電話］ 394
~ごとに（every） 414
~後に…する（after） 302
湖畔に〈on the lake〉 305
これ[それ]ほど（this [that]） 395
これ[それ]までに（=以前）~したことがある（before〈平叙文〉） 476
これ[それ]までに（ever〈疑問文・否定文〉） 476
これはみな（all these） 414
これまでに（ever, before） 477
~ごろ（toward(s)） 303

さ行

（昔と比べると）最近は~している〈現在進行形〉 67
~歳代〈基数詞の複数形〉 453
（~を）最大限に活用する〈make the most [best] of〉 506
（~の）作品，製品〈a [an]＋固有名詞〉 341, 370
支えられて（on） 321
（~を）させ続ける〈keep＋O＋現在分詞〉 164
（我々に）~させてくれ〈Let us ~〉 39
（相手がしたがっていることを）~させてやる（let） 39
~させ始める（have） 39
~させる〈have [get]＋O＋過去分詞〉 166
（Oに）~させる〈make [let, have]＋O＋原形不定詞〉 149
（SがAに無理に）~させる〈S compel [force, oblige] A to do〉 362
（SがAに）~させる〈S make A do〉, 〈S make A＋形容詞〉, 〈S cause A to do〉 361
（Oに）~させる〈使役動詞＋O＋現在分詞〉 163
（Oに）~させる〈使役動詞＋O〉 38
（人に）~させる〈無生物主語の構文〉 361, 576
（説得などをして，なんとかOに）~させる（get） 40
~させる（have） 39
（無理にでも強制的に）~せる（make） 39
~させるわけにはいかない〈not have＋O＋現在分詞〉 39
（SがAが~するのを）妨げる〈S prevent [keep, stop] A from ~ing〉 362
（AがBをするのを）妨げる〈prevent A from B 型〉 323
さもないと〈命令文＋or〉, 〈名詞＋or〉 228
さもないと（else, otherwise） 230
さらに（further, furthest） 492
さらに加えて（another） 403
~（を）される〈have [get]＋O＋過去分詞〉 105, 166
（BはAに）~される〈受動態〉 104
三々五々〈by twos and threes〉 454
~しかかっている〈動作動詞の進行形〉 34
しかし（but） 227
しかしながら（however） 224, 230
~しさえすれば〈as long as ~〉, 〈so long as ~〉 251, 256
~したい〈to不定詞の名詞用法〉 131
~したいものだ〈would like to ~〉 94, 184
~したい（ような気がする）〈feel like~ing〉 179
したがって（so） 224, 230
したがって（therefore, consequently, hence） 230
~したかもしれない〈might have＋過去分詞〉 84
~した結果〈to不定詞の副詞用法〉 134
~したときに〈従位接続詞〉 224
~したのかもしれない〈may have＋過去分詞〉 83
（~の）下の方に（down） 305
~したばかり（just） 478
~したはずがない〈cannot have＋過去分詞〉 78
~したはずなのに〈ought to have＋過去分詞〉 89
~したほうが（一番）よい〈had best〉 151
~したほうがよい〈had better ~〉 150, 207
~したほうがよいのではないですか〈Hadn't A better ~?〉 151
~したものだった〈used to〉 89
~したらその時（when） 237
~したらどうだろう〈What do you say to ~ing?〉 180
…したらどうですか〈Why

don't you ...?〉 216	～してもらえますか［いただけますか］〈Can [Could] you ...?〉 530	自分のために〈for oneself〉 393
～したりしていた（would） 94		自分を許す〈excuse oneself〉 392
視聴率の高い時間帯〈prime time〉 425	（～の）時点で〈as of ～〉 311	…しましょう〈Why don't we ...?〉 217
実際〈in fact〉 563	～しない〈above ～〉,〈beyond ～〉 538	(SがAに…を) 示す〈S prove [reveal, show, suggest, teach, tell, remind] A ...〉 362
知っている（know） 35	～しない〈fail to ～〉 144, 538	
実を言うと〈as a matter of fact〉 563	～しない〈否定形〉 22	
実を言えば〈to tell the truth〉 564	～しないAはない〈二重否定〉 535	十分な（enough） 449
～して〈to不定詞の副詞用法〉 134	～しない限り（unless） 249	十分な（every） 414
～していただけますか〈Would [Do] you mind ～ing?〉 179	（もう）～しない状態になっている（already〈否定文〉 475	（～するのに）十分な〈enough to ～〉 135
		(Aが～することが) 重要だ〔〈It is＋形容詞＋that A (should) ...〉構文〕 441
～していただけますか（might） 84	～しないほうがよいのですか〈Had A better not ～?〉 151	(日本の) 首都はどこですか？〈What is the capital of Japan?〉 215
～している状態にする〈have＋目的語＋現在分詞〉 39	～しないように〈for fear (that)〉 99, 246	
	～しないように〈lest ...〉 99, 207, 246	十中八九〈ten to one〉 454
～して（うれしい，悲しい，残念だ）（that） 244	～しないように〈not to ～〉,〈so as not to ～〉,〈in order not to ～〉 124, 134	（～の）準備ができた〈be ready to〉 438
～してしまったはずである〈should have＋過去分詞〉 97		～しよう〈Let's 型の間接話法〉 522
～して，そして〈分詞構文〉 169	～しないように〈so that S can [will など] not ～〉 245	～しよう〈to不定詞の名詞用法〉 131
～してそれからする（and） 225	～しないわけにはいかない〈cannot help ～ing〉 180	～しよう〈Let's ～〉 39
～して初めて…する〈It is not until ～ that ...〉 537	～しながら（as） 237	（～という）条件でのみ（unless） 249
	～(を)しながら（over） 319	（～の）状態である［いる］（lie, sit, stand） 8
～してはならない（mustn't） 86	（Oを）～しながら〈with＋O＋分詞〉 171	(Oを～の) 状態にさせておく〈S＋V＋O＋現在分詞〉 164
～してもおかしくない〈may [might] well ～〉 84	～しなければならない（have to） 87	
～してもかまいませんか〈Would [Do] you mind my [me] ～ing?〉 180	～しなければならない（must） 85, 87	(SがAを～の) 状態にする［しておく］〈S make [put, set, drive] A＋形容詞〉,〈S keep [leave] A＋形容詞〉 362
～しなさい〔命令文の話法転換〕 521		
～しても差し支えない（may） 83	～しなさい，さもないと〔〈命令文＋or〉構文の話法転換〕 523	
～しても無駄である〈It is (of) no use ～ing〉 178		(Sのため, Aは～の) 状態になる［状態のままでいる］〈S make [put, set, drive] A＋形容詞〉,〈S keep [leave] A＋形容詞〉 362
～してもよい（can） 78	～しなさい，そうすれば〔〈命令文＋and〉構文の話法転換〕 523	
～してもよい（may） 82		
（もうそろそろ）…してもよいころだ〈It is time ...〉 205	～しに来る（and） 226	～しようと〈what の導く名詞節〉 272
	～しはしないかと（lest, that） 236	
～してもらう〈have [get]＋O＋過去分詞〉 166	～し始めさせる〈set＋O＋現在分詞〉 164	～しようと思えば〈条件節の省略〉 202
～してもらうようにもっていく（have） 39	～し始めたところ（just） 478	～しようと試みる〈try to do〉 186
		（ちょうど）～しようとして

いるときに…〈be just going to do when ...〉 60	〜〉 138	〜するために〈to 〜〉,〈so as to 〜〉,〈in order to 〜〉 133
上方に［の］（above） 305	…すべきなのかしら〈I wonder if 〜 should ...〉 99	〜する（つもりである）（be going to） 60
（AにBを）知らせる〈inform A of B 型〉 322	すべて（all） 409	〜するという点で…である〈to不定詞の副詞用法〉 135
「（〜するとは）親切だ」型〈be＋形容詞＋to 〜〉 437	（〜の）すべて〈all＋修飾語句〉 409	〜するといけないから〈for fear (that)〉,（lest） 99, 246
（…だけの）数［量］の〜〈as many [much] 〜 as ...〉 447	すべてが〜というわけではない〈every の部分否定〉 415	…すると必ず〜する〈never ... without 〜ing〉 536
〜（時）過ぎ〈after 〜〉,〈past 〜〉 303	すべての（all） 442	〜するとき（as） 237
（〜が）好きだ〈無冠詞複数形〉 333	すべての〜〈all＋無冠詞複数名詞〉,〈all the＋複数名詞〉 410	〜するとき（when〈関係副詞〉） 283
（〜に）すぎない〈nothing but 〜〉 537	すべてのこと［もの］〈some, any, every＋-thing〉 417	〜するときに（when）〈接続詞〉 237
〜すぎる（too） 482	（〜の）すべてのもの〈all of the 〜〉 409	〜するときはいつでも（whenever） 286
少なからぬ〈not a few [little]〉 448	（Sをすれば A は）〜する［〜の状態になる］〈S bring [carry, take, lead] A to 〜〉 362	〜するときはいつも（if） 241
少なくとも A〈not less than A〉,〈at least A〉 506	(…にも）〜する〈have the＋抽象名詞＋to do〉 361	〜する所（where〈関係副詞〉） 283
少しある〈a few〉 447	（S のため A は）〜する〈S make A do〉,〈S make A＋形容詞〉,〈S cause A to do〉 361	〜する所ならどこでも（wherever） 287
少しある〈a little〉 448		〜する所に［へ，で］（where〈接続詞〉） 242
少し多くのA〈a few more A〉,〈a little more A〉 499		
少ししかない（few） 447	(AにBを）〜する〈S＋V＋O_1＋O_2〉 10	〜するところのもの（what） 272
（ほんの）少ししかない〈only a few [little]〉 448	〜する〈肯定形〉 22	〜するとすぐに〈as soon as〉,〈no sooner 〜 than〉,〈hardly [scarcely] 〜 when [before]〉 240
少しの〈(a) few〉 443	（AがBを）〜する〈能動態〉 104	
少しの〈(a) little〉 443	〜する限り〈as long as 〜〉,〈so long as 〜〉 256	〜するとすぐに〈on 〜ing〉 179
少しの〜もない（no） 442	〜する価値がある〈worth 〜ing〉 179	〜するとすぐに（directly, immediately）,〈the instant〉,〈the moment〉 241
少しも〜ない〈not 〜 any＋比較級〉 407	〜するかもしれないので〈in case〉 245	
ずっと多くのA〈many more＋複数名詞〉,〈much more＋単数名詞〉 499	するくらいなら〜するほうがよい〈might as well 〜 (as ...)〉 503	〜すると…する（and） 225, 227
すでに（already） 474	〜すること〈to不定詞の名詞用法〉 130	〜するとは〈to不定詞の副詞用法〉 135
すなわち〈that is (to say)〉 230, 564	（これから先に）〜することがあれば（ever〈条件節〉） 477	〜するとは（that） 244
すなわち（or） 228	〜するしかない（must） 86	…するとはAは〜だ〈It is 〜 of A to ...〉 142
すなわち（namely） 230	するだけの〜（what） 273	〜するほど〜である〈so 〜 that ...〉 247
〜すべきだ（should）,〈ought to〉 96	〜するだけの量［数］〔what の導く名詞節〕 272	〜するほど〜である〈such 〜 that ...〉 247
〜すべきだったのに〈ought to have＋過去分詞〉 89	〜するたびに〈every time〉,〈each time〉 241	〜するものだ（will） 91
〜すべきだったのに〈should have＋過去分詞〉 96	〜するたびに（whenever） 237	〜すれば〈命令文＋and〉,〈名詞＋and〉 225
…すべきだと要求［提案・命令など］する（should） 98		〜すれば…する（If S 〜, S' will ...） 92
〜すべきである〈ought to〉 88		
〜（を）すべきであることがわかっている〈know to do		

~すればするほど〈the＋比較級, the＋比較級〉 504
住んでいる (live) 7
(~の) せいで〈thanks to〉, 〈owing to〉 313
(~の) せいで (through) 312
石材 (stone) 342
~せざるを得ない〈cannot help but＋原形〉,〈cannot help ~ing〉,〈cannot but＋原形〉 81, 152
ぜひ~しなさい (must) 86
(AをBの理由で) 責める〈blame A for B 型〉 323
全~ (all, whole) 413
(~の) 全員〈all of the ~〉 409
全員 (all) 409
全速力で〈at full speed〉 18
全体としては〈on the whole〉 563
全体の (all) 442
全部が~というわけではない〈all の部分否定〉 534
全部の (all) 442
(ある) 「線」を通って (up, down, along) 306
そうしない限り (unless, only if) 249
そうだったなら~ということになる〈If S'＋過去形 …, S＋現在形 …〉 193
(Sも) そうである〈So＋V＋S〉 398
そうなったら~しなさい〈If S'＋現在形 …, 命令文〉 193
そこまではいかない [いかなかった] (at all〈肯定文〉) 411
A, そしてB (and) 225
(~の) 外で〈outside (of)〉 310
(~の) 外にいる〈be動詞など＋out of〉 310
その一方〈the other〉 402
その上 (besides, also, moreover) 229
その上 (further, furthest) 492
その上〈what is more〉 563

その上~なことには〈what is＋比較級〉 273
…その結果~〈…, so that ~〉 248
そのとおりだ〈So＋S＋V〉 398
(~する場合もあるので,) その場合に備えて〈in case〉 245, 250
その反面〈on the other hand〉 563
そのまま〈as it is〉 563
~そのものである (all) 361
(~の) そばに (by, beside) 309
それ以来 (since) 474
それ以来ずっと〈ever since〉 474
それから (then) 229
それぞれ (の) (each) 413, 443
それでもなお (still, yet) 230
それどころか〈on the contrary〉 563
それにもかかわらず (nevertheless) 230
それは (that) 394
それほど (so) 482
それゆえ (so) 224, 230
それゆえ (therefore, consequently, hence) 230
存在する (be) 42
そんなに (so) 482

た行
ダース (dozen) 453
大学に通う〈go to university〉,〈go to college〉,〈go to a university〉 377
大したこと [もの] (something) 417
大したことじゃない (んだ)〈It is nothing.〉 419
A, だが [でも, しかし] B (but) 227
~だが… (but) 224
~だから〈従位接続詞〉 224
だから (so) 224, 230
だから (therefore, consequently, hence) 230
~だから…というわけではない (否定文中での because) 243

~だから…ない (否定文中での because) 242
たくさんの (many) 443
たくさんの (much) 443
たくさんの〈scores of ~〉 454
AだけでなくBも〈not only A but (also) B〉 549
多数の (many) 443
訪ねる〈call on〉 49
(~から) …たったら (in と after) 301
~たったら…した (in) 302
たとえ~であっても (if),〈even if〉,〈even though〉 253
たとえ~であろうとも〈no matter＋疑問詞〉 254
たとえば〈for example〉 563
たとえば〈for instance〉,〈for example〉 230
~だとしても〈granted (that) ~〉,〈granting (that) ~〉 251
(~するのを) 楽しみにしている〈look forward to ~ing〉 180
たぶん~だろう〈dare say ~〉 101
(~の) ため (from, of [原因]) 311
試しに~してみる〈try doing〉 186
(~の) ために (for) 11, 314, 317, 320
(~の) ために (from) 325
多量の (much) 444
(~する人 [もの] は) だれ [何] でも〈複合関係代名詞〉 260
だれが~しようとも (whoever) 284
(~する人は) だれでも (whoever, whomever) 284
だれでも (皆) (everybody, everyone) 416
だれにも負けない〈second to none〉 455
だれの (whose) 212
だれのもの (whose) 212

だれも～ない（no one） 417
～単位で（by） 317
～近く（toward(s)） 303
ちなみに〈by the way〉 563, 564
～中ずっと（over） 303
ちょうど今〈just now〉,〈at this moment〉 478
ちょっとの〈不定冠詞 a [an]〉 368
陳列ケース〈a display case〉 344
ついでながら〈by the way〉 564
追悼して〈lest we forget〉 247
（～を）通じて（through） 315
（～を）使って（with） 315
（～に）つき〈不定冠詞 a [an]〉 369
（もう）着きました〈Here we [I, you, it, he, she, they] are [am, is].〉 480
つまり〈that is (to say)〉 564
梅雨〈the rainy season〉 70
強く要求する〈insist that〉 233, 235
（S が A を～に）連れて行く［来る］〈S bring [carry, take, lead] A to ～〉 362
（A が…することは）であ る〈It is ～ for A to ...〉 141
～である〈肯定形〉 22
～である（be） 8, 42
～である限り〈provided (that) ～〉,〈providing (that) ～〉 251
…であるのは明らかである〈It is apparent that ...〉 15, 472
～であろうと〈what の導く名詞節〉 272
～であろうと…であろうと〈whether ～ or ...〉 254
～でいっぱいで（with） 327
（～より）程度が低い〈less＋原級＋than〉 498
～できない〈above ～〉,〈beyond ～〉 538
～できない〈fail to ～〉 538

（S のために A は）～できない〈S prevent [keep, stop] A from ～ing〉 362
（～することは）できない［不可能である］〈There is no ～ing〉 179, 536
～できる（can） 78
（S のために A が）～できる〈S allow [permit] A to do〉 362
できるだけ〈as ～ as one can〉 503
（S が）～できるために〈in order that S may ～〉 245
～で込んでいる（with） 327
～でさえあればいいのに〈if only〉 202
～ですが…（but） 228
～でないことを望む〈I hope ～ not ...〉 532
～でないならば〈but that ～〉 251
（S が）～でない場合に限り（unless） 249
～ではあるが（as） 252
…ではあるが〈it is true ...〉 563
～ではあるが（while, whereas） 253
(他のどんなAもBほど)～ではない〈原級や比較級で最上級の意味を表す〉 501
～ではない〈否定形〉 22
～ではないでしょう〈修辞疑問〉 26
～ではないということ〈but that〉 236
…ではないと思う〈I don't think ...〉 531
～ではないのですか〈否定の確認〉 530
A ではなくて B〈not A but B〉 228
でも（but） 227
田園地方〈the country〉 19
天気はどうですか〈How is the weather ?〉,〈What is the weather like ?〉 219
（～という）点で（は）〈in that ～〉 234
A と B（and） 224, 225
「～」と言う〈話法の転換〉

～という（of） 359
～という（that） 234
（～がする［である］）ということ（that） 232
～ということ以外には〈except (that)〉,〈other than (that)〉 256
（A が S をすると）…ということになる〈S cost [deprive, require] A ...〉 363
～という点において（at） 324
～というのは（for） 224, 229
A というよりもむしろ B〈not so much A as B〉 536
…というわけではない〈Not that ...〉,〈It is not that ...〉 244
～と言えば（Speaking of ～） 171
どう？〈what を使うか how を使うか〉 219
（～を）どう言いますか？〈What do you call ～?〉 219
どういうふうに～しても〈however＋S＋V〉,〈by whatever means〉 287
（～を）どういたしましょうか〈How would you like ～?〉 219
（…を）どう思いますか〈What do you think ...?〉 221
（～を）どう思いますか〈What do you think of ～?〉,〈How do you feel about ～?〉 219
（人が）道具で～する（by〈人〉, with〈道具〉） 115
どうして～しないのか〈Why don't you [we] ...?〉 216
どうしても～しようとしない（won't） 91
（それと）同数の〈as many ～〉 446
どうせ～しなくても特に利点もないのだから～しよう〈may [might] as well ～〉 85
当然～のはずだ（should）

当然〜のはずである〈ought to〉 97, 89
(はい,) どうぞ〈Here you are.〉 480
どうぞAを自由に取って召し上がれ〈Help yourself to A.〉 392
((Sは) Bと) 同様Aではない〈no more A than B〉 505, 536
(それと) 同量の〈as much 〜〉 446
遠い (far), 〈a long way〉 480
遠い, 遠く (farther, further) 492
(〜を) 通り抜けて (through) 307
(〜から) 独立して〈independent of [from]〉 326
独力で〈by oneself〉,〈for oneself〉 393
どこ？ (where) 215
どこが都合がよいか (where) 215
どこで〜しようとも (wherever) 286
どこへ行く？ (Where to?) 216
どこへ行くのですか (Where are you going (to)?) 216
〜どころか〈far from 〜〉 538
〜どころではない〈far from 〜〉 538
どちら〈選択疑問文〉 24
どちら (which) 213
(AかBの) どちらか〈either A or B〉 228
どちらか (一方の) (either) 415, 443
どちらが [を] 〜しようとも (whichever) 285
どちらの〜が [を] …しようとも (whichever),〈no matter which 〜〉 285
どちらの〜でも (whichever) 285
どちらも〜ない (neither) 415, 443
とても〈nice [good] and 〜〉 226

とても〈最上級〉 501
とても (most) 501
とても忙しい〈as busy as a beaver〉 493
(Bと) 共にA〈A together with B〉,〈A along with B〉 549
どのくらい？〈How＋形容詞 [副詞]?〉 217
どの〜も (every) 413, 443
どのように？ (how〈疑問副詞〉) 217
どのようにして (how〈関係副詞〉) 281
(〜と) 共に (with) 312
(AをBと) 取り替える〈exchange A for B 型〉 323
(…する [になる] ように) 取り計らう〈see (to it) that …〉 233
取るに足らない人 (nobody) 418
どれ〈選択疑問文〉 24
どれ (which) 213
(〜するものは) どれ [どちら] でも (whichever) 285
(〜というものは) どれでも〈不定冠詞 a [an]〉 369
どれほどの距離があるか (far〈疑問文〉) 480
どんな〜が…しようとも (whatever) 286
どんな〜でも〈any＋単数名詞〉 442
どんな〜でも (any) 406
どんな〜でも (whatever) 286
どんなに…してもしすぎることはない〈cannot ... too〉 537
どんなに〜しようとも〈however＋形容詞 [副詞]＋S＋V〉 287
どんな理由で〜しようとも〈whyever＋S＋V〉,〈no matter why〉 287

な行

(〜が) ない〈be free from [of] 〜〉 539
(AもBも) 〜ない〈neither

A nor B〉 227
(AもBも) 〜ない (nor) 226
(AはBでは) ないと思う〈I don't think A is B.〉 531
中から外へ〈out of〉 310
(3つ以上のものの) 中で (among) 310
(〜の) 中でするところの〈関係代名詞の二重限定〉 276
(〜の) 中に [で] (in) 310, 318, 320, 321
(〜の) 中へ (into) 310
〜なこと〈the＋形容詞 [分詞]〉 373
なぜ？ (why) 216
何？ (what) 213
何が彼女をそうさせたか〔〈What makes ...?〉構文〕 363
何が〜しようとも (whatever) 286
何も〜ない (nothing) 419
…なので〈seeing that ...〉 244
〜なので (as) 243
〜なので〈because of〉,〈on account of〉 313
〜なので (since) 243
〜なのに (when, while, whereas) 253
〜なもの〈the＋形容詞 [分詞]〉 373
(〜と) 並んで (beside) 309
なるほど〜だが…〈It is true 〜, but ...〉 228
(〜するのに) 慣れている〈be accustomed to 〜ing〉 180
(〜に) 慣れている〈be used to 〜〉 89, 175
(〜するのに) 慣れている〈be used to 〜ing〉 180
(…が) 何だか知っていますか〈Do you know what ...?〉 221
(〜するものは) 何でも (whatever) 286
なんとかやり遂げる〈manage to 〜〉 144
何人かの〈a number of〉 444
何人も (several) 408
(Aとは) 何の関係もない

〈have nothing to do with A〉 537
何万もの〈tens of thousands of〉 452
なんらかの〜〈some〉 406
2［3，4，…］番目に〜な〈the second [third, fourth, ...] +最上級〉 506
〜に（to, for） 10
〜にある（be） 42
〜に合わせて(to) 319
〜にいる（be） 42
〜において（in） 325
〜に応じて〈according as 〜〉 255
〜に関して（of） 321
〜に支えられて（on） 326
〜に沿って（along） 306
〜に対して（on） 326
〜に対して（to） 326
〜について（about, on） 318
〜について（with） 318
〜に包まれて（in） 318
〜につれて（as） 255
〜にとって（for） 324
〜にとって（to） 326
〜にとって（with） 318
（もう）…になりました〈Here we [I, you, it, he, she, they] are [am, is] ...〉 480
〜になる〈be going to〉 60
（将来）〜になる〈will be 〜〉，〈will become 〜〉 42
（〜の）2倍の〈double the [one's] 〜〉 455
入院中〈be in hospital〉,〈be in the hospital〉 377
〜によって（through） 312
盗む（rob と steal） 36
〜年代〈基数詞の複数形〉 453
〜の…〈所有格〉 356
（〜する）能力がある［ない］〈able [unable] to〜〉 437
（BにAを）残しておく〈leave A for B〉 11
（AをBに）残して死ぬ〈leave A to B〉 11
（〜を）除いて〈other than 〜〉 406
（〜を）除いては（but, except） 319

（〜はあるが，それを）除けば〈except for〉 319
（〜ということを）除けば〈except that 〜〉 234
（Aが〜することが）望ましい〔〈It is+形容詞+that A (should) ...〉構文〕 441
〜ので（so, therefore, consequently, hence） 230
登る（climb と go up） 36
〜のもあれば…のもある〈Some 〜 others ...〉 403
乗る（in と on） 315

は行

（もしも〜の）場合には〈in case〉 250
（AはBの）〜倍の…である〈A is 〜 times as ... as B〉 503
（〜するほど）ばかではない〈know better than to do〉 504
AばかりでなくBも〈not only A but (also) B〉 227
（〜だった）はずがないだろう〈can't have+過去分詞〉 86
（〜の）はずがないだろう（cannot） 86
（〜の）はずだ〈ought to〉 89
（〜する）はずだったのに〈should have+過去分詞〉 97
果たして〜でしょうか？〈修辞疑問〉 26
（ある程度）離れた所に〈over+前置詞〉 468
（〜から）離れて（from） 325
（〜から）離れて（off） 309
（Sを使えばAは…(の手間)が）省ける〈S save [spare] A ...〉 363
はるかに〈much too〉 481
（〜から）判断して（from） 325
（〜から）判断すると〈Judging from 〜〉 171
半分（half） 455
〜番目の〈the+序数詞〉 455

（〜を）引き起こす〈start+O+現在分詞〉 164
非常に多くの〈a great many 〜〉 446
非常に〜なので…〈so 〜 that ...〉 247
非常によいもの〈a beauty〉 342
美人〔の女性〕〈a beauty〉 342
（〜する）必要がある（need） 100
（〜する）必要がなかった〈didn't need to ...〉,〈didn't have to ...〉 100
（〜する）必要がなかったのに（…した）〈need not have+過去分詞〉 100
（Aが〜することが）必要だ〔〈It is+形容詞+that A (should) ...〉構文〕 441
（〜する）必要はない（don't have to） 88
人（one） 401
人（they） 385
（〜という）人〈a [an]+固有名詞〉 341, 370
（〜家の）人〈a [an]+固有名詞〉 341, 370
（〜のような）人〈a [an]+固有名詞〉 341, 370
ひとかどの人物（somebody, anybody） 416
ひとかどの人物（somebody, something） 417
1つ〈不定冠詞 a [an]〉 368
（〜の）1つ［1人］〈one of the+複数名詞〉 260
1つ［1人］の〜もない（no） 442
（〜の）1つ〈one of the [my, your, etc.]+複数名詞〉 546
1ついくらで（at） 317
1つおきに〈every other 〜〉,〈every second 〜〉 415
（〜のただ）1つもない〈none of 〜〉,〈no one of 〜〉 418
人々（you〈総称人称〉） 385
（〜する）人々〈those who 〜〉 396

1人ぽっちで〈by oneself〉 392
ひょっとしたら〜〈条件節の省略〉 202
(定刻よりも)〜分早く〈〜 minutes ahead of schedule〉 303
〜へ (to) 309
部屋の隅に〈in the corner of the room〉 304
(〜の)方へ (for) 309
(〜に)ほかならない〈none other than 〜〉 406
ほかの〜 (other) 403
他のどれにも劣らず〜〈as 〜 as any〉 502
ほかの人々 (others) 403
(〜の)ほかは何も…(では)ない〈nothing but＋(代)名詞〉 419
…ほど〜ではない〈not as (so) 〜 as ...〉 255
ほどなくする〈It is not [was not / will not be] long before ...〉 537
ほとんど (nearly, almost) 483
ほとんど〜ない (hardly, scarcely) 528
ほのめかす (suggest) 98
ほぼ (much) 481

ま行

真上に[の] (over) 305
〜前 (to) 303
〜前 (before《米》[時]) 303
(その時より)〜前 (before) 474
(〜する)前に (before) 238
(〜の)前に (before [時]) 300
(〜の)前に〈in front of〉, (before) 308
[角を]曲がって (around, round) 307
まさにその時だ〈It is time for A to 〜〉 205
真下に[の] (under) 305
まして〜ない〈much [still, even] less 〜〉,〈let alone〉 504
まして〜はもちろん〈to say nothing of 〜〉,〈not to mention〉 504
まず第一に〈to begin with〉 564
ますます〜〈比較級＋and＋比較級〉 504
まだ (yet〈否定文〉) 475
まだ〜していない〈have [be] yet to 〜〉 475, 538
まだ〜していない〈still ... not 〜〉 475, 476
(もうその時なのに)まだしていない〈It is time A was 〜〉 205
まだ〜(している) (still) 476
(〜に)まで (to) 314
〜(する)まで(ずっと) (till, until) 238, 300
〜までに (by) 300
(〜する)までに〈by the time (that) 〜〉 239
間に合う〈will [would] do〉 43
(〜の)ままでいる[ある] (continue, hold, keep, remain, stay) 8
(〜の)ままにしておく[しまう]〈leave＋O＋現在分詞〉 164
(Aを)まるごと1つ〈a whole A〉 413
まるで〜かのように〈as if 〜〉,〈as though 〜〉 255
まるで〜したかのように〈as if＋仮定法過去完了〉 206
まるで〜であるかのように〈as if＋仮定法過去〉 206, 255
まるで〜のように〈like so many [much] 〜〉,〈as so many [much] 〜〉 447
(あるものの)周りを回って (around, round) 307
〜回る (around, round) 308
万一〜したら[ならば]〈If S should ...〉 99, 200
漫画(本) (comic, comic book) 343
(Aが〜した[〜である]のを)見聞きしたことがある (know) 150

(Oが〜しているところを)見つける〈catch [find]＋O＋現在分詞〉 163
(〜を)見て (at) 311, 320, 324
(〜ということは)認めるとしても〈granted (that) 〜〉,〈granting (that) 〜〉 251
(Oが〜しているところを)見る[聞く]〈see [hear]＋O＋現在分詞〉 40, 163
(Oが〜するのを)見る[聞く, 感じる, など]〈see [hear, feel, etc.]＋O＋原形不定詞〉 40, 149, 163
(AとBを)見分ける〈tell A from B 型〉 323
[通りの]向かい側に (across) 307
(越えて)向こう(側)に〈over＋前置詞〉 468
(Bよりも)むしろA〈A rather than B〉 549
(Aよりは)むしろB〈not so much A as B〉 503
むしろ〜したい〈would rather 〜〉 151, 207
「(〜するのが)難しい」型〈be＋形容詞＋to 〜〉 437
(AをBと)結びつける〈connect A with B 型〉 323
名刺〈a calling card〉,〈a visiting card〉,〈a business card〉 400
めいめい (each) 413
(〜を)目がけて (at) 314
(〜を)めぐって (over) 318
めったに〜ない (seldom, rarely) 528
(〜に)面して (on) 309
もう (yet〈疑問文〉) 475
もう1つの〈a second〉 455
もう1つの別のもの[人] (another) 403
もし〜がなかったら〈If it were not for 〜〉,〈If it had not been for 〜〉,〈but for 〜〉,〈without 〜〉 207
もし〜したら〈従位接続詞〉 224
もし〜するならば〈仮定法過

去〉 196
もし〜すれば〈to不定詞の副
　詞用法〉 135
もし〜でなければ〈if 〜
　not〉 248
もし〜ならば…である〈条件
　節＋帰結節〉 191
もし本当にそうだとすれば〜
　だったのだ〈If S'＋過去形
　…, S＋過去形 …〉 193
最も（most） 501
最もお気に入りの
　（favorite） 489
最も〜しそうもないA〈the
　last A＋to不定詞[that節]〉
 506, 538
最も重要なこと
　（everything） 417
（〜を）求めて（after） 314
（〜を）求めて（for） 320, 325
（BにAを）求める〈ask A of
　B 型〉 322
（AにBを）求める〈ask A for
　B 型〉 323
（そのような）もの[人]
　（such） 396
（〜という）もの〈a [an]＋単
　数普通名詞〉 387
（〜という）もの〈物質名詞の
　総称用法〉 337
もはや〜ない〈no longer〉,
　〈no more〉 536
〜もまた（too, also） 485
〜もまたない（either〈否定
　文〉, neither） 486
AもBも〈both A and B〉
 227

や行

やがては（yet） 476
やっていく（do） 42
（SのためAは）やむなく〜
　する〈S compel [force,
　oblige] A to do〉 362
AやらBやらで〈what with A
　and (what with) B〉 273
（〜の）ゆえに（for） 325
夢を見る（have a dream） 43
（SがAに〜するのを）許す
　〈S allow [permit] A to do〉
 362
（〜に）酔いしれている〈be
　drunken with 〜〉 433
要するに〈in short〉 563
（…の）ようだ〈It looks
　[seems] as if …〉 206
（…の）ようだ〈seem to 〜〉,
　〈appear to 〜〉 139
（…の）ようである〈It seems
　that …〉,〈It appears that
　…〉 14, 15
（…の）ようである（seem,
　appear, look） 9
（…する）ようなA〈such A as
　…〉 277
（私たちが知っている）ような
　〜（as） 256
（〜の）ような(of) 359
（Sが〜する）ように〈so that
　S can [will, could, might,
　would] 〜〉 245
（〜の）ように〈the way 〜〉
 255
（〜の）ように（as） 16, 254
（〜の）ように（like） 254
よく〜したものだ（would）
 92

よくもずうずうしく〜できる
　な〈How dare you 〜!〉
 101
（〜を）横切って（across）
 307
（〜する）余裕がある〈can
　afford to 〜〉 144
（2つ［2人］のなかで）よ
　り〜なほう〈the＋比較級
　＋of the two〉 498
〜よりも（than） 255
4分の1（quarter） 455

ら行

…らしい〈as if …〉 205
（〜の）理由は何であれ〈for
　whatever reason〉,〈whyever
　＋S＋V〉 287
両方とも〈both A and B〉
 227, 229
両方（の）（both） 408, 442

わ行

（AがSを見れば［聞けば］
　…が）わかる〈S prove
　[reveal, show, suggest, teach,
　tell, remind] A …〉 362
（…だからと言って，それだ
　け〜という）わけではない
　〈none the＋比較級＋for
　[because of] …〉 418
忘れずに〜する〈remember
　to 〜〉 185
忘れる（forget と leave） 36
（〜を）わびる（apologize）
 33

Helpful Hint 一覧

第1章　文
1. find の使い方　4
2. sound の使い方　9
3. 〈There is ...〉構文　14
4. 〈S＋V〉で表す倒置をしない疑問文　24
5. 「修辞疑問」内の else　26

第2章　動詞
6. ありがたくない状況を表すときの on　33
7. 「知る」と「知っている」　35
8. borrow の使い方　37
9. 否定文中の〈have＋O＋doing〉　40
10. 「呼ばれるのを聞く」を表す表現　41
11. 活用はどのようにして覚える？　48

第3章　時制
12. 英語での「状態」という語感　56
13. will と be going to の違い　61
14. 現在完了とは？　64
15. 過去形と現在完了の比較　66
16. 過去進行形と未来進行形　69
17. 現在完了形と現在完了進行形との違い　72

第4章　助動詞
18. Can I ...? と Could I ...?　80
19. could と仮定法　82
20. maybe と「たぶん」　83
21. might as well ～の正しい意味　85
22. 義務の must と have to の意味は？　87
23. 推量の must　89
24. will の果たす役割　92
25. would と used to　93
26. 遠慮がちな気持ちを表す would　95
27. 常に仮定の意味が含まれる should　99
28. 助動詞と本動詞の need　101

第5章　態
29. 能動態と受動態の意味の違い　106
30. 受動文中の前置詞　109
31. 受動文中の〈by＋動作主〉の省略　112
32. let を使った命令文　114
33. 論文中の受動態　119

第6章　不定詞
34. 代不定詞の to で終わる表現　124
35. should を使ったレトリック　127
36. That's easy to say. という表現　129
37. 〈To ～ is ...〉の形をとる構文　135
38. teach の目的語――〈疑問詞＋to不定詞〉と〈to不定詞〉　138
39. 〈be to＋不定詞〉の意味　145
40. 句動詞〈let＋原形不定詞〉の持つ雰囲気　149
41. had better do ～のニュアンス　152

第7章　分詞
42. 現在分詞・過去分詞と「時」　157
43. 分詞を使った簡潔な言い方　159
44. 強調表現の分詞　163
45. 使役動詞 have と leave の意味　165
46. 〈get＋O＋過去分詞〉と「迷惑の受身」　166
47. 原因・理由を表す分詞構文　170

第8章　動名詞
48. 動名詞の持つ2つのニュアンス　176
49. 動名詞の単純形と完了形　178
50. 〈couldn't help ～ing〉の果たす社交的役割　181
51. 〈try doing〉と〈try to do〉の違いに働く論理　186

第9章　法
52. 願望を表す hope と wish　191
53. 仮定法過去完了の使い方　195
54. 仮定法と直説法の使い分け　198
55. 〈if you were to ...〉はなぜ「丁寧な提案や依頼」を表す？　199
56. want と would like の丁寧度は？　204

第10章　疑問詞
57. 疑問詞と一緒に用いる ever　213
58. Where ...? 内で用いる前置詞 in, on, under　216
59. Why ...? と How come ...? と What ... for? の違い　218

第11章　接続詞
60. 因果関係をほのめかす and 「～すると…する」　227
61. 文を読みやすくする both の使い方　229
62. however はどこに置く？　231
63. insist の実際の意味は？　235
64. 位置によって異なる while 節の意味　239
65. 従位節に if と when が使われた場合の主節の「時」は？　242
66. "Now that ...," の意味は？　244
67. so の意味と使い方　248
68. No matter ... . の基本的な意味　254
69. 「～ということ以外には」を表す except (that) と other than (that)　256

Helpful Hint 一覧

第12章 関係詞
70 a と the の使い分け　261
71 制限用法と非制限用法(1)　265
72 制限用法と非制限用法(2)　268
73 動物と who　271
74 A：B＝C：D　274
75 関係代名詞と there is　276
76 than は関係代名詞？　278
77 whyever　287

第13章 前置詞
78 前置詞の省略　295
79 前置詞の英米差　304
80 among と between　311
81 for の意味　317
82 前置詞の意味と使い分け　320
83 形容詞と前置詞との連結　327

第14章 名詞
84 集合名詞の扱いの英米差とは？　335
85 可算名詞と不可算名詞の感覚　339
86 単数形の名詞は再点検しよう　341
87 「主語が複数で各自が1つ」を正確に表すには？　346
88 論文に使う複数形　348
89 似たようなものや事柄の繰り返しを強める複数形　351
90 文脈と〈's〉所有格と〈of＋名詞〉　355
91 日本語の「～の…」に注意　356
92 「何が彼女をそうさせたか」　363

第15章 冠詞
93 冠詞を a [an] にするか the にするか？　369
94 〈one of the＋形容詞の最上級〉の表す意味　372
95 「冠詞の省略」は絶対的か？　376
96 〈名詞＋as＋S＋V〉と〈名詞＋though＋S＋V〉の違い　379

第16章 代名詞
97 英語の you の語感　385
98 前の句・節・文の内容を指す it と that [this] の違い　388
99 other を用いた慣用表現　406
100 強調を表す all　410
101 none は単数扱いか？ 複数扱いか？　419

第17章 形容詞
102 Italians と the Italians の意味の違い　427
103 形容詞が表す意味を強調する only　441
104 疑問文における much の意味　446
105 不定の数を表す形容詞のニュアンス　450

第18章 副詞
106 形容詞と同形の副詞と，-ly をつけた副詞とのニュアンスの違い　466
107 副詞の位置を変えた場合のニュアンスの違い　467
108 強調を表す ever と before　477
109 only を置く位置に注意！　485

第19章 比較
110 farther と further の使い分け　492
111 〈as ～ as ...〉構文の表す正確な意味は？　495
112 more often の表す正しい意味は？　497
113 最上級のものが2つ以上ある場合の英語表現は？　502

第20章 時制の一致・話法
114 進行形の場合の時制の変え方　511
115 時制を変えて用いられることわざ　515
116 say 以外の伝達動詞とその位置　518
117 間接話法における that の省略について　524

第21章 否定
118 never の正確な意味　528
119 重要な役割を果たす二重否定　536
120 否定を強調する at all, by any means その他の使い分け　539

第22章 一致
121 単数扱いの every の正しい意味　545
122 〈not only A but also B〉と類句の違い　549
123 everybody [everyone] を受ける代名詞に they を使わない工夫　551

第23章 倒置・省略・強調・挿入
124 被伝達部を前に出すときの主語と述語動詞の倒置　556
125 Not to brag, but ... . と Not to change the subject, but ... . の省略された意味は？　560
126 「by the way＝ところで」の誤った使い方　564

第24章 文の転換
127 複文と単文の使い分けは？　571
128 「to不定詞」の形容詞用法では to に続ける動詞に注意　574

主要参考文献一覧

●一般辞書

The American Heritage College Dictionary 4th ed. (Houghton Mifflin, 2004) (with CD)
Longman Dictionary of English Language and Culture (Longman, 1998)
Merriam-Webster's Collegiate Dictionary 11th ed. (Merriam-Webster, 2003)
The New Oxford American Dictionary 2nd ed. (OUP, 2001) (with CD)
The New Oxford Dictionary of English (OUP, 1998)   [NODE]
The Oxford English Dictionary 2nd ed. On CD (OUP, 1995)   [OED]
Oxford Dictionary of Idioms (OUP, 2000)
Collins COBUILD Dictionary of Idioms (HarperCollins, 1998)
Oxford Dictionary of Phrasal Verbs (OUP, 1975)

●学習用辞典

Cambridge Advanced Learner's Dictionary (CUP, 2003) (with CD)
Collins COBUILD Dictionary for Advanced Learners 3rd ed. (HarperCollins, 2001)
Longman Language Activator (Longman, 1993)
Longman Dictionary of Contemporary English 4th ed. (Longman, 2005) (with CD)
Macmillan English Dictionary for Advanced Learners (Macmillan, 2002)
Oxford Advanced Learner's Dictionary of Current English 7th ed. (OUP, 2005) (with CD)

●語学書（語法辞典・学習書・文法書を含む）

The American Heritage Book of English Usage 2nd ed. (Houghton Milton, 1996)
The BBI Dictionary of English Word Combinations Revised ed. (John Benjamin, 1997)
The Cambridge Guide to English Usage (CUP, 2004)
Collins COBUILD English Usage for Learners (Harper Collins, 2004)
Morris, W&M: *Harper Dictionary of Contemporary Usage* 2nd ed. (Harper, 1985)
The New Fowler's Modern English Usage (Clarendon, 1996)
Oxford Collocations (OUP, 2002)
Oxford Dictionary of English Grammar (OUP, 1994)
Webster's Dictionary of English Usage (Merriam Webster, 1989)

●文法書（Jespersen, Curme, Kruisanga, Poutsma は参照しているが省略）

Quirk et al.: *A Comprehensive Grammar of the English Language* (Longman, 1985)
Huddleston et al.: *The Cambridge Grammar of the English Language* (CUP, 2002)
Biber et al.: *Longman Grammar of Spoken and Written English* (Longman, 1999)
Bolinger, D.: *Degree Words* (Moulton, 1972)
Bolinger, D.: *Meaning and Form* (Longman, 1983)
Celce-Murcia, M. & D. Larsen-Freeman: *The Grammar Book* 2nd ed. (Heinle, 1999)

Coates, J.: *The Semantics of the Modal Auxiliaries* (Croom Helm, 1983)

Green, G: *Semantics and Syntactic Regularity* (Indiana, 1972)

Halliday, K. & R, Hassan: *Cohesion in English* (Longman, 1976)

Huddleston, R. D.: *The Sentence in Written English* (CUP, 1971)

Leech, G.: *Meaning and the English Verb* 2nd ed. (Longman, 1987)

Palmer, F. R.: *The English Verb* 2nd ed. (Longman, 1988)

Palmer, F. R.: *Modality and English Modals* (Longman, 1979)

Stockwell, R. P et al.: *The Major Syntactic Structure of English* (Holt, 1973)

Lindstromberg, S: *English Prepositions Explained* (John Benjamins, 1997)

Leech G. & J. Svartvik: *A Communicative Grammar of English* 2nd ed. (Longman, 1994)

Kenneth Wilson: *The Columbia Guide to Standard American English* (Columbia UP, 1993)

Swan, M: *Practical English Usage* 3rd ed. (OUP, 2005)

Fiske, R.: *Guide to Concise Writing* (Webster's New World, 1990)

Wierzbica, A: *English Speech Act Verbs* (Academic Press, 1987)

●Style・会話・手紙関係書

The Chicago Manual of Style 14th ed. (Univ. of Chicago, 1993)

The New York Public Library Writer's Guide to Style and Usage (Harper Collins, 1994)

Webster's Standard American Style Manual (Merriam-Webster, 1985)

The New York Times Manual of Style and Usage (The New York Times, 1999)

Blundell, J. et al.: *Function in English* (OUP, 1989)

Webster's Guide to Business Correspondence 2nd ed. (Merriam-Webster, 1996) (with CD)

NTC's Dictionary of Everyday American English Expressions (NTC, 1994)

●国内刊行辞書・参考書

荒木一雄・安井稔編「現代英文法辞典」（三省堂，1992）

石橋幸太郎他「英語語法大事典Ⅰ～Ⅳ」（大修館，1966, 1976, 1982, 1995）

小西友七「英語基本動詞辞典」（研究社，1980），「英語基本形容詞・副詞辞典」（研究社，1989）

「角川・類語新辞典」（角川書店，1981）

「国語大辞典」（小学館，1982）

「外国人のための基本語用例辞典（第2版）」（文化庁，1971）

佐久間鼎「現代日本語の表現と語法」（校正閣，1967）

松村明編「古典語・現代語助詞助動詞詳説」（学燈社，1969）

●コーパス

The Brown University Standard Corpus of Present-Day Edited American English (1964)

The Lancaster-Oslo / Bergen Corpus of British English (1970)

The British National Corpus (1994)

COBUILD Direct (1998)

著者紹介

綿貫 陽（わたぬき よう）
旺文社名誉編集顧問

　旧制浦和高校理科1類を卒業したとき，終戦の影響がまだ強く，旧制中学や師範学校の英語の教師の資格があるということから，何ということなしに進駐軍の米軍厚木基地に隣接している学校で英語を教える傍ら，文化交流や施設その他の折衝などの必要から通訳を命ぜられ，英語に入り浸る生活に飛び込んでしまった。苦労もしたが，英米語の持つ意外な面白さにひかれ，東京に戻って正式に文学部英文学科に再編入，卒業後，高校で英語の教鞭をとりながら，文部省，東京都教育委員会の英語関係の各種委員や，東京都高等学校英語教育研究会の出版部長や常任理事などを歴任し，英語教育は，直接社会に貢献する重要な仕事であるという実感を得た。専攻は英語文体論であるが，日本詩人クラブに所属してキーツの訳詩を発表するなど，英語をさまざまな方面から研究しているうちに，次第に英文法，語法の研究に専念するようになった。

　主な著書としては，『ロイヤル英文法・改訂新版』『教師のためのロイヤル英文法』『英語語法の征服』『英語長文読解問題の解き方』『基礎からよくわかる英文法』『精選英文法・語法問題演習』その他多数。趣味はひたすら洋書を読破すること。

マーク・ピーターセン
金沢星陵大学人文学部教授／明治大学名誉教授

　アメリカのウィスコンシン州出身。コロラド大学で英米文学，ワシントン大学大学院で近代日本文学を専攻。1980年フルブライト留学生として来日，東京工業大学にて「正宗白鳥」を研究。

　現在，大学の授業には映画のシナリオを教材とする「英語」や，「英作文」，「映画の歴史」などがある。ゼミナール「近代アメリカの芸術と時代」では30年代～90年代を中心とし，アメリカ文化の重要な要素を浮き彫りにする小説，演劇，エッセイ，映画，音楽，美術，建築，デザイン，ファッションなどを全般に研究する。

　日本人の科学者や研究家が書いた英語の学術論文を添削する仕事も多い。

　趣味は旅行，料理，音楽，読書，イギリスの演劇，地中海付近の食文化とワインなど。

　『日本人の英語』『続 日本人の英語』『心にとどく英語』（以上岩波新書），『教師のためのロイヤル英文法』（旺文社；共著），『マーク・ピーターセン英語塾』（集英社インターナショナル），『ニホン語，話せますか』（新潮社），『ワイン デイズ』（文春文庫PLUS）など著書多数。

表現のための
実践ロイヤル英文法

別冊

英作文のための
暗記用例文

300

英作文のための暗記用例文300

　現代の標準英語で書かれた，信頼できるネイティブの英文をたくさん読めば読むほど，英作文の力は身についてくる。しかし，限られた時間でそうたくさんの英文を読むというのは，なかなか実行しにくいのが現実である。そこで，英文を書くときに応用できる典型的な用例を，主として本冊から300精選して示すことにした。

　もともと本冊に示されている例文は，現在の信頼できる英文の資料をコンピューターで検索し，必要に応じて，ときにはその一部をより自然な英文に書き直したものである。とはいうものの，本冊の英文の中から暗記するのに適切な基本的英文を精選するというのは，意外に難しい仕事である。ここでは，どういう構文が一番応用が利くか，またすぐには頭に浮かんでこないかなどを，これまで永年見てきた日本人英語学習者の書いた英文を添削して得た経験から選ぶわけである。本冊の用例そのままでは，やや難しい単語や言い回しも含まれているので，そういう場合には，構文はそのままにして，暗記用に適するように単語をやさしく書き直すことにした。

　本冊と違って，ここに取り上げた300の例文は，まず和文を見て，それに最も適切な英文を考えるようにしてある。ふだん英文和訳ばかりやっている人には，基本的な英文でもすぐには出てこない場合も多いだろうが，このようなやり方でそれぞれの例文を再復習すれば，必ず英文を書く力は格段に強くなるはずである。

　なお，例文には，随所に英作文をするために必要と思われる注記をつけた。文法的にその英文の形を再復習したり，さらに似た例などを見たい場合もあることを考え，必要に応じて（○p.000）の形で，本冊の参照箇所を示した。

Point 1. 基本5文型を意識しながら，なるたけ簡潔に書く。

- まず主語を何にするか考えてから，それに適切なやさしい動詞を選ぶ。
- 基本5文型を意識して，他動詞と自動詞を混同しないように注意する。
- 補語が必要かどうかを考えて，語の配列を決める。
- 意味が十分表せたら，英文をできるだけ簡潔なものにする。

001. この池は冬には凍る。

This pond freezes in the winter.
＊最も基本的な形。「～は」にあたる this pond を主語に決めたら，述語動詞の freeze に3単現の -s が必要かどうかを考える。修飾語句の「冬には」は〈in the winter〉として文末に置く。この the はつけなくてもよい。

002. その2人の子は似た顔をしている。

The two children look alike.
＊〈be alike〉で「似ている」という意味を表すが，ここでは，「似た顔をしている」というのだから，look を使って，The two children *look alike*. とするのがよい。look 自身が第2文型の動詞だから，*are* look alike としないこと。

003. 水中に住んでいる虫は多い。

Many insects live in water.
*「〜は多い」などと言うときは、「多くの〜が」という形にして、これを主語にすれば、〈〜 are many〉などという形を避けることができる。「〜と言う人もいる」などであれば、Some people say … . とすればよい。

004. 上手な英語を書くことはそう容易ではない。

Writing good English is not so easy.
*It is not so easy to write good English. でもよいが、このように動名詞を主語にしてみると、より簡潔な表現になる。

005. 外にだれかいますか。

Is there anyone outside?
*〈There is …〉構文では、there は主語ではないが、疑問文は Is there …? となる。外に「だれかがいる」なら、There is *someone* outside. になる。

006. 秋になると木の葉は赤くなる。

Leaves turn red in fall.
*When … . などとしなくても、このように簡潔に書ける。こういう文では、主語の leaves は冠詞をつけない複数形が一番よい。「〜になる」というのにはいろいろな言い方があり、覚えておくとよい（⊙p.8）。

007. その小屋で眠るのは難しかった。

I found it difficult to sleep in the hut.
*この find の使い方に慣れること（⊙p.4 H.H.1）。「眠ろうとしてみたけれども、なかなか寝つけなかった」を find で表すことを知っておくと便利。

008. 角を曲がった所にレストランがある。

There is a restaurant around the corner.
*〈There is …〉構文だから、主語に the でなく、a をつけるのがポイント。
「角を曲がった所に」は、前置詞の **around** を使って、〈around the corner〉という形で表せる。

009. その知らせを聞いて、アンは幸せな気分になった。

The news made Ann happy.
*このように無生物を主語にすると、文が簡潔になり、When などで始めると文が長くなる。こうした無生物主語の構文に慣れること（⊙p.361）。

010. 彼は私に朝食を作ってくれた。

He cooked me breakfast.
*cook は二重目的語をとる動詞であることを考える。He cooked breakfast for me. でもよい。強調したいほうを後ろに置くのがふつう（⊙p.11）。

011. 卵は固くゆでなさい。

Boil the eggs hard.
＊こうした〈S＋V＋O＋C〉は,「ゆでた結果固くなる」などのような意味を表すときに便利である。「ドアを白く塗る」なら **paint** the door *white* のようになる。

012. その本は机の上にある。

The book is on the desk.
＊「その本」と特定されているから, There is *the* book …. ということはできないことに注意。

013. だれか窓を開けなさい。

Someone open the window.
＊命令文の前に, このように主語を置くこともできる。ほかの形ではこうした意味はなかなか表せない。

014. この理論は広く受け入れられているようだ。

It seems that this theory is widely accepted.
＊This theory seems to be widely accepted. としてもよい。

015. この毛布は柔らかい感じだ。

This blanket feels soft.
＊感覚を表す動詞（look, smell, sound, taste など）は第2文型によく用いる（→ p.9）。

016. 今夜映画を見に行こう。

Let's go to the movies tonight.
＊Let's ～「～しよう」の表現に慣れること。この後に付加疑問をつけるなら,〈, shall we?〉をつければよい。「映画を見に行く」は〈go to *a movie*〉でもよい。

017. 彼の父親は若くして死んだ。

His father died young.
＊「死んだときに若かった」というこの形に注意（→ p.5）。

Point 2.　動詞の意味をよく考えて，日本語に迷わされない。

- 日本語の「〜に」,「〜と」などに引きずられて他動詞と自動詞を間違えない。
- 日本語の表現と英語の表現が違っている場合に正しく使い分ける。
- 間違えやすいこれらの動詞は数も限られているから, 覚えてしまうこと。

018. お手洗いをお借りできますか。

Can I use your bathroom?
＊移動できないものを借りる場合は,「借りる」に use を使う。「電話」の場合は use でも borrow でもよい。

019. 昨夜はいい夢を見た。

I had a nice dream last night.
＊「夢を見る」を〈see a dream〉としないこと。また, have *a* nice dream の a を忘れないように。

020. 我々は新しい計画について論じ合った。

We discussed the new plan.
＊discuss は他動詞だから，about を入れない。自動詞と間違えやすい他動詞の頻出語は限られており，覚えておくとよい（⇒ p.32）。

021. 私は遅れたことを彼女にわびた。

I apologized to her for being late.
＊apologize は自動詞だから，謝罪する相手の前に to を入れる。

022. 彼女はハワイで彼と結婚した。

She married him in Hawaii.
＊marry は他動詞だから with を入れない。「～と結婚している」は〈be married to ～〉。

023. 我々の車はその町に近づいた。

Our car approached the town.
＊approach は他動詞だから，to を入れないこと。

024. 黒板に円を描きなさい。

Draw a circle on the blackboard.
＊円でも1つの絵だから，write は使わない。線で描くのも draw だということを覚えておく。

025. 傘を持ってくるのを忘れた。

I forgot my umbrella.
＊「持ってくるのを忘れる」なら forget を使う。ある場所に置き忘れる場合には leave を使う。
「車の中に傘を置き忘れた」なら，I left my umbrella in the car. のように言う。

026. 我々はケーブルカーでその山を登った。

We went up the mountain on the cable car.
＊climb は手足を使って登る場合に用いる。また，乗り物に使う前置詞は，自然に運ばれていくという感じのときには on を使うのがふつう。

027. その新しい法律に反対する人がたくさんいた。

A lot of people opposed the new law.
＊oppose は他動詞だから，to は入れない。object なら to が必要である。

028. ここからエンパイア・ステート・ビルが見えます。

You can see the Empire State Building from here.
＊知覚動詞の see や hear は，この例のように，「見える」や「聞こえる」を表すときに can をつけて表現することが多い。また，日本語では「見えている」や「聞こえている」という場合でも，see や hear は進行形にならない。

029.	本を元の場所に戻しておきなさい。	**Put the book back where it was.** ＊put back のような句動詞を使うときには，その動詞（ここでは put）が他動詞で目的語を間に挟むことができるかどうかを確認する。この文では *Put back* the book としてもよい。
030.	彼女はひどい風邪を引いている。	**She has a bad cold.** ＊「風邪を引いている」は，have a cold という。「風邪を引く」〈catch (a) cold〉の a はあってもなくてもよい。
031.	明日お会いしに行きます。	**I'll come to see you tomorrow.** ＊相手の所に行くのも go ではなく come を使う。come to see の代わりに come *and* see というくだけた言い方もある。
032.	私は英語を学ぶあらゆる機会を利用してきた。	**I have availed myself of every opportunity to learn English.** ＊常に oneself を目的語にとる動詞を覚えておく（◎ p.37）。
033.	私は息子が夜外出するのを許しておくつもりはない。	**I won't have my son going out at night.** ＊〈have＋目的語＋現在分詞〉を I won't ... . のような否定文に続けると，「～させておくわけにはいかない」という意味を表す（◎ p.39, p.164）。

Point 3. 日本語に引きずられて時制を誤らない。

- ●「～している」という場合に，進行形にするかどうか考える。
- ●「～した」という場合に，完了形にするかどうか考える。
- ●未来のことはいろいろな形で表せることを知る。
- ●時を表す語句に注目して，時制を適切に決める。

034.	彼女は石油会社に勤めている。	**She works for an oil company.** ＊She is working ... . としないこと。「彼女は石油会社の社員である」という意味。
035.	彼は明日の朝はこの事務所におります。	**He will be in this office tomorrow morning.** ＊和文では，「～におります」となっているが，「明日の朝」の話だから，未来形にする。
036.	野生動物公園に行ったことがありますか。	**Have you ever been to a wildlife park?** ＊been でなく，〈Have you ever gone ...?〉でもよい。

037. このノートパソコンを使うのはこれが初めてです。

This is the first time I have ever used this laptop.
＊〈This is the first time ... have ever＋過去分詞〉の形を覚えておくこと（●p.62）。

038. 早めに来てくれれば手伝ってあげます。

I will help you if you come early.
＊時や条件を表す副詞節の中では，未来のことでも現在形で書く。したがって，if節の中の動詞 come は現在形。

039. 私たちは来年の夏にパリを訪れます。

We are visiting Paris next summer.
＊予定として決めている場合には現在進行形を使うことが多い。

040. 列車は私たちが着く前にもう出てしまった。

The train had already left before we arrived.
＊着く前にもう出てしまったというのだから，already を使って過去完了にする。

041. 最後に君が彼に会ったのはいつですか。

When did you see him last?
＊I saw him a week ago. のような答えを考えれば，単純過去がよいことがわかる。

042. 彼はいつも愚痴ばかり言う。

He is always complaining.
＊「いつも～ばかりしている」は，always を入れて現在進行形を使うとよい。

043. 妻はこのごろ気難しい。

My wife is being difficult lately.
＊lately は，ふつう現在完了形と用いるが，このように習慣的な行為を表すときには，現在進行形の文で用いることもよくある。

044. 今年はクリスマスは月曜に当たる。

Christmas falls on Monday this year.
＊未来のことでも，現在もう決まっていることは現在形で表すことが多い。

045. 今日の午後あなたのノートパソコンをお使いでしょうか。

Will you be using your laptop this afternoon?
＊Will you be using ...? は，相手の予定を聞く形で，実際には「貸してほしいのですが」という間接的な依頼。

046. 私は熱帯雨林を長年研究してきました。

I have studied rainforests for many years.
＊I have been studying .... としてもよいが，期間を表す語句を用いれば，進行形にしなくてもよい（●p.70 **31A(2)**）。

Point 4. 助動詞が示す微妙な意味の違いを理解して活用する。

- can, may, must を正しく使い分ける。
- 「法助動詞」の will と「時制の助動詞」の will とを区別する。
- 過去形の助動詞と仮定法との関係を考える。
- should の複雑な用法を覚えて，正しく使えるようにする。

047. どんな名医でもミスを犯すことはあり得る。

Even the best doctors can make a mistake.
＊この can は「可能性」があることを示している。「能力」を表す can と区別することが大切。

048. それはそんなに重要だったはずがない。

It cannot have been that important.
＊「だったはずがない」は〈cannot have been ...〉で表す。that は「そんなに」という意味の副詞として使う。

049. すべての生き物は老いていかなければならない。

Every creature must get old.
＊「～しなければならない」を must で表すと，改まった感じの表現になる。

050. この薬は眠気を催させるかもしれない。

This medicine might make you drowsy.
＊「～かもしれない」の場合，might よりも may のほうがいささか改まった感じになる。

051. 人はうわさをするものだ。

People will talk.
＊will は，このように習性を表すためにもよく使う。

052. この言葉を使うのをやめるべきでしょうか。

Do you think we ought to stop using this term?
＊should のほうが，やや柔らかい表現になる。

053. 私の質問にお答えいただけるとありがたいのですが。

I would appreciate it if you would answer my question.
＊「依頼」を表すときによく使う丁寧な言い方なので，この表現はぜひ覚えておきたい。if を使っているので，よく appreciate の次の it を落とすことがあるため注意。

054. できればそのようなことはしていただきたくないのですが。

I would rather you didn't do that sort of thing.
＊丁寧な頼み方。would rather に not を入れた形は，相手の頼みを控えめに断るときにも用いる。従位節中の動詞は**過去形**になる（⊃ p.94）。

055. コーヒーを入れましょうか。	**Shall I make some coffee?** ＊「～しましょうか」と申し出るときに、Shall I ...? をよく使う。
056. 願書は昨日までに提出すべきだったのに。	**You should have submitted your application by yesterday.** ＊「～すべきだったのに（しなかった）」は〈should have＋過去分詞〉。
057. 詳しく述べる必要がありますか。	**Need I go into details?** ＊このように、need は否定文のほかに疑問文でも助動詞として使え、こういう形は簡潔でよい。
058. 今夜は雪になるはずがない。	**It couldn't snow tonight.** ＊「～するはずがない」は couldn't を使えばよい。

Point 5.　能動態にするか受動態にするかは文脈で決める。

●基本的には、なるたけ能動態で書くほうがよい。
●受動態が慣用的に用いられる英語表現に慣れておく。
●〈be＋過去分詞〉でも、過去分詞が形容詞として使われる場合がある。
●動作の受動態と状態の受動態に注意する。

059. この城は4世紀に造られたものである。	**This castle was built in the 4th century.** ＊動作主がわからない場合、あるいは動作主を話題にする意味が特にない場合には、受動態を用いることが多い。
060. まだ研究されていないものが多い。	**Much remains to be studied.** ＊この形は論文などによく使う決まった形である。
061. 運転者の不注意で引き起こされる事故が多い。	**Lots of accidents are caused by careless driving.** ＊「多くの事故は…」の形で書く。
062. この橋はあまり利用されていない。	**This bridge is not used very often.** ＊能動態で書くと、主語に they などを置くことになる。
063. 私は昨夜自転車を盗まれた。	**I had my bike stolen last night.** ＊〈have＋目的語＋過去分詞〉は、「Aを～される」という受動の意味にもなるし、「Aを～してもらう」という使役の意味にもなる。I was stolen my bike ... . などとしないように注意。

064.	戦後，彼は農業に従事していた。	After the war, he was engaged in farming. ＊engage は，このように，受動態で使うことが多い。
065.	私は部屋を立ち退かされた。	I was made to leave the room. ＊使役動詞 make の受動態は〈be made to ...〉になる。
066.	その男は黒っぽい背広を着ていた。	The man was dressed in a dark business suit. ＊「着ている」は〈be dressed in〉で表す。
067.	昨日その銀行は終日閉まっていた。	The bank was closed all day yesterday. ＊状態を表す受動態である。
068.	その溶液は100℃で5時間熱せられた。	The solution was heated at 100°C for 5 hours. ＊実験のプロセスに重点を置く場合に受動態をよく使う。
069.	アイスクリームは暑い日によく売れる。	Ice cream sells well on hot days. ＊能動受動態の代表的なもの。ここではアイスクリームは売られるものなのに，自動詞として使われている sell の主語になっている点がポイント。この種の動詞については別途参照（● p.119）。
070.	何が議論されているのですか。	What is being discussed? ＊what を主語にした受動態の現在進行形である。
071.	私は医者に体重を減らすように忠告された。	I was advised by the doctor to lose weight. ＊「医者に」を表す by the doctor は，文末か，リズムのよいように受動態の直後に置く。
072.	スペースシャトルの打ち上げは少なくとも3ヶ月は延期される。	The launch of the space shuttle will be put off at least three months. ＊put off のように1つの他動詞に相当する句動詞は，そのまま受動態にする。「～される」のは，これからの話なので，未来形になる。
073.	その議論は長時間続き，テープに録音された。	The argument went on for a long time and was recorded on tape. ＊このように，同じ語が前の節で能動態の主語でありながら後の節では受動態の主語になる，という形の文は珍しくない。むろん，前の節は受動態，後の節は能動態，という逆の順もよくある。

074.	この港は世界中に知られている。	**This port is known to people all over the world.** ＊単純に「(だれか)に知られている」は〈be known to (someone)〉でよい。意図的に知ろうとして知った場合には by を用いることが多い（⊃ p.115）。
075.	その地震と津波でたくさんの人が死んだ。	**Many people were killed in the earthquake and tsunami.** ＊災害や戦争などで死ぬというときには〈be killed〉を使うことが多いが，die を使ってもよい。

Point 6.　不定詞の使い方に注意。

- ●to不定詞を英文中に置く位置に注意する。
- ●to不定詞を含む構文の使い方を正確に覚える。
- ●何用法などということにはあまりこだわらないほうがよい。
- ●原形不定詞を使う構文は限られており，覚えておくとよい。

076.	猫たちに毎日えさをやるのは君の役目だよ。	**It is your job to feed the cats daily.** ＊to不定詞を主語にするときには，It を先に出すのがふつう。
077.	要点を見逃さないように気をつけます。	**I will try not to miss the point.** ＊「すること」の否定は not to でよい。
078.	転ばないように気をつけて。	**Be careful not to fall.** ＊「～しないように」は〈so as not to〉か〈in order not to〉だが，be careful や take care の場合には not to を使ってよい。
079.	今日はすることが何もない。	**There is nothing to do today.** ＊nothing は to do の意味上の目的語になっている。There is nothing to be done today. とすると，nothing は to be done の意味上の主語になる。
080.	あなたはただここに署名をしさえすればよいのです。	**All you have to do is sign your name here.** ＊all は指すものが単数なら単数で受け，複数なら複数で受ける。また，all you have to do のように do を含んだ形を主語にするときには，sign の前の to は省略できる。
081.	この文書をファックスで送ってもらいたい。	**I want this document to be sent by fax.** ＊〈want＋目的語＋to be done〉の形。

082.	私には一緒に買い物に行く人がいない。	**I have nobody to go shopping with.** ＊with whom to go shopping や, with whom I might go shopping などと同じように with が必要。
083.	私は仕事を探しにビジネス街へ行った。	**I went downtown to look for a job.** ＊「～するために」は to だけでもよい。
084.	その会社は労働力を海外で増やすより仕方がなかった。	**The company had no choice but to increase the workforce overseas.** ＊but と except は, 前置詞だが to 不定詞の前につけることができる。
085.	帰宅すると家が泥棒に入られていることがわかった。	**I came home to find that my house had been broken into.** ＊結果を表す to 不定詞。only to と言うことが多いが, ただ to でよい場合も多い。
086.	働けるぐらいの年なら, できることはたくさんあるよ。	**If you are old enough to work, there are a lot of things you can do.** ＊こういう場合の「～するのに十分な」の意味の〈enough to〉の使い方を知っておくと便利である。
087.	忘れずにそれをしなければならない。	**I must remember to do it.** ＊「～することを忘れてはいけない」ということ。
088.	私は職場に近くなるように新しいアパートに引っ越した。	**I moved to a new apartment so as to be near my work.** ＊「(その結果)～するように」は, so as to がふさわしい。
089.	このソフトウェアの使い方を知りたい。	**I want to learn how to use this software.** ＊〈what to do〉,〈how to do〉などの〈疑問詞＋to 不定詞〉の使い方に慣れること。
090.	お昼までにそこに着くつもりなら, もう出発したほうがよい。	**If you are to get there by lunchtime, you had better start now.** ＊〈be to〉を If 節の中に使うと,「～するつもりなら」という意味が表せる。
091.	この問題を解決する方法はだれにもわからないようだ。	**Nobody seems to know how to solve this problem.** ＊It seems that nobody knows … . でも書けるが, Nobody seems to know … . の形のほうが簡潔でよい。

092.	彼は自分のことを天才だと思っている。	He believes himself to be a genius. ＊この形では，himself は省けない。
093.	その消防士たちが燃えているビルの中に突入していったのは勇敢だった。	It was brave of the fire fighters to dash into the burning building. ＊「燃えているビルの中に突入していった」という行為を通して，その消防士たちの勇敢さを述べた形になる。the fire fighters を主語にして似た意味を表すこともできる（◯ p.142）。
094.	上記の人物はウィスコンシン州の登録看護師であることを証明する。	This is to certify that the above-named person is a registered nurse in the State of Wisconsin. ＊証明書の決まり文句。
095.	彼女は床が動くのを感じ，壁が揺れるのを見た。	She felt the floor move and saw the walls shake. ＊〈知覚動詞＋目的語＋原形不定詞〉で，「Aが〜するのを見る[聞く，感じる]」などの構文を作る。
096.	こうしたことは言わないほうがいい。	You had better not say these things. ＊「〜したほうがいい」は〈had better〉で表すが，「〜しないほうがいい」というときには，not は原形不定詞の直前に置く。

Point 7. 分詞を使うときには位置に注意。

● 名詞を修飾するときの分詞の位置に注意する。
● 現在分詞，過去分詞の意味の特徴を理解する。
● 〈S＋V＋O＋分詞〉の構文を整理しておく。
● 分詞構文は文を簡潔にするために使えることを覚えておく。

097.	同じ質問がずっとなされた。	The same question kept being asked. ＊分詞の受動態に注意。
098.	私は河口でイルカがボートを追跡しているところを見た。	I saw a dolphin chasing a boat at the river mouth. ＊〈知覚動詞＋目的語＋〜ing〉の形。
099.	彼は息子がビールを飲んでいるところを見つけた。	He caught his son drinking beer. ＊catch は知覚動詞ではないが，〈catch＋目的語＋〜ing〉の形では，知覚動詞のように使われる。

100. 食事時間だったので，食べている人が大勢いた。

It was dinner time, so there were many people eating.
＊many eating people とは言わない。ここでは，本来は他動詞として使われる eat の目的語になる food が省略されており，eating people とすると，people が eat の目的語になってしまうのである（⊃ p.32）。

101. 書き言葉は，話し言葉よりも改まった感じになるケースが多い。

Written language is often more formal than spoken language.
＊「書かれた言葉」，「話された言葉」はそれぞれ，written language, spoken language と言う。

102. 2階の浴槽でお湯を流しっ放しにしておいてしまったのはだれだ。

Who left the water running in the upstairs bathtub?
＊単独の〈left＋目的語＋〜ing〉の文では，「わざと〜しっ放しにしておいた」か，「うっかり〜しておいてしまった」かはあいまいだが，ふつう文脈でわかることである。

103. 私は人に何かをしろと命令されたりするのが好きじゃない。

I don't like people telling me what to do.
＊〈like＋目的語＋〜ing〉の形は，否定文に多い。

104. 卵は焼いたのが好きです。

I like my eggs fried.
＊「コーヒーは濃いのが好きだ」なら，I like my coffee *strong*. となり，ここでは，fried が形容詞用法なので，それと同じ形である。

105. 陽気に歌いながら，彼らは町の方に出かけた。

Singing merrily, they started towards town.
＊最も簡単な分詞構文。「〜しながら」という意味を表す動詞を現在分詞にして，文頭に置く。

106. 私はベッドに横になっており，テレビを見ていた。

I was lying in bed, watching TV.
＊「横になる」という動作と，「テレビを見る」という動作が，同時に行われているわけで，こういうときは，つけ足すほうの動作を分詞にして，コンマを打って後に置くことが多い。

107. 天候が許せば，早めに植えるということはそれなりの利点があります。

Early planting has its benefits, weather permitting.
＊〈weather permitting〉は，文末に置くことが多いが，必ずしもそうばかりではない。

108.	ホリーは髪をなびかせながら，頭をくるりと回した。	**Holly swung her head around, her hair flying through the air.** ＊「頭をくるりと回した」のはホリーで，「なびいた」のは彼女の髪であるから，主節と従位節の主語が違う。そこで，分詞構文の flying のほうにその意味上の主語の her hair を置くことになるが，こういう独立分詞構文では，文の主語（Holly）の身体の一部とか持ち物が分詞の主語になる場合が多い。
109.	彼は足を組んで座っていた。	**He was seated with his legs crossed.** ＊「A を～しながら」は，このように with を使うと表現しやすい。特にこの形は頻出する。legs は cross される立場であるのだから，過去分詞になる。
110.	年齢を考えると，彼の健康状態はすばらしいものだ。	**Considering his age, his health has been remarkable.** ＊独立分詞構文。〈considering ～〉は，「～を考慮すれば」という意味。
111.	率直に言って，私はそのリストに自分の名前を見たくない。	**Frankly speaking, I don't want to see my name on that list.** ＊似た形としてほかに Generally speaking（一般的に言えば）などの言い方がある（● p.171）。

Point 8.　動名詞は慣用表現として使うことが多い。

●動名詞は名詞に近い性質を持っていることを理解して利用する。
●動名詞と不定詞のどちらを目的語にとるか注意する。
●動名詞の意味上の主語が必要かどうかに注意。
●動名詞が慣用的に使われる構文を覚える。

112.	私はこのチームの一員だったことを誇りに思っています。	**I am proud of having been part of this team.** ＊〈be＋形容詞＋of〉の後に動名詞が続く。この文は，「～だったことを」となっているから，〈having been〉にすることを忘れないこと。I'm proud that I was [have been] part of this team. でもよい。
113.	彼は私が留学するようにと言ってきかなかった。	**He insisted on my [me] studying abroad.** ＊〈insist on ～ing〉の on を忘れないこと。my と me では，my のほうが正式だが，やや堅苦しく，me のほうがふつうはよく使われる。

114. 私は子供のころそのホテルに泊まったことを覚えている。

I remember staying at that hotel when I was a child.
＊〈remember＋to不定詞〉は、「忘れずに～する」の意味であり、〈remember＋～ing〉は、「～したことを覚えている」という意味なので、使い分ける。

115. 怒って叫んでも無駄だよ。

It is no use getting angry and shouting.
＊「～しても無駄である［しょうがない］」は、〈it is no use ～ing〉で表すことが多い。〈no use〉の代わりに〈no good〉や〈no help〉、〈useless〉でもよい。また、〈There is no use [no good] (in) ～ing〉という形もある。

116. ここでタバコを吸ってもよいですか。

Would you mind my [me] smoking here?
＊「～してもかまいませんか」は〈Would you mind my ～ing?〉で表す。この my を落とさないこと。my は目的格の me にしてもよい。Do you mind if I smoke here? とも言う。

117. 私は評論家から攻撃されることに慣れている。

I am used to being attacked by critics.
＊「よく～したものだ」は〈used to＋不定詞〉であり、「～することに慣れている」は〈be used to＋動名詞〉なので、混同しないこと。また、〈be used to＋動名詞〉の場合の to は前置詞であり、to不定詞の to と混同しないこと。

118. あなたのEメールを受け取るのを楽しみにしています。

I am looking forward to receiving your e-mail message.
＊「～を楽しみにしている」は〈be looking forward to ～〉で、この to も前置詞だから、次には名詞か動名詞がくる。

119. タバコの吸いすぎは健康によくない。

Smoking too much is bad for your health.
＊It is bad for your health to smoke too much. にしてもよいが、動名詞を主語にしたほうが簡潔な表現になる。

120. 歯医者に行く気はしない。

I don't feel like going to the dentist.
＊「～したい気がする」は〈feel like ～ing〉で表す。「～したい気がしない」という場合は、〈don't feel like ～ing〉の形で否定する。

Point 9. 仮定法を使う場合をよく研究する。

- ●If節の中に仮定法を使う形は決まっているので，まずこれを覚える。
- ●If節を使う場合，あり得る仮定か，あり得ない仮定かを見分ける。
- ●要求・提案・命令などの意を表す動詞に続くthat節中には，仮定法現在を使う。
- ●仮定法を用いる慣用構文を覚える。

121.	彼は弁護士を呼ぶように要求した。	**He demanded that his lawyer be called.** ＊「要求する」のdemandに続くthat節の中の動詞は，仮定法現在か〈should＋原形〉になる。ここでも，that his lawyer should be calledでもよい（◯p.98）。
122.	もし水がなかったら，木は緑ではないだろう。	**If there were no water, the trees would not be green.** ＊「もし水がなかったら」というのは，現在の事実に反する仮定だから，仮定法過去を用いて書く。Without waterあるいはBut for waterでもよい。
123.	1年中クリスマスだったらなあ。	**I wish it were Christmas all the time.** ＊あり得ない願望だから，〈I wish ...〉の構文で書く。 I **hope** (that) you feel better soon.（じきによくなられるとよいのですが）などの形で用いるhopeと区別すること。
124.	赤と黄色を混ぜれば，オレンジ色が得られる。	**If you mix red and yellow, you get orange.** ＊これは，ただ「こうすればこうなる」という，「時」に関係なくあり得る条件だから，直説法でよい。ifの代わりにwhenでもよい。また，you will get orangeとする必要もなく，getと現在形でよい。
125.	もし行ってくださるのでしたら，必要なものは何でも差し上げます。	**If you will go, I'll give you everything you need.** ＊これは，「もしあなたにその意志がおありなら」という感じなので，〈If you will ...〉とする。
126.	もし宝くじが当たったら，仕事を辞めますか。	**If you won the lottery, would you quit your job?** ＊宝くじに実際当たる可能性は極めて低いので，仮定法で書く。 仮定法過去は，「現在の事実に反する仮定」だけでなく，このように，現在や未来の(ありそうもない)ことの仮定にも使える。

127. もし今仕事中でなければ，君とマイアミビーチに行くのだが。

If I weren't at work now, I'd go to Miami Beach with you.
＊「今仕事中でなければ」というのは，明らかに今仕事をしているのだから，仮定法過去で書く。
weren't の代わりに wasn't でもよいが，くだけた感じになる。

128. インターネットが突然機能しなくなったら，惨憺たる結果になるかもしれない。

If the Internet were to suddenly stop functioning, the result could be catastrophic.
＊ここでは，インターネットが実際突然機能しなくなってしまう可能性が極めて低いというつもりで言っているので，If the Internet were to stop, ... と言うが，その可能性が十分高いというつもりであれば，If the Internet *stops*, ... と言う。

129. 万一あなたの小切手が不渡りになったらあなたは10ドルの手数料を取られる。

If your check should bounce, you will be charged a $10 fee.
＊「万一こういうことになったら」という場合には，If節の中に should を入れる形がよい。
このように，If節に should を用いた形では，帰結節中に，would でなく，**will** を用いることができる。

130. それがただの作り話ならなあ。

If only it were just a story!
＊「～でさえあればいいのに」の意味では，If only をよく用いる。その場合，be動詞は were にする。

131. もうそのことになんらかの手が打たれてもよいころだ。

It is (high) time something was done about it.
＊「もうそろそろ～してもよいころだ（それなのにまだしていない）」というニュアンスがあるときには，〈It is time ...＋仮定法過去〉の形を使う。主語に現在形で is を用いる場合には，were でなく was を用いることが多い。

132. 彼女は彼に以前会ったことがあるような気がした。

She felt as if she had seen him before.
＊〈as if ...〉は，「まるで…であるかのように」の意味。動詞は，非事実であるときには，述語動詞の時制に関係なく，その時点での話なら仮定法過去，それ以前のことであれば仮定法過去完了を用いる。
「彼は金持ちのようだ」のように「たぶん～だろう」と思っていれば，He looks as if he *is* rich. と直説法を用いるので区別する。

133.	もし私が君だったら，そんなことはしないね。	**If I were you, I would not do that.** ＊〈If I were you〉は，人に助言するときに使う決まり文句である。were を was にしないほうがよい。was だと，教養がないような印象を与えかねない。

Point 10.　疑問詞の使い分けに注意。

- 日本語の「どう」に How を使うか，What を使うかを考える。
- 疑問詞を選ぶときには，まずその答え方を考える。
- 「…をどう思いますか」型と「…が何だか知っていますか」型の語順の違いに注意する。
- 「どこ」だから Where? とは限らない。日本語に引きずられないようにする。

134.	仕事の進み具合はどうですか。	**How is your work coming along?** ＊これは文字どおり「どう？」だから How を使う。
135.	私たちの新しいウェブサイトのデザインをどう思いますか。	**What do you think of our new site design?** ＊think の文でこの What を How とする間違いが一番多い。ただし，feel の文であれば，同じ「～をどう思うか」を How do you feel about ...? と How を使って言う。
136.	春のモントリオールの天気はどんなものですか。	**What is the weather like in Montreal in the spring?** ＊「春の」と限定されているから，climate ではなく，weather がよい。「どんなものですか」は，〈What is the weather like ...?〉と like を使うのが適切。
137.	折り返しお電話するのは何時ごろがよろしいでしょうか。	**When would be a good time to call you back?** ＊What time でもよいが，会話ではこういうときには when を使うことが多い。
138.	いつからこの国の住民になっているのですか。	**Since when have you been a resident of this country?** ＊「いつから」は〈since when〉で表す。
139.	ここはどこですか。	**Where are we? / Where am I?** ＊Where is here? などとは言わないこと。
140.	その企画はあとどのくらいで始まるのですか。	**How soon will the project begin?** ＊「あとどのくらいで」は How soon ...? をよく用いる。これは決まった聞き方であり，覚えておくと便利。

141. シアトルでの生活はどうですか。

How do you like it in Seattle?
＊これも覚えておかないと、なかなか出てこない言い方である。it を忘れないこと。

142. 日本の首都はどこですか。

What is the capital of Japan?
＊where を用いないこと。

143. 私が昨日公園で見たものは何だと思いますか。

What do you think I saw in the park yesterday?
＊こういういわゆる間接疑問は、まずその答えに Yes / No が必要かどうかを考える。この場合は、必要ないから、疑問詞で始まる文にして、do you think を間に挟む。

144. 彼はどこであの本を手に入れたのかしら。

I wonder where he got that book.
＊「〜かしら」という文には I wonder を使うのが多い。疑問符(？)はつける必要はない。

Point 11. 適切な接続詞を選ぶ。

- and と but は日本語と必ずしも一致しないことに注意。
- 名詞節を導く that, whether などの使い分けに慣れる。
- 副詞節は意味をよく考えて接続詞を選ぶ。
- 相関接続詞を整理して覚える。

145. その本を読んでみたが、とてもユーモラスだった。

I read the book and found it very humorous.
＊「〜したが」と言っても、英語で考えると、「読んでみたら(その結果)〜だった」というのだから、but ではなく and を使う。

146. 彼はその木に登ろうとしたが失敗した。

He tried to climb the tree, but failed.
＊その木に登ろうとした結果「しかし失敗した」というのだから、これは but になる。

147. もう一度クリックすれば、詳細が表示されます。

One more click, and you'll get the details.
＊Click once more, and you'll get the details. や、If you click one more time, you'll get the details. などにしてもよい。

148. その音はだんだん大きくなった。

The noise grew louder and louder.
＊「だんだん〜になる」は〈比較級＋比較級〉で表せばよい。

149. 彼はだれをも好きにならないし，信用もしない。

He doesn't like nor trust anyone.
＊「AもBも〜ない」というときには，〈neither A nor B〉がふつうだが，前に neither でなく not を用いるときには，後ろは nor の代わりに or でもよい。この文の場合も，nor を or にしてもよい。

150. サケは淡水でも海水でも生きられる。

Salmon can live in both fresh and salt water.
＊and などの等位接続詞を使うときには，〈A and B〉のAとBを文法上対等なものにすることに注意。この場合は，fresh と salt でどちらも water にかかる形容詞。

151. 買いなさい，さもないと後悔しますよ。

Buy it, or you'll be sorry.
＊〈命令文＋or ...〉は「〜しなさい，さもないと…」の意味になる。

152. 私はこれをやる気はないし，それにとても疲れている。

I don't feel like doing this; besides, I am very tired.
＊「その上」は besides と s がつくのに注意。このように等位接続詞を使わずに besides などを用いるときには，セミコロンを置く（⊃ p.231）。

153. 彼が日本人であるということは問題ではない。

It doesn't matter that he is Japanese.
＊That he is Japanese doesn't matter. でもよいが，It 〜 that ... . の形のほうが多い。

154. 私はこの制限は厳しすぎると思う。

I think (that) this limitation is too restrictive.
＊会話の場合，that はふつう省略する。

155. 同封のお知らせがお役に立つとよいのですが。

I hope (that) you find the enclosed information to be useful.
＊hope に続く that 節中の動詞は，未来形にしないことが多い。

156. 2つの出来事が関係あるかどうかはわからない。

Whether the two incidents are related is unknown.
＊It is unknown whether ... . としてもよい。It is ... . の形なら whether の代わりに if を使えるが，上例のように文頭に出すと if は使えない。

157. 彼は，彼女がだれかに何が起きたかを話しはしないかと心配していた。

He worried (that) she might tell someone what had happened.
＊lest she (should) tell ... とも言えるが，文語調になる。

158.	私が立ち去ろうとしたとき，彼らはまた議論をし始めた。	I was about to leave when they started to argue again. ＊〈be about to 〜 when ...〉という語順に注意。
159.	私たちは雨が降り出す前にそこに着いた。	We got there before it started raining. ＊before で時の前後関係はわかるから，過去完了を用いなくてもよい。
160.	忘れないうちに今注文しなさい。	Order now before you forget. ＊「〜しないうちに」に引かれて，not を入れないこと。
161.	彼がノーベル平和賞を受賞してから10年になる。	Ten years have passed since he won the Nobel Peace Prize. ＊It has been ten years since he won the Nobel Peace Prize. としてもよい。
162.	家に着いたらすぐにそれをお送りします。	As soon as I get home, I'll send it to you. ＊「〜するとすぐに」は〈as soon as 〜〉を使うのが最もふつうで無難。
163.	彼はすごく忙しくて，朝はほとんど食事をする暇がない。	Since he is so busy, he doesn't have time to eat breakfast most mornings. ＊聞き手もわかっているだろうと思われる理由は，since や as を使って前に出すとよい。as より since のほうが多い。理由を特に新しい情報として意識しているときには，because を使って後に置くことが多い。
164.	容易に連絡が取れるように，私のEメールアドレスを教えておきましょう。	I'll give you my e-mail address so (that) you can easily contact me. ＊〈so that A can ...〉の that は省略することが多い。
165.	雨が降るかもしれないので，傘を持って行きます。	I'll take an umbrella in case it rains. ＊「〜する場合に備えて」の意味では in case を用いる。
166.	爆発はあまりにも小さくて，だれ一人気づきもしなかった。	The explosion was so small that no one even noticed it. ＊「あまり〜なので…」には〈so 〜 that ...〉の構文を用いる。
167.	このボックスをチェックしなければ先へ進めません。	Unless you check this box, you will not be allowed to proceed. ＊「〜しない限り」という意味があれば unless が使える。

168. たとえ時代遅れだとしても，それは役に立つ案内書だ。

It is a useful guide, even if it is somewhat out of date.
＊even を使わないただの if にもこうした用法があるが，even if とすることによって，「たとえ〜だとしても」の意味が強まる。guide だけで「案内書」の意味がある。

169. 中性紙でさえあれば，どんな紙でも結構です。

Any paper will do as long as it is acid free.
＊「〜である限り」は〈as long as〉を使うとよい。〈Any A will do.〉（どんなAでも結構です）という言い方を覚えておく。

Point 12. 関係詞の正しい使い方を身につける。

●まず先行詞を見定めてから，適切な関係詞を選ぶ。
●制限用法にするか，非制限用法にするかを決める。
●関係詞節内の動詞を適切な形にする。
●関係詞を省略できるかどうかを考える。

170. 出席したい学生はだれでも歓迎します。

Any student who [that] wants to attend is welcome.
＊any で書き始めて，who または that を用いる。節内の動詞は単数現在形。

171. 私の勤めていた会社が倒産した。

The company (which [that]) I worked for went bankrupt.
＊〈I work for ...〉の形の応用で，for which I worked の for を後ろに回した文である。which [that] を省略してもよい。

172. 太陽から4番目の惑星である火星は，「赤い惑星」と呼ばれる。

Mars, which is the 4th planet from the sun, is referred to as "the Red Planet."
＊1つ[1人]しか存在しないものは，さらに限定する必要がないので，コンマを打って，関係詞を非制限用法で使う。この文も，「太陽から4番目と何番目かにある火星のうちで，4番目にあるほうの火星」というのではなく，「火星は，太陽から4番目にある惑星であるが」というように，挿入的な感じで使われている。

173. 警察は3人の人間を逮捕したが，中の1人が誘拐者だと確認された。

The police arrested three people, one of whom was identified as the kidnapper.
＊〈one of whom〉のような形では，whom を who にすることはできない。

174.	一例として，これが私の利用しているシステムです。	**As an example, this is the system I use.** ＊the system which [that] I use だが，目的格の関係代名詞は省略することが多い。 for *example* (たとえば) の場合には a がつかないことに注意。
175.	ここに君が探しているファイルがある。	**Here are the files you are looking for.** ＊the files の次の関係代名詞の which または that は，前置詞の for の目的語になっている。このように，前置詞を文末に回して，関係代名詞は省略することが多い。
176.	これが彼が君について書いたものだ。	**This is what he wrote about you.** ＊「〜したもの」などという場合には what が適している。
177.	私が愚かだと思う人は，この1節を書いた人だけだ。	**The only person (who [that]) I think is stupid is the author of this passage.** ＊関係代名詞の直後に，〈I think〉などが挿入されると，その関係代名詞は主格でも省略できる。ここでは，who または that が省略されている。
178.	私が住んでいる所は海に近い。	**The place I live is close to the ocean.** ＊先行詞が (the) place のときだけ，関係副詞の where は省略できる。
179.	私はふだんこのようにして皿洗いをしています。	**This is the way (that) I usually wash dishes.** ＊〈the way how ...〉としないことがポイント。the way だけか，the way in which ならよい (⊙ p.281)。
180.	これを読む人はだれでもきっとびっくりするだろう。	**Whoever reads this will surely be surprised.** ＊「〜する人はだれでも」には whoever が適切。Anyone who reads ... . としてもよい。
181.	彼は自分が医者だというふりをしていたが，事実ではなかった。	**He represented himself as a medical doctor, which he was not.** ＊この文では，doctor は人ではなく職業を指しているから，which を使う。
182.	友情の人間に対する関係は，日光の花に対する関係と同じである。	**Friendship is to people what sunshine is to flowers.** ＊〈A is to B what C is to D〉という慣用形として覚えておく。

Point 13. 前置詞は意味を考えて使う。

- ●基本9前置詞 at, by, for, from, in, of, on, to, with の使い方をまず覚える。
- ●用法別に分けて，同じような意味の前置詞を比べ，その違いを理解する。
- ●前置詞句を置く位置に注意する。
- ●動詞や形容詞と前置詞の結びつきの重要なものを覚える。

183. 2人の魔術師が幕の後ろから現れた。

Two magicians appeared from behind the curtain.
＊「〜の後ろから」というと，前置詞が2つ必要になる。こういうときは，その2つを並べればよい。

184. 妻は海外からの最新のニュースを知らせてくれた。

My wife told me the latest news from abroad.
＊abroad は「海外に[へ]」という副詞として使われることもあるが，「海外から」という上の場合は名詞として使われているので，その前に from をつけてもよい。

185. 生命は海底で始まった。

Life began on the ocean floor.
＊begin の次の前置詞に注意。「海底で」ということなので，floor に on を用いればよい。

186. 日常生活で計算機は何のために使いますか。

What do you use a calculator for in your everyday life?
＊「何のために」は〈for what〉だが，疑問文では What ... for? の語順にするのがふつう。

187. 今度の週末はどのように過ごすのですか。

How do you plan to spend your time on the weekend?
＊《英》式に at the weekend としてもよい。

188. 国会は来月の今ごろ解散される。

Parliament will be dissolved about this time next month.
＊「来月の今ごろ」は，〈about this time next month〉で表す。

189. これからはもう本当のことしか言いません。

I'll tell only the truth from now on.
＊「これまでとは違ってこれからは」という意味に〈from now on〉を使う。

190. 月曜日からずっと雨が降っている。

It has been raining since Monday.
＊「〜以来ずっと…している」は，現在完了進行形にして，since を使う。

191.	ここ3年間というものボーナスが出ていない。	There have been no bonuses for the last three years. ＊このように「～の間」の意味を表すには，for を使い，その後に「間」の長さを表す語をつける。
192.	あと3時間で新しい年が来る。	The new year will come in three hours. ＊「今から～たったら」の意味には in が適切。after との違いについては本冊の前置詞を参照（⊙ p.302）。
193.	我々は定刻より20分遅れていた。	We were 20 minutes behind schedule. ＊「定刻より遅れて」は，慣用的に behind schedule と表す。
194.	スーパーマーケットは通りを挟んで，銀行のちょうど真向かいにあります。	The supermarket is just across the street from the bank. ＊「(通りの) 向かい側に」というとき，何の向かい側かを示すのには，from を用いる。
195.	私の脚ははしごの登り降りで疲れ切っていた。	My legs were exhausted from going up and down the ladder. ＊こういうときの原因には from が一番向いている。
196.	プラスチックは石油からできている。	Plastic is made from petroleum. ＊製品と原料の形がすっかり違っている場合には〈be made from ～〉が適切。
197.	私は自分の車を500ドルで売った。	I sold my car for 500 dollars. ＊「代価」は for を用いる。「1つごくらで」というような場合には at を用いる。
198.	あなたはこの計画に賛成ですか，反対ですか。	Are you for or against this plan? ＊「賛成」は for，「反対」は against。
199.	北アイルランドはすばらしい自然の美しさで有名です。	Northern Ireland is famous for its great natural beauty. ＊「～で有名である」は〈be famous for〉と，for を用いる。
200.	これらの札を硬貨に換えてもらえますか。	Can you change these bills into coins for me? ＊「AをBに換える」は，〈change A into B〉。

201. あなたのすばらしいご成功をお祝いいたします。

I congratulate you on your remarkable success.
＊congratulate A on B は決まり文句。
congratulations と複数形にして，「おめでとう」という意味の間投詞に使うことが多い。
Congratulations! （おめでとう！）

202. 彼女は，うそをついたのではないかと彼を非難した。

She accused him of lying.
＊〈accuse A of B〉は，類似の動詞 blame（責める）などが for をとるので，特に注意。

Point 14. 冠詞に注意しよう。

● 不定冠詞と定冠詞の違いをよく理解しておく。
● 英文を書いたら，冠詞のついていない名詞を再検討する。
● どういう場合に冠詞を省略できるかを知っておく。
●「総称」を表すときに使われる冠詞によく注意する。

203. これこそ私が探していた道具だ。

This is the tool I have been looking for.
＊「私が探していた」道具は「これ」以外にはないので，tool には the がつく。

204. 待っている間の暇つぶしに本を持ってきてもかまいません。

You can bring a book with you to kill time while waiting.
＊この「本」は，特にどの本と特定されていないから，不定冠詞の a がつく。

205. ラクダは人なつこい，よく働く利口な動物です。

A camel is a pleasant, hard working, intelligent animal.
＊ここでの「ラクダは」は総称だから，a camel でも the camel でも camels でもよい。camels と複数形にした場合は当然 is は are になり，animal は animals になる。

206. 5セント白銅貨があれば地下鉄に乗れます。

A nickel will get you on the subway.
＊「5セント白銅貨」は通称 nickel と言う。ここでは，不特定の一個を示しているので，a がつく。nickel が「ニッケル」という物質を表す場合は，不可算名詞として使われるので，a はつかない。

207. ここは寒いですね。窓を閉めてください。

It is cold in here. Please shut the window.
＊この「窓」は話し手にも聞き手にもわかっている，決まった窓なので the をつける。

208. さっき飲んだお茶のせいでまだ眠れない。

I am still unable to sleep because of the tea I drank earlier.
*「お茶」は「さっき飲んだ」と特定されているから the をつける。

209. テーブルをふきなさい。

Please wipe the tables.
*ふくテーブルが決まったものであれば, the をつける。

210. リンカーンは世にもまれな勇敢な男だった。

Mr. Lincoln was as brave a man as ever lived.
*〈as＋形容詞＋a [an]＋名詞〉の形では, a の位置に注意する (○p.375)。

Point 15.　名詞の数に注意。

- 名詞を書くときには,「可算名詞」か「不可算名詞」かをまず考える。
- 抽象名詞でも前に形容詞がついていると, a がつくことも多いので注意する。
- 名詞は意味上その種類が変わることがあるから, 文脈から意味を考える。
- 形は常に複数形の名詞があり, その単複扱いに注意する。

211. 枕元に明かりを置いていますか。

Do you have a light by your bed?
*この場合の light は, 不特定の「明かり」の意味なので, 不定冠詞の a をつける。

212. 英国人は誇り高い国民である。

The British are a proud people.
*「英国人」は the British で表し, 複数扱いをする。ここでは「国民」の意味の people には a がつく。

213. 家族はイギリス社会の基本的単位である。

The family is the fundamental unit of British society.
*ここでは「家族」の family は1つのまとまった集合体と見ているから, 単数扱いになる。

214. イラクには開発できる石油がたくさんある。

Iraq has a lot of oil to develop.
*「たくさんの」という場合, a lot of は数にも量にも使える。

215. わずかばかりの知識はかえって危険である。

A little knowledge is a dangerous thing.
*knowledge の代わりに learning でもよい。このように抽象名詞でも量や程度の多少を示すことがある (○p.338)。

216.	キムさんという方からお電話です。	**You have a phone call from a Mr. Kim.** ＊「～という人」の意味で，固有名詞に a をつける場合がある。
217.	私の近所の家はみな犬を飼っている。	**All my neighbors have dogs.** ＊主語が複数で，各自が1つずつ持っているという場合には，その目的語は複数にしてもよい。 ただ，各自が1つずつということを特に明示したいときには，Each of my neighbors has a dog. などのように，単数形にする。
218.	私の眼鏡はどこだ？	**Where are my glasses?** ＊「眼鏡」は，レンズが2つで1組なのでいつも複数扱いをする（◯ p.350）。
219.	あなたと席を替わりたいのですが。	**I would like to change seats with you.** ＊席を替わるということは，席が2つあることになるから複数にする。
220.	このくらいの大きさの箱を持ってきてくれ。	**Bring me a box about this size.** ＊大きさや年齢，色，形を表すときには，前置詞 of（ここでは box の後ろ）はふつう省く。
221.	疲れたと感じたらすぐに少し休んでください。	**Take a short rest as soon as you feel tired.** ＊〈take a rest〉，〈have a swim〉のような形の慣用表現がたくさんあり，覚えておくと便利。
222.	我々はその男の無罪を信じている。	**We believe in the man's innocence.** ＊「AのB」の表し方はたくさんある。the man's innocence は「その男が無罪であること」の意味。

Point 16. 日本語とはだいぶ違う代名詞の使い方。

●英文を書くときには，和文には表れていない代名詞も考える。
●it のさまざまな用法をマスターする。
●不定代名詞の用法は特に大切なので，十分に理解すること。
●both, all, each その他を受ける数をよく覚えておくこと。

223.	十分暗くなれば，星が見えてくる。	**When it is dark enough, you can see the stars.** ＊天候・時間・距離などを示すときに使う it。

224. さあ，君の番だ。頑張ってね。

It is your turn now. Good luck!
＊「～の番だ」というときには，It is my [your, his, her, our, their] turn. のように言う。Good luck. は「うまくいくよう幸運を祈る」という意味。

225. 彼は私たちのこの新しい計画のことを君に話さなかった？

Didn't he tell you about this new plan of ours?
＊「私たちの」と「この」が並んでいるから，this new plan of ours という形にする。〈a friend of mine〉と同じ形である。

226. 彼が最初に示した反応は恐怖の反応だった。

His first reaction was one of fear.
＊「恐怖の反応」とはいってもいろいろあるから，one of fear とする。

227. 合衆国のガソリン税はヨーロッパよりもかなり低い。

Gasoline taxes in the United States are substantially lower than those in Europe.
＊合衆国のガソリン税（gasoline taxes）と比較しているのは，ヨーロッパではなく，ヨーロッパの「ガソリン税」なので，those in が必要。

228. 原文はかなりくだけているが，この翻訳もそうだ。

The original is quite informal, and so is this translation.
＊「～もそうである」というときは，〈so＋be動詞＋主語〉の語順になる。

229. 傘をなくしてしまった。新しいのを買わなければ。

I've lost my umbrella. I have to buy a new one.
＊これから買う傘は不特定のものなので，the ではなく a を使って，〈a new one〉とする。

230. 「ロンドンではミュージカルを見ましたか」「はい，いくつか見ました」

"Did you see any musicals in London?" "Yes, I saw some."
＊複数のミュージカルを見たので，Yes, I saw one. でなく，Yes, I saw some. にする。

231. 「犬はお好きですか」「はい，とても好きです」

"Do you like dogs?" "Yes, I like them very much."
＊Do you like *a dog*? とはふつう言わない。犬について一般的に尋ねているので，冠詞をつけず，複数形にする。

232. 赤ワインは肉料理によく合い，白ワインは魚料理にぴったりです。

Red wine goes well with meat dishes, and white is perfect with fish.
＊ここでは「ワイン」は不可算名詞として使われているので，「白ワイン」を a white one などとは言わない。

Point 17.　話法の転換は一種の英作文。

- ●話法を転換するときには，時制の一致によく注意する。
- ●話法の転換に伴う代名詞や副詞の変化について知っておく。
- ●話法の転換は，機械的にするのではなく，文脈をよく考えてする。
- ●話法の転換は，それ自体一種の英作文の練習のつもりでやってみること。

233. 彼女は彼が以前はかなり金持ちだったと思っている。

She thinks that he used to be quite rich.
＊主節の動詞の時制が現在ならば，時制の一致は考えなくてよい。「以前は～だった」は，used to を使えばよい。

234. 彼はきっと君のせいだったと言うだろう。

He will probably say that it was your fault.
＊主節の動詞の時制が未来のときも，時制の一致は考えなくてよい。

235. 彼は展覧会は先週終わったと言った。

He said that the exhibition had finished the previous week.
＊had finished はただ finished としてもよい。
こういう場合は，「彼が言った時」が問題で，ついさっき言ったというなら，the exhibition finished last week. になる。

236. 彼は，会議は金曜日まで延期しようと提案した。

He proposed that we postpone the meeting until Friday.
＊He said, "Let's postpone the meeting until Friday." を間接話法にしたもの。動詞は suggested でもよい。propose という動詞のため，postpone が原形になっていることに注意（◯ p.98 **43C(2)**①）。

237. 彼は，私が犬を飼っていれば人生がもっと楽しいだろうにと言った。

He said that if I kept a dog I would probably enjoy life more.
＊仮定法は，時制の一致をさせずにそのまま使う。
この文は，直接話法で書けば，He said to me, "If you *kept* a dog, you *would* probably enjoy life more." となる。つまり，実際には犬を飼う予定はないのだが，「もし飼ったらもっと楽しい生活ができるのに」という**仮定法**である。このような文を間接話法に直すときには，仮定法過去はあくまでもそのままにしておくべきである。

238. 彼女は自分には何ができるのかを彼に尋ねた。

She asked him what she could do.
＊このような和文を英文に訳すとき，まず She asked him, "What can I do?" という直接話法の形を作り，それを間接話法にしてみるのも一法である。

239. 私の医者は私に，帰りたいときにはいつでも帰っていいと言った。

My doctor told me that I could go home anytime I wanted to.
＊told me that ... を told that のように me を抜かすと英文にならない。

240. 私は彼になるべく早く返事を出してくれるように頼んだ。

I asked him to reply as soon as possible.
＊「～してくれと頼む」というときには，〈ask A to ～〉が一番ふつう。

241. その医者は，彼女に怖いのかと尋ねた。

The doctor asked her if she was frightened.
＊Yes か No で答えられる質問で「～かと尋ねる」というときには，〈ask A if ...〉の形にすればよい。

242. 彼がありがとうと言ってくれることはめったにない。

He hardly ever says thank you.
＊「ありがとう」などは，thank you のまま使う。hardly ever は，この場合は seldom や rarely でもよい。

243. その警官は前の日にそこで容疑者を見かけたと言った。

The police officer said that he had seen the suspect there the day before.
＊「前の日」は the day before か，the previous day と言うのが一番多い。

244. その薬剤師は彼に，錠剤と顆粒とどちらがいいかと尋ねた。

The druggist asked him which he preferred, pills or granules.
＊〈Which ..., A or B〉の形は，このようにそのままの形で間接話法に or を使って書き換えられる。

245. 彼女はその音楽はなんてすてきなのでしょうと言った。

She exclaimed how wonderful that music was.
＊感嘆文は，伝達動詞に exclaim や cry などを使えばよい。

246. 彼は私に，注意しないと氷の上で滑って転ぶよと言った。

He told me that if I didn't take care I would slip on the ice.
＊複文の場合は，全部通して時制が一致することに注意。

Point 18. 形容詞と副詞の使い方を整理しておく。

●分詞から派生した形容詞の使い方を実例で再学習する。
●限定用法と叙述用法をマスターする。
●形容詞と to 不定詞, that 節との結びつきを整理する。
●many・much の用法や, 数詞の使い方には落とし穴があるので注意する。

247. 作動している印刷機は, 大きな音を立てる。

A running printing press makes a lot of noise.
＊機械の作動は run や operate で表現することが多い。

248. 日本の労働人口は減少しつつある。

The working population of Japan is in decline.
＊「労働人口」は working population と言う。

249. 興奮している観衆は地元チームを応援した。

The excited crowd cheered for the home team.
＊「興奮している」は excited と過去分詞形を使う。

250. この陳述を本当だと思いますか, それともうそだと思いますか。

Do you consider this statement true or false?
＊statement の次に to be を入れてもよい。また, Do you think that this statement is true or false? のように that 節を用いてもよい。

251. 突然, 酔った男が私の方にやってきた。

Suddenly a drunken man came up to me.
＊「酔った男」は a drunken man で表す。

252. 訪ねてみる価値が最もあるのはどの島ですか。

Which island is most worth visiting?
＊worth は形容詞だということに注意。

253. 現状は極めて深刻である。

The present situation is very serious.
＊「現状」や,「現在形」などの「現」を表すには, present を使うことが多い。

254. 今日手に入る資料は, どれも明日でも手に入る。

Any material available today will also be available tomorrow.
＊available のような語の使い方は, こういう実例で慣れておくのがよい。

255. 信頼できる資料をインターネットで入手することが可能である。

It is possible to get reliable data on the Internet.
＊impossible と違って, possible は, Reliable data is possible to get on the Internet. とは言えないので注意。

256. 失業者の数は増える可能性が高い。

The number of unemployed is likely to rise.
＊It is likely that ... will rise. でもよいが, 上の形のほうが率直で書きやすい。

257. 世界がもっと多くの森林を必要としていることは明らかだ。

It is apparent that the world needs more forests.
＊このような場合は, It is ... . の形がふつう。

258. このシステムは少なくとも30日に1回は再調査する必要がある。

It is necessary that this system be reviewed at least once every 30 days.
＊これも It is necessary ... . のほうが間違えなく書ける。ただし, 動詞(be)を仮定法現在にするか, should be にするのがふつう。

259. 米国に旅行するお金がない。

I have no money to make a trip to the US.
＊no の次の名詞は, 可算名詞の場合, 1つある［1人いる］のがふつうなようなら単数形にし, 複数個ある［いる］のがふつうなら複数形にする。また, 不可算名詞ならどのような場合でも当然単数形にする。

260. こんなにたくさんのチョウを見たのは生まれて初めてだ。

I have never seen so many butterflies in all my life.
＊so many butterflies という使い方に注意。

261. 無意味な仕事に浪費されている時間が多い。

Much time is being wasted on meaningless tasks.
＊「多くの時間」を主語にし, 次に「多くの」にどの英語が適切かを考える。この場合は不可算名詞の time なので, many ではなく, much になる。

262. 最近湾内で観察されているクジラは非常に数少ない。

Very few whales have been observed in the bay lately.
＊「非常に数少ない」というように, 否定の意味が濃いときには, few には a をつけない。

263.	この件に関しては，もう十分論議がなされている。	**Enough has been argued on this subject.** ＊enough を主語にして文が作れることに慣れる。
264.	水は摂氏0度で凍る。	**Water freezes at zero degrees Celsius.** ＊zero degrees（摂氏0度）のように，zero が可算名詞を修飾する場合，その名詞は複数形になる。

Point 19.　比較表現には決まった型がある。

- ●形容詞・副詞の比較変化を覚える。
- ●原級，比較級，最上級の基本的な形をマスターする。
- ●比較級にはいろいろな形があるので，省略部分も含めて整理する。
- ●比較級や最上級を用いた慣用構文を覚える。

265.	携帯電話は地上ケーブルの電話ほど当てにはならない。	**Mobile phones are not as reliable as landline phones.** ＊「〜ほど…ではない」には，〈not as ... as 〜〉を用いる。
266.	そのスクリーンは，縦横同じ長さだ。	**The screen is as tall as it is wide.** ＊同一物についての比較の仕方に慣れること。
267.	この窓は幅よりは縦が長い。	**This window is more tall than wide.** ＊than 以下の「主語＋be動詞」を省略しなければ，This window is taller than it is wide. とする。上の文のように省略する場合には，tall のような1音節語でも more を用いるのがポイント。
268.	彼は私よりも背が高い。	**He is taller than I [me].** ＊than 以下は，than I am でもよいし，than I でもよいが，than I am tall とは言わない。than me のように，than を前置詞として使ってもよい。
269.	人間の脳はチンパンジーの脳よりも大きい。	**The human brain is larger than that of the chimpanzee.** ＊比較する対象が同じになるように，that [those] of を用いる。
270.	2つのうちでよいほうを選びなさい。	**Choose the better of the two.** ＊決まった「2つ」のものの中で，どちらがよいかを比較する場合には，よいほうはどちらか1つに決まってしまうので，比較級でも **the** をつける。 この場合，意味上では最上級でもよいわけだが，the best とはふつう言わず，特に書き言葉では使わないほうが無難。

271.	道路には車よりずっと多くの馬がいた。	**There were many more horses on the streets than cars.** ＊「ずっと多くの～」というとき，数を表す場合には much more ではなく，many more を用いる。量なら much more になる。
272.	金星が一番明るく見えるのは日没直後である。	**Venus appears brightest just after sunset.** ＊同一物の性状の比較には，形容詞に the はつけないことが多い。
273.	ウラニウムは鉛より体積密度が2倍高い。	**Uranium is twice as dense as lead.** ＊「2倍」という意味で twice を使うときは，〈twice as ... as〉のみだが，two times を使う場合には〈two times as ... as〉と〈two times ～er than ...〉のどちらでもよい。
274.	ここで待っているよりは家に帰ったほうがましだ。	**We might as well go home as wait here.** ＊「…するくらいなら～したほうがましだ」の意味には，〈might as well ～ (as ...)〉構文を用いる。
275.	返済を先に延ばせば延ばすほど，利息は多くたまっていく。	**The longer you put off repayment, the more the interest will accrue.** ＊「～すればするほど…」には，〈the＋比較級, the＋比較級〉を用いる。
276.	彼女は，私と同様，決して天才ではない。	**She is no more a genius than I.** ＊〈no more ～ than ...〉構文は，両方を否定する形であることを覚えておく。
277.	事実は小説に劣らず不思議なものである。	**Truth is no less strange than fiction.** ＊〈no less ～ than ...〉は，両方肯定になる。
278.	ダラスは私にとって，一番住みたくない都市だ。	**Dallas is the last city (that) I would want to live in.** ＊〈the last A that ...〉は，「最も…しそうにないA」という意味も表す。
279.	カナダはロシア連邦に次いで，世界で2番目に広い国である。	**Canada is, after the Russian Federation, the second largest country in the world.** ＊「何番目に～な」は，〈the second [third, ...]＋最上級〉で表す。

Point 20. 何をどう否定するかを理解する。

- ●否定語句とその強さや特徴を理解する。
- ●否定語を文のどこに置けばよいかを実例で会得する。
- ●否定の及ぶ範囲を理解する。
- ●部分否定をマスターする。

280. 私は平日には自分の車をめったに使いません。

I rarely use my car on weekdays.
＊rarely は seldom でも同じ。こういう否定語は，動詞の直前に置くことが多いが，Rarely do I use my car on weekdays. のように，文頭に置き，主語と動詞を倒置した形で頻度の低さを強調することもある。

281. この金属は熱の影響をほとんど受けない。

This metal is little affected by heat.
＊little のこのような使い方に慣れておくこと。
Little did I know ... . のように，否定の意の little を文頭に出すと，「夢にも思わなかった」という強い否定になるので注意。

282. 今日彼女は来られないと思う。

I don't think she will be able to come today.
＊「〜ではないと思う」という場合は，I don't think ... . のように，think を否定する（→ p.531）。

283. それが本当でなければいいが。

I hope that is not true.
＊hope を don't hope にすると，「〜を望みはしない」ということになる。

284. だれも未来を予言することはできない。

No one can predict the future.
＊No one を主語にする文が多い。Anyone cannot predict the future. という言い方はない。

285. ここのコンピューターの全部がインターネットに接続されているわけではない。

Not all of these computers are connected to the Internet.
＊否定の及ぶ範囲は，否定語から後ろになるから，all を not の後ろに置けば，必ず部分否定になる。

286. 怖いものがない人はいない。

No one has nothing to be afraid of.
＊二重否定をうまく使うと，簡潔な文ができる。

287. この決定の影響はまだ感じられていない。

The effect of this decision has yet to be felt.
＊〈have yet to〉，〈be yet to〉は「まだ〜していない」の意味を表す。

288. 北極圏の冬では，太陽はいっさい昇ってこない。

During the Arctic winter, the sun never rises.
＊「どんな場合でも［いつになっても］決して〜ない」という，この例文のような場合には never が適切である。

289. 週末が嫌いだなんていう人がいるだろうか。

Who doesn't like weekends?
＊典型的な修辞疑問である。

290. 例外のない規則はない。

There is no rule without some exception.

Point 21.　時制の一致の適用範囲を知る。

●時制の一致のルールをまず学ぶ。
●実際にはこのルールが必ずしも守られていないことを正しく理解する。
●話者［筆者］が特に現在もそうであることを強調したいときに現在形を使う。
●時制の一致も文脈次第であることを知る。

291. 彼女は弁護士と結婚していたと言った。

She said that she had been married to a lawyer.
＊She says that she was married to a lawyer. という文は，彼女は今は結婚していないと言っていることになる。この says を said と過去形にした場合，was をそのままにしておくと，その時点で，彼女は弁護士と結婚しているということになり，正しい訳ではなくなる。時制の一致が絶対に必要な場合の例である（◯p.510）。

292. 彼は今度は絶対に遅れないと言った。

He said that he would definitely not be late next time.
＊過去のある時から見た未来のことであるから，助動詞の will も would と過去形にすればよい。
また，ここでは「今度」を next time と，慣用的に the をつけずに表現しているのだが，the next time と定冠詞をつけてもよい。「絶対に」を表す副詞としては，definitely 以外に absolutely を使っても自然な表現になる。

293. 私は警察に自分は英国人だと言った。

I told the police I was British.
＊よく『時制の一致の例外』などといって覚えているが，仮定法は変化せず，歴史上の事実は常に過去形という以外にはあまり意味がない。要は，話し手が自分の伝えようとしていることの一部が，不変の真理であるとか，今でもそうであるということを強調したいときに，現在形のままにしておいて目立たせるというだけの話なのである。だから，話し手に特にそういう意図がなければ，国籍なども過去に一致させるのがふつうである（◯p.513）。

Point 22. 主語と動詞や代名詞との一致を確認する。

- ●主語と動詞の数の一致をマスターする。
- ●名詞を示す代名詞の数に注意する。
- ●不定代名詞を受ける数に注意する。
- ●部分を表す語句が主語になった場合に，どの語と一致するかに注意する。

294. ニューヨークタイムズ紙は90以上のピュリッツァー賞を受賞してきている。

The New York Times has received more than 90 Pulitzer Prizes.
＊複数形の国名や新聞・雑誌名は単数で受ける。

295. 商品が着くのが遅れたらどうすればいいのでしょうか。

What should I do if the goods are delivered late?
＊goods のように，形が常に複数形の名詞は，単数で受けるか，複数で受けるかに注意。goods は複数（⊃ p.350）。

296. その地域の大半は草原である。

Most of the area is grassland.
＊most [some] of A の場合は，原則としてAに一致する。

297. そのプロジェクトを完成させるには，5年という期間は短すぎる。

Five years is too short a time to complete the project.
＊時間・距離・金額などを1つのまとまりと考えたら単数で受ける。ここでは，5年というのを1つの期間として扱っている。

298. その離れ家では，喫煙もペットの持ち込みも許されない。

Neither smoking nor pets are permitted in the cabins.
＊〈A or B〉, 〈either A or B〉, 〈neither A nor B〉では，原則として，動詞に近いほうの名詞に一致させる。

299. だれでも自分の意見を述べる権利がある。

Everybody has the right to state their opinions.
＊everybody が主語のとき，これを受ける代名詞は，この文なら正式には his or her だが，くだけた言い方では their でもよいことを理解する。

300. この言葉は，私の人生の指針なのです。

These words are my guide in life.
＊この順を逆にすると，My guide in life is these words. となる。つまり，述語動詞の数を決めるのはあくまでも主語であって，補語に一致する必要はないのである。